J. RIZZI

DER BROCKHAUS IN FÜNFZEHN BÄNDEN

DER BROCKHAUS

in fünfzehn Bänden

Sechster Band

Gu – Ir

F.A. BROCKHAUS
Leipzig · Mannheim

Redaktionelle Leitung: Marianne Strzysch, Dr. Joachim Weiß

In Band 15 ist die Redaktion vollständig genannt.

Einbandgestaltung: James Rizzi

Einbandtypographie: Jürgen Sauerhöfer

Herstellung: Günter Schwab

Typographische Konzeption: Norbert Wessel

Satz: Bibliographisches Institut & F. A. Brockhaus AG
(PageOne Siemens Nixdorf)
und Mannheimer Morgen Großdruckerei
und Verlag GmbH

Druck: Neue Stalling GmbH, Oldenburg

Bindearbeit: Großbuchbinderei Lachenmaier, Reutlingen

Papier: 120 g/m² holzfrei, mattgestrichen, chlorfrei
der Papierfabrik Aconda Paper S. A., Spanien

Die Deutsche Bibliothek – CIP-Einheitsaufnahme
Der **Brockhaus**: in 15 Bänden /
[red. Leitung: Marianne Strzysch; Joachim Weiß]. –
Leipzig; Mannheim: Brockhaus.
Bd. 6. Gu – Ir. – 1999
ISBN 3-7653-2356-x

ISBN für das Gesamtwerk 3-7653-2350-0
Band 6: 3-7653-2356-x

Printed in Germany

Gu

Guadalajara [guaðala'xara], **1)** Provinz-Hptst. in Kastilien-La Mancha, Spanien, 50 km nordöstlich von Madrid, am linken Ufer des Henares, 63600 Ew.; Bibliothek (Handschriftensammlung). – Unter den Kirchen, Klöstern und Palästen ragt der spätgotisch-mudéjare Palacio del Infantado (1461–1570) heraus. – Die Blütezeit G.s begann als arab. Neugründung; 1081 Rückeroberung durch die kastil. Könige; ab 1441 bis ins 17. Jh. Residenz der Herzöge del Infantado.

2) Provinz in Spanien, in Kastilien-La Mancha, 12190 km^2, (1991) 145600 Einwohner.

3) Hptst. des Staates Jalisco, Mexico, im westl. Hochland von Mexico, zwischen Sierra Madre Occidental und Cordillera Volcánica, 1590 m ü. M., 2,87 Mio. Ew.; Erzbischofssitz; zwei Univ., Museen, Theater, Zoo; Handels- und Industriezentrum mit chem., Glas-, Papier-, Leder-, Textilind., Herstellung von Silberschmuck und -tafelgeschirr; Zentrum der mexikan. Folklore; Flughafen. – Kathedrale (zw. 1558 und 1616). – G. wurde 1531 gegründet.

Guadalcanal [gwɔdlkə'næl], größte der Salomoninseln im westl. Pazif. Ozean, 6475 km^2, rd. 80000 Ew.; Hauptort ist Honiara. Die gebirgige (bis 2447 m ü. M.) und bewaldete Insel ist vulkan. Ursprungs. Im 2. Weltkrieg (Pazifikkrieg) war G. Schauplatz schwerer See- und See-Luft-Schlachten zw. den USA und Japan.

Guadalquivir [guaðalki'βir] *der,* Fluss in Südspanien, 657 km lang, entspringt im Andalus. Bergland, durchbricht die Sierra Morena, durchfließt, von Córdoba an schiffbar, das Tiefland von Niederandalusien und mündet in den Golf von Cádiz. Das Wasser des G. wird in großem Umfang zur Bewässerung genutzt.

Guadalupe [guaða'lupe], Stadt in der Extremadura, Spanien, Prov. Cáceres, in maler. Lage über dem gleichnamigen Fluss, 3000 Einwohner; G. ist der wichtigste Marien-Wallfahrtsort Spaniens. – Das 1340 gegr. burgartige Kloster Nuestra Señora de G. mit einem zweistöckigen Kreuzgang (1406) im Mudéjarstil entwickelte sich bald zum reichsten Kloster Spaniens (seit 1908 Franziskanerkloster); Museen. BILD Spanien

Guadalupe Hidalgo [guaða'lupe i'ðalɣɔ], mexikan. Wallfahrtsort im Distrito Federal, im Vorortbereich der Stadt Mexiko. – Die Wallfahrtskirche Nuestra Señora de Guadalupe (1709, mit wundertätigem Marienbild) musste nach Senkung des Untergrunds geschlossen werden (heute Museum), ein Neubau wurde 1977 eingeweiht. – Der **Frieden von G. H.** beendete 1848 den Krieg zw. Mexiko und den USA um Texas.

Guadarrama, Sierra de, östl. Teil des Kastil. Scheidegebirges in Zentralspanien, erreicht im Pico de Peñalara 2430 m ü. M.

Guadeloupe, La [-gwad'lup], Inselgruppe der nördl. Kleinen Antillen, frz. Übersee-Dép., 1705 km^2, (1994) 425400 Ew., Hptst. ist Basse-Terre. Die Hauptinsel G. mit 1513 km^2, eine Doppelinsel, besteht aus der gebirgigen, bewaldeten Insel Basse-Terre (mit dem Vulkan Soufrière, 1467 m ü. M.) im W und der flachen, waldlosen Insel Grande-Terre im O, die durch den Meeresarm Rivière Salée getrennt sind. Zu G. gehören außerdem die Inseln Marie-Galante, Îles des Saintes, Îles de la Petite Terre, La Désirade, Saint-Barthélemy und der N-Teil von Saint-Martin. Die Bev. ist überwiegend afrikan. Abstammung und lebt vom Anbau und der Verarbeitung von Zuckerrohr; auch Bananen- und Gemüseanbau; Fremdenverkehr. Haupthafen und internat. Flughafen: Pointe-à-Pitre. – G. wurde 1493 von Kolumbus entdeckt, 1674 wurde G. frz. Kolonie, die von Martinique aus verwaltet wurde, seit 1946 Übersee-Département.

Guadiana [guaði'ana] *der,* Fluss in Spanien und in Portugal, 778 km, entspringt mit mehreren Quellflüssen in der Sierra de Cuenca, durchfließt Neukastilien und die Extremadura, bildet im Unterlauf z. T. die spanisch-portugies. Grenze, mündet in den Golf von Cádiz; im Mittellauf große Stauseen für die Bewässerung.

Guadix [gua'ðiks], Stadt in Andalusien, Prov. Granada, Spanien, 964 m ü. M. in einem Hochbecken, 19800 Ew.; Bischofssitz; Alfagrasindustrie,

Guadix: Das Stadtviertel Barrio de Santiago besteht aus Höhlenwohnungen, die in die weichen Sedimentgesteine am Nordrand der Sierra Nevada gegraben wurden

Nahrungsmittelverarbeitung. – Reste der arab. Stadtmauer, Burg aus der Maurenzeit mit wuchtigen Türmen, Kathedrale (1510–1796) auf dem Unterbau der ehem. Hauptmoschee. Das Stadtviertel Barrio de Santiago besteht aus Höhlenwohnungen, die von Zigeunern (Gitanos) bewohnt werden.

Guajakbaum: Zweig mit Blüten

Guajakbaum (Guaiacum), tropisch-amerikan. Gattung der Jochblattgewächse. Zwei Arten liefern hartes, schweres, stark harzhaltiges **Guajak-** oder **Pockholz.**

Guajakol [Kw. aus Guajak und Alkohol] *das* (2-Methoxyphenol), gewürzartig riechende Verbindung, die in Guajakharz und äther. Ölen enthalten ist. G. wird als Zwischenprodukt für die Synthese von Riechstoffen sowie als Hustenmittel verwendet.

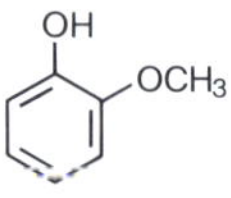

Guajakol

Guajiro [-'xiro], Indianerstamm, → Goajiro.

Guam [engl. gwɔm], größte und südlichste Insel der Marianen, im westl. Pazif. Ozean, nicht inkorporiertes Territorium der USA mit Selbstverwaltung, 541 km², (1992) 140 200 Ew.; Hptst. ist Agaña. Haupterzeugnisse sind Mais, Bataten, Taro, Maniok, Bananen, Ananas; Erdölraffinerie, Zementfabrik, Textil- und Kunststoffind.; Fremdenverkehr. – 1521 von F. de Magalhães entdeckt, 1898 von Spanien den USA abgetreten, 1941–44 von Japan besetzt; seit 1944 Militärbasis der USA.

Guanabarabucht (Baía de Guanabara), vom Zuckerhut u. ä. Glockenbergen flankierte Bucht von Rio de Janeiro, Brasilien, etwa 400 km²; Naturhafen; seit 1974 durch eine Brücke (13,9 km lang) überspannt.

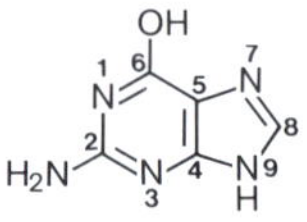

Guanin

Guanahani [gwɔ:nə'hɑ:nɪ], früherer Name für die Insel → San Salvador.

Guanajuato [guana'xuato], **1)** Staat im Hochland der Rep. → Mexiko.

2) Hptst. von 1), im S der Sierra Madre Occidental, 2 080 m ü. M., 49 000 Ew.; Univ.; Zentrum eines Agrar- und Bergbaugebietes. – Das malerische kolonialzeitl. Stadtbild mit zahlr. Barockbauten und die alten Bergwerksanlagen wurden von der UNESCO zum Weltkulturerbe erklärt. – 1548 gegr., bald bed. Silberbergbauzentrum.

Guanako [span.] *das,* → Kamele.

Guanamine, zykl. organ. Verbindungen; G. und ihre Derivate haben Bedeutung für die Herstellung von **G.-Harzen,** die für Klebstoffe und Formmassen verwendet werden.

Guanchen [-tʃ-] (Guantschen), die Urbewohner der Kanar. Inseln, seit der span. Eroberung (15. Jh.; damals 25 000 bis 30 000 Menschen) im Eroberervolk aufgegangen. Die hellhäutigen G. verkörperten eine Vorstufe der heutigen Berberkultur mit Resten von Grabstockbau.

Guangdong [guaŋdʊŋ] (Kwangtung), Provinz in SO-China, am Südchines. Meer, 178 000 km², (1994) 66,9 Mio. Ew., Hptst. Kanton. Durch Gebirge vom Jangtsekiangtal abgeschirmtes Bergland mit Ebenen im Mündungsgebiet des Sinkiang; umfasst auch die Halbinsel Leizhou. Aufgrund des subtrop. bis trop. Klimas ist G. ein bed. Produzent von Zuckerrohr, Reis, Zitrusfrüchten, Bananen, Ananas, Tee, Tabak und Erdnüssen; Seidenraupenzucht; Fischerei. Abbau von Ölschiefer, Wolframerz, Kohle, Eisenerzen; Seesalzgewinnung; Nahrungsmittelind., Metallverarbeitung, Maschinenbau, Düngemittelerzeugung. An der Küste die Wirtschaftssondergebiete Shenzhen, Zhuhai und Shantou für Auslandsinvestitionen.

Guangxi Zhuang [guaŋçi dʒ-] (Kwangsi Tschuang), autonome Region in S-China, grenzt an Vietnam, 236 000 km², (1994) 44,9 Mio. Ew., Hptst. ist Nanning; im Einzugsgebiet des oberen Sikiang liegendes Bergland, das nach S zur Küstenebene am Golf von Tonking abfällt. Das subtrop. Monsunklima erlaubt v. a. im S den Anbau von Reis und Zuckerrohr; im waldreichen N Gewinnung von Sandelholz und Kork; Abbau von Zinnerz, Kohle und Manganerz; Verarbeitung landwirtsch. Produkte, Maschinenbau, chem., Zement- und Elektronikindustrie. – 1958 gegründet.

Guangzhou [-dʒɔʊ], Stadt in China, → Kanton.

Guanidin *das* (Iminoharnstoff), unbeständige kristalline, stark bas. Verbindung. **G.-Salze** werden vorwiegend aus Dicyanamid und Ammoniumsalzen hergestellt. G. und seine Derivate haben Bedeutung als Sprengstoffe (z. B. Nitro-G.), Pharmazeutika und Vulkanisationsbeschleuniger in der Gummiindustrie.

Guanin *das,* Purinbase der Nucleinsäure, in vielen tier. und pflanzl. Organen; in Haut und Schuppen von Fischen und Reptilien. G. ist eine der Basen des genet. Codes.

Guano [span., aus Ketschua huano »Mist«] *der,* phosphor- und stickstoffreiche Ablagerung von Exkrementen von Kormoranen u.a. Seevögeln warmer Klimate. Durch Umsatz mit Kalk wird Calciumphosphat gebildet. Wichtiger Phosphatrohstoff, der als Düngemittel abgebaut wird.

Guanosin *das,* Bestandteil der Ribonucleinsäure; Nucleosid aus Guanin und Ribose. – Im Zellstoffwechsel ist bes. das **G.-Triphosphat (GTP)** wichtig, das im Organismus als Phosphatdonator und Energielieferant dient.

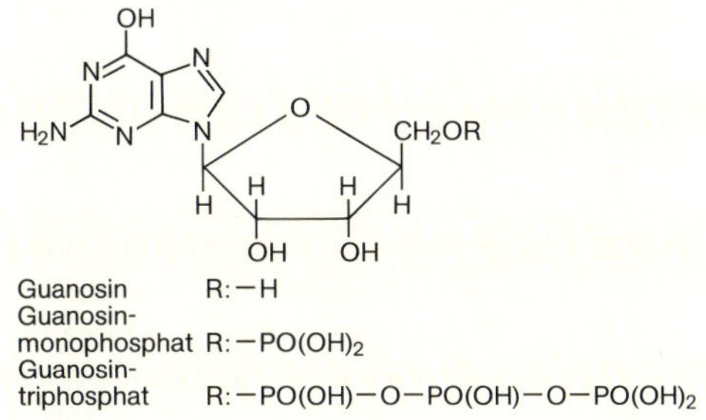

Guanosin

Guantánamo, Hptst. der Provinz G. im östl. Kuba, in der Küstenebene, 207 800 Ew.; Zuckerfabriken u.a. Ind.; Flughafen. – Die 12 km südlich von G. gelegene **Bucht von G.** (Bahía de G.) musste Kuba 1903 als Flottenstützpunkt (insges. 114 km², heute mit Befestigungen und Flughafen) für 99 Jahre an die USA abtreten; für kuban. Handelsschiffe wurde die freie Durchfahrt zugesichert. Gegen den 1934 erneuerten Vertrag protestiert Kuba seit 1959 und fordert die Rückgabe der Bucht.

Guantschen, die →Guanchen.

Guanyin [chines.] (japan. Kwannon), ostasiat. buddhist. Gottheit der Barmherzigkeit; v.a. in China verehrt; gilt als Erscheinungsform des Bodhisattva Avalokiteshvara. Seit dem 9. Jh. oftmals als weibl. Gottheit dargestellt, erinnert die Darstellung seit dem 13. Jh. (vielfach mit einem Kind) an christl. Mariendarstellungen.

Guaporé, Rio, rechter Nebenfluss des Río Mamoré, rd. 1 800 km; entspringt in Brasilien, bis zum Oberlauf schiffbarer Grenzfluss zw. Bolivien und Brasilien.

Guaraní, südamerikanische Sprachfamilie, →Tupí-Guaraní.

Guarda, Hptst. des Distrikts G. (5518 km², 1991: 187 800 Ew.) im Zentrum der Beira Alta, Portugal, östl. der Serra da Estrêla in 1050 m ü. M. gelegen, 18 200 Ew.; Textilind., Kfz-Montage; Eisenbahnknotenpunkt. – Kathedrale (14.–16. Jh.).

Guardafui, Kap [portugies. »hüte dich«], hohes Felsenkap an der NO-Spitze der Somalihalbinsel, Somalia.

Guardi, Francesco, italien. Maler, *Venedig 5. 10. 1712, †ebd. 1. 1. 1793; malte Ansichten von Venedig, venezian. Feste und stimmungsvolle Lagunenlandschaften. G. löste sich von der realist. Vedutenmalerei und schuf atmosphärisch schimmernde Bilder von diffuser räuml. Tiefe.

Guardia civil ['gu̯ardia θi'βil], span. Gendarmerie, gegr. 1844, Teil des Heeres, untersteht dem Innenminister.

Guardian, The [ðɔ 'gɑːdjən], liberale brit. Handelszeitung, gegr. 1821 als »The Manchester Guardian«, seit 1855 Tageszeitung, seit 1959 jetziger Titel; übernahm 1993 den »Observer«, die älteste Sonntagszeitung der Welt (gegr. 1791).

Romano Guardini

Guardini, Romano, kath. Religionsphilosoph und Theologe italien. Herkunft, *Verona 17. 2. 1885, †München 1. 10. 1968; Prof. in Berlin (1939 Zwangsemeritierung), Tübingen und München; führende Persönlichkeit der kath. Jugendbewegung (Quickborn) und der dt. liturg. Bewegung; befasste sich, von einem christlich-existenziellen Denkansatz ausgehend, u.a. mit der Frage, wie der religiöse Mensch die Lebensprobleme gelöst hat bzw. löst, so in Studien über B. Pascal (»Christliches Bewußtsein«, 1935), Augustinus und Hölderlin (»Die Bekehrung des Aurelius Augustinus«, 1936; »Hölderlin«, 1939), in »Der Mensch und der Glaube, Versuche über die religiöse Existenz in Dostojewskijs großen Romanen« (1933) sowie in »Das Ende der Neuzeit« (1950). – G. erhielt 1952 den Friedenspreis des Dt. Buchhandels.

Giovanni Guareschi

📖 Gerl, H.-B.: *R. G. Leben u. Werk, 1885–1968. Neuausg. Leipzig 1990.*

Guareschi [gu̯a'reski], Giovanni, italienischer Schriftsteller, *Fontanelle (heute zu Roccabianca, Prov. Parma) 1. 5. 1908, †Cervia 22. 7. 1968; Verfasser heiter-satir. Romane und Erzählungen, v.a. um

Francesco Guardi: Santa Maria della Salute in Venedig (nach 1763; London, National Gallery)

den streitbaren Priester Don Camillo und den kommunist. Bürgermeister Peppone (»Don Camillo und Peppone«, R., 1948; mehrere Fortsetzungen und Verfilmungen).

Giovanni Guareschi

Don Camillo und Peppone

Der deutsche Titel dieses französisch-italienischen Spielfilms von 1952 (Hauptdarsteller: Fernandel und Gino Cervi; italienischer Titel: »Il Piccolo mondo di Don Camillo«) wird heute noch gelegentlich auf eine letztlich doch freundschaftliche Konkurrenzbeziehung zwischen einem Ortspfarrer und dem weltlichen Bürgermeister bezogen, wie sie hin und wieder in ländlichen Gemeinden anzutreffen ist.
Der Film wurde nach dem gleichnamigen Roman von Giovanni Guareschi gedreht und handelt von dem listigen Dorfgeistlichen Don Camillo und seinem kommunistischen Bürgermeister Peppone, die sich bei politischen und gesellschaftlichen Problemen in ihrem Dorf ständig auf komische, manchmal auch handgreifliche Weise ins Gehege kommen.

Guarini, 1) Giovanni Battista, italien. Dichter, *Ferrara 10. 12. 1538, †Venedig 7. 10. 1612; schuf mit seinem Schäferdrama »Il pastor fido« (1580; dt. »Der treue Schäfer«) die neue Gattung der Tragikomödie.

2) Guarino, italien. Baumeister, Mathematiker, Philosoph, *Modena 17. 1. 1624, †Mailand 6. 3. 1683; Theatinermönch, führte die von F. Borromini eingeleitete Entwicklung der Barockarchitektur zu einem Höhepunkt. Er gestaltete Innenräume in der Durchdringung zylindr. Raumkörper, mit ineinander sich schneidenden runden und ovalen Kompartimenten und konkav und konvex schwingenden Wänden, wobei auch der Langbau zentralisierenden Tendenzen unterliegt. Seine von frei schwingenden Rippen vergitterten Kuppeln erzeugen eine verklärende Lichtwirkung. G. war von starkem Einfluss auf dt. Baumeister (Brüder Dientzenhofer, B. Neumann). Bauten G.s in Turin: San Lorenzo (um 1668–80, 1687 postum vollendet); Cappella della Santissima Sindone am Dom (1668–82, 1694 postum vollendet); Fassade des Palazzo Carignano (1679–85).

Guarneri (Guarnerius), italien. Geigenbauerfamilie in Cremona. Der Stammvater Andrea G. (*vor 1626, †1698) war Schüler des Nicola Amati;

Joseph Guarnerius fecit ✠
Cremonæ anno 1741 IHS

Guarneri: Geigeninschrift von Giuseppe, (Joseph) Guarneri

Giuseppe G. (*1698, †1744) gilt als der bedeutendste italien. Geigenbauer neben Stradivari. Das von ihm benutzte Zeichen IHS (= Iesum Habemus Socium) trug ihm den Beinamen »del Gesù« ein.

Guaschmalerei, → Gouachemalerei.

Guastalla, Stadt in der Emilia-Romagna, Italien, Prov. Reggio nell'Emilia, am Po, 13 500 Ew.; Käsereien, Leder-, Holzindustrie. – Dom (16. Jh.), barocker Palast Gonzaga mit Groteskendekorationen. – G., im 7. Jh. von Langobarden gegr., kam 1539 an die Familie Gonzaga, wurde 1621 Herzogtum und kam 1748 an Parma; 1806 erhielt Napoleons Schwester Pauline Borghese das Herzogtum, 1815 wurde es seiner Gemahlin Marie Louise überlassen, 1848 fiel es an Modena und wurde mit diesem 1860 mit dem Königreich Italien vereinigt.

Guatemala (amtlich span. República de Guatemala; dt. Rep. G.), Staat in Zentralamerika, zw. Pazifik und Karib. Meer, grenzt im W und N an Mexiko, im NO an Belize, im SO an Honduras und El Salvador.

Staat und Recht: Nach der Verf. vom 3. 6. 1985 (Reform von 1993 am 30. 1. 1994 durch Volksabstimmung gebilligt) ist G. eine präsidiale Rep. mit Mehrparteiensystem. Staatsoberhaupt und Reg.chef ist der für vier Jahre direkt gewählte Präs. Die Legislative liegt beim Kongress, dessen 80 Abg. für vier Jahre gewählt werden. – Nach den Wahlen von 1995 sind die stärksten Parteien: die Partei der Nat. Aktion (Partido de Avanzada Nacional, PAN), Republikan. Front G.s (Frente Republicano Guatemalteco, FRG). Im Untergrund operieren die kommunist. Arbeiterpartei G.s (Partido Guatemalteco de Trabajo (PGT), die linksgerichtete Guerillaorganisation Revolutionäre Nat. Einheit G.s (Unidad Revolucionaria Nacional Guatemalteca (URNG) sowie rechtsextreme Verbände.

Landesnatur: G. ist überwiegend ein Gebirgsland. Im nordwestl. Zentrum liegen die bis 3 800 m hohen Altos Cuchumatanes (nördl. Zweig der Kordilleren); der südl. Zweig der Kordilleren, die Sierra Madre, setzt sich aus Kettengebirgen, Massenbergländern und Hochflächen zusammen. Am Abfall zur 30–50 km breiten Küstenebene liegt längs einer erdbebenreichen Bruchzone eine Reihe von z. T. noch aktiven Vulkanen (Tajumulco 4 210 m ü. M., Tacaná 4 064 m ü. M.). Im N (Petén) hat G. Anteil an der Hügellandschaft der Halbinsel Yucatán, im O am karib. Küstentiefland. – G. hat trop. Klima (Regenzeit von Mai bis November); die mittleren Jahrestemperaturen nehmen von 25–30 °C im Tiefland auf 18–20 °C im mittleren Hochland ab. Der N ist von immerfeuchtem Regenwald, z. T. auch von Kiefernsavannen bedeckt. Die luvseitigen Gebirge tragen trop. Berg- und Nebelwald, im trockeneren Binnenhochland treten Eichen-Kiefern-Mischwälder und Savannen auf. Das pazif. Küstentiefland wird von trop. Feucht- (im W) und Trockenwald (im O) eingenommen.

Guatemala

Fläche: 108 889 km²
Einwohner: (1995) 10,62 Mio.
Hauptstadt: Guatemala
Verwaltungsgliederung: 22 Departamentos
Amtssprache: Spanisch
Nationalfeiertag: 15. 9.
Währung: 1 Quetzal (Q) = 100 Centavos (cts)
Zeitzone: MEZ –7 Std.

Bevölkerung: G. ist das einzige Land Zentralamerikas mit überwiegend indian. Bev. (rd. 45% sind reine Indianer, v.a. Quiché und Cakchiquel, 45% Mestizen, sog. »Ladinos«); 5% sind Weiße, von den restl. sind es v.a. 5% Schwarze (an der Karibikküste). Der N (Petén) und das karib. Küstentiefland sind dünn besiedelt, Hauptsiedlungsraum ist das südl. Hochland. Das Bev.wachstum beträgt 2,9%; einzige Großstadt ist die Hauptstadt Guatemala. – Allg. Schulpflicht besteht vom 7. bis 14. Lebensjahr; der Unterricht ist unentgeltlich. Die Analphabetenquote liegt bei 45%; es gibt zwei staatl. und drei private Universitäten. – Die Ew. sind zu 75% Katholiken, zu 25% Protestanten.

Wirtschaft, Verkehr: G. gehört zu den industriell am weitesten entwickelten Ländern Zentralamerikas, obwohl auch hier der Agrarbereich dominiert. Rd. 30% der Gesamtfläche werden landwirtschaftlich genutzt. Die meisten kleinbäuerl. Betriebe produzieren weitgehend für den Eigenbedarf, überwiegend im Hochland (u.a. Mais, Bohnen, Reis). Wenige (z.T. US-amerikan.) Großbetriebe liefern den größten Teil der Exportgüter, so 80% des Kaffees (größter Produzent Zentralamerikas; Anbau im Hochland), Baumwolle, Rohrzucker, Kardamom sowie Bananen (bes. im pazif. Küstentiefland). Im karib. Küstenland wird extensive Rinderhaltung betrieben. Rd. 33% des Landes sind mit Wald bedeckt. Die Nutzung der vielen wertvollen Holzarten (Mahagoni, Harthölzer) ist durch unzureichende Verkehrserschließung gering. Der in den Wäldern von Petén gesammelte Chicle (Saft des Sapotillbaums) dient als Rohstoff für die Kaugummiind. der USA. Noch relativ gering genutzt werden die Bodenschätze (u.a. Blei, Zink, Chrom, Kupfer); seit 1975 wird Erdöl gefördert und exportiert. Die Ind. stellt v.a. Nahrungsmittel, Getränke und Textilien her. 70% der Ind.betriebe befinden sich in der Hauptstadt. 1975 wurde in Santo Tomás de Castilla eine Freihandelszone eröffnet. Bedeutung hat auch das Kunsthandwerk der Indianer (bes. Weberei). Der Fremdenverkehr (jährlich mehr als 500 000 Auslandstouristen) spielt eine wichtige Rolle, Anziehungspunkte sind v.a. die Zeugnisse der Maya-Kultur. – Von 26 429 km Straßen haben 2 850 km eine feste Decke. Die Carretera Interamericana durchzieht das Hochland, zu ihr parallel verläuft die Carretera Pacifica im pazif. Tiefland. Wichtigste Häfen sind Puerto Quetzal bei San José und Champerico (Fischereihafen) am Pazifik, Santo Tomás de Castilla bei Puerto Barrios an der karib. Küste. Nahe der Hptst. liegt der internat. Flughafen Aurora.

Geschichte: G. ist altes Siedlungsgebiet der Maya; etwa ab 1200 beherrschten die Stämme der Quiché und Cakchiquel das Hochland. Ab 1524 drangen die Spanier unter der Führung von P. de Alvarado in das Land ein und gründeten 1570 die Audiencia de G., die später zus. mit den Territorien der heutigen Staaten Honduras, El Salvador, Costa Rica und einem Teil S-Mexikos das Generalkapitanat G. bildete. Dieses löste sich 1821 von Spanien und schloss sich dem Kaiserreich Mexiko an, 1823–39 der Zentralamerikan. Föderation. Machtkämpfe zw. Liberalen und Konservativen be-

Guatemala

Staatswappen

(GCA)

Internationales Kfz-Kennzeichen

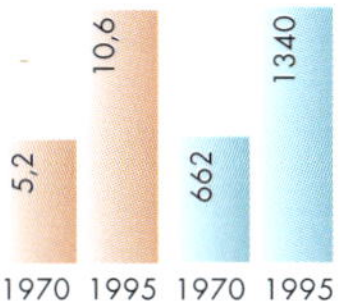

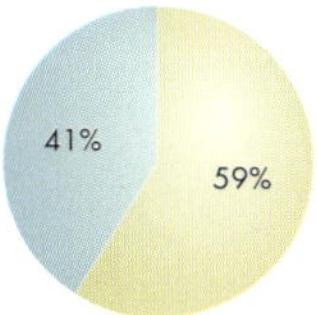

Bevölkerungsverteilung 1994

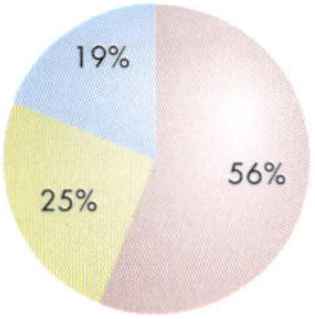

Bruttoinlandsprodukt 1994

stimmten bis ins 20. Jh. hinein die Politik, zunehmend beeinflusst von den Pflanzergesellschaften aus den USA, bes. der United Fruit Company.

General J. Ubico (1931–44) gelang zwar eine gewisse Stabilisierung von Staat und Wirtschaft, doch ging sie einher mit verstärkten sozialen Repressionen. Nach seinem Sturz bemühten sich seine – gewählten – Nachfolger J. J. Arévalo (1945–51) und J. Arbenz Guzmán (1951–54) um Reformen (u. a. radikale Bodenreform mit Enteignung in- und ausländ. Grundbesitzer), doch wurden diese nach einem von den USA unterstützten Putsch 1954 wieder zurückgenommen. Seit der Wende von den 1950er- zu den 1960er-Jahren entwickelten sich die sozialen Spannungen in G. zu einem Bürgerkrieg, der regierungsseitig v. a. von den Militärs und vonseiten der Aufständischen von der Guerilla-Organisation URNG (Nationale Revolutionäre Einheit Guatemalas) getragen wurde. Bis 1965/66 regierten von neuem die Militärs, auch die folgenden gewählten Regierungen wurden von ihnen beherrscht, z. T. durch Fälschung der Wahlergebnisse. Der Putsch von General J. E. Ríos Montt 1982 setzte die Verf. außer Kraft, jede Opposition wurde mit Gewalt unterdrückt. 1983 übernahm ebenfalls durch Putsch General O. H. Mejía Victores die Macht, er führte schrittweise eine Zivilverw. ein und ließ 1984 Wahlen zu einer verfassunggebenden Versammlung abhalten. Dennoch blieben auch unter dem gewählten Präs. M. V. Cerezo Arévalo (1985–91) die Militärs in wichtigen Machtpositionen.

Das innenpolit. Klima wurde weiterhin von Gewalt, bes. gegenüber den Indianern, Putschversuchen und Guerillabewegungen bestimmt. Durch die Verleihung des Friedensnobelpreises 1992 an die Quiché-Indianerin R. Menchú lenkte das Nobelpreiskomitee die Aufmerksamkeit der Weltöffentlichkeit bes. auf die Unterdrückung der indian. Bev.mehrheit. Die Präs. J. Serrano Elias (1991–93) und R. de León Carpio (1995) bemühten sich um Reformen. Die seit April 1991 in Anwesenheit eines UN-Vertreters stattfindenden Verhandlungen der Regierung mit der URNG führten 1994 zur Bildung einer »Wahrheitskommission« zur Aufklärung der während des Bürgerkrieges begangenen Menschenrechtsverletzungen, 1995 zu einem Abkommen über Identität und Rechte der Ureinwohner. Unter der Regierung des Präs. E. A. Arzú Irigoyen (seit Jan. 1996) verkündete die URNG im April 1996 einen unbefristeten Waffenstillstand. Am 29. 12. 1996 beendeten Regierung und URNG den Bürgerkrieg.

📖 Riekenberg, M.: *Zum Wandel von Herrschaft u. Mentalität in G. Köln u. a. 1990.* – *Politik u. Geschichte in Argentinien u. G. (19./20. Jh.), hg. v.* M. Riekenberg. *Frankfurt am Main 1994.* – Brosnahan, T: *Ostmexiko-, G.- u. Belize-Handbuch. Dt. Bearb.:* U. Schwark. *A. d. Engl. Bremen 1995.* – *G. – Ende ohne Aufbruch, Aufbruch ohne Ende? Aktuelle Beiträge zu Gesellschaftspolitik, Wirtschaft u. Kultur, hg. v.* F. Birk. *Frankfurt am Main 1995.* – Honner, B.: *G.-Handbuch. Bielefeld ³1995.*

Guatemala (Ciudad de G.), Hauptstadt der Rep. G. und bedeutendste Stadt Zentralamerikas, im zentralen Hochland, 1500 m ü. M., 1,15 Mio. Ew.; Erzbischofssitz; fünf Univ., Museen, botan. und zoolog. Garten; polit., wirtsch. und kulturelles Zentrum des Landes; Verkehrsknotenpunkt an der Carretera Interamericana, internat. Flughafen. – Fünfschiffige Kathedrale (begonnen 1782, Türme nach Erdbebenschäden erneuert); die koloniale Altstadt wurde von der UNESCO zum Weltkulturerbe erklärt. – 1776 erfolgte die Gründung (die beiden Vorgängerstädte wurden 1541 bzw. 1773 durch Naturkatastrophen zerstört), erneute schwere Erdbeben 1917/18 und 1976.

Guattari, Félix, frz. Philosoph und Psychoanalytiker, *Villeneuve-les-Sablons (Dép. Oise) 1930, †Paris 29. 8. 1992; Schüler J. Lacans; arbeitete ab 1953 als Psychoanalytiker an der alternativen Klinik »La Borde« (Cour-Cheverny), bemüht um eine »revolutionäre, psychiatr. Praxis« (Selbstverwaltung, ständiges Spiel von Gruppenauflösungen und -bildungen u. a.). G. und G. Deleuze bestimmten (entgegen S. Freud und Lacan) in »Anti-Ödipus« (1972) und »Tausend Plateaus« (1980), bewusst antiwissenschaftlich, das Unbewusste als lediglich sozial bedingt.

Guayana (engl. Guiana, frz. Guyane), Landschaft im NO Südamerikas, zw. Orinoco, Atlant. Ozean und Amazonastiefland, umfasst etwa 1,5 Mio. km², größtenteils gebirgig (Bergland von G., rd. 1000–1500 m ü. M., im Pico da Neblina 3014 m) und mit trop. Regenwald (die inneren Plateaus mit Savannen) bedeckt; im SW-Teil ragen steilwandige Tafelberge (in Venezuela Tepuis gen.) und Plateaus auf, von denen die Flüsse z. T. in gewaltigen Wasserfällen (→Angelfall) herabstürzen. Längs der Küste erstreckt sich ein tropisch-feuchtes, z. T. versumpftes Tiefland.

Geschichte: Die Küste von G. wurde 1499 entdeckt. Da das Gebiet nicht fest an portugies. oder span. Interessen gebunden war, nahmen es im 16./17. Jh. Holländer, Engländer und Franzosen ein. Bis 1815/16 wurden die Besitzungen häufig ausgetauscht, der Wiener Kongress und der Vertrag von London teilten G. in Britisch-G. (heute →Guyana), in Niederländisch-G. (→Surinam) und →Französisch-Guayana. Das bedeutend größere Hinterland gehört zu Brasilien und Venezuela.

Guayaquil [-'kil], Haupthafen und größte Stadt Ecuadors, am Golf von G. (bis 170 km breit) des Pazifiks, 1,51 Mio. Ew.; Erzbischofssitz; drei Univ.,

TH, Forschungsinstitute; Erdölraffinerien, chem., Eisen-, Holzind.; internat. Flughafen; Vorhafen Puerto Maritimo. – G. wurde 1537 gegr.; erlitt 1942 schwere Erdbebenschäden.

Gubaidulina, Sofia, russische Komponistin, *Tschistopol (Tatarstan) 24. 10. 1931. Ihre Werke vereinen traditionelle und avantgardist. Kompositionsmittel und sind von einer Vorliebe für das rhythm. Element geprägt; schrieb v.a. Kammermusik, ferner Orchester- und Vokalwerke, Filmmusiken.

Sofia Gubaidulina

Gubbio, Stadt in Umbrien, Prov. Perugia, Italien, in einem Hochbecken des Apennin, 30 800 Ew.; Bischofssitz, Inst. für umbrische Studien, Museum, Gemäldegalerie; Wollverarbeitung, Majolikaherstellung. – G. ist reich an Bauten des MA. und der Renaissance, u.a. Dom (13./14. Jh.), Palazzo dei Consoli (1332–37) und Palazzo Ducale (1476 begonnen). – G. ist das antike **Iguvium,** einst eine bedeutende umbr. Stadt.

Guben, Stadt im Kr. Spree-Neiße, Brandenburg, an der Lausitzer Neiße, 28 900 Ew.; Chemiefaserwerk, Tuch-, Hutherstellung, Maschinenbau. Der östlich der Neiße gelegene Teil G.s gehört seit 1945 als **Gubin,** zu Polen, Wwschaft Zielona Góra. – Moderne Gebäude prägen das Stadtbild. – G. wurde um 1200 gegründet, erhielt 1235 Magdeburger Stadtrecht, kam 1303 mit der Niederlausitz an Brandenburg, 1367 an Böhmen, 1635 an Kursachsen, 1815 an Preußen. G. hieß 1961–90 **Wilhelm-Pieck-Stadt Guben** und war bis 1993 Kreisstadt.

Guckkastenbühne, die Kulissenbühne, wie sie erstmals 1619 im Teatro Farnese in Parma eingebaut wurde und Ende des 19. Jh. in ganz Mitteleuropa verbreitet war. (→Theater)

Gudbrandsdal ['gubransda:l], wald- und siedlungsreiche Talschaft O-Norwegens mit alter bäuerl. Kultur, wichtiges Fremdenverkehrsgebiet.

Gudea, neusumer. Stadtfürst (um 2080 bis 2060 v. Chr.) der sog. 2. Dynastie von Lagasch; beherrschte den größten Teil S-Babyloniens. Seine Bauinschriften auf Tonzylindern sind die bedeutendsten Zeugnisse der älteren sumer. Literatur. Von ihm sind Stand- und Sitzbilder überliefert, bed. Zeugnisse der sumer. Kunst.

Gudenå ['gu:ðənɔ:], längster (158 km) und wasserreichster Fluss Dänemarks, in O-Jütland, mündet in den Randersfjord.

Guderian, Heinz, Generaloberst (seit 1940), *Culm (heute Chełmno) 17. 6. 1888, †Schwangau 14. 5. 1954; nach 1934 maßgeblich am Aufbau der dt. Panzerwaffe beteiligt, war im 2. Weltkrieg Befehlshaber einer Panzerarmee (im Dez. 1941 abgesetzt). 1943 wurde er Generalinspekteur der Panzertruppen, 1944/45 war er Chef des Generalstabs des Heeres.

Guðmundsson ['gvyðmyndsɔn], Kristman, isländ. Schriftsteller, *Þverfell (Borgarfjörður) 23. 10. 1901, †Reykjavík 20. 11. 1983. Seine anfangs in norweg., später in isländ. Sprache geschriebenen Erzählwerke (»Morgen des Lebens«, R., 1929; »Kinder der Erde«, R., 1935) behandeln psych. Probleme junger Menschen, Familien- und Ehekonflikte sowie Stoffe der isländ. Geschichte.

Gudrun, Heldin des mittelhochdeutschen Epos →Kudrun.

Guebwiller [gebvi'lɛ:r], Stadt in Frankreich, →Gebweiler.

Guedes [-z], Joaquim, brasilian. Architekt und Städteplaner, *São Paulo 18. 6. 1932; einer der wichtigsten Vertreter der postmodernen Architektur in Brasilien.

Guelfen und Ghibellinen [gɛ-, gi-], die großen italien. Parteien, deren Entstehung auf die Kämpfe zw. Anhängern des Welfen (italien. »Guelfi«) Otto IV. und des Staufers Friedrich II. (nach dem alten stauf. Besitz Waiblingen »Waiblinger« gen., italien. »Ghibellini«) in den Jahren 1212–18 zurückgeht; die Bez. ist zuerst um 1240 in Florenz nachweisbar. Die päpstlich gesinnten Gegner des Kaisertums, die Guelfen, kämpften z.T. erbittert gegen die Anhänger des Reiches, die Ghibellinen. Nach dem Untergang der Staufer (1268) wurden die Bezeichnungen auf andere polit. und soziale Gegensätze übertragen (z.B. Guelfen: Volkspartei, Ghibellinen: Adel). Obwohl der Gebrauch der Bez. 1334 verboten wurde, blieben sie als Namen der unversöhnl. Parteien in den italien. Städten bis ins 17. Jh. lebendig.

Guêpière [gɛ'pjɛ:r], Pierre Louis Philippe de la, frz. Baumeister und Architekturtheoretiker, *um 1715, †Paris 30. 10. 1773. Die von ihm geschaffenen Lustschlösser Solitude bei Stuttgart (1763–67; zus. mit dem dt. Baumeister Johann Friedrich Weyhing [*1716, †1781]) und Monrepos bei Ludwigsburg

Philippe de la Guêpière: Das spätbarocke klassizistische Lustschloss Solitude bei Stuttgart wurde 1763–67 in Zusammenarbeit mit Johann Friedrich Weyhing erbaut

Guernsey

Wappen

Flagge

Internationales Kfz-Kennzeichen

Ernesto Che Guevara

(1764–67) vermittelten die klassizistisch strengen Formen des Louis-seize-Stils nach Süddeutschland.

Guercino [guer'tʃi:no], eigtl. Giovanni Francesco Barbieri, gen. il G. (»Der Schielende«), ital. Maler, getauft Cento (heute zu Budrio, Prov. Bologna) 8. 2. 1591, †Bologna 22. 12. 1666. Seine malerisch weiche, doch kraftvolle Helldunkelmalerei von barockem Pathos wich unter zunehmendem Einfluss von G. Reni einer Ton-in-Ton-Malerei mit kalter Lichtgebung. Wichtige Werke sind u.a. Grablegung der hl. Petronilla (1621, Rom, Museo Capitolino); Deckenfresko (Aurora) im Casino Ludovisi (1621), Rom.

Guéret [ge'rɛ], Hptst. des frz. Dép. Creuse, 437 m ü.M. im Zentralmassiv, 15 700 Ew.; Schmuckherstellung, Metallverarbeitung. – Schloss (Hôtel des Moneyroux, 15. und 16. Jh.). – G. wurde im 13. Jh. Hauptstadt der Grafschaft Marche.

Guericke ['ge-] (Gericke), Otto von (seit 1666), Ingenieur und Physiker, *Magdeburg 30. 11. 1602, †Hamburg 21. 5. 1686; Ratsherr und Bürgermeister von Magdeburg; erfand die Luftpumpe, untersuchte Ausdehnung und Druck der Luft und führte Versuche mit luftleer gepumpten Kesseln durch. Damit war ihm der experimentelle Nachweis geglückt, dass ein Vakuum künstlich herstellbar ist. Weithin berühmt wurde er durch öffentl. Demonstrationsversuche, so z.B. durch die von ihm konstruierten →Magdeburger Halbkugeln. G. erfand außerdem ein Manometer, baute ein über 10 m langes, mit Wasser gefülltes Hebebarometer («Wettermännchen»), mit dem er die Beziehungen zw. Wetter und Luftdruck erkannte, und befasste sich mit Effekten der elektr. Abstoßung, Influenz und Leitung (erste Elektrisiermaschine).

📖 Schneider, D.: *O. v. G. Stuttgart 1995.*

Guerilla [ge'riʎa; span. »kleiner Krieg«] *die,* seit den span. Befreiungskämpfen (1808–14) gegen die frz. Besetzung in Gebrauch gekommene Bez. für bewaffnete Erhebungen in Form irregulärer Kriegführung gegen den eigenen Staat bzw. ein fremdes Besatzungs- oder Kolonialregime mit dem Ziel, die bestehende Herrschaftsordnung zu verändern; auch Bez. für diese Einheiten selbst bzw. ihre Mitgl. **(Guerilleros)** insgesamt. Die G. kämpft verstreut in bewegl. Einheiten und bevorzugt den Überraschungsangriff, den Hinterhalt und die Sabotage. Mao Zedong und Che Guevara haben den G.-Krieg als schlagkräftiges Instrument der Volksbefreiung gegen kolonialist. und neokolonialist. Regime propagiert. Nach dem Völkerrecht genießen G.-Kämpfer im Falle ihrer Gefangennahme den Status von Kriegsgefangenen, sofern sie die Waffen offen tragen. – Die Stadt-G. (z.B. die Tupamaros in Uruguay) konzentrieren ihre Zerstörungsaktionen auf empfindliche städt. Lebensformen, um die Industriegesellschaften in ihren »Metropolen« zu schwächen. (→Partisan)

Guérin [ge'rɛ̃], Maurice de, frz. Dichter, *Schloss Le Cayla (bei Albi) 4. 8. 1810, †ebd. 19. 7. 1839; gestaltete in formvollendeten Prosagedichten pantheist. und romant. Lebensgefühl (»Der Kentauer«, 1840; »Die Bacchantin«, 1861).

Guernica y Luno [gɛr'nika i 'luno], Stadt im span. Baskenland, →Gernika-Lumo. Bild Spanischer Bürgerkrieg

Guernsey ['gə:nzɪ], eine der direkt der brit. Krone unterstehenden →Kanalinseln, 63 km² groß, 58 900 Ew.; an der O-Küste liegt der Hauptort und Hafen Saint Peter Port. Mildes Klima, daher Anbau von Tomaten und Blumen, Fremdenverkehr; internat. Finanzzentrum; Elektronikindustrie.

Guerrero [gɛ'rrɛro], Staat im S von →Mexiko.

Guevara [gɛ'βara], Antonio de, span. Schriftsteller, *Treceño (Prov. Santander) um 1480, †Mondoñedo (Prov. Lugo) 3. 4. 1545; Franziskaner (seit 1505), 1512 Hofprediger, Chronist Karls V., dann Bischof von Guadix (1528) und Mondoñedo (1542). Als Moralphilosoph zeichnete er in seinem Fürstenspiegel »Lustgarten und Weckuhr« (1529) in Form fiktiver Briefe Kaiser Mark Aurels das Idealbild des Herrschers.

Guevara Sẹrna [ge'βara-], Ernesto, gen. Che Guevara, kuban. Politiker, *Rosario (Argentinien) 14. 6. 1928, †in Bolivien 9. 10. 1967; Arzt, beteiligte sich als Guerillaführer am Aufstand von F. Castro

Guggenheim-Museum: Der Rundbau des 1956–59 erbauten Museums für moderne Kunst in New York gehört mit seiner im Innenraum in Form einer Spirale gebauten Galerie zu den Meisterwerken des Architekten Frank Lloyd Wright

gegen die Herrschaft von F. Batista y Zaldívar auf Kuba. Als Präs. der kuban. Nationalbank (1959–61) und Industrie-Min. (1961–65) hatte er maßgebl. Anteil an der revolutionären Umgestaltung Kubas (u. a. Nationalisierung bes. der nordamerikan. Unternehmen, Enteignung des Großgrundbesitzes, ländl. Siedlungs- und Bildungsprogramme). Ab 1966 suchte er in Bolivien eine revolutionäre Bewegung aufzubauen, wurde gefangen genommen und sofort erschossen. G. S. wurde eine Leitfigur der Befreiungsbewegungen in der Dritten Welt und der Studentenbewegung von 1968. Er schrieb u. a. Aufsätze zur Guerillastrategie.

📖 Löwy, M.: *Che Guevara. A. d. Frz. Köln ²1993.* – May, E.: *Che Guevara mit Selbstzeugnissen u. Bilddokumenten. Reinbek 67.–69. Tsd. 1994.*

Guggenheim, 1) Meyer, amerikan. Unternehmer, *Lengnau (bei Biel, Schweiz) 1. 2. 1828, †Palm Beach (Fla.) 15. 3. 1905; wanderte 1847 in die USA aus, wurde durch Finanzierung von Blei- und Silberhütten zum Begründer der G.-Unternehmen. Einer seiner sieben Söhne, der Unternehmer Daniel G. (*1856, †1930) gründete die »Daniel and Florence G. Foundation« und den »G. Fund for the Promotion of Aeronautics«.

2) Paul, schweizer. Völkerrechtslehrer, *Zürich 15. 9. 1899, †Genf 31. 8. 1977; Prof. in Genf, Mitgl. des Ständigen Schiedshofs in Den Haag (seit 1952); schrieb »Lb. des Völkerrechts« (2 Bde., 1948–51).

3) Peggy (Marguerite), amerikan. Kunstsammlerin, *New York 26. 8. 1898, †Venedig 23. 12. 1979; baute mit der Unterstützung von P. Mondrian und M. Duchamps eine der bedeutendsten Privatsammlungen moderner Plastik und Malerei auf. 1947 übersiedelte sie mit der Sammlung in den Palazzo Venier dei Leoni in Venedig, der seit 1979 öffentlich zugänglich ist.

Guggenheim-Muse|um, 1956–59 von F. L. Wright erbautes Museum für moderne Kunst in New York, gestiftet 1937 von dem amerikan. Unternehmer Solomon Guggenheim (*1861, †1949), eröffnet 1959; Erweiterungsbau (1988–92) nach Plänen von C. Gwathmey und R. Siegel.

Guglielmi [guʎ'ʎɛlmi], Pietro Alessandro, italien. Komponist, *Massa 9. 12. 1728, †Rom 18. 11. 1804; einer der erfolgreichsten Vertreter der italien. Opera buffa; schrieb über 100 Opern sowie Kirchenmusik.

Guicciardini [guittʃar'di:ni], Francesco, italien. Politiker und Geschichtsschreiber, *Florenz 6. 3. 1483, †Arcetri (heute zu Florenz) 22. 5. 1540; war vielseitig in der europ. Politik tätig, v. a. im Dienst der Medici (bis 1537); Freund N. Machiavellis. Seine »Storia d'Italia« ist die erste Geschichte Gesamtitaliens, von 1492–1532 (verfasst 1537–40).

Guido von Arezzo, italien. Musiktheoretiker, *Arezzo (?) um 992, †17. 5. 1050 (?); Benediktiner;

Yvette Guilbert: Lithographie von Henri Toulouse-Lautrec (1898)

führte die Notierung von Melodien auf Linien im Terzabstand sowie die Benennung der Hexachordtöne c–a mit den Silben ut–re–mi–fa–sol–la (→Solmisation) ein.

Guignol [gi'ɲɔl; frz. »Hanswurst«] *der,* lustige Person des frz. Marionetten- und Handpuppentheaters, bes. des Kasperletheaters in Lyon, im 18. Jh. von dem Puppenspieler Laurent Mourguet (*1769, †1844) erfunden; sodann das durch scharfe zeitgeschichtliche Satire ausgezeichnete Lyoner Puppenspiel überhaupt. Das Theater »Le Grand-Guignol« (gegr. 1895, Name seit 1899; geschlossen 1962) auf dem Montmartre in Paris widmete sich speziell der Aufführung von Horrorstücken. Daher werden solche Stücke selbst heute als **Grand-Guignol** bezeichnet.

Guilbert [gil'bɛ:r], Yvette, frz. Diseuse und Schauspielerin, *Paris 20. 1. 1867, †Aix-en-Provence 2. 2. 1944; seit 1890 Star der Pariser Revue- und Varieteebühnen, seit 1926 auch beim Film; H. Toulouse-Lautrec stellte sie in zahlreichen Lithographien dar.

Guildford ['gɪlfəd], Stadt in der Cty. Surrey, SO-England, am Durchbruch des Wey durch die North Downs, 56 700 Ew.; anglikan. Bischofssitz, Univ.; Maschinenbau, Braugewerbe. – Kirche Saint Mary (um 1180), Backsteinbauten der Spätrenaissance; die Kathedrale wurde ab 1936 erbaut.

Guilin [gweɪ-] (Kweilin), Stadt in der chines. autonomen Region Guangxi Zhuang, am bis hierher schiffbaren Li Jiang, 300 000 Ew.; PH; elektron., Düngemittel-, pharmazeut., Reifen- und Textilind.; Touristenzentrum: G. liegt in einer einzigartigen Landschaft inmitten von höhlenreichen

Francesco Guicciardini (Ausschnitt eines Holzschnitts, um 1537)

Charles Édouard Guillaume

Roger Guillemin

Jorge Guillén

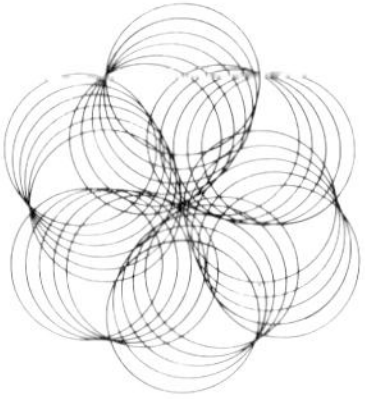

Guilloche

Turmkarstfelsen. – 18 km nordwestlich die Minggräber Jinjiang Wang Ling.

Guillaume [gi'jo:m], Charles Édouard, frz. Physiker schweizer. Herkunft, *Fleurier (bei Môtiers, Kt. Neuenburg) 15. 2. 1861, †Paris 13. 6. 1938; entwickelte Nickellegierungen (Invar, Elinvar), deren Ausdehnung und Elastizität praktisch temperaturunabhängig sind. Diese fanden v. a. im Uhrenbau weite Verwendung. Für seine Verdienste um die Präzisionsphysik erhielt G. 1920 den Nobelpreis für Physik.

Guillaume de Lorris [gi'jo:m də lɔ'ris], altfrz. Dichter, *zw. 1200 und 1210, †nach 1240; Verfasser des ersten Teils des →Roman de la rose.

Guillaume de Machault [gi'jo:m də ma'ʃo], frz. Dichter und Komponist, →Machault, Guillaume de.

Guillaume d'Orange [gi'jo:m dɔ'rã:ʒ], →Wilhelmslied.

Guillemin [frz. gij'mɛ̃], Roger, amerikan. Physiologe frz. Herkunft, *Dijon 11. 1. 1924; verfasste bed. Forschungsarbeiten über die →Releaserfaktoren und Hypothalamushormone; erhielt 1977 mit A. Schally und Rosalyn Yalow den Nobelpreis für Physiologie oder Medizin.

Guillén [gi'ʎen], **1)** [gi'λen], Jorge, span. Lyriker, *Valladolid 18. 1. 1893, †Málaga 6. 2. 1984; lebte 1938–77 im Exil; bed. Vertreter der →Poésie pure. Sein Lebenswerk, der Gedichtband »Cántico« (1928, 75 Gedichte; bis 1950 auf 334 Gedichte erweitert; dt. Ausw. u. d. T. »Lobgesang«) ist ein Lobgesang auf die Schöpfung.

2) Nicolás, kuban. Dichter, *Camagüey 10. 7. 1902, †Havanna 16. 7. 1989; knüpfte an die Folklore der Schwarzen und Mulatten an und verband sprachl., bildl. und rhythm. Intensität mit sozialrevolutionärer Aussage (»Bitter schmeckt das Zuckerrohr«, 1947; »Auf dem Meere der Antillen fährt ein Schiffchen aus Papier«, 1977; »Umgeblätterte Seiten«, Memoiren, 1982).

Guilloche [gi'jɔʃ, frz.] *die*, Muster aus regelmäßig ineinander verschlungenen Linien, auf Gegenständen aus Metall, Elfenbein, Holz u. a. zur Verzierung sowie auf Geldscheinen, Wertpapieren, Urkunden u. a. zum Schutz gegen Fälschung.

Guillotine [gijɔ'ti:nə; nach dem frz. Arzt J. I. Guillotin, *1738, †1814] *die*, seit 1792 Hinrichtungsgerät der Frz. Revolution, durch das mittels eines in Führungsschienen schnell herabfallenden Beils der Kopf vom Rumpf getrennt wird. Nach 1798 wurde die G. als Fallbeil in mehreren dt., von Frankreich annektierten Ländern eingeführt.

Guimarães [gima'rãiʃ], Stadt in N-Portugal, nordöstlich von Porto, 22 100 Ew.; techn. Institut der Univ. Braga; Textilien, Eisen und Gummi verarbeitende Industrie. – Oberhalb der Stadt liegt die mächtige Burg (10./11. Jh.), etwas tiefer der got. Palast der Bragança (15. Jh.). In der Altstadt zahlr. Kirchen, Klöster und Paläste. – G. wurde im 12. Jh. erste Hptst. Portugals.

Guimarães Rosa [gima'rãiʃ 'rrɔza], João, brasilian. Schriftsteller, →Rosa, João Guimarães.

Guimard [gi'ma:r], Hector, frz. Architekt, Innenarchitekt und Designer, *Lyon 10. 3. 1867, †New York 20. 5. 1942; wichtiger Vertreter des Art nouveau. Sein Hauptwerk ist das Castel Béranger in Paris (1894–98), berühmt wurde er durch seine Gestaltung der Eingänge der Pariser Metrostationen (1899 ff.).

Guinea ['gɪnɪ, engl.] *die* (frz. Guinee), die wichtigste Goldmünze Englands seit 1663, aus Gold von der Guineaküste geprägt, zunächst 20, seit 1717 21 Schilling wert. 1816 durch den **Sovereign** ersetzt.

Guinea [gi'nea], alte Bez. für das Küstengebiet (und das anschließende Tiefland) Westafrikas, zw. Senegal und Kunene; bis zum Kamerunberg **Ober-G.**, südlich davon **Nieder-G.** genannt. Ober-G. ist meist mit trop. Regenwald bedeckt, der in Nieder-G. nach S in Savanne und schließlich in Wüste übergeht. – Die frühere Gliederung Ober-G.s in Pfeffer-, Elfenbein-, Gold- und Sklavenküste ergab sich aus den hier gehandelten Gütern der frühen Kolonialzeit.

Guinea [gi'nea] (amtlich frz. République de Guinée; dt. Rep. G.), Staat in Westafrika, grenzt im NW an Guinea-Bissau, im N an Senegal und Mali, im SO an die Rep. Elfenbeinküste, im S an Liberia und Sierra Leone, im W an den Atlantik.

Staat und Recht: Seit dem Militärputsch von 1984 war die Verf. suspendiert und das Parlament

Guillotine aus dem 20. Jahrhundert

Guinea

Fläche: 245 857 km²
Einwohner: (1995) 6,7 Mio.
Hauptstadt: Conakry
Verwaltungsgliederung: 4 Divisionen und 1 Hauptstadtdistrikt
Amtssprache: Französisch
Nationalfeiertag: 2. 10.
Währung: Guinea-Franc (F.G.)
Zeitzone: WEZ

aufgelöst. Am 23. 12. 1990 wurde durch ein nat. Referendum die neue Verf. angenommen, die das Land auf der Grundlage der Gewaltenteilung der freien Demokratie öffnet. Am 4. 4. 1992 wurden durch Ges. Parteien zugelassen. Staatsoberhaupt und Reg.chef ist der direkt gewählte Präs. 1996 wurde das Amt des MinPräs. eingeführt. Die Legislative liegt bei der Nationalversammlung mit 114 im Mischsystem gewählten Abgeordneten. Wichtigste Parteien sind die Partei für Einheit und Fortschritt (PUP), die Volkssammlung G.s (RPG), die Erneuerungs- und Fortschrittspartei (PRP) und die Union für eine Neue Republik (UNR).

Landesnatur: G. ist v.a. ein Berg- und Tafelland. Hinter der 300 km langen, nur 50–90 km breiten, von Mangroven- und Palmsümpfen durchsetzten Küstenebene steigt das Land in Stufen zum Hochland des Fouta-Djalon (1500 m ü.M.) an, Quellgebiet von Niger, Senegal, Gambia und Konkouré. Nach O dehnt sich das Mandingplateau aus; im SO erreichen die Nimbaberge 1752 m ü.M. – G. liegt im Bereich der wechselfeuchten Tropen mit einer Regenzeit (April bis November an der Küste und im SO, Mai bis Oktober im NO). – Im S Regenwälder, im SO Feucht-, im N und NO Trockensavannen. Die Hochflächen, durch Brandrodung weitgehend entwaldet, tragen Grasfluren.

Bevölkerung: Die wichtigsten ethn. Gruppen sind Fulbe (38,6%), Malinke (23%), Susu (11%), Kissi (6%) und Kpelle (4,6%). Das jährl. Bevölkerungswachstum liegt bei 2,9%. – Allg. Schulpflicht vom 7. bis 13. Lebensjahr; Analphabetenrate 76%. Univ. in Conakry und Kankan. – 85% der Bev. sind Muslime, die Übrigen Anhänger von Naturreligionen, 1% Christen.

Wirtschaft, Verkehr: Die Mehrheit der Bev. lebt von der Landwirtschaft (28% der Gesamtfläche sind Acker- und v.a. Weideland, 59% bewaldet). Anbau von Reis, Hirse, Mais, Maniok zur Eigenversorgung, für den Export Kaffee, Ananas, Bananen und Erdnüsse. Viehwirtschaft v.a. bei den Nomaden in den tsetsefreien Trockensavannen. Fanglizenzen für die ertragreichen Fischfanggebiete haben v.a. ausländ. Unternehmen. – G. ist reich an mineral. Rohstoffen: Bauxit (30% der Weltreserven), Eisenerz, Diamanten, Erdöl, Uranerz, Gold u.a. und hat ein großes hydroelektr. Potenzial (viele Wasserkraftwerke). Hauptwirtschaftszweig ist der Bergbau mit rd. 90% der Exporterlöse. Größtes Ind.unternehmen ist das Tonerdewerk in Fria; auch Verarbeitung land- und forstwirtsch. Produkte. Haupthandelspartner ist Frankreich. – Unzureichendes Straßennetz (15 551 km Haupt- und Nebenstraßen), Hauptverkehrsader ist die 662 km lange Eisenbahnlinie zw. Conakry und Kankan; den Bergbauunternehmen und dem Gütertransport dienen Privatbahnen (insgesamt 399 km). Conakry besitzt einen der größten Seehäfen Westafrikas und einen internat. Flughafen; der Hafen Kamsar im nördl. Küstenteil dient dem Bauxitexport.

Geschichte: Der bedeutendste vorkoloniale Staat im heutigen G. war das islam. Reich der Fulbe im Hochland des Fouta-Djalon. Nach 1870 war die Stadt Kankan Kern des Reichs von Samory Touré. 1891 entstand die Kolonie Frz.-G. (1895 bis 1958 Teil von Frz.-Westafrika). Nachdem die Bev. auf Initiative des MinPräs. Sekou Touré den Beitritt zur Frz. Gemeinschaft 1958 abgelehnt hatte, entließ Frankreich G. in die Unabhängigkeit. Gestützt auf die Einheitspartei »Demokrat. Partei G.« (frz. Abk. PDG), verfolgte Touré als Staatspräs. (1961–84) einen sozialrevolutionären Kurs nach innen und eine Politik der Blockfreiheit nach außen, lehnte sich aber dabei stark an die kommunist. Staaten an. Nach seinem Tod (März 1984) übernahm Anfang April 1984 das Militär die Macht und löste die PDG auf; Oberst Lansana Conté wurde Staatspräsident. Nach Annahme der neuen Verf. (durch Referendum 1990) folgten 1993 Präsidentschaftswahlen (gewählt wurde Lansana Conté) und 1995 Wahlen zum nationalen Parlament, die der Lansana Conté unterstützende PUP gewann; MinPräs. wurde 1996 Sidia Touré.

📖 Günther, M. *u.* Heinbuch, G.: *Reiseland G.* Moers *1995.*

Staatswappen

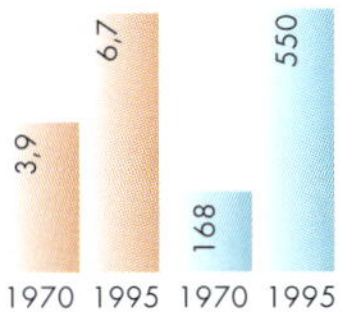

Bevölkerung (in Mio.)
Bruttosozialprodukt je Ew. (in US-$)

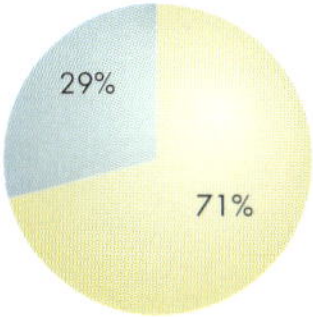

Stadt
Land
Bevölkerungsverteilung 1994

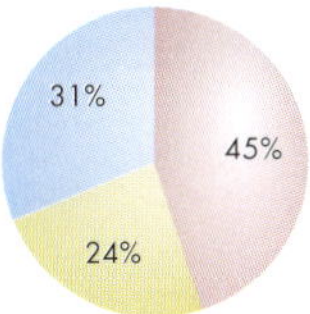

Industrie
Landwirtschaft
Dienstleistung
Bruttoinlandsprodukt 1994

Guinea-Bissau

Fläche: 36 125 km²
Einwohner: (1995) 1,073 Mio.
Hauptstadt: Bissau
Verwaltungsgliederung: 8 Regionen und die Hauptstadt
Amtssprache: Portugiesisch
Nationalfeiertag: 24. 9.
Währung: CFA-Franc
Zeitzone: WEZ

Staatswappen

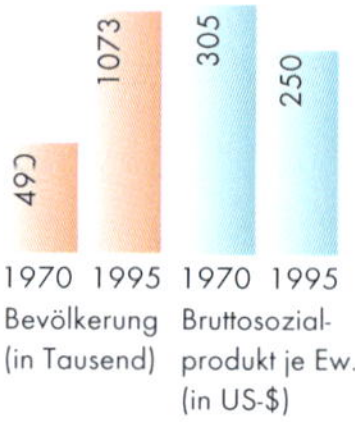

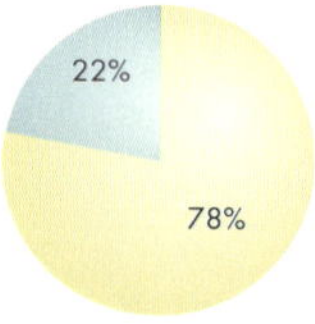

Bevölkerungsverteilung 1994

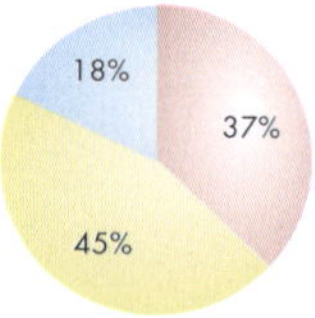

Bruttoinlandsprodukt 1994

Guinea-Bissau (amtlich portugies. República da Guiné-Bissau; dt. Rep. G.-B.), Staat in Westafrika, grenzt im N an Senegal, im O und S an Guinea, im W an den Atlantik, in dem die zu G.-B. gehörenden Bissagosinseln liegen.

Staat und Recht: Es gilt die Verf. von 1984, die bis 1991 die Grundlage für ein Einparteiensystem bildete und die auf internat. Druck reformiert wurde, sodass ein Mehrparteiensystem entstand. Staatsoberhaupt und Reg.chef ist der vom Volk für fünf Jahre gewählte Präs. Die Legislative wird von der Nationalversammlung mit ihren 100 Abg. gebildet. Tonangebende polit. Kraft blieb jedoch die bisherige Einheitspartei PAIGC (Partido Africano da Independencia da Guiné e Cabo Verde). Seit 1991 wurden zwölf Oppositionsparteien legalisiert. Zu den einflussreichsten Parteien neben dem PAIGC zählen die Resistência de Guiné-Bissau-Movimento Bafatá (RGB-MB) und der Partido da Renovação Social (PRS).

Landesnatur: G.-B. besteht aus dem flachen, an der 160 km langen Küste durch tief ins Land eingreifende Ästuare stark gegliederten Festland und den etwa 60 vorgelagerten Bissagosinseln. In den Ästuaren sind die Gezeiten bis über 100 km flussaufwärts bemerkbar; durch den dadurch bewirkten Rückstau kommt es in der Regenzeit (Mai bis Anfang November) zu weiten Überschwemmungen. Auf den Inseln und im Küstenbereich gibt es Mangroven- und Regenwälder, die nach O in Feuchtsavanne übergehen. Das Klima ist randtropisch.

Bevölkerung: Die einheim. Bev. gehört zu etwa 25 Völkern und Stämmen, größte sind Balante, Fulbe, Malinke, Mandjako. Daneben gibt es Kapverdianer und Portugiesen, ferner Syrer und Libanesen. – Allg. Schulpflicht besteht vom 8. bis 13. Lebensjahr. Die Analphabetenquote betrug 1990 63,5 %. – 54 % der Bev. gehören Naturreligionen an, 38 % sind Muslime, 8 % Christen.

Wirtschaft, Verkehr: Grundlagen sind Landwirtschaft und Fischerei (über 60 % des Bruttoinlandprodukts). Für den Eigenbedarf werden bes. Reis, Mais, Bohnen, Süßkartoffeln und Maniok angebaut, exportiert werden Erdnüsse (Anbau auf den Plateaus im östl. Landesteil), Palmöl, Kokos- und Cashewnüsse; die Küstenfischerei (Fang von Fischen und Krustentieren für den Export) wurde in den letzten Jahren modernisiert. Die vorhandenen Bodenschätze werden kaum genutzt (Bauxit bei Boe; Phosphat, Gold, Diamanten, Erdöl). Die Ind. beschränkt sich auf die Verarbeitung von Nahrungsmitteln. Nahezu alle Konsumgüter und Ind.ausrüstungen müssen eingeführt werden. Haupthandelspartner ist Portugal. – Das Straßen- (insgesamt 4 150 km) und Wasserwegenetz ist noch wenig ausgebaut; Haupthafen ist Bissau; internat. Flughafen Bissalanca nahe Bissau.

Geschichte: Das 1446 für Portugal in Besitz genommene Gebiet wurde 1879 als Portugiesisch-Guinea Kolonie, 1951 portugies. Überseeprovinz, sie erhielt 1955 Autonomie. Unterstützt von der Rep. Guinea und dem Befreiungskomitee der OAU, kämpfte die PAIGC unter Führung von A. Cabral (* 1924, ermordet 1973) in einem Guerillakrieg für die staatl. Unabhängigkeit Portugiesisch-Guineas. 1973 rief die PAIGC den Staat »Guinea-Bissau« aus, dessen Unabhängigkeit die portugies. Regierung (nach dem polit. Umbruch in Portugal) 1974 anerkannte. Die PAIGC strebte zus. mit dem in Kap Verde regierenden Flügel der Partei den Zusammenschluss beider Staaten an. Nach innerparteilichen Auseinandersetzungen musste Präs. L. Cabral (1973–80) nach einem Putsch sein Amt an J. B. Vieira abtreten. Die PAIGC teilte sich, die Kapverden nahmen seitdem eine eigenständige Entwicklung. Bei den ersten freien Wahlen 1994 zum Parlament siegte die bisher herrschende PAIGC, bei den gleichzeitigen Präsidentschaftswahlen konnte sich J. B. Vieira durchsetzen.

📖 MEIER, WOLFGANG: *Problematik sozialrevolutionärer Regime in der »dritten Welt«. Eine vergleichende Betrachtung der Entwicklungen in G.-B. (1974–1990) u. Nicaragua (1979–1990).* Marburg 1993.

Guineawurm, der → Medinawurm.

Guinness ['gɪnɪs], Sir (seit 1959) Alec, brit. Schauspieler, *London 2. 4. 1914; spielte am Old Vic-Theater und auf internat. Tourneen v.a. Shakespearerollen; dann bes. im Film: »Adel verpflichtet« (1950), »Ladykillers« (1955), »Die Brücke am Kwai« (1957), »Unser Mann in Havanna« (1959); »Lawrence von Arabien« (1962), »Hitler – Die letzten zehn Tage« (1972), »Krieg der Sterne« (1977), »Reise nach Indien« (1984), »Eine Handvoll Staub« (1988), »Kafka« (1991).

Guipúzcoa [gi'puθkoa], Provinz im Baskenland, Spanien, 1997 km², (1991) 676500 Ew., Hptst.: San Sebastián.

Güiraldes [gui'raldɛs], Ricardo, argentin. Schriftsteller, *Buenos Aires 13. 2. 1886, †Paris 8. 10. 1927; schrieb avantgardist. Lyrik; schloss sich dem Ultraismo an und gründete 1924 mit J. L. Borges die Literaturzeitschrift »Proa«. Der z.T. autobiograph. Bildungsroman »Das Buch vom Gaucho Sombra« (1926) schildert lyrisch-realistisch die argentin. Pampa und ihre Bewohner.

Guiraut de Bornelh [gi'ro də bɔr'nɛj], provenzal. Troubadour, *um 1138, †um 1215; Teilnehmer des 3. Kreuzzugs im Gefolge von Richard Löwenherz; galt den Zeitgenossen als »Meister aller Troubadoure«; überliefert sind 125 Liebes-, Rüge- und Klagelieder.

Guisan [gi'zã], Henri, schweizer. General, *Mézières (Kt. Waadt) 21. 10. 1874, †Pully (bei Lausanne) 8. 4. 1960; Dipl.-Landwirt, 1939–45 Oberbefehlshaber des schweizer. Heeres; plante die Konzentration der Abwehrkräfte im Alpenmassiv (»Reduit-Plan«).

Guiscard [gis'ka:r], →Robert 1).

Guise [gi:z, gɥi:z], frz. Herzogsgeschlecht, Nebenlinie des Hauses Lothringen (frz. Lorraine), nach der Stadt G. an der Oise. Unter Claude I. de Lorraine (*1496, †1550) wurde die Grafschaft 1528 zum Herzogtum, seine Tochter Maria (*1515, †1560) heiratete 1538 Jakob V. von Schottland und war die Mutter Maria Stuarts. Ihre Brüder François I. de Lorraine (*1519, †1563) und Charles de Lorraine (*1524, †1574), seit 1538 Erzbischof von Reims, seit 1547 Kardinal (der »Kardinal von Lothringen«), waren die Häupter der streng kath. Partei in Frankreich. François entfesselte 1562 die Hugenottenkriege, wurde vor Orléans ermordet. Sein Sohn Henri I. de Lorraine (*1550, †1588), maßgeblich an der Vorbereitung und Ausführung der Bartholomäusnacht beteiligt, war der Führer der kath. Liga von 1576. König Heinrich III., den er ganz unter seinen Einfluss zu bringen suchte, ließ ihn in Blois ermorden. 1675 starb das Haus G. aus.

Guitry [gi'tri], Sacha, eigtl. Alexandre Pierre Georges G., frz. Schriftsteller, Schauspieler und Filmregisseur, *Sankt Petersburg 21. 2. 1885, †Paris 24. 7. 1957; schrieb rd. 130 erfolgreiche Komödien für das Boulevardtheater (»Nicht zuhören, meine Damen«, 1950), Libretti für Operetten und geistreich-iron. Filme nach eigenen Texten, u.a. »Roman eines Schwindlers«.

Guittone d'Arezzo, gen. Fra G. d'A., italien. Dichter, *Arezzo um 1225, †Florenz um 1294; schrieb Liebeslyrik, später stark latinisierende moralisch-didakt., religiöse und polit. Kanzonen.

Guiyang [gweɪjaŋ] (Kweijang), Hptst. der chines. Provinz Guizhou, 1075 m ü.M., 1,07 Mio. Ew.; Univ., TU, Fachhochschulen für Landwirtschaft und Medizin; Stahlwerk, Aluminiumhütte (Bauxitabbau nördl. von G.), Maschinenbau, chem., Textilind.; Verkehrsknotenpunkt, Flughafen.

Guizhou [gweɪdʒɔu] (Kweitschou, Kweichow), Provinz in SW-China, 176000 km², (1994) 34,6 Mio. Ew. (darunter Miao, Puyi und Angehörige anderer Völker), Hptst. Guiyang. Überwiegend dünn besiedeltes, stark zerschnittenes Kalksteinplateau in durchschnittlich 1000 m Höhe mit mildem und feuchtem Klima. In den grundwassernahen Talungen und Becken werden Reis, Weizen, Mais angebaut; außerdem Seidenraupenzucht und Tungölgewinnung. Bergbauprodukte: Quecksilber, Kohle, Bauxit, Manganerze; Eisen- und Stahlind., Maschinenbau, Elektro-, Zement- und Düngemittelindustrie.

Guizot [gi'zo], François, frz. Politiker und Historiker, *Nîmes 4. 10. 1787, †Val-Richer (Dép. Calvados) 12. 9. 1874; wurde 1812 Prof. an der Sorbonne; Gründer der konstitutionell-royalist. Partei der »Doktrinäre«; 1832–37 Unterrichtsminister, 1840–48 Außenmin., 1847/48 MinPräs. Seine Ablehnung einer Wahlreform war ein Anlass zur Revolution von 1848. Seine Schriften, u.a. »Histoire de la révolution d'Angleterre« (2 Bde., 1826/27), »Histoire de la civilisation en France« (5 Bde., 1828–30), beruhen auf ausgedehnter Quellenforschung.

Gujar [-dʒ-] (Gudschar, Gudscharaten), Stammeskaste in NW-Indien und Pakistan, z.T. Hindus, z.T. Muslime. Die über 2 Mio. G. betreiben Viehhaltung und Ackerbau. Sie sprechen Gujarati.

Gujarat [gu:dʒə-], Bundesstaat im W von Indien, 196024 km², (1991) 41,3 Mio. Ew., Hptst. Gandhinagar; grenzt an Pakistan und ans Arab. Meer.

Gujarati [gu:dʒə-] *das,* neuindoarische Sprache, von insgesamt etwa 20–35 Mio. Menschen vornehmlich im ind. Staat Gujarat gesprochen.

Gujranwala [gʊdʒ'rənwa:lə], Stadt in Pakistan, im Pandschab, 658800 Ew.; elektrotechn. Ind., Metallverarbeitung.

Gu Kaizhi [-dʒi] (Ku K'ai-chih), chines. Maler, *Wuxi um 344, †um 405; bekanntester unter den ältesten, als Künstlerpersönlichkeiten fassbaren

Alec Guinness

François Guizot

Sacha Guitry

Friedrich Gulda

Allvar Gullstrand

Malern; diente am Hof in Nanking und wurde bes. für seine profane Figurenmalerei gepriesen; von seinen Werken sind nur Kopien erhalten.

GULAG (Gulag, GULag), Abk. für russ. **G**lawnoje **U**prawlenije **Lag**erei, Hauptverwaltung des stalinist. Straflagersystems in der UdSSR, zu Beginn der 1930er-Jahre eingerichtet; in den ihr unterstehenden Lagern wurden bes. zur Zeit der Zwangskollektivierung der Landwirtschaft und der »Säuberungen« (Große →Tschistka) in den 1930er-Jahren, aber auch nach dem 2. Weltkrieg Mio. von Menschen interniert. Der Name G. wurde der internat. Öffentlichkeit v.a. durch den literarisch-dokumentierenden Bericht »Der Archipel G.« (3 Bde., Paris 1973–75) von A. Solschenizyn bekannt.

📖 STETTNER, R.: *»Archipel G.«: Stalins Zwangslager – Terrorinstrument u. Wirtschaftsgigant. Paderborn 1996.*

Gulasch [ungar., verkürzt aus gulyáshús »Fleisch, wie es die Rinderhirten essen«] *das* oder *der,* urspr. ungar. Gericht; gewürfelte Fleischstücke, in Schmalz mit Zwiebeln, Salz, Kümmel, Majoran und Paprika gedünstet.

Gulaschkanone, →Feldküche.

Gulbenkian [engl. gʊlˈbeŋkjən], Calouste Sarkis, armen. Erdölmagnat, *Skutari (heute zu Istanbul) 1. 3. 1869, †Lissabon 20. 7. 1955; seit 1902 brit. Staatsbürger, erwarb durch Tätigkeit in der Erdölind. Aserbaidschans und Beteiligung an der Iraq Petroleum Comp. eines der größten Vermögen der Erde. Seine bed. Kunstsammlung ging in eine Stiftung ein, die 1969 in Lissabon das **»Museum Calouste G.«** eröffnete (Erweiterungsbau 1983).

Gulbranssen, Trygve, norweg. Schriftsteller, *Christiania (heute Oslo) 15. 6. 1894, †Gut Hobøe (bei Eidsberg, Prov. Hedmark) 10. 10. 1962; bekannt v.a. durch die Romantrilogie über ein norweg. Bauerngeschlecht auf Björndal: »Und ewig singen die Wälder« (1933); »Das Erbe von Björndal« (1934).

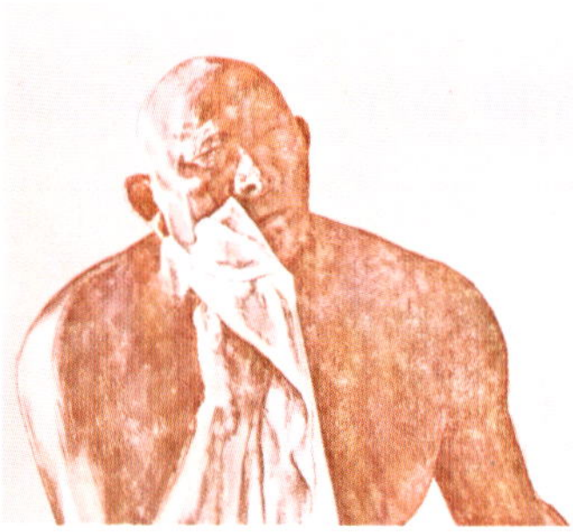

Olaf Gulbransson: Selbstbildnis (1930)

Gulbransson, Olaf, norweg. Grafiker, Zeichner und Maler, *Christiania (heute Oslo) 26. 5. 1873, †Tegernsee 18. 9. 1958; lebte seit 1902 in München, wo er als Karikaturist für den »Simplicissimus« arbeitete.

Gulda, Friedrich, österr. Pianist, Saxophonist und Komponist, *Wien 16. 5. 1930; Interpret von klass. und von Jazzmusik.

Gulden [zu mittelhochdt. guldin pfennic »goldene Münze«] (mundartl. Gülden), numismat. Begriff mit sehr unterschiedl. Bedeutung. *Deutschland* und *Österreich:* Der **Gold-G.** wurde als Zählwert zunächst dem älteren Rechnungspfund gleichgestellt (= 20 Schillinge = 240 Pfennige) und verdrängte vielfach das Pfund als Rechnungsbegriff, als er im Kurswert stieg, ohne dass ihm noch ein geprägtes Geldstück entsprach (sog. Rechnungs-G., auch Zähl-G.); er wurde zuerst im 14. Jh. als Nachahmung des florentin. Fiorino geprägt. Daher hieß der G. auch Florin oder Floren (Abk. fl.). Die silbernen **G.-Groschen** wurden ab Ende des 15. Jh., die silbernen **Reichsguldiner** 1524, 1551 und 1559 (Letzterer als **G.-Taler** = 60 Kreuzer) geschaffen. Seit 1623 gab es nebeneinander v.a. den »G. rheinisch« = 23 Reichstaler und den »G. fränkisch« = 56 Reichstaler; als Münze geprägt wurde nur der »G. rheinisch«, stärker erst wieder seit etwa 1670. In Süd-Dtl. entstand erst 1837 eine einheitl. G.-Währung mit Ausprägung des G. als Münze (bis 1875). Nach Einführung der Kronenwährung in Österreich (1892) blieben die Silber-G. als Zweikronenstücke kursfähig. – *Ungarn:* →Forint. – *Niederlande:* 1601 entstand ein Silber-G. zu 28 Stüvern; 1679 entstand ein neuer holländ. G. zu 20 Stüvern, seit 1816 zu 100 Cent, bis 1967 in Silber geprägt, seitdem in Kupfernickellegierung; seit 1973 ohne Goldbindung.

Guldin, Habakuk, als Jesuit Paul G., schweizer. Mathematiker, *St. Gallen 12. 6. 1577, †Graz 3. 11. 1643; stellte die nach ihm benannten (bereits im Altertum bekannten) **baryzentr. Regeln** zur Berechnung des Rauminhalts von Drehkörpern auf.

Gülle, Gemenge von Wasser, Harn und Kot, das bei der strohlosen Tierhaltung anfällt; organ. Dünger, dessen konzentrierte Ausbringung auf Felder, u.a. durch die Einsickerung von Nitraten in das Grundwasser, problematisch ist.

Gullfoss [ˈgydlfɔs; isländ. »Goldfall«] *der,* wasserreicher Wasserfall im SW Islands, im Mittellauf der mittleren Hvitá, die Wassermassen stürzen 31 m tief in eine Basaltschlucht.

Gullstrand [ˈgyl-], Allvar, schwed. Augenarzt, *Landskrona 5. 6. 1862, †Stockholm 28. 7. 1930; führte u.a. die nach ihm benannte Spaltlampe (G.-Lampe) und den stereoskop. Augenspiegel ein. Für Arbeiten über die Dioptrik des Auges erhielt er 1911 den Nobelpreis für Physiologie oder Medizin.

Gully [engl.] *der,* auch *das* (Sinkkasten), Einlaufschacht der Straßenabwässer zur Kanalisation.

Gumbinnen, Stadt in Russland, →Gussew.

Gumiljow, Nikolai Stepanowitsch, russ. Lyriker, *Kronstadt (Gebiet Leningrad) 15. 4. 1886, †Petrograd 24. 8. 1921; 1910–18 ⚭ mit A. Achmatowa; wegen des Verdachts der Teilnahme an einer Verschwörung erschossen, 1986 rehabilitiert; Mitbegründer, Theoretiker und einer der bedeutendsten Dichter des →Akmeismus.

Gumma *das,* derb-elast., knotige, zu geschwürigem Zerfall neigende Geschwulst, die z. B. bei Tuberkulose in versch. Organen oder an der Haut auftreten kann. Knochen werden durch G. zerstört (bes. der harte Gaumen).

Gummersbach, Krst. des Oberberg. Kreises, NRW, 250 m ü. M. im Berg. Land, 53 300 Ew.; Abteilung Maschinenbau, Elektrotechnik und Informatik der FH Köln; elektrotechn., Metall-, Textil-, Kunststoffind., Anlagen- und Kesselbau; zentraler Ort eines Erholungsgebiets mit regem Fremdenverkehr. – G. wurde 1857 Stadt.

Gullfoss

Gummi [lat.], 1) Sammelbez. für vulkanisierten →Kautschuk; 2) wasserlösl. Anteil der →Gummiharze.

Gummiarabikum *das* (Gummi arabicum), vorwiegend im Sudan aus der Rinde von Akazien gewonnene farblose bis braune Substanz, die sich in warmem Wasser zu einer zähen, klebrigen Flüssigkeit löst. G. besteht v. a. aus Salzen des Polysaccharids Arabinsäure. Es hat als Verdickungs- und Bindemittel nur noch geringe Bedeutung.

Gummibaum, 1) das Maulbeergewächs Ficus elastica, Feigenart in O-Indien und im Malaiischen Archipel; bis 25 m hoher Baum mit lederartigen, oberseits glänzend dunkelgrünen, bis 30 cm langen Blättern, die jung eingerollt und von einem roten Nebenblatt umhüllt sind; liefert Kautschuk; auch Zimmerpflanze.

2) das Wolfsmilchgewächs Hevea brasiliensis, ein Kautschuklieferant.

gummieren, eine Klebstoff- oder Gummischicht auf ein Material auftragen; z. B. metall. Werkstoffe mit einer Kautschukmischung beschichten, die ggf. vulkanisiert wird; in der Textilindustrie Latex oder Kunststoff (oft in mehreren Schichten) auf ein Gewebe auftragen, um es wasserdicht zu machen.

Gummiharze, eingetrocknete Milchsäfte bestimmter Pflanzen. Sie sind Mischungen von meist alkohollösl. natürl. →Harzen mit in Wasser aufquellbaren oder lösl. gummiartigen Stoffen.

Gummistrumpf, elast., eng anliegender Strumpf aus Gummigewebe, der durch Zusammenpressen die Durchblutung des erkrankten Beins (bes. bei Krampfadern oder zur Vermeidung von Thrombosen) günstig beeinflusst und den im Stehen in den Beinen auftretenden Blutstau vermindert.

Gumpoldskirchen, Marktgemeinde im Bezirk Mödling, Niederösterreich, 3 000 Ew.; landwirtsch. Fachschule; Herstellung von Leder- und Metallwaren, Maschinen; Weinbauzentrum mit zahlreichen Buschenschenken (Fremdenverkehr); nahebei Freigut **Thallern,** ein Gut des Stiftes Heiligkreuz mit got. Kapelle.

Gümri (bis 1924 Aleksandropol, bis 1991 Leninakan), Stadt im W von Armenien, 1529 m ü. M., 120 000 Ew.; polytechn. Hochschule; Textilindustrie. – Wurde im Dezember 1988 durch schwere Erdbeben nahezu völlig zerstört, 50 000 Menschen kamen ums Leben. G. entstand 1834 an der Stelle der mittelalterl. Stadt **Kumairi.**

Gümüşhane [-ʃaːnɛ], Hptst. der Provinz G., Türkei, 1225 m ü. M., im Pont. Gebirge, 25 900 Ew.; früher Mittelpunkt des pont. Silberbergbaus.

Gundahar (Gundikar), König der Burgunder (seit etwa 413) im Gebiet von Worms, 436 von den hunn. Söldnern des Aetius besiegt und getötet. Er ist der Gunther des Nibelungenliedes.

Gundelsheim, Stadt am Neckar, Kr. Heilbronn, Bad.-Württ., 7 400 Ew.; Siebenbürg. Museum; Konservenfabrik, Betonwerk u. a. Ind.; Weinbau. – Die Stadt wird überragt von Schloss Horneck (15.–18. Jh., Museum), das von 1420–1525 Sitz der Deutschmeister des Dt. Ordens war. – G. erhielt 1378 Stadtrecht.

Gundermann (Glechoma), Gattung der Lippenblütler mit fünf Arten im gemäßigten Eurasien. Einzige einheim. Art ist die **Gundelrebe (Efeu-G.,** Glechoma hederacea), eine krautige, mehrjährige Pflanze mit kriechenden, an den unteren Knoten bewurzelten Stängeln und meist violetten oder blauen Blüten.

Nikolai Gumiljow

Gulden: 1925 geprägtes niederländisches 10-Gulden-Stück (Vorder- und Rückseite)

Gundermann: Gundelrebe (Höhe 15–40 cm)

Gundestrup: Der Silberkessel von Gundestrup (2. oder 1. Jh. v. Chr.; Kopenhagen, Nationalmuseum)

Karoline von Günderode (zeitgenössischer Holzstich)

Günderode (Günderrode), Karoline von, Dichterin, *Karlsruhe 11. 2. 1780, †Winkel (heute zu Oestrich-Winkel) 26. 7. 1806; Stiftsdame in Frankfurt am Main, Freundin der Brentanos, veröffentlichte unter dem Pseud. **Tian** romant. Gedichte (»Gedichte und Phantasien«, 1804; »Poetische Fragmente«, 1805). Ihre unglückl. Liebe zu dem Heidelberger Philologen Georg Friedrich Creuzer trieb sie zum Selbstmord.

📖 Arnim, B. von: *Die G. Neuausg. Frankfurt am Main 1994.*

Gundestrup ['gonəsdrob], Ort im Amt Ålborg in Jütland, Dänemark, Fundort eines großen Kultgefäßes **(Silberkessel von G.)**, das entweder eine ostkelt. Arbeit oder aber eine keltisch beeinflusste thrak. Arbeit des 2. oder 1. Jh. v. Chr. aus N-Bulgarien ist.

Friedrich Gundolf

Gundlach, Gustav, Sozialwissenschaftler und Jesuit, *Geisenheim 3. 4. 1892, †Mönchengladbach 23. 6. 1963; seit 1962 Leiter der »Kath. Sozialwiss. Zentralstelle« in Mönchengladbach; Vertreter des Solidarismus.

Gundolf, Friedrich, eigtl. F. Gundelfinger, Literarhistoriker, *Darmstadt 20. 6. 1880, †Heidelberg 12. 7. 1931; gehörte zum Kreis um S. George. Seine auf dessen Kunsttheorie beruhenden geisteswiss. Arbeiten gingen von der Einheit von Künstler und Werk aus; so verstand er die großen Künstler als Symbolgestalten ihrer Epoche (»Shakespeare und der deutsche Geist«, 1911; »Goethe«, 1916; »George«, 1920; »Cäsar«, 1924; »Shakespeare«, 2 Bde., 1928).

Gunnar Gunnarsson

Gundremmingen, Gemeinde im Landkreis Günzburg, Bayern, nahe der Donau, 1300 Ew. Das 1966 in Betrieb genommene Demonstrationskernkraftwerk wurde 1977 stillgelegt. Ein neues Kernkraftwerk (installierte Leistung 1300 MW je Block) arbeitet seit 1984.

Gundulić [-litç], Ivan (Đivo Franov), ragusäischer Dichter, *Ragusa (heute Dubrovnik) 8. 1. 1589, †ebd. 8. 12. 1638; bedeutendster Vertreter der südslaw. Barockliteratur, schrieb Schäferspiele (»Dubravka«, 1628), religiöse Dichtungen und das (unvollendete) Heldenepos »Die Osmanide« (1621/22–38), in dem er seiner Vision einer Befreiung von der Türkenherrschaft künstler. Ausdruck gab.

Gunnar, Burgunderkönig, →Gunther.

Gunnarsson ['gyn-], Gunnar, isländ. Schriftsteller, *Valþjófsstaður 18. 5. 1889, †Reykjavík 21. 11. 1975; schrieb Romane in dän., später auch isländ. Sprache über isländ. Gegenwart und Geschichte: »Die Leute auf Borg« (4 Tle., 1912–14), »Vikivaki« (1932), »Die Eindalsaga« (1952).

Gunn-Effekt ['gʌn-], das 1963 von dem amerikan. Physiker J. B. Gunn (*1928) entdeckte Auftreten von Stromschwingungen in gewissen einkristallinen Halbleitern, an die über ohmsche Kontakte eine genügend große Gleichspannung (elektr. Feldstärke über 2 kV/cm) angelegt ist. Diese **Gunn-Dioden** werden im **Gunn-Oszillator** zur Erzeugung von Mikrowellen ausgenutzt.

Gunnere *die* (Gunnera), auf der südl. Halbkugel verbreitete Gattung der Gunneragewächse (Gunneraceae) mit rhabarberähnl. Blättern, plumpen Blütenkolben; Zierpflanzen.

Gunnere: Die Blätter der Art Gunnera chilensis sind bis 2 m breit, die Blütenkolben bis 50 cm hoch

Güns, dt. Name der ungar. Stadt →Kőszeg.

Günsel (Ajuga), Lippenblütlergattung mit rd. 50 Arten; Kräuter (auch Halbsträucher) mit gegenständigen Blättern und lebhaft gefärbten Blüten, mit unscheinbarer Ober- und dreilappiger Unterlippe. Der **Kriechende G.** (Ajuga reptans) mit meist blauen oder rötl. Blüten ist häufig in Wäldern und auf Wiesen.

Günstigkeitsprinzip (Begünstigungsprinzip), Grundsatz des Arbeitsrechts, dass bei voneinander abweichenden Vereinbarungen (z. B. im Tarif- und

Ignaz Günther (von links): Pietà in der Friedhofskapelle in Neuningen bei Göppingen (1774); Schutzengelgruppe (1763; München, Bürgersaal)

Einzelvertrag) die Vorschrift vorgeht, die für den Arbeitnehmer eine günstigere Regelung enthält (§ 4 Abs. 3 Tarifvertrags-Ges.).

Gunther (nord. Gunnar), in der german. Heldensage Name des burgund. Königs → Gundahar. Die Heldendichtung verknüpfte den Untergang der Burgunder mit einer Familienfehde (Nibelungenlied).

Gunther von Pairis, mittellat. Dichter, * in der Diözese Basel um 1150, † Pairis (bei Orbey, Dép. Haut-Rhin) nach 1210; Kleriker; dichtete für Konrad von Schwaben den »Solymarius«, eine Geschichte des 1. Kreuzzugs nach der Prosa Roberts von Saint-Rémy. 1186/87 schrieb er den »Ligurinus«, ein Versepos auf Barbarossa und seine Taten bis 1160, in dem er die Auffassung des Hofes von der stauf. Reichsidee darstellte. 1207/08 fasste er in der »Historia Constantinopolitana« Abt Martins Augenzeugenbericht vom 4. Kreuzzug in versgeschmückter Prosa zusammen.

Günther, 1) Agnes, geb. Breuning, Schriftstellerin, * Stuttgart 21. 7. 1863, † Marburg 16. 2. 1911; bekannt v. a. durch den schwärmer. Roman »Die Heilige und ihr Narr« (2 Tle., 1913/14, postum).

2) Anton, österr. kath. Theologe, * Lindenau (heute Lindava, bei Česká Lipá, Nordböhm. Gebiet) 17. 11. 1783, † Wien 24. 2. 1863; Schüler B. Bolzanos; suchte auf der Grundlage einer Anthropologie das kath. Dogma als Wiss. zu begründen und damit die Übereinstimmung von Offenbarung und Vernunft zu beweisen. Seine Werke wurden 1857 auf den Index gesetzt.

3) Dorothee, Gymnastikpädagogin, Schriftstellerin, * Gelsenkirchen 8. 10. 1896, † Köln 18. 9. 1975; gründete 1924 in München mit C. Orff die »G.-Schule für Gymnastik, Musik und Tanz«, in der das »Orff-Schulwerk« und die Lehrmethode »Elementarer Tanz« entwickelt wurden.

4) Egon, Filmregisseur, Schriftsteller, * Schneeberg 30. 3. 1927. Seine Filme beruhen meist auf literar. Vorlagen, u. a.: »Lots Weib« (1965), »Erziehung vor Verdun« (1973), »Lotte in Weimar« (1975), »Die Leiden des jungen Werthers« (1976), »Exil« (1981), »Morenga« (1985), »Heimatmuseum« (1988), »Stein« (1991).

5) Hans Friedrich Karl, Naturwissenschaftler, * Freiburg im Breisgau 16. 2. 1891, † ebd. 25. 9. 1968. Seine vereinfachenden und mit ideolog. Bewertungen (bes. Gegensatz zw. »Ariern« und Juden) durchsetzten rassenkundl. Schriften bildeten eine maßgebl. theoret. Grundlage der nat.-soz. Rassenideologie (»Rassenkunde des dt. Volkes«, 1928).

6) Ignaz, Bildhauer, * Altmannstein (Kr. Eichstätt) 22. 11. 1725, † München 27. 6. 1775; Meister des bayer. Rokoko, seit 1754 in München v. a. für kirchl. Auftraggeber tätig; schuf neben grazilen Gewandfiguren mit verhaltenen Ausdrucksgebärden in dezenter Farbigkeit auch Altäre und Ausstattungen für Kirchen, v. a. in Rott a. Inn, Weyarn (Kr. Miesbach), Starnberg und Mallersdorf (Kr. Straubing-Bogen).

7) Johann Christian, Dichter, * Striegau (heute Strzegom) 8. 4. 1695, † Jena 15. 3. 1723; schrieb Lyrik von großer Unmittelbarkeit, die ihn zum Vorläufer der modernen Erlebnislyrik machte. BILD S. 22

8) Matthäus, Maler, * Tritschenkreut (heute zu Peißenberg, Kr. Weilheim-Schongau) 7. 9. 1705, † Haid (heute zu Raisting) 30. 9. 1788; malte v. a. Wand- und Deckenfresken in süddt. Rokokobauten (Kirchen in Amorbach, Rott am Inn u. a.) oft in Zusammenarbeit mit Wessobrunner Stuckatoren. BILD S. 22

Günsel: Kriechender Günsel (Höhe 15–30 cm)

Johann Christian Günther: Titelseite der 1735 erschienenen Gesamtausgabe seiner Gedichte

Gunung Jaya [-ˈdʒaja] (früher Carstenszspitzen, Gunung Sukarno), vergletscherter Vulkan im Zentralgebirge Neuguineas, mit 5033 m ü. M. höchste Erhebung der Insel und des indones. Staatsgebietes; 1962 erstmals von H. Harrer bestiegen.

Günz *die,* rechter Nebenfluss der Donau, 54 km lang, entsteht durch den Zusammenfluss von Östl. und Westl. Günz, die bei Obergünzburg entspringen, mündet bei Günzburg.

Günzburg, 1) Landkreis im RegBez. Schwaben, Bayern, 762 km^2, (1996) 119 500 Ew.

2) Krst. von 1) in Bayern, an der Mündung der Günz in die Donau, 19 500 Ew.; Große Krst., Maschinenbau, Nahrungsmittelindustrie. – Schloss und Hofkirche (16.–17. Jh.), Torturm (1612), Frauenkirche (1736–41). – G., an der Stelle des Römerkastells **Gontia** errichtet, wurde 1303 Stadt, war vom 15. Jh. bis 1805 Verw.sitz der österr. Markgrafschaft Burgau, kam 1805 an Bayern.

Guppy (von oben): Männchen (Größe 3 cm) und Weibchen (Größe 6 cm) der Wildform

Matthäus Günther: Deckenfresko in der ehemaligen Benediktinerkirche in Rott am Inn, Ausschnitt (1763)

Gunzenhausen, Stadt im Landkreis Weißenburg-G., Bayern, an der Altmühl, 16 600 Ew.; Kunststoffverarbeitung, elektrotechn., Metall verarbeitende, Glasind.; Fremdenverkehr. – Gut erhaltene Stadtmauer mit zahlr. Türmen. – G. entwickelte sich im 13. Jh. zur Stadt.

Guo Moruo, Kuo Mo-jo, chin. Gelehrter, Schriftsteller und Politiker, *Leshan (Prov. Sichuan) 16. 11. 1892, †Peking 12. 6. 1978; schrieb Kurzgeschichten, Gedichte und Dramen mit zunächst romant., seit 1927 sozialkrit. und polit. Einschlag, Untersuchungen zur frühen chines. Geschichte sowie Übersetzungen (u. a. von Werken Goethes), bekleidete u. a. während der Kulturrevolution wichtige polit. Ämter.

Guo Xi [-çi] (Kuo Hsi), chines. Landschaftsmaler, *Wenxian (Prov. Henan) um 1020, †Kaifeng um 1090; Autor des Traktats »Die erhabene Schönheit von Wald und Strom«, einer der wichtigsten Quellen zum Verständnis früher chines. Landschaftsmalerei.

Guppy [nach dem engl.-westind. Naturforscher R. J. L. Guppy] *der* (Millionenfisch, Poecilia reticulata), lebend gebärender Zahnkarpfen aus dem nördl. Südamerika; einer der beliebtesten Aquarienfische mit deutl. Geschlechtsdimorphismus (Männchen kleiner, aber wesentlich bunter); in der Natur nützl. Vertilger von Mückenlarven.

Gupta, nordind. Dynastie (320 bis Anfang des 6. Jh.); Kerngebiet ihres Großreiches **(G.-Reich)** war Maghada (etwa das heutige Bihar). Samudragupta (um 335–375) begründete die Großmachtstellung der Dynastie (Eroberungszüge bis nach SO-Indien); höchste Machtentfaltung und kulturelle Blüte unter Candragupta (Tschandragupta) II. (375–413/15), dessen Reich auch weite Gebiete Zentralindiens einschloss. Seit Beginn des 6. Jh. beherrschten die Hunnen große Teile des Reiches.

Gurage, Sammelbez. für mehrere ethn. Gruppen im südl. Hochland von Äthiopien, etwa 1,5 Mio. Menschen; vorwiegend Christen, doch blieben z. T. alte Glaubenselemente erhalten. Die im O lebenden G. sind Muslime und in den Oromo aufgegangen; eigenständig blieben nur die Harari. Die G.-Sprachgruppe (zahlreiche Sprachvarianten) gehört zum südl. Zweig der semit. Sprachen Äthiopiens.

Gurgel, volkstüml. Bez. für den vorderen, Schlund und Kehlkopf enthaltenden Teil des Halses; meist auf Tiere bezogen.

Gurgltal, Hochgebirgstal in Tirol, →Ötztal.

Gurjew, bis 1992 Name der kasach. Stadt →Atyrau.

Gurk, 1) *die,* linker Nebenfluss der Drau in Kärnten, Österreich, 120 km lang, entspringt östlich der Turracher Höhe in den Gurktaler Alpen, mündet östlich von Klagenfurt.

Gurk 2): Die um 1140–1200 erbaute ehemalige Domkirche Mariä Himmelfahrt ist eines der bedeutendsten romanischen Bauwerke Österreichs

2) Markt- und Wallfahrtsort an der oberen G., N-Kärnten, Österreich, 1400 Ew.; die Pfarr- und ehem. Domkirche Mariä Himmelfahrt (um 1140–1200 erbaut) ist ein bed. roman. Bauwerk mit reicher (zeitgenöss.) Ausstattung (Glasgemälde, Wandmalereien, hundertsäulige Krypta mit Grab der hl. Hemma; Hochaltar von 1626–32). Das Bistum G. wurde 1072 gegr., der Bischofssitz 1787 nach Klagenfurt verlegt.

Gurke (Cucumis sativus), Art der Kürbisgewächse, Wärme liebende, frostempfindl. einjähriges Fruchtgemüse mit gelben Blüten; die Frucht ist eine vielsamige Großbeere, nach der Form der Früchte unterscheidet man Schlangen- (Salat-), Walzen- und Traubengurke.

Gurkenbaum (Averrhoa), Gattung der Sauerkleegewächse mit zwei Arten: **Echter G.** (**Blimbing,** Averrhoa bilimbi) und **Karambole** (Averrhoa carambola) im malaiischen Gebiet; 10–12 m hohe Bäume mit säuerl., gurkenartigen, essbaren Beerenfrüchten.

Gurkenkraut, → Borretsch.

Gurkha (Ghurka), **1)** hinduist. Volk, das 1768/69 Nepal eroberte und seither die Führungsschicht stellt. Die G. sprechen das indoarische Nepali.

2) Bez. für nepales. Soldaten in der brit. und ind. Armee.

Gurktaler Alpen, Gebirgsgruppe der Ostalpen zw. Katschberg und Neumarkter Sattel, Österreich (Kärnten, Steiermark, Salzburg), im **Eisenhut** 2441 m ü. M.; im SW die Nockberge; Alm- und Forstwirtschaft.

Gurlitt, 1) Cornelius Gustav, Architekt und Kunsthistoriker, * Nischwitz (heute zu Tallwitz, bei Wurzen) 1. 1. 1850, † Dresden 25. 3. 1938, Vater von 3); bahnbrechend wirkte seine »Geschichte des Barock-Stiles, des Rococo und des Klassicismus« (3 Bde., 1887–89).

2) Manfred, Dirigent und Komponist, * Berlin 6. 9. 1890, † Tokio 29. 4. 1972; schrieb Opern (z. B. »Wozzeck«, 1926), Kammermusik u. a.

3) Wilibald, Musikforscher, * Dresden 1. 3. 1889, † Freiburg im Breisgau 15. 12. 1963, Sohn von 1); Prof. in Freiburg im Breisgau, setzte sich für die Wiederbelebung alter Musik und die Pflege histor. Instrumente (Rekonstruktion einer Praetorius-Orgel) ein; gab den Personenteil der 12. Auflage des »Riemann Musik-Lexikons« (2 Bde., 1959–61) heraus.

4) Wolfgang, Kunsthändler und Verleger, * Berlin 15. 2. 1888, † München 26. 3. 1965; gab in seinem Verlag für Grafik Blätter der dt. Expressionisten heraus, als Händler förderte er bes. die Maler der »Brücke«. Nach der teilweisen Vernichtung seiner Sammlung (1943) eröffnete er 1945 eine neue Galerie in München.

Gurma, sudanes. Volk in NO-Ghana, N-Togo und im SO von Burkina Faso. Die über 1 Mio. G. sind mit den → Mosi verwandt und politisch von ihnen beeinflusst.

Gurnia (Gournia), Ruinenstätte an der N-Küste O-Kretas, minoische Stadtanlage, die fast in ihrer ganzen Ausdehnung freigelegt wurde, mit Wohnhäusern und Werkstätten sowie einem kleinen palastartigen Zentrum. Blütezeit im 16. und 15. Jh. v. Chr. Um 1450 v. Chr. wurde G. durch Feuer zerstört; im 13. Jh. teilweise wieder besiedelt.

Gurke: Spross der Salatgurke mit Blüten und Frucht

Gürsel, Cemal, türk. General, * Erzincan 1895, † Ankara 14. 9. 1966; führte 1960 den Putsch gegen die Reg. Menderes; 1961–66 Staatspräsident.

Gurt, 1) *allg.:* kräftiges Band (Schmalgewebe), breiter Riemen, auch zum Anschnallen (→ Sicherheitsgurt).

2) *Bautechnik:* die obere und untere Begrenzung (**Ober-G.** bzw. **Unter-G.**) eines Vollwand- oder Fachwerkträgers. Bei Walzstahlprofilen heißen die horizontal zum senkrechten Steg verlaufenden Teile G. oder Flansch.

Gurtbogen (Gurtgewölbe), Traggewölbe eines Tonnengewölbes.

Gürtel (von links): Mit Karneolen besetzter Hochzeitsgürtel aus Dalmatien (18. Jh.; Offenbach, Deutsches Ledermuseum) und bayerische Gürtel mit Federkielstickerei (19. Jh.; München, Bayerische Staatssammlung)

Gürtel, Kleidungszubehör aus Stoff, Leder, Metall oder Kunststoff, das oft mit einer Schnalle geschlossen wird; dient zum Zusammenhalten der Kleidung über den Hüften. Der G. aus Fell, Leder, Rinde oder aufgereihten Tierzähnen tritt bereits in der Altsteinzeit auf. Aus der Bronzezeit liegen G.-Scheiben aus Knochen und Geweih vor. In der La-Tène-Zeit wurden anstelle der G. häufig **G.-Ketten** getragen. Die **G.-Schnalle** kam erst in nachchristl. Zeit auf. Bis zum 14. Jh. wurde der G. fast stets oberhalb der Hüfte umgelegt; im letzten Drittel des 14. Jh. kam der tief sitzende Dusing (Schwertgurt) in Gebrauch.

Gürtelechsen (Cordylidae), afrikan. Familie der Echsen mit oft stacheligen, am Schwanz wirtelig angeordneten Schuppen.

Gürtelmaus, Art der →Gürteltiere.

Gürtelreifen, →Reifen.

Gürtelringen, in Island ausgeübte Form des Ringkampfes **(Glima),** bei der sich die Ringer nur am Gürtel anfassen dürfen, um den Gegner zu Boden zu werfen (ähnlich das →Schwingen in der Schweiz).

Gürteltier

Wie gelingt es dem weiblichen Gürteltier, nur ein bisschen schwanger zu sein?

Es kann nach der Paarung die Entwicklung des Embryos bis zu drei Jahre lang hinausschieben. Dadurch wird gewährleistet, dass die Jungen nicht zu Zeiten von Dürre und Nahrungsmangel geboren werden.

Gürtelrose (Zoster, Herpes zoster), stark schmerzhafte Virusinfektion, die v. a. als Hauterkrankung im Versorgungsgebiet meist nur eines Nervs auftritt; sie entsteht durch Reaktivierung des Erregers der Windpocken (Varicella-Zoster-Virus), der nach Überstehen dieser Kinderkrankheit entlang der peripheren Nervenfasern v. a. in die Spinalganglien wandert und dort über Jahre latent verbleibt. Als Ursache für den erneuten Ausbruch in Form der G. wird z. T. eine örtl. Störung der zellulären Immunität angenommen. Die G. beginnt mit leichter Beeinträchtigung des Allgemeinbefindens, leicht erhöhter Temperatur und neuralg. Schmerzen. Innerhalb von 2–3 Tagen treten dann gruppenweise hellrote, kleine Knötchen auf, die sich nach einigen Stunden in Bläschen umwandeln. Betroffen ist meist der Rumpf (mit »gürtelförmiger« Ausbreitung), auch das Gesicht im Bereich des Drillingsnervs. Die örtl. Lymphknoten sind regelmäßig beteiligt. Die G. dauert 2–4 Wochen, verläuft bei jüngeren Menschen gewöhnlich leicht, kann jedoch bei älteren Personen nach Abklingen der Hauterscheinungen noch unangenehme neuralg. Schmerzen hinterlassen. – Die *Behandlung* umfasst v. a. die äußerl. Anwendung von austrocknenden Schüttelmixturen und Schmerzmittelgaben.

Gürteltiere (Dasypodidae), Familie der Zahnarmen in Amerika; Oberseite und Schwanz sind mit Hornplatten bedeckt, die Gürtel bilden können. Viele G. schützen sich durch Zusammenrollen, andere durch Eingraben. Das **Riesen-G.** (Priodontes giganteus) ist mit 150 cm Länge am größten, die nur 13 cm lange **Gürtelmaus (Gürtelmull,** Chlamyphorus truncatus) Südamerikas am kleinsten. Die **Kugel-G.** (Tolypeutes) stellen zusammengerollt eine voll gepanzerte Kugel dar. Bei den **Weich-G.** (Dasypus) sind die Hornplatten fast lederartig.

Gurtförderer, ein mechan. Stetigförderer, →Fördermittel.

Gürtner, Franz, Politiker, *Regensburg 26. 8. 1881, †Berlin 29. 1. 1941; Mitgl. der Bayer. Mittelpartei (deutschnational), 1922–32 Justizmin. Bayerns, 1932–41 des Dt. Reiches, 1934–41 zugleich Preußens, übertrug im Sinne der nat-soz. Gleichschaltungspolitik die Landesjustizverwaltungen der dt. Länder auf das Reich (Abschluss 1935).

Gurtung, 1) *Bautechnik:* alle Gurte eines Vollwand- oder Fachwerkträgers.

2) *Wasserbau:* Versteifung von Spundwänden.

Guru [Sanskrit »ehrwürdiger Lehrer«] *der,* in Indien der geistl. Lehrer und Führer zum Heilsweg.

Gurunsi, Stammesgruppe in Burkina Faso und Ghana, → Grusi.

Gurvitch [gyrˈvitʃ], Georges, frz. Soziologe, *Noworossisk 2. 11. 1894, †Paris 12. 12. 1965; Vertreter einer dialektisch orientierten Wissenssoziologie, die die engen wechselseitigen Beziehungen zw. der Gesellschaft und den jeweiligen Theorien über die Gesellschaft betont. Er schrieb u.a. »Grundzüge der Soziologie des Rechts« (1940), »Dialektik und Soziologie« (1962).

Gürzenich [nach einer Kölner Adelsfamilie], Festsaalbau in Köln, 1441–47 errichtet, im 2. Weltkrieg bis auf die Außenmauern zerstört, 1952–54 im Äußeren in den alten Formen wieder aufgebaut, Innenraum als moderner Festsaal. Im G. finden die Konzerte des G.-Orchesters statt.

GUS, Abk. für **G**emeinschaft **U**nabhängiger **S**taaten, lockerer Staatenbund, gegr. am 8. 12. 1991 durch das Abkommen von Minsk zunächst von Russland, der Ukraine und Weißrussland. Am 21. 12. 1991 traten ihm bei einem Treffen in Alma-Ata acht weitere frühere Sowjetrepubliken (Armenien, Aserbaidschan, Kasachstan, Kirgistan, Moldawien, Tadschikistan, Turkmenistan und Usbekistan) bei, die zuvor ihre Unabhängigkeit erklärt hatten. 1994 trat Georgien der GUS bei.

Mit Bildung der GUS wurde die UdSSR offiziell aufgelöst. Die Mitgl.staaten einigten sich auf die Konstituierung gemeinsamer Organe (u.a. Rat der Staatsoberhäupter) und ein einheitl. Kommando über die strateg. Streitkräfte (1993 aufgelöst und durch den »Vereinigten Stab für die Koordinierung der militär. Zusammenarbeit in der GUS« ersetzt). Nationale und wirtschaftlich-polit. Spannungen zw. einzelnen Republiken bewirkten eine zunehmende Instabilität der Gemeinschaft. Im März 1992 wurde die Aufstellung einer GUS-Friedenstruppe zur Eindämmung nationaler Konflikte beschlossen; im Mai 1992 vereinbarten sechs Staaten (Russland, Armenien, Kasachstan, Tadschikistan, Turkmenistan und Usbekistan) einen militär. Beistandspakt. 1993 wurde ein Rahmenabkommen über die Schaffung einer Wirtschaftsunion geschlossen. 1996 setzte zw. einigen Staaten ein Prozess verstärkter Zusammenarbeit ein: In diesem Sinne bilden Russland, Kasachstan und Kirgistan eine »Gemeinschaft Integrierter Staaten« (Abk.: GIS). Am 2. 4. 1997 unterzeichneten die Präs. Russlands und Weißrusslands einen Unionsvertrag.

📖 Götz, R. *u.* Halbach, U.: *Politisches Lexikon GUS. München [3]1996.*

Gusinde, Martin, Ethnologe und Anthropologe, *Breslau 29. 10. 1886, †Mödling 18. 10. 1969; seit 1911 Priester (Steyler Missionare); erforschte die heute nahezu ausgestorbenen Feuerländer

Gürteltiere: Das Kugelgürteltier kann sich zu einer voll gepanzerten Kugel (rechts) zusammenrollen

1918–24 auf vier Expeditionen (»Die Feuerland-Indianer«, 4 Bde., 1931–74). Weitere Expeditionen galten den Pygmäen und Buschmännern in Afrika, den Negritos auf den Philippinen und den kleinwüchsigen Ayom in Ostneuguinea.

Martin Gusinde

Gusle *die* (Gusla), einsaitige südslaw. Kniegeige; der Hals des Instruments ist oben oft als Tierkopf gestaltet; der **Guslar** genannte Spieler begleitet sich selbst zum Vortrag epischer Gesänge.

Gusli *die,* russ. zitherähnl. Volksmusikinstrument mit flachem, meist trapezförmigem Korpus und urspr. 5–7, später 18–32 Saiten, die mit den Fingern oder mit Plektron angerissen werden.

Guss|asphalt, *Straßenbau:* ein Gemisch aus Bitumen und Mineralen (Sand, Splitt u.a.), dem im heißen Zustand ein durch Erhitzen dünnflüssig ge-

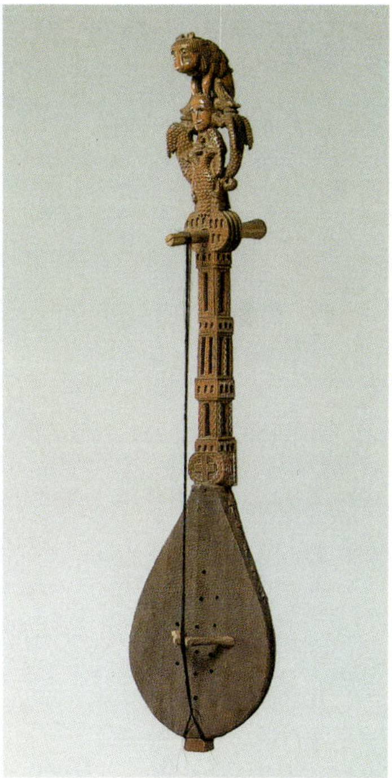

Gusle aus Serbien (Anfang 19. Jh.; München, Musikinstrumentenmuseum im Stadtmuseum)

Lars Gustafsson

machtes Straßenbaubitumen zugemischt worden ist. Dieses Gemisch wird an der Baustelle (z.B. Straße) in heißem Zustand verarbeitet.

Guss|eisen, sprödes, kohlenstoffreiches (2 bis 4 %) Roheisen zur Herstellung von Gusswaren.

Gussew (dt. Gumbinnen), Stadt im Gebiet Kaliningrad (Königsberg), Russland, an der Mündung der Rominte in die Pissa, 22 000 Ew.; elektrotechn. Ind., Trikotagenfabrik.

Gussfüllung (Inlay), *Zahnmedizin:* gegossene Zahnfüllung, die nach einem Abdruck der präparierten Zahnhöhle im zahntechn. Labor hergestellt wird; meist aus einer Gold- oder Silberlegierung, die einzementiert wird.

Gussglas, ein gegossenes und gewalztes Flachglas, →Glas.

Güssing, Bezirkshauptstadt im südl. Burgenland, Österreich, am Fuße eines Basaltkegels gelegen, 4 200 Ew.; Nahrungsmittel- und Lederwarenind., Mineralwasserversand; Wildpark. – Burg (12./13. und 16./17. Jh.), Franziskanerkloster (1649 vollendet) mit wertvoller Bibliothek.

Gustafsson, Lars, schwed. Schriftsteller, *Västerås 17. 5. 1936; analysiert in krit., fantasievollen Romanen das Lebensgefühl seiner Generation: »Herr Gustafsson persönlich« (1971), »Wollsachen« (1973), »Das Familientreffen« (1975), »Der Tod eines Bienenzüchters« (1978), »Die dritte Rochade des Bernard Foy« (1986), »Nachmittag eines Fliesenlegers« (1991), »Palast der Erinnerungen« (Biographie 1996); schrieb auch Lyrik und Essays.

Gustav II. Adolf, König von Schweden (Ausschnitt aus einem Gemälde von Anthonis van Dyck, um 1630)

Gustav, schwed. Könige: **1) G. I. Eriksson Wasa,** König (1523–60), *Lindholmen oder Rydboholm (Uppland) 12. 5. 1496 oder 3. 5. 1497, †Stockholm 29. 9. 1560; begann 1521 von Dalarna aus den Kampf gegen das dän. Unionskönigtum, erreichte mithilfe Lübecks die Kapitulation Stockholms, wurde 1523 zum König gewählt. Der »Reformationsreichstag« von Västerås beschloss 1527 die Einführung der Reformation und die Einziehung des Kirchenguts. Im Bund mit Dänemark brach G. in der Grafenfehde die Ostseeherrschaft Lübecks. 1544 setzte er auf dem Reichstag in Västerås die Errichtung des Erbkönigtums für das Haus Wasa durch. Als Vaterlandsbefreier und Nationalheld wurde G. auch in der Lit. gefeiert (A. Kotzebue, 1800; A. Strindberg, 1899).

Gustav III., König von Schweden (Ausschnitt aus einem Gemälde, 1777)

2) G. II. Adolf, König (1611–32), *Stockholm 19. 12. 1594, ⚔ bei Lützen 16. 11. 1632, Sohn von Karl IX., Enkel von 1); gewann mithilfe seines Kanzlers A. Oxenstierna den oppositionellen Adel für sich, indem er ihm die »konstitutionelle« Mitwirkung an der Reg. zusicherte (verstärkt durch die Reichstagsordnung von 1617, die Ritterhausordnung von 1626 und die erweiterte Zusammenarbeit mit dem Reichsrat). Die Friedensschlüsse von Knäred mit Dänemark (1613) und von Stolbowo mit Russland (1617, Gewinn Kareliens und Ingermanlands) ermöglichten den Kampf gegen Polen, das 1629 Livland abtreten musste. V.a. die Bedrohung der schwed. Großmachtstellung durch das Vordringen der habsburgisch-kaiserl. Macht an die Ostsee ließen ihn, von Frankreich unterstützt, 1630 in den Dreißigjährigen Krieg eingreifen; er besiegte die kaiserl. Truppen in allen Schlachten, bis er im Kampf gegen das Heer Wallensteins fiel. Sein Leben ist oft literarisch behandelt worden (C. F. Meyer, 1882; A. Strindberg, 1903).

📖 Barudio, G.: *G. Adolf – der Große. Eine polit. Biographie. Neuausg. Frankfurt am Main 1985.* – Berner, F.: *G. Adolf, der Löwe aus Mitternacht. Tb.-Ausg. München 1985.* – Findeisen, J.-P.: *G. II. Adolf von Schweden. Der Eroberer aus dem Norden. Graz u. a. 1996.*

3) G. III., König (1771–92), *Stockholm 24. 1. 1746, †ebd. 29. 3. 1792, Sohn König Adolf Friedrichs und Luise Ulrikes, einer Schwester Friedrichs d. Gr.; beendete 1772 in einem unblutigen Staatsstreich die Herrschaft der Stände, aber seine kostspieligen Kriege (gegen Dänemark 1788/89, gegen Russland 1788–90) riefen wieder eine Adelsopposition hervor. Der Offiziersverschwörung in Finnland begegnete er mit der »Vereinigungs- und Sicherheitsakte« (1789), die ihm fast unumschränkte Macht gab und einen Teil der Adelsprivilegien auf andere Stände übertrug. Eine Adelsverschwörung führte zu seiner Ermordung durch J. J. Anckarström. – G., selbst musisch tätig, gründete 1773 die Königl. Oper, stiftete 1786 die Schwed. Akademie. – Seine Ermordung behandelte G. Verdi in »Ein Maskenball« (1859), seinen zwiespältigen Charakter u.a. A. Strindberg (1900).

📖 Gerste, R. D.: *Der Zauberkönig. G. III. u. Schwedens goldene Zeit. Göttingen 1996.*

4) G. IV. Adolf, König (1792–1809), *Stockholm 1. 11. 1778, †St. Gallen 7. 2. 1837, Sohn von 3); bis 1796 unter Vormundschaft, verlor 1806 als Gegner Napoleons I. Vorpommern; weigerte sich, der Kontinentalsperre beizutreten und wurde von Frankreich, Russland und Dänemark angegriffen. Nach dem Verlust Finnlands wurde er von einer Offiziersverschwörung gestürzt. Der Reichstag erklärte ihn und seine Erben des Thrones für verlustig. Seit 1816 nannte G. sich auch Oberst Gustaf Gustafsson.

5) G. V., König (1907–50), *Schloss Drottningholm 16. 6. 1858, †ebd. 29. 10. 1950, Vater von 6), Sohn Oskars II., seit 1881 ⚭ mit der bad. Prinzessin Viktoria (†1930); setzte sich in beiden Weltkriegen für die Neutralität der nordeurop. Staaten ein.

6) G. VI. Adolf, König (1950–73), *Stockholm 11. 11. 1882, †Helsingborg 15. 9. 1973, Sohn von 5); Archäologe, veranlasste als Kronprinz schwed. Ausgrabungen in Griechenland (Asine); seit 1905 ⚭ mit Margret, Prinzessin von Großbritannien und Irland (†1920), seit 1923 mit Lady Louise Mountbatten (†1965).

Gustav-Adolf-Werk der Evangelischen Kirche in Deutschland, Abk. **GAW,** Verein zur materiellen und geistl. Unterstützung der evang. Diaspora, hervorgegangen aus dem 1832 in Leipzig gegr. **Gustav-Adolf-Verein.**

Güstrow [-o:], **1)** Landkreis in Meckl.-Vorp., (1996) 2058 km^2 und 116200 Einwohner.

2) Krst. von 1) in Meckl.-Vorp., 34500 Ew.; Ingenieurschule, Ernst-Barlach-Gedenkstätte und -Museum (Atelierhaus); Zuckerfabrik, Landmaschinenbau, Holz-, Bau-, Möbel-, Futtermittelindustrie. – Marktplatz mit klassizist. Rathaus (1797/98), Bürgerhäuser des 16.–18. Jh., Marienkirche (14. Jh. begonnen, im 19. Jh. verändert), got. Dom (1226 bis um 1350) mit wertvoller Ausstattung (u. a. Apostelfiguren von C. Berg, nach 1532; Grabmäler Güstrower Fürsten, 16. Jh.; Neuguss des 1937 eingeschmolzenen Güstrower Ehrenmals [»Schwebender«] von E. Barlach, 1927). Das Schloss (1558–94, im 19. Jh. und 1964–70 restauriert) ist ein Hauptwerk der norddt. Renaissance. – G. wurde im 13. Jh. gegr. und erhielt 1228 Stadtrecht; es war 1235–1436 Residenz der Fürsten von Werle, 1520/56–1695 der Herzöge von Mecklenburg-Güstrow.

Gut, 1) *allg.:* Besitz; landwirtsch. (Groß-)Grundbesitz, Landgut.

2) *Schifffahrt:* sämtl. Tauwerk in der Takelage eines Schiffes. Man unterscheidet stehendes G. (Pardunen, Stage, Wanten), das allgemein fest installiert ist, und laufendes G., das bei der Bedienung von Ladegeschirren, Segeln usw. bewegt wird.

3) *Wirtschaftstheorie:* jedes Mittel zur Befriedigung menschl. Bedürfnisse. Man unterscheidet nach der Verfügbarkeit **freie Güter,** die in ausreichender Menge zur Verfügung stehen (z. B. Luft), sodass jeder seinen Bedarf vollständig decken kann, und **wirtsch. Güter,** deren Merkmal die Knappheit ist. Bei Letzteren unterscheidet man zw. nicht beliebig vermehrbaren (z. B. Kunstwerke) und beliebig vermehrbaren Gütern, deren Menge durch Kosten verursachende Produktion vergrößert werden kann. Man unterscheidet ferner **Konsumgüter,** die unmittelbar Bedürfnisse decken, und **Produktionsmittel,** mit deren Hilfe Konsumgüter hergestellt werden und die somit nur mittelbar menschl. Bedürfnisse befriedigen. Konsumgüter werden in **Verbrauchsgüter** (zum einmaligen Verbrauch) und **Gebrauchsgüter** (länger nutzbar), die Produktionsmittel in **Produktionsgüter** (Roh-, Hilfs-, Betriebsstoffe) und **Investitionsgüter** (Anlagegüter) gegliedert. **Komplementäre Güter** ergänzen sich gegenseitig (z. B. Leuchte und Glühlampe), **substitutive Güter** können sich gegenseitig ersetzen (z. B. Butter und Margarine). Die **materiellen Güter** sind körperlich, wogegen die **immateriellen Güter** unkörperlich sind. Die **Sachgüter** sind materielle Realgüter; sie können unbewegl. (Immobilien) oder bewegl. Natur (Mobilien) sein. Immaterielle Realgüter sind z. B. Arbeits- und Dienstleistungen sowie Informationen, Rechte, Ideen und Nominalgüter. **Private Güter (Individualgüter)** können unter Ausschluss anderer Wirtschaftssubjekte individuell genutzt bzw. konsumiert werden, während bei **öffentl. Gütern (Kollektivgütern)** die Möglichkeit gemeinsamer Nutzung besteht.

Gutach *die,* **1)** linker Nebenfluss der Kinzig, entspringt bei Triberg im Schwarzwald, bildet den Triberger Wasserfall, mündet bei Hausach. Durch das landschaftlich reizvolle **G.-Tal** führt mit 38 Tunneln die Schwarzwaldbahn. Bei Hausach liegt das Freilichtmuseum »Vogtsbauernhof«.

2) Oberlauf der → Wutach.

Gutachten, Aussage eines Sachverständigen in einer sein Fachgebiet betreffenden Frage. – Im *Prozessrecht* 1) Aussagen eines Sachverständigen über den Beweisgegenstand vor Gericht. Sie betreffen gewöhnlich Tatsachenfragen. Durch das G., das der freien richterl. Beweiswürdigung unterliegt, soll die dem Gericht fehlende Sachkunde

Gustav VI. Adolf, König von Schweden

Güstrow 2) Stadtwappen

Güstrow 2): Das 1558–94 erbaute Renaissanceschloss wurde im 19. Jh. und 1964–70 restauriert

ersetzt werden. 2) Beurteilung der Rechtslage in einem bestimmten Einzelfall (Rechts-G., Votum). 3) bindende Feststellung von bestimmten Tatsachen (z.B. Schaden, Wert, Preis) durch den Schiedsgutachter. – In der *Medizin* ist jeder Arzt zur Erstattung von G. gesetzlich verpflichtet. Diese, aufgrund seiner Fachkenntnisse schriftlich oder mündlich abgegebene Äußerung eines (Fach-)Arztes zur Person (z.B. als Abstammungs-G. oder psychiatr. G.) oder zu einem Krankheitsfall (z.B. zur Rentenfähigkeit oder Arbeitsunfähigkeit) wird i.d.R. von Straf-, Zivil- oder Sozialgerichten, auch von Versicherungsträgern (z.B. der Berufsgenossenschaft), angefordert.

Erich Gutenberg

Gute *das,* zentraler Begriff der antiken und mittelalterl. Metaphysik und der Ethik.

Metaphysik: An Sokrates' Untersuchungen zum G. anknüpfend, entwickelt Platon seinen ontolog. Begriff des Guten. Die »Idee des Guten« ist höchste Wirklichkeit und Grundstruktur alles Seienden, deren Ursprung. Selbst Über-Seiendes, ist das G. nicht erkennbar, sondern kann nur erschaut werden. Jedes Seiende und jede Seele strebt es, wenn auch nicht immer darum wissend, an. So ist das G., ein ontolog. Grundbegriff, zugleich Grundlage der Ethik, Ziel des sittl. Handelns und des gerechten Staates. Über Aristoteles (das G. ist das, »wonach alles strebt«), Plotin (das Eine ist zugleich das G.) und Augustinus (Gott ist oberstes Prinzip des sittl. G.) gehen Platons Gedanken in die Scholastik ein: Gott ist das »höchste G.« (summum bonum), durch Teilhabe am G. gewinnt Seiendes sein Sein und innere Gutheit in dem Maße, wie es sein eigenes Wesen verwirklicht.

Ethik: Als sittl. Wert an sich ist das G. urspr. eng mit der Metaphysik verbunden, gewinnt jedoch in dem Maße Selbstständigkeit, wie sich die Ethik von der Metaphysik löst. Als höchstes G. galt in der Antike das Glück (Eudämonie), das z.B. Sokrates in der Einsicht, Epikur in der Gelassenheit (Ataraxie), Aristoteles und die Stoa in der Tugendhaftigkeit erblickten. Kant wendet sich von einer inhaltl. Bestimmung des G. ab und stellt ihr ein formales Prinzip des Sittlich-Moralischen (kategor. Imperativ) entgegen. Dagegen setzt die materiale Wertethik M. Schelers eine Hierarchie intuitiv erfasster objektiver Werte. Die sprachanalyt. orientierte »Metaethik« (G.E. Moore) fragt nach dem Bedeutungsgehalt von »gut«, »schlecht«, »gerechtfertigt« usw. und der Bedeutung von moral. bzw. eth. Sätzen.

📖 Nishida, K.: *Über das G. Eine Philosophie der reinen Erfahrung. A.d. Japan. Frankfurt am Main* [2]*1993.* – Wuketits, F. M.: *Verdammt zur Unmoral? Zur Naturgeschichte von Gut u. Böse. München 1993.*

Gutedel (Chasselas), ertragreiche und -sichere Rebsorte, mit kleinen hellgrünen oder rötl. Beeren; Tafel- und Keltertraube. Der **Weiße G.** in Südbaden und der Westschweiz liefert leichte, säurearme Weine (u.a. den Fendant).

gute Dienste, *Völkerrecht:* diplomat. Bemühungen eines Staates, andere, sich streitende Staaten zur friedl. Streitbeilegung zu bewegen; die g. D. sind keine Einmischung in fremde Angelegenheiten (Intervention).

Güteklassen (Gütenormen), behördlich (z.B. durch das Handelsklassen-Ges.) oder durch Vereinbarung von Erzeugern oder Verbänden geschaffene Qualitätsstufen für bestimmte Erzeugnisse (→ Gütezeichen).

Gutenberg, **1)** Erich, Betriebswirtschaftler, *Herford 13. 12. 1897, †Köln 22. 5. 1984; Prof. seit 1938, u.a. in Jena und Frankfurt am Main; arbeitete v.a. über betriebl. Produktionstheorie und Unternehmenstheorie. G. verstand den Betrieb als Gesamtheit der Teilfunktionen Produktion, Absatz und Finanzen, dessen Prozesse vom dispositiven Faktor Unternehmensführung gesteuert werden. – *Werke:* Grundlagen der Betriebswirtschaftslehre (3 Bde., 1951–69); Unternehmensführung. Organisation u. Entscheidungen (1962).

2) Johannes, eigtl. Gensfleisch zur Laden gen. G., *Mainz zw. 1397 und 1400, †ebd. 3. 2. 1468; Buchdrucker; Erfinder des Buchdrucks mit bewegl. Metalllettern; 1434–44 in Straßburg nach-

Johannes Gutenberg: Seite aus der 1456 vollendeten Gutenbergbibel (Mainz, Gutenberg-Museum)

Johannes Gutenberg: Rekonstruktion seiner Druckerwerkstatt (Mainz, Gutenberg-Museum)

weisbar, 1448 in Mainz bezeugt, seit Anfang 1450 war J. Fust sein Teilhaber. G. muss um 1450 die Technik der Herstellung völlig gleicher, auswechselbarer Metalltypen mithilfe geschnittener Stahlstempel, Kupfermatrizen und des Handgießinstruments zumindest im Prinzip beherrscht haben; er hatte mehrere Typen. Die 42-zeilige Bibel (»G.-Bibel«; in 48 Exemplaren erhalten) ist das Haupterzeugnis der gutenberg-fustschen Gemeinschaftsdruckerei; sie war spätestens im Frühsommer 1456 vollendet. Wie groß der Anteil P. Schöffers (†1502 oder 1503) ist, der um 1452 als Mitarbeiter G.s zum Bibeldruck kam, ist unsicher. Zw. Fust und G. kam es zum Prozess, und anscheinend ist Fust das Druckgerät mitsamt einem Teil der Typen zugesprochen worden. 1458 war G. zahlungsunfähig (er kam wegen Straßburger Zinsschulden in die Acht). 1465 wurde G. zum »Hofmann« Erzbischof Adolfs von Nassau (womit sein Lebensunterhalt gesichert war). – Mainz, dessen Universität den Namen G.s trägt, ist seit 1900 Sitz des **G.-Museums** und seit 1901 der **G.-Gesellschaft** (G.-Jahrbuch, seit 1926; G.-Preis, seit 1968).

📖 KAPR, A.: *J. G. Persönlichkeit u. Leistung. München ²1988.* – VENZKE, A.: *J. G. Der Erfinder des Buchdrucks. Zürich 1993.* – PRESSER, H.: *J. G. Reinbek 44.–45. Tsd. 1995.*

Gutenberg-Wiechert-Diskontinuität, *Geophysik:* →Wiechert-Gutenberg-Diskontinuität.

Gutenberg-Zone [nach dem dt.-amerikan. Geophysiker B. Gutenberg, *1889, †1960], (Low-Velocity-Zone), Zone im oberen Erdmantel (→Erdinneres) mit geringerer Fortpflanzungsgeschwindigkeit der Erdbebenwellen, 100–300 km tief (weniger unter Ozeanen, mehr unter Kontinenten).

Güterabschätzung, Feststellung des Geldwerts eines landwirtsch. Betriebs oder seiner Bestandteile.

Güterabwägung, das Prinzip, ein rechtlich höherwertiges Gut im Konfliktfall dem geringerwertigen Gut vorzuziehen.

Gütergemeinschaft, →eheliches Güterrecht.

guter Glaube (lat. bona fides), die Überzeugung, dass man sich bei einer bestimmten Handlung oder in einem bestimmten Zustand in seinem guten Recht befindet, bes., dass man Rechte vom Berechtigten erworben habe. Im Interesse des redl. Rechtsverkehrs schützt v.a. das bürgerl. Recht den durch den äußeren Rechtsschein begründeten g. G. **(Gutglaubensschutz),** soweit nicht schwerwiegende Gründe entgegenstehen. Das Gesetz verwehrt das Berufen auf den g. G., wenn das Vertrauen auf den eigenen g. G. auf Fahrlässigkeit beruhte oder eine entgegengesetzte positive Kenntnis (also »böser Glaube«) vorhanden war (»kannte oder kennen musste«). Hauptanwendungsfall der Lehre vom g. G. ist der Erwerb von bewegl. Sachen oder Grundstücksrechten (→Ersitzung). Das bürgerl. Recht lässt häufig einen Rechtserwerb zugunsten des Gutgläubigen eintreten, obwohl die Voraussetzungen nach allg. Grundsätzen nicht gegeben sind (gutgläubiger Erwerb, §§892, 932ff. BGB, allerdings nicht bei gestohlenen oder sonstwie →abhanden gekommenen Sachen). – Ähnl. Bedeutung hat der g. G. im *österr.* (§367 ABGB) und im *schweizer.* Recht (Art. 933 ZGB).

Guter Hirt, im Anschluss an Joh. 10, 1–16 entstandenes Bildmotiv der christl. Kunst (→christliche Symbole).

Guter Hirt: Christus als »Guter Hirt«, Fußbodenmosaik unter der Basilika von Aquileja (4. Jh.)

Güterrecht, →eheliches Güterrecht.

Gütersloh, 1) Kreis im RegBez. Detmold, NRW, 967 km², (1996) 331 000 Einwohner.

2) Krst. von 1) in NRW, unweit des Teutoburger Waldes, 92 900 Ew.; Botan. Garten; Druckerei und Verlagswesen sowie Medienind. (Bertelsmann), Herstellung von Haushaltsmaschinen, Nahrungsmittel-, Textil-, Möbelind.; Stadtbibliothek von Peter Friedeberg (1982–84). – G. ist seit 1825 Stadt. BILD S. 30

Albert Paris Gütersloh: »Die Fabel von der Freundschaft: Faust und Mephisto beim Vertragsabschluss« (1969; Wien, Albertina)

Gütersloh, Albert Paris, eigtl. Albert Conrad Kiehtreiber, österreichischer Maler und Schriftsteller, * Wien 5. 2. 1887, † Baden (NÖ) 16. 5. 1973; Prof. in Wien; begann mit dem den Expressionismus mit begründenden Roman »Die tanzende Törin« (1910); die späteren Werke erinnern an Jean Paul. Als »Universalchronik« und »kath. Chronik« verstand G. den Roman »Sonne und Mond« (1962). Als Maler war G. Vertreter der »Wiener Schule des fantast. Realismus«.

Gütertrennung, → eheliches Güterrecht.

Güterumschlag, urspr. die Be- und Entladungen der Binnen- und Seeschiffe, heute allg. die Be- und Entladetätigkeiten im Güterverkehr.

Güterverbindung, in der Schweiz bis 31. 12. 1987 der gesetzl. Güterstand (→ eheliches Güterrecht).

Güterverkehr, Beförderung von Gütern durch Eisenbahnen, Kfz, Schiffe, Luftfahrzeuge und Rohrleitungen. Die längste Tradition als leistungsfähiger G.-Träger hat die Schifffahrt in Gestalt der Binnen- und Seeschifffahrt. Bedeutsam wurden diese auch, als mit der Industrialisierung der Transport von Massengütern immer wichtiger wurde. Nach dem 2. Weltkrieg nahm der Eisenbahn-G. zugunsten des Güterkraftverkehrs ständig ab.

Ursachen für diese Entwicklung sind neben der Internationalisierung der Zulieferung und Produktion (»global sourcing«) die zunehmende Integration der Märkte in Europa sowie der Verkehrswegebau und die Liberalisierung der Verkehrsmärkte innerhalb der EU, die die Transportkosten weiter gesenkt hat.

Der Straßen- oder Güterkraftverkehr umfasst den gewerbl. **Güterfernverkehr,** den gewerbl. **Güternahverkehr** (Beförderung von Gütern innerhalb der Gemeinde oder der Nahzone) und den **Werkverkehr** (werkeigener Nah- und Fernverkehr). Im Rahmen des Nahverkehrs dürfen Güter innerhalb der Grenzen eines Gemeindebezirks oder innerhalb der Nahzone (75 km um den Standort) befördert werden. Der Verkehr darüber hinaus gilt als Fernverkehr. Der gewerbl. Güternahverkehr mit Lkw mit einer Nutzlast von mehr als 750 kg oder mit Zugmaschinen bedarf der Erlaubnis, die Aufnahme des gewerbl. **Güterliniennahverkehrs** zusätzlich der Genehmigung. Er unterliegt dem Beförderungs- und Tarifzwang. Für den Werkfernverkehr gilt anders als im Werknahverkehr ein besonderes Lizenzierungsverfahren.

In *Österreich* und der *Schweiz* ist der relativ hohe Anteil der Eisenbahnen an der inländ. G.-Leistung charakteristisch.

gute Sitten, die in einer bestimmten Rechtsgemeinschaft herrschenden moral. Grundanschauungen. Nach § 138 BGB ist ein Rechtsgeschäft, das gegen die g. S. verstößt, nichtig. Wer einem andern in einer gegen die g. S. verstoßenden Weise vorsätzlich Schaden zufügt, hat nach § 826 BGB den Schaden zu ersetzen, auch wenn er formal in Ausübung eines Rechts gehandelt hat. Ähnliches gilt in *Österreich* (§§ 879, 1295 ABGB) und in der *Schweiz.*

Güteverfahren, Verfahren im Arbeitsgerichtsprozess, in dem der Vors. bei Beginn der mündl.

Gütersloh 2): Die 1982–84 von Peter Friedeberg erbaute Stadtbibliothek

Verhandlung eine gütl. Einigung zu erstreben und zu diesem Zweck mit den Parteien das gesamte Streitverhältnis zu erörtern hat (§ 54 Arbeitsgerichtsgesetz).

gute Werke (lat. bona opera), in der Religionsgeschichte Bez. für der Gottheit wohlgefällige Handlungen und Opfer des Menschen; in der christl. Theologie die dem Christen aus seinem Glauben erwachsenden eth. Forderungen und religiösen Pflichten. Ihr Verdienstcharakter ist zw. der kath. (im Gnadenstand heilsnotwendig) und der reformator. Theologie (zum Glauben als dem einzigen g. W. als seine Früchte hinzukommend) umstritten.

Gütezeichen, Wort- und/oder Bildzeichen zur Kennzeichnung einer bestimmten Qualität von Waren oder Leistungen. Eine gesetzl. Regelung der G. fehlt, sie können aber nach dem Warenzeichen-Ges. als Verbandszeichen in die vom Patentamt geführte Warenzeichenrolle eingetragen werden. G. dürfen nicht für Einzelerzeugnisse, sondern nur für Warenarten und Leistungskategorien geschaffen werden. (→RAL Deutsches Institut für Gütesicherung und Kennzeichnung e. V.)

Gutgewicht, beim Handelskauf Vergütung für Gewichtsverluste, die durch das Auspacken oder Sortieren der Waren entstehen.

Gutglaubensschutz, →guter Glaube.

Guthaben, Habensaldo eines Kontos; die Gutschriften übersteigen die Lastschriften.

Guthrie-Test ['gʌθrɪ-; nach dem amerikanischen Kinderarzt R. Guthrie, *1916, †1995] (Guthrie-Hemmtest), wichtiger mikrobiolog. Test zur Früherkennung der →Phenylketonurie ab Ende der ersten Lebenswoche; beruht auf der Förderung des Wachstums des Bacillus subtilis durch das im Blut des Kindes vermehrt vorhandene Phenylalanin.

Guti *der* (Goldhase), Nagetier, Art der →Agutis.

Gutland, 1) Gebiet im südl. Teil →Luxemburgs. **2)** Gebiet um Bitburg.

Gutschein, Urkunde, aus der sich ergibt, dass der Aussteller dem Inhaber oder dem in der Urkunde Genannten zu einer Leistung verpflichtet ist. Es kann sich um eine Inhaberkarte oder um einen Schuldschein handeln.

Gutschrift, Buchung auf der Habenseite des Kontos.

Gutsherrschaft, Bez. für eine vom 15. bis 19. Jh. in O-Mitteleuropa vorherrschende fortentwickelte Form der Grundherrschaft. Merkmale sind der ausgedehnte, arrondierte Besitz, der Besitz der Ortsherrschaft und meist die dominierende Stellung der herrschaftl. Gutswirtschaft im Dorfverband. Der **Gutsherr** war Obrigkeit in vollem Umfang, der **Gutsbezirk** ein Territorialstaat im Kleinen. Im Verlauf der →Bauernbefreiung entfielen die polit. und rechtl. Seite der G., während die wirtsch. Vorherrschaft des Großgrundbesitzes in Ost-Dtl. erhalten blieb. 1927 wurden in Dtl. die Gutsbezirke durch Gesetz aufgelöst.

📖 *G. als soziales Modell,* hg. v. J. PETERS. *München 1995.*

GutsMuths, Johann Christoph Friedrich, Pädagoge, *Quedlinburg 9. 8. 1759, †Ibenhain (heute zu Waltershausen) 21. 5. 1839; Vertreter der philanthrop. Leibeserziehung; versuchte der Gymnastik im Schulturnen einen neuen Inhalt zu geben, setzte sich für Spiele und für das Schwimmen im Turnunterricht ein, ließ als Erzieher der Anstalt Schnepfenthal (Thüringen) den ersten Sportplatz in Dtl. anlegen.

Johann Christoph Friedrich GutsMuths

Gutswirtschaft, Großgrundbesitz, der einheitlich landwirtschaftlich genutzt wird; im Zug der Bauernbefreiungen aus grund- oder gutsherrl. Verhältnissen entwickelt, bes. in den östl. Landesteilen Preußens. Die G. entstand im 18. Jh. in England, meist in der Form des Pachtguts (daher »Farm«), das als Rentenquelle diente. Ihr Vorbild wirkte bes. auf NW-Dtl. und Mittelschweden, v. a. aber im Bereich der Gutsherrschaft in O-Mitteleuropa, dort meist in Form des Eigenguts oder der Domänenpacht.

Guttapercha [malaiisch] *die* oder *das,* aus dem Milchsaft von Palaquiumbäumen (Seifenbaumgewächse; Malaysia, Indonesien) gewonnenes Pro-

Güterverkehr nach den Verkehrszweigen in Deutschland

Verkehrszweig	1990*)		1991		1992		1993		1994	
	beförderte Güter in Mio. t	Tonnenkilometer in Mio.	beförderte Güter in Mio. t	Tonnenkilometer in Mio.	beförderte Güter in Mio. t	Tonnenkilometer in Mio.	beförderte Güter in Mio. t	Tonnenkilometer in Mio.	beförderte Güter in Mio. t	Tonnenkilometer in Mio.
Eisenbahnverkehr	310,4	62864	418,5	82219	380,2	72848	329,2	66646	336,8	71814
Straßengüterfernverkehr	438,1	120444	511,8	144289	544,1	156081	494,5	146395	3443,4	–
Straßengüternahverkehr	2410,0	49400	2865,0	58400	3100,0	62870	3135,1	65222		
Binnenschiffsverkehr	231,6	54803	230,0	55973	230,0	57239	218,3	57559	235,0	61772
Seeverkehr	143,8	–	162,5	–	178,1	–	180,6	–	193,0	–
Luftverkehr	1,1	393	1,4	372	1,4	379	1,4	399	1,7	442
Rohrfernleitungen	64,4	11737	79,3	13979	81,5	13872	83,4	14279	87,4	15018

*) Angaben nur für West-Dtl.

Guyana

Fläche: 214 969 km²
Einwohner: (1995) 835 000
Hauptstadt: Georgetown
Verwaltungsgliederung: 10 Regionen
Amtssprache: Englisch
Nationalfeiertag: 23. 2.
Währung: 1 Guyana-Dollar (G$) = 100 Cents (¢)
Zeitzone: MEZ −5 Std.

Staatswappen

GUY

Internationales Kfz-Kennzeichen

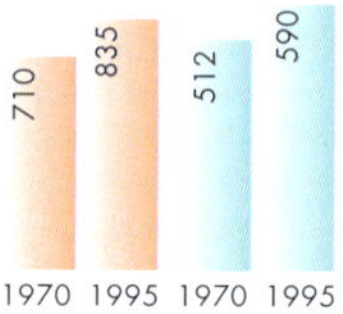

Bevölkerung (in Tausend) Bruttosozialprodukt je Ew. (in US-$)

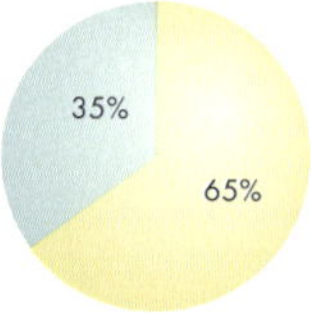

Stadt
Land
Bevölkerungsverteilung 1993

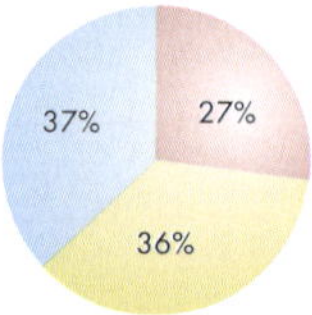

Industrie
Landwirtschaft
Dienstleistung
Bruttoinlandsprodukt 1994

dukt, das im Ggs. zum Naturkautschuk hart und hornartig ist und bei 70–100 °C in einen plast. Zustand übergeht. Dient gelegentlich noch als Kitt und Dichtmasse.

Gut|templerorden (Internationaler G., engl. International Organization of Good Templars, Abk. I. O. G. T.), 1851 im Staat New York entstandene, politisch und konfessionell neutrale Bewegung, u. a. zur Bekämpfung des Alkoholismus.

Güttler, Ludwig, Trompeter, *Sosa (Kr. Aue-Schwarzenberg) 13. 6. 1943; war 1969–80 Solotrompeter der Dresdner Philharmonie, seitdem solistisch tätig; Interpret v. a. von Bläsermusik des 17./18. Jahrhunderts.

Guttural [lat.] *der,* ein Kehllaut (→Laut).

Guttuso, Renato, italien. Maler und Grafiker, *Bagheria (Prov. Palermo) 2. 1. 1912, †Rom 18. 1. 1987; Hauptvertreter des sozialkrit. Realismus in Italien (Bilder von Bergarbeitern, Fischern und polit. Diskussionen).

Gutzkow [-ko:], Karl, Schriftsteller, *Berlin 17. 3. 1811, †Frankfurt am Main 16. 12. 1878; Journalist, Hg. von Zeitschriften, 1846–49 Dramaturg am Dresdner Hoftheater, 1861–64 Gen.-Sekr. der Dt. Schillerstiftung in Weimar. G. war eine führende Persönlichkeit des →Jungen Deutschland; er schrieb scharfe Lit.kritiken, gesellschaftskrit., z. T. satir. Romane (»Die Ritter vom Geiste«, 9 Bde., 1850/51; »Der Zauberer von Rom«, 9 Bde., 1858–61) und Dramen. Einen Skandal verursachte der Roman »Wally, die Zweiflerin« (1835), der freisinnig religiöse Probleme erörtert und für die damalige Zeit freimütige erot. Schilderungen enthält.

Guwahati, Stadt in Indien, →Gauhati.

Guyana (amtlich engl. Cooperative Republic of G.; dt. Kooperative Rep. G.), Staat im nördl. Südamerika, grenzt im N an den Atlantik, im O an Surinam, im S und SW an Brasilien und im W an Venezuela.

Staat und Recht: Nach der Verf. vom 6. 10. 1980 ist G. eine präsidiale Rep. mit Mehrparteiensystem. Staatsoberhaupt und oberster Inhaber der Exekutivgewalt ist der Präs. (für fünf Jahre gewählt). Die Legislative liegt bei der Nationalversammlung (65 Abg.). – Einflussreiche Parteien sind u. a.: Nat. Volkskongress (PNC), Progressive Volkspartei (PPP).

Landesnatur: Die Berg- und Hügellandschaften im Landesinnern sind Teil des Berglands von →Guayana. Im Roraima an der Grenze gegen Venezuela werden 2810 m ü. M. erreicht. Die bis 70 km breite Küstenebene, meist Schwemmland, bis 1,5 m unter dem Flutspiegel des Meeres und durch Deiche geschützt, ist Hauptanbau- und -siedlungsgebiet des Landes. Das Klima ist tropisch mit jährl. Niederschlägen von 2 000–3 000 mm (zwei Regenzeiten). Rd. 70 % der Fläche sind von trop. Regenwald bedeckt; im Küstentiefland und im SW des Landes gibt es Grassavannen. BILD S. 34

Bevölkerung: Die Bevölkerung ist auf die Küstengebiete konzentriert; rd. 49 % sind Inder, die nach der Aufhebung der Sklaverei als Plantagenarbeiter einwanderten. Die Schwarzen (36 %) und Mulatten (11 %) sind Nachkommen der Negersklaven; daneben auch Weiße (v. a. Portugiesen) und Chinesen. Restgruppen der ursprüngl. Indianerbevölkerung (Guayana-Indianer) leben v. a. im Landesinnern. – Allg. Schulpflicht besteht vom 6. bis 15. Lebensjahr, unentgeltl. Unterricht an den staatl. Schulen; die Analphabetenquote liegt unter 4 %. In Georgetown gibt es eine Univ. (gegr. 1963). – Etwa 57 % sind Christen, 34 % Hindus, 9 % Muslime.

Wirtschaft, Verkehr: Ein Großteil der Wirtschaft wird vom Staat kontrolliert. Ausländ. Besitz (Plantagen, Bergbau, Ind.) wurde 1974–76 nationalisiert; seit 1986 laufen wieder Privatisierungsprogramme. Hauptwirtschaftszweige sind die Landwirtschaft und der Bauxitabbau. Auf rd. 2 % der Gesamtfläche (Küstenebene) werden Zuckerrohr, Reis, Kokospalmen, Orangen sowie trop. Früchte und Gemüse für den Eigenbedarf angebaut. Der Waldreichtum wird wegen Mangels an Transportmöglichkeiten nur in den Randgebieten genutzt. Die Fischerei gewinnt an Bedeutung. Bauxit ist das wichtigste Exportgut; der Bergbau fördert daneben kleine Mengen von Gold, Diamanten und Manganerz. In der Ind. dominieren die Bauxitaufbereitung und Zuckerrohrverarbeitung. Wichtigste Ausfuhrwaren sind neben Bauxit und Tonerde Zucker und Reis in starker Abhängigkeit von Preisschwankungen auf dem Weltmarkt. Haupthandelspartner sind die USA, Großbritannien, Trinidad und Tobago sowie Japan. – Das Straßennetz (5697 km) ist nur im Küstenbereich gut ausgebaut; die Verbindung mit dem Landesinnern erfolgt v.a. über die Flüsse. Die wenigen Eisenbahnlinien dienen dem Gütertransport. Wichtigste Seehäfen sind Georgetown und New Amsterdam; internat. Flughafen bei Georgetown.

Geschichte: Nach der Aufteilung von →Guayana 1816 wurde das Gebiet britisch (seit 1831 Britisch-Guayana, seit 1928 Kronkolonie). Es erhielt 1961 eine Selbstverw., 1966 die Unabhängigkeit (im Rahmen des Commonwealth unter der brit. Krone), 1970 wurde G. Republik. Nach Verabschiedung einer neuen Verf. (1980) übernahm der bisherige MinPräs. L. F. Burnham (PNC) das Amt des Staatspräs., sein Nachfolger wurde 1986 D. Hoyte (PNC). Ende der 80er-Jahre gab G. den bis dahin verfolgten sozialist. Kurs auf und öffnete sich langsam der Marktwirtschaft. Die (durch Verhängung des Ausnahmezustandes) von Dez. 1991 auf Okt. 1992 verschobenen Parlaments- und Präsidentschaftswahlen gewann die oppositionelle PPP. Ihr Führer C. Jagan wurde neuer Präsident.

Guyau [gųi'jo], Jean-Marie, frz. Philosoph, *Laval 28. 10. 1854, †Menton 31. 3. 1888; neben A. Fouillée der wichtigste Vertreter des frz. dynam. Naturalismus. In Ethik, Religion und Ästhetik sah er Ausdrucksformen des Lebensdrangs auf seinen höheren Stufen, in der Lebensentfaltung das Ziel der Natur und eine eth. Forderung.

Guyenne [gųi'jɛn] *die,* seit dem 13. Jh. Name für das verkleinerte Herzogtum →Aquitanien.

Guyot [gųi'jo; nach dem amerikan. Geographen A. H. Guyot, *1807, †1884] *der,* untermeer. Kuppe vulkan. Entstehung, mit tafelbergartigem Gipfelplateau, häufig im Pazif. Ozean.

Guys [gųi, gųis], Constantin Ernest Adolphe Hyacinthe, frz. Zeichner und Aquarellist, *Vlissingen 3. 12. 1802, †Paris 13. 3. 1892; nahm am griech. Befreiungskampf teil. 1848–60 Kriegs- und Reisezeichnungen für die »Illustrated London News«. Ab 1860 ließ er sich in Paris nieder. In den Zeichnungen und Aquarellen der Folgezeit erwies er sich als geistreicher Chronist des mondänen Pariser Lebens.

Guyton de Morveau [gitɔ̃dmɔr'vo], Louis Bernard Baron (seit 1811), frz. Jurist und Chemiker, *Dijon 4. 1. 1737, †Paris 2. 1. 1816. G. d. M. errichtete 1783 die erste frz. Sodafabrik; war seit 1794 Prof. an der späteren École polytechnique und seit 1800 deren Rektor. Er arbeitete u.a. über die Kristallisation von Eisen, über Bariumsalze und über Diamanten. 1782 veröffentlichte er einen Vorschlag für eine neue chem. Nomenklatur, die dann gemeinsam mit A. L. de Lavoisier, A.-F. de Fourcroy und C. L. Berthollet ausgearbeitet wurde.

Renato Guttuso: Mai 1968, Wandzeitung (1968; Aachen, Neue Galerie – Sammlung Ludwig)

GVG, Abk. für **G**erichts**v**erfassungs**g**esetz.

GVP, Abk. für →**G**esamtdeutsche **V**olks**p**artei.

Gwalior, Stadt im Bundesstaat Madhya Pradesh, Indien, am Rand des Dekhan zur Gangesebene, 691 000 Ew.; Univ.; Textil-, Schuh-, Papier-, Zigaretten-, Glas-, Nahrungsmittelind.; Verkehrsknotenpunkt. – Oberhalb der Stadt liegt die gewaltige alte Festung mit Palästen, hinduist. Tempeln des 11. und 12. Jh. und dschainist. Kolossalskulpturen (Mitte 15. Jh.), die unmittelbar aus dem Felsen gemeißelt sind. – G. war von der Mitte des 18. Jh. bis 1947 Mittelpunkt eines Marathenfürstenstaates. Bild S. 34

Gwardeisk (dt. Tapiau), Stadt im russ. Gebiet Kaliningrad (Königsberg), am Ausfluss der Deime aus dem Pregel, 10 000 Ew. – Ordensburg (13. Jh.).

Gwisdek, Michael, Schauspieler, *Berlin 14. 1. 1942; 1983–90 am Dt. Theater Berlin; profilierte sich auch beim Film, u.a. »Der Fall Bachmeier – Keine Zeit für Tränen« (1984), »Treffen in Travers« (1989, auch Regie), »Der Tangospieler« (1991), »Wachtmeister Zumbühl« (1994).

Gwynedd ['gwɪneð], Unitary Authority in Wales, 2548 km², 118 000 Ew.; Verw.sitz Caernarvon.

Gy, Einheitenzeichen für →Gray.

Gyangzê (Gjangtse, chines. Jiangzi, auch Chiangtzu), wichtiger Handelsplatz in Tibet, 4000 m ü. M., im Tal des Tsangpo und an der Straße Lhasa–Kaschmir, rd. 20 000 Ew.; Teppich-, Wollweberei. Unterhalb einer ehem. Burg erstreckt sich die Wohnstadt. – In dem umfriedeten Klosterbezirk zwei Klöster mit begehbarem Riesenstupa

Ludwig Güttler

Karl Gutzkow

Gwalior: Die mit Wehrtürmen und überdachten Wehrgängen versehene, etwa 10 m hohe Festungsmauer erstreckt sich über 3 Kilometer

der »hunderttausend Buddhas« (um 1420) und einer dreistöckigen Versammlungshalle mit Wandmalereien und Skulpturen aus dem 15. Jahrhundert.

Gyarmathi [ˈdjɔrmɔti], Sámuel, ungar. Sprachwissenschaftler, *Klausenburg 15. 7. 1751, †ebd. 4. 3. 1830; behandelte in seinem bahnbrechenden Werk »Affinitas linguae Hungaricae cum linguis Fennicae originis grammatice demonstrata« (1799) die Verwandtschaftsfrage der finnougr. Sprachen unter systemat. Vergleich der grammat. Strukturen. Seine formal beschreibende Grammatik »Ungar Sprachmeister« (1794, ungarisch) enthält die erste umfassende Syntax der ungar. Sprache.

Gydan, Halbinsel im N Westsibiriens, Russland, an der Karasee, etwa 400 km lang und bis 400 km breit; Strauchtundra; Erdgasvorkommen.

Guyana: Straße durch den teilweise gerodeten Regenwald des Berglands von Guayana

Gyger, Hans Conrad, schweizer. Mathematiker, Ingenieur, Kartograph und Glasmaler, *Zürich 22. 7. 1599, †ebd. 25. 9. 1674; vollendete 1667 eine der ersten Reliefkarten, die in Tempera gemalte Landschaftstafel »Karte des Kantons Zürich 1 : 32 000«. Das Gelände ist grundrisstreu und plastisch, in naturgetreuen Farben und mit Schattierungen wiedergegeben. Die Karte wurde viele Jahre als militär. Geheimnis behandelt.

Gyges, König von Lydien (seit 685 v. Chr.?), ⚔652 v. Chr.; bemächtigte sich durch Entthronung des Lyderkönigs Kandaules der Herrschaft; unternahm Eroberungszüge gegen kleinasiat. Griechenstädte. – Nach Herodot zeigte Kandaules dem G. seine schöne Gemahlin unbekleidet, worauf die beleidigte Königin G. zwang, Kandaules zu töten und die Herrschaft an sich zu reißen. Nach Platon hat G. den Kandaules mithilfe eines unsichtbar machenden Ringes ermordet. – Dramen u. a. von F. Hebbel »G. und sein Ring« (1856) und A. Gide »Le roi Candaule« (1901).

Gyllenstierna [ˈjylənʃæːrna], Johan Graf, schwed. Staatsmann, *Brännkyrka (heute zu Stockholm) 28. 2. 1635, †Landskrona 20. 6. 1680; ab 1668 Reichsrat. Im Krieg gegen Dänemark (1675–79) wurde G. zum maßgebl. Berater von König Karl XI. berufen. G. versuchte, die schwed. Hegemonie im N Europas zu erhalten und zu festigen. Seinem polit. Geschick verdankte Schweden den maßvollen, mit nur geringen Gebietsverlusten verbundenen Frieden von Lund (1679). Im Innern suchte G. die Macht des Hochadels zugunsten des Königs zu brechen.

Gymnadenie [grch.] *die,* die →Händelwurz.

Gymnasium [grch. »Sportstätte, wo mit nacktem Körper geturnt wird«] *das,* weiterführende Schule, deren Abschluss (Abitur) i. d. R. Voraussetzung für das Studium an einer wiss. Hochschule ist. An Gesamtschulen kann das Abitur an der gymnasialen Oberstufe abgelegt werden. Die Normalform des G. wird unterteilt in die Sekundarstufe I (i. d. R. Klasse 5–10) und die Sekundarstufe II (gymnasiale Oberstufe). Die Klassen 5 und 6 werden meist als Orientierungsstufe geführt. Die gymnasiale Oberstufe ist in Form eines Kurssystems organisiert, innerhalb dessen der Schüler die Schwerpunkte seiner gymnasialen Schullaufbahn unter Beachtung versch. Richtlinien selbst bestimmen kann. Neben der Normalform des G. mit einer acht- bis neunjährigen Schulzeit gibt es **G. der Aufbauform,** die an die Realschule anschließen und mit dem Abitur bzw. oft einer fachgebundenen Hochschulreife abgeschlossen werden; Formen sind u. a. Fach-G., techn. G., Wirtschafts-G. Für Berufstätige stehen im Rahmen des zweiten Bildungsweges **Abend-G.** oder Kollegs zur Verfügung.

Im antiken Griechenland war das G. (Gymnasion) urspr. eine Stätte der körperl. Ertüchtigung für die männl. Jugend; später wurde es zunehmend auch Ort der musischen und geistigen Bildung. Aus den Dom- und Klosterschulen des MA. sowie den humanist. Gelehrtenschulen des 16. Jh. entwickelte sich das G. in der heutigen Gestalt in der Epoche des Neuhumanismus, wobei Latein und Griechisch Hauptfächer wurden **(humanist. G.).** Dieses G. gewann im 19. Jh. das Privileg, den Hochschulzugang zu vermitteln; erst um 1900 erhielten auch die inzwischen neben dem G. entstandenen **Real-G.** (Latein, moderne Fremdsprachen) und **Oberrealschulen** (Naturwissenschaften, moderne Fremdsprachen) die gleichen Rechte.

📖 KRAUL, M.: *Das deutsche G. 1780–1980. Frankfurt am Main 1984.* – BURKERT, H. D.: *G. u. Gymnasialität. Aspekte einer Gymnasialpädagogik. Essen 1994.* – SCHMIDT, ARNO: *Das G. im Aufwind. Aachen ²1994.*

Gymnich: Schloss Gymnich war 1971–90 Gästehaus der Bundesregierung

Gymnastik [zu grch. gymnázesthai »mit nacktem Körper turnen«], System von Übungen für die körperl. Erziehung und Ausbildung. In der Gegenwart sind die Hauptmittel der G. vor allem Übungsformen ohne und mit Handgerät sowie an speziellen Großgeräten, deren Anwendung und Ausführung als Einzel-, Partner- oder Gruppenübungen durch charakterist. Verfahren gekennzeichnet sind. Je nach Aufgabe werden versch. Arten unterschieden: die **Grund-G.** als Bestandteil der allg. Körpererziehung, die **Spezial-G.** als Bestandteil der gezielten Vorbereitung in sportl. Disziplinen, die **Ausgleichs-G.** (die z. B. zur Korrektur von Haltungsfehlern oder zur Stabilisierung eines labilen Kreislaufs eingesetzt wird); die **Kranken-G.** als Bestandteil therapeutisch-rehabilitativer Maßnahmen; die **Rhythm. Sport-G.,** die Erziehung zur fließenden, durch den Rhythmus geformten Bewegung (die als selbstständige Sportart für Athletinnen betrieben wird). Grundformen der Bewegung in der G. sind u. a. Gehen, Laufen, Hüpfen, Springen, Schwingen, Werfen und Stoßen.

Der Begriff G. wurde im 5. Jh. v. Chr. geprägt und kennzeichnete in der Antike die Summe des Wissens, das die **Gymnasten,** die Lehrer der Körperübungen, von der körperl. Ausbildung und Erziehung besaßen. Entsprechend verstanden zunächst auch J. C. F. GutsMuths und F. L. Jahn unter G. alle für pädagog. Zwecke geeigneten Körperübungen ihrer Zeit, wobei F. L. Jahn später den Begriff G. durch Turnen ersetzte und auch neue Geräte, wie Reck, Barren, Klettergerüst, sowie neue Übungen erfand. In Dtl. wurde die Entwicklung des Turnens v. a. durch den Ausbau der Geräteübungen sowie einfacher Vorübungen bestimmt, für die speziell seit A. Spieß unter der Bezeichnung **Freiübungen** das bereits von J. H. Pestalozzi für seine **Elementar-G.** erdachte Prinzip der Bewegungsmöglichkeiten sowie eine unnatürl. Stilisiertheit galten. Neue inhaltl. Aspekte erhielt die G. in Dtl. durch die G.-Bewegung. Sie richtete sich gegen das inzwischen erstarrte und formalisierte Turnen. Verdient machten sich bei diesem Richtungswandel u. a. B. Mensendieck, Rudolf Bode (*1881, †1970), H. Medau, Isadora und Elizabeth Duncan, R. Laban und Mary Wigman.

📖 MISSMAHL, I.: *G. Reinbek 44.–46. Tsd. 1991.* – EINSINGBACH, T. *u.* WESSINGHAGE, T.: *Funktionelle Ausgleichsgymnastik. München u. a. 1993.* – SCHMIDT, NATASCHA *u.* OTT, D.: *Funktionelle G. für Kinder u. Jugendliche. Aachen 1996.*

Gymnich, Schloss im Stadtteil G. (seit 1969) von Erftstadt, eine Wasserburg aus Hauptburg (1655), Schlosskapelle (1547) und Vorburg (18. Jh.); 1971–90 Gästehaus der Bundesregierung.

Gymnospermen [grch.], →Nacktsamer.

gynäko... [von grch. gynḗ, Genitiv: gynaikós, »Weib«, »Frau«], in Zusammensetzungen: Frau..., weiblich.

Gynäkologie [grch.] *die* (Frauenheilkunde), Fachgebiet der Medizin, das sich mit dem Verhüten, Erkennen und Heilen von Erkrankungen der weibl. Geschlechtsorgane sowie der Physiologie und Pathologie der Schwangerschaft und der Geburt befasst (G. und →Geburtshilfe).

Gynäkomastie [grch.] *die,* Vergrößerung der männl. Brustdrüse bes. durch hormonelle Störungen.

Gynander [grch.] *der* (Mosaikzwitter, Gynandromorphe), Bez. für Individuen, die mosaikartig aus Bezirken mit männl. und weibl. Geschlechtsmerkmalen bestehen (Chromosomenmosaike). G. sind nur bei Gliederfüßern bekannt; sie sind nicht fähig zur Fortpflanzung. Bei **Halbseiten-G. (Halbseitenzwittern)** sind die Geschlechtsunterschiede auf die beiden Körperhälften verteilt. Phänotypisch deutlich ausgeprägte **Gynandrie (Gy-**

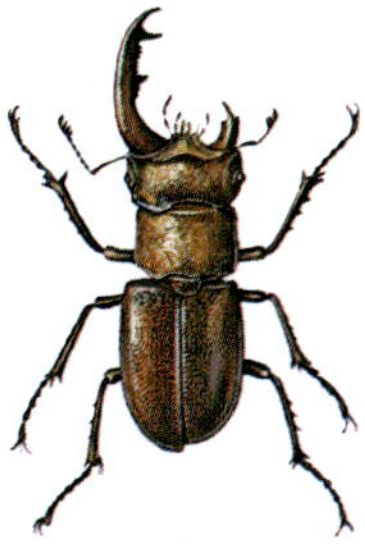

Gynander: Halbseitengynandrie beim Hirschkäfer; linke Hälfte männlich, rechte Hälfte weiblich

nandromorphismus) tritt nur bei Organismen auf, deren Geschlechtsentwicklung nicht hormonell gesteuert wird.

Gynandrie *die, Biologie:* 1) →Gynander; 2) weibl. Scheinzwittrigkeit, →Pseudohermaphroditismus.

Gynözeum [grch.-lat.] *das* (Gynaeceum, Gynoeceum), die Gesamtheit der Fruchtblätter einer Blüte.

Gyöngyös [ˈdjøndjøʃ], Stadt in N-Ungarn, am Südfuß des Matragebirges, 36 000 Ew.; Mittelpunkt eines Wein- und Obstbaugebietes mit agrarwiss. Univ.; Bau von Transistoren und Industrierobotern. In der Umgebung Braunkohlenbergbau mit Großkraftwerk.

Győr [djø:r] (dt. Raab), Bez.-Hptst. in W-Ungarn, oberhalb der Mündung der Raab in die Donau, 127 000 Ew.; Hochschulen, Franz-Liszt-Akademie für Musik, Museen; Ind.zentrum (Fahrzeug-, Maschinenbau, Textil- u. a. Ind.); Flusshafen. – Dom (um 1100 erwähnt, im 15. Jh. erweitert, im 17. Jh. umgebaut), befestigte Bischofsburg (16. Jh.). – G., das röm. **Arrabona,** wurde 1001 ungar. Bischofssitz, 1271 königl. Freistadt.

Gyrator [grch.] *der,* ein mit aktiven Bauelementen aufgebautes elektr. Übertragungsglied, dessen Ausgangsstrom der Eingangsspannung und dessen Ausgangsspannung dem Eingangsstrom proportional ist. Mit einem G. kann ein Widerstand in einen Leitwert und umgekehrt gewandelt werden. Da er auch Induktivitäten durch Kapazitäten simulieren kann (und umgekehrt), werden G. auch als **Richtungsphasenschieber** bezeichnet. Sie haben in einer Richtung keine Phasenverschiebung, in der Gegenrichtung jedoch eine Phasenverschiebung um π.

Gregor Gysi

Gyre [zu grch. gỹros »Kreis«] *die,* Drehachse, eine Kristallsymmetrieachse.

Gyroantrieb, *Fahrzeugtechnik:* Antriebssystem, das die kinet. Energie eines in Rotation versetzten Schwungrades ausnutzt. Gyrobusse mit Elektro-G. werden z. B. mit einem Schwungrad von 800 kg Masse betrieben, das an der Ladestation innerhalb weniger Minuten durch einen Elektromotor auf etwa 3 000 Umdrehungen pro Minute beschleunigt wird. Auf diese Weise lässt sich eine Energie von rd. 20 MJ (rd. 5,5 kWh) speichern. Der mit dem Schwungrad verbundene Elektromotor wird im Fahrbetrieb als Generator benutzt, der den Strom für den Fahrmotor des Busses liefert. Nach etwa 10 km Fahrweg ist die Drehzahl bis etwa auf die halbe Maximalzahl abgesunken, der Bus fährt wieder eine Ladestation an. Vorteile des G. sind v. a. der abgasfreie Betrieb und die Unabhängigkeit von Oberleitungen. – Der G. kann auch als Kombination aus Dieselmotor und Hochgeschwindigkeitsschwungrad eingesetzt werden, z. B. bei Gabelstaplern, wobei die wiedergewonnene Bremsenergie in Form kinet. Energie gespeichert und anschließend für Hebe- und Transportarbeiten ausgenutzt wird.

Gyula: Die mittelalterliche Burg, ein Ziegelbau aus dem 14. Jh., fungiert heute als Museum

gyromagnetischer Effekt, die Erscheinung, dass bei Änderung der Magnetisierung eines para- oder ferromagnet. Körpers wegen der Kopplung der magnet. Momente mit dem Spin der Elektronen ein mechan. Drehmoment auftritt (→Einstein-de-Haas-Effekt) oder umgekehrt eine Rotation des Systems eine Magnetisierung erzeugt **(Barnett-Effekt).**

gyromagnetischer Faktor, →Landé-Faktor.

Gyroskop [grch.] *das,* Gerät zur Untersuchung von Kreiselbewegungen unter Einfluss äußerer Kräfte.

Gyrotron [grch.] *das,* Kombination von Laufzeitröhre und Zyklotronresonanzmaser zur Erzeugung und Verstärkung hoher Leistungen bei cm- und mm-Wellen.

Gysi, Gregor, Politiker, *Berlin 16. 1. 1948; Rechtsanwalt, von Dez. 1989 bis Jan. 1993 Vors. der SED-Nachfolgepartei (seit Febr. 1990 PDS), seit Okt. 1990 MdB., leitet die Gruppe (seit 1998 Fraktion) der PDS-Abg. im Bundestag. Gegen G. wird der Vorwurf erhoben, bei der anwaltl. Vertretung von Bürgerrechtlern (vor 1989) mandantenbezogene Informationen wissentlich an die DDR-Staatssicherheit weitergegeben zu haben.

Gyttja [schwed.] *die* (Halbfaulschwamm), graue bis schwarze, vorwiegend organogene wasserreiche Ablagerung am Boden nährstoffreicher Gewässer bei beschränktem Sauerstoffzutritt und Verwesung der leicht zersetzl. Stoffe.

Gyula [ˈdjulɔ], Stadt in SO-Ungarn, an der Weißen Körös, nahe der Grenze zu Rumänien, 36 000 Ew.; Fleischwaren-, Textilindustrie. – G. erhielt im 15. Jh. Stadtrecht; 1566–1694 stand es unter osmanischer Herrschaft. Die Burg, ein massiver Ziegelbau aus dem 14. Jh., ist heute Museum.

H

h, H, 1) Konsonant; der 8. Buchstabe des dt. Alphabets; Hauchlaut im lat. Alphabet und meist in den german. Sprachen, im Tschechischen, Polnischen, Ungarischen, Türkischen; in den roman. Sprachen ist H stumm (Ausnahme: Rumänisch).

2) *Chemie:* **H,** Symbol für →Wasserstoff.

3) *Einheitenzeichen:* **H** für →Henry, **h** für →Stunde (hora), 9^h, 9 Uhr.

4) *Formelzeichen:* *H* für →Enthalpie, ***H*** für →magnetische Feldstärke, *h* für Höhe und das →plancksche Wirkungsquantum. Für die Größe $h/2\pi$ wird das Zeichen $\hbar$ (gesprochen »h quer«) gesetzt.

Druckschriftvarianten des Buchstabens **H**

5) *Münzwesen:* **H,** Kennbuchstabe der Münzstätte, auf dt. Reichsmünzen 1872–82 für Darmstadt; auf österr. 1781–1805 für Günzburg (heute Bayern), auf schweizer. 1817 für Genf. Auch Anfangsbuchstabe des Namens des Münzherrn.

6) *Musik:* der letzte Ton der C-Dur-Tonleiter. **h,** Zeichen für **h**-Moll, **H** für **H**-Dur.

7) *Vorsatzzeichen:* **h** für →Hekto.

ha, Einheitenzeichen für Hektar.

Ha, chem. Symbol für →Hahnium.

Ha., Abk. für den Bundesstaat Hawaii, USA.

Haack, Hermann, Geograph und Kartograph, *Friedrichswerth (bei Gotha) 29. 10. 1872, †Gotha 22. 2. 1966; seit 1897 in der Geograph. Anstalt Justus Perthes in Gotha tätig, die 1955 nach ihm umbenannt wurde; gab »Stielers Handatlas« (1920–25 und 1934–40) u.a. Atlanten sowie geograph. Zeitschriften heraus.

Haacke, Hans, Künstler, *Köln 12. 8. 1936; lebt seit 1965 in New York; widmet sich der modellhaften Darstellung opt., physikal., biolog. Abläufe; seit 1969 Untersuchung sozialpolit. Themen.

Haager Friedenskonferenzen, die auf Anregung des russ. Kaisers Nikolaus II. 1899 (26 Staaten) und 1907 (44 Staaten) in Den Haag abgehaltenen Konferenzen über Fragen des Kriegsrechts, der Abrüstung und der friedl. Beilegung internat. Streitigkeiten. Hauptergebnisse waren die →Haager Landkriegsordnung und die Errichtung des Ständigen Schiedsgerichtshofes.

Haager Konventionen (Haager Abkommen), versch. Vereinbarungen der in Den Haag abgehaltenen Konferenzen: 1) I.–XIII. Haager Abkommen von 1907 zur friedl. Erledigung internat. Streitfälle, zur Kriegführung zu Wasser und zu Lande (→Haager Landkriegsordnung); 2) über die internat. Hinterlegung von gewerblichen Mustern und Modellen, →Pariser Verbandsübereinkunft; 3) über Internat. Privatrecht, Familienrecht und Zivilprozessrecht, u.a. Übereinkommen über den Zivilprozess (1954, erstmals 1896), über Kaufrecht (1964), über die Zustellung von Schriftstücken (1965), über die Beweisaufnahme im Ausland (1970), seit 1955 »Haager Konferenz des Internat. Privatrechts« als ständige Einrichtung (Satzung von 1951); 4) über internat. Wechsel- und Scheckrecht (1910, 1912); 5) über den Schutz von Kulturgut bei bewaffneten Konflikten (1954).

Hermann Haack

Haager Landkriegsordnung, Abk. **HLKO,** als eines der Ergebnisse der Haager Friedenskonferenz von 1907 das Abkommen über die »Ordnung der Gesetze und Gebräuche des Landkriegs« (→Kriegsrecht). Die HLKO bindet die Staaten, die sie ratifiziert haben, und definiert für diese den Begriff des Krieg Führenden, regelt die Behandlung von Kriegsgefangenen und den Einsatz bestimmter Kampfmittel und Kampfmethoden (Verbot der Verwendung von Giftgasen und der Beschießung unverteidigter Orte und Wohnstätten), bekräftigt die Unantastbarkeit des Privateigentums, den Schutz der Ehre, des Lebens, der Rechte

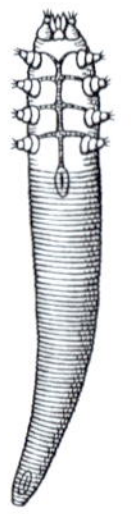

Haarbalgmilbe (Länge 0,3–0,4 mm)

der Bürger. Diese Grundregeln wurden ergänzt durch die →Genfer Vereinbarungen vom 12. 8. 1949.

Haager Schiedshof, der →Ständige Schiedsgerichtshof.

Haar *die* (Haarstrang), Höhenzug in Westfalen, bis 390 m ü. M.; bildet den Südrand der Westfälischen Bucht, setzt sich nach W im Ardey fort.

Haarausfall (Haarschwund, Alopezie), vorübergehender oder dauernder, örtlich begrenzter oder diffuser Verlust der Kopf- oder Körperbehaarung. Der **allg. H.** (Alopecia androgenetica) betrifft v. a. Männer. Er setzt als **vorzeitiger H.** (Alopecia praematura) bereits im 3. Lebensjahrzehnt an Stirnecken (»Geheimratsecken«) und Haarwirbeln (»Tonsur«) ein. Die Haare fallen stärker aus, werden nicht mehr so lang, sind dünner und glanzlos. Nach Ausfall der nachgebildeten Wollhaare bleibt entweder ein seitl. und hinterer Haarkranz zurück (Stirnglatze) oder die gesamte Kopfhaut bildet sich zur haarlosen Glatze um. Als Ursachen gelten erbl. Anlage, erhöhter Androgenspiegel, möglicherweise auch die häufig zugleich vorliegende Seborrhö. Als begrenzter H. kann diese Form auch bei Frauen in der Menopause auftreten (vermehrte Androgenbildung). Eine Beeinflussung des vorzeitigen H. ist durch Behandlung der Seborrhö möglich, beim weibl. Typ zusätzlich durch antiandrogene Hormontherapie. Beim **kreisförmigen H.** (Alopecia areata, Pelade) treten plötzlich runde, kahle Stellen am behaarten Kopf auf, unter Umständen auch im Bereich der Bart-, Augenbrauen- und Körperbehaarung; Heilung erfolgt meist spontan. Äußerlich ähnlich ist der ebenfalls kreisförmige **atroph. H.** (Alopecia atrophicans) mit zusätzl. narbigen Veränderungen, bes. in der Scheitelgegend; Ursache wahrscheinlich versch. Hauterkrankungen. Der **kleinfleckige H.** (Alopecia parvimaculata) tritt bei Kleinkindern infolge einer infektiösen Entzündung der Haarfollikel endemisch auf. Der **symptomat. H.** (Alopecia symptometica diffusa) beginnt meist hinter den Ohren als Begleiterscheinung versch. Krankheiten.

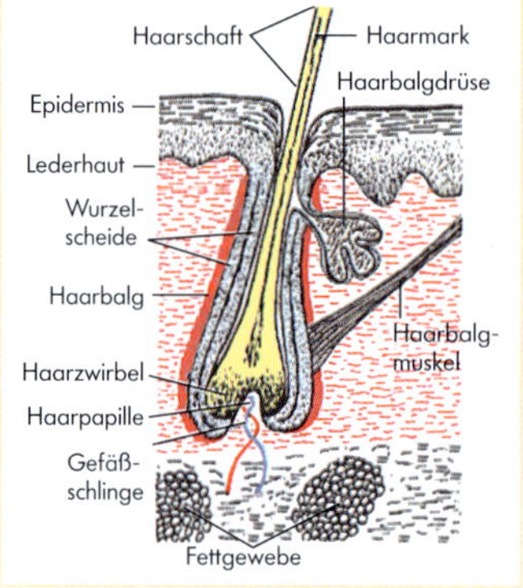

Haare 1): schematischer Schnitt durch eine behaarte Hautstelle beim Menschen

Haarbalgmilbe (Demodex folliculorum), eine 0,3–0,4 mm lange Milbe mit wurmförmig verlängertem, quer geringeltem Hinterkörper und vier Paaren stummelförmiger Beine; die H. lebt streng wirtsspezifisch in den Haarbälgen und Talgdrüsen der Säugetiere (einschl. des Menschen), sie verursacht bes. bei Hunden den gefährlichen **Haarbalgmilbenausschlag (Demodexräude, Demodikose).**

Haar der Berenike [nach Berenike II.] (lat. Coma Berenices), Sternbild des nördl. Himmels mit einem offenen Sternhaufen, der mit bloßem Auge sichtbar ist, sowie dem **Coma-Haufen** mit etwa 1000 Galaxien in rd. 350 Mio. Lichtjahren Entfernung.

Haardt (Hardt) [mhd. hart »Wald«] *die,* der östl. Gebirgsrand des Pfälzerwaldes, Rheinl.-Pf., fällt steil zum Oberrheingraben ab und wird längs der Deutschen Weinstraße begleitet von vorwiegend tertiärem Hügelland mit dichter Besiedlung, Weinbau, Kastanienhainen, Obstgärten und Mandelbaumalleen. – Urspr. wurde der gesamte Pfälzerwald H. genannt.

Haare, 1) (Pili) ein- oder mehrzellige, meist fadenförmige Keratinbildungen der Epidermis mancher Tiere und des Menschen. Bei den Wirbeltieren haben nur die Säugetiere H. Sie dienen v. a. der Temperaturregulation und als Strahlenschutz, haben aber auch Tastsinnesfunktion und stellen einen Schmuckwert oder Tarnschutz dar. Man unterscheidet den über die Epidermis herausragenden **Haarschaft** und die in einer grubenförmigen Einsenkung steckende **Haarwurzel,** die an ihrem Ende zur **Haarzwiebel** verdickt ist. In diese ragt von unten her eine zapfenförmige, bindegewebige Lederhautpapille **(Haarpapille)** hinein. Sie enthält ein Blutgefäßnetz sowie Pigmentzellen und versorgt die teilungsfähigen Zellen der Haarzwiebel. Von dieser Haarmatrix aus wächst und regeneriert sich das Haar (bei Zerstörung der Matrix oder der Papille ist keine Haarbildung mehr möglich). Nach oben zu sterben die Haarzellen ab und verhornen. Aus unvollständig verhornten und eingetrockneten Zellen bildet sich das **Haarmark.** Um das Mark herum liegt die **Haarrinde,** in deren Zellen Farbstoffe abgelagert sind, die die Haarfarbe bedingen. Die Haarwurzel ist außen vom **Haarbalg,** einer bindegewebigen Schicht aus verdickten Zellen der Lederhaut, umgeben. Die H. sitzen meist schräg in der Haut. Sie können durch einen kleinen glatten Muskel **(Haarbalgmuskel)** aufgerichtet werden. Zw. Muskel und Haar liegen ein bis zwei Talgdrüsen **(Haarbalgdrüsen),** die in den Haarbalg münden. Ihr öliges Sekret hält das

Haar geschmeidig. Der Mensch hat insgesamt 300 000 bis 500 000 H., davon entfallen etwa 25 % auf die Kopfbehaarung. Ein menschl. Haar ist 40–100 µm dick. Es wächst täglich zw. 0,25 und 0,40 mm (Augenbrauen nur etwa halb so viel). Ist das Wachstum beendet, löst sich das Haar unter Verdickung seines untersten Endes von der Papille ab. Nach einer Ruhezeit bildet diese ein neues Haar, das im selben Kanal wächst, das alte Haar mitschiebt, bis dieses ausfällt. Wenn die Pigmentzellen keinen Farbstoff mehr haben, wird das neue Haar grau. Treten zw. den verhornten Zellen feine Luftbläschen auf, werden die H. weiß. – Die Dichte des Haarkleides Fell tragender Säugetiere der gemäßigten Breiten liegt zw. 200 (Sommerkleid) und 900 (Winterkleid) H. je cm^2. Auf größeren Haut- bzw. Fellbezirken liegen die H. i. Allg. in bestimmten Richtungen **(Haarstrich).** Der Haarstrich ist häufig der Hauptfortbewegungsrichtung angepasst (verläuft also von vorn nach hinten) oder entspricht der Schutzfunktion des Haarkleides (v. a. gegen Regen; daher meist vom Rücken zum Bauch verlaufend).

📖 BALABANOVA, S.: *... aber das Schönste an ihr war ihr Haar, es war rot wie Gold ... H. im Spiegel der Kultur u. Wissenschaft. Ulm 1993.*

2) (Pflanzenhaare, Trichome) den tier. H. ähnl. Auswüchse der Oberhautzellen, teils einzellig (z. B. Wurzel-H., Brenn-H.), teils vielzellig (z. B. Glieder-H., Schuppen, Zotten). Die zu einfachen **Papillen** aufgestülpten Oberhautzellen verursachen den Samtglanz vieler Laub- und Blütenblätter und schützen das Blatt vor Benetzung; **Wurzel-H.** saugen Wasser auf; **Drüsen-H.** scheiden Sekrete aus; **Woll-, Seiden-** und **Schuppen-H.** schützen vor zu starker Erwärmung; **Kletter-H.** erhöhen die Haftfähigkeit eines Klettersprosses; **Flug-H.** verringern die Fallgeschwindigkeit bei Früchten und Samen; **Borsten-H.** sind starre, mit Kieselsäure oder Kalk durchsetzte H.; die gleichfalls verkieselten **Brenn-H.** (→Nesselgewächse) schützen vor Tierfraß; **Fühl-H.** vermitteln Berührungsreize. H. können auch an den Wänden von Hohlräumen des Pflanzenkörpers vorkommen **(innere H.).**

Haarfärbemittel, kosmet. Mittel, die den Farbton der Haare verändern. Temporäre Farbänderungen werden durch wasserlösl. Farbstoffe erzeugt, die leicht wieder ausgewaschen werden können (z. B. Tönungsfestiger). Für semipermanente Farbänderungen, die bei wiederholtem Haarwaschen verblassen, eignen sich Metallsalzlösungen (z. B. Silbernitrat) und pflanzl. H. (z. B. Henna). Permanente Färbungen werden v. a. durch Oxidations-H. erreicht, die als Farbentwickler ein Oxidationsmittel enthalten. Der Farbstoff wird dabei in die Haarschäfte eingelagert.

Haargarn, Garn aus groben Tierhaaren; meist gemischt mit anderen Fasern versponnen; verwendet v. a. in der Teppichindustrie.

Haargefäße, die →Kapillaren.

Haargurke (Sicyos), Kürbisgewächsgattung mit etwa 50 Arten in Amerika; u. a. kletternde Kräuter mit ledrig-holzigen, meist stacheligen Früchten.

Haarkristall, der →Whisker.

Haarlem, Hptst. der niederländ. Provinz Nordholland, westl. Schwerpunkt in der →Randstad Holland, 149 300 Ew.; Sitz eines kath. und eines altkath. Bischofs, Fachhochschulen (Gartenbau u. a.), Frans-Hals-Museum; Zentrum der Blumenzwiebelzucht (seit dem 16. Jh.); Druckereien, Kranbau, pharmazeut., Schokoladen-, Maschinen-, Textil-, Elektroind.; bei H. Industriepark Waarderpolder. Durch Schifffahrtskanäle ist H. mit Amsterdam und Leiden verbunden, durch den Spaarne mit dem Nordseekanal; westlich von H. liegt das Seebad Zandvoort. – Den Mittelpunkt von H. bildet der Grote Markt mit seinen Renaissancebauten und der Grote Kerk (Ende 14.–16. Jh.); ehemalige Fleischhalle (1602–03; heute Provinzialarchiv); Rathaus (14./15. Jh.); Kathedrale (1898–1906) im neuromanisch-byzantin. Stil. – Zw. 918 und 938 erwähnt, als Sitz der Grafen von Holland (Stadtrecht 1245) schon im MA. eine wohlhabende Stadt; Blütezeit bes. im 17. Jh. (Schiffbau, Tuchmacherei, Brauerei, Seifensiederei).

Haarlem
Stadtwappen

Haarlem: In der 1602–03 von Lieven de Key erbauten Fleischhalle ist heute ein Provinzialarchiv untergebracht

Haarlemmermeer, Großgemeinde (185 km^2) in der Prov. Nordholland, Niederlande, 102 800 Ew.; auf dem Gebiet des gleichnamigen einstigen Sees, der 1848–52 eingepoldert wurde; Anbau von Weizen, Mais, Zuckerrüben, Blumen und Gemüse; im NO der Großflughafen Schiphol.

Haarsterne: Mittelmeerhaarstern (Rumpfdurchmesser 6–7 mm, Armlänge bis 12 cm)

Haarlineal, *Messtechnik:* ein Lineal aus gehärtetem Stahl mit einer messerartigen Kante zum Prüfen der Ebenheit von Werkstückkanten und -flächen durch Beobachten des zw. Werkstück und Linealkante sichtbaren Lichtspalts.

Haarlinge (Läuslinge, Kieferläuse, Mallophaga), weltweit verbreitete Ordnung flach gedrückter 0,8–11 mm großer, flügelloser Insekten, die parasitisch im Federkleid der Vögel (Federlinge) und im Fell der Säugetiere leben; fressen Keratin der Hautschuppen, Feder- und Haarteile.

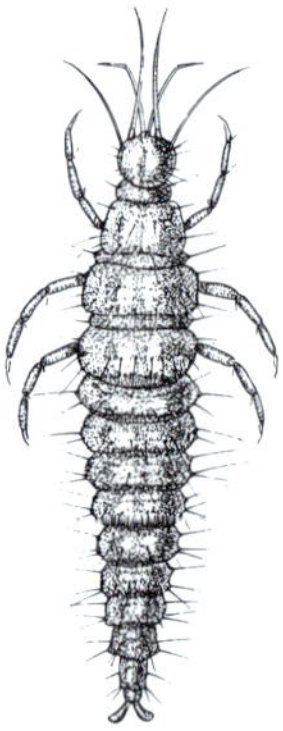

Haarmücken: Larve der Gartenhaarmücke (Länge etwa 1,3 cm)

Haarmücken (Märzfliegen, Bibionidae), artenreiche Familie fliegenähnl. Mücken, oft stark behaart, mit kurzen Fühlern und kräftigen Beinen. Häufig die **Garten-H.** (Bibio hortulanis), Larven schädlich durch Wurzelfraß.

Haarrisse, feine, etwa 0,2 mm breite Risse, die bei Putz, Beton, gebranntem Ton u. a. dadurch entstehen, dass sich die Oberflächenschichten beim Abbinden oder Brennen rascher zusammenziehen (schwinden) als das Innere. Bei Metallen entstehen H. durch zu rasche, ungleichmäßige oder zu tiefe Abkühlung.

Haarsterne (Crinoidea), Klasse der Stachelhäuter mit gepanzertem, kelchförmigem Körper, fünf meist gabelartig verzweigten, mit Seitenfortsätzen **(Pinnulae)** besetzten Armen, durch einen Stiel am Meeresboden befestigt. Bei den **Federsternen** (Familie **Comatulidae**) löst sich der Kelch während der Jugendentwicklung vom Stiel und wird frei beweglich, während der Kelch der **Seelilien** (Ordnung **Pentacrinoidea**) sessil bleibt. H. leben von Planktonorganismen. Die gestielten Seelilien leben im Stillwasser der Tiefsee; die stiellosen Federsterne, z. B. der **Mittelmeerhaarstern,** sitzen bes. in der Küstenregion auf Algen oder Korallenstöcken. Sie können durch Auf- und Abbewegung ihrer Arme schwimmen.

Haarstrang (Peucedanum), staudige Doldenblütlergattung mit zerschlitzten Blättern, heimisch der bis 2 m hohe, gelblich blühende, knollige **Echte H.** (Peucedanum officinale) auf Halbtrockenrasen.

Haarstrang, Höhenzug in Westfalen, → Haar.

Haartracht (Frisur), die Art, in der das Kopfhaar oder sein Ersatz getragen wird.

Assyrer und Perser salbten und kräuselten ihr Haar oder trugen wie die vornehmen Ägypter große Perücken. Bei den Griechen gingen die Männer im 5. Jh. v. Chr. zum kurzen Haarschnitt über; die Frauen kannten kunstvolle H. Die Römer trugen bis um 300 v. Chr. langes, danach geschorenes und gesalbtes Haar. Bei den Kelten galt ebenso wie bei den Germanen langes Haar als ein Zeichen männl. Würde und Freiheit. Die Gallier banden das Haar am Hinterkopf zusammen, die meisten Germanen ließen es frei herabwallen, nur die Karolinger (Franken) trugen kurz geschorenes Haar. Im MA. trugen die Männer bis ins 14. Jh. langes, gelocktes, zunächst bis auf die Schultern fallendes, dann etwas kürzeres Haar; die Jungfrauen ließen es offen oder zu Zöpfen geflochten herabhängen, verheiratete Frauen verbargen es unter Kopftuch oder Haube. Im 15. und 16. Jh. trugen die Männer meist kurz geschorenes Haar. Bei den Frauen-H. des 15. Jh. war für Dtl. der breite, um den Kopf gelegte Zopf kennzeichnend. In der 1. Hälfte des 16. Jh. hielten die Frauen das Haar am Hinterkopf mit der Netzhaube zusammen; in Dtl. war daneben auch ein Hängezopf üblich. Zu Anfang des 17. Jh. kam für die Männer wieder lang herabfallendes, gelocktes Haar auf. In der 1. Hälfte des 18. Jh. trugen die Frauen eine flachere und schlichtere Frisur, die um 1770 zu einem hohen, gepuderten Aufbau anwuchs. Die Frz. Revolution beseitigte Perücke, Puder, Haarbeutel und Zopf; die Frauen trugen halb offenes, gelocktes Haar, die Männer zunächst langes, dann im 19. Jh. kurz geschorenes Haar mit unterschiedl. Schnitt. In der Zeit des Klassizismus (Biedermeier) folgten grch. Knoten, Tituskopf und → Chignon. Im 19. Jh. entstanden schnell wechselnde flache oder hochgetürmte Locken- oder Zopftrachten, z. T. unter freier Benutzung geschichtl. H. 1872 wurde die → Ondulations-, 1901 die → Dauerwelle erfunden.

Haartracht

Im I. Brief an die Korinther (II, 14–15) äußert sich der Apostel Paulus folgendermaßen: »Lehrt Euch nicht auch die Natur selbst, dass es einem Manne eine Unehre ist, so er langes Haar trägt, aber der Frau eine Ehre, so sie langes Haar hat? Das Haar ist ihr zum Schleier gegeben.« Die Kirche hat dieses Urteil aber nie kanonisiert. Im Gegenteil: Im Mittelalter setzt sich in der christlichen Kunst, wahrscheinlich unter dem Einfluss des Turiner Grabtuchs, die Darstellung Christi mit langen Haaren durch.

Nach 1920 kam kurz geschnittenes Haar (Bubi-, Pagenkopf, Herrenschnitt) allg. in Mode. Seit den 1950er-Jahren ist der Wechsel der Haarmode bei Jugendlichen bes. auffallend; oftmals von Musikstars (z.B. E. Presley, The Beatles) kreiert, fanden diese Frisuren, zunächst schichtenspezifisch als zur Schau getragene gesellschaftliche Überzeugung (»Langhaarige«) und dann als sog. **Look** allg. Verbreitung. Hippiebewegung und Studentenrevolte förderten mit langen, oft betont ungepflegten Haaren bei der Jugend eine weit verbreitete Antimode, der erst Ende der 1970er-Jahre von schockierenden Punkfrisuren (grellbunte Haarfarben, Irokesenschnitt) bis hin zur »Skinhead«-Glatze eine neue Ausrichtung gegeben wurde.

📖 *Die Frisur. Eine Kulturgeschichte der Haarmode ..., hg. v.* M. JEDDING-GESTERLING *u.* G. BRUTSCHER. *München 1988.*

Haarwasser, meist 40–50%ige alkohol. Lösung mit versch. Wirkstoffen (Schwefelverbindungen, Pantothensäure, Vitamine, durchblutungsfördernde Substanzen, Lecithin), die den Haarboden günstig beeinflussen sollen.

Haarwild, die jagdbaren Säugetiere.

Haarzunge, grünlich bis schwärzlich verfärbte Zunge mit haarartig verlängerten verhornten Papillen. Als Ursache der H. wird eine Störung der Mundflora vermutet, tritt gelegentlich nach Chemotherapie auf.

Haas, 1) Arthur Erich, österr. Physiker, *Brünn 30. 4. 1884, †Chicago 20. 2. 1941; Prof. in Leipzig, Wien, Notre Dame (Ind.); benutzte 1910 als Erster das Quantenkonzept, um die Atomstruktur aufzuklären; untersuchte auch kosmolog. Probleme.

2) Friedrich Joseph, Arzt und Philanthrop, *Bad Münstereifel 10. 8. 1780, †Moskau 16. 8. 1853; studierte in Jena und Wien, Augenarzt in Moskau, Leibarzt Alexanders I.; erreichte für schwache Gefangene Befreiung von den Ketten; kümmerte sich um die Familien Deportierter. Sein beträchtl. Vermögen opferte er für Arme und Gefangene.

3) Joseph, Komponist, *Maihingen (bei Nördlingen) 19. 3. 1879, †München 30. 3. 1960; Schüler von M. Reger; lehrte 1921–50 an der Akademie der Tonkunst in München (Opern, u.a. »Tobias Wunderlich«, 1937; geistl. Musik; Kammer-, Klavier-, Orchestermusik, Lieder).

4) [frz. a:s], Monique, frz. Pianistin, *Paris 20. 10. 1909, †ebd. 9. 6. 1987; v.a. Interpretin klass. und zeitgenöss. Klaviermusik.

5) Wander Johannes de, niederländ. Physiker, *Lisse (Prov. Südholland) 2. 3. 1878, †Bilthoven (Prov. Utrecht) 26. 4. 1960; wies mit A. Einstein 1915 den →Einstein-de-Haas-Effekt nach, führte grundlegende Untersuchungen über Paramagnetismus bei sehr tiefen Temperaturen, über Superfluidität des Heliums und über die Supraleitung durch. Unabhängig von W. F. Giauque benutzte H. 1927 das Verfahren der adiabat. Entmagnetisierung paramagnet. Salze zum Erreichen von Temperaturen unterhalb 1 K.

6) Willy, Publizist, *Prag 7. 6. 1891, †Hamburg 4. 9. 1973; gehörte in Prag zum Kreis um F. Kafka. Er gründete (mit E. Rowohlt) 1925 die Wochenzeitung »Die literar. Welt«, die er bis 1933 herausgab; emigrierte nach Prag, 1939 nach Indien; nach seiner Rückkehr (1948) Kritiker; schrieb u.a. »Die literar. Welt« (Erinnerungen, 1957).

Trygve Haavelmo

Haavelmo, Trygve Magnus, norweg. Volkswirtschaftler und Statistiker, *Skedsmo (bei Oslo) 19. 12. 1911; stellte die These auf, nach der auch von einem ausgeglichenen Staatshaushalt unter bestimmten Bedingungen expansive Wirkungen auf den Konjunkturverlauf ausgehen können (H.-Theorem). 1989 erhielt er für seine Leistungen auf dem Gebiet der Ökonometrie den Nobelpreis für Wirtschaftswissenschaften.

Hába ['ha:ba], Alois, tschech. Komponist, *Vizovize (bei Zlín) 21. 6. 1893, †Prag 18. 11. 1973; Verfechter eines auf Viertel-, Fünftel- und Sechsteltönen aufgebauten Tonsystems; schrieb Kammer-, Klaviermusik, Orchesterwerke, Opern (»Die Mutter«, 1931), Lieder; auch theoret. Schriften.

Habakuk, Gestalt und gleichnamiges Buch des A.T.; Deutung und Datierung sind umstritten: entweder gegen die Chaldäer (605), die Assyrer (615) oder gegen Alexander d. Gr. (um 330) gerichtet. Themen sind des Propheten Klage über die Not Israels und Gottes Ankündigung der Bestrafung der Gottlosen.

Habana, La, Hptst. Kubas, →Havanna.

Habaner, späterer Name der Hutterer (→Hutter) in der Slowakei und Siebenbürgen.

Monique Haas

Habanera [aβa'nera] *die,* lateinamerikan. Tanz in mäßig bewegtem $^2/_4$-Takt, ben. nach der kuban. Hptst.; bekannt aus G. Bizets Oper »Carmen«.

Habasch (Habash), Georges, palästinens. Guerillaführer, *Lod (bei Tel Aviv) 1925; Arzt; marxistisch orientiert, seit 1967 Vors. der »Volksfront für die Befreiung Palästinas«. Unter seiner Führung beteiligte sich diese mit terrorist. Aktionen gegen die internat. Luftfahrt am Kampf gegen Israel. H. verfolgt das Ziel, unter Auflösung des Staates Israel in Palästina einen Staat auf der Grundlage marxistisch-leninist. Gesellschaftsvorstellungen zu schaffen. Er geriet oft in Gegensatz zur Linie der PLO und ihres Vors. J. →Arafat.

Habe, Hans, eigtl. H. Békessy, Publizist und Schriftsteller ungar. Herkunft, *Budapest 12. 2. 1911, †Locarno 29. 9. 1977; schrieb Zeit- und Unterhaltungsromane: »Das Netz« (1969), »Palazzo« (1975); Publizistik, Autobiographisches.

Habeas-Corpus-Akte [lat. »du habest den Körper«], eines der engl. Staatsgrundgesetze zum

Schutz der persönl. Freiheit, 1679 als Reaktion auf die willkürl. Verhaftungen unter Karl II. beschlossen; hiernach darf kein engl. Untertan ohne gerichtl. Überprüfung und Anordnung verhaftet oder in Haft gehalten werden. Befristete Aufhebung ist nur durch Parlamentsbeschluss bei Gefährdung der öffentl. Sicherheit zulässig (ähnl. Grundrechte enthält z. B. Art. 104 GG).

Habichte: (von oben): Sperber (Größe 28–38 cm) und Hühnerhabicht (Größe 48–61 cm)

Habemus Papam [lat.], »Wir haben einen Papst!«, die Worte, mit denen die vollzogene Wahl des Papstes bekannt gegeben wird.

Haben, *Buchführung:* rechte Seite eines Kontos, die bei Aktivkonten zur Eintragung der Abgänge (Aktivpostenabnahme) und bei Passivkonten zur Eintragung der Schuldenzunahme (Passivpostenzunahme) benutzt wird. Bei Eigenkapitalkonten weist die H.-Seite die Kapitalzunahme durch Gewinn oder Einlagen aus, bei Erfolgskonten die Erträge. Ggs.: Soll.

Habenzinsen, Zinsen, die von einer Bank für die hereingenommenen Gelder (Einlagen, z. B. Spargelder) gezahlt werden.

Haber, 1) Fritz, Chemiker, *Breslau 9. 12. 1868, †Basel 29. 1. 1934; arbeitete auf den Gebieten Elektrochemie, Thermodynamik, organ. und physikal. Chemie; entdeckte das Verfahren, Stickstoff und Wasserstoff durch Anwendung hoher Drücke, hoher Temperaturen und bestimmter Katalysatoren zu Ammoniak zu vereinigen, das C. Bosch für die großtechn. Ammoniaksynthese ausbaute **(H.-Bosch-Verfahren),** erhielt dafür den Nobelpreis für Chemie 1918. Im 1. Weltkrieg führte er Giftgase ein (1915 Chlorgas, 1917 Senfgas).

📖 STOLTZENBERG, D.: *F. H. Chemiker, Nobelpreisträger, Deutscher, Jude. Eine Biographie. Weinheim u. a. 1994.*

Habichtskraut: Kleines Habichtskraut (Höhe bis 30 cm)

2) Heinz, Physiker und Schriftsteller, *Mannheim 15. 5. 1913, †Hamburg 13. 2. 1990; lehrte 1952–56 an der Univ. Los Angeles (Calif.); seit 1958 Sendereihen für das dt. Fernsehen; Gründer und Hg. der Ztschr. »Bild der Wissenschaft«; schrieb zahlreiche allgemein verständl. naturwiss. Sachbücher.

Häberlin, Paul, schweizer. Philosoph und Pädagoge, *Kesswil (Kt. Thurgau) 17. 2. 1878, †Basel 29. 9. 1960; entwarf auf der Grundlage einer im Geist-Trieb-Dualismus wurzelnden Anthropologie eine vom Gedanken der Triebüberwindung getragene Pädagogik, Psychologie und Kulturtheorie. – *Werke:* Der Mensch (1941); Philosophia perennis. Eine Zusammenfassung (1952).

Habermann, Hugo Freiherr von, Maler, *Dillingen a. d. Donau 14. 6. 1849, †München 27. 2. 1929; Schüler von K. von Piloty, beeinflusst von W. Leibl; wurde 1904 Präs. der Münchner Sezession, 1905 Prof. der Akademie in München. H. war erfolgreich mit weibl. Porträts und Akten mit delikatem Kolorit und starken Licht-Schatten-Effekten.

Habermas, Jürgen, Philosoph und Soziologe, *Düsseldorf 18. 6. 1929; 1964–71 und seit 1983 Prof. in Frankfurt am Main, 1971–81 Direktor am Max-Planck-Inst. zur Erforschung der Lebensbedingungen der wiss.-techn. Welt. Themen der kritischen Theorie aufnehmend, wendet H. sich gegen das Selbstverständnis der Wissenschaften, v. a. der Sozialwissenschaften, des Positivismus und kritischen Rationalismus, reine Theorie, getrennt von gesellschaftl. Beeinflussung, schaffen zu können. H. sucht einerseits ihre erkenntnisleitenden Interessen, andererseits ihre normativen Grundlagen herauszuarbeiten (»Erkenntnis und Interesse«, 1968, »Technik und Wissenschaft als Ideologie«, 1968). Die Wissenschaften seien immer schon in die Lebenswelt eingebettet, in scheinbar rein objektiven Aussagen die ethischen Normen von Gleichheit der Diskursteilnehmer und gegenseitiger Anerkennung gegenwärtig (»Theorie des kommunikativen Handelns«, 2 Bde., 1981). – H.' Kritik an neokonservativen Tendenzen löste 1986 den →Historikerstreit aus.

📖 DUBIEL, H.: *Krit. Theorie der Gesellschaft. Eine einführende Rekonstruktion von den Anfängen im Horkheimer-Kreis bis H. Weinheim u. a. [2]1992.*

Habichte (Accipitrinae), mit über 50 Arten weltweit verbreitete Unterfamilie etwa 25–60 cm körperlanger Greifvögel; mit meist kurzen, runden Flügeln, relativ langem Schwanz und langen, spitzen Krallen. H. schlagen ihre Beute (bes. Vögel) im Überraschungsflug. In Mitteleuropa kommen **Hühnerhabicht** (Accipiter gentilis), 48 bis 61 cm körperlang, und **Sperber** (Accipiter nisus), 28–38 cm körperlang, vor.

Habichtskraut (Hieracium), Gattung der Korbblütler mit über 800 Arten auf der Nordhalbkugel und in den Anden; Milchsaft führende, ausdauernde Kräuter mit meist gelben, orangefarbenen oder roten, nur Zungenblüten enthaltenden Köpfchen. Heimisch sind u. a. die beiden gelb blühenden Arten **Wald-H.** (Hieracium murorum), bis 60 cm hoch, mit mehrköpfigen Blütenständen, und **Kleines H.** (**Mausohr,** Hieracium pilosella), bis 30 cm hoch, stark behaart mit einzeln stehenden Blütenköpfchen.

Habichtswald, Teil des Hess. Berglandes, westlich von Kassel, durch tertiären Vulkanismus entstanden, im Hohen Gras bis 615 m ü. M.; Naturpark (Naherholungs- und Wintersportgebiet).

Habilitation [lat.] *die,* der Erwerb der akadem. Lehrbefugnis **(Venia Legendi)** für ein wiss. Fach durch eine Abhandlung (H.-Schrift) oder andere wiss. Publikationen, Vortrag vor der Fakultät mit anschließender Disputation und öffentl. Antrittsvorlesung. Der Habilitierte (Titel Dr. habil.) hat den Status eines Privatdozenten. Seit der Hochschulreform ist die H. keine zwingende Berufungsvoraussetzung mehr.

Habimah [hebr. »Bühne«], 1916 in Moskau von Naum L. Zemach gegründetes hebr. Theater, seit 1931 mit dem größten Teil des Ensembles in Palästina, seit 1958 »Nationaltheater Israels«; 1970 wurde in Tel Aviv ein neues Haus eröffnet. Die H. vertrat bis 1926 ein »synthet. Theater« und führte die drei »Klassiker« des hebr. Theaters, »Der Ewige Jude« (D. Pinski, 1919), »Der Dybuk« (S. Anski, 1922) und »Der Golem« (H. Leivick, 1924) zum Erfolg.

Habit [frz., zu Habitus] *das* oder *der,* Amtskleidung, Ordenstracht.

Habitus [lat.] *der,* äußeres Erscheinungsbild und Verhalten; Gestalt von Menschen, Tieren, Pflanzen, auch Kristallen.

Habsburg [»Habichtsburg«], Stammburg der Habsburger über dem rechten Aareufer bei Brugg, Kt. Aargau, Schweiz, um 1020 erbaut.

Habsburger, europ. Dynastie, seit Mitte des 10. Jh. am Oberrhein als schwäb. Dynastengeschlecht nachweisbar, das sich nach der →Habsburg benannte. Der Aufstieg der im Elsass, am Oberrhein und zw. Aare und Reuß begüterten H. begann mit der Wahl Rudolfs I. 1273 zum Röm. König und mit der Belehnung seiner Söhne Albrecht I. und Rudolf II. 1282 mit den Herzogtümern Österreich und Steiermark. Mit dem Erwerb von Kärnten und Krain (1335), Tirol (1363), Freiburg im Breisgau (1368), Triest (1383) und Görz (1500) wurden die Voraussetzungen für die Hausmacht der H. geschaffen; seit dem 15. Jh. wurde dafür die Bez. **Haus Österreich (Casa d'Austria)** gültig. Im 14. und 15. Jh. gingen die althabsburg. schweizer. Besitzungen verloren; 1379 teilten sich die H. in eine Albertin. Linie (Nieder- und Oberösterreich) und eine Leopoldin. Linie (Steiermark, Kärnten, Krain, Tirol), die sich 1411 in den jüngeren steier. und Tiroler Zweig teilte. Seit Albrecht II. (1438/39) Röm. Könige, gewannen die H. mit Friedrich III. (1440–93) 1452 die Krone des Hl. Röm. Reiches, dessen Träger sie (außer 1742–45) bis 1806 blieben. Friedrichs Sohn, Maximilian I., konnte den gesamthabsburg. Besitz wieder vereinigen. Durch seine dynast. Heiratspolitik, bes. durch das herzogliche burgund. Erbe, den Anfall des span. Königreichs und den Erwerb der Wenzels- und der Stephanskrone (1526), vollzog sich der Aufstieg der H. zur europ. Großmacht (→Bella gerant alii, tu, felix Austria nube!). Nach der Trennung der span. und der dt. Linie nach dem Tode Karls V. (1556) bestimmte die span. Linie mit Philipp II. den Höhepunkt der Macht des Hauses; der dt. Linie gelang (bei neuen dynast. Teilungen 1564–1619) erst seit 1683 die österr. Großmachtbildung. Trotz der zahlr. Verwandtenehen zw. beiden Linien konnten die H. nach dem Erlöschen der span. Linie (1700) nur die europ. Nebenländer des span. Erbes gewinnen (→Spanischer Erbfolgekrieg). Nachdem die Dynastie mit dem Tode Karls VI. (1740) im Mannesstamm erloschen war, entstand durch die Ehe seiner Tochter Maria Theresia mit dem lothringischen Herzog, dem späteren Röm. Kaiser Franz I. Stephan, die als Habsburg-Lothringer (genealogisch Lothringer) bezeichnete, im 19. und 20. Jh. weit verzweigte Dynastie. 1804 errichtete Franz II. (I.) das österr. Kaisertum, das mit dem Thronverzicht Karls I. 1918 endete. ÜBERSICHT S. 44/45

📖 WANDRUSZKA, A.: *Das Haus Habsburg. Die Geschichte einer europ. Dynastie. Wien u. a.* [7]*1989.* – *Die H. Ein biograph. Lexikon, hg. v.* B. HAMANN. *München* [4]*1993.* – KRIEGER, K.-F.: *Die H. im Mittelalter von Rudolf I. bis Friedrich III. Stuttgart u. a. 1994.* – BÉRENGER, J.: *Die Geschichte des Habsburgerreiches 1273 bis 1918. A. d. Frz. Wien u. a. 1995.*

Habsburgergesetz, österr. Gesetz vom 3. 4. 1919, hob die Herrscherrechte des Hauses Habsburg-Lothringen für Österreich auf und verwies alle Habsburger, die nicht auf ihre Vorrechte verzichteten, des Landes. 1955 wurde das H. Bestandteil des österr. Staatsvertrages.

Hácha ['ha:xa], Emil, tschechoslowak. Politiker, *Schweinitz (heute Trhové Sviny, bei Budweis) 12. 7. 1872, † (im Gefängnis) Prag 27. 6. 1945; Jurist, 1925–38 Präs. des Obersten Verwaltungsgerichts, wurde im Nov. 1938 Staatspräs., unterzeichnete am 15. 3. 1939 das dt. Ultimatum, das das Reichsprotektorat »Böhmen und Mähren« schuf; er selbst blieb (in passiver Rolle) Staatspräsident.

Hachenburg, Stadt im Westerwaldkreis, Rheinl.-Pf., 5400 Ew.; FH der Dt. Bundesbank, Landschaftsmuseum Westerwald; Druckerei, Brauerei. – Mächtiges Schloss (im Kern mittelalterlich, 1717–46 zur barocken Hufeisenanlage erweitert), Marktplatz mit barocken Giebelhäusern. – Ende des 12. Jh. gegr.; 1247 Stadt.

Hachette [a'ʃɛt], frz. Kommunikationsunternehmen (gegr. 1826), gehört über den Medienkonzern Matra-Hachette zur Lagardère-Gruppe; tätig in den Bereichen Printmedien (H. Filipacchi u. a. mit »Elle«, »Télé 7 Jours«) sowie Rundfunk und Film.

Hachinohe [-tʃ-] (Hatschinohe), Hafenstadt in Japan, im NO der Insel Honshū, 241200 Ew.; Textilind., Holzverarbeitung, Fischereizentrum.

Hachiōji [-tʃiodʒi] (Hatschiodschi), Stadt in Japan, westlich von Tokio, 488200 Ew.; Maschinenbau, Seiden-, Nahrungsmittel- u. a. Industrie. – Mausoleum des Kaisers Taishō.

Hachse (Hechse, südd. Haxe), Sprunggelenk (Kniebug) der Schlachttiere.

Jürgen Habermas

Fritz Haber

Habsburger, Stammtafel (Auswahl)

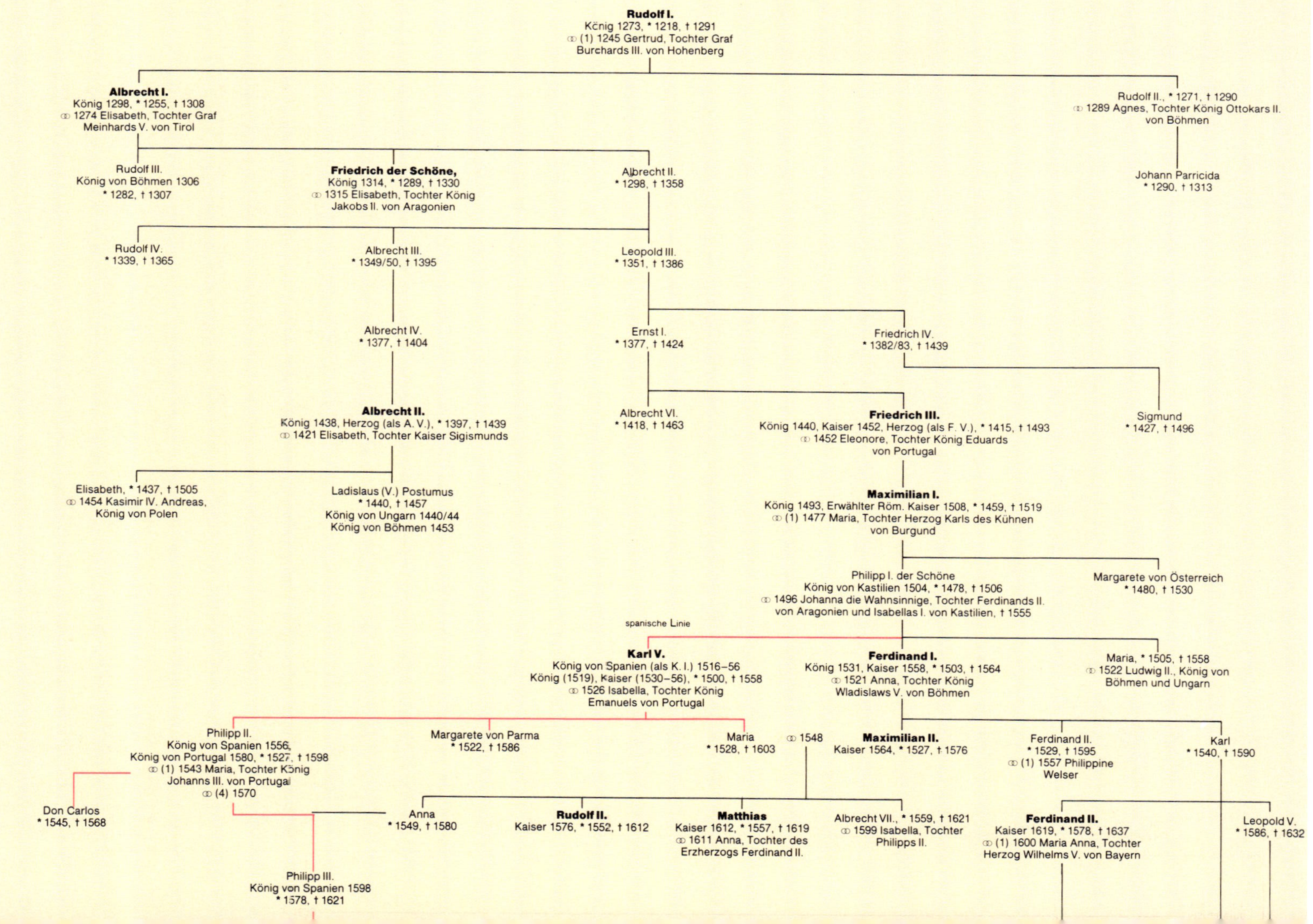

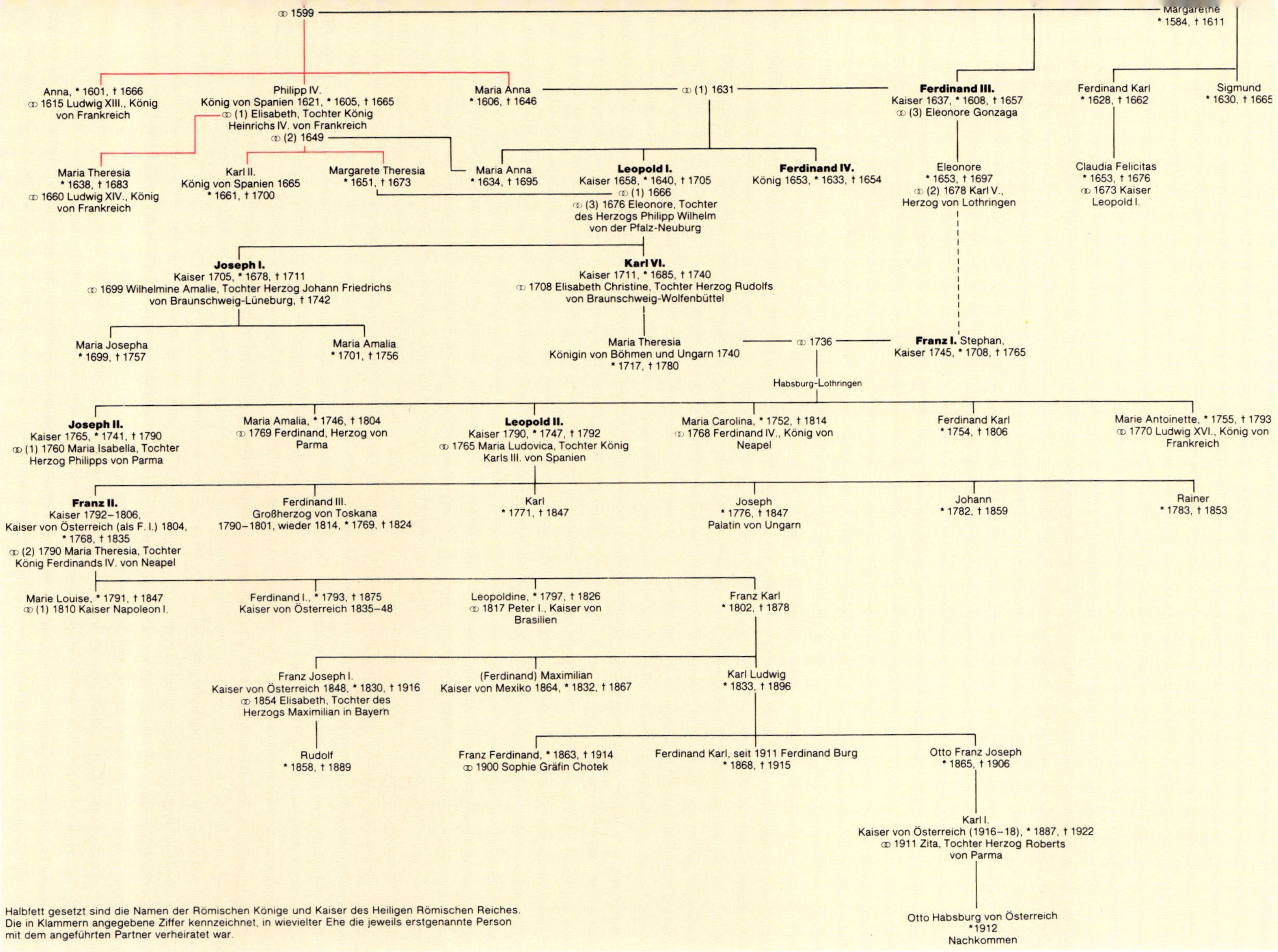

Halbfett gesetzt sind die Namen der Römischen Könige und Kaiser des Heiligen Römischen Reiches. Die in Klammern angegebene Ziffer kennzeichnet, in wievielter Ehe die jeweils erstgenannte Person mit dem angeführten Partner verheiratet war.

Hackbrett: Das Instrument wurde 1766 von Antonio Battaglia in Mailand gebaut (Berlin, Musikinstrumenten-Museum)

Hackbau, Art der Feldbestellung mit der Hacke als Hauptgerät; charakteristisch ist die Pflege der einzelnen Pflanze.

Hackbrett, zitherähnl. Musikinstrument. Die über einen flachen, meist trapezförmigen hölzernen Schallkörper gespannten Metallsaiten werden mit zwei Klöppeln angeschlagen; heute noch in den Alpen und in SO-Europa beliebt in der Volksmusik.

Gene Hackman

Hackenfuß, → Fußdeformitäten.

Hacker ['hækə; engl., zu to hack »(zer)hacken«] *der,* i.w.S. Computerbegeisterter, der versucht, Programmierprobleme durch »Herumprobieren« zu lösen, i.e.S. Computerbenutzer, der versucht über Datenfernverbindungen widerrechtlich in fremde Datenbanken einzudringen.

📖 ZIMMERMANN, C.: *Der H. Ein Insider packt aus: »keiner ist mehr sicher!« Landsberg am Lech 1996.*

Hackert, Jacob Philipp, Maler, *Prenzlau 15. 9. 1737, †San Piero di Careggi (heute zu Florenz) 28. 4. 1807; seit 1768 in Rom, wo er eine führende Rolle unter den Deutschrömern spielte; seit 1786 königl. Kammermaler in Neapel. 1799 ließ er sich in der Nähe von Florenz nieder, hier entstanden klassizist. Landschaftsbilder in der Nachfolge von C. Lorrain und italien. Veduten.

Jacob Philipp Hackert: Flusslandschaft (1805; Berlin, Nationalgalerie)

Hackethal, Karl Heinrich Julius, Mediziner, *Reinholterode (Landkreis Eichsfeld) 6. 11. 1921, †Bernau 17. 10. 1997; trat für umfassende Reformen im Gesundheitswesen ein und übte Kritik an der ärztl. Berufsordnung und -ethik sowie der medizin. Versorgung und Krebsvorsorge in Deutschland.

Hackfleisch (Gehacktes, Gewiegtes, Geschabtes), fein zerkleinertes Muskelfleisch warmblütiger Schlachttiere.

Hackfrüchte, Kulturpflanzen, deren Anbau (weiter Standraum) das Hacken des Bodens (zur Unkrautregulierung und Bodendurchlüftung) notwendig macht; i.e.S.: alle Wurzel- (Zucker-, Futter-, Steckrüben) und Knollenfrüchte (Kartoffeln, Topinambur); i.w.S.: Mais, Sonnenblume, Gemüse.

Hackman ['hækmən], Gene, amerikan. Filmschauspieler, *San Bernardino (Calif.) 30. 1. 1931; spielte Charakterrollen in den Filmen; »Bonnie und Clyde« (1967), »French Connection« (2 Tle, 1971–75), »Zwölf Stunden Angst« (1989), »Die Firma« (1993), »Schnappt Shorty« (1996).

Hackordnung, Rangordnung in Vogelgemeinschaften; z.B. hackt das stärkere Huhn das schwächere vom Futter weg; i.w.S. auch die Rangordnung in Tiergesellschaften überhaupt, oft als Ergebnis harter früherer Kämpfe.

Hacks, Peter, Schriftsteller, *Breslau 21. 3. 1928; studierte in München, lebte ab 1955 in Berlin (Ost); schreibt v.a. Komödien (»Die Schlacht bei Lobowitz«, 1958; »Der Müller von Sanssoussi«, 1958; »Moritz Tassow«, 1965; »Der Schuhu und die fliegende Prinzessin«, Märchenstück, 1966; »Amphitryon«, 1968; »Adam und Eva«, 1973; »Ein Gespräch im Hause Stein über den abwesenden Herrn von Goethe«, 1976; »Die Vögel«, nach Aristophanes, 1980; »Pandora«, nach Goethe, 1981; »Fafner, die Bisam-Maus«, 1992); auch Gedichte, Kinderbücher, Essays (»Die Maßgaben der Kunst«, 1977; »Jona«, Trauerspiel und Essay, 1989).

Häcksel [von hacken] (Häckerling), auf Häckselmaschinen klein geschnittenes Stroh oder Heu als Viehfutter; heute selten.

Hacksilber, primitives Zahlungsmittel aus zerbrochenen oder zerhackten silbernen Münzen und Schmuckgegenstände. H. ist in Schatzfunden des 9.–12. Jh. in N- und O-Europa verbreitet.

Hadal [von grch. Hades »Unterwelt«] *das* (Hadopelagial), *Ökologie:* Zone der Tiefseegräben der Weltmeere, die nach unten an die Zone des Abyssals anschließt, ohne Licht (aphotisch) ist und hydrostat. Drücke über 60 MPa aufweist. Die Lebenswelt der das H. bewohnenden Tiere und Mikroorganismen wird als **Hadon** bezeichnet.

Hadamar, Stadt im Landkreis Limburg-Weilburg, Hessen, im Limburger Becken, 12000 Ew.; Staatl. Glasfachschule; Glas-, Textilindustrie. – Nach Brand (1540) schachbrettartige Neuanlage um zwei große Marktplätze, zahlr. Fachwerkhäuser, Renaissanceschloss. – H. erhielt 1324 Stadtrecht. – Im Zuge des nat.-soz. Euthanasieprogramms wurden in H. 1940 und 1941 Tötungsaktionen durchgeführt.

Hadamard [ada'ma:r], Jacques Salomon, frz. Mathematiker, * Versailles 8. 12. 1865, † Paris 17. 10. 1963; Prof. in Paris, war einer der führenden Mathematiker seiner Zeit und ist Mitbegründer der Funktionalanalysis.

Hadeln (Land H.), Landschaft im N des Landkr. Cuxhaven, Ndsachs., im Elb-Weser-Winkel, umfasst an der Elbe ackerbaulich genutztes Marschenland, feuchtes niedriges Marschensietland und, begrenzt von einem Steinwall (ehem. Kliff), die Moränenlandschaft der Geest mit dem Wingst (74 m ü. M.) und dem Westerberg.

Haderer, *Jägersprache:* → Gewaff.

Hadern, Textilabfälle, die gereinigt und gerissen als Faserrohstoff für die Herstellung von Feinpapier (H.-Papier aus 100% H., v. a. als Dokumentenpapier) verwendet werden; hadernhaltiges Papier enthält mindestens 10% Hadern.

Hadernkrankheit, → Milzbrand.

Hadersleben (dän. Haderslev), Stadt im Amtskreis Sønderjylland, Dänemark, an der **Haderslebener Förde** der Ostsee, 31100 Ew.; luther. Bischofssitz; Maschinenbau, Textilind. – Got. Dom mit roman. Bauresten (13.–15. Jh.). – H. gehörte 1864–1920 zur preuß. Prov. Schleswig-Holstein.

Hades [grch.], *grch. Mythos:* Gott der Unterwelt, wie Zeus Sohn des Titanen Kronos und der Rhea, raubte → Persephone; als Herr der unterird. Reichtümer **Pluton** (röm. **Pluto**) gen.; später gleichgesetzt mit der Unterwelt selbst (röm. Orcus).

Hadewijch von Antwerpen [-wɛjx], fläm. (brabant.) Mystikerin und Dichterin des 13. Jh.; war vermutlich Begine und ist Repräsentantin der niederländ. religiösen Frauenbewegung im Hoch-MA. Ausgehend von ihrer bes. von Augustinus beeinflussten Gottes- und Seelenlehre (v. a. in »Strofische gedichten«, hg. 1942) thematisiert H. in ihrer Liebesmystik den Weg des Aufstiegs und der myst. Einigung der Seele mit Gott, einen Weg, den sie als Nachfolge des menschl. Lebens Jesu Christi begreift (»Visioenen«, hg. 1924–26).

Hadid, Zaha M., brit. Architektin irak. Herkunft, * Bagdad 31. 10. 1950; zählt mit ihren dynam. Entwürfen zu den bekanntesten Vertretern des architekton. Dekonstruktivismus.

Hadith [arab. »Mitteilung«, »Erzählung«] *der,* Aussprüche Mohammeds enthaltende Textsammlung aus dem 9. Jh.; im Islam neben dem Koran Quelle religiöser Vorschriften.

Zaha M. Hadid: Außenansicht des Feuerwehrhauses der Firma Vitra Design in Weil am Rhein (1993)

Haditha, Stadt im W Iraks, am Euphrat, 50000 Ew.; Erdölraffinerie; bei H. Staudamm mit Kraftwerk (seit 1986; 600 MW).

Hadjar al-Aswad [-dʒ-; arab. »schwarzer Stein«] *der,* an der SO-Ecke der Kaaba in Mekka eingemauerter Meteorit, bereits in vorislam. Zeit Gegenstand religiöser Verehrung.

Hadjdj [hadʒ, arab.] *der* (Haddsch, Hadsch), die Pilgerfahrt nach Mekka; eine der fünf Grundpflichten (»Pfeiler«) des Islam, jedem Muslim, der körperlich und finanziell dazu in der Lage ist, einmal in seinem Leben vorgeschrieben; findet im letzten Monat des islam. Mondjahres statt.

Peter Hacks

Hadloub (Hadlaub), Johannes, schweizer. Minnesänger, 1302 in Zürich nachgewiesen, † ebd. an einem 16. 3. vor 1340; Freund des Züricher Ratsherren Rüdiger Manesse († 1304), dichtete neben konventionellen Minneliedern auch Herbst- und Erntelieder. Von G. Keller in den »Züricher Novellen« (1878) dargestellt.

Hadith

In den Hadithen sind Szenen festgehalten, die schildern, wie Mohammed sich verhielt oder was er sagte. Um die Zuverlässigkeit zu betonen, beginnt jeder Hadith mit einer Überlieferungskette nach dem Schema: »Ich, A. B., hörte einmal B. C. erzählen, dass von D. E. erzählt wird, dass er einmal dabei war, wie der Prophet sagte: …«

Im 9. Jahrhundert wurden sechs Hadith-Sammlungen (»Sunnen«) erstellt; die bedeutendsten sind von al-Bukhari und Muslim. Sie gelten als »sahih« (authentisch), während die anderen Sammlungen auch Material bieten, das nur als »schön« oder »schwach« angesehen wird.

Hadrianswall: Abschnitt der Grenzbefestigung bei Carlisle in Nordwestengland

Hadramaut (Hadhramaut, Hadramut), Landschaft im S der Arab. Halbinsel, im O Jemens; Kalksteinhochland mit vorgelagerter 30–60 km breiter, wüstenhafter Küstenregion am Golf von Aden mit der Hafenstadt Makalla und einigen kleineren Palmoasen. Im Innern der 2–4 km breite Talzug des Wadi H. mit Bewässerungskulturen und Städten mit Lehmbauhochhäusern (Schibam u.a.). – H. bildete seit etwa 750 v.Chr. ein selbstständiges Reich (Hauptstadt Schabwa), das seit dem 3. Jh. n.Chr. zum südarab. Großreich der Himjaren gehörte und mit diesem im 6. Jh. unter abessin., dann unter pers. Herrschaft kam. An der Handelsstraße von Indien nach Ägypten gelegen, erlebte H. im MA. eine wirtsch. und kulturelle Blüte. Im 19. Jh. brit. Einflussgebiet, dann dem brit. Protektorat Aden einverleibt, das der Verw. Britisch-Indiens unterstand (→Jemen).

Hadrian, römischer Kaiser, Marmorbüste (Rom, Vatikanische Sammlungen)

Hadrian, eigtl. Publius Aelius Hadrianus, röm. Kaiser (seit 117), *Italica (Spanien) 24. 1. 76, †Baiae (heute Baia, Prov. Neapel) 10. 7. 138; ordnete Heer und Verwaltung neu, schützte die Grenzen (→Hadrianswall, →Limes); ließ prächtige Bauwerke errichten: in Athen das Olympieion, in Rom den Pantheonneubau und sein Mausoleum (die heutige Engelsburg), bei Tibur (Tivoli) eine große Palastanlage (Hadriansvilla). H. gründete zahlr. Städte, u.a. Hadrianopolis (heute Edirne).

📖 PEROWNE, S.: *H. Sein Leben u. seine Zeit. München* ²*1977*.

Hadrian, Päpste: **1) H. I.** (772–95), Römer, †Rom 25. 12. 795; rief 773 gegen den Langobardenkönig Desiderius Karl d. Gr. zu Hilfe, der ihm die →Pippinsche Schenkung von 754 bestätigte (→Kirchenstaat).

2) H. IV. (1154–59), eigtl. Nikolaus Breakspear, einziger Papst engl. Herkunft, *1110/20, †Anagni 1. 9. 1159; krönte Friedrich I. Barbarossa zum Kaiser, geriet jedoch bald mit ihm in Widerstreit; unter seinem Pontifikat begann der Kampf zw. Kaisertum und Papsttum um die weltl. Herrschaft.

3) H. VI. (1522–23), eigtl. Adrian Florisz. **Boeyens,** Niederländer und bis zur Wahl Johannes Pauls II. 1978 letzter nichtitalien. Papst, *Utrecht 2. 3. 1459, †Rom 14. 9. 1523; Erzieher des späteren Kaisers Karl V., strebte nach durchgreifender Kirchenreform, um der luther. Reformation in Dtl. entgegenzuwirken.

Hadrianswall, auf Befehl Kaiser Hadrians ab 122 n.Chr. in England zw. Solway Firth und Tynemündung angelegter Grenzwall (Limes) zum Schutz der N-Grenze der röm. Provinz Britannia; ein rd. 120 km langer, 5–6 m hoher Doppelwall (z.T. Steinmauer, z.T. Erdwall).

Hadronen [grch.], Sammelbez. für die stark wechselwirkenden →Elementarteilchen, also Baryonen, Mesonen und ihre Resonanzen; zu den H. zählen auch das Proton und das Neutron. Alle H. sind aus →Quarks aufgebaut.

Hadrumetum, phönik. Handelskolonie in N-Afrika, an der Küste südlich von Karthago, im 9. Jh. v.Chr. von Tyros aus gegr., später eine der wichtigsten Städte der Karthager; unter Trajan zur röm. Kolonie erhoben; heute die Stadt →Sousse.

Hadsch, →Hadjdj.

Hadubrand, Sohn des Hildebrand, →Hildebrandslied.

Hadwig, Herzogin von Schwaben, →Hedwig.

Haebler, Ingrid, österr. Pianistin, *Wien 20. 6. 1929; wurde v.a. als Interpretin der Werke von Haydn, Mozart, Schubert und Schumann bekannt.

Haeckel, Ernst, Zoologe und Naturphilosoph, *Potsdam 16. 2. 1834, †Jena 9. 8. 1919; führender Vertreter der Evolutionstheorie, dt. Verfechter der Abstammungslehre C. Darwins. Mit seiner Urzeugungstheorie und der →biogenetischen Grundregel suchte er die Deszendenztheorie weiter zu untermauern (»Natürl. Schöpfungsgeschichte«, 1868). Den Entwicklungsgedanken zu einer auch geistige und gesellschaftl. Prozesse einschließenden Welt-

Ernst Haeckel

Der Begriff Ökologie erscheint uns heute sehr modern. Geprägt hat ihn jedoch bereits Ernst Haeckel im Jahr 1866. Haeckel verfügte durch seine vielen Reisen über eine umfassende Kenntnis der Meeresfauna, und das Studium der Werke Darwins gab ihm viele theoretische Anregungen. Übrigens behauptete er noch vor seinem großen Vorbild, dessen Ideen er mit unermüdlichem Eifer in Deutschland verbreitete, im Jahre 1868 die abstammungsbedingte Verwandtschaft des Menschen mit dem Affen. Er begnügte sich nicht mit der Rolle des naturwissenschaftlichen Beobachters, sondern entwickelte eine Naturphilosophie, die sich allein auf wissenschaftliche Erklärungen stützen sollte und konsequent die Existenz Gottes verneinte.

anschauung erweiternd (»Die Welträtsel«, 1899), begründete H. seinen mechanistischen Monismus.

📖 KEITEL-HOLZ, K.: *E. H. Forscher, Künstler, Mensch. Eine Biographie. Frankfurt am Main 1984.*

Haecker, Theodor, Kulturphilosoph, *Eberbach (heute zu Mulfingen, Hohenlohekreis) 4. 6. 1879, †Ustersbach (bei Augsburg) 9. 4. 1945; vertrat, geprägt von S. Kierkegaard und J. H. Newman (Konversion zum Katholizismus 1921), entschieden den Primat des Geistigen und eine kath. Kulturphilosophie gegenüber den lebensphilosoph., rassenbiolog., aber auch allgemein dogmat. Strömungen seiner Zeit; Kulturkritiker von großer sprachl. Kraft; Übersetzer (Vergil, Kierkegaard, Newman). Als Gegner des Nationalsozialismus erhielt H. 1936 Rede-, 1938 Publikationsverbot.

Theodor Haecker

📖 MAYR, FLORIAN: *T. H. Eine Einführung in sein Werk. Paderborn u. a. 1994.*

Haeduer, Gallierstamm, →Aeduer.

Haemanthus [grch.-lat.] *der,* die →Blutblume.

Haemophilus influenzae, gramnegative Bakterien, Erreger von Krankheiten der oberen Luftwege.

Ha|erbin, Stadt in China, →Harbin.

Hafelekar, Gipfel der Nordkette des Karwendelgebirges bei Innsbruck in Tirol, Österreich, 2334 m hoch; durch Seilbahnen erschlossen.

Hafen, 1) *Wasserbau:* natürl. oder künstl., gegen Sturm, See- und Eisgang schützender Anker- und Anlegeplatz für Schiffe mit Einrichtungen und Anlagen für Verkehr und Güterumschlag, Schiffsreparatur und -ausrüstung. Zu unterscheiden sind: 1) nach der Verkehrsart **See-H.** und **Binnen-H.** Ein See-H. besteht oft aus einem offenen Teil, dem **Außen-H.,** und einem geschlossenen Teil, der ebenfalls als Binnen-H. bezeichnet wird; 2) nach der geograph. Lage oder der Lage am Gewässer **Küsten-H., Insel-H., Flussmündungs-H., Vor-H.** (H. an der Flussmündung, der einem flussaufwärts liegenden See-H. zugeordnet ist), **Lagunen-H., Fluss-H.** und **Kanal-H.;** 3) nach der Verbindung zw. H. und Wasserstraße **offener H.** (Wasserstände im H. und in der Wasserstraße ständig ausgespiegelt), **Tide-H.** (offener H. im Tidegebiet, gegen Sturmfluten evtl. durch ein Sperrwerk geschützt) und **geschlossener H.,** entweder durch eine →Schleuse jederzeit zugänglich **(Schleusen-H.)** oder durch ein Dockhaupt abgeschlossen und damit nur begrenzt zugänglich **(Dock-H.);** 4) nach der Form **Atoll-H.** (vor der Küste angelegter H. ohne feste Landverbindung), **Parallel-H.,** früher **Lände** (einfachste Form des Binnenhafens, entsteht durch Erweiterung des Fahrwassers bei entsprechendem Uferausbau, H.-Wasserfläche auf ihrer ganzen Länge nicht durch Bauwerke von der Wasserstraße getrennt), **Dreieck-H.** (dreieckförmige H.-Wasserfläche, die nicht durch Bauwerke von der Wasserstraße getrennt ist), **Molen-H.** (H.-Wasserfläche durch →Molen von der Wasserstraße abgetrennt) und **Stich-H.** (H.-Wasserfläche landeinwärts der Wasserstraße gelegen, durch eine H.-Einfahrt mit ihr verbunden); 5) nach dem Zweck, z. B. Schutz- oder Winter-H., Not-H., Liege-H., Handels-H., Industrie-H., Werft-H., Bau-H., Werk-H., Fähr-H., Kriegs-H. und Sportboot-H.; 6) nach dem Umschlaggut, z. B. Massengut-H., Stückgut-H., Container-H., Öl-H., Fischerei-H., Erz-H., Holz-H., Getreide-H.; 7) nach der Verkehrsbedeutung Lokal-H., Regional-H., Welt-H.; 8) nach Zollgrenzen →Freihafen und Zollhafen.

Hafen 1): Luftaufnahme des Hamburger Hafens, eines Tidehafens, elbabwärts gesehen

Der Umschlag erfolgt zw. Schiff und Lagerplatz oder Speicher oder beim kombinierten Verkehr zw. Schiff und Eisenbahn oder Lkw oder auch von Schiff zu Schiff, und zwar je nach Art des Umschlagguts mit Kränen, Verladebrücken, Transportbändern, Schüttern (z. B. bei Kohle), Saugluftanlagen (z. B. bei Getreide) oder Druckrohrleitungen (z. B. bei Öl). Stückgüter werden mit H.-Kränen verladen oder palettiert von Gabelstaplern im **Truck-to-Truck-Handling** umgeschlagen. Dem Beladen von Containerschiffen dienen **Containerterminals** mit großen Freiflächen und besonderen Verladebrücken (z. B. Bremerhaven). Durch Verwendung von →Containern wird u. a. der Umschlag beschleunigt. Daneben spielen über kurze und mittlere Entfernungen →Roll-on-roll-off-Schiffe und →Fähren eine wichtige Rolle. H. müssen Straßen- und Bahnanschluss (Gleise bis auf den Kai) besitzen.

📖 FÖHL, A. *u.* HAMM, M.: *Die Industriegeschichte des Wassers. Düsseldorf 1985. – See- u. Flußhäfen vom Hochmittelalter bis zur Industrialisierung, hg. v.* H. STOOB. *Köln u. a. 1986.* – BIEBIG, P. *u.* WENZEL, H.: *Seehäfen der Welt. Berlin 1989.*

Hafer: Saathafer (Höhe 60–150 cm)

2) *Werkstofftechnik:* Gefäß aus feuerfester Keramik; dient bei einem Glasschmelzofen **(Hafenofen),** in dem Glas in mittelgroßen Mengen erschmolzen wird, zur Aufnahme des Schmelzgutes.

Hafer (Avena), Gattung der Süßgräser mit rd. 35 Arten vom Mittelmeergebiet bis Zentralasien und N-Afrika; einjährige Pflanzen mit zwei- bis mehrblütigen Ährchen in Rispen. Die bekannteste Art, der in zahlr. Sorten angebaute **Saat-H.** (Avena sativa), wird v.a. als Körnerfutter für Pferde und Futterstroh verwendet. Aus den entspelzten, gequetschten Körnern werden u.a. Haferflocken, -grieß und -mehl hergestellt. In Dtl. wild vorkommende Arten sind u.a. **Wind- H.** (Avena fatua) und **Sand-H.** (Avena strigosa). In der Weltgetreideproduktion (1994: 34 Mio. t) steht H. nach Mais, Reis, Weizen und Gerste an 5. Stelle.

Haferkamp, Wilhelm, Gewerkschafter und Politiker (SPD), *Duisburg 1. 7. 1923, †Brüssel 18. 1. 1995; war 1962–67 Vorstandsmitgl. des DGB, als EG-Kommissar (1967–85) zuständig für Energiefragen (1967–73), Wirtschaft (1973–76) und Außenbeziehungen (1977–85).

Haff [mnd. haf »Meer«], durch eine Nehrung vom offenen Meer weitgehend abgeschnürte ehem. Meeresbucht an Flachküsten, meist mit Süßwasserzufuhr, →Lagune. – Eine **Haffküste** ist z.B. die südl. Ostseeküste mit Kurischem, Frischem und Stettiner Haff.

Haffner, Sebastian, eigtl. Raimund Pretzel, Publizist, *Berlin 26. 12. 1907, †ebd. 2. 1. 1999; Rechtsanwalt, seit 1934 Journalist, z.B. für die »Vossische Zeitung«, emigrierte 1938 nach Großbritannien (seit 1948 brit. Staatsbürger), seit 1954 in Berlin; schrieb u.a. »Winston Churchill« (1967), »Die verratene Revolution. Dtl. 1918/19« (1969), »Anmerkungen zu Hitler« (1978), »Zur Zeitgeschichte« (1982), »Von Bismarck zu Hitler« (1987).

Hafis [arab. »Bewahrer«] *der,* in den islam. Ländern Ehrentitel eines Mannes, der den Koran auswendig kennt.

Hafis (Hafiz), Beiname des pers. Dichters **Schams od-Din Mohammed,** *Schiras um 1320, †ebd. 1388; besang in seinen Ghaselen den Wein, die Liebe (auch die Knabenliebe), die Schönheit der Natur und verspottete Heuchler und Philister; sie wurden in einem →Diwan gesammelt, dessen Übers. von J. von Hammer-Purgstall (1812/13) Goethe zum »West-östl. Divan« anregte.

Haflinger [nach einem Dorf bei Meran], kleines Gebirgspferd, aus Arabern und einheim. Gebirgspferden gezüchtet; fuchsfarben mit hellem Schweif und heller Mähne.

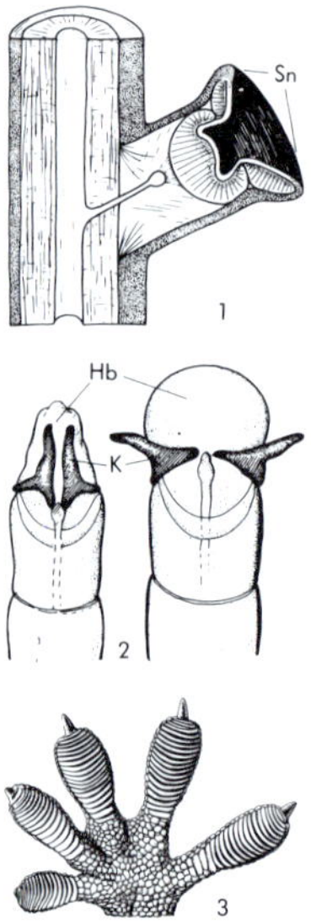

Haftorgane bei Tieren: 1 Querschnitt durch einen Saugnapf (Sn) vom Fangarm eines Kraken, 2 Beinspitze einer Fransenflüglerart mit eingezogener (links) und ausgedehnter Haftblase (Hb Haftblase, K Kralle), 3 Fußunterseite eines Geckos mit Haftlamellen

Hafner, Philipp, österr. Schriftsteller, *Wien 27. 9. 1735, †ebd. 30. 7. 1764; suchte das Stegreifstück und die Hanswurstiaden zu reformieren; mit seinen mundartlich gefärbten Possen und Singspielen begann eine Blütezeit des Wiener Volksstücks. »Megära, die förchterliche Hexe« (1764); »Evakathel und Schnudi« (1765).

Hafnerware (Hafnerkeramik), Irdenware einfachen Brandes mit gefärbten Bleiglasuren, zum größten Teil handwerksmäßig hergestelltes Gebrauchs- und Ziergeschirr, auch Ofenkacheln; Blütezeit 16. Jh.; Zentren u.a. Nürnberg, Oberösterreich, Sachsen.

Hafis: Miniatur in einer persischen Handschrift aus dem 16. oder 17. Jh. mit Gedichten aus dem »Diwan« (Berlin, Staatsbibliothek preußischer Kulturbesitz)

Hafnium [nach lat. Hafnia »Kopenhagen«] *das,* chem. Symbol **Hf,** metall. Element aus der 4. Nebengruppe und 6. Periode des Periodensystems. Ordnungszahl 72, relative Atommasse 178,49, Dichte 13,31 g/cm^3, Schmelzpunkt 2227 °C, Siedepunkt 4602 °C. – Das 1923 entdeckte, leicht zieh- und walzbare Metall ist dem Zirkonium, mit dem es stets zusammen auftritt, sehr ähnlich und deswegen nur schwer von ihm zu trennen. Das für die Gewinnung wichtigste Mineral ist der Zyrtolith, eine Varietät des →Zirkons, mit einem H.-Gehalt von etwa 5%. H. dient als Legierungsmetall und wird aufgrund seines hohen Neutronenabsorptionsquerschnitts v.a. für Steuerstäbe in Kernreaktoren verwendet.

Haft [mhd. »Fessel«, »Band«], **1)** (Straf-H.) früher in Dtl. und in Österreich leichteste →Freiheitsstrafe. Im *schweizer.* Recht sind H.-Strafen von einem Tag bis zu drei Monaten vorgesehen (Art. 39 StGB).

2) (Untersuchungshaft, Abk. U-Haft) nach §§ 112 ff. StPO eine Maßnahme, deren Sinn in der Sicherstellung des Strafverfahrens gegen einen Beschuldigten liegt. Sie darf nur dann angeordnet werden, wenn gegen den Beschuldigten **dringender Tatverdacht** und ein **Haftgrund** besteht, nämlich Flucht, Flucht- und Verdunkelungsgefahr (bei bestimmten Delikten auch Wiederholungsgefahr) und die Anordnung der U-Haft nicht unverhältnismäßig zur Tat und zur Strafe erscheint. Bei bestimmten schweren Straftaten kann allerdings U-Haft auch ohne diese Voraussetzungen angeordnet werden. Sie wird durch einen schriftl. richterlichen **H.-Befehl** angeordnet. Der Beschuldigte ist nach der Festnahme unverzüglich dem zuständigen Richter vorzuführen, der ihn spätestens am nächsten Tag zu vernehmen und über die Aufrechterhaltung der Untersuchungs-H. zu entscheiden hat. Gegen den H.-Befehl kann der Beschuldigte **H.-Beschwerde** einlegen oder ein →Haftprüfungsverfahren beantragen. Beruht die Untersuchungs-H. nur auf Fluchtverdacht, so kann der Haftbefehl z.B. gegen Sicherheitsleistung (Kaution) oder unter Auflagen außer Vollzug gesetzt werden (§§ 116 ff. StPO). Über sechs Monate hinaus darf U-Haft nur aus wichtigem Grund aufrechterhalten werden. Ähnl. Regelungen enthalten §§ 175 ff. *österr.* StPO und die kantonalen StPO der *Schweiz.*

3) H. kann aufgrund verschiedener rechtl. Regelungen auch als prozessuales →Ordnungsmittel (z.B. bei Nichterscheinen trotz Ladung), als Erzwingungs-H. (wenn z.B. eine rechtmäßig verhängte Geldbuße nicht gezahlt wird) oder als Sicherungs-H. (z.B. bei persönlichem →Arrest zur Verhinderung einer Vermögensverschiebung) angeordnet werden. Im *Ausländerrecht* können Ausländer zur Vorbereitung und Sicherstellung der Abschiebung durch richterl. Anordnung in Abschiebungs-H. (§ 57 Ausländerges.) genommen werden.

Haftdolde (Caucalis), Doldenblütlergattung mit Hakenfrüchten; mitteleurop. Feldunkraut ist die bis 30 cm hohe **Acker-H.** (Caucalis platycarpos).

Hafte, Bez. für großflügelige Insekten, bes. →Eintagsfliegen und Netzflügler.

Haftentschädigung, →Strafverfolgung.

Häftlingshilfe, 1) soziale Entschädigung für gesundheitl. Schäden nach dem H.-Gesetz i.d.F.v. 2. 6. 1993; Leistungen können Deutsche beanspruchen, die nach der Besetzung ihres früheren Aufenthaltsortes oder nach dem 8. 5. 1945 in der sowjet. Besatzungszone oder den Vertreibungsgebieten oder aus polit., von ihnen nach freiheitlich demokrat. Auffassung nicht zu vertretenden Gründen in Gewahrsam genommen worden sind und dadurch eine gesundheitl. Schädigung erlitten.

2) Unter bestimmten Bedingungen ehem. Strafgefangenen gewährte soziale Unterstützung nach dem Bundessozialhilfe-Ges. (§ 72).

Haftorgane, morpholog. Bildungen, mit deren Hilfe manche Tiere oder Pflanzen an (glatten) Flächen Halt finden können. Dies geschieht v.a. durch Reibung, Adhäsion und/oder Saugkraft. – Bei Pflanzen sind H. u.a. **Hapteren,** wurzelähnl. Ausstülpungen an der Basis des Vegetationskörpers bei versch. Algen, Flechten und Moosen; **Haftscheiben,** scheibenförmige H. an der Basis bes. größerer mariner Braun- und Rotalgen; **Haftwurzeln,** umgebildete, auf Berührungsreize ansprechende, sprossbürtige Wurzeln mancher Kletterpflanzen (z.B. Efeu). – Bei Tieren erfolgt das Anheften an einen Gegenstand durch aktives Ansaugen mit **Saugnäpfen** oder **-gruben,** z.B. bei Saugwürmern; durch von Drüsen abgesonderte Klebstoffe, z.B. Byssusdrüse der Miesmuschel; durch Adhäsionswirkung mithilfe besonderer Strukturen der Körperoberfläche, z.B. der **Haftlappen** am Klauenglied von Insekten oder der **Haftlamellen** der Geckos.

Haftpflicht, allg. die Verpflichtung zum Schadenersatz aus unerlaubter Handlung, ferner die von versch. Gesetzen auferlegte Pflicht, einem anderen auch den durch ein nicht schuldhaft herbeigeführtes Ereignis erwachsenen Schaden zu ersetzen (→Gefährdungshaftung). Sie ist im Wesentl. im BGB (z.B. für Tierhalter, Gebäudebesitzer), im StVG, im H.-Gesetz, im Luftverkehrs-Ges. (→Luftrecht), im Atom-Ges. normiert. Das H.-Gesetz regelt die Haftung für die insbesondere beim Betrieb von Eisenbahnen (Eisenbahn-H.) und Energieanlagen herbeigeführten Personen- und Sachschäden. Der Unternehmer haftet zwingend, sofern er nicht nachweist, dass der Unfall durch höhere Gewalt oder durch eigenes Verschulden des Verletzten verursacht worden ist. Der Schadenersatz umfasst Behandlungskosten und Ersatz weiterer Vermögensnachteile, bei Tötung die Beerdigungskosten sowie eine Geldrente für unterhaltsberechtigte Angehörige. Bei Minderung der Erwerbstätigkeit ist eine Geldrente von jährlich höchstens 30 000 DM vorgesehen. Bei Sachschäden beträgt die Haftungshöchstgrenze 100 000 DM. – Über die H. im Straßenverkehr →Straßenverkehrshaftung. – Das *österr.* Recht lässt grundsätzlich nur für Verschulden haften (§§ 1295, 1306 ABGB). Besondere Vorschriften bestehen nach

Sebastian Haffner

Haftorgane bei Pflanzen: 1 Hapteren bei einer Braunalgenart, 2 Sprossstück des Wilden Weins mit Haftscheiben, 3 Sprossstück des Gemeinen Efeus mit Haftwurzeln

dem Eisenbahn- und Kraftfahrzeughaftpflicht-Ges., dem Atomhaftpflicht-Ges. und dem Luftverkehrs-Ges. Das *schweizer.* Recht geht auch von der Verschuldenshaftung aus (Art. 41 OR). Ohne Verschulden wird u.a. für Schäden aus Werkmängeln, von Tieren oder Kindern sowie vom Halter eines Motorfahrzeugs verursachte Schäden gehaftet.

Haftpflichtversicherung, ein Versicherungszweig, der dem Versicherungsnehmer (und mitversicherten Personen) Schutz bei Schadenersatzansprüchen Dritter gewährt. I.d.R. werden Personen- und Sachschäden ersetzt, durch besondere Vereinbarungen sind auch Vermögensschäden versicherbar. Bei vorsätzl. Handeln durch den Versicherungsnehmer besteht kein Schutz. Die vereinbarten Versicherungssummen stellen die Deckungsgrenze dar. Unterschieden werden: H. des Privatbereiches (z.B. Privat-H., Haus- und Grundbesitzer-H.), die Berufs-H. (z.B. Ärzte, Notare), die Betriebs-H., die Gewässerschaden-H., die Produkt-H. u.a. Formen.

Hagebutte

Haftprüfungsverfahren, gerichtl. Verfahren während der Untersuchungshaft zur Prüfung, ob der Haftbefehl aufzuheben oder Haftverschonung anzuordnen ist. Die Haftprüfung kann statt der Haftbeschwerde jederzeit beantragt werden, sie findet, wenn der Beschuldigte keinen Verteidiger hat, nach dreimonatiger Untersuchungshaft von Amts wegen statt.

Haftpsychose, Bez. für Erregungszustände, die meist mit Angst verbunden sind und sich zuweilen in Affekthandlungen unter weitgehender Desorientierung entladen (»Haftkoller«); tritt v.a. nach längerer Isolierung auf.

Haftreaktion, seel. Reaktion auf das Erlebnis des gewaltsamen Freiheitsentzugs; gekennzeichnet durch Angstzustände, Depressionen, Schlafstörungen, Gedächtnisschwund, innere Unruhe und Reizbarkeit.

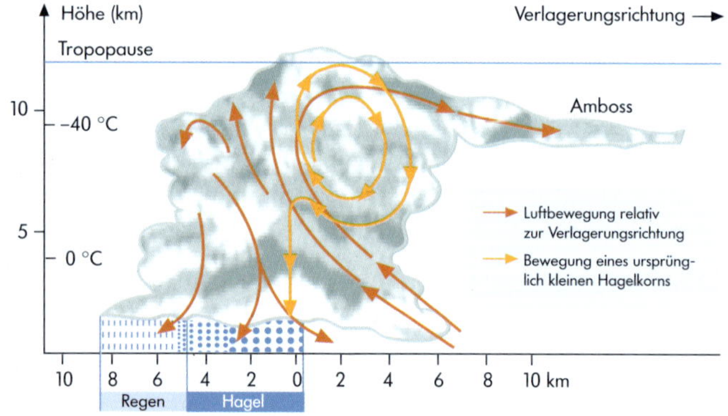

Hagel: Vertikalschnitt durch eine Gewitterwolke mit Hagelbildung

Haftschalen, → Kontaktlinsen.

Haftung, 1) svw. Schuld, Verbindlichkeit, auch die Verpflichtung zum Einstehen für fremde Schuld; 2) Verantwortlichkeit für den Schaden eines anderen mit der Folge, dass dem Geschädigten Ersatz zu leisten ist; 3) das Unterworfensein des Schuldners unter den Vollstreckungszugriff des Gläubigers (persönl. H.); 4) die Verwertbarkeit einer fremden Sache durch den Gläubiger eines an der Sache bestehenden Pfandrechts oder Grundpfandrechts (dingl., Real-, Sachhaftung).

Haftzeher (Geckos, Gekkonidae), Familie nacht- (teils auch tag-)aktiver Echsen; Finger und Zehen tragen auf der Unterseite Haftlamellen, deren Saugwirkung es den H. ermöglicht, an glatten senkrechten Wänden und an Decken sicher und schnell zu laufen. Andere Arten haben zusätzlich (oder ausschließlich) Krallen, so aus der Unterfamilie der **Eigentl. Geckos** der **Scheibenfinger** (Hemidactylus turcicus), der **Mauergecko** (Tarentola mauritanica) und der grüne madegassische **Taggecko** (Gatt. Phelsuma).

Hafun, Kap, östlichster Punkt des afrikan. Kontinents (51° 23′ östl. Länge), in NO-Somalia.

Haganah [hebr. »Selbstschutz«] *die,* 1920 gegründete militär. Organisation zum Schutz der isolierten jüd. Siedlungen in Palästina gegen die arab. Übergriffe. 1948 in der Armee Israels aufgegangen.

Hagar (Agar), ägypt. Magd Saras und Nebenfrau Abrahams; Mutter Ismaels (1. Mose 16).

Hagebutte, beerenartige rote Sammelnussfrucht versch. Rosenarten, v.a. der Heckenrose. Das rote Fruchtfleisch ist reich an Vitamin C.

Hagedorn, Friedrich von, Dichter, *Hamburg 23.4.1708, †ebd. 28.10.1754; von Horaz, engl. und frz. Dichtern inspirierter Anakreontiker und Fabeldichter; bewirkte eine Wiederbelebung der Tierfabel.

Hagel, atmosphär. Niederschlag in Form von Eiskörnern **(H.-Körner, Schloßen),** durchsichtig oder mit schneeartigem, undurchsichtigem Kern und vereister Schale. H. setzt Graupelbildung voraus und entsteht in hoch reichenden Gewitterwolken bei raschem Aufstieg warmer, wasserreicher Luft. Seine Bahn (H.-Strich) ist scharf begrenzt, außerhalb fällt Regen. (→ Atmosphäre, → Gewitter)

Hagelkorn (grch. Chalazion), Knoten am Augenlid durch chron. Entzündung der Meibom-Drüsen; im Ggs. zum → Gerstenkorn nicht schmerzhaft. Behandlung: operatives Ausschälen.

Hagelschnur, die → Chalaza.

Hagelstange, Rudolf, Schriftsteller, *Nordhausen 14.1.1912, †Hanau 5.8.1984; schrieb Lyrik (»Venezianisches Credo«, 1946; »Ballade vom verschütteten Leben«, 1952; »Flaschenpost«, 1982) von

Niclas Hagenauer: Bauernfigur aus dem Schrein des Isenheimer Altars (um 1490; Colmar, Musée d'Unterlinden)

betonter Formkunst, später Romane und Erzählungen (»Spielball der Götter«, 1959; »Der große Filou«, 1976) heiterer und unterhaltender Art; außerdem Autobiographie (»Tränen gelacht«, 1977), Reisebücher, Essays.

Hagemeister, Karl (Carl), Maler, *Werder (Havel) 12. 3. 1848, †ebd. 6. 8. 1933; anfangs mit der Tradition der Weimarer Schule eng verbunden, empfing er später nachhaltige Eindrücke des frz. Impressionismus; v. a. großformatige Landschaftsbilder und Stillleben.

Hagen, kreisfreie Stadt im RegBez. Arnsberg, NRW, am Nordrand des Sauerlands, 211 300 Ew.; Sitz des Ruhrverbandes; Fernuniv., Abteilung der Märkischen FH; Stadttheater, Osthaus-Museum (v. a. Gemälde des Expressionismus), Westfäl. Freilichtmuseum, techn. Kulturdenkmale (Kaltwalzmuseum); Papier- und Backwarenindustrie, Batterieherstellung, Metallverarbeitung. – Zahlreiche Bürgerhäuser im Jugendstil. – Um 1000 erstmals erwähnt; fiel 1324 an Mark(-Kleve), 1614 an Brandenburg-Preußen; Stadtrecht 1746.

Hagen am Teutoburger Wald, Gemeinde im Landkreis Osnabrück, Ndsachs., 14 000 Ew.; Luftkurort.

Hagenau (frz. Haguenau), Stadt im Unterelsass, Dép. Bas-Rhin, Frankreich, 30 400 Ew.; Holz-, Zementind., Tabakverarbeitung, Herstellung von Elektrogeräten und Fahrrädern, Brauereien; Hopfenanbau. – Roman. Kirche Saint-Georges (dreischiffige Säulenbasilika, 1143 bis um 1190), got. Kirche Saint-Nicolas (1425 geweiht), Reste der Stadtbefestigung. – H. entstand nach 1035 um eine Jagdpfalz im Reichswald **Hagenauer Forst,** Friedrich Barbarossa verlieh 1164 das Stadtrecht, 1260 wurde H. Reichsstadt. Seit dem 14. Jh. Hauptort der elsäss. →Dekapolis und Sitz der kaiserl. Landvogtei im Unterelsass; kam 1648 an Frankreich.

Hagenauer, **1)** Friedrich, Bildschnitzer und Medailleur, *Straßburg um 1500, †Köln nach 1546, wahrscheinlich Sohn von 3); bekannt sind 235 Holzmodelle für Bildnismedaillen.

2) Johann Baptist, Bildhauer, *Straß (heute zu Ainring, bei Freilassing) 22. 6. 1732, †Wien 9. 9. 1810; anfänglich Kleinplastiken im Rokokostil, seit 1756 auch größere klassizist. Werke (Mariensäule in Salzburg, Statuen für die Parkanlagen in Nymphenburg und Schönbrunn).

3) (Hagnower), Niclas, auch Nikolaus von Hagenau, Bildschnitzer, *Hagenau um 1445, †Straßburg (?) vor 1538, wahrscheinlich Vater von 1); seit 1493 in Straßburg nachweisbar, wo er den Hochaltar (Fronaltar) des Münsters schuf (1500/01, 1682 zerstört; Fragmente in St. Marx und in St. Stephan ebd.). Als sein Meisterwerk gelten die Schreinfiguren des Isenheimer Altars (vollendet um 1490; Colmar Musée d'Unterlinden).

Hagenbach-Bischoff-Verfahren [nach dem schweizer. Mathematiker Eduard Hagenbach-Bischoff, *1833, †1910], Verfahren der Sitzverteilung bei Verhältniswahl (→Wahlrecht). Dabei wird zunächst die Gesamtzahl der gültigen Stimmen durch die Zahl der zu Wählenden, vermehrt um 1, geteilt und der sich ergebende Quotient auf die nächst höhere ganze Zahl aufgerundet. In der **Erstverteilung** erhält jede Partei so viele Mandate zugeteilt, wie dieser Quotient in ihrer Stimmenzahl enthalten ist. Können dadurch nicht alle Mandate vergeben werden, wird die Stimmenzahl jeder Partei durch die um 1 vermehrte Zahl der ihr bereits zugewiesenen Mandate dividiert; das erste noch zu vergebende Mandat erhält diejenige Partei, die hierbei den größten Quotienten aufweist. Dies wird so lange wiederholt, bis alle Mandate vergeben sind **(Restmandatsverteilung).** Sofern sich hierbei zwei oder mehr gleich große Quotienten ergeben, geht das Mandat an diejenige Partei, die bei der Erstverteilung den größten Rest aufwies; sind auch diese Restzahlen gleich groß, erhält diejenige Partei das Mandat, deren infrage stehender Bewerber die größere Stimmenzahl aufweist. – Wie das →d'hondtsche Höchstzahlverfahren begünstigt das H. die größeren Parteien.

Hagen Stadtwappen

Hagenbeck, Carl, Tierhändler, *Hamburg 10. 6. 1844, †ebd. 14. 4. 1913; gründete 1907 den Tierpark Stellingen bei Hamburg und leitete einen Zirkus; schrieb »Von Tieren und Menschen« (1908).

Carl Hagenbeck

Hagengebirge, verkarsteter Gebirgsstock der Salzburger Kalkalpen mit mehreren Höhlen, zw. Königssee (Bayern) und Salzachtal (Österreich), im Kahlersberg 2351 m ü. M.

Hagenow [-no:], Stadt im Kreis Ludwigslust, Meckl.-Vorp., südwestlich von Schwerin, 12 600 Ew.; Lebensmittelind., Klinkerwerk, Gartenbau.

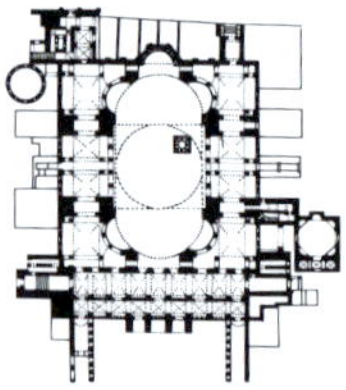

Hagia Sophia
(Grundriss)

Hagen-Poiseuille-Gesetz [-pwa'zœj-; nach dem dt. Wasserbauingenieur G. Hagen, *1793, †1884, und dem frz. Mediziner J. L. M. Poiseuille, *1799, †1869], Gesetz für die laminare Strömung von Flüssigkeiten durch kreiszylindrische Röhren: Das pro Zeiteinheit durch den Rohrquerschnitt strömende Flüssigkeitsvolumen Q ist gegeben durch $Q = \pi\, r^4 \cdot \Delta p/(8\eta l)$, wobei r den Innenradius und l die Länge der Röhre, Δp den Druckunterschied am Röhrenanfang und -ende und η die dynam. Viskosität bedeuten. Das H.-P.-G. ermöglicht, die Viskosität mithilfe einer Strömungsmessung zu bestimmen und spielt eine Rolle u.a. im Blutkreislauf.

Hagia Sophia: Blick in den Innenraum unterhalb der Hauptkuppel der 532–537 erbauten Kirche mit dem nördlich gelegenen zweigeschössigen Gewölbe und der östlichen Nebenkuppel im Hintergrund; die islamischen Schrifttafeln stammen aus der Zeit nach 1453

Hagen von Tronje (altnord. Högni), Gestalt der Nibelungen- und Walthersage; u.a. in den in der älteren »Edda« erhaltenen Teilen der verschollenen dt. Vorstufen des →Nibelungenliedes: 1) Im alten Atli-Lied ist Högni der Bruder des Burgunderkönigs Gunnar; beide werden von ihrem Schwager Atli getötet. 2) Im grönländ. Atli-Lied ist Högni der Halbbruder von Gunnar, Godomar und Giselher. Sein Tod durch Atli wird von einem seiner Söhne, Hniflung, gerächt. 3) Im alten Sigurdlied rät Högni, der Halbbruder Gunnars und Guthorms, von dem Mord an Sigurd ab, stellt sich jedoch nachher hinter den Mörder Guthorm. – Im Nibelungenlied ist H. mit den Burgunderkönigen verwandt und treuer Lehns- und Gefolgsmann Gunthers. Er rächt durch den Mord an Siegfried die Kränkung seiner Herrin Brunhilde in der Brautnacht. Im zweiten Teil des Epos wird er von Kriemhild erschlagen, da er die Preisgabe des Hortverstecks verweigert. – H. ist auch Gestalt des Epos →Kudrun sowie des lat. Epos →Waltharius.

Hagestolz, urspr. Besitzer eines Nebenguts (Hag), das meistens zu klein war, um eine Familie zu ernähren, deshalb übertragen auf einen (älteren) unverheirateten Mann.

Haggada [hebr. »Erzähltes«] *die,* Bez. der vorwiegend erzählenden Teile des →Talmud; erfasst im Ggs. zur →Halacha alle nichtgesetzl. Bereiche, enthält Legenden, aktualisierende Schriftauslegungen und Homilien.

Haggai [hebr. »der am Festtag Geborene«], in der Vulgata Aggäus, einer der 12 Kleinen Propheten im A. T.; forderte nach der Überlieferung des Buches H. (wahrscheinlich zusammengestellt am Beginn des 4. Jh. v. Chr.) 520 v. Chr. den Wiederaufbau des Tempels in Jerusalem.

Hagia Sophia [grch. »heilige Weisheit«] *die,* die ehem. Sophienkirche in Istanbul, das bedeutendste Bauwerk der →byzantinischen Kunst, eine Verbindung von Langhausbau und kuppelgewölbtem Zentralbau; 360 vollendet, nach Brand (404) 415 neu geweiht, nach Zerstörung unter Kaiser Justinian 532–537 von Anthemios von Tralleis unter Mitarbeit von Isidor von Milet neu errichtet; im Innern reich ausgestattet mit Marmor und Mosaiken; seit 1453 (Eroberung Konstantinopels durch die Türken) Moschee, seit 1934 Museum. Der Bau wird beherrscht von der Hauptkuppel (Durchmesser zw. 31,9 m und 30,87 m, Scheitelhöhe 56,2 m); sie wird in der Hauptachse durch zwei Halbkuppeln mit je drei Nebenkuppeln abgestützt; im N und S zweigeschossige Folge von Gewölben. Weiteres BILD Istanbul.

📖 JANTZEN, H.: *Die H. S. des Kaisers Justinian in Konstantinopel. Köln 1967.* – STRUBE, C.: *Polyeuktoskirche u. H. S. München 1984.*

Hagiographen [zu grch. hágios »heilig« und gráphein »schreiben«], 1) die dritte und späteste Gruppe der Bücher des A.T. (hebr. ketuvim »Schriften«); 2) die Verfasser der hl. Schriften; 3) die Verfasser von Heiligenviten.

Hagiographie [grch.] *die,* Lebensbeschreibung der Heiligen; Bez. der wiss. Disziplin, die die Heiligen zum Gegenstand hat. Die bekannteste Samml. von H. ist die »Legenda aurea« des Jacobus de Voragine.

Hagios Nikolaos (Ajios Nikolaos), Hptst. des Verw.gebiet (Nomos) Lassithi im O der Insel Kreta, Griechenland, an der Mirabellobucht der N-Küste, 8300 Ew.; Badeort; Hafen.

Hagnower, Niclas, Bildschnitzer, →Hagenauer, Niclas.

Hagondange [agɔ̃'dɑ̃ʒ] (dt. Hagendingen), Gemeinde in Lothringen, Dép. Moselle, Frankreich, 8300 Ew.; Kokereien, Stahlwerk, Zementindustrie.

Hague, Cap de la [kapdəla'a:g], Kap an der NW-Spitze der Halbinsel Cotentin, in der Normandie, Frankreich, 182 m ü. M.; Wiederaufbereitungsanlage für radioaktive Abfälle.

Häher, Bez. für einige Gattungen der Rabenvögel (→Eichelhäher, →Tannenhäher).

Hahn, 1) *Biologie:* Bez. für das Männchen bei den Hühnervögeln u.a. Vogelarten.

2) *Technik:* Vorrichtung zum Absperren einer Rohrleitung (Absperrorgan) oder zum Regeln der Durchflussmenge.

3) *Waffenkunde:* Teil der Abzugs- und Zündungseinrichtung bei Hand- und Faustfeuerwaffen.

Hahn, Hochfläche im Hunsrück westlich von Kirchberg (Hunsrück), Rheinl.-Pf.; bei Lautzenhausen Flughafen.

Hahn, 1) Friedemann, Maler, *Singen (Hohentwiel) 24.5.1949. In seiner figurativen Malerei verknüpft er die gestische Behandlung der Oberfläche mit der Darstellung einer histor. Person, z.B. in einer Gemäldereihe, in der er nach fotograf. Motiven u.a. Schauspieler in filmtyp. Posen wiedergibt.

2) Hermann, Bildhauer, *Veilsdorf (Kr. Hildburghausen) 28. 11. 1868, †Pullach i. Isartal 18. 8. 1942; 1902 Prof. an der Münchner Akademie; in seinen neuklassizist. Monumentalwerken wirkt der Einfluss A. von Hildebrands nach; schuf die Denkmäler für F. Liszt in Weimar (1900) und für J.W. von Goethe in Chicago (1914) sowie Bildnisbüsten (H. Wölfflin, 1901) und Medaillen.

3) Kurt, Pädagoge, *Berlin 5. 6. 1886, †Salem 14. 12. 1974; leitete 1920–33 das Landerziehungsheim Salem, gründete 1934 eine Salem-Schule in Gordonstoun (Schottland); gab das Vorbild der Kurzschulen für Kurzlehrgänge.

Hermann Hahn: Reiter aus Bronze, Höhe 2,76 m (1908; Hamburg, Kunsthalle)

4) Otto, Chemiker, *Frankfurt am Main 8. 3. 1879, †Göttingen 28. 7. 1968; ab 1928 Direktor des Kaiser-Wilhelm-Inst. (später Max-Planck-Inst.) für Chemie, 1946–60 Präs. der Max-Planck-Ges.; arbeitete v.a. auf dem Gebiet der Radiumforschung und der Kernchemie, fand zus. mit Lise Meitner zahlreiche radioaktive Elemente, u.a. 1917 das Protactinium, und entdeckte mit F. Straßmann

Otto Hahns Arbeitstisch mit der Versuchsanordnung, die 1938 zum Nachweis der Kernspaltung führte (München, Deutsches Museum)

1938 die Spaltung von Urankernen bei Neutronenbestrahlung (→Kernspaltung), wofür er 1945 den Nobelpreis für Chemie des Jahres 1944 erhielt.

Otto Hahn

📖 Gerlach, W.: *O. H. 1879–1968. Ein Forscherleben unserer Zeit. Stuttgart 1984. – O. H. Leben u. Werk in Texten u. Bildern, hg. v.* D. Hahn. *Frankfurt am Main 1988.*

5) Ulla, Schriftstellerin, *Brachthausen (heute zu Kirchhundem) 30. 4. 1946; charakteristisch für ihre Gedichte ist die Spannung zw. Emotion und Artistik, Ironie und Trauer (»Herz über Kopf«, 1981; »Spielende«, 1983; »Unerhörte Nähe«, 1988; »Galileo und zwei Frauen«, 1997).

Hähnel, Ernst, Bildhauer, *Dresden 9. 3. 1811, †ebd. 22. 5. 1891; Mitarbeiter von G. Semper am Hoftheater in Dresden und ab 1848 Prof. der dortigen Akademie, schuf Denkmäler und Bildnisbüsten; gilt als Mitbegründer der Dresdner Bildhauerschule der 2. Hälfte des 19. Jahrhunderts.

Hahnemann, Christian Friedrich Samuel, Arzt, *Meißen 10. 4. 1755, †Paris 2. 7. 1843; trat als Hygieniker, Pharmazeut, Psychiater hervor und begründete die Homöopathie; u.a. »Organon der rationellen Heilkunde« (1810); »Reine Arzneimittellehre«, 6 Bde. (1811–20).

Hahnenfuß (Ranunculus), Gattung der H.-Gewächse mit über 400 weltweit verbreiteten Arten; meist ausdauernde Kräuter. In Mitteleuropa u.a. **Scharfer H.** (Ranunculus acris), häufig auf Wiesen und Weiden, mit goldgelben Blüten; **Kriechender H.** (Ranunculus repens) auf feuchten Böden, mit dottergelben, bis 3 cm großen Blüten. Beide Arten sowie der **Gift-H.** (Ranunculus sceleratus), mit kleinen, blassgelben Blüten, sind giftig. In den Alpen wächst der **Gletscher-H.** (Ranunculus glacialis) mit großen, innen weißen, außen meist rosaroten oder tiefroten Blüten. Als Zierpflanze und Schnittblume beliebt ist v.a. die **Ranunkel** (Asiat. H., Ranunculus asiaticus) mit verschiedenfarbigen, einzelnen, gefüllten Blüten.

Hahnenfuß: Gletscherhahnenfuß (Höhe 5–15 cm)

Hahnenkamm 2)

Hahnenkamm, 1) *Botanik:* Bez. für Zierpflanzen der Gattung Brandschopf (Celosia) mit hahnenkammähnl. Blütenstand.

2) *Zoologie:* fleischige, meist kammartig gezackte Hautbildung am Kopf der Kammhühner, bes. ausgeprägt bei den Hähnen (zur Paarungszeit bes. groß).

Hahnenkamm, Berg in den Kitzbüheler Alpen, Tirol, Österreich, 1 655 m ü. M. (Seilbahn von Kitzbühel); jährlich internat. Skirennen.

Hahnenkampf, Kampf zweier, häufig mit eisernen Sporen versehener Hähne, oft mit Wetten verbundene Veranstaltung in Lateinamerika, SO-Asien, S-Europa.

Hahnenklee-Bockswiese, Kurort im Oberharz, Ndsachs., seit 1972 Stadtteil von Goslar, auch Wintersportplatz; Holzkirche (1908) in der Art norweg. Stabkirchen.

Hahnentritt, 1) *Biologie:* Keimscheibe im Hühnerei.

2) *Textilwesen:* klein karierte, hahnenfußähnl. Flächenmuster in Geweben, bei denen in Kette und Schuss zwei helle und zwei dunkle Fäden wechseln.

3) *Zoologie:* (Zuckfuß) bei Pferden und Rindern auftretende Bewegungsstörung an einer oder beiden Hintergliedmaßen infolge Entzündung. Die erkrankte Gliedmaße wird bes. im Schritt zuckend gebeugt und schnell in die Höhe gezogen.

Haie *verlieren ständig Zähne. Wenn sich ein Zahn löst, rückt innerhalb weniger Tage ein neuer nach. Die größten Haifische haben ein Gebiss von bis zu 3 000 Zähnen; im Laufe ihres Lebens wachsen ihnen weit über 20 000 Zähne!*

Hahnium [nach O. Hahn] *das,* Symbol **Ha,** von amerikan. Forschern vorgeschlagene Bez. für das chem. Element 105 (heute → Dubnium).

Hahn-Meitner-Institut Berlin GmbH, Abk. **HMI,** 1971 gegründetes Forschungsinstitut (Beschäftigte: 724, Etat: rd. 130 Mio. DM, Gesellschafter: Bundesrep. Dtl. und Land Berlin), Mitglied der → Hermann von Helmholtz-Gemeinschaft Deutscher Forschungszentren; wiss. Schwerpunkte sind Strukturforschung (bes. mit Neutronen), Festkörperforschung, Untersuchung metallischer Legierungen und Solarenergieforschung.

Haida, Stamm der Nordwestküstenindianer, u. a. auf den Queen Charlotte Islands (Kanada) und der Prince of Wales Island (Alaska); etwa 1500 Menschen; hoch entwickelte Schnitzkunst.

Haider, 1) Jörg, österr. Politiker, *Bad Goisern 26. 1. 1950; Jurist, seit 1983 Landesobmann der FPÖ in Kärnten, 1989–91 und seit 1999 dort Landeshauptmann, verfolgt als Klubobmann der FPÖ im Nationalrat (1986–89 und seit 1992) sowie als Bundesobmann seiner Partei (seit 1986) innerparteilich einen autoritären Führungsstil. In der Frage des Zuzugs von Ausländern entwickelte er einen nationalistisch-ausländerfeindl. Kurs. Außenpolitisch bekämpfte er den Beitritt Österreichs zur EU. H. versucht die FPÖ unter dem Namen »Die Freiheitlichen« zu einer Bewegung umzuformen.

2) Karl, Maler, *Neuhausen (heute zu München) 6. 2. 1846, † Schliersee 29. 10. 1912; gehörte zu dem Kreis um W. Leibl, malte Landschaften von oft schwermütiger Stimmung und Porträts in altmeisterl. Stil.

Haiderabad, Städte in Indien und Pakistan, → Hyderabad.

Haiduken [ungar. haidú »Söldner«, »Büttel«] (Heiducken), Bez. für ungar. Hirten, später für Söldner, die Ende des 15. Jh. die Grenze gegen die Osmanen verteidigten; seit dem 18. Jh. auch Bez. für Gerichtsdiener und Lakaien der ungar. Magnaten. – In SO-Europa Sammelbez. für Räuberbanden, die es schon vor der türk. Besetzung gab (z. B. → Klephten), die aber unter der türk. Herrschaft auch zu Trägern nat. und religiöser Opposition wurden. In serb. und bulgar. Volksliedern werden die H., die ihre Beute mit den Armen teilten, als nat. Helden gefeiert.

Haie (Haifische, Selachii), Ordnung der Knorpelfische mit halsständigen Kiemenschlitzen und raspelartigem Hautbesatz aus rückwärts gerichteten zahnähnl. Schuppen. Die Zähne des Gebisses stehen in mehreren Reihen, die nach Abnutzung der vordersten von hinten nachrücken. Hinter jedem Auge liegt ein Spritzloch. Fast alle H. sind Meeresbewohner, nur wenige Arten leben im Süßwasser. Die frei schwimmenden H. gebären lebend, die auf dem Meeresboden lebenden Arten legen Eier in Hornkapseln ab. Alle H. sind Fleischfresser. Zur Ordnung der H. gehören 19 Familien mit rd. 250 Arten. Raubfische, die auch dem Menschen gefährlich werden können, sind z. B. die bis 7 m langen **Grau-H.** (**Menschen-H., Blau-H.,** Carcharhinidae), die nach der T-ähnlichen Kopfform benannten **Hammer-H.** (Sphyrnidae) sowie die **Makrelen-H.** (Isuridae) mit dem etwa 7 m langen **Weißen Hai** (Carcharodon carcharias). Von den ebenfalls **Grau-H.** genannten Hexanchidae sind Angriffe auf Menschen nicht bekannt. Harmlose Planktonfresser sind die bis 12 m langen **Riesen-H.** (Cetorhinidae), die bis 18 m langen **Wal-H.** (Rhincodontidae) und die weichtierfressenden austral., nur 1 m langen **Dorn-H.** (Squalidae). – Das Fleisch kleiner Arten wird geräuchert, das größerer zu Fischmehl verarbeitet. Aus der Leber wird Vitamin-A-reicher Tran gewonnen.

📖 Hass, H. *u.* Eibl-Eibesfeldt, I.: *Wie H. wirklich sind. München* [4]*1991. – Herrscher der Meere. Wale, Delphine, H., bearb. v.* M. Bright. *A. d. Engl. München* [2]*1993.*

Haifa
Stadtwappen

Haifa, Hafenstadt in Israel, am Fuß des Karmels, 251 000 Ew.; Sitz des melkit. Erzbischofs von Akko, Zentrum des Bahaismus; Univ., TH; Bibliotheken, Museen, Theater, zoolog. Garten; Erdölraffinerien, chem., Textilind., Metallverarbeitung, Werft; Endpunkt der Ölleitung von Elath;

Flugplatz. – Bronzezeitl. und antike Siedlungsspuren. Die Stadt H. wird im 2. Jh. n. Chr. erstmals erwähnt, in der Kreuzfahrerzeit befestigt; 1100 eingenommen und zerstört.

Haiger, Stadt im Lahn-Dill-Kr., Hessen, im Dilltal, am Rand des Westerwaldes, 20 300 Ew.; Eisen-, Stahl-, Gummi-, Holzverarbeitung, elektrotechn., Möbel-, feinkeram. u. a. Industrie. – H. erhielt schon 914 Stadtrecht; 1945 durch Luftangriffe schwer zerstört.

Haigerloch, Stadt im Zollernalbkreis, Bad.-Württ., im tief eingeschnittenen Eyachtal, 10 900 Ew.; Verwaltungsschule; Textil- und feinmechan. Ind., Kunststoffwerk, Brauerei. Zu H. gehört **Bad Imnau.** – Über der Stadt das Schloss (1580–1662) mit barockisierter Schlosskirche; im Felsenkeller unter der Kirche Atommuseum (Forschungsstätte der dt. Atomforscher 1944/45). – Im 12./13. Jh. bestanden zwei Städte (Ober- und Unterstadt), die im 15. Jh. vereinigt wurden.

Haiku *das,* in Japan lyrische Kurzform, Dreizeiler aus 5 + 7 + 5 = 17 Silben. Vom Spielerischen ausgehend, findet das H. zu metaphys. Tiefe, angedeutet im Bild eines Augenblicks.

Hail, Oasenstadt in Saudi-Arabien, im Innern der Arabischen Halbinsel, am Fuß des Djebel Schammar, über 40 000 Ew.; Verkehrsknotenpunkt (früher Karawanenstation) an der Pilgerstraße Bagdad–Mekka; Flugplatz.

Hailar, Oberlauf des → Argun.

Haile Selassie I. [amhar. »Macht der Dreifaltigkeit«] (früher Ras Tafari Makonnen), Kaiser von Äthiopien (1930–74), * Edjersso (Prov. Harar) 23. 7. 1892, † Addis Abeba 27. 8. 1975; leitete ab 1916 als Thronfolger die Reg. der Kaiserin Zaiditu; machte sich 1928 durch einen Staatsstreich zum »Negus« (König); und ließ sich 1930 zum Kaiser krönen. Er verfolgte eine behutsame Modernisierungspolitik und erreichte die Aufnahme seines Landes in den Völkerbund (1923). Nach dem italien. Angriff auf sein Land (1935) ging er im Mai 1936 nach London ins Exil. Nach der Kapitulation der italien. Truppen vor brit. Verbänden kehrte er im Mai 1941 nach Äthiopien zurück. Mit Hilfe aus Ost und West suchte er die Wirtschaft Äthiopiens zu entwickeln. 1945 sicherte er seine Herrschaft auch über Eritrea. 1963 trug er entscheidend zur Gründung der OAU bei. Als Vermittler in afrikan. Streitigkeiten gewann er internat. hohes Ansehen. Wachsende Unzufriedenheit mit der Feudalstruktur des Landes löste im Febr./März 1974 einen Militärputsch aus. Am 12. 9. 1974 setzte das regierende Militärkomitee H. S. I. ab und und inhaftierte ihn.

Hailey ['heɪlɪ], Arthur, kanad. Schriftsteller, * Luton (Großbritannien) 5. 4. 1920; schrieb Unterhaltungsromane, v. a. Politthriller (»Hotel«, 1965; »Airport«, 1968; »Reporter«, 1990).

Haimonskinder: Miniatur aus einer mittelalterlichen Handschrift (Paris, Bibliothèque Nationale)

Haimonskinder, Sagenzyklus um Karl d. Gr. und seinen Gegner Reinold von Montalban: Die vier Söhne (Allard, Renaut, Guiscard und Richard) des Grafen Haimon (Aymon) von Dordogne leben am Hofe Karls; sie fliehen, nachdem einer von ihnen Karls Neffen erschlagen hat, werden verfolgt und unterwerfen sich zuletzt dem Kaiser. Die Sage gründet auf Legenden um den hl. Reinold († um 750) und historisch auf Ereignisse unter Karl Martell; frz. Volksbuch (Lyon 1493, dt. 1531).

Haile Selassie I., Kaiser von Äthiopien

Hainan, trop. Insel vor der S-Küste Chinas, vom Festland durch die 28 km breite **H.-Straße** getrennt; als Provinz (seit 1988) 34 380 km², (1994) 7,1 Mio. Ew., Hptst. ist Haikou; abgesehen vom flachen Norden meist Hügel- und Bergland. Für den Anbau von Zuckerrohr, Kaffee, Kokospalmen, Kautschuk- und Feigenbäumen, Ananas, Bananen und Reis (drei Ernten) wurde der größte Teil des trop. Regenwaldes gerodet. Förderung und Verhüttung von Eisenerz; Salzgärten; Fischerei.

Hainaut [ɛ'no], frz. Name der belg. Provinz → Hennegau.

Hainbuche (Carpinus), Gattung der Birkengewächse mit 26 Arten, in Mittel- und S-Europa, Mittel- und O-Asien und im atlant. Nordamerika; in Dtl. nur die **Weißbuche** (Carpinus betulus), 20–28 m hoch, mit grauer, glatter Rinde. Sie trägt nach 30–40 Jahren Frucht, blüht Ende April bis Mai. Das Holz ist kernlos, weißgrau, schwer, hart, elastisch, druckfest (Maschinen-, Drechsler-, Stellmacherholz).

Hainbuche: Zweig mit weiblichem (links) und männlichem Blütenstand, darunter Zweig mit Fruchtstand

Hainbund, der → Göttinger Hain.

Hainburg an der Donau, Stadt im Bezirk Bruck an der Leitha, Niederösterreich, 5 800 Ew.; Heimat- und Tabakmuseum; Tabak-, Textil- und Mühlenind.; der Bau eines Donaukraftwerkes wurde aus Naturschutzgründen eingestellt. – Gut

Michael Hainisch

erhaltenes mittelalterl. Stadtbild; starke Befestigung mit zwölf Türmen und drei Toren (Wiener Tor, Fischertor, Ungartor); Burg mit Wohnturm des 13. Jh. – H. ist seit 1244 Stadt.

Hainich *der,* bewaldete Muschelkalkhochfläche am W-Rand des Thüringer Beckens, bis 494 m ü. M. (Alter Berg); Weltnaturerbe.

Hainichen, Stadt im Kr. Mittweida, Sachsen, im Mittelsächs. Hügelland, 10 300 Ew.; Gellert-museum; Textil-, Leder-, Futtermittel-, Baustoffindustrie. – Wurde 1282 zur Stadt erhoben, war bis 1994 Kreisstadt.

Hainisch, Michael, österr. Politiker, *Aue (heute zu Gloggnitz, Bez. Neunkirchen) 15. 8. 1858, †Wien 26. 2. 1940; beschäftigte sich mit agrar- und sozialpolit. Fragen, gründete Volksbüchereien, gehörte der Gesellschaft der sozialreformer. »Fabier« an. H., der gemäßigt großdeutsche Positionen vertrat, war der erste Bundespräs. der Rep. Österreich (1920–28).

Hainleite, bewaldeter Muschelkalkhöhenzug am N-Rand des Thüringer Beckens, bis 463 m ü. M.; setzt sich nach W im Dün fort, im O durch die Thüringer Pforte (Sachsenlücke) von der Schmücke getrennt.

Hainschnirkelschnecke, Art der →Schnirkelschnecken.

Haiphong [-f-], Stadt mit Provinzstatus (1503 km²) im N von Vietnam, (1993) 1,58 Mio. Ew.; kath. Bischofssitz; Glas-, chem., Textil-, Nahrungsmittelind., Werften, Zementwerke; Haupthafen des Tongkingdeltas; Ausgangspunkt der Bahn nach Hanoi. – H. wurde 1874 gegründet.

Haithabu [altnord. Haiðaby »Siedlung auf der Heide«], 804 als **Sliesthorp,** um 850 als **Sliaswich** bezeugter Handelsplatz an der Schlei, gegenüber dem heutigen Schleswig. Spätestens seit 750 befand sich südlich des späteren Halbkreiswalles eine Siedlung, die fries. Kaufleuten als Umschlagplatz am Handelsweg vom Niederrhein zur Ostsee diente. Seit Mitte des 9. Jh. entwickelte sich H. zum bedeutendsten Handelsplatz N-Europas; Handwerker siedelten sich an, eine Münzstätte wurde eingerichtet. Gegen Ende des 9. Jh. setzten sich in dem bisher dän. H. schwed. Wikinger fest. 934 wurde es von König Heinrich I. erobert und gehörte vorübergehend zum Regnum Teutonicum (Reich der Deutschen). 983/984 ging es an Dänemark verloren; um 1050 zerstört. – Seit 1900 werden in H. umfangreiche Ausgrabungen durchgeführt. Bei der Siedlung lagen Friedhöfe und Fürstengräber. Im N außerhalb des Walls ein Burgberg; im W schließt das →Danewerk an. Eine wichtige Quelle für die Geschichte H. sind die im 18. und 19. Jh. gefundenen vier Runensteine in altdän. und altschwed. Sprache. – Nördlich des Halbkreiswalles das Wikinger-Museum Haithabu.

Haithabu

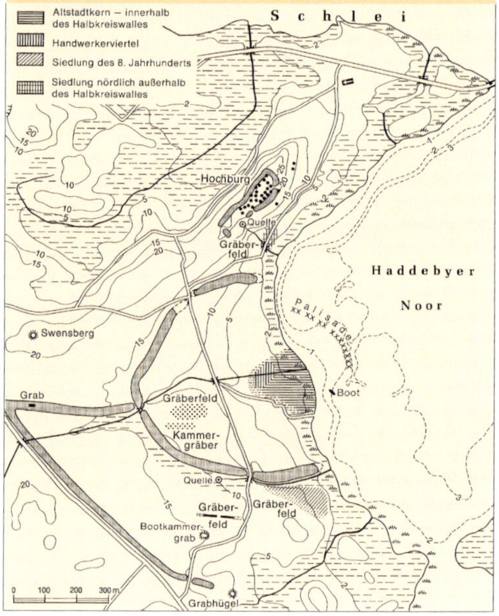

JANKUHN, H.: *H. Ein Handelsplatz der Wikingerzeit.* Neumünster [8]1986.

Haitham (Abu Ali al-Hasan Ibn al-Hasan Ibn al-H., lat. Alhazen), arab. Naturforscher, *Basra um 965, †Kairo nach 1039; einer der bedeutendsten Universalgelehrten des MA.; führte (qualitative) Experimente in die Naturforschung ein, schrieb über 200 mathemat., medizin. und naturphilosoph. Abhandlungen. Seine «Große Optik» war bis zu den Arbeiten von J. Kepler maßgebend.

Haitham

Der islamische Naturforscher Abu Ali al-Hasan ibn al-Hasan ibn al-Haitham hat ein umfangreiches Werk geschaffen, in dem er sich kritisch mit Aristoteles und Galen, Euklid und Ptolemäus auseinandersetzt. Seine größte Wirkung aber erzielte er mit Versuchen und Beschreibungen zur Optik. Er formulierte bereits das Reflexions- und Brechungsgesetz, er beschrieb die Camera obscura (die früheste und einfachste Kamera). Außerdem diskutierte er den Regenbogen und sann über das Wesen der Farben und des Lichts nach: Dieses stellte er sich materiell vor und nahm an, dass es sich mit großer Geschwindigkeit geradlinig ausbreitet.

Heftig widersprach er der tradierten griechischen Auffassung, wonach Lichtstrahlen vom Auge des Betrachters ausgehen. Licht existiert nach seiner Überzeugung völlig unabhängig von einem Empfänger. Mehr noch, die Lichtstrahlen gehen gerade umgekehrt von den Dingen aus; dann erst, so lehrte er, gelangen sie zum Auge als Wahrnehmungsorgan; allerdings werden sie dort, entgegen seiner Annahme, nicht von der Linse aufgenommen, sondern von der Netzhaut. Das erkannte aber erst der islamische Arzt Ibn-Ruschd.

Haiti

Fläche: 27 750 km²
Einwohner: (1995) 7,18 Mio.
Hauptstadt: Port-au-Prince
Verwaltungsgliederung: 9 Départements
Amtssprache: Französisch und Kreolisch
Nationalfeiertag: 1. Januar
Währung: 1 Gourde (Gde.) = 100 Centimes (cts.)
Zeitzone: MEZ −6 Std.

Haiti (amtlich frz. République d'Haïti, kreol. Repíblík Dayti; dt. Rep. H.), Staat im Bereich der Westind. Inseln, umfasst den westl. Teil der Insel Hispaniola und grenzt im O an die Dominikan. Republik.

Staat und Recht: Nach der Verf. vom 28. 4. 1987 ist H. eine präsidiale Rep.; Staatsoberhaupt und oberster Inhaber der Exekutivgewalt ist der für fünf Jahre direkt gewählte Präs.; er ernennt den MinPräs., der vom Parlament bestätigt wird. Die Legislative liegt beim Zweikammerparlament, bestehend aus dem für sechs Jahre gewählten Senat (27 Mitgl.) und dem für vier Jahre gewählten Abg.haus (83 Abg.). – Einflussreichste Parteien: Das Parteienbündnis Organisation Politique Lavalas (OPL), der Front National pour le Changement et la Démocratie (FNCD; dt. Nat. Front für Wandel und Demokratie) und die Alliance Nationale pour la Démocratie et le Progrès (ANDP; dt. Nat. Allianz für Demokratie und Fortschritt).

Landesnatur: H. umfasst das westl. Drittel der Insel →Hispaniola und ist durch vier Gebirgszüge mit dazwischen liegenden Becken bzw. [Küsten]ebenen gegliedert. Die höchste Erhebung liegt im SO (Pic de la Selle, 2680 m ü. M.). – Das randtrop. Klima mit sommerl. Regenzeit und winterl. Trockenzeit wird durch das Relief differenziert. Bis auf die Trockengebiete mit Sukkulenten und Dornsträuchern im Regenschatten der Gebirge und den anschließenden Senkenzonen ist das ursprüngl. Pflanzenkleid durch die landwirtschaftl. Nutzung stark dezimiert. Den Niederschlägen und Höhenlagen entsprechend zeigt es den Wandel von immergrünem Regen- und Bergwald zu regengrünem Feucht- und Trockenwald, Feucht- und Trockensavanne.

Bevölkerung: Die heutigen Bewohner sind überwiegend Nachkommen der im 18. Jh. aus Westafrika für die Plantagenarbeit eingeführten Sklaven. In den Städten leben Mulatten (10 % der Bev.), die die Ober- und Mittelschicht bilden. Das durch die hohe Geburtenrate bedingte Bev.wachstum wird durch die ebenfalls hohe Sterberate, bes. die Säuglingssterblichkeitsquote (über 10 %), sowie durch starke Auswanderung (jährlich etwa 50 000 Ew.) gebremst. – Allg. Schulpflicht (unentgeltl. Unterricht) besteht zw. dem 6. und 12. Lebensjahr; es gibt zahlreiche private (Missions- und Ordens-)Schulen; in Port-au-Prince gibt es eine Univ. (gegr. 1944). Die Analphabetenquote (43 %, in ländl. Gebieten rd. 80 %) zählt zu den höchsten Lateinamerikas. – Offiziell sind rd. 80 % der Bev. katholisch, rd. 19 % protestantisch; die eigentl. Volksreligion H.s ist jedoch der Wodukult; eine religiöse Minderheit bilden die Bahais.

Wirtschaft, Verkehr: H. ist ein übervölkerter Agrarstaat mit dem geringsten Pro-Kopf-Einkommen Lateinamerikas. Die Landwirtschaft beschäftigt etwa zwei Drittel der Erwerbstätigen, trägt jedoch nur noch rd. 30 % zum Ausfuhrwert (v. a. Kaffeeexport) bei. Infolge ungünstiger klimat. Bedingungen (Trockenperioden, Wirbelstürme), wachsender Erosionsschäden (Vernichtung der Wälder durch Raubbau und Brandrodung) und einer im Vergleich zu anderen lateinamerikan. Ländern extremen Zersplitterung der Anbaufläche deckt der Anbau von Mais, Reis, Bataten, Maniok, Bohnen u. a. nur rd. 60 % des Eigenbedarfs. Großbetriebe in den Küstenebenen erzeugen Zucker, Sisal und Baumwolle für den Export. Die umfangreichen Rohstoffvorkommen werden kaum genutzt. Neben der überwiegend auf der Landwirtschaft basierenden Kleinind. erfolgt, begünstigt durch niedrige Löhne, die Weiterverarbeitung von importierten Halbfertigwaren der Bekleidungs-, Spielzeug- und Elektronikind. durch ausländ. Unternehmen. Eine wichtige Devisenquelle sind die Überweisungen im Ausland lebender Haitianer. Der Tourismus spielt im Unterschied zur benachbarten Dominikan. Rep. keine Rolle. – H. ist verkehrsmäßig noch wenig erschlossen. Von dem etwa 4 000 km langen Straßennetz sind nur 600 km asphaltiert. Die letzte Eisenbahnlinie wurde 1990 stillgelegt. Wichtigste Häfen sind Port-au-Prince und Cap Haïtien; internat. Flughafen in Port-au-Prince.

Staatswappen

RH

Internationales Kfz-Kennzeichen

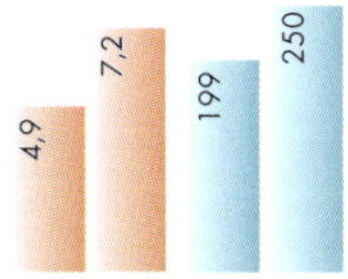

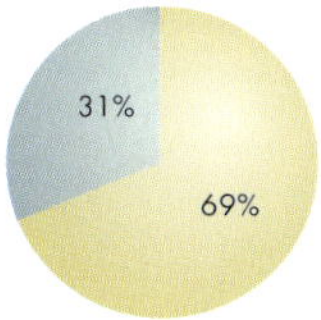

Bevölkerungsverteilung 1994

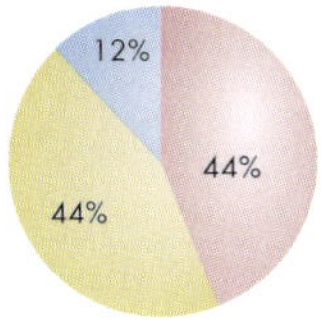

Bruttoinlandsprodukt 1994

Geschichte: Die Insel wurde 1492 von Kolumbus entdeckt und **Hispaniola** (span. Española), später nach der Hptst. Santo Domingo frz. **Saint-Domingue** genannt. 1697 musste Spanien im Frieden von Rijswijk den westl. Teil an Frankreich abtreten, der sich zur reichsten frz. Kolonie entwickelte. In der Folge der Frz. Revolution brach 1791 ein Aufstand der farbigen Bev. gegen die weiße Oberschicht aus, der von F. D. Toussaint l'Ouverture geführt wurde. Nach der Sklavenbefreiung (1794) vertrieb er – nun im Dienst Frankreichs – engl. und span. Invasoren; der Krieg endete 1804 mit dem Sturz der frz. Herrschaft und der Ausrufung eines unabhängigen Staates H. unter Kaiser Jacques I. (eigtl. J. J. Dessalines). Nach dessen Ermordung 1806 spaltete sich H. in eine Mulattenrep. im S und einen Negerstaat im N; 1808 kam der östl. Teil der Insel wieder unter span. Kontrolle. 1820/22 vereinigten sich alle Teilstaaten; Präs. und Diktator der gesamten Insel war bis 1844 J. P. Boyer. Nach seinem Sturz gründeten span. Kreolen die →Dominikanische Republik. Der nun auf den W der Insel beschränkte Staat H. wurde 1849–59 von Kaiser Faustin I. (eigtl. F. Soulouque) regiert, danach herrschten Anarchie und Bürgerkrieg. 1915–34 besetzten die USA das Land, das noch bis 1947 unter amerikan. Finanzkontrolle blieb. Nach Machtkämpfen und Unruhen wurde 1957 F. Duvalier zum Präs. gewählt, 1964 ernannte er sich zum Präs. auf Lebenszeit. Gegen seine Willkürherrschaft kam es wiederholt zu Aufständen und Putschversuchen. Sein von ihm selbst bestimmter Nachfolger wurde 1971 sein Sohn J. C. Duvalier, der das diktator. Regime weiterführte, bis er 1986 nach erneuten Unruhen ins Exil gehen musste. Die privilegierte Stellung der Anhänger Duvaliers in Militär und Verwaltung wurde auch in der folgenden Zeit nicht angetastet. Vor dem Hintergrund landesweiter Unruhen und eines von versch. gesellschaftl. Kräften getragenen Aufrufs zum Generalstreik trat der 1988 durch Putsch an die Macht gelangte Präs. P. Avril im März 1990 zurück. Aus den ersten freien Präsidentschaftswahlen seit mehr als 30 Jahren im Dez. 1990 ging J.-B. Aristide, ein Anhänger der Befreiungstheologie, als Präs. (Amtsantritt: Febr. 1991) hervor. Unter Führung des Armeechefs R. Cédras wurde er jedoch bereits Ende Sept. 1991 gestürzt und musste ins Exil gehen. Das Wirtschaftsembargo der OAS (Okt. 1991) und der UNO (Juni 1993) gegen H. verschärfte die wirtschaftl. und sozialen Probleme. Unter dem Druck einer Seeblockade (seit Okt. 1993) und einer militär. Invasion (Sept. 1994) unter Führung der USA traten die Militärmachthaber zurück. Im Okt. 1994 konnte Aristide seine Amtsgeschäfte wieder aufnehmen. Trotz internat. Wirtschafts- und Finanzhilfe sah sich seine Reg. mit großer Armut und wachsender Kriminalität konfrontiert. Bei den Präs.wahlen von Dez. 1995, bei denen verfassungsgemäß Aristide nicht mehr kandidieren konnte, wählte die Bev. R. Préval (Parteienbündnis Lavalas) zum Staatspräs. (Amtsantritt: Febr. 1996). Die Interventionsstreitkräfte wurden im Febr. 1996 durch eine UN-Friedenstruppe ersetzt.

François Duvalier

Haiti: Präsident René Préval (rechts) am Tag seiner Amtsübernahme am 7. Februar 1996 mit seinem Vorgänger Jean-Bertrand Aristide

📖 FERGUSON, J.: *Papa Doc, Baby Doc. H. and the Duvaliers. Neuausg. Oxford 1989.* – MÉTRAUX, A.: *Voodoo in H. A. d. Frz. Gifkendorf 1994.* – BERNECKER, W. L.: *Kleine Geschichte H.s. Frankfurt am Main 1996.*

Haitink, Bernard, niederländ. Dirigent, *Amsterdam 4. 3. 1929; 1964–88 Chefdirigent des Concertgebouw-Orkest Amsterdam, seit 1987 Musikdirektor der Covent Garden Opera in London.

Hajdúszoboszló ['hɔjdu:soboslo:], Stadt in O-Ungarn, im Haidukenland, 24 000 Ew.; Heilbad dank heißer kochsalz-, jod- und bromhaltiger Quellen; Erdgasförderung.

Hajek, Otto Herbert, Bildhauer, *Kaltenbach (heute Nové Hutě, bei Vimperg, Südböhm. Gebiet) 27. 6. 1927; schuf abstrakte, z. T. begehbare Plastiken (»Raumknoten«) sowie »Farbwege«, die über Skulpturen, Fassaden, Straßen und Plätze verlaufen; später auch Gemälde, in denen geometr. Formen und reine Farben dominieren.

📖 *Kunst stiftet Gemeinschaft. O. H. H., hg. v.* E. GOMRINGER. *Stuttgart u. a. 1993.*

Häkeln, Handarbeitstechnik, bei der nur mit einer Nadel gearbeitet wird. Die **Häkelnadel** hat an einem Ende einen Widerhaken, mit dem der Arbeitsfaden aufgenommen und durch eine bereits gearbeitete Masche gezogen wird, wodurch eine neue Masche entsteht. Die versch. Maschenarten können in zahlreichen Varianten und unterschiedl. Kombinationen gearbeitet werden.

Haken, Hermann, Physiker, *Leipzig 12. 7. 1927; Prof. in Stuttgart; Arbeiten zur Festkörper-

Otto Herbert Hajek: »Wandlungen«, Stahlskulptur, Höhe 3,90 m (1986–88; Seoul, Olympischer Skulpturenpark)

physik und Quantenoptik (bes. Theorie der Laser) sowie zur Selbstorganisation der zugrunde liegenden Vorgänge; begründete das interdisziplinäre Forschungsgebiet der →Synergetik.

Haken, 1) *Boxen:* mit angewinkeltem Arm ausgeführter Schlag.

2) *Jägersprache:* Eckzahn der Bache sowie →Grandel.

Hakenbüchse, die Feuerwaffe →Arkebuse.

Hakenkreuz (altind. Swastika), Kreuz, dessen vier gleich lange Balken rechtwinklig (Winkelmaßkreuz) oder bogenförmig gestaltet sind. Das H. kommt in Europa, Asien, vereinzelt ostwärts bis Polynesien (Marquesasinseln), selten in Afrika und Mittelamerika vor. Es ist als Sonnenrad, Thors Hammer, als doppelte Wolfsangel, sich kreuzende Blitze, als Spiralmotiv gedeutet worden. – Als Symbol wurde es von antisemit. Organisationen übernommen (angeregt durch eine Schrift des völk. Ideologen G. von List, 1910). Hitler übernahm das H. als Kampfabzeichen der NSDAP.

Hakenlili|e (Crinum), Gattung trop. und subtrop. Amaryllisgewächse; Zwiebelpflanzen mit großen Blüten in einer mehrblütigen Scheindolde; auch Zierpflanzen.

Hakenpflug, Vorläufer des heutigen →Pfluges; in Europa seit der Jungsteinzeit bekannt.

Hakenwürmer (Ancylostomatidae), Familie bis etwa 3 cm langer, parasit. Fadenwürmer; hauptsächlich im Dünndarm von Säugetieren (einschl. Mensch); beißen sich in der Darmwand fest und saugen Blut; verursachen die →Hakenwurmkrankheit. Beim Menschen kommen v. a. **Grubenwurm** (Ancylostoma duodenale) und **Todeswurm** (Necator americanus) vor.

Hakenwurmkrankheit (Bergarbeiteranämie, Grubenkrankheit, Ankylostomiasis), in den feuchtwarmen Gebieten der Tropen und Subtropen sowie bei entsprechenden Bedingungen (Bergbau) auch in den gemäßigten Zonen auftretende chron. Wurmkrankheit bei Mensch und Tier (**Dochmiasis** bei Fleischfressern und Wiederkäuern). Erreger sind die →Hakenwürmer. Die Larven dringen durch die unverletzte Haut der Füße ein und gelangen über Blutbahn, Lunge und obere Luftwege in den Dünndarm, wo sich die ausgewachsenen Würmer festbeißen und Blut saugen. Anfangs kommt es zu Atembeschwerden und Bronchitis, dann zu Verdauungsstörungen, Leibschmerzen, bei stärkerem Befall zu ausgeprägter Anämie. Die von den geschlechtsreifen Weibchen in großer Zahl abgelegten Eier gelangen mit dem Kot ins Freie und entwickeln sich in feuchtem Milieu innerhalb weniger Tage zu infektionsreifen Larven. Der Nachweis der Wurmeier im Stuhl ermöglicht eine sichere Diagnose. – *Behandlung:* mit speziellen Wurmmitteln.

Hakka, nordchines. Volk, seit etwa 1300 in Provinzen S-Chinas, auf Hainan und Taiwan ansässig.

Hakkâri (früher Çölemerik), Prov.hptst. in SO-Anatolien, Türkei, in 1660 m ü. M. oberhalb einer Schlucht gelegen, 30 300 Ew.; die Provinz H. ist überwiegend von Kurden besiedelt.

Hakodate, Stadt und größter Hafen auf der japan. Insel Hokkaidō, an der Tsugarustraße, 304 300 Ew.; Univ.fakultät für Fischfang; Fischereiwirtschaft, Schiffbau, Erdölraffinerie, petrochem. Ind., Eisenverarbeitung; durch Eisenbahnfähre und →Seikantunnel mit Aomori auf Honshu verbunden; Flughafen.

Håkon ['hoːkɔn], norweg. Könige: **1) H. IV. Håkonsson** (H. der Alte), König (1217–63), *1204, †Kirkwall (Orkneyinseln) 17. 12. 1263; erlangte erst nach langen inneren Kämpfen 1247 die Krönung. Unter ihm wurden 1261 Grönland, 1262 Island mit Norwegen vereinigt.

2) H. VI. Magnusson, König (1355–80), *1340, †1380; Sohn des norwegisch-schwed. Königs Magnus Eriksson, bahnte durch seine Vermählung mit der dän. Königstochter Margarete (1363) die Vereinigung der drei nord. Reiche an.

3) H. VII., König (1905–57), *Charlottenlund (bei Kopenhagen) 3. 8. 1872, †Oslo 21. 9. 1957; wurde nach der Trennung Norwegens von Schweden König; regierte streng konstitutionell, suchte in beiden Weltkriegen die Neutralität zu wahren; lebte 1940–45 im Exil in Großbritannien.

Halacha [hebr. »Wandel«] *die,* Bez. der gesetzl. Teile des →Talmud; enthält die rabbin. Schuldiskussionen und die daraus abgeleiteten verbindl. Regeln für das religiöse und Alltagsleben (Zivil- und Kriminalrecht).

Halali [frz.] *das,* a) Jagdruf oder Jagdhornsignal, wenn das gehetzte Wild gestellt ist; b) Jagdhornfanfare, die das Ende einer Jagd anzeigt.

Bernard Haitink

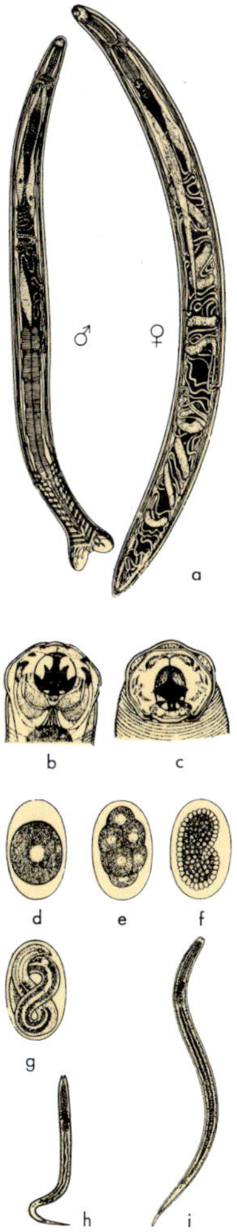

Hakenwürmer: a Grubenwurm (links Männchen, rechts Weibchen), b Kopf des Grubenwurms, c Kopf des Todeswurms, d–g Eier in verschiedenen Entwicklungsphasen, h jüngste und i infektionsfähige Larve

Halberstadt 2): Der Stephansdom (13.–15. Jh.), eine dreischiffige Basilika mit Querschiff

Halberstadt 2) Stadtwappen

Halbacetale, *Chemie:* sehr unbeständige Verbindungen aus je einem Molekül eines Aldehyds und eines Alkohols. Stabiler sind ringförmige H., die viele Zuckerarten bilden.

Halbaffen (Prosimiae), Unterordnung der Herrentiere in Afrika und SO-Asien, bes. auf Madagaskar. H. sind dämmerungs- oder nachtaktive Baumtiere; Greifkletterer mit entgegenstellbaren Daumen und Innenzehen; Hände und Füße mit haftfähigen Fingerbeeren und platten Nägeln, nur an der 2. Zehe eine Putzkralle. Zu den H. gehören die Koboldmakis, Galagos, Loris, Fingertiere, Indris und Lemuren.

Halbbildverfahren, *Fernsehtechnik:* gegenwärtig bedeutendstes Fernsehverfahren, bei dem jedes Fernsehbild in Form zweier **Halbbilder** übertragen wird, die jeweils genau die Hälfte der laut Fernsehstandard pro Bild festgelegten Zeilenzahlen (Vollbild 625 Zeilen) umfassen. Das eine Halbbild enthält die geraden, das andere die ungeraden Zeilen, die ineinander »geschrieben« (verkämmt) werden. Bedingt durch die **Halbbildfrequenz,** die pro Sekunde übertragene Anzahl an Halbbildern (50 Hz), erfährt der Betrachter eine (vermeintl.) Verdoppelung der Bildfolgefrequenz und damit eine große Flimmerfreiheit. Techn. Grundlage für das H. ist das →Zeilensprungverfahren.

Halbblut, *Pferdezucht:* urspr. Bez. für ein Zuchtprodukt aus Warmblut und Vollblut; heute fälschlich für alle Pferde mit einem Elternteil Vollblut verwendet.

Max Halbe

Halbe, Max, Schriftsteller, *Güttland (heute Koźliny, bei Danzig) 4. 10. 1865, †Gut Neuötting (heute zu Windhöring, Kr. Altötting) 30. 11. 1944; lebte seit 1895 in München; befreundet mit F. Wedekind, O. E. Hartleben, L. Thoma. Sein Drama »Jugend« (1893) war einer der größten Theatererfolge der Zeit.

Halbedelsteine, veraltete. Bez. für Schmucksteine geringeren Wertes (→Edelsteine).

Halberstadt, 1) Landkreis im RegBez. Magdeburg, Sa.-Anh., (1996) 665 km² und 81 800 Ew.

2) Krst. von 1) in Sa.-Anh. im nördl. Harzvorland, 43 200 Ew.; städt. Museum, Vogelkundemuseum Heineanum, Domschatzmuseum, Gleimhaus; Nordharzer Städtebundtheater; Maschinenbau, Gummi-, elektron., Möbel-, Nahrungsmittel- u. a. Industrie. – Die Altstadt wurde im 2. Weltkrieg schwer zerstört; wieder aufgebaut wurden u. a.: Stephansdom (13.–15. Jh. über Vorgängerbauten, mit bed. Ausstattung), Liebfrauenkirche (12. Jh., roman. Chorschranken um 1200), Dompropstei (16./17. Jh.), Moritz- (11./13. Jh.), Katharinen- (14. Jh.), Martini- (13. Jh.) und Andreaskirche (14. Jh., nur Chor wieder aufgebaut); Bürgerhäuser (15.–17. Jh.). – H. wurde vor 827 Bischofssitz und erhielt 996 eine stadtgleiche Stellung (u. a. Marktrecht); im 13. und 14. Jh. Hansestadt. H. kam 1648 mit dem säkularisierten Bistum H. (danach Fürstentum) an Brandenburg-Preußen.

Halberzeugnis (Halbfabrikat), Erzeugnis, dessen Bearbeitung noch nicht abgeschlossen ist, im Unterschied zum Fertigerzeugnis. (→Halbzeug)

Halbesel (Asiatischer Wildesel, Pferdeesel, Equus hemionus), knapp 1–1,5 m schulterhohe Art der Unpaarhufer (Familie Pferde) in den Steppen und Wüsten Asiens; mit esel- und pferdeartigen Merkmalen; mehrere Unterarten, u. a. Mongol. H. **(Kulan);** Pers. H. **(Onager);** Tibet. H. **(Kiang).**

Halbfigurenbild, gemalte Darstellung eines Menschen bis zur Taille.

Halbfranzband, *Buchbinderei:* →Franzband.

Halbfreie, →Freie.

Halbgefrorenes, ein nur leicht gefrorenes sahniges Speiseeis.

Halbgewebeband (früher Halbleinenband), *Buchbinderei:* Bucheinband, der mit einem auf Vorder- und Rückendeckel schmal übergreifenden Geweberücken, aber sonst mit Papier überzogen ist, im Unterschied zum **Ganzgewebeband.**

Halbinsel, ein deutlich ins Meer oder in einen See vorspringender Teil des festen Landes, z. B. Jütland, Italien, der Balkan. Häufig sind H. ehemalige Inseln, die durch Anschwemmungen mit dem Festland verbunden sind, z. B. Gibraltar, die Krim.

Halbkantone, Untergliederung von drei alten Kantonen der Schweiz: **Unterwalden** seit 1150 in Obwalden und Nidwalden, **Basel** seit 1833 in Basel-Stadt und Basel-Landschaft, **Appenzell** seit 1597 in Innerrhoden und Außerrhoden. Die H. haben die gleiche Stellung wie Kantone; sie sind vollwertige Bundesglieder. Die Schweiz besteht deshalb aus 26 Kantonen. H. senden nur ein Mitgl. in den Ständerat und zählen bei Verf.revisionen im Bund mit einer halben Stimme.

Halbkonsonant, → Halbvokal.

Halblederband, *Buchbinderei:* Bucheinband, der mit einem auf Vorder- und Rückendeckel schmal übergreifenden Lederrücken, aber sonst mit Papier oder Gewebe überzogen ist, im Unterschied zum **Ganzledereinband;** der H. unterscheidet sich vom → Franzband durch den Falz.

Halbleichtgewicht, Gewichtsklasse im Judo (bis 65 kg).

Halbleinen, Gewebe mit Baumwollgarn in der Kette und (mindestens 40 Gewichts-%) Leinengarn im Schuss; wird überwiegend für Geschirr- und Tischtücher verwendet.

Halbleiter, kristalline oder amorphe Festkörper, deren elektr. Leitfähigkeit bei Zimmertemperatur zw. der von Metallen und der der Isolatoren liegt, mit abnehmender Temperatur aber kleiner wird, sodass sie sich am absoluten Nullpunkt der Temperatur wie ein Isolator verhalten. Die wichtigsten H.-Materialien sind Silicium (Si) und Germanium (Ge). Neben diesen **Element-H.,** zu denen auch noch Selen (Se) und Tellur (Te) gehören, gewinnen **Verbindungs-H.,** v.a. Verbindungen von Elementen aus der III. und V. oder II. und VI. Hauptgruppe des Periodensystems, d.h. die **III-V-H.** (GaAs, InP, GaP, InSb u.a.) oder **II-VI-H.** (CdS, PbS, PbSe, CdSe, CdTe, ZnS u.a.), immer mehr an Bedeutung. Darüber hinaus sind gewisse Oxide (z.B. Cu_2O) und Carbide (z.B. SiC) halbleitend. Das elektr. Verhalten der H. wird durch das → Energiebändermodell erklärt: Anders als bei Metallen wird das bei tiefen Temperaturen unbesetzte Leitungsband (LB) des H. durch eine verbotene Zone von den voll besetzten Valenzbändern (VB) getrennt, da die → Fermi-Energie der Elektronen innerhalb der Bandlücke liegt, d.h., es gibt keine frei bewegl. Elektronen. Der Energieabstand vom VB zum LB ist beim H. jedoch wesentlich kleiner als beim Isolator. Bei Energiezufuhr, z.B. durch therm. oder opt. Anregung, können einzelne Elektronen das VB verlassen und ins LB springen, wobei gleichzeitig im VB ein unbesetzter Zustand (Loch, Defektelektron) entsteht **(Generation).** Sowohl Elektronen im LB als auch Defektelektronen im VB können sich im Kristall frei bewegen und liefern einen Beitrag zur elektr. Leitfähigkeit. Im Ggs. zu Metallen haben die quasifreien Elektronen im H. aufgrund der **Rekombination** von Elektronen und Löchern aber nur eine begrenzte Lebensdauer. In starken elektr. Feldern können einzelne Ladungsträger in H. so viel Energie aufnehmen, dass sie lawinenartig weitere Ladungsträger erzeugen (Stoßionisation, Lawinendurchbruch), oder es gelangen durch das Feld einzelne Elektronen ins LB **(Zener-Effekt).** Bei einem **Eigen-H.** werden die Elektronen aus dem idealen Kristallgitter herausgelöst, darum ist ein hoher Energiebetrag (Aktivierungsenergie) erforderlich. Diese **Eigenleitung** tritt bei allen H. ein, wenn die Temperatur so groß wird, dass die therm. Energie der Elektronen der Breite der verbotenen Zone vergleichbar wird. Stammen die Elektronen aus einem gestörten Gitterbereich

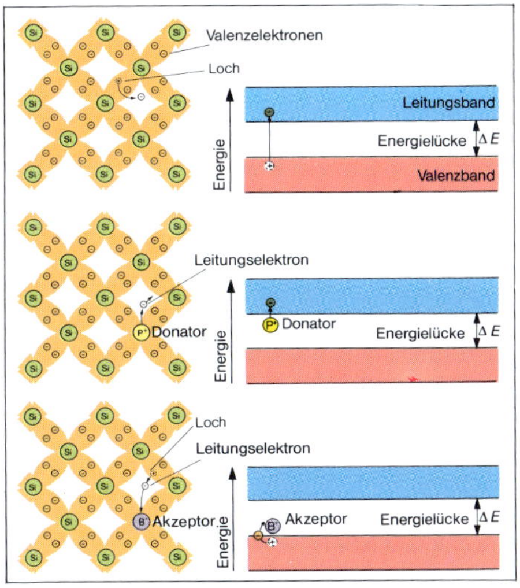

Halbleiter (von oben): Schema der Ladungsträger eines undotierten, eines n-dotierten und eines p-dotierten Halbleiters mit dazugehörigen Energiebändermodellen

Halbesel: Kiang (oben) und Onager

(Fehlordnung) oder von Fremdatomen (Störstelle), deren Konzentration oft sehr gering sein kann, so ist die Aktivierungsenergie meist sehr viel kleiner **(Störstellen-H.).** Bei der dabei auftretenden **Störstellenleitung (Störleitung)** wird unterschieden, ob die Störstellen Elektronen zur Leitung abgeben (Elektronenleitung, n-Leitung, **n-Typ-H.**) oder aus den Gitterbindungen aufnehmen (Defektelektronenleitung, p-Leitung, **p-Typ-H.**). Substanzen, bei denen beide Leitungsarten auftreten können, heißen **amphotere H.,** z.B. Bleisulfid (PbS). Durch **Dotierung,** d.h. den Einbau bestimmter Elemente, die Elektronen binden (Akzeptoren) oder abgeben (Donatoren), kann n- oder p-Leitung eingestellt werden, z.B. in Germanium, Silicium n-Leitung (n-dotierter H.) durch Arsen, Antimon, Phosphor und p-Leitung (p-dotierter H.) durch Aluminium, Gallium, Indium, Bor. Für die Bindung in einem Siliciumkristall zu den nächsten Gitternachbarn werden vier Valenzelektronen je Atom benötigt. Bei Einbau eines fünfwertigen Phosphoratoms (Donator) bleibt ein Elektron übrig, das an der Gitterbindung nicht beteiligt und nur locker an das Phosphoratom gebunden ist; d.h., es existiert ein besetzter Elektronenzustand knapp unterhalb des LB. Analog entsteht durch den Einbau eines dreiwertigen Boratoms (Akzeptor) ein unbesetzter Elektronenzustand knapp oberhalb des VB. Dies erklärt die im Vergleich zum Eigen-H. niedrige Aktivierungsenergie zur Erzeugung eines bewegl. Elektrons im LB bzw. eines Defektelektrons im VB.

📖 MÜLLER, RUDOLF: *Grundlagen der H.-Elektronik. Berlin u. a. 71995.*

Halbleiterbauelemente, Sammelbez. für alle Bauelemente der Elektronik, deren wesentl. Wirkungsweise auf den durch die Festkörperphysik beschriebenen Gesetzen und Effekten bei der Bewegung von Ladungsträgern in einem →Halbleiter beruht. Man unterscheidet nach der Ausnutzung der physikal. Effekte rein elektr. H. (z.B. →Diode, →Transistor, →Thyristor), thermoelektr. H. (z.B. →Heißleiter), optoelektron. H. (z.B. →Lumineszenzdiode), magnetoelektr. H. (z.B. Feldplatte), piezoelektr. und akustoelektron. H. Neben diesen diskreten H. werden auch monolithisch →integrierte Schaltungen (z.B. Halbleiterspeicher) zu den H. gezählt.

📖 MÜLLER, RUDOLF: *Bauelemente der Halbleiter-Elektronik. Berlin u. a. 41991.* – TIETZE, U. *u.* SCHENK, C.: *Halbleiter-Schaltungstechnik. Berlin u. a. 1993.*

Halbleiterdetektor (Halbleiterzähler), ein Strahlungsnachweisgerät, dessen Wirkungsweise auf dem Sperrschichteffekt an einem p-n-Übergang beruht. Beim Anlegen einer Spannung bildet sich eine Dipolschicht und in ihr ein starkes elektr. Feld aus, das Elektronen und Löcher, die durch eine einfallende Strahlung (α-, β-, γ-Strahlung) erzeugt werden, beschleunigt. Der resultierende Stromstoß ist ein Maß für die Energie der einfallenden Strahlung.

Halbleitergleichrichter (Halbleiterventil), Halbleiterbauelement, das die Abhängigkeit des elektr. Widerstands von der Richtung der Polarität der angelegten Spannung ausnutzt (→Halbleiter, →Gleichrichter).

Halbleiterkühlelement (Peltier-Element), →Halbleiterbauelement, das auf der Grundlage des →Peltier-Effekts zur Kälteerzeugung verwendet wird. Das H. ist ein homogen dotiertes Halbleiterplättchen, an dessen Enden eine Spannung angelegt wird. Dadurch entsteht zw. den Enden eine Temperaturdifferenz, die entweder zur Kühlung oder – bei Umkehr der Polung – zur Heizung **(Halbleiterheizelement)** genutzt werden kann.

Halbleiterphysik, Teilgebiet der Festkörperphysik, das sich mit den physikal. Eigenschaften der →Halbleiter und ihrer theoret. Erklärung aus dem mikroskop. Aufbau (→Energiebändermodell) beschäftigt. Daneben befasst sich die H. mit der Entwicklung von Prozesstechnologien (→Kristallzüchtung, →Epitaxie, →Lithographie) für die integrierte Mikroelektronik und Optoelektronik.

Halbleiterspeicher, Oberbegriff für die in der elektron. Datenverarbeitung verwendeten →Speicher, die aus halbleitenden Materialien (bes. Silicium) in →Bipolartechnik oder →MOS-Technik hergestellt werden. H. sind wegen der hohen benötigten Speicherzellendichte stets als →integrierte Schaltungen ausgeführt; die Speicherkapazität je →Chip liegt heute im Megabit-Bereich (16 MBit und mehr). H. gibt es als Festwert- (→ROM) und als frei programmierbare Speicher (→RAM). Nach der Art des Zugriffs zu den gespeicherten Informationen unterscheidet man H. mit wahlfreiem, sequenziellem oder inhaltsorientiertem (assoziativem) Zugriff. Wegen ihrer geringen Zugriffszeit dienen sie v.a. als →Arbeitsspeicher.

halblogarithmisches Papier, Zeichenpapier mit aufgedrucktem Koordinatensystem, dessen eine Achse logarithmisch skaliert ist.

Halbmesser, der halbe Durchmesser von Flächen und Kurven, die einen Mittelpunkt haben; bei Kreis und Kugel **Radius** genannt.

Halbmetalle, chem. Elemente, die teils metall., teils nichtmetall. Eigenschaften aufweisen. Zu den H. gehören Bor, Silicium, Germanium, Arsen, Antimon, Selen, Tellur und Polonium. Die elektr. Leitfähigkeit der H. ist bei Raumtemperatur relativ gering, nimmt aber mit zunehmender Temperatur und/oder zunehmender Dotierung stark zu, was die H. als elementare Halbleiter kennzeichnet.

Halbmittelgewicht, Gewichtsklasse im Amateurboxen, bis 71 kg; entspricht bei den Berufsboxern dem Superweltergewicht; im Judo bis 78 kg; im Taekwondo bis 73 kg.

Halbmond, 1) *Astronomie:* eine Mondphase (→Mond).

2) *Heraldik:* gemeine Figur in Form einer Mondsichel, oft von Sternen begleitet; seit dem 13. Jh. Wahrzeichen des Islams; zus. mit einem Stern seit Beginn des 19. Jh. Emblem des Osman. Reichs; heute Symbol im Wappen islam. Staaten.

Halbritter, Kurt, Karikaturist, *Frankfurt am Main 22. 9. 1924, †Cty. Sligo (Irland) 21. 5. 1978; ab 1962 Mitarbeiter der Ztschr. »Pardon«; auch satir. Bücher: »Adolf Hitlers ›Mein Kampf‹. Gezeichnete Erinnerungen an eine große Zeit« (1968), »Gesellschaftsspiele« (postum 1978).

Halbschatten, der Bereich, in dem eine Lichtquelle nur teilweise abgeschattet erscheint (→Schatten).

Halbschwergewicht, Gewichtsklasse im Boxen (Amateure bis 81 kg, Berufsboxer z.T. bis 79,378 kg), Judo bis 95 kg, Ringen bis 90 kg, Taekwondo bis 84 kg.

Halbseitenblindheit (grch. Hemianopsie), Sehstörung, die in einem halbseitigen Ausfall des Gesichtsfeldes eines oder beider Augen besteht, verursacht durch Schädigung der Nervenbahnen vor, in oder nach der Sehnervenkreuzung.

Halbseitenlähmung (grch. Hemiplegie), Lähmung einer Körperhälfte, z.B. bei →Schlaganfall.

Halbstarke, Schlagwort bes. in den 1950er-Jahren für die seit dieser Zeit verstärkt auftretenden Gruppen sozial unangepasster (meist männl.) Jugendlicher, die sich durch auffälliges, häufig aggressives Verhalten Geltung zu verschaffen suchten. Parallele Erscheinungen: →Rocker, Teddy-Boys in Großbritannien, Provos in den Niederlanden; in der Folgezeit traten in ähnl. Bewegungen z.T. politisch-ideolog. Motive stärker in den Vordergrund (Beatgeneration, Gammler, Hippies).

Halbstoff (Halbzeug), in der Papierind. gebräuchl. Oberbegriff für Faserstoffe pflanzl. Herkunft (z.B. Zellstoff), die für die Herstellung von Papier, Pappe und Karton verwendet werden.

Halbstrauch, Pflanze, deren unterer Teil holzig und ausdauernd ist; der obere Teil stirbt jährlich ab und wird im Frühjahr durch Neutriebe ersetzt, z.B. Salbei, Ysop.

Halbtaucher, →Offshoretechnik.

Halbton, 1) *grafische Technik* und *Fotografie:* Bez. für kontinuierlich ineinander übergehende Grau- oder Farbwerte einer Vorlage, eines Negativs oder Positivs.

2) *Malerei:* Effekt, der durch Farbaufträge in unterschiedl. Stärke entsteht, sodass die darunter liegenden Farbschichten stärker oder schwächer durchscheinen. Auf diese Weise wird der Übergang von Licht zu Schatten simuliert.

3) *Musik:* im zwölfstufig temperierten Tonsystem das kleinste Intervall (kleine Sekunde), im Unterschied zum Ganzton (große Sekunde), der in zwei Halbtöne zerlegbar ist. Man unterscheidet **diaton. H.** (→Diatonik), die einer Dur- oder Molltonleiter angehören (z.B. e–f), und **chromat. H.** (→Chromatik), die durch Erhöhung oder Erniedrigung einer Tonleiterstufe entstehen (z.B. f–fis), und **enharmon. H.,** die eine doppelt verminderte Terz darstellen (z.B. gis–heses).

Halbvokal, Vokal, der durch seine Stellung vor, nach oder zw. dem Silben tragenden Vokal an Klangfülle und Öffnungsgrad beträchtlich verloren hat, z.B. in den Wörtern Linguistik, Allianz, Libyen. Da die H. nicht Silben bildend sind und in konsonant. Funktion auftreten, werden sie auch als **Halbkonsonanten** bezeichnet.

Halbwachs [alb'vaks], Maurice, frz. Soziologe, *Reims 11. 3. 1877, †KZ Buchenwald 16. 3. 1945; betonte v.a. die verhaltensprägende Kraft der sozialen Klassen und stellte so die Verbindung zw. Soziologie und Sozialpsychologie her.

Halbwelt, nach dem Lustspieltitel »Le demimonde« (1855) von A. Dumas d.J., der unter H. die wegen eines Fehltritts aus ihrer Klasse Ausgeschlossenen verstand; später: elegante, nach bürgerl. Sittenbegriffen Anstoß erregende Gesellschaftsschicht.

Halbweltergewicht, Gewichtsklasse im Boxen (bis 63,5 kg).

Halbwertsbreite, die Breite einer statist. Verteilungskurve (meist eine Gauß-Kurve) in halber Höhe des maximalen Ordinatenwertes der Kurve.

Halbwertszeit, Formelzeichen $T_{1/2}$, der Zeitraum, in dem eine (meist exponentiell) abfallende Größe auf die Hälfte ihres Anfangswertes abgesunken ist. Die **physikal. H.** ist die für jedes Isotop eines radioaktiven Elements charakterist. Zeitdauer, in der von einer urspr. vorhandenen Anzahl radioaktiver Kerne bzw. instabiler Elementarteilchen die Hälfte zerfallen ist. Die **effektive H.** gibt an, nach welcher Zeit sich die Aktivität einer radioaktiven Substanz im Organismus auf die Hälfte

Halbwertszeiten radioaktiver Nuklide

Thorium 219	1,05 Mikrosekunden
Stickstoff 13	9,96 Minuten
Kalium 42	12,36 Stunden
Jod 131	8,02 Tage
Strontium 90	28,64 Jahre
Cäsium 137	30,17 Jahre
Radium 226	1 600 Jahre
Kohlenstoff 14	5 730 Jahre
Plutonium 239	24 110 Jahre
Uran 235	703,8 Mio. Jahre

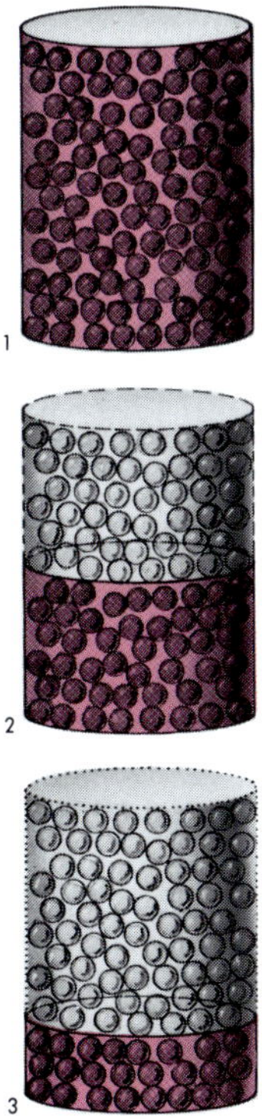

Halbwertszeit: schematische Darstellung des radioaktiven Zerfalls von Radium 226; nach 1622 Jahren (der Halbwertszeit dieses Isotops) ist nur noch die Hälfte (2), nach 2-mal 1622 Jahren ein Viertel (3) der Ausgangsmenge (1) vorhanden

John Haldane

reduziert hat. Zur Abnahme führen der radioaktive Zerfall (physikal. H.) und die Ausscheidung aus dem Organismus (biolog. H.).

Halbzeug, **1)** *Fertigungstechnik:* →Halberzeugnis.

2) *Hüttentechnik:* techn. Erzeugnisse, die meist durch Schmieden oder Walzen von Roherzeugnissen hergestellt werden und für die Weiterverarbeitung zu Fertigerzeugnissen bestimmt sind. Man unterscheidet flaches, quadrat., rechteckiges und vorprofiliertes H. sowie H. für nahtlose Rohre.

3) *Papierherstellung:* →Halbstoff.

Haldane ['hɔːldeɪn], **1)** John Scott, brit. Physiologe und philosoph. Schriftsteller, *Edinburgh 2. 5. 1860, †Oxford 14. 3. 1936, Bruder von 2). Seine Untersuchungen (bes. über die Physiologie der Atmungsorgane) waren von großer prakt. Bedeutung für die industrielle Hygiene.

2) Richard Burdon, Viscount H. of Cloan (seit 1911), brit. Politiker, *Edinburgh 30. 7. 1856, †Cloan (bei Perth, Schottland) 19. 8. 1928, Bruder von 1); seit 1885 liberales Mitgl. des Unterhauses. Als Kriegsmin. (1905–12) führte er eine Neuordnung des brit. Heeres nach preußisch-dt. Muster durch; 1912 verhandelte er in Berlin erfolglos über eine dt.-brit. Verständigung in der Flottenfrage.

Halde, Anhäufung von bergbaul., aufbereitungs- oder hüttentechn. Schüttgütern (z. B. Abraum, Kohle, Erze, Schlacken) zur vorübergehenden oder dauernden Lagerung.

Halden (bis 1928 Fredrikshald), Stadt im SO von Norwegen, am Iddefjord (schwed. Grenze), 26 000 Ew.; Holz-, Schuh-, Metall-, elektrotechn. Ind.; unterird. Kernreaktor. – H. wird überragt von der Festung Fredriksten, vor der 1718 der schwed. König Karl XII. fiel.

Haldensleben, Krst. des Ohrekreises, Sa.-Anh., an der Ohre und am Mittellandkanal, 21 700 Ew.; Museum (mit dem Nachlass der Gebrüder Grimm); keram. Ind., Zuckerfabrik, Maschinenbau; Binnenhafen. – Marienkirche (14./15. Jh.), Rolandfigur zu Pferde, zwei Stadttore (14. und 16. Jh.). – 966 erstmals erwähnt; um 1150 Stadt.

Halder, Franz, Generaloberst (1940), *Würzburg 30. 6. 1884, †Aschau i. Chiemgau 2. 4. 1972; im 1. Weltkrieg Generalstabsoffizier, ab 1938 Chef des Generalstabs des Heeres, beteiligte sich in der Sudetenkrise (Aug.–Sept. 1938) und in der Anfangsphase des 2. Weltkrieges (1939/40) an Staatsstreichsplänen gegen Hitler. Nach dem dt. Angriff auf die Sowjetunion (Juni 1941) geriet er über strateg. Fragen mit Hitler in Konflikt und wurde von diesem 1942 abgesetzt. Nach dem 20. 7. 1944 verhaftet, war er bis Kriegsende im KZ. – »Kriegstagebuch«, 3 Bde. (1962–64).

📖 Ueberschär, G. R.: *Generaloberst F. H. Göttingen u. a. 1991.*

Hale [heɪl], George Ellery, amerikan. Astrophysiker, *Chicago (Ill.) 29. 6. 1868, †Pasadena (Calif.) 21. 2. 1938; Direktor des Yerkes-Observatoriums bei Chicago und des von ihm gegründeten Mount-Wilson-Observatoriums bei Pasadena, erfand den Spektroheliographen, das Spektrohelioskop und war an der Planung des 5-m-Spiegels auf dem Mount Palomar (Calif.) maßgeblich beteiligt **(H.-Teleskop),** entdeckte die Magnetfelder der Sonnenflecken.

📖 Wright, H.: *Explorer of the universe. A biography of G. E. H. New York 1966, Nachdr. New York 1994.*

Haleakala [hɑːleɪɑːkɑːˈlɑː], erloschener Vulkan auf der Hawaii-Insel Maui, USA, 3 055 m ü. M., Teil des **H. National Park.** Der Krater (32 km Umfang) ist einer der größten der Erde.

Haleb [arab.], Stadt in Syrien, →Aleppo.

Hale-Bopp [heɪl-; nach den amerikan. Amateurastronomen A. Hale und T. Bopp], am 23. Juli 1995 entdeckter Komet (1995 O1) mit einer Umlaufzeit von 3 000 Jahren. Der Kerndurchmesser beträgt 20–45 km, der Ionenschweif hat eine Länge von 100 Mio. km und ist damit das größte Objekt des Sonnensystems. Der sehr helle H.-B. war im März 1997 bis auf 197 Mio. km an die Erde herangekommen und am Abendhimmel sichtbar.

Hale-Bopp: Aufnahme des Kometen am 2. April 1997 in der Nähe von Gotha in Thüringen

Hálek, Vítězslav, tschechischer Schriftsteller, *Dolínek (bei Prag) 5. 4. 1835, †Prag 8. 10. 1874; schrieb v. a. Lyrik und Novellen aus dem bäuerl. Milieu (»Fuhrmann Poldi«, 1873); neben Jan Neruda Gründer der neueren tschech. Dichterschule.

Halesia *die,* →Schneeglöckchenbaum.

Halesowen ['heɪlzəʊən], Stadt in der Metrop. County West Midlands, südwestlich Birmingham, England, 57 500 Ew.; Stahl-, elektrotechn. Ind., Werkzeug- und Maschinenbau.

Halévy [ale'vi], Ludovic, frz. Schriftsteller, *Paris 1. 1. 1834, †ebd. 8. 5. 1908; schrieb, meist zus. mit H. Meilhac, Lustspiele und Libretti für J. Offenbach (»Die schöne Helena«, 1864; »Pariser Leben«, 1866) und G. Bizet (»Carmen«, 1875).

Haley ['heɪlɪ], Bill, amerikan. Rocksänger und -gitarrist, *Highland Park (Mich.) 6. 7. 1927, †Harlingen (Tex.) 9. 2. 1981; entwickelte einen Rock 'n' Roll-Stil aus Elementen von Country and Western, Rhythm and Blues und Dixielandjazz; berühmtester Hit »Rock around the clock«.

Hạlfa [arab.] *die,* Pflanzenfaser, →Alfa.

Halffter Jiménez ['alftɛr xi'menɛθ], Christóbal, span. Komponist und Dirigent, *Madrid 24. 3. 1930; zunächst an M. de Falla, dann an B. Bartók und I. Strawinsky orientiert, verwendet in seinem kompositor. Schaffen auch elektron. und aleator. Techniken; u. a. Orchesterwerke (z. B. »Mural Sonante«, 1994), Kantaten, Konzerte, Oper »Don Quichote« (1970).

Halifax ['hælɪfæks], **1)** Stadt in der Metrop. County West Yorkshire, N-England, in den Pennines, 87 500 Ew.; Textil- und Volkskundemuseum; Kammgarn-, Bekleidungs-, Süßwarenind., Teppichherstellung, Webereien, Werkzeugmaschinenbau. – Pfarrkirche im Perpendicular Style.

2) Hptst. der Prov. Nova Scotia, Kanada, 114 500 Ew. (Agglomeration 320 500 Ew.); kath. Erzbischofssitz, fünf Univ., Konservatorium, Museen; Erdölraffinerien und chem. Ind., Trockendocks, Schiffbau, Zuckerraffinerien; eisfreier Hafen an der SO-Küste der Halbinsel, internat. Flughafen. – Über der Stadt die 1828 auf den Fundamenten von 1749 erbaute Zitadelle. – Wichtiger Marinestützpunkt Kanadas in beiden Weltkriegen.

Halifax ['hælɪfæks], Edward Wood, 1. Earl of H. (seit 1944), brit. konservativer Politiker, *Powderham Castle (Cty. Devon) 16. 4. 1881, †Garrowby Hall (bei York) 23. 12. 1959; sah sich als Vizekönig von Indien (1925–31) mit der ind. Unabhängigkeitsbewegung konfrontiert; 1935–38 und 1940 Lordsiegelbewahrer und Führer des Oberhauses. Als Außenmin. (1938–40) unterstützte H. die Politik Chamberlains; 1941–46 Botschafter in Washington.

Halikarnạssos, antike Hafenstadt an der SW-Küste Kleinasiens, heute das türkische Seebad **Bodrum.** – Seit dem 11. Jh. v. Chr. von Dorern besiedelt, unter dem Satrapen Mausolos (†353 v. Chr.) prunkvoll ausgebaut; 334 v. Chr. von Alexander d. Gr. zerstört; Heimat Herodots.

Halịt [zu grch. háls »Salz«] *der,* das →Steinsalz.

Halitherium [grch.] *das,* ausgestorbene Gattung der Seekühe aus dem europ. Oligozän und Miozän.

Halkyone, *grch. Mythos:* →Alkyone.

Hạll, 1) Kurort in Österreich, →Bad Hall.

2) Hall in Tirol (1940–75 Solbad Hall in Tirol), Stadt im Inntal, östlich von Innsbruck, Österreich, am Fuß der Bettelwurfkette (2 725 m ü. M.), 12 400 Ew.; Bergbaumuseum; Metall- (Röhrenwerk) und Textilind., Holzverarbeitung. – Das Stadtbild wird durch die Bürgerhäuser des 16. und 17. Jh. geprägt; spätgot. Pfarrkirche, Rathaus (1447), Münzertor, Stiftskirche (1691–92 erneuert). – 1303 Stadtrecht; 1477–1809 Münzstätte; 1875–1967 Kurort; die seit 1232 bezeugte Saline wurde 1967 stillgelegt.

Hall [hɔ:l], **1)** Asaph, amerikan. Astronom, *Goshen (Conn.) 15. 10. 1829, †Annapolis (Md.) 22. 11. 1907; entdeckte die beiden Marsmonde, bestimmte Sternentfernungen und Abstände von Doppelsternen.

2) Edwin Herbert, amerikan. Physiker, *Gorham (Maine) 7. 11. 1855, †Cambridge (Mass.) 20. 11. 1938; Prof. an der Harvard University, entdeckte 1879 den →Hall-Effekt.

3) Sir (seit 1977) Peter, brit. Regisseur, *Bury Saint Edmunds 22. 11. 1930; hatte 1955 ersten Erfolg mit einer Inszenierung von S. Becketts »Warten auf Godot«, wirkte als Direktor avantgardist. Theater. 1960–68 Leiter der Royal Stratford Company, 1974–88 erster Direktor des National Theatre in London; 1984–90 künstler. Leiter der Festspiele in Glyndebourne.

4) Willis, engl. Schriftsteller, *Leeds (Yorkshire) 6. 4. 1929; schrieb, z. T. in Zusammenarbeit mit K. Waterhouse, realist. Dramen (»Das Ende vom Lied«, 1959), ferner Romane, Funk- und Fernsehspiele, Filmdrehbücher.

Hallạdj [-dʒ] (Halladsch, al-H.), Husain ibn Mansur, islam. Mystiker, *Tur (bei Bajgah, Fars) 858, †(hingerichtet) Bagdad 27. 3. 922; lehrte die völlige Einswerdung des Mystikers mit Gott. Als Grund für seine Hinrichtung wird meist sein Ausspruch (arab.:) »Ana l-hakk'«, »Ich bin die (göttl.) Wahrheit«, genannt, der im Sinne einer Inkarnationslehre interpretiert worden ist. Schon zu Lebzeiten von großem Einfluss, wird H. weithin als Verkörperung eines vergeistigten Islams verehrt.

Hạlland, südschwed. Provinz (Län), 5 454 km², (1995) 268 100 Ew.; Hptst. ist Halmstad.

Hạlle, 1) RegBez. in Sa.-Anh., (1996) 4 430 km² und 905 000 Ew.; umfasst die Landkreise Burgenlandkreis, Mansfelder Land, Merseburg-Querfurt, Saalkreis, Sangerhausen und Weißenfels sowie die kreisfreie Stadt Halle (Saale).

2) Halle (Saale), kreisfreie Stadt in Sa.-Anh., Verw.sitz von 1) und des Saalkreises, im NW der Leipziger Tieflandsbucht, an der Saale, 280 100 Ew.; Sitz der Martin-Luther-Univ. (1694 gestiftet, 1817 mit der Univ. Wittenberg vereinigt), der Dt. Akademie der Naturforscher »Leopoldina«, Hochschule für Kunst und Design, Verw.- und Wirtschaftsakademie, Schweißtechn. Lehr- und Versuchsanstalt, Max-Planck-Inst. für Mikrostrukturphysik, Inst. für Pflanzenbiochemie, Inst. für Wirtschaftsforschung, Franckesche Stiftungen,

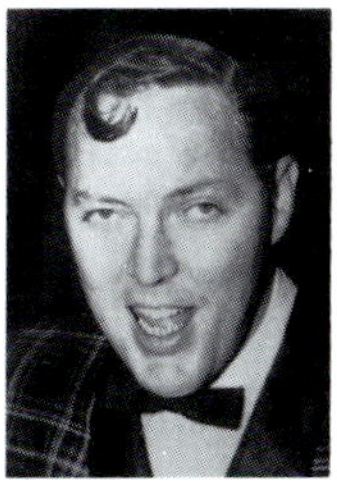

Bill Haley

Edwin H. Hall

Peter Hall

Halle (Saale)
Stadtwappen

Halle (Saale): Am Markt im Mittelpunkt der Altstadt stehen der Rote Turm aus dem 15. Jh., die im 16. Jh. erbaute Marktkirche, eine Hallenkirche mit Turmpaaren zweier Vorgängerbauten, und das Händeldenkmal (rechts) aus dem 19. Jahrhundert

Landesamt für archäolog. Denkmalspflege und Landesmuseum für Vorgesch.; Opernhaus, Neues Theater; Museen, u.a. Geiseltalmuseum, Salinemuseum; Händelhaus und Händelfestspiele; botan. Garten, Zoo. Maschinen- und Waggonbau, elektrotechn., chem. und pharmazeut., Nahrungsmittel- und Genussmittelind.; Hafen. – Nach Zerstörungen im 2. Weltkrieg wieder aufgebaut bzw. erhalten: am Marktplatz der Rote Turm (1418–1506), die Marktkirche (1529–54) und das Händeldenkmal (1859). In der Altstadt u.a. Häuser des 16.–18. Jh., die Moritzkirche (14.–16. Jh.), die spätgot. Ulrichskirche (1975/76 zum Konzertsaal umgestaltet), der Dom (13. Jh.; im 16. Jh. umgebaut), die Neue Residenz (16. Jh.); Moritzburg (15./16. Jh., 1637 zerstört), im 1901–13 ausgebauten O- und S-Flügel die Staatl. Galerie. Die spätklassizist. Gebäude der Univ. wurden 1832–34 errichtet. – An der Saale Burg →Giebichenstein. – Wegen der Salzquellen seit vorgeschichtl. Zeit besiedelt, erhielt 806 eine fränk. Burg; Saline 961 bezeugt; kam 968 zum Erzstift Magdeburg; um 1150 Stadtrecht; seit 1260 Hansestadt; 1520–60 Residenz der Erzbischöfe von Magdeburg. Unter preuß. Herrschaft (seit 1680) wurde die Univ. gegründet, Mittelpunkt der Aufklärung und des Pietismus (Francke, Thomasius, Wolff). 1952–90 Hptst. des DDR-Bezirks Halle. 1990 wurde **Halle-Neustadt,** die Wohnstadt für die Beschäftigten der chem. Ind. in Leuna und Schkopau, eingegliedert.

📖 Frenzel, R.-M. *u.* Frenzel, R.: *Kunst- u. Kulturführer Leipzig–Halle u. Umgebung. Leipzig 1993.*

3) Halle (Westf.), Stadt im Kreis Gütersloh, NRW, am Teutoburger Wald, 19600 Ew.; Wälzlagerfabrik. – Nahebei Wasserschloss Tatenhausen (16.–18. Jh.). – Seit 1719 Stadt.

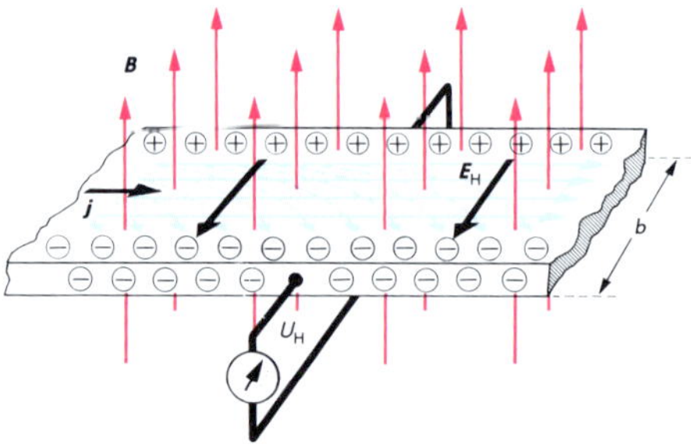

Hall-Effekt: Strombahnen (blau) des elektrischen Stroms vor (gestrichelt) und nach (ausgezogen) Ausbildung des Hall-Feldes (Feldstärke E_H, Spannung U_H auf der Breite *b*) im angelegten homogenen Magnetfeld (Induktion *B*, rote Feldlinien; elektrische Stromdichte j)

Hall-Effekt ['hɔːl-], von dem amerikan. Physiker E. H. Hall 1879 entdeckte physikal. Erscheinung: In einem stromdurchflossenen elektr. Leiter tritt in einem homogenen Magnetfeld, dessen Feldlinien senkrecht zur Richtung des elektr. Stromes verlaufen, ein elektr. Spannungsgefälle senkrecht zur Stromrichtung und senkrecht zur Richtung der magnet. Feldlinien auf. Die durch den Leiter fließenden Ladungsträger werden durch die dabei auf sie wirkende Lorentz-Kraft seitlich abgelenkt und häufen sich so lange an den seitl. Begrenzungsflächen des Leiters, bis sich ein von ihrer Raumladung erzeugtes elektr. Gegenfeld, das sog. **Hall-Feld,** ausgebildet hat. In dem sich dann einstellenden stationären Zustand fließt wieder ein unabgelenkter Strom. (→Quanten-Hall-Effekt)

Hälleflinta [schwed. »Felsenfeuerstein«], sehr feinkörniger, dicht erscheinender metamorpher Quarzporphyr im skandinav. Grundgebirge.

Hallein, Bezirks-Hptst. südlich von Salzburg, Österreich, an der Salzach, 445 m ü. M., 16 400 Ew.; Fachschule für Holz- und Steinbearbeitung, Keltenmuseum; wichtiges Ind.zentrum mit Zellstoff-, chem. Ind., Werkzeugmaschinenbau u.a.; Marmorbrüche. Am **Dürrnberg** (770 m ü. M.) Salzbergbau mit Bergwerksmuseum und Schaustollen sowie der Kurort Bad Dürrnberg (Solebad). Hier liegt auch eines der bedeutendsten vorgeschichtl. Gräberfelder Mitteleuropas. – Gut erhaltenes Stadtbild mit zahlr. Häusern des 15./16. Jh. mit Barock- und Rokokofassaden. – Seit 1230 Stadt; vom 13. bis 16. Jh. bedeutendste Saline im österr.-bayer. Raum.

Halleluja [hebr. »Preiset Jahwe«] (Vulgata: Alleluja) *das,* in den Psalmen Aufruf zum Lob Gottes; in die christl. Liturgie übernommen.

Hallenkirche, Kirchentyp aus mehreren etwa gleich hohen Schiffen, wobei die inneren Stützen nur Lasten zu tragen brauchen, keinen Gewölbeschub. H. erhalten ihre Beleuchtung vom Chor, der seit 1300 meist als **Hallenchor,** d.h. in etwa gleicher Höhe wie das Schiff, ausgebildet ist, oder von einem Westfenster sowie von den nun größeren Fenstern der Seitenschiffe her. Der Chor wurde auch als Umgangschor ausgebildet. Häufig fehlen bei den H. die Türme, die Front wird von einer breiten Fassade bestimmt.

Haller, 1) Albrecht von (1749), schweizer. Arzt, Naturforscher, Dichter, *Bern 16. 10. 1708, †ebd. 12. 12. 1777; gilt als Begründer der Experimentalphysiologie; er wies den Zusammenhang von Struktur und Funktion nach. – Im Hauptstück seiner Gedichtsammlung »Versuch Schweizer. Gedichten« (1732), »Die Alpen«, stellte er die verweichlichende Zivilisation der Städte dem Idyll der Alpenwelt gegenüber. Andere Gedichte behandeln religiöse, eth. und metaphys. Fragen und tragen bereits Züge von Schillers Gedankenlyrik. Im Alter schrieb H. mehrere Romane über Grundmodelle staatl. Ordnungsformen (»Usong«, 1771; »Fabius und Cato«, 1774), auch Tagebücher.

Hallenkirche: Mittelschiff und Seitenschiffe der Kirche Sankt Martin in Amberg (1421–83)

Hallenkirche: Grundriss und Querschnitt der Kirche Sankt Martin in Amberg (1421–83)

Albrecht von Haller (Ausschnitt eines zeitgenössischen Kupferstichs)

📖 Kempf, F. R.: *A. v. H.s Ruhm als Dichter. Eine Rezeptionsgeschichte. New York u. a. 1986.*

2) Carl Ludwig von, schweizer. Staatstheoretiker und Politiker, *Bern 1. 8. 1768, †Solothurn 20. 5. 1854, Enkel von 1); trat 1820 zum Katholizismus über. Er war einer der bedeutendsten Staatstheoretiker der Restaurationszeit. Den Ideen der Frz. Revolution stellte er eine streng patriarchal. und legitimist. Staatsauffassung entgegen, die stark auf den preuß. Konservatismus wirkte. (»Die Restauration der Staatswiss.«, 6 Bde. 1816–34).

3) Hermann, schweizer. Bildhauer, *Bern 24. 12. 1880, †Zürich 23. 11. 1950; schuf, von A. Maillol beeinflusst, weibl. Akte von sinnl. Anmut, auch Porträtbüsten; gilt als Begründer der modernen Plastik in der Schweiz.

Hermann Haller: »Flora«, Bronze, Höhe 1,61 m (1908; Essen, Museum Folkwang)

4) Johannes, Historiker, *Keinis (Estland) 16. 10. 1865, †Tübingen 24. 12. 1947; erforschte bes. das Kaisertum und Papsttum im MA. und schuf in seinen »Epochen der dt. Geschichte« (1923) eine viel gelesene Darstellung der dt. Geschichte.

Weitere Werke: Das altdt. Kaisertum (1926); 1000 Jahre dt.-frz. Beziehungen (1930); Das Papsttum (3 Bde. in 4 Teilen, 1934–45).

Hallertau (Holledau), Landschaft im Tertiärhügelland Bayerns, zw. Amper und Isar im S sowie der Donau im N; größtes dt. Hopfenanbaugebiet mit den Zentren Mainburg und Wolnzach.

Halley ['hælɪ], Edmond, engl. Astronom und Mathematiker, *Haggerston (heute zu London) 8. 11. 1656, †Greenwich 25. 1. 1742; seit 1720 königl. Astronom in Greenwich. H. gab 1679 einen Sternkatalog heraus, entwickelte u.a. eine Formel zur barometr. Höhenmessung und erkannte den Zusammenhang zw. Erdmagnetismus und Polarlich-

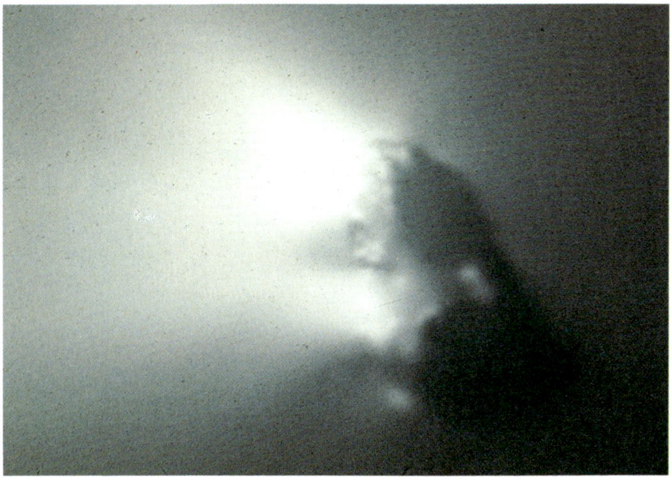

Halleyscher Komet: Der (dunkle) Kern des Kometen, aufgenommen von einer Kamera der Raumsonde Giotto (1986)

tern (1716). 1705 sagte er die Wiederkehr des nach ihm benannten **Halleyschen Kometen** von 1682 für 1758/59 voraus.

Edmond Halley (Ausschnitt aus einem Kupferstich nach einem zeitgenössischen Gemälde)

Halleyscher Komet ['hælɪ-; nach E. Halley], bekanntester der period. Kometen mit einer Umlaufzeit von rd. 76 Jahren, dessen lang gestreckte ellipt. Bahn weit über die Neptunbahn hinausreicht. Der H. K. wird seit mehr als 2000 Jahren beobachtet. Die von mehreren Raumsonden (Halley-Sonden) bei seiner letzten Annäherung an die Erde 1985/86 übermittelten Daten waren bes. aufschlussreich hinsichtlich der Vorstellungen über den Aufbau der Kometen. Der Kern des H. K. ist etwa 15 × 8 × 8 km^3 groß und besteht aus Staub und Eis; bei Annäherung an die Sonne verdampft Eis, und der Schweif entsteht.

📖 CALDER, N.: *Jenseits von Halley. Die Erforschung von Schweifsternen durch die Raumsonden Giotto u. Rosetta. A. d. Engl. Berlin u. a. 1994.*

Hall-Generator ['hɔ:l-; nach E. H. Hall] (Hall-Element), ein auf dem →Hall-Effekt beruhendes magnetoelektr. →Halbleiterbauelement; in **Hall-Sonden** wird mit konstanter Stromstärke die Stärke von Magnetfeldern oder von zur magnet. Flussdichte proportionalen Größen ermittelt. H.-G. dienen weiterhin als kontaktlose Signalgeber **(Hall-Kopf)**, zur Steuerung von Werkzeugmaschinen, zur Leistungsmessung, zur elektr. Multiplikation und Division, zur Modulation und Demodulation sowie zum Aufbau von **Hall-Motoren** (Außenläufermotoren ohne mechan. Kommutator und mit einem Ferritmagneten als Rotor).

Halleyscher Komet

Die früheste Darstellung des Halleyschen Kometen befindet sich auf dem im 11. Jahrhundert entstandenen »Wandteppich von Bayeux«. Der Komet ist in einer Darstellung vom Sieg Wilhelms des Eroberers über Harold II. in der Schlacht bei Hastings im Jahr 1066 zu sehen. Wenige Monate vor der Schlacht hatte der Komet seinen sonnennächsten Punkt durchlaufen.

Der Halleysche Komet hat eine Umlaufzeit von 76 Jahren und näherte sich zuletzt 1986 der Erde. Berichte über seine Annäherungen reichen über 2 000 Jahre zurück. Der 70 m lange und 50 cm hohe Wandteppich, der das Auftauchen des Himmelskörpers im Jahre 1066 bezeugt, kann im Kulturzentrum der normannischen Stadt Bayeux besichtigt werden.

Halligen, die kleineren Inseln ohne Winterdeiche im nordfries. Wattenmeer vor der W-Küste Schleswig-Holsteins: Gröde-Appelland, Habel, Hamburger Hallig, Hooge, Norderoog, Nordmarsch-Langeneß, Nordstrandischmoor, Oland, Süderoog und Südfall; insgesamt 2281 ha mit 330 Ew. Die H. sind Teil des Marschlandes, das im Zusammenhang mit dem nacheiszeitl. Meeresspiegelanstieg durch Schlickablagerungen entstanden ist. Die größeren H. haben Sommerdeiche, die nicht eingedeichten H. werden bei Sturmfluten ganz oder teilweise überschwemmt. Die Siedlungen liegen auf →Wurten; die Bewohner leben v. a. von Milchviehwirtschaft und Fremdenverkehr.

📖 RIECKEN, G.: *Die H. im Wandel. Husum* ^{2}*1985.* – WOHLENBERG, E.: *Die H. Nordfrieslands. Heide* ^{5}*1985.*

Hallimasch (Armillariella mellea), gelblich brauner, in Büscheln auf Baumstümpfen und totem Holz lebender Blätterpilz. Er kann auch auf lebende Bäume übergreifen. Gekocht ist der H. essbar, jedoch kann sein Genuss allerg. Reaktionen hervorrufen.

Hall in Tirol, →Hall.

Hallore [zu mhd. hal »Salzwerk«], Zunftgenosse der Saline zu Halle (Saale). Die H. haben sich lange Zeit ein eigenes Brauchtum bewahrt.

Halloween [hæləʊ'i:n], auf den brit. Inseln und in den USA der Vorabend (31. Okt.) von Allerheiligen; urspr. ein keltisch-angelsächs. Fest (»Samhain«) zur Feier des Winteranfangs, das mit Opfern, Feuer, Maskerade u. a. Geister, Hexen und Dämonen vertreiben sollte.

Hallraum, *Elektroakustik:* geschlossener Raum mit harten, glatten, den Schall fast voll reflektierenden Wänden, bes. um künstl. →Nachhalle zu erzeugen.

Hall-Sonde ['hɔ:l-, engl.], →Hall-Generator.

Hallstatt, Marktgemeinde im Salzkammergut, am Westufer des Hallstätter Sees, Oberösterreich, 512 m ü. M., 1 400 Ew.; Bundesfachschule für Holzbearbeitung, Prähistor. Museum; Fremdenverkehr. Am Hang des Plessen der Salzberg (Seilbahn) mit dem größten Salzbergbaubetrieb Österreichs (Solegewinnung, 49 km lange Soleleitung nach Ebensee); Schaubergwerk. Das Salz ist seit der spä-

Halligen: Hallig Hooge bei normalem Wasserstand und bei Sturmflut (rechts)

ten Bronzezeit abgebaut worden. Das Gräberfeld bei H., vom Ende der Urnenfelderzeit bis zur frühen La-Tène-Zeit belegt, wurde 1846–1939 wiss. untersucht (über 2000 Brand- und Körperbestattungen mit reichen Grabbeigaben; →Hallstattkultur). – H. erhielt 1311 Marktrecht.

Hallstätter See, lang gestreckter, von der Traun durchflossener See im oberösterreich. Salzkammergut, am N-Fuß des Dachsteingebirges, Österreich, 508 m ü.M., 8,6 km², bis 125 m tief. Schiffsverkehr zw. Hallstatt und Obertraun.

Hallstattkultur, nach dem Gräberfeld oberhalb von →Hallstatt benannte mitteleurop. Kultur der älteren Eisenzeit (von NO-Frankreich bis zum NW der Balkanhalbinsel). Die H. entwickelte sich aus der Urnenfelderkultur der jüngeren Bronzezeit und zeigt Einwirkungen grch. und etrusk. Kultur. Träger der H. waren krieger. Bauern. Bes. für die Spätstufe ist ein Kriegeradel durch reich ausgestattete Gräber und feste Fürstensitze (Heuneburg) bezeugt. Das Pferd spielte als Reit- und Zugtier eine große Rolle. Die größte technolog. Leistung der H. war die Einführung des Eisens als Nutzmetall v.a. für die Herstellung sehr harter Schwertklingen. Doch blieb die Bronze- und Edelmetalltechnik auf hohem Stand, auch die reich mit geometr. Mustern verzierten Tongefäße sind von vorzügl. Qualität. Weiteres BILD Eisenzeit; KARTE S. 72

Hallstattkultur: Stier aus Bronze, Länge 10 cm (Wien, Naturhistorisches Museum)

📖 *Hallstatt. Bilder aus der Frühzeit Europas, hg. v.* U. SCHAAFF. *Wien u. a. 1980.*

Hallstattzeit, Kulturperiode am Anfang der älteren →Eisenzeit im Bereich der →Hallstattkultur und benachbarter Gruppen. Die H. wird in mehrere Stufen unterteilt. Im Allg. werden die Stufen »Hallstatt C« und »Hallstatt D« als H. bezeichnet, die Stufen »Hallstatt A« und »Hallstatt B« sind deckungsgleich mit der zur jüngeren →Bronzezeit gerechneten Urnenfelderzeit. Die ältere H. (»Hallstatt C«) begann um 700 v. Chr. oder einige Jahrzehnte davor und ging um 600 in die jüngere H. (»Hallstatt D«) über, die in der 2. Hälfte des 5. Jh. in die La-Tène-Zeit übergeht.

📖 *Die H. Frühform europ. Einheit, hg. v.* K. PÖMER, *Ausst.-Kat. Schloß Lamberg, Steyr. Linz 1980.*

Hallstein, 1) Ingeborg, Sängerin (Koloratursopran), *München 23. 5. 1937; wurde 1961 Mitgl. der Bayer. Staatsoper in München; auch Konzert- und Liedsängerin.

2) Walter, Politiker (CDU), *Mainz 17. 11. 1901, †Stuttgart 29. 3. 1982; Jurist, 1930–41 Prof. in Rostock, 1941–48 in Frankfurt am Main, 1950–51 Staatssekretär im Bundeskanzleramt, 1951–58 im Auswärtigen Amt (H.-Doktrin), 1969–72 MdB; entschiedener Verfechter der polit. Integration Europas. 1958–67 war er Präs. der EWG-Kommission, 1968–74 der Europ. Bewegung. BILD S. 72

Hallimasch

Ingeborg Hallstein

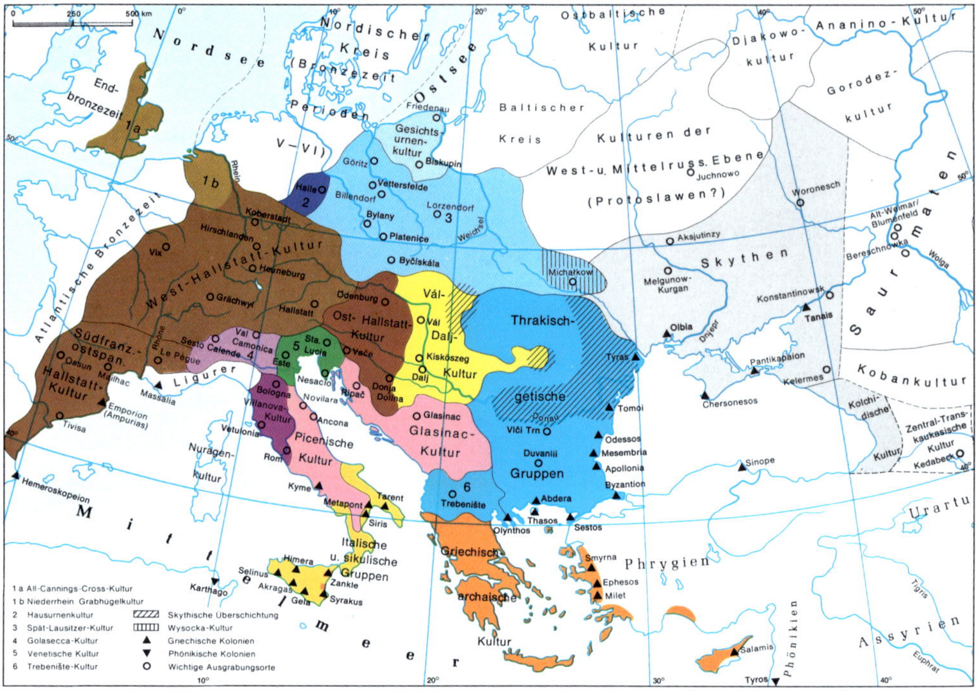

Hallstattkultur: Vorgeschichtliche Kulturen in Europa während der Hallstattzeit

Walter Hallstein

Hallsteindoktrin, Grundsatz der Deutschlandpolitik der Bundesrep. Dtl. in der Zeit des Ost-West-Konfliktes, nach W. →Hallstein benannt, verkündet in der Reg.erklärung vom 29. 9. 1955, drückte – gestützt auf das GG – den Anspruch der Bundesrep. Dtl. aus, ganz Dtl. völkerrechtlich allein zu vertreten. Die Bundesreg. durfte keine völkerrechtl. Beziehungen zu Staaten aufnehmen oder aufrechterhalten, die die DDR diplomatisch anerkannten (Ausnahme UdSSR). Mit ihrer Dtl.- und →Ostpolitik gab die Bundesreg. unter W. Brandt 1969 die H. auf. Der Beitritt der Bundesrep. Dtl. und der DDR (1973) zur UNO markierte den Schlusspunkt dieser Entwicklung.

Halluzination [lat.] *die,* Sinnestäuschung, Trugwahrnehmung. Obwohl kein entsprechender Umweltreiz vorliegt, wird die halluzinator. Wahrnehmung als real empfunden.

Halluzinogene [lat.-grch.] (Psychodysleptika, Psychotomimetika), auf das Zentralnervensystem (und die Psyche) wirkende Substanzen (Rauschgifte), die i. Allg. ohne Trübung des Bewusstseins einen psychoseähnl. Zustand (v. a. mit Schizophrenie ähnl. Symptomen) hervorrufen können.

Hallwachs, Wilhelm, Physiker, *Darmstadt 9. 7. 1859, †Dresden 20. 6. 1922; entdeckte 1888 durch Entladung einer negativ aufgeladenen Metallplatte bei UV-Bestrahlung den äußeren →Fotoeffekt **(H.-Effekt).**

Hallwiler See, See im schweizer. Mittelland, Kt. Aargau, die S-Spitze im Kt. Luzern, 449 m ü. M., 10,3 km², bis 47 m tief, vom Aabach entwässert. Nördlich vom See das Wasserschloss **Hallwil** (12.–16. Jh., zwei Museen).

Halm, durch Knoten gegliederter Stängel der Gräser.

Halma [grch. »Sprung«], Brettspiel für zwei bzw. vier Personen mit je 19 bzw. 13 Steinen, die in den Ecken des Spielbrettes in durch farbige Linien abgeteilten »Höfen« aufgestellt werden und durch Ziehen bzw. Überspringen von eigenen oder fremden Steinen in den diagonal gegenüberliegenden Hof zu bringen sind.

Halmahera [indones. »Mutterland« oder »großes Land«], größte Insel der Molukken, Indonesien, 17 800 km², 94 000 Ew.; in vier gebirgige Halbinseln gegliedert, mit z. T. noch tätigen Vulkanen; Anbau von Gewürzen, Reis und Mais, Nutzung von Sago- und Kokospalmen.

Halmfliegen (Chloropidae), artenreiche Familie wenig flugtüchtiger Fliegen, oft schwarz und gelb gezeichnet; die Larven minieren meist in Stängeln von Gräsern. (→Fritfliege)

Halmstad, Hptst. des Verw.gebietes (Län) Halland, S-Schweden, Hafenstadt am östl. Kattegat, 81 100 Ew.; Freilichtmuseum; Stahlwerk, Getreidemühlen, Metall- und Textilindustrie. – Got. Hallenkirche am Markt, ehem. Schloss (16./17. Jh.),

Fachwerkhäuser (v.a. 17. Jh.). – Wurde 1307 zur Stadt erhoben.

Halmyrolyse [grch.] *die,* submarine Verwitterung, chem. Zersetzung von Gesteinen und Mineralneubildung unter Einfluss des Meerwassers.

Halo [von grch. hálōs »Hof um Sonne und Mond«] *der,* **1)** *Astronomie:* (galakt. H.) die das Milchstraßensystem u.a. Galaxien jeweils umgebende dünne, angenähert kugelförmige Hülle aus Sternen, Kugelhaufen **(H.-Populationen)** und Gasen.

2) *atmosphär. Optik:* Lichterscheinung, die durch Brechung oder Spiegelung, selten durch Beugung an den Eiskristallen in der Atmosphäre entsteht. Am häufigsten treten H. in Form von Ringen um Sonne und Mond auf, jedoch werden auch die auf gleiche Art entstehenden Lichterscheinungen in Form von Flecken oder Streifen zu den H.erscheinungen gerechnet. **Spiegelungshalos** sind weiß; es sind dies Lichtsäule, Lichtkreuz, Untersonne und Horizontalkreis. **Brechungshalos** erscheinen durch die Zerlegung des Lichtes in die Spektralfarben meist farbig; zu ihnen zählen der 22°-Ring (kleiner oder gewöhnlicher Ring), der 46°-Ring (großer Ring), Nebensonnen, Zirkumzenitalbogen, Zirkumhorizontalbogen und die versch. Berührungsbögen. H. treten in Zirruswolken auf; sie sind bei gleichmäßigem, dünnem Zirrostratus am häufigsten und am besten ausgeprägt.

Haloforme, Trihalogenderivate des Methans mit der allg. Formel CHX_3 (X = Fluor, Chlor, Brom oder Jod), bei denen eine Krebs erzeugende Wirkung vermutet wird. H. entstehen in sehr geringen Mengen bei der Chlorierung von Trinkwasser.

Halogene [grch. »Salzbildner«], Gruppe der reaktionsfähigen nichtmetall. Elemente Fluor, Chlor, Brom, Jod und das instabile Astat (7. Hauptgruppe des Periodensystems). Infolge ihrer starken Elektronegativität verbinden sich H. mit fast allen Elementen zu Halogeniden oder untereinander zu Interhalogenverbindungen.

Halogenglühlampe (Halogenlampe), spezielle →Glühlampe mit einem Glühfaden (Wendel) aus Wolfram, Halogenzusatz zum Füllgas und einem stark verkleinerten Lampenkolben aus Quarz- oder Hartglas. Die im Betrieb von der Wendel abdampfenden Wolframatome verbinden sich in einer kühleren Zone in der Nähe der Kolbenwand mit dem Halogen (i. Allg. Brom), das bei der Kolbentemperatur (über 250 °C) aus der entsprechenden Halogenverbindung freigesetzt wird. Das gebildete Wolframhalogenid (z.B. Wolframbromid) schlägt sich aufgrund der hohen Kolbentemperatur nicht auf der Kolbenwand nieder, sondern bleibt dampfförmig. In Wendelnähe dissoziiert das Wolframhalogenid wieder und das Wolfram setzt sich wieder auf der Wendel ab, während das Halogen in den Kreislauf zurückkehrt. Durch diesen Kreisprozess wird eine Kolbenschwärzung durch Wolframablagerungen verhindert und gleichzeitig die Wendel regeneriert. H. zeichnen sich durch hohe Lichtausbeuten, lange Lebensdauer, konstanten Lichtstrom während der gesamten Lebensdauer und sehr kleine Abmessungen aus. Außer für Flutlicht, Fotografie, Projektoren und Kraftfahrzeugscheinwerfer werden H. auch zunehmend im Wohnbereich eingesetzt.

Halo 2): Lichtsäule (Aufnahmezeit 21 Uhr), rechts daneben 22° - Ring (Aufnahmezeit 12 Uhr)

Halogenide, Verbindungen der Halogene mit stärker elektropositiven Elementen. Man unterscheidet salzartige H. (z.B. Natriumchlorid, NaCl), kovalente H. (Halogenwasserstoffe, Interhalogenverbindungen, Halogenkohlenwasserstoffe) und komplexe H. (mit Halogenidionen als Komplexliganden).

Halogenierung, Einführung eines Halogenatoms in eine organ. Verbindung, z.B. durch Addition oder Substitution.

Halogenkohlenwasserstoffe, Verbindungen, die sich von Kohlenwasserstoffen ableiten, indem Wasserstoff- durch Halogenatome ersetzt werden; →Chlorkohlenwasserstoffe, →Fluorkohlenwasserstoffe, →Fluorchlorkohlenwasserstoffe.

Halokinese, schwerkraftbedingte Wanderung von Salzgesteinen, die von Gesteinen höherer Dichte überlagert sind, in der Erdkruste; führt zur Bildung von Salzstöcken.

Halone [Kw. aus engl. **hal**ogenated hydrocar**bon**], Kurzbez. für →Halogenkohlenwasserstoffe, die als →Feuerlöschmittel verwendet werden. H.

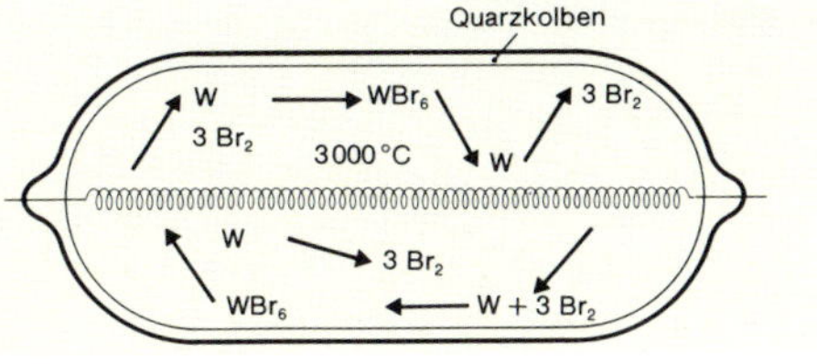

Halogenglühlampe: Schema des Kreislaufs in einer Halogenlampe (W Wolfram, Br_2 Brom, WBr_6 Wolframbromid)

sind als Brom-FCKW den FCKW verwandt und schädigen wie diese die Ozonschicht der Erde, aber mit einem fünf- bis zehnmal so starken Effekt. In Dtl. ist der Betrieb von Halonlöschanlagen seit 1993 verboten, ähnl. Verbote gelten auch in anderen Ländern.

Halophyten [grch.], die →Salzpflanzen.

Halothan *das,* CF_3–CHClBr, ein Halogenkohlenwasserstoff; häufig verwendetes Inhalationsnarkotikum.

Hals (Collum, Cervix), Körperteil zw. Kopf und Rumpf, der Bewegungen des Kopfes gegenüber dem Rumpf ermöglicht. Beim Menschen besteht die H.-Wirbelsäule aus sieben **H.-Wirbeln,** von denen die beiden oberen zu einem speziellen Kopfdrehgelenk **(H.-Gelenk, Nackengelenk)** umgebildet sind. Zum H. gehören Nacken, Schlund und Speiseröhre, Luftröhre, Kehlkopf und Zungenbein sowie Schilddrüse und Nebenschilddrüsen. Die **H.-Muskulatur** ummantelt den Eingeweidestrang und erlaubt Kopfbewegungen.

Frans Hals: Selbstbildnis, Ausschnitt aus dem Gemälde »Offiziere und Unteroffiziere der Sankt Jorisdoelen« (1639; Haarlem, Frans-Hals-Museum)

Hals, Frans, niederländ. Maler, *Antwerpen zw. 1580 und 1585, begraben Haarlem 1. 9. 1666; malte Porträts (wohlhabende Bürger, Bauern, Soldaten u.a.), Gruppenbilder (Schützen, Regenten, Familien) sowie einige Genrebilder. Für seine frühen Bilder sind ein leuchtendes Kolorit und eine detaillierte Umrisszeichnung charakteristisch. In den 1620er-Jahren wurde der Aufbau seiner Bilder freier, die Pinselführung lockerer, die Farben heller und nun formgebend angewendet. Die Dargestellten strahlen Lebensfreude aus. Im Spätwerk bevorzugte H. graue, braune und v.a. schwarze Töne, der zuvor heitere Ausdruck wandelte sich in tiefen Ernst. Das F.-H.-Museum in Haarlem bewahrt einen Großteil seiner Werke.

📖 GRIMM, C.: *F. H. Das Gesamtwerk. Stuttgart u. a. 1989.*

Halsbandaffäre, Skandalaffäre am frz. Hof (1785/86), in die der Kardinal Rohan und A. →Cagliostro verwickelt waren. Ein Diamanthalsband, das der Kardinal erstand, um es durch die Gräfin de La Motte-Valois der Königin Marie-Antoinette übergeben zu lassen, wurde von der Gräfin veruntreut. Die H. schadete dem Ansehen des Königtums sehr. Literarisch wurde der Stoff u.a. von Goethe und A. Dumas d. Ä. behandelt.

Johann Georg Halske (Lithographie, um 1855)

Halsberger, Unterordnung der →Schildkröten.

Halseisen, im MA. ein eisernes Halsband an einem Pfahl oder öffentl. Gebäude (Rathaus), in das der Verurteilte eingeschlossen und so öffentlich zur Schau (an den Pranger) gestellt wurde; es diente zur Vollstreckung von Ehrenstrafen.

halsen, ein Segelschiff vor dem raumen (d.h. von schräg hinten einfallenden) Wind wegdrehen; die hierbei ausgeführte Drehung ist die **Halse.**

Frans Hals: »Zigeunerin« (um 1628; Paris, Louvre)

Halsfistel, Fehlbildung im mittleren oder seitl. Halsbereich, bedingt durch Zurückbleiben von Resten embryonaler Gänge oder Schlundfurchen; erkennbar an kleinen absondernden Öffnungen in der Haut.

Halsgericht (Hochgericht), seit dem 13. Jh. ein Gericht, das über Leben oder Tod des Angeklagten bei schweren Verbrechen zu urteilen hatte; später Ausdehnung der Zuständigkeit auf alle Strafsachen. Ab dem 15. Jh. entstanden **H.-Ordnungen** die das Verfahren vor den H. regelten, z.B. die →Bambergische H.-Ordnung (1507).

Hälsingborg [-'bɔrj], Stadt in Schweden, →Helsingborg.

Hälsingland, histor. Provinz und Landschaft in Schweden, am Bottn. Meerbusen, ein fluss- und seenreiches Waldgebiet mit Holzwirtschaft, an der Küste und in Tälern Landwirtschaft.

Halske, Johann Georg, Elektrotechniker, *Hamburg 30. 7. 1814, †Berlin 18. 3. 1890; gründete 1847 mit W. Siemens die »Telegraphenbauanstalt von Siemens & Halske«, Berlin. 1867 trat H. aus der Firma aus; er erwarb sich danach Verdienste um den Ausbau des Berliner Kunstgewerbemuseums.

Halskragen, ein Halsschmuck der Frauen in der älteren und z.T. noch der jüngeren Bronzezeit.

Halskrause, gefältelte Rüsche, meist aus feiner Leinwand, als Halsabschluss des Hemdes; war ein Vorläufer des Kragens und entstand um 1520 aus dem Hemdsaum; erreichte Ende des 16. Jh. ihr größtes Volumen im **Mühlsteinkragen.**

Hals-Nasen-Ohren-Heilkunde, Abk. **HNO** (Otorhinolaryngologie), Fachgebiet der Medizin, das die Erkennung und Behandlung aller Erkrankungen des Ohrs (einschl. Gleichgewichtsorgan), der Nase und Nasennebenhöhlen, der Mundhöhle, des Rachens, des Kehlkopfs, der Luftröhre und der oberen Anteile von Speiseröhre und Bronchien umfasst. Teilgebiete sind **Phoniatrie** und **Pädaudiologie** (Behandlung von Sprach- und Stimmstörungen sowie von Hörbehinderungen im Kindesalter).

Halsschlagader (Halsarterie, Karotis), paarige Arterie des Halses der Wirbeltiere, die den Kopf und das Gehirn mit Blut versorgt. Die H. verläuft beim Menschen beiderseits der Luftröhre und des Kehlkopfes.

Halswender, Unterordnung der →Schildkröten.

Halswirbelsäulensyndrom, das →Zervikobrachialsyndrom.

Halt, Karl Ritter von (seit 1917), Sportfunktionär, *München 2. 6. 1891, †ebd. 5. 8. 1964; war 1951–61 Präsident des Nat. Olymp. Komitees für Deutschland.

Haltepunkt, *Schießlehre:* Bez. für den Punkt im oder am Ziel, auf den die Visierlinie einer Waffe gerichtet sein muss, um das Ziel zu treffen.

Halter, *Straßenverkehrsrecht:* derjenige, der ein Kfz für eigene Rechnung gebraucht und die tatsächl. Verfügungsgewalt besitzt, die ein solcher Gebrauch voraussetzt. H. und Eigentümer müssen nicht identisch sein.

Halteren [grch.] (Schwingkölbchen), rückgebildete Hinterflügel der Fliegen und Mücken mit Bewegungs- und Lagesinnesorganen; sind für die Stabilisierung des Fluges von Bedeutung.

Haltern, Stadt im Kr. Recklinghausen, NRW, im südl. Münsterland, 35 700 Ew.; Röm.-German. Museum; Kalksandsteinwerke, Maschinenbau, Holzverarbeitung; Stausee der bei H. in die Lippe mündenden Stever. – 1017 erstmals erwähnt; wurde 1289 zur Stadt erhoben.

Haltiatunturi (schwed. Haldefjäll), mit 1328 m der höchste Berg Finnlands, im NW, an der Grenze gegen Norwegen.

Haltung, 1) *Medizin:* die →Körperhaltung.

2) *Psychologie:* die →Einstellung einer Persönlichkeit. Die H. kann sich im Erscheinungsbild der Person, bes. in der körperl. H., ausdrücken.

Halver, Stadt im Märk. Kreis, NRW, im Sauerland, 17 200 Ew.; Gesenkschmieden, Metallveredelungs-, Kleineisen- u. a. Industrie.

Halys *der,* antiker Name des →Kızılırmak.

Halysschlange (Agkistrodon halys), bis 75 cm lange Grubenotter, rötlich braun bis graubraun mit dunkel gerandeten Querflecken; lebt im äußersten SO-Europa bis O-Asien.

Ham (Vulgata: Cham), Gestalt des A. T.; Sohn Noahs, Bruder von Sem und Japhet; legendärer Stammvater (1. Moses 10, 6 ff.) der →Hamiten.

Häm *das,* Eisen-Porphyrin-Komplex, eiweißfreier Anteil von Hämoglobin, Cytochromen u. a.

häm..., häma..., hämo... [grch. haĩma »Blut«], in Zusammensetzungen: blut...

Hama, Provinzhauptstadt in Syrien, am Orontes in einer fruchtbaren Ebene, 229 000 Ew.; Textil-, Nahrungsmittel-, Zementind., Kunstdüngerwerk. – H., biblisch **Hamath,** ist der südlichste Fundort hethit. Hieroglyphen-Inschriften und war Anfang des 1. Jt. Hauptstadt eines syrisch-hethit. Kleinstaates. – Bei einem Aufstand der Muslimbruderschaft 1982 wurde die Innenstadt mit zahlr. wertvollen Moscheen stark zerstört.

Hamada, Felswüste, →Hammada.

Hamadan, Provinzhauptstadt in W-Iran, 1868 m ü. M. am Fuß der östl. Sagrosvorberge, 349 700 Ew.; Teppichweberei, Saffianlederarbeiten; Straßenknotenpunkt und Marktzentrum. – H., das antike **Ekbatana,** war etwa 715–550 v. Chr. Hptst. des Mederreiches, später Sommersitz der pers. und parth. Könige; 1220 und 1386 von den Mongolen zerstört.

Häm|agglutination *die,* Zusammenballung (→Agglutination) der roten Blutkörperchen.

Hamamatsu, Stadt auf Honshū, Japan, 560 700 Ew.; bed. Industriestadt mit Musikinstrumenten- und Fahrzeugbau (Yamaha), Textil-, chem. und Nahrungsmittelind.; Flugplatz.

Hamamelisgewächse [grch.] (Zaubernussgewächse, Hamamelidaceae), in O-Asien heimische Pflanzenfamilie, Bäume und Sträucher. Die **Zaubernuss** (Hamamelis virginiana), dem Haselnussstrauch ähnlich, wird in Dtl. als Zierstrauch angepflanzt; Auszüge aus Rinde und Blättern werden für medizinische und kosmetische Präparate verwendet.

Hämangiom [grch.] *das,* das →Blutgefäßmal.

Hamann, 1) Johann Georg, Gelehrter und philosoph. Schriftsteller, *Königsberg (Pr) 27. 8. 1730, †Münster 21. 6. 1788; wandte sich, beeinflusst von G. Bruno, Leibniz, Spinoza und der neuplaton. Philosophie, gegen die rationalist. Strömungen der Aufklärung und hob ihnen gegenüber die Geschichtlichkeit des Menschen sowie die Schöpferkraft der Intuition als wesentliche Quelle menschl. Erkenntnis hervor. H. war als Sprachphilosoph von großem Einfluss auf Herder, Goethe und die Romantiker; auch auf Hegel und Schelling sowie die existenzialist. Philosophie S. Kierkegaards.

Werke: Gedanken über meinen Lebenslauf (entstanden 1758/59); Sokrat. Denkwürdigkeiten (1759); Kreuzzüge des Philologen (1762); Metakritik über den Purismus der Vernunft 1784).

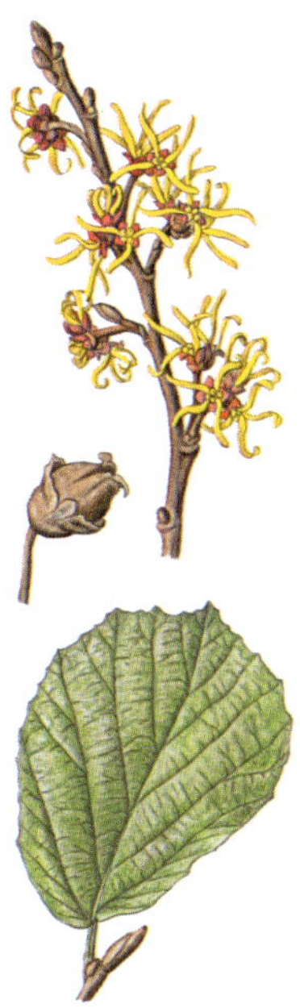

Hamamelisgewächse (von oben): blühender Zweig, Frucht und Blatt der Zaubernuss

Johann Georg Hamann (zeitgenössische Bleistiftzeichnung)

📖 VELDHUIS, H.: *Ein versiegeltes Buch. Der Naturbegriff in der Theologie J. G. H.s. A. d. Niederländ. Berlin u. a. 1994.* – BERLIN, I.: *Der Magus in Norden. J. G. H. u. der Ursprung des modernen Irrationalismus. A. d. Engl. Berlin 1995.*

2) Richard, Kunsthistoriker, *Seehausen (Bördekreis) 29. 5. 1879, †Immenstadt i. Allgäu 9. 1. 1961; war 1913–49 Prof. in Marburg (1947–50 auch in Berlin), wo er das »Bildarchiv Foto Marburg« und 1929 das Forschungsinst. für Kunstgesch. gründete. Sein Hauptwerk ist die »Gesch. der Kunst« (2 Bde., 1933–52).

Julia Hamari

Hamar, Hptst. der Prov. Hedmark, Norwegen, am Mjøsensee, 26 300 Ew.; Sitz eines luther. Bischofs; Nahrungsmittel-, Metall-, Holzindustrie. – Auf einer Landzunge im See Ruinen des Doms (12. Jh.) und des Bischofshofs (Freilichtmuseum).

Hamari ['hɔmɔri], Julia, ungar. Sängerin (Alt), *Budapest 21. 11. 1942; wirkte bei Festspielen (u. a. in Salzburg) mit, gewann internat. Ruf als Lied- und Oratoriensängerin.

Hamas [arab. »Eifer«], auch Kw. für Harakat al-muqawama al-islamija, »islam. Widerstandsbewegung«, hervorgegangen 1987 aus der palästinens. Organisation der Muslimbruderschaft, verantwortlich für Terrorakte v. a. gegen israel. Militär- und Zivilpersonen in Israel, im Gazastreifen und im Westjordanland. (→Palästina, Geschichte)

Hämatin [grch.] *das,* Eisen(III)-Komplex des Protoporphyrins, bildet sich aus Häm durch Oxidation, im Blut unter patholog. Bedingungen.

Hämatit [grch.] *das,* das Mineral →Eisenglanz.

Hämatokrit [grch.] *der,* Anteil der Blutkörperchen am Blutvolumen; Abweichungen von der Norm (beim Mann etwa 40–54 %, bei der Frau etwa 37–47 %) dienen der Krankheitserkennung.

Hambach an der Weinstraße: Das Hambacher Fest, Zug zum Hambacher Schloss am 27. Mai 1832, zeitgenössische Lithographie

Hämatologie [grch.] *die,* die Lehre vom Blut und den Blutkrankheiten als Teilgebiet der inneren Medizin.

Hämatom [grch.] *das,* der →Bluterguss.

Hämaturie [grch.] *die* (Blutharnen), krankhafte Ausscheidung ungelöster roter Blutkörperchen im Harn; dabei unterscheidet man zw. **Makro-H.** (mit bloßem Auge sichtbare Rotfärbung des Harns) und **Mikro-H.** bzw. **Erythrozyturie** (mit mikroskop. Nachweis der roten Blutkörperchen im Harnsediment). Akute und chron. Harnblutungen können bei allen Geschwülsten der Niere, des Harnleiters, der Blase, der Harnröhre und der Prostata sowie bei Harnsteinen u. a. auftreten. (→Hämoglobinurie)

Hambach, Braunkohlentagebau in NRW, östlich des Ortes H. (Gem. Niederzier, südöstlich von Jülich); 2,4 Mrd. t gewinnbarer Kohle auf einer Fläche von 74 km²; seit 1984 Abbau (mit den größten Schaufelradbaggern der Erde).

Hambach an der Weinstraße, seit 1969 Stadtteil von Neustadt an der Weinstraße, Rheinl.-Pf.; über dem Ort das Hambacher Schloss (seit Mitte des 19. Jh. »Maxburg«; seit 1688 Ruine, 1981/82 restauriert; Museum), auf dem vom 27. 5. bis 30. 5. 1832 das **Hambacher Fest** stattfand, die erste Massenkundgebung (etwa 30 000 Teilnehmer; Hauptredner: J. G. A. Wirth) für ein freies und einiges Dtl.; der Dt. Bundestag reagierte u. a. mit völliger Unterdrückung der Presse- und Versammlungsfreiheit.

Hamborn, seit 1929 Stadtteil von Duisburg.

Hamburg (Freie und Hansestadt Hamburg), Land (Stadtstaat) der Bundesrep. Dtl., an der Niederelbe, mit der Insel Neuwerk in der Elbmündung 755 km² (davon 61 km² Wasserflächen), mit (1996) 1,708 Mio. Ew.; unterteilt in die Stadtbezirke H.-Mitte, Altona, Eimsbüttel, H.-Nord, Wandsbek, Bergedorf und Harburg.

Verfassung: Nach der Verf. vom 6. 6. 1952 liegt die Legislative bei der Bürgerschaft (121 Abg., auf vier Jahre gewählt), diese wählt die Reg. (Senat). Eine Abwahl der Reg. oder einzelner Mitgl. ist im Rahmen eines konstruktiven Misstrauensvotums möglich. Der Senat wählt aus seiner Mitte den Präs. (Erster Bürgermeister) und dessen Stellv. (Zweiter Bürgermeister); er besitzt ein Vetorecht gegenüber von der Bürgerschaft beschlossenen Gesetzen.

Landesnatur: H. liegt an der Einmündung von Alster und Bille in die Niederelbe, 110 km oberhalb ihrer Mündung in die Nordsee, noch im Bereich von Ebbe und Flut. Das Land hat Anteil an drei Naturräumen: dem Rand der südholstein. Geest, die zw. Blankenese und Bergedorf steil zur Elbe abfällt, dem überwiegend von Flussmarschen erfüllten Urstromtal der Niederelbe und im S mit den Harburger Bergen dem Endmoränengebiet

Hamburg: Im Vordergrund die nach dem Zweiten Weltkrieg wieder aufgebaute Kirche Sankt Michaelis, deren Turm, »der Michel«, das Wahrzeichen der Stadt ist, im Hintergrund Binnen- und Außenalster

der Schwarzen Berge. Die Naturlandschaften sind größtenteils zu Kulturlandschaften umgewandelt worden. Das Schwergewicht der Bebauung liegt nördlich der Elbe. Südlich der Norderelbe liegen die Ind.- und Hafengebiete. Der Hafen, ein offener Tidehafen, erstreckt sich über die ganze Breite des Stroms. Die großen Elbbrücken am oberen Ende des Hafens und zwei →Elbtunnel für Fußgänger und Fahrzeuge dienen der Bewältigung des immer stärker werdenden Verkehrs.

Bevölkerung: Bis 1910 wuchs die Bev. im damaligen Stadtgebiet bereits auf über 1 Mio. Menschen an, 1964 war mit 1,857 Mio. Ew. der Höchststand erreicht. Danach einsetzende Bev.verluste durch eine niedrige Geburtenrate und Abwanderung konnten nur durch einen stetigen Zuzug von Ausländern und Zuzüge aus den neuen Bundesländern aufgefangen werden. 1995 waren 14,9% der Ew. Ausländer. 41% der Bev. gehören der evang. Kirche an, 10% der kath. (Erzbistum H., umfasst H., Schleswig-Holstein und Mecklenburg ohne Vorpommern) und 3% anderen christl. Kirchen; 4% sind Muslime (es gibt 23 Moscheen).

Institutionen: H. ist der Sitz mehrerer Bundeseinrichtungen, darunter Bundesforschungsanstalt für Fischerei, Bundesforschungsanstalt für Forst- und Holzwirtschaft, Bundesamt für Seeschifffahrt und Hydrographie, Biolog. Anstalt Helgoland, Dt. Wetterdienst (Seewetteramt) mit Meteorolog. Observatorium, Instrumentenamt und Flugwetterwarte. Mit dem Internat. Seegerichtshof nahm 1996 die erste UNO-Institution in Dtl. ihre Arbeit auf. Weitere wiss. Institutionen sind: Dt. Elektronen-Synchrotron (DESY), Max-Planck-Inst. für Meteorologie, Max-Planck-Inst. für ausländ. und internat. Privatrecht, Heinrich-Pette-Inst. für Experimentelle Virologie und Immunologie, UNESCO-Inst. für Pädagogik, Dt. Übersee-Inst., Bernhard-Nocht-Inst. für Schiffs- und Tropenkrankheiten, HWWA-Inst. für Wirtschaftsforschung, Schiffbauversuchsanstalt, Hans-Bredow-Inst. für Rundfunk und Fernsehen, Inst. für Friedensforschung und Sicherheitspolitik, Inst. für die Gesch. der dt. Juden, Joachim-Jungius-Ges. für Wiss. e.V., Hamburger Sternwarte, Univ. (gegr. 1919), TU H.-Harburg, mehrere FH, Hochschulen für Wirtschaft und Politik, für bildende Künste,

Hamburg
Wappen

Bürgerschaftswahlen in Hamburg 1991–97[1]

Parteien	2.6.1991	19.9.1993	21.9.1997
SPD	61; 48,0%	58; 40,4%	54; 36,2%
CDU	44; 35,1%	36; 25,1%	46; 30,7%
Die Grünen/GAL[2]	9; 7,9%	19; 13,5%	21; 13,9%
STATT-Partei	–; –	8; 5,6%	–; 3,8%
FDP	7; 5,4%	–; 4,2%	–; 3,5%
Andere	–; 4,3%	–; 11,2%	–; 11,7%[3]

[1] Sitzverteilung und Stimmenanteil der Parteien. – [2] seit 1993 Bündnis '90/Die Grünen. – [3] davon 4,9% für die DVU, 1,8% für die Republikaner.

für Musik und Theater, Univ. der Bundeswehr. Weitere kulturelle Einrichtungen sind Museen, darunter Kunsthalle (Erweiterungsbau von 1997), Museum für Kunst und Gewerbe, Museum für Völkerkunde, Museum für Hamburg. Gesch., Altonaer Museum/Norddt. Landesmuseum, Helms-Museum/Museum für Vor- und Frühgesch., »Hamburger Bahnhof, Museum für Gegenwart«, mehrere Bibliotheken, Planetarium, Staatsoper (älteste dt. Oper, gegr. 1678), Dt. Schauspielhaus, Thalia-Theater u.a. private Theater, Botan. Garten und Hagenbecks Tierpark.

Wirtschaft und Verkehr: H. hat als Handels-, Verkehrs- und Dienstleistungszentrum überregionale, z.T. weltweite Bedeutung und zählt zu den wichtigsten Ind.standorten in Dtl. H. ist Sitz von über 3000 Import- und Exportfirmen sowie 95 Generalkonsulaten, ist nach Frankfurt am Main wichtigster dt. Bankenplatz und gilt als ältester und heute größter dt. Versicherungsplatz; außerdem ist es eine wichtige Messe- und Kongressstadt (»Congress Centrum H.«). H. verfügt über eine Wertpapier-, Versicherungs- sowie zwei Warenbörsen. Ein bes. dynam. Dienstleistungszweig ist die Medienwirtschaft, in der H. in Dtl. führend ist (Presse- und Buchverlage, Musik- und Filmwirtschaft, Werbung und Design). Bed. sind der Seefischmarkt, Blumen-, Gemüse- und Obstgroßmärkte. In den Vier- und Marschlanden gibt es zahlr. Gartenbau- und Obstbaubetriebe. Bei der Wirtschaftsstrukturveränderung in den letzten Jahrzehnten entwickelten sich zukunftsträchtige Industriebranchen: zivile Luftfahrtind., Elektronik-, feinmechan. und opt. Ind. und der Maschinenbau im Vergleich zum traditionellen Schiffbau. Weitere wichtige Zweige sind die Mineralölverarbeitung, die chem. Ind., die Nichteisenmetall- und Nahrungsmittel- und Genussmittelind. (Kaffee, Tee u.a.). – H. ist, gemessen am Seegüterumschlag, der größte Seehafen in Dtl. und der viertgrößte in Europa. Gesamtfläche: 74 km^2. Mit dem Containerzentrum Waltershof gehört H. zu den sieben größten Containerhäfen der Erde. Mit dem Hinterland und der Ostsee ist H. durch Binnenwasserstraßen verbunden (Oberelbe, Elbe-Seitenkanal, Nord-Ostsee-Kanal). H. ist der größte Eisenbahnknotenpunkt im nördl. Europa (moderner Rangierbahnhof in Maschen); dichtes S- und U-Bahnnetz; internat. Flughafen Fuhlsbüttel.

Stadtbild: Einem Stadtbrand fielen 1842 zahlr. Gebäude zum Opfer; im 2. Weltkrieg richteten Luftangriffe schwere Zerstörungen an. Wiederhergestellt wurden u.a. die barocke Kirche Sankt Michaelis (1648–73, mehrfach restauriert, nach dem 2. Weltkrieg wieder aufgebaut), deren Turm (»Michel«) das Wahrzeichen der Stadt ist (daneben die Krameramtswohnungen von 1676/77). Auch die Türme der anderen vier Hauptkirchen blieben trotz Errichtung zahlr. Bürohochhäuser für die Silhouette der Stadt bestimmend: Sankt Jacobi (14.Jh.) mit Schnitgerorgel (1689–93), Sankt Katherinen (14./15. Jh.), Sankt Petri (14. Jh., nach dem Stadtbrand 1844–49 als neugot. Backsteinhallenkirche errichtet) und Sankt Nikolai, von der nur der Turm erhalten ist. Aus dem 19.Jh. stammen die Börse (1839–41) und die Staatsoper (19.Jh.). In der Altstadt sind das Rathaus (1886–97), die Ellerntorsbrücke und einige Häuser des 17./18.Jh. erhalten. Städtebaulich von großem Reiz ist die Umgebung der Binnenalster mit dem Jungfernstieg. An den Kanälen (Fleeten) des Freihafens liegt die 1884–1910 errichtete Speicherstadt im Stil des Historismus. Bauten des frühen 20.Jh. sind die Musikhalle (1904–08), die Landungsbrücken (1907–09) und der Elbtunnel (1907–11); von F. Schumacher das Postzollamt (1913–15) und das Museum für Hamburg. Geschichte (1914–23). Eines der eindrucksvollsten Beispiele der Architektur der 1920er-Jahre ist das Kontorhausviertel mit Chilehaus, Sprinkenhof, Shellhaus. Zahlr. Neubauten entstanden nach dem 2. Weltkrieg (u.a. Geschäftsbauten, Ladenpassagen). – Auch die Außenbezirke und Vororte verfügen über bemerkenswerte Baudenkmäler. In Altona wurde die barocke Hauptkirche wiederhergestellt; erhalten sind klassizist. Gebäude (1801–25) an der Palmaille, das Neue Rathaus (1896–98). In Blankenese befinden sich Villenbauten, u.a. von H. van de Velde, H. Muthesius und P. Behrens. In Wandsbek liegt das Schimmelmann-Mausoleum (1782–91), in Bergedorf die Kirche Sankt Petri und Pauli (um 1500 und 17.Jh.). – Weltbekannt ist das Vergnügungsviertel Sankt Pauli mit der Reeperbahn zw. Innenstadt und Altona.

Geschichte: H., 810 als fränk. Stützpunkt angelegt, wurde um 825 zur **Hammaburg** ausgebaut, 831 Bistum, 834 Erzbistum (→Ansgar), 845 Verlegung des Erzbistums nach Bremen. 1188 Erweiterung durch die Neustadt (ab 1189 Handels-, Zoll- und Schifffahrtsprivilegien auf der Niederelbe), 1215 Zusammenschluss von Alt- und Neustadt. Eines der ersten Mitgl. der Hanse (im 14.Jh. deren wichtigster Umschlagplatz zw. Nordsee- und Ostseeraum). Seit dem Spät-MA. durch den 1190 (?) erstmals nachweisbaren, vom Patriziat gewählten Rat regiert. Seit etwa 1460 und endgültig seit 1510 Reichsstadt. Einführung der Reformation 1529; 1558 Gründung der ersten Börse in Deutschland und im nördl. Europa. 1616–25 entstand die Befestigung. Kulturelle Blüte im 17./18.Jh. (u.a. 1678 Gründung der ersten dt. Oper; 1767 des Hamburg. Nationaltheaters). 1806 frz. Besetzung; trat 1815 als Freie Stadt dem Dt. Bund, 1867 dem Norddt. Bund und 1871 dem Dt. Reich, erst 1888 dem Dt. Zollverein bei. 1921 parlamentarisch-demokrat. Verf. (mit Senat und Bürgerschaft). 1933 nach Auflösung der Bürgerschaft einem nat.-soz. Reichsstatthalter unterstellt; 1937 durch Eingliederung von Altona (mit Blankenese), Harburg-Wilhelmsburg und Wandsbek sowie 28 Landgem. Bildung von **Groß-H.** (bei Ausgliederung von Cuxhaven und Geesthacht). Nach dem dt. Zusammenbruch 1945 wurde H. Teil der brit. Besatzungszone, 1949 Land der Bundesrep. Dtl. Führende Partei wurde die SPD, die seit 1946 meist den Ersten Bürgermeister stellt (u. a. 1946–53 und 1957–60 M. Brauer, 1974–81 H.-U. Klose, 1981–88 K. von Dohnanyi, 1988–97 H. Voscherau, seit 1997 O. Runde).

📖 Bracker, J.: *H. Von den Anfängen bis zur Gegenwart. Hamburg 1987.* – Klessmann, E.: *Geschichte der Stadt H. Hamburg* [7]*1994.* – Thede-Ottowell, A.-M.: *H. Vom Alsterhafen zur Welthafenstadt. Hamburg 1996.*

Hamburg-Amerika-Linie, Abk. **H. A. L.** (Hamburg-Amerikanische Packetfahrt-Actien-Gesellschaft, Abk. HAPAG), Hamburg, 1847 gegr. Reederei für Personen- und Frachtverkehr von Hamburg nach New York, zunächst mit Seglern, seit 1855 mit Dampfern. Bis zum 1. Weltkrieg größte Schifffahrtsges. der Welt (194 Ozeandampfer mit 1,36 Mio. BRT); das Schifffahrtsnetz bediente weltweit regelmäßig 400 Häfen; nach dem 1. Weltkrieg Wiederaufbau 1920–26 mit den »United American Lines« (Harriman-Gruppe), seit 1930 mit dem →Norddt. Lloyd. 1935 ging die Mehrheit an das Dt. Reich über. Nach der Reprivatisierung 1941 wurde der Nordatlantikdienst von der neu gegr. »Dt. Amerika Linie G.m.b.H.« übernommen. Neuaufbau 1949 mit dem Norddt. Lloyd und der Reederei E. Ruß, 1970 Fusion mit dem Norddt. Lloyd zur →Hapag-Lloyd AG.

Hamburger ['hæmbə:gə] *der,* aus den USA übernommene Bez. für eine flache Frikadelle, meist in ein Brötchen eingelegt und gewürzt.

Hamburger, Käte, Philosophin und Literaturhistorikerin, *Hamburg 21. 9. 1896, †Stuttgart 8. 4. 1992; emigrierte 1934 nach Schweden; Prof. in Stuttgart; bed. Beiträge zur Literaturtheorie und Ästhetik (»Logik der Dichtung«, 1957) sowie zum Wahrheitsbegriff (»Wahrheit und ästhetische Wahrheit«, 1979).

Hamburger Abkommen, Vereinbarung der Länder der Bundesrep. Dtl. zur Vereinheitlichung des allgemein bildenden Schulwesens (1964, letzte Fassung 1971); →Schule.

Hamburger Kultur, Kulturgruppe der jüngeren Altsteinzeit, ben. nach Fundplätzen (Artefakte eiszeitl. Rentierjäger) am N-Rand von Hamburg.

Hamburgische Landesbank Girozentrale [-'ʒiro-], öffentlich-rechtl. Kreditinstitut, gegr. 1938; Sitz: Hamburg.

Hamburgisches Wattenmeer, Nationalpark (seit 1990) an der Nordseeküste, 11 700 ha, zw. dem Niedersächs. und dem Schleswig-Holstein. Wattenmeer.

Hamburg-Mannheimer Versicherungs-AG, Hamburg, gegr. 1899, betreibt Lebens- und Unfallversicherungen aller Art.

Hamburg-Wechsler-Intelligenztest, Abk. **HAWI,** dt. Bearbeitung des →Wechsler-Tests zur Prüfung der Intelligenz von Kindern (HAWIK) und Erwachsenen (HAWIE), standardisiert vom Psycholog. Inst. der Univ. Hamburg. Er besteht aus einem Verbal- und einem Handlungsteil.

Häme, 1) (schwed. Tavastland), histor. Landschaft in S-Finnland, umfasst den waldreichen SW der Finn. Seenplatte, die heutigen Provinzen Keski-Suomi und Häme.

2) (schwed. Tavastehus) Provinz in Finnland; 19 802 km², (1994) 724 600 Ew.; Verw.sitz ist Hämeenlinna.

Hämeenlinna (schwed. Tavastehus), Hptst. der finn. Prov. Häme, am Vanajasee, 44 200 Ew.; Schul- und Garnisonsstadt; Sibelius-Haus; Textilind., Druckereien, Kaltwalzwerk; Fremdenverkehr. – Im 14. Jh. um eine Burg (heute Museum) entstanden, wurde 1638 schwed. Festung.

Hamel, Peter Michael, Komponist, *München 15. 7. 1947. Seine Musik verbindet, inspiriert durch Reisen nach Asien, europ. und asiat. Klangelemente; Orchester-, Vokal- und Kammermusik sowie Bühnenwerke.

Hameln
Stadtwappen

Hameln, Krst. des Landkreises H.-Pyrmont, Ndsachs., an der Weser; 58 800 Ew.; Institut für Solarenergie; Museum; Elektro-, Teppich-, Nahrungsmittel-, chem. Ind., Maschinen- und Getriebebau; Fremdenverkehr. – Im späten 16. und im 17. Jh. entwickelte sich H. zum Mittelpunkt der Weserrenaissance; Werksteinbauten (Rattenfängerhaus, 1602/03; Dempterhaus, 1607/08; Hochzeitshaus, 1610–17) und Fachwerkhäuser (u. a. Stiftsherrenhaus, 1558) bestimmen das Bild der Altstadt. Die Münsterkirche St. Bonifatius ist eine got. Hallenkirche; Marktkirche St. Nikolaus (13. Jh., 1957/58 verändert wieder aufgebaut). Bekannt ist die Sage vom →Rattenfänger von Hameln. – In günstiger Verkehrslage bestand schon in sächs. Zeit eine Siedlung; H. (um 1200 Stadtrechte) gehörte zunächst zur Abtei Fulda und kam 1277 zum Herzogtum Braunschweig-Lüneburg (später Hannover; bis 1866).

Käthe Hamburger

Hameln-Pyrmont, Landkreis im RegBez. Hannover, Ndsachs.; 796 km², (1996) 163 600 Ew.; Verw.sitz: Hameln.

Hamersley Range ['hæməzlɪ 'reɪndʒ], Gebirgszug in Westaustralien, im Mount Bruce 1235 m ü. M.; Teil der Bergbauregion →Pilbara mit bed. Eisenerzlagern.

Hamhŭng, Hptst. der nordkorean. Provinz Hamgyŏngnam, nordwestlich von Hŭngnam (gemeinsames Wirtschaftsgebiet), 775 000 Ew.; Hochschulen; Eisen- und Stahl-, Textil- und Nahrungsmittelind., Maschinen- und Fahrzeugbau.

Hami (Chami, Kumul), Oasenstadt im O der chines. Autonomen Region Sinkiang, 860 m ü. M., etwa 50 000 Ew., Kreuzungspunkt wichtiger Karawanenstraßen mit der Eisenbahn Peking–Ürümqi; Flugplatz.

Alexander Hamilton

Hämiglobin [grch.-lat.] *das* (Methämoglobin), ein dreiwertiges Eisen enthaltender Blutfarbstoff, der durch Oxidation aus dem →Hämoglobin entsteht, aber keinen Sauerstoff binden kann. H. kann durch ein in den Blutzellen vorkommendes Enzym wieder zu dem für die Atmung allein verwertbaren, zweiwertiges Eisen enthaltenden Hämoglobin reduziert werden. Zu vermehrter Bildung von H. kann es unter dem Einfluss von Arzneimitteln und Chemikalien kommen.

Hamilkar Barkas, karthag. Heerführer, *um 290, ⚔ Spanien 229/228 v. Chr., Vater Hannibals; führte im 1. Pun. Krieg 247–241 einen für die Römer verlustreichen Kleinkrieg in W-Sizilien; ging 237 nach Spanien, dessen südl. Teil er für Karthago eroberte.

William Rowan Hamilton

Hamilton ['hæmɪltən], **1)** Stadt in Schottland, südlich von Glasgow, 51 500 Ew.; Zentrum der Local Authority South Lanarkshire; Metall-, Elektro-, Teppich- und Wirkwarenind.; Marktzentrum. Kohlenbergbau bis 1947.

2) Hafen- und Industriestadt in der kanad. Provinz Ontario, am W-Ende des Ontariosees, 318 500 Ew.; Univ., Kunstgalerie; Eisen- und Stahlind., Gummiwaren- und chem. Ind., Maschinenbau.

3) Hptst. der Bermudainseln, auf Hamilton Island, 1100 Ew.; kath. Bischofssitz; Hafen. – 1790 gegr., seit 1815 Verw.sitz.

Richard Hamilton: »Lobby« (1985-87; Privatbesitz)

Lady Emma Hamilton: Gemälde von George Romney (um 1785)

4) Stadt auf der Nordinsel Neuseelands, am Waikato River, 153 800 Ew.; Univ.; Nahrungsmittelind., Brauerei, Landmaschinenbau. In der Nähe, in Ruakura und Rukuhia, landwirtsch. Forschungsstationen.

5) Mount H., Berg in Kalifornien, USA, in der Diablo Range des Küstengebirges, 1333 m ü. M.; →Lick-Sternwarte.

Hamilton ['hæmɪltən], **1)** Alexander, amerikan. Politiker, *Insel Nevis (Kleine Antillen) 11. 1. 1755 (1757?), †(an den Folgen eines Duells) New York 12. 7. 1804; im Nordamerikan. Unabhängigkeitskrieg 1777–81 Adjutant G. Washingtons, danach Anwalt in New York; hatte 1787 wesentl. Anteil an der Schaffung der neuen Verf. der USA. Als Führer der Federalist Party trat er für eine starke Bundesgewalt ein; als erster Schatzmin. der USA (1789–95) ordnete er das durch den Unabhängigkeitskrieg zerrüttete Finanz- und Wirtschaftsleben (Gründung einer Nationalbank); Gegner des demokrat. Programms von T. Jefferson.

2) Lady Emma, geb. Lyon, *Great Neston (Cty. Cheshire) um 1765, †Calais 15. 1. 1815; seit 1791 ⚭ mit dem brit. Gesandten in Neapel, Sir William H. (*1730, †1803); Vertraute der Königin Karoline von Neapel-Sizilien, 1798–1805 Geliebte Admiral H. Nelsons.

3) Richard, brit. Maler, *London 24. 2. 1922; Hauptvertreter der engl. Pop Art, verwendet in seinen Werken Fotografien und Bildzitate der Medien und der Werbung.

4) Sir (seit 1816) William, schott. Philosoph, *Glasgow 8. 3. 1788, †Edinburgh 6. 5. 1856; zunächst Jurist, bildete Lehren der schott. Schule (→englische Philosophie) und I. Kants weiter; einer der Wegbereiter der Algebra der Logik. Schrieb: »Discussions on philosophy and literature« (1846), »Lectures on metaphysics and logic«, 4 Bde. (1849/50).

5) Sir (seit 1835) William Rowan, irischer Mathematiker und Physiker, *Dublin 4. 8. 1805, †Dunsink (bei Dublin) 2. 9. 1865; entwickelte die geometr. Optik aus →Extremalprinzipien, übertrug dieses Konzept auf die klass. Mechanik **(H.-Prinzip)** und führte die Kräftefunktion in die Dynamik ein; führte 1843 die →Quaternionen als Verallgemeinerung der komplexen Zahlen ein.

Hamilton-Jacobi-Theorie ['hæmɪltən-; nach W. R. Hamilton und C. G. J. Jacobi], besondere mathemat. Formulierungsweise der mechan. Bewegungsgleichungen, die deren Integration wesentlich erleichtert. In der H.-J. T. spielt die **Hamilton-Funktion** $H = H(q_i, p_i, t)$ der verallgemeinerten Koordinaten q_i und Impulse p_i eine wichtige Rolle. In abgeschlossenen Systemen ist H die Summe aus potentieller und kinetischer Energie; in der Quantenmechanik, bei der an die Stelle der klass. Größen die entsprechenden Operatoren treten, geht sie in den **Hamilton-Operator** $\hat{H}$ (Energieoperator) über. Dieser charakterisiert ein quantenmechan. System vollständig.

Hämin [grch.] *das,* eisenhaltiger Porphinfarbstoff.

Hamiten, im A.T. die auf die vier Söhne Hams zurückgehenden Völker, die N-Afrika und S-Asien bewohnten. Danach Bez. (heute veraltet) für eine Sprach- und Völkergruppe in N- und NO-Afrika.

hamitosemitische Sprachen (afroasiatische Sprachen, früher Hamitensprachen), afrikanische Sprachfamilie, in N-, NO- und Zentralafrika verbreitet, rd. 250 Sprachen. Die Zweige sind in sich unterschiedlich strukturiert. Semitisch: Gruppe eng verwandter Sprachen mit z.T. langer Überlieferung; Ägyptisch: nur eine Sprache, die mit ihrer Nachfolgerin, dem Koptischen, die längste ununterbrochene schriftl. Tradition hat; Berbersprache: existiert in etwa 300 Dialekten; kuschit. und tschad. Sprachen: zahlr., nur wenig erforschte Sprachen. (→afrikanische Sprachen)

Hamlet, Prinz der altdän. Sage. Die älteste Aufzeichnung der bereits in der Lieder-Edda erwähnten Sage findet sich bei Saxo Grammaticus. Ein nicht erhaltenes, T. →Kyd zugeschriebenes H.-Drama **(Ur-Hamlet)** scheint Vorlage für Shakespeares Tragödie »H., Prinz von Dänemark« gewesen zu sein, die in zwei Versionen (1603 und 1604) überliefert ist: Prinz H. erhält vom Geist seines kurz zuvor vom eigenen Bruder Claudius ermordeten Vaters, des Königs von Dänemark, den Auftrag, das an ihm begangene Verbrechen zu rächen. Der Mörder hatte sich des Throns bemächtigt und die Witwe des Königs geheiratet. H., bei Shakespeare ein sensibler Grübler, führt den Auftrag schließlich aus, findet jedoch in einem Zweikampf selbst den Tod. Neuere Bearbeitungen des H.-Stoffes schufen F. Freiligrath, A. Döblin, G. Hauptmann, K. Gutzkow, T. Stoppard, G. Britting und Heiner Müller.

📖 LOQUAI, F.: *H. u. Deutschland. Zur literar. Shakespeare-Rezeption im 20. Jh. Stuttgart u. a. 1993.*

Hamm, kreisfreie Stadt im RegBez. Arnsberg, NRW, zu beiden Seiten der Lippe, am NO-Rand des Ruhrgebietes, 182 800 Ew.; Bergamt; Institut für Heilpädagogik, Studienzentrum der Fernuniv. Hagen; in umfangreichen Parks Museen, Freilichtbühne und Ausstellungsgelände, im Maximilianspark der Glaselefant von Horst Rellecke (*1951); wichtiger Bahnknotenpunkt und großer Rangierbahnhof; Steinkohlenbergbau (u.a. im 1975 eingemeindeten Bockum-Hövel), Brauerei, Draht-, Eisenind., Röhrenwerke, Maschinenbau, chem., Nahrungsmittelind.; das Kernkraftwerk in Uentrop wurde 1991 endgültig stillgelegt. Der Hafen ist Endpunkt des **Datteln-H.-Kanals.** – 1227 als planmäßige Siedlung gegr., 1279 Stadtrechtsbestätigung; im 15. Jh. Mitgl. der Hanse; fiel 1614/66 an Brandenburg-Preußen (bis 1809 Hptst. der Grafschaft Mark).

Hamm
Stadtwappen

Hamm: Über der Ruine eines Zechengebäudes im Maximilianpark baute Horst Rellecke 1983–84 den Glaselefanten

Hammada [arab. »die Unfruchtbare«] *die* (Hamada), in der Sahara Bez. für eine mit grobem und kantigem Gesteinsschutt bedeckte Wüstenebene.

Hammamet, Stadt in Tunesien, am Golf von H., südöstlich von Tunis, 47 000 Ew.; Fischereihafen; großes Seebadezentrum. – Die ummauerte Altstadt mit Hauptmoschee und Kasba wurde im 15. Jh. von span. Mauren neu angelegt.

Hammam Lif, Heil- und Seebad in N-Tunesien, 17 km südöstlich von Tunis, 47 000 Ew.; radioaktive Thermalquellen.

Hammarskjöld [-ʃœld], Dag, schwed. Politiker, *Jönköping 29. 7. 1905, †(ungeklärter Flugzeugabsturz) bei Ndola (Sambia) 18. 9. 1961; Jurist und Volkswirtschaftler, 1941–48 Präs. der Reichsbank, 1951–53 stellv. Außenminister. Als Gen.-Sekr. der UNO (seit 1953) versuchte er deren Rolle

Dag Hammarskjöld

als friedensstiftende Macht durchzusetzen. 1961 erhielt H. postum den Friedensnobelpreis.

📖 HOFFMANN-HERREROS, J.: *D. H. Politiker – Schriftsteller – Christ. Mainz 1991.*

Hammer

Lange nachdem ihre Christianisierung begonnen hatte, behauptete sich das Symbol des Hammers noch bei den Wikingern. Der Hammer war das Zeichen Donars bzw. Thors, des Donnergotts, der Siedlung, Haus und Familie beschützte. Er war der Freund der Menschen und der Feind der Riesen. Zudem fungierte er als Wettergott und war auch auf Seefahrten behilflich, wenn es z. B. galt, einen geeigneten Landeplatz zu finden. Sein Attribut, der Hammer, war fest im Alltag verankert. Man maß mit Hammerwürfen, weihte Hausschwellen und Wegsteine mit ihm und trug ihn als Amulett um den Hals.

Hildegard Hamm-Brücher

Hamm-Brücher, Hildegard, Politikerin (FDP), *Essen 11. 5. 1921; war 1969–72 Staatssekretärin im Bundesministerium für Bildung und Wiss., 1972–76 stellv. Bundesvors. der FDP, 1976–82 Staatsministerin im Auswärtigen Amt, 1976–90 MdB, bewarb sich 1994 um das Amt des Bundespräsidenten.

Hammel (Schöps), *Tierzucht:* zum Zweck der Mästung kastriertes männl. Schaf.

Hammelburg, Stadt im Landkr. Bad Kissingen, Bayern, an der Fränk. Saale, 12 300 Ew.; Weinbau (seit dem 8. Jh.); Metallverarbeitung; Bundeswehrstandort. – Kath. Pfarrkirche (1389–1461), Kellereischloss (1726 ff.). – Seit 1277 als Stadt bezeichnet.

Hammerfest Stadtwappen

Hammelsprung, parlamentar. Abstimmungsverfahren, bei dem die Abgeordneten den Sitzungssaal durch die »Ja«- oder »Nein«-Tür oder durch eine dritte Tür (bei Stimmenthaltung) betreten müssen. Die Schriftführer zählen die Eintretenden laut. Der H. erfolgt nur, wenn sich das Parlamentspräsidium über das Abstimmungsergebnis auch nach der →Gegenprobe nicht einig ist.

Hammerfest: Blick auf das nach 1945 wieder aufgebaute Stadtzentrum, ganz links im Bild die neue Kirche

Hammer, 1) *Anatomie:* mit dem Trommelfell und dem Amboss verbundenes Gehörknöchelchen im →Ohr.

2) *Technik:* Schlagwerkzeug; besteht aus **H.-Kopf** und **H.-Stiel** (Helm), der meist mithilfe eines Keils im »Auge« des Kopfes befestigt ist. Die breite Schlagfläche des meist stählernen Kopfes heißt **Bahn,** die spitze oder schmale Fläche **Finne (Pinne).** H. werden als Hand-H. betrieben oder als Maschinen-, Druckluft-, Elektrohammer.

Hammerfest, Hafenstadt in N-Norwegen, auf der Insel Kvaløy unter 70°38' n. Br. (nördlichste Stadt Europas), 7 400 Ew.; Robbenschlag, Fischfang; Konservenfabrik; Fremdenverkehr; eisfreier Hafen. – Im 2. Weltkrieg durch dt. Truppen niedergebrannt; Wiederaufbau in Steinbauweise.

Hammerhai, →Haie.

Hammerklavier (Hammerflügel), →Klavier.

Hammer-Purgstall, Joseph Freiherr von (seit 1835), österr. Orientalist, Dichter und Historiker, *Graz 9. 6. 1774, †Wien 23. 11. 1856; gab Europa entscheidende Impulse zur Erforschung des islam. Orients. Seine Übersetzung des »Diwan des Hafis« (1812) regte Goethe zum »West-östl. Divan« an.

Hammerschlag, 1) *Textilien:* wie gehämmert aussehendes Muster, v. a. beim **Taft-Cloqué,** einem Kleiderkrepp aus Wolle oder Chemiefasern.

2) *Werkstoffkunde:* die beim Hämmern oder Schmieden von glühendem Stahl abspringenden feinen Teilchen aus →Zunder.

Hammerstein-Equord [-'e:kvɔrt], Kurt Freiherr von, Generaloberst (1934), *Hinrichshagen (Kr. Müritz) 26. 9. 1878, †Berlin 25. 4. 1943; 1930–34 Chef der Heeresleitung; nach seinem Rücktritt 1934 aktiv in militär. Widerstandskreisen; zu Beginn des 2. Weltkrieges Oberbefehlshaber der Armeegruppe A an der Westfront; wurde entlassen, bevor er die geplante Festnahme Hitlers durchführen konnte.

Hammerwerfen, *Leichtathletik:* Weitwurfdisziplin, bei der aus einer Drehbewegung heraus ein Wurfhammer aus einem Kreis von 2,135 m Durchmesser geschleudert wird und innerhalb eines Wurfsektors von 40° aufkommen muss. Der Wurfhammer besteht aus einem Kopf, dem Verbindungsdraht von mindestens 3 mm Dicke aus Stahl und einem dreieckförmigen Handgriff. Das Gesamtgewicht des Geräts beträgt 7,26 kg.

Hammerzehe, angeborene oder erworbene Abknickung einer (meist der zweiten) Zehe im Mittelgelenk.

Hammett ['hæmɪt], Dashiell, amerikan. Schriftsteller, *in der Cty. Saint Marys (Md.) 27. 5. 1894, †New York 10. 1. 1961; mit R. Chandler Schöpfer des modernen Kriminalromans (»hard boiled novel«), u. a. »Bluternte« (1929), »Der Malteser Falke« (1930), »Der dünne Mann« (1934). Die spröden Dialoge seiner einsamen Detektive und patholog. Delinquenten prägten Filme der »schwarzen Serie« nach seinen Vorlagen.

Hamminkeln, Stadt (seit 1995) im Kr. Wesel, NRW, 26 800 Ew.; Maschinenbau u. a. Industrie.

Hammond ['hæmənd], Stadt in Indiana, USA, nahe dem Michigansee, 84 200 Ew.; Stahlind., Maschinenbau, Erdölraffinerien.

Hammondorgel ['hæmənd-, engl.], mechanisch-elektron. Tasteninstrument, enthält für jeden Ton eine gleichmäßig rotierende Profilscheibe mit elektromagnet. Tonabnehmer; zahlr. elektron. Einrichtungen gestatten vielfältige Klangeffekte; 1934 von dem amerikan. Ingenieur Laurens Hammond (* 1895, † 1973) entwickelt.

Hammurapi (Chammurapi, Hammurabi), König von Babylonien (1728–1686 v. Chr.), aus der 1. Dynastie von Babylon, einer der bedeutendsten altoriental. Herrscher; eroberte Larsa, Eschnunna und Mari und schuf ein ganz Mesopotamien umfassendes Reich. H. kodifizierte das Straf-, Zivil- und Handelsrecht. Seine in altbabylon. Sprache abgefasste und auf einer Dioritstele eingemeißelte Gesetzessammlung, der **Codex H.,** wurde 1902 in Susa gefunden (heute im Louvre, Paris).

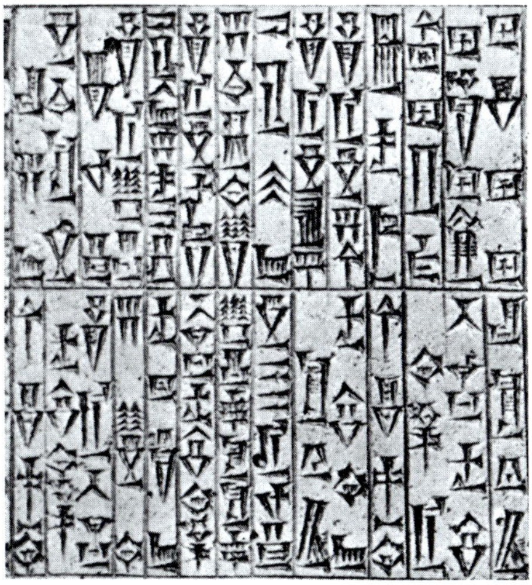

Hammurapi: Ausschnitt aus dem auf einer Dioritstele eingemeißelten »Codex Hammurapi«, der wichtigsten Gesetzessammlung des Alten Orients (Paris, Louvre)

hämo... [vgl. häm...], blut...

Hämoblastosen [grch.] (volkstümlich Blutkrebs), Sammelbez. für bösartige Erkrankungen des Blut bildenden Systems, i. e. S. die Formen der Leukämie, i. w. S. auch Retikulose, bösartiges Lymphom, Lymphogranulomatose und Plasmozytom.

Hämochromatose [grch.] *die* (Siderophilie, Eisenspeicherkrankheit), vermehrte Eisenablagerung im Organismus mit Dunkelfärbung der Haut und Diabetes (Bronzediabetes) sowie Funktionsstörung zahlr. Organe; erbl. Stoffwechselstörung oder nach vermehrter Eisenzufuhr.

Hämocyanin [grch.] *das,* bei Sauerstoffzutritt bläulich gefärbter, sonst farbloser bis schwach gelber kupferhaltiger Bestandteil des Blutes niederer Tiere; transportiert Sauerstoff.

Hämodialyse [grch.], →künstliche Niere.

Hammurapi

Eine Reihe der insgesamt 282 Rechtssätze der Gesetzessammlung des Codex Hammurapi beschäftigt sich mit der Herstellung von Bier. Bierpreis und -zuteilung waren staatlich geregelt. So standen den Hofdamen von König Hammurapi täglich drei Liter zu. Das Anrecht auf das Höchstmaß hatten die babylonischen Provinzverwalter und die Hohepriester: fünf Liter pro Tag.

Hämodynamik [grch.], Lehre von den physikal. Grundlagen der Blutbewegung, im Wesentlichen der die Mechanik der Herz- und Gefäßfunktion umfassende Teil der Physiologie des Blutkreislaufs.

Hämoglobin *das,* Abk. **Hb,** aus einem Eiweißanteil, dem Globin, und einem eisenhaltigen Farbstoffanteil, dem Häm, bestehendes Chromoproteid, das als das am weitesten verbreitete Atmungspigment (roter Blutfarbstoff) im Blut aller Wirbeltiere (einschließlich Mensch) sowie auch bei manchen Wirbellosen vorkommt. Die Funktion des H. besteht sowohl darin, in den Atmungsorganen Sauerstoff aufzunehmen und an die Orte des Verbrauchs im Körpergewebe zu transportieren, als auch darin, das dort gebildete Kohlendioxid aufzunehmen und den Atmungsorganen zuzuführen, wo es nach außen freigesetzt wird. Bei vielen Wirbellosen tritt das H. frei im Blutplasma auf. Bei den Wirbeltieren ist das H. nur in roten Blutkörperchen (Erythrozyten) enthalten (etwa 95 % der Trockensubstanz); im Blutplasma ist H. normalerweise an →Haptoglobine gebunden. Das menschl. H. hat eine Molekularmasse von etwa 68 000; seine beiden α-Ketten enthalten je 141, seine beiden β-Ketten je 146 Aminosäuren bekannter Sequenz. – Kohlenmonoxid wird vom H. wesentlich fester gebunden als Sauerstoff und verdrängt diesen, worauf die hohe Giftigkeit schon geringer CO-Mengen beruht. – Bei den meisten Säugetieren unterscheidet sich das fetale vom mütterl. H. durch eine höhere Bindungsfähigkeit für Sauerstoff, wodurch die O_2-Versorgung des Fetus sichergestellt wird. – 5,5 Liter des menschl. Blutes enthalten etwa 745 (bei der Frau) bis 820 g (beim Mann) H.; ein zu niedriger H.-Gehalt führt zur →Anämie. BILD S. 84

Hämoglobinämie [grch.-lat.] *die,* das Auftreten größerer Mengen freien Hämoglobins im Blut,

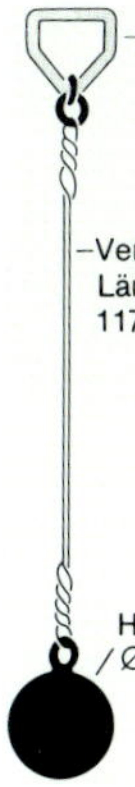

Hammerwerfen: Wurfhammer

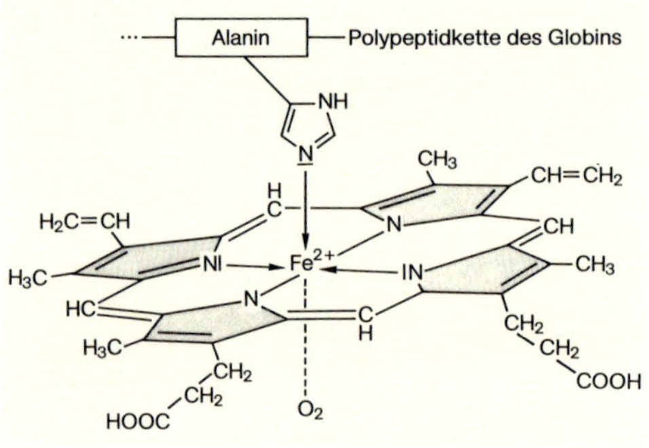

Hämoglobin: Struktur der Hämgruppe

durch Austritt des Hämoglobins aus den roten Blutkörperchen infolge von →Hämolyse. Ein Teil des freien Hämoglobins ist im Blut an bestimmte Globuline (Haptoglobine) gebunden. Reicht die Bindungsfähigkeit nicht mehr aus, kommt es zur →Hämoglobinurie.

Hämoglobinopathien [grch.-lat.], Gruppe erbl. Blutkrankheiten, bei denen das Globin (Eiweißkomponente des Hämoglobins) eine gegenüber dem normalen Blutfarbstoff abnorme Zusammensetzung aufweist. Bei den mischerbigen (heterozygoten) Formen entwickelt sich gewöhnlich nur eine leichte hämolyt. Anämie (Blutarmut infolge verkürzter Lebensdauer der roten Blutkörperchen), während die reinerbigen (homozygoten) H. meist stärker ausgeprägt sind. Die Krankheitszeichen sind u.a. Müdigkeit, Schwäche, Atemnot. Häufige H. sind die →Sichelzellenanämie und die →Thalassämie.

Hämoglobinurie [grch.-lat.] *die,* Ausscheidung des aus den roten Blutkörperchen herausgelösten Hämoglobins im Harn im Unterschied zur →Hämaturie. Häufigste Ursache der H. sind Vergiftungen (auch Pilzvergiftungen), schwere Infektionskrankheiten (z.B. Sepsis, Typhus) und Komplikationen bei Bluttransfusionen.

Lionel Hampton

Hämolymphe, meist farblose, dem Blut vergleichbare Körperflüssigkeit wirbelloser Tiere (z.B. Gliederfüßer, Weichtiere) mit offenem Blutgefäßsystem. H. umspült alle Organsysteme in der Leibeshöhle direkt.

Hämolyse [grch.] *die,* Auflösung der roten Blutkörperchen infolge der Zerstörung ihrer Hüllmembran. Ursachen sind Formabweichungen der roten Blutkörperchen, Antigen-Antikörper-Reaktionen, Einwirkung von Giften und Strahlung.

Hämophilie [grch.] *die,* die →Bluterkrankheit.

Hämoptoe [grch.] *die* (Hämoptyse), der →Bluthusten.

Hämorrhagie [grch.] *die,* die →Blutung.

hämorrhagische Diathese, das →Blutungsübel.

Hämorrhoiden [grch.], sackartige, zuweilen knotenförmige Erweiterungen der Venen im unteren Mastdarm- und Afterbereich. H. entstehen meist auf der Grundlage einer anlagebedingten Bindegewebsschwäche durch Druckerhöhung im Bauchraum, also etwa durch Pressen (bes. bei hartem Stuhlgang). **Äußere H.** sitzen außerhalb des Afterschließmuskels. Sie schwellen beim Pressen gewöhnlich zu weichen Knoten an. **Innere H.** sind innerhalb des Afterschließmuskels lokalisiert. Anfangs machen sie keine Beschwerden, doch bluten sie häufig, v.a. bei hartem Stuhl. – *Behandlung:* Stuhlregulierung (viel Bewegung, ballaststoffreiche Kost) und Anwendung schmerzlindernder, entzündungshemmender Zäpfchen oder Salben; bei stärkerer Ausprägung ist eine Verödung durch Injektion oder operative Entfernung erforderlich.

📖 KRÄCHER, E.: *H. u. Co. Erkrankungen am Darmausgang. Köln 1994.*

Hämosiderin [grch.] *das,* eisenhaltiger Proteinkomplex, der durch Zerfall des Blutfarbstoffs (Hämoglobin) nach Blutaustritt ins Gewebe, z.B. beim Bluterguss, gebildet wird. H. ist auch normaler Bestandteil vieler Organe, bes. von Leber und Milz, dient neben →Ferritin der Eisenspeicherung im Organismus.

Hämosporidilen [grch.] (Hämosporidia), Ordnung der Sporentierchen; Blutparasiten, darunter die Erreger der Malaria.

Hämostase [grch.] *die,* die →Blutstillung.

Hampe, Karl, Historiker, *Bremen 3. 2. 1869, †Heidelberg 14. 2. 1936; schrieb, ausgehend von krit. Quellenforschung, u.a. »Dt. Kaisergesch. in der Zeit der Salier und Staufer« (1909), »Herrschergestalten des dt. MA.« (1927).

Hampshire ['hæmpʃɪə], Cty. in S-England, 3777 km², (1991) 1,51 Mio. Ew.; Verw.sitz: Winchester.

Hampstead ['hæmpsted], Stadtteil im NW Londons.

Hampton ['hæmptən], Stadt in SO-Virginia, USA, 133800 Ew.; Armee- und Luftwaffenstützpunkt; Forschungszentrum der NASA; Lkw-Montage (Daimler-Benz), Fischkonservenind.; Hafen am N-Ufer der Hampton Roads, Teil des Mündungsgebietes des James River in den Atlantik.

Hampton ['hæmptən], Lionel, amerikan. Jazzmusiker (Schlagzeuger, Vibraphonist, Pianist), *Louisville (Ky.) 12. 4. 1909; als Mitgl. des Benny-Goodman-Quartetts (1936–40) führte H. erstmals das Vibraphon als vollgültiges Jazzinstrument ein; leitete 1940–65 ein sehr populäres Orchester, mit dem er v.a. Rhythm and Blues und Swing spielte.

Hamster (Cricetini), Gattungsgruppe 5–35 cm körperlanger Nagetiere (Familie Wühler) mit 16 Arten in Eurasien; Körper gedrungen mit mäßig langem bis stummelartigem Schwanz und meist großen Backentaschen, in denen die Tiere Nahrungsvorräte (v.a. Getreidekörner) für den Winterschlaf in ihre unterird. Wohnbauten eintragen. – In Mitteleuropa kommt nur der **Feldhamster** (Cricetus cricetus) vor; Körper etwa 30 cm lang; er unterbricht seinen Winterschlaf etwa alle fünf Tage, um zu fressen. → Goldhamster

Hamster: Feldhamster (Körperlänge etwa 30 cm)

Hạmsun, 1) Knut, eigtl. Pedersen, norweg. Schriftsteller, *Lom (Gudbrandsdal) 4. 8. 1859, †Gut Nørholm bei Grimstad (Aust-Agder) 19. 2. 1952, ⚭ mit 2); führte in der Jugend ein Wanderleben (1883–85 und 1886–88 in den USA). Seine Werke zeigen starkes Naturgefühl, Glaube an eine alles durchwaltende Lebenskraft. H. gestaltet oft das Irrationale im Handeln seiner einsamen Figuren (»Hunger«, R., 1890; »Mysterien«, R., 1892; »Pan«, R., 1894; »Victoria«, Nov., 1898; »Schwärmer«, R., 1904. 1920 erhielt er den Nobelpreis für seinen Roman »Segen der Erde« (2 Bde., 1917). Spätere Werke stellen das Altersproblem dar, auch den Übergang der bäuerl. Gesellschaft in die moderne Zivilisation, der der Erzähler skeptisch gegenübersteht (R.-Trilogie »Landstreicher«, »August Weltumsegler«, »Nach Jahr und Tag«, 1927–33); auch Dramen, Erinnerungen. H., der die Besetzung Norwegens durch Dtl. begrüßte, wurde 1948 wegen Landesverrats verurteilt.

Knut Hamsun

📖 FERGUSON, R.: *K. H. Leben gegen den Strom. A. d. Engl. München u. a. 1990.* – HAMSUN, T.: *Mein Vater K. H. A. d. Norweg. Neuausg. München 1993.*

2) Marie, geb. Andersen, norweg. Schriftstellerin, *Elverum (Hedmark) 19. 11. 1881, †Gut Nørholm bei Grimstad (Aust-Agder) 5. 8. 1969; seit 1909 ⚭ mit 1); schilderte liebevoll und anschaulich das Leben und Fühlen der Kinder (»Die Langerudkinder«, 1925) sowie Erinnerungen an Knut H.

Hamụn-e Hẹlmand, brackiger See und Salztonebene im iranisch-afghan. Grenzgebiet, in das der Helmand mündet, rd. 500 m ü. M.

Hạn [x-], oriental. Herberge, Karawanserei.

Hạn (Chinesen, Hanchinesen), das Staatsvolk von China. In der VR China machen die H. etwa 91 % der Bev. aus, in Taiwan 98 %, insgesamt in Ostasien etwa 1,1 Mrd. Menschen. Als Auslandschinesen (z. T. naturalisiert) leben viele H. in SO-Asien, bes. in Thailand (5 Mio.), Malaysia (5 Mio.), Indonesien (4 Mio.) und Singapur (2 Mio.).

Hạn, Name mehrerer Dynastien in China (→ China, Geschichte).

Hạn, Ulrich (latinisiert Udalricus Gallus), Buchdrucker, *Ingolstadt um 1425, †Rom 1479 (1480?); druckte seit 1467 in Rom über 100 Schriften; war der zweite Drucker, der Holzschnitte (1467), und der erste, der Musiknoten (im »Missale Romanum« von 1476) druckte.

Hanau 1) Stadtwappen

Hạnau, 1) Krst. des Main-Kinzig-Kreises, Hessen, an der Mündung der Kinzig in den Main, 88 900 Ew.; Sitz der dt. Gesellschaft für Goldschmiedekunst, Zeichenakademie für das Edelmetallgewerbe, Histor. Museum, Verkehrsknotenpunkt im Rhein-Main-Ballungsraum und Handelshafen; Reifen- und Schaumgummiwerke, Schmuckherstellung, opt. und feinmechan. Ind., Herstellung von Quarzlampen. – Spätgot. Marienkirche (15./16. Jh.), Niederländisch-Wallon. Kirche (17. Jh.), Altstädter Rathaus (16. Jh.; heute Dt. Goldschmiedehaus) mit Justitiabrunnen, Neustädter Rathaus (18. Jh.); Schloss Philippsruhe (1701–12) im frz. Barockstil; vollständig erhaltene Kur- und Badeanlagen in **Wilhelmsbad** (1777–82). – 1143 erstmals erwähnt, 1303 zur Stadt erhoben; 1597 angesiedelte Niederländer und Wallonen brachten Wohlstand; 1736 an Hessen-Kassel; erlitt 1945 schwere Zerstörungen.

2) ehem. Grafschaft. Die Herren von Dorfelden (1166 erwähnt) nannten sich seit 1191 nach der Burg H. (am Main) und wurden 1429 Reichsgrafen; 1736 erloschen. 1458–1625 Grafschaftsteilung in die ältere Linie **H.-Lichtenberg,** die 1480 Besitzungen v.a. im Unterelsass erbte (1736 an Hessen-Darmstadt; elsäss. Gebiete 1697 an Frankreich; rechtsrhein. Gebiete 1803 an Baden), und die Linie **H.-Münzenberg** (1736 an Hessen-Kassel).

Hanau 1): Das im 16. Jh. erbaute Altstädter Rathaus mit Justitiabrunnen fungiert heute als Deutsches Goldschmiedehaus

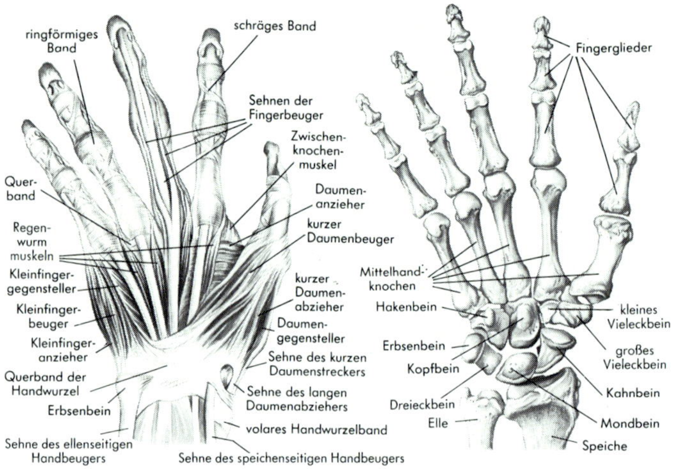

Hand: Muskeln (links) und Knochen der Innenseite der rechten Hand des Menschen

Hand, *Anatomie:* (lat. Manus), Endabschnitt der oberen Gliedmaßen des Menschen bzw. der Vordergliedmaßen vierfüßiger Wirbeltiere. Beim Menschen ist der armwärts liegende Teil der H., die **H.-Wurzel** (Carpus), schmal. Hier vermitteln die kleinen H.-Wurzelknochen (beim Menschen acht in zwei Reihen angeordnete Knochen, bei den vierfüßigen Wirbeltieren häufig 12 Knochen) den gelenkigen Übergang **(H.-Gelenk)** zw. Unterarm und Mittel-H. An die H.-Wurzel schließen sich Mittel-H. und →Finger an. Die **Mittel-H.** besteht aus fünf lang gestreckten Mittelhandknochen (Metacarpalia). Von diesen ist nur der Mittelhandknochen des Daumens frei beweglich, sodass er den übrigen Fingern gegenübergestellt (opponiert) werden kann. Hierauf beruht die Fähigkeit des Greifens und Haltens. Die **Hohl-H. (H.-Teller)** zeigt charakterist. Furchen und Linien; der **H.-Rücken** ist leicht gewölbt. Die **H.-Muskulatur** ist bes. beim Menschen sehr differenziert. Die H. und Finger bewegenden Muskeln liegen teils am Unterarm, teils entspringen sie an der H. selbst. – Im Rechtsleben des MA., dessen Schriftwesen unterentwickelt war, kam der H. in Rechtsbrauchtum und Symbolik als Zeichen der bestimmenden Gewalt besondere Bedeutung zu.

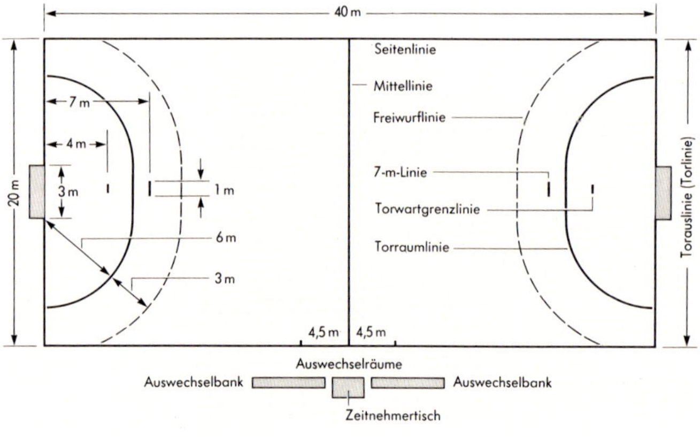

Handball: Spielfeld beim Hallenhandball

Handakten, Akten der Staats- und Rechtsanwälte, die innerdienstl. und sonstige vertraul. Schriftstücke enthalten. Die Einsicht in die H. der Staatsanwaltschaft ist niemandem gestattet. Dagegen hat der Verteidiger grundsätzlich das Recht auf Einsicht in die Ermittlungsakten (vor Abschluss der Ermittlungen einschränkbar).

Handarbeit, 1) *allg.:* körperl. Arbeit im Unterschied zur geistigen Arbeit.

2) *Handwerk:* handwerklich gearbeitetes Einzelstück; Ggs.: Fabrikarbeit, Massenware.

3) *Textiltechnik:* (Nadelarbeit) zusammenfassende Bez. für handwerklich hergestellte Stickereien, Strick-, Häkel-, Filet- und Knüpfarbeiten sowie Applikationen, Durchbrucharbeiten und Spitzen. Nicht dazu gehören Stopfen, Nähen, Weben.

Handauflegung, in den Religionen weit verbreiteter Gestus zur Übermittlung des Segens, aber auch der Heilung und der Weihe bei der Übertragung eines Priester- oder Herrscheramtes; bei der Spendung der höheren Weihen in der kath. Kirche und den orth. und anglikan. Kirchen äußeres Zeichen des Weihesakraments, Versinnbildlichung der Übertragung des Hl. Geistes; in den evang. Kirchen begleitende Handlung bei der Ordination.

Handball, Torspiel zweier Mannschaften, bei dem ein Ball (Umfang 58–60 cm, Masse 425–475 g für Herren und Junioren; Umfang 54–56 cm, Masse 325–400 g für Damen, Juniorinnen und Jugendliche) in das gegner. Tor gebracht und der Angriff des Gegners auf das eigene Tor abgewehrt werden soll. H. wurde urspr. als **Großfeld-H.** gespielt, das in Anlage und Spielweise dem Fußball ähnelt, wird aber heute nur noch als **Hallen-H.** ausgeübt. – **Kleinfeld-H.** auf Freiplätzen wird nach Hallenhandballregeln gespielt. – Im **Hallen-H.** besteht die Mannschaft aus sechs Feldspielern und Torhüter). Die Spielzeit beträgt für Herren und Damen 2×30 min. Arme und Hände dürfen nur benutzt werden, um sich in den Besitz des Balles zu setzen. Im Übrigen ist es erlaubt, den Ball außer mit dem Unterschenkel und dem Fuß mit allen Körperteilen zu spielen, er darf nur 3 s in der Hand gehalten werden und nicht mehr als drei Schritte in der Hand mitgeführt werden.

Handbremse, wird mit Handrad, Hebel oder Kurbel bedient; sie wirkt durch mechan. Übertragungselemente auf die Bremsbacken, früher teilweise auf ein Bremsband. Bei Kfz ist die H. eine Ausführungsart der nach § 41 der Straßenverkehrszulassungsordnung vorgeschriebenen zweiten, unabhängigen Bremse, die das Fahrzeug auch auf einer geneigten Fahrbahn und insbesondere in Abwesenheit des Fahrzeugführers im Stillstand hält **(Feststellbremse).** Bei Eisenbahnen dienen H. zum Abbremsen beim Rangieren oder zum Festhalten bei Gefällstrecken.

Handdeutung, die → Chirologie.

Handel, Beschaffung von Waren und deren Verkauf ohne nennenswerte Veränderung, i. w. S. jeder Austausch von wirtsch. Gütern; auch die Gesamtheit der H.-Betriebe.

Handel: Zahl der Handelsbetriebe in Deutschland

	1985*)	1993
Großhandel	101 089	118 150
Einzelhandel	339 318	388 414
Handelsvermittlung	65 822	60 154
insgesamt	506 229	566 718

*) alte Bundesländer

Nach dem Kriterium des Absatzgebietes wird zw. Binnen-H. und Außen-H., nach der Abnehmergruppe und der Absatzmenge zw. Groß-H. und Einzel-H., nach dem H.-Objekt zw. Waren-H., Effekten-H., Devisen-H., Immobilien-H., nach den Eigentumsverhältnissen zw. Eigen-H. (H. auf eigene Rechnung und Gefahr) und Kommissions-H. (H. im eigenen Namen, aber für fremde Rechnung) unterschieden. Gesamtwirtsch. nimmt der H. eine Mittlerrolle zw. den Produzenten sowie zw. Produzenten und Konsumenten ein. Vor dem Warenumschlag werden Kontakte zw. den Marktpartnern hergestellt und etwa notwendige Informationen und Beratungen durchgeführt (Kontakt-, Informations-, Beratungsfunktion). Sachleistungen der verschiedensten Produzenten werden im Sortiment des Händlers vereinigt (Warenumgruppierungsfunktion). Die Überbrückung der Entfernungen führen H.-Betriebe selbst aus oder übertragen sie besonderen Einrichtungen des Transportgewerbes (Raumüberbrückungsfunktion). Durch die Lagerhaltung gleicht der H. zeitl. Differenzen zw. Erzeugung und Nachfrage aus (Zeitausgleichsfunktion). Stoffl. Veränderungen der H.-Waren haben lediglich den Charakter von Nebenleistungen (Veredlungsfunktion).

Geschichte: Im Altertum entwickelte sich der H. bes. um das Mittelmeer. Phöniker, Karthager und Griechen waren nacheinander die führenden Seehandelsvölker. Im Röm. Reich wurden für die Getreideversorgung von Rom die Erzeugungsüberschüsse vieler Randländer des Mittelmeers herangezogen. Nach dem Zerfall des Röm. Reichs in der Völkerwanderungszeit blieb nur Byzanz ein wichtiger Mittelpunkt für die H.-Beziehungen zw. Ost und West. Der H.-Verkehr zw. Europa und dem Orient erhielt weiter durch die Kreuzzüge Auftrieb und bewirkte seit dem 12. Jh. die wirtsch. Blüte der oberitalien. H.-Städte (Pisa, Venedig, Genua). Von Italien gingen wichtige H.-Wege nach Dtl., wo die großen süddt. H.-Städte, bes. Augsburg, Ulm, Nürnberg, Regensburg, aufblühten und mächtige Welthandelshäuser (Fugger, Welser) entstanden. Im N hatte sich gleichzeitig in den Randländern der Ost- und Nordsee ein neues wichtiges H.-Gebiet entwickelt, das von der → Hanse beherrscht wurde. Das Zeitalter der Entdeckungen veränderte die zwischenstaatl. H.-Beziehungen völlig. Ihr Schwerpunkt rückte in die Randländer der Nordsee und des Atlant. Ozeans. Holland und bes. England wurden die führenden Welthandelsmächte. Unter dem Einfluss der liberalen Wirtschaftslehre des → Freihandels nahmen die H.-Beziehungen einen gewaltigen Aufschwung. Der Kreis der beteiligten Mächte erweiterte sich ständig; Mittel- und Südafrika, Süd- und Ostasien, Australien und Ozeanien wurden für Europa erschlossen, das zunächst der Mittelpunkt der Weltwirtschaft blieb. Es entstand eine weltwirtsch. Arbeitsteilung zw. dem vorwiegend industriell eingestellten Nord- und Mitteleuropa und den Rohstoffländern im Osten und in Übersee. Seit Beginn des 20. Jh. entwickelten sich die USA zur führenden H.-Macht. Der 1. wie auch der 2. Weltkrieg brachten zunächst eine starke Schrumpfung des Welt-H. und eine stärkere Bedeutung der Überseeländer. Seit dem 2. Weltkrieg wurde der Welt-H. (→ Weltwirtschaft) zunehmend von größeren Blöcken getragen (EG, EFTA, RGW, ASEAN), Japan und Südostasien entwickelten sich zu einem neuen Schwerpunkt.

Handel: Römische Weiheplatte eines Kapitäns oder Kaufmanns mit Motiven der Handelsschifffahrt; links ein Handelssegler vor einem Leuchtturm, rechts Entladung eines Schiffes, Mamor, Länge 1,22 m (um 200 n. Chr.; Rom, Villa Albani-Torlonia)

Enrica Handel-Mazzetti

📖 Berekoven, L.: *Geschichte des dt. Einzelhandels. Frankfurt am Main ^{4}1988.* – Samhaber, E.: *Kaufleute wandeln die Welt. Frankfurt am Main ^{2}1993.*

Händel, Georg Friedrich, Komponist, *Halle (Saale) 23. 2. 1685, †London 14. 4. 1759; Sohn eines Wundarztes, war zunächst als Geiger in Hamburg, 1707–10 in Italien, dann als Hofkapellmeister in Hannover und seit 1712 fast ausschließlich in London tätig, wo er 1713 Hofkomponist wurde (1727 naturalisiert). 1719 gründete er in London die Royal Academy of Music, das königl. Opernhaus, das sich 1728 wegen wirtsch. Misserfolge wieder auflösen musste. H., der v.a. als Organist und Orgelimprovisator an die Öffentlichkeit trat, erblindete während der Komposition des Oratoriums »Jephta« (1751/52). Er führte in der Instrumentalmusik den italien. Sonaten- und Konzertstil, auf musikdramat. Gebiet die italien. Barockoper und das Oratorium zu einer Vollendung, die ihm als erstem dt. Musiker Weltruf verschafften.

Georg Friedrich Händel: Gemälde von Thomas Hudson (1756; London, National Portrait Gallery), darunter Autogramm

Weitere Werke: Opern: Almira (1705), Aggripina (1709), Il pastor fido (1712, 1734), Radamisto (1720), Giulio Cesare (1724), Arianna (1734), Alcina (1735), Atalanta (1736), Serse (1738, darin das bekannte »Largo«). Oratorien: Esther (1720, 1732), Israel in Ägypten (1739), Messias (1742, darin das »Halleluja«), Judas Makkabäus (1747). Sonstige Vokalwerke: Acis und Galatea (1719/20, 1732), Johannes-Passion (1704), Utrechter Te Deum und Jubilate (1713), Passion nach Brockes (1717), Dettinger Te Deum (1743), 22 Anthems, 9 Arien. Instrumentalwerke: 6 Concerti grossi op. 3 (1733), 12 Concerti grossi op. 6 (1739), Wassermusik (1715–17), Feuerwerksmusik (1749), etwa 20 Orgelkonzerte, zahlr. Trio- und Solosonaten (u.a. für Violine, Oboe, Block- und Querflöte), über 20 Klaviersuiten.

📖 Friedenthal, R.: *G. F. H. mit Selbstzeugnissen u. Bilddokumenten. Reinbek 1995.* – Schmelzer, H.-J.: *Siehe, Dein König kommt – Leben und Musik des G. F. H. Düsseldorf 1995.* – Lewin, W. u. Margraf, M.: *G. F. H. Biographie. Berlin ^{2}1996.*

Handel-Mazzetti, Enrica Freiin von, österr. Schriftstellerin, *Wien 10. 1. 1871, †Linz 8. 4. 1955; schrieb breit angelegte, dem kath. Barock verpflichtete histor. Romane u. a. »Meinrad Helmpergers denkwürdiges Jahr« (1900).

Handeln, reflektierte, willentl. Tätigkeit im Ggs. zum passiven, instinktgebundenen Verhalten. – In der *Philosophie* spielt der Begriff des H. eine zentrale Rolle im Pragmatismus (J. Dewey), bei J. Habermas als kommunikatives H. im Ggs. zum strateg. H. und bei H. Jonas, der vom veränderten Wesen menschl. H. angesichts der zeitlich und räumlich neuartigen Dimensionen der Technik spricht. – In der *Soziologie* versteht man unter H. i. e. S. das **soziale H.,** welches sinnhaft auf andere Personen ausgerichtet und damit abhängig vom jeweiligen kulturellen Rahmen wertbestimmt und normengeleitet ist.

Handelsakademie, in Österreich 5-jährige höhere Schule des kaufmänn. Bildungswesens.

Handelsbeschränkungen, →Handelshemmnisse.

Handelsbilanz, **1)** *Außenwirtschaft:* →Zahlungsbilanz.

2) *Betriebswirtschaftslehre:* →Bilanz.

Handelsbrauch (Usance), Verkehrssitte im Handel; entsteht durch längere gleichmäßige Übung der Angehörigen eines Geschäftszweiges und hat gewohnheitsrechtl. Charakter. Auf den H. ist unter Kaufleuten nach § 346 HGB Rücksicht zu nehmen. Er gilt, anders als allg. →Geschäftsbedingungen, ohne Rücksicht auf Willen oder Kenntnis der Vertragspartner, kann aber vertraglich ausgeschlossen werden. Im Streitfall wird der H. durch Gutachten der Industrie- und Handelskammern festgestellt.

Handelsbriefe, kaufmänn. Korrespondenz. H. unterliegen der →Aufbewahrungspflicht.

Handelsbücher (Geschäftsbücher), Bücher, in denen ein Kaufmann seine Handelsgeschäfte und die Lage seines Vermögens nach den Grundsätzen ordnungsgemäßer →Buchführung ersichtlich macht. H. müssen zehn Jahre aufbewahrt werden.

Handelsflagge (engl. Merchant Flag), die →Flagge der Handelsschiffe, die häufig der Staatsflagge ähnelt; sie muss von jedem im Schiffsregister eingetragenen Handelsschiff (Kauffahrteischiff) am Heck oder an der →Gaffel geführt werden **(Kauffahrteiflagge),** wenn die Bekanntgabe der Nationalität erforderlich ist (bes. beim Einlaufen in einen Hafen und beim Auslaufen).

Handelsflotte (Handelsmarine), die Gesamtheit der seegängigen, v.a. zur Güterbeförderung im Seehandel eingesetzten Schiffe (→Handelsschiff), die in das Seeschiffsregister des betreffenden Staates eingetragen sind. Der Wert einer H. ist abhängig von den Merkmalen Schiffsklasse, Typ, Alter und Geschwindigkeit der Schiffe. Man unterscheidet v.a. Schiffe für Personenbeförderung, Trockenfrachtschiffe, Containerschiffe und Tankschiffe, die in »großer Fahrt«, »mittlerer Fahrt« und »Küstenfahrt« eingesetzt werden. Weil sie →Billigflaggen sind, verfügen Liberia (30,5 Mio.) und Panama (20,2 Mio.) über die weltgrößte H. Die H. der Welt umfassen (1994) Schiffe mit einer Bruttoraumzahl von 475,9 Mio. (→Schifffahrt)

Handelsgericht, umgangssprachl. Bez. für die landgerichtl. →Kammer für Handelssachen.

Handelsgeschäft, jedes Geschäft eines Kaufmanns, das zum Betrieb seines Handelsgewerbes gehört. Auf H. findet das Handelsrecht Anwendung (§§343ff. HGB), das BGB nur, wenn handelsrechtl. Vorschriften fehlen. Meist genügt es, wenn bei einem H. eine Partei Kaufmann ist **(einseitiges H.),** in Ausnahmefällen müssen beide Kaufmann sein **(zweiseitiges H.).** H. nennt man auch das Unternehmen des Kaufmanns.

Handelsgesellschaft, von mehreren Personen unter gemeinsamer Firma betriebenes Handelsgewerbe. H. sind entweder →Personengesellschaften (OHG, KG) oder →Kapitalgesellschaften (AG, GmbH, KGaA).

Handelsgesetzbuch, Abk. **HGB,** das Gesetzbuch vom 10. 5. 1897, in Kraft seit 1. 1. 1900, das das Handelsrecht regelt. Sein Vorgänger war das »Allg. Dt. H.«, das 1862–64 in den einzelnen dt. Bundesstaaten eingeführt wurde. Das H. ist in fünf Bücher aufgeteilt (Handelsstand, Handelsgesellschaften und stille Gesellschaft, Handelsbücher, Handelsgeschäfte, Seehandel). Zum H. sind mehrfach Änderungen ergangen, in den vergangenen Jahren bes. in Durchführung von Richtlinien des Rates der EG. – In *Österreich* wurde das dt. H. 1938 eingeführt und blieb nach 1945 in Kraft. In der *Schweiz* ist das Handelsrecht im Obligationenrecht vom 30. 3. 1911 enthalten.

Handelsgewerbe, jeder Betrieb eines Gewerbes, das dem Handelsrecht unterliegt, und zwar jedes Gewerbe, das einen kaufmänn. Geschäftsbetrieb erfordert und dessen Firma in das Handelsregister eingetragen ist (§2 HGB), oder Unternehmen, die Grundhandelsgeschäfte (§1 HGB) betreiben. Letztere sind H. allein aufgrund ihres Geschäftsgegenstandes (Anschaffung und Weiterveräußerung von Waren oder Wertpapieren; nicht handwerksmäßig betriebene Verarbeitung von Waren; Prämienversicherer; Banken; Beförderer von Personen und Gütern; Kommissionäre, Spediteure, Lagerhalter; Handelsvertreter und -makler; Verlage; Großdruckereien).

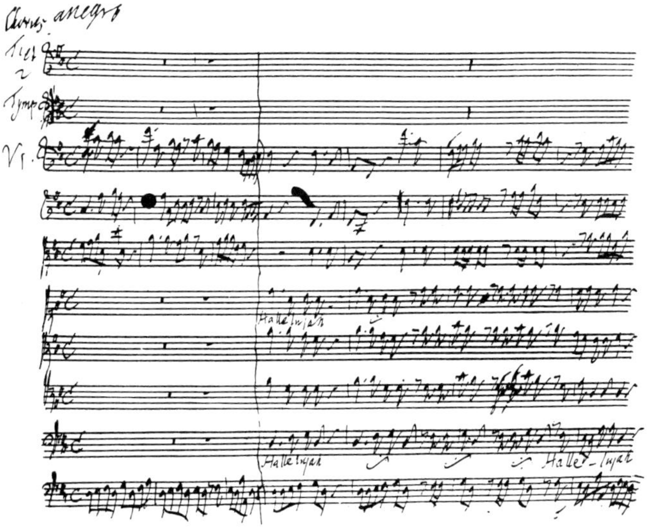

Georg Friedrich Händel: Anfang des »Halleluja« aus dem Oratorium »Messias« (1742), Autograph

Handelsgut (Handelsware), Gegenstand eines Handelsumsatzgeschäftes (Waren, Effekten, Devisen). Bei Vorliegen einer Gattungsschuld ist grundsätzlich H. mittlerer Art und Güte zu liefern (§360 HGB).

Handelshemmnisse (Handelsbeschränkungen), Eingriffe in den internat. Handel, die das Ausmaß, die Struktur und/oder die Richtung der Handelsströme verzerren im Ggs. zum ungehinderten internat. Handelsverkehr (Freihandel). Es wird zw. tarifären H. und nichttarifären H. unterschieden. **Tarifäre H.** (z.B. Zölle) konnten (zumindest im Handel zw. Ind.ländern) erheblich reduziert oder z.T. aufgehoben werden.

Die **nichttarifären H.** werden unterteilt in formale (preisbezogene und mengenbeschränkende Maßnahmen) sowie administrative H. Preisbezogene Maßnahmen sind z.B. Einfuhrbardepots, Abschöpfungen, Einfuhrzuschläge und -nebenabgaben, staatl. Beihilfen und Subventionen. Mengenbeschränkende H. sind u.a. Einfuhr- und Ausfuhrverbote sowie Einfuhr- und Ausfuhrkontingente, Einfuhr- und Ausfuhrmindestpreise, freiwillige Selbstbeschränkungsabkommen beim Export und internat. Kartelle. Öffentl. Auftragsvergabe zugunsten inländ. Produzenten oder geringe Publizität bei Ausschreibungen, Außenhandelsmonopole, Einfuhrüberwachung und Ursprungskontrollen, Verbraucherschutzbestimmungen, techn. Normen und Standards stellen Beispiele für administrative und sonstige H. dar. H. sind Instrumente des Protektionismus; sie zu beseitigen ist die Aufgabe der Welthandelsorganisation WTO.

Handelskompanien

1600 fanden sich englische Kaufleute zusammen, um eine gemeinsame Handelsfahrt nach Indien zu organisieren. Dazu gründeten sie eine Handelsgesellschaft, die dann unter dem Namen »East India Company« berühmt wurde. Die Gesellschafter beschlossen unter anderem:
»Die Versammlung wählt … fünfzehn Personen als Beauftragte oder Direktoren dieser Reise, damit sie alle dazugehörigen Angelegenheiten vorbereiten, anordnen und regeln. Dahin gehören ein Gesuch an Ihre Majestät, den Unternehmern ein ausschließliches Privileg für so viele Jahre, als man erreichen kann, und so viele Gerechtsamen, Zollbefreiungen und sonstige Vergünstigungen und Gnaden, als man bekommen kann, zu gewähren, sowie die Beschaffung der Schiffe, Waren und Tauschgüter, die für die genannte Reise investiert werden sollen.«

Handelshochschulen, → Wirtschaftshochschulen.

Handelskammern, → Industrie- und Handelskammern.

Handelskauf, Kauf von Waren oder Wertpapieren, wenn dies ein Handelsgeschäft ist. Das HGB (§§ 373–382) regelt einige Abweichungen vom allg. Kaufrecht des BGB, das im Übrigen auch dem H. zugrunde liegt. Die Pflichten der Parteien werden verstärkt, die Abwicklung der Verträge wird vereinfacht und beschleunigt. Wichtigste Besonderheit bei zweiseitigen H. ist die Rügepflicht, d.h. die Pflicht, Mängel des Gutes dem Verkäufer unverzüglich anzuzeigen, andernfalls entfallen die Gewährleistungsrechte. Der kombinierten Regelung aus BGB und HGB gehen allerdings Parteiabreden (heute bes. allg. Geschäftsbedingungen) vor.

Handelsklasse, nach dem H.-Gesetz (i.d.F.v. 1972) Maßstab zur Bestimmung der Güte von land- und fischereiwirtsch. Erzeugnissen.

Handelsklauseln, Abreden in Kaufverträgen, die die Willensentscheide der Vertragsparteien festlegen und die Angebots-, Liefer- und Zahlungsbedingungen zw. Käufern und Verkäufern bei nat. und internat. Handelsgeschäften regeln. Die internat. übl. Lieferbedingungen sind in den **Incoterms** (Abk. für **In**ternational **Co**mmercial **Terms**) festgeschrieben. Die Incoterms wurden 1936 von der Internat. Handelskammer Paris aufgestellt und seither mehrmals revidiert. Sie bestimmen Liefer- und Abnahmeverpflichtungen, Verteilung der Kosten, Gefahrübergang, Transportversicherung u.a. Für den nat. Geltungsbereich sind die H. in den **Trade Terms** (engl.; frz. Termes commerciaux) fixiert, die für jedes Land eine einheitl. Auslegung international gebräuchl. Lieferbedingungen enthalten (z.B. cif, fob).

Handelskompani|en, große, durch Monopole, Privilegien und Territorialhoheitsrechte begünstigte Handelsges., die bes. während des Merkantilismus v.a. den Überseehandel beherrschten und zur Kolonisierung vieler Länder beitrugen. Bekannt wurden bes. die engl. **Ostind. Kompanie** (East India Company, gegr. 1600), die niederländ. **Ostind. Kompanie** (gegr. 1602), die engl. **Hudson's Bay Company** (gegr. 1670) und die frz. Ost- und die Westind. Kompanie (beide gegr. 1664). In Preußen war nur die Seehandlung (→ Preußische Staatsbank) von Bedeutung. H. gehen auf die zur Selbsthilfe gegr. kaufmänn. Organisationen (Genossenschaften, Gilden, Hansen) der Fernhändler des 10./11. Jh. zurück, die ab dem 16. Jh. vom Staat Schutz und Unterstützung erhielten. Gegen finanzielle Abgaben gestatteten zahlr. Staaten ihren H. die Anwendung polit. Machtmittel (Bau von Forts und Faktoreien, Münz- und Gerichtshoheit, Vertrags- und Bündnisrechte, Anwendung militär. Gewalt).

Handelslehrer, Lehrkraft für den Unterricht an kaufmänn. Berufs-, Berufsfach- (Handels-) und Fachschulen. Voraussetzung ist das Studium eines wirtschaftswiss. und eines anderen Faches an einer wiss. Hochschule.

Handelsmakler, selbstständiger Kaufmann, der gewerbsmäßig Verträge über Kauf oder Verkauf von Waren, Wertpapieren oder sonstigen Gegenständen des Handelsverkehrs vermittelt (§§ 93 ff. HGB; Ggs. Zivilmakler, → Makler). Er führt seine Geschäfte aufgrund einzelner Aufträge aus, ohne durch Vertrag ständig damit betraut zu sein. Der H. hat den Vertragsschluss zu vermitteln. Er ist gegenüber seinem Auftraggeber wie auch gegenüber der anderen Partei des zu vermittelnden Vertrags aufgrund eines gesetzl. Schuldverhältnisses zur Interessenwahrung und zur ordnungsmäßigen Durchführung des Auftrags verpflichtet; er haftet gegenüber beiden Parteien bei schuldhaft verursachtem Schaden. Für seine Vermittlung steht dem H. eine Provision (Courtage) zu. – In *Österreich* gelten die §§ 93–104 HGB, in der *Schweiz* ist der »Mäklervertrag«, ohne Unterscheidung zw. Zivil- und Handelsmakler, in den Art. 412 ff. Obligationenrecht geregelt.

Handelsmarine, die → Handelsflotte.

Handelsmarke, Mittel zur Kennzeichnung von Waren oder Dienstleistungen, das von einem Handelsbetrieb genutzt wird (→ Marken).

Handelsmünzen (Tauschgeld), Münzen, deren Kaufkraft auf ihrem Substanzwert beruht. Verbreitete H. der Neuzeit waren die Mariatheresientaler.

Handelsname, die →Firma; i.w.S. Oberbegriff für alle geschäftl. Kennzeichnungen (auch Warenzeichen).

Handelspolitik, Kurzbez. für Außenhandels- und Außenwirtschaftspolitik.

Handelsprivilegi|en, Vorrechte, die Einzelpersonen oder Gesellschaften, z.T. auch Städten, für Handelszwecke erteilt wurden. Urspr. obrigkeitl. Handelsregelungen (Stapelrechte, Handelsmonopole), wurden im 17. und 18. Jh. als Konzessionen an →Handelskompanien verliehen, in Dtl. seit 1886 an Kolonialgesellschaften.

Handelsrecht, vom bürgerl. Recht abgegrenzter Teil des Privatrechts, der die Rechtssätze über den Handelsverkehr umfasst. Das dt. H. ist v.a. im →Handelsgesetzbuch enthalten. Nebengesetze regeln die AG, GmbH, Genossenschaft, das Wechselrecht, das Versicherungsrecht u.a.

📖 CANARIS, C.-W.: *H. Ein Studienbuch, begr. v.* K.-H. CAPELLE. *München* [22]*1995.* – BROX, H.: *H. u. Wertpapierrecht. München* [12]*1996.* – KLUNZINGER, E.: *Grundzüge des H. München* [9]*1996.* – WÖRLEN R.: *Grundzüge des Privatrechts, Bd. 4: Grundbegriffe aus dem H. u. Überblick über das Gesellschaftsrecht. Köln u.a.* [2]*1996.*

Handelsregister, öffentl., vom Amtsgericht geführtes Register, in dem die rechtl. Verhältnisse der Vollkaufleute und Handelsgesellschaften (Firma, Inhaber, Gesellschafter, Haftungs- und Vertretungsverhältnisse u.a.) aufgezeichnet werden. Es besteht aus zwei Abteilungen: A für Einzelkaufleute und Personalgesellschaften, B für Kapitalgesellschaften. Die Eintragungen werden im Bundesanzeiger und einer örtl. Zeitung bekannt gemacht (§§ 8 ff. HGB). Die Einsicht ins H. ist jedem gestattet. Gutgläubige sind in ihrem Vertrauen auf die Richtigkeit der Eintragungen im H. geschützt. – In *Österreich* werden die H. bei den Gerichtshöfen erster Instanz, in der *Schweiz* bei kantonalen Behörden geführt.

Handelsrichter, die ehrenamtl. kaufmänn. Beisitzer der →Kammern für Handelssachen. Sie werden von der Justizverw. auf Vorschlag der IHK für drei Jahre ernannt.

Handelsschiff, ein Fahrzeug, das Fahrgäste und Güter aller Art gegen Entgelt über See befördert. Es muss nach den Vorschriften der Klassifikationsgesellschaften erbaut sein, den Vorschriften der Sicherheitsbehörden (z.B. Seeberufsgenossenschaft, Board of Trade) genügen und in das Schiffsregister seines Heimatstaates eingetragen sein. Das Maß für die Gesamtgröße von H. ist die Bruttoraumzahl, BRZ.

Handelsschulen, berufsvorbereitende Berufsschulen auf kaufmänn. Gebiet (meist 2–3 Jahre); der Abschluss gilt als Fachoberschulreife. Die **höheren H.** sind ein- und zweijährige Berufsfachschulen, die Fachoberschulreife oder mittlere Reife voraussetzen. Ihr Besuch führt zur Fachhochschulreife.

Handelsspanne (Verkaufsspanne), die Differenz zw. dem Verkaufspreis (meist einschließlich Mehrwertsteuer) und dem Einkaufspreis bzw. Einstandspreis (einschließlich Bezugskosten, meist ohne Vorsteuer) einer Ware, meist in Prozent des Verkaufspreises. Mit der H. sollen die zu den Wareneinstandskosten hinzutretenden Handlungskosten gedeckt und ein Gewinn erzielt werden.

Handelsstraßen, alte Wege des Fernhandels, durch Handelsbeziehungen für bestimmte Güter (z.B. Gold, Salz, Pelze, Seide, Bernstein, Wein) entstanden.

Handelsvertrag, langfristige und umfassende oder kurzfristige **(Handelsabkommen)** Vereinbarung über die Außenhandelsbeziehungen zw. zwei oder mehreren Staaten. Über den Warenverkehr hinaus haben H. die mit diesem verbundenen Rechtsfragen oder die Wirtschaftsbeziehungen insgesamt zum Gegenstand, bes. Zahlungs- und Kapital- sowie Dienstleistungsverkehr und Niederlassungsfreiheit für die Staatsangehörigen der beteiligten Staaten, Rechtsschutz der Fremden, Rohstofflieferungen, Investitionsförderung, wirtsch. und techn. Zusammenarbeit, Schutz ausländ. Investitionen gegen Enteignung und Nationalisierung, Schutz von Handelsmarken und Erfindungen, Anerkennung ausländ. Handelsges., Zugang zu den Häfen. Wichtige Instrumente der Handelspolitik sind Klauseln über wechselseitige Handelsfreiheit, Zölle und Warenkontingente, Ein-, Aus- und Durchfuhr. – Neben zweiseitigen H. haben nach dem 2. Weltkrieg multilaterale Abmachungen zur gegenseitigen Bindung der Zollsätze, Festlegung von Handels- und Zahlungserleichterungen und Zusicherung gegenseitiger Gleichbehandlung wachsende Bedeutung erlangt (GATT, UNCTAD und H. zw. Integrationsräumen wie zw. EG und ASEAN).

Handelsvertreter, selbstständiger Gewerbetreibender, der aufgrund eines dauernden Vertragsverhältnisses für eines oder mehrere Unternehmen ständig Geschäfte vermittelt **(Vermittlungsvertreter)** oder abschließt **(Abschlussvertreter).** Der H. hat Anspruch auf Provision für alle auf seine Tätigkeit zurückzuführenden Geschäfte. Rechtsgrundlage sind die §§ 84 ff. des HGB. In *Österreich* gilt das H.-Gesetz (HVG) vom 24. 6. 1921 und in der *Schweiz,* wo der **Agent** dem H. entspricht, Art. 418 a ff. Obligationenrecht.

Handelsware, das →Handelsgut.

Peter Handke

Handelswert, gemeiner, im Handelsverkehr zu erzielender Durchschnittspreis (Marktpreis) der Ware.

Handelszeichen, →Marken.

Händelwurz (Gymnadenia), Gattung der Orchideen in Europa und Asien; Blüten in dichter Ähre, Lippe gespornt. In Dtl. die **Mücken-H.** mit rosa bis purpur gefärbten Blüten.

Handfeste, *Rechtsgeschichte:* Formalakt, bei dem zur rechtswirksamen Bekräftigung einer Willenserklärung das Rechtssymbol einer Partei von der anderen mit der Hand berührt wurde; galt in späterer Zeit auch für Beurkundungsakte.

Peter Handke

»Die Angst des Tormanns beim Elfmeter«

Dies ist der Titel einer 1970 veröffentlichten Erzählung von Peter Handke. Die Situation des Torwarts, der abzuschätzen versucht, wohin der Schütze den Ball schießen wird, steht hier symbolisch für die Schwierigkeiten eines Menschen, andere zu verstehen und sich selbst verständlich zu machen. Jede Fehleinschätzung des Torwarts kann zum Tor für die gegnerische Mannschaft führen; in der Erzählung führen die Verständigungsschwierigkeiten des Protagonisten bis zum Mord an einer Kinokassiererin. Der Buchtitel wird oft als distanzierter, gelegentlich auch scherzhafter Kommentar zu jemandes Angst in einer bestimmten, vielleicht entscheidenden Situation zitiert.

Handfeuerwaffe, Schusswaffe, die – im Unterschied zum Geschütz – von einer Person getragen und eingesetzt wird: Gewehr, Maschinenpistole, Maschinengewehre und Faustfeuerwaffe (Pistolen, Revolver).

Handgeld, 1) *Brauchtum:* (Drangeld, Treugeld) früher Rechtsbrauch der symbol. Anzahlung einer kleinen Geldsumme bei mündl. Abschluss eines Vertrages; im 15.–18. Jh. das erste bei der Anwerbung der Landsknechte, später Soldaten, vor der Löhnung gezahlte Geld. – In Form von drei »Ehetalern« früher eine der Gaben des Bräutigams an die Braut am Hochzeitstag.

2) *Wirtschaft:* die →Draufgabe.

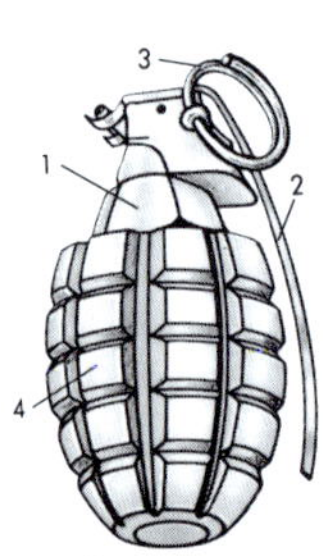

Handgranate: Eierhandgranate; 1 Zünder, 2 Zünderbügel, 3 Abzugsring mit Sicherungssplint, 4 Splitterkörper

Handgranate, für den Nahkampf verwendeter Wurfkörper. Nach der Wirkung werden Splitter-H. (auch Spreng-H. gen.) sowie H. mit Brand- oder Nebelsätzen unterschieden, hinsichtlich der Form Eier-H., H. mit zylinderförmigem Körper und Stiel-H. mit stielartigem Griff.

Handharmonika, Musikinstrument, →Ziehharmonika.

Handikap ['hɛndikɛp] (engl. Handicap) *das,* **1)** *allg.:* Benachteiligung, Vorbelastung, Erschwerung.

2) *Sport:* urspr. ein in Irland übliches Tauschverfahren, dann übertragen ein Wettkampf, bei dem die ungleichen Aussichten der Teilnehmer durch Punkt-, Masse- oder Distanzvorgaben von einem Unparteiischen **(Handicapper)** ausgeglichen werden. In diesem Sinn wird die Bez. H. im Pferdesport für ein Ausgleichsrennen verwendet, bei dem die Gewinnaussichten der Pferde durch einen Ausgleich einander angepasst werden.

Handkauf, Barkauf, bei dem die Ware sofort gegen Geld getauscht wird.

Handke, Peter, österr. Schriftsteller, *Griffen (Bez. Völkermarkt) 6. 12. 1942; wandte sich von der Kritik der Sprach- und Bewusstseinsschablonen, die für seine ersten Stücke (»Publikumsbeschimpfung«, 1966; »Das Mündel will Vormund sein«, 1969), Gedichte (»Die Innenwelt der Außenwelt der Innenwelt«, 1969), Prosatexte (»Die Angst des Tormanns beim Elfmeter«, Erz., 1970; »Chronik der laufenden Ereignisse«, Filmbuch, 1971; »Wunschloses Unglück«, E., 1972 u.a.) bezeichnend war, zunehmend einer lyrischen Schreibweise zu; zentrales Thema ist die Entfremdung zw. Subjekt und Umwelt (»Die linkshändige Frau«, Erz., 1976; »Langsame Heimkehr«, E., 1979; »Über die Dörfer«, Dr., 1981); autobiographisch bestimmte Prosa (»Versuch über die Jukebox«, Erz., 1990), Essays (»Versuch über die Müdigkeit«, 1989, »Versuch über den geglückten Tag«, 1991).

Weitere Werke: Die Stunde, da wir nichts voneinander wußten (Dr., 1992); Mein Jahr in der Niemandsbucht (Prosa, 1994); Eine winterliche Reise zu den Flüssen Donau, Save, Morawa und Drina oder Gerechtigkeit für Serbien (Prosa, 1996); In einer dunklen Nacht ging ich aus meinem stillen Haus (Prosa, 1997).

📖 *P. H., hg. v.* R. FELLINGER. *Frankfurt am Main* ^{2}*1992.*

Handkuss, 1) Grußform der Ehrerbietung, die mit dem span. Hofzeremoniell Ende des 16. Jh. nach Dtl. kam; bes. älteren (verheirateten) Damen erwiesen; heute kaum noch üblich.

2) in der lat. Liturgie seit dem 4. Jh. der Brauch, dem Bischof die Hand bzw. den Bischofsring zu küssen; heute kaum noch üblich.

Handl, Jacob (latinisiert Jacobus Gallus), österr. Komponist slowen. Herkunft, *Reifnitz (heute Ribnica, bei Kočevje) zw. 15. 4. und 31. 7. 1550, †Prag 18. 7. 1591; einer der Meister der kath. Kirchenmusik der Gegenreformation, bes. vier- bis achtstimmige und mehrchörige Motetten in venezian. Stil.

Handlesekunst, →Chiromantie.

Handlung, 1) *Literatur:* Geschehnisfolge v.a. in dramat., aber auch ep. Werken (z.B. Haupt- und Neben-H., äußere und innere H.).

2) *Psychologie:* Es wird unterschieden zw. einer zweckgerichteten **äußeren H.** (Wahl- oder Willens-H.) und einer ihr vorausgehenden bzw. mit ihr in Wechselbeziehung stehenden **inneren Handlung.** Affekt-, Trieb-, Instinkt-, Schutz-,

Zwangs- und Gewohnheits-H. zählen zu den **antriebsunmittelbaren Handlungen.**

3) *Recht:* →Rechtshandlung. – Im Strafrecht stellt der H.-Begriff, der seit langem diskutiert wird, eines der vier Glieder in der Definition der Straftat dar. Bei der Definition der H. wird teils auf das Vorliegen einer vom Willen beherrschten Körperbewegung (natürl. H.-Begriff), teils auf die willkürl. Veränderung der Außenwelt (kausaler H.-Begriff), auf die Sozialerheblichkeit menschl. Verhaltens (sozialer H.-Begriff), auf die vom Ziel her gelenkte Steuerung des Kausalverlaufs (finaler H.-Begriff) oder auf die vermeidbare Nichtvermeidung verbotener Erfolge (negativer H.-Begriff) abgestellt. Keiner der rivalisierenden H.-Begriffe hat sich durchsetzen können. – Im Zivilrecht ist H. ein bewusstes Verhalten (also kein Tun im Schlaf oder unter Hypnose), das bestimmte Rechtsfolgen herbeiführt. Die unerlaubte rechtswidrige H. löst Schadenersatzansprüche aus.

Handlungsfähigkeit, die Fähigkeit zum rechtswirksamen Handeln. Sie umfasst die →Geschäftsfähigkeit und die →Deliktsfähigkeit. Die H. setzt die natürl. Fähigkeit zur Willensbildung voraus und fehlt deshalb vielfach Minderjährigen oder geistig Behinderten. Für jurist. Personen handeln ihre Organe (z.B. Vorstand). Gleiches gilt in *Österreich* und in der *Schweiz.*

Handlungsgehilfe (kaufmännischer Angestellter), Angestellter in einem Handelsgewerbe, der aufgrund entgeltl. Arbeitsvertrages zur Leistung kaufmänn. Dienste verpflichtet ist, z.B. Buchhalter, Kassierer, Verkäufer, Einkäufer, Handlungsreisende. Seine Rechtsstellung ist in §§59ff. HGB geregelt, jedoch ist wegen der mangelnden Selbstständigkeit des H. bes. das Arbeitsrecht von Belang. In Bezug auf den Arbeitgeber dürfen H. in dessen Handelszweig keine eigenen Geschäfte machen oder nebenher ein anderes Handelsgewerbe betreiben. Ein Wettbewerbsverbot nach Ausscheiden aus dem Betrieb ist schriftlich zu vereinbaren, darf zwei Jahre nicht überschreiten und ist entschädigungspflichtig.

Handlungstheorie, die Wiss. vom menschl. Handeln, eine Grundlage der Sozialwissenschaften. Die empir. H. befasst sich mit den Abläufen und Wirkungen sozialen Handelns, die philosoph. H. mit den Grundlagen der empir. H., wobei sie sich v.a. auf methodolog. Fragen und normative Handlungen konzentriert.

Handlungsvollmacht, die von einem Kaufmann oder Prokuristen erteilte, nicht in einer Prokura bestehende Vollmacht (§54 HGB) zum Betrieb eines Handelsgewerbes im Ganzen **(General-H.)** oder zur Vornahme einer bestimmten Art **(Gattungs-H.)** oder einzelner zu einem Handelsgewerbe gehöriger Geschäfte **(Spezial-H.).** Die H. kann formlos erteilt werden und wird nicht in das Handelsregister eingetragen. Sie ist gegenüber der Prokura in ihrer Wirkung schwächer, berechtigt insbesondere nicht zu Grundstücksgeschäften, Darlehnsaufnahme oder Prozessvertretung. – Die *österr.* (§54 HGB) und die *schweizer.* (Art. 462 OR) Vorschriften haben gleichen Inhalt.

Handmehr, in der Schweiz Bez. für durch Handaufheben geübtes Verfahren der Mehrheitsermittlung bei Abstimmungen.

Handpferd, das im Gespann rechts von der Deichsel (von hinten gesehen) eingespannte Pferd.

Handpresse, *Drucktechnik:* Druckpresse einfacher Bauart für Handbetrieb, auf der Korrekturabzüge sowie kleine, sorgfältig ausgestattete Druckauflagen (Originalgrafik) hergestellt werden. Sie wurde zuerst von J. Gutenberg konstruiert und blieb bis heute als Spindel- und Kniehebelpresse im Prinzip unverändert. Der **Handpressendruck** wurde durch die Ausbreitung der Schnellpresse verdrängt, seit 1891 bes. von W. Morris wieder angewandt, in Dtl. 1907 in der Ernst-Ludwig-Presse in Darmstadt und in der Bremer Presse (1911–34) zu hoher buchkünstler. Leistung gesteigert.

Handpuppe, bewegl. Theaterfigur (→Figurentheater). Die durch das Kostüm verdeckte Hand des Spielers bildet den Körper der Puppe, auf dem Zeigefinger sitzt ihr ausgehöhlter, übergroßer Kopf, Daumen und Mittelfinger werden in die Arme gesteckt. Die traditionellen Figuren (Kasperl, Großmutter, König, Prinzessin, Räuber, Hexe u.Ä.) sind die wesentl. Rollenträger des **H.-Theaters,** wobei Kasperl als die lustige Figur die Hauptrolle spielt **(Kasperltheater).**

Handregeln, Merkregeln der Elektrotechnik, mit denen man die Richtung von Kraftwirkungen, Strömen und Magnetfeldern ermitteln kann. Die **Linkehandregel** ergibt die Richtung der im magnet. Feld auf einen Stromleiter wirkenden Kraft: Hält man die linke Hand so, dass die magnet. Feldlinien (ausgehend vom Nordpol N) senkrecht in die (innere) Handfläche eintreten und der Strom in Richtung der Finger fließt, dann gibt der Daumen die Richtung der Kraft an. Die **Rechtehandregel** ergibt die Richtung des induzierten Stromes in einem im magnet. Feld bewegten Leiter: Hält man die rechte Hand so, dass die magnet. Feldlinien senkrecht in die (innere) Handfläche eintreten und der Daumen in die Bewegungsrichtung des Leiters weist, dann geben die Finger die Richtung des induzierten Stromes an. – Entsprechende Regeln lassen sich mithilfe der zueinander senkrecht gestellten Daumen (D), Zeigefinger (Z) und Mittelfinger (M) der rechten oder der linken Hand aufstellen (**Dreifingerregeln**). Bei der Linkehandregel ergibt D die Richtung der Kraft, wenn Z in Magnetfeldrichtung und M in Stromrichtung

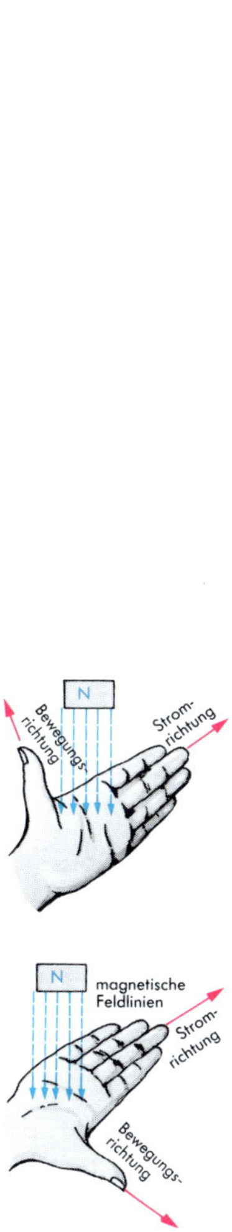

Handregeln: Linkehandregel (oben) und Rechtehandregel

weist, bei der Rechtehandregel ergibt M die Richtung des Induktionsstromes, wenn Z in Magnetfeldrichtung und D in Bewegungsrichtung weist.

Handschar (Kandschar) [türk.] *der,* arabisch-türk. Krummschwert mit zweifach gebogener, in eine Spitze auslaufender zweischneidiger Klinge.

Handschlag, im älteren dt. Recht eine Form des Vertragsabschlusses oder der Begründung vertragl. Haftung; hat sich in der Volkssitte ebenso wie in manchen Handelsbräuchen erhalten.

Handschrift, 1) *allg.:* der sichtbare Ausdruck der individuellen Schreibbewegung. Die H. ist von der seel. und körperl. Verfassung wie vom Alter abhängig und in den feineren Einzelheiten fast stets unnachahmbar; daher die Rechtsverbindlichkeit der Unterschrift. Die persönl. Eigentümlichkeiten einer H. können Aufschluss über den Charakter ihres Urhebers (→Graphologie) geben.

2) *Buchkunde:* Abk. Hs., i.e.S. das handschriftl. →Buch, bes. des MA. in der Form des Codex (→Kodex); i.w.S. alles handschriftlich Geschriebene, so das →Autograph und das Manuskript für Druckwerke. Mit der Entstehung und Geschichte befasst sich die Handschriftenkunde, mit der Entzifferung die →Paläographie.

Geschichte: Vorläufer sind die ägypt. Totenbücher (Papyrusrollen), die starken Einfluss auf die spätantike westl. und byzantin. H.-Kunst ausübten. Geschrieben wurde auf den mit Zirkelstichen und blinden Prägestichen linierten Pergamentblättern (seit dem 13. Jh. auch Papier) mit Rohrfedern und Tinte. Überschriften und wichtige Stellen im Text wurden durch rote Farbe hervorgehoben (rubriziert), die Anfangsbuchstaben kleinerer Absätze oft abwechselnd blau und rot geschrieben (Lombarden). Anfangsbuchstaben größerer Kapitel (Initialen), Randleistenverzierungen und Illustrationen (→Buchmalerei) wurden meist von Miniatoren ausgeführt. Pracht-H. wurden v.a. im frühen und hohen MA. in den Skriptorien der Klöster, bes. der Benediktiner und Zisterzienser, hergestellt. Wichtige Schreibschulen entstanden u.a. in Vivarium (Kalabrien), Luxeuil-les-Bains, Bobbio, Corbie, in Sankt Gallen, auf der Reichenau, in Fulda und Regensburg. In der Renaissance wurden v.a. an den Fürstenhöfen kostbare H. gefertigt. – H.-Sammlungen befinden sich heute meist im Besitz großer Bibliotheken und sind häufig nach diesen benannt (z.B. Codex Vaticanus); kostbar ausgestattete H.: Codex argenteus, Codex aureus, →Manessische Handschrift.

📖 *Mittelalterl. H. und Miniaturen, bearb. v.* J. Günther. *Hamburg 1994. – H. und Miniaturen, bearb. v.* G. Bologna. *A. d. Italien. Eltville am Rhein 1995.*

Handschuhe, Bekleidung für die Hand und oft auch für einen Teil des Armes zum Schutz oder als Schmuck, aus Pelz, Leder, Wolle, Seide, Leinen, Kunststoff oder Metall, genäht, gestrickt, gewirkt oder geschmiedet. Der Ausführung nach sind Finger-, Faust- und Halb-H. zu unterscheiden; für den Gebrauch von H. ist zu trennen zw. Schutz- und Würdefunktionen sowie dem H. als mod. Accessoire. – H. waren schon der Antike bekannt. Im MA. durften die Bauern nur Faust-H. tragen. Finger-H. gehörten seit dem 10. Jh. zum geistl. Ornat. – H. galten im MA. als Sinnbild der Belehnung und Standeserhöhung, das Zuwerfen eines H. als Zeichen der Herausforderung (Fehdehandschuh).

Handschrift 2): Seite aus einer Prachthandschrift des altfranzösischen Heldenepos »Girart de Roussillon« für Philipp den Guten von Burgund (um 1450; Wien, Österreichische Nationalbibliothek)

Handstand, *Turnen:* eine Übung, bei der der in die Höhe gestreckte Körper (Kopf nach unten) auf den Händen gestützt verharrt.

Handwerk, handwerksmäßig betriebenes Gewerbe, das im Verzeichnis der H.-Ordnung (Anlage A) als Gewerbe aufgeführt ist. Wesentl. Merkmale des H. im Vergleich zur Ind.: geringere Betriebsgröße, geringerer Grad der Technisierung und Arbeitsteilung, überwiegend Einzelfertigung aufgrund individueller Bestellung im Ggs. zur Massenfertigung der Ind. auf Vorrat, stärkere Fertigung für den lokalen Bedarf (Kundennähe). Unternehmen, in denen die handwerkl. Produktionsweise überwiegt, werden zum Wirtschaftszweig H. **(H.-Wirtschaft)** zusammengefasst. Abgrenzungskriterium ist die Eintragung in die H.-Rolle. In Dtl. ist das H. nach der Ind. der bedeutendste Wirtschaftszweig; rd. 563 000 H.unternehmen mit

Bäckerhandwerk

Holz und Kunststoff verarbeitendes Handwerk

Keramikerhandwerk

Maler- und Lackiererhandwerk

Metallhandwerke

Steinmetz-, Stein- und Holzbildhauerhandwerk

Uhrmacherhandwerk (Uhren, Schmuck und Zeitmesstechnik)

Handwerk: Zeichen verschiedener Fachverbände

Handwerk: Beschäftigte[1)] und Umsatz[2)] der Handwerkswirtschaft in Deutschland[3)]

Handwerksgruppe	Beschäftigte (in 1 000)				Umsatz (in Mrd. DM)			
	1970	1980	1990	1994	1970	1980	1990	1994
Bau- und Ausbauhandwerke	1 325	1 191	994	1 664	43,9	92,9	115,3	229,6
Elektro- und Metallhandwerke	995	1 145	1 127	2 085	58,3	118,5	199,0	383,5
Holzhandwerke	258	246	218	356	11,2	22,3	27,1	49,1
Bekleidungs-, Textil- und Lederhandwerke	201	120	85	95	6,7	7,7	7,7	9,5
Nahrungsmittelhandwerke	490	479	479	600	33,5	49,6	57,1	69,1
Gesundheits- und Körperpflege, chemische und Reinigungshandwerke	425	655	755	1 161	6,4	17,1	22,1	42,7
Glas-, Papier-, keramische und sonstige Handwerke	102	95	90	126	5,3	8,9	12,3	17,0
insgesamt	3 795	3 930	3 748	6 085	165,4	317,1	440,6	800,5

[1)] Jahresdurchschnittswerte ohne Beschäftigte der handwerklichen Nebenbetriebe. – [2)] ohne Umsatz der handwerklichen Nebenbetriebe, ohne Umsatzsteuer. – [3)] 1994 einschließlich neuer Bundesländer.

6,1 Mio. Beschäftigten erzielten zus. einen Umsatz von 800,6 Mrd. DM (ohne Umsatzsteuer).

Organisation: Im H. sind berufl. Selbstverwaltung und wirtsch. Interessenvertretung miteinander verknüpft. Die H.-Innung (→ Innungen) bildet die gemeinsame Grundlage für zwei Organisationsrichtungen: den regionalen (öffentl.-rechtl.) Zweig: Innung, Kreishandwerkerschaft, H.-Kammer, und den fachl. (privatrechtl.) Zweig: Innung, Landesinnungsverband und Bundesinnungsverband. – Auf Bundesebene sind die beiden Organisationsformen im Dt. Handwerkskammertag (DHKT) und in der Bundesvereinigung der Fachverbände des Dt. H. (BFH) zusammengeschlossen. H.-Kammern und zentrale Fachverbände des H. bilden den Zentralverband des Dt. H. (ZDH) als Gesamtvertretung. Diese zentralen Zusammenschlüsse sind privatrechtl. Natur.

H. ist auch Bez. für eine Gruppe von Berufen, deren amtl. Berufsbild als Grundlage für die Ausbildung vorliegt. Die Zahl der **H.-Berufe** ändert sich ständig, da traditionelle Berufe aussterben und neue (bes. im Gesundheits-, Dienstleistungssektor, techn. H.) entstehen. Die Ausbildung erfolgt nicht nur in H.-Betrieben, sondern auch in Industrie- und Verkehrsunternehmen sowie öffentlichen Betrieben.

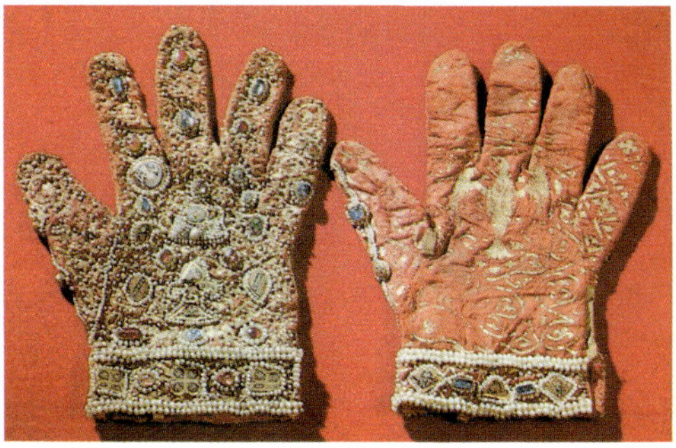

Handschuhe: Die vermutlich vor 1200 in Sizilien angefertigte arabische Arbeit gehörte zum Krönungsornat des Heiligen Römischen Reiches (Wien, Kunsthistorisches Museum)

Das H.-Recht ist Teil des Gewerberechts. Seine Grundlagen sind in der **H.-Ordnung** i.d.F.v. 28. 12. 1965 geregelt. Der selbstständige Betrieb eines H. als stehendes Gewerbe ist nur den in der H.-Rolle eingetragenen natürl. und jurist. Personen gestattet. Dies setzt bei Ersteren i. d. R. die Ablegung der Meisterprüfung in dem zu betreibenden oder einem verwandten H. voraus. H.-Berechtigungen aus der DDR sind unter Aufrechterhaltung vergleichbarer Besitzstände übergeleitet worden; in den Mitgl.staaten der EU erworbene gleichwertige Qualifikationen werden anerkannt. Die **Handwerksrolle** ist ein von den H.-Kammern geführtes Verzeichnis, in das die selbstständigen Handwerker mit dem von ihnen betriebenen Handwerk einzutragen sind. Über die Eintragung ist eine Bescheinigung (Handwerkerkarte) auszustellen.

Geschichte: Das H. geht in allen Kulturen aus der geschlossenen Hauswirtschaft hervor. Der selbstständige Handwerker erscheint, sobald Gegenstände über den Bedarf der Familie hinaus mit dem Ziel des Erwerbs und Gewinns hergestellt werden. In Mitteleuropa bildete sich etwa seit dem 11. Jh. ein freier Handwerkerstand. Seine Blütezeit fiel mit derjenigen der Stadtwirtschaft im Hoch- und Spät-MA. zusammen. Die Handwerker desselben Berufszweiges schlossen sich zu Zünften zusammen, die auch Lebensgemeinschaften bildeten und jahrhundertelang durch strenge Einhaltung der die Qualitätsarbeit betonenden Vorschriften und durch Aufrechterhaltung der althergebrachten Lehrfolge (Lehrling, Geselle, Meister) Standesehre und -stolz bewahrten. Seit dem 16. Jh. erstarrten die alten Formen. Als Wettbewerber des H. kamen Verlagssystem und Fabrik auf. Seit dem Ende des 18. Jh. geriet das H. durch die Massenerzeugung der Manufakturen, dann der Fabriken in eine schwere Krise. Aus Protest gegen die Beseitigung der überlieferten Zunftrechte und Lebensformen entstand in der 1. Hälfte des 19. Jh. die **Handwerkerbewegung** (Allgemeiner Dt. Hand-

Handwerk: Logo des deutschen Handwerks

Handwerkszeichen (1956–94)

werkerkongress 1848 in Frankfurt am Main), die die Einrichtung einer berufsständ. H.-Ordnung bewirkte. 1897 wurden die H.-Kammern eingerichtet. Das Problem des wirtsch. und sozialen Fortbestands des H. entstand durch die starke industrielle Entwicklung um 1900. Auf Qualitätsarbeit beruhende H.-Betriebe konnten sich behaupten, neue H.-Zweige kamen hinzu. Trotz der Überlegenheit von Ind. und Großbetrieben auf Einzelgebieten hat das H. seine bed. Stellung in der Volkswirtschaft behalten.

📖 Sinz, H.: *Lexikon der Sitten u. Gebräuche im H. Freiburg im Breisgau u. a. 1986. – Lexikon des alten H., hg. v.* R. Reith. *München* ^{2}*1991. – Die neue Handwerker-Fibel für die praxisnahe Vorbereitung auf die Meisterprüfung, bearb. v.* W. Gress *u. a., 3 Bde. Bad Wörishofen* ^{35}*1996.*

Handwerkergenossenschaften, Selbsthilfeeinrichtungen der selbstständigen Handwerker, um die Mitte des 19. Jh. in Abwehr gegen die Großbetriebe der Ind. und später des Handels geschaffen. Unterschieden werden Einkaufs-, Absatz-, Rohstoff-, Produktionsgenossenschaften.

Handwerkerversicherung, die Sozialversicherung der selbstständigen Handwerker, Teil der gesetzl. Rentenversicherung; seit 1992 geregelt im Sozialgesetzbuch (SGB VI).

handwerksähnliche Gewerbe, diejenigen Gewerbe, die in der Anlage zu § 18 Abs. 2 der Handwerksordnung aufgeführt sind und in handwerksmäßiger Form ausgeübt werden. Beginn und Ende eines h. G. sind der zuständigen Handwerkskammer anzuzeigen. Meist handelt es sich um kleinbetrieblich organisierte Gewerbetätigkeiten, die weder eine vollhandwerkl. Berufsausbildung noch einen Befähigungsnachweis benötigen.

Handwerkskammer, Selbstverwaltungskörperschaft des öffentl. Rechts zur Vertretung der Handwerksinteressen (§ 90 Handwerksordnung); sie übt zugleich hoheitl. Aufgaben aus, z. B. Regelung der Berufsausbildung sowie der Gesellen- und Meisterprüfungsordnung, Führung der Handwerksrolle, Bestellung von Sachverständigen, Unterstützung Not leidender Handwerker, Aufsicht über die Innungen. Die von der H. erlassenen Vorschriften und Anordnungen sind von den Innungen und Kreishandwerkerschaften durchzuführen.

Die H. werden von der obersten Landesbehörde errichtet; ihnen unterstehen alle Handwerksbetriebe, die die H. durch Beiträge finanzieren. Organe der H. sind die Vollversammlung, deren Mitgl. zu einem Drittel Gesellen sein müssen, der Vorstand sowie die Ausschüsse. In Dtl. bestehen (1996) 56 H.; sie sind in den Ländern zu **H.-Tagen,** auf Bundesebene zum **Dt. H.-Tag** (Sitz: Bonn) zusammengeschlossen.

Handwerksrolle, → Handwerk.

Handwerkszeichen, Symbol für die Zugehörigkeit zum Handwerkerstand; 1956 als Verbandszeichen in die Warenzeichenrolle des dt. Patentamtes eingetragen; 1994 durch ein neues Logo des dt. Handwerks ersetzt. Die Handwerks-Fachverbände führen daneben eigene (z. T. alte) Berufszeichen. Bild Handwerk

Handy [ˈhɛndɪ] *das, Telekommunikation:* umgangssprachliche Bez. für ein → Mobiltelefon, das durch handl. Größe und ein geringes Gewicht (200–300 g) mobil eingesetzt werden kann (nicht für Festeinbau im Kfz). Moderne Geräte verfügen über Hochleistungsakkus, die bei einer Sendeleistung von maximal 2 W eine Gesprächsdauer bis zu mehreren Stunden ermöglichen (im Stand-by-Modus mehr als 48 Stunden).

Handzeichen, gekürzte Namensunterschrift (Initiale, Paraphe); ein die Namensunterschrift ersetzendes Zeichen von Analphabeten (meist drei Kreuze). H. müssen notariell beglaubigt sein, wenn für einen Vertrag Schriftform mit eigenhändiger Unterschrift vorgeschrieben ist (§ 126 BGB).

Hanf (Cannabis), Gattung der H.-Gewächse mit der einzigen Art **Gewöhnlicher H.** (Cannabis sativa). Beheimatet ist der H. in Indien, in Iran und Afghanistan. Die bis 3,5 m hohen einjährigen Pflanzen sind zweihäusig und besitzen handförmig gefiederte Blätter. Bei den weibl. Blütenständen sitzen v. a. an den Tragblättern der Blüten Drüsen, die ein Harz, das → Haschisch, ausscheiden. Die harzverklebten, getrockneten Pflanzenteile (v. a. die Blütenstände) ergeben das Marihuana. Eine aus Asien stammende Kulturform des Gewöhnl. H. ist der **Faser-H.** (**Kultur-H.,** Cannabis sativa ssp. sativa), angebaut in Asien, Europa, N-Afrika, Nordamerika, Chile und Australien. Er wird bei weitem Pflanzenabstand bis 3 m hoch und grobfaserig (**Riesen-H., Schließ-H., Seiler-H.**), bei dichter Aussaat niedrig und feinfaserig (**Spinn-H.**). Die Stängelfaser (**Bastfaser, Weich-H.**) des H. dient zur Herstellung von Nähgarnen (H.-Garn), Bindfäden, Schnüren und Seilen sowie von Segeltuch, Gurten, Matten und Teppichen. Sie besteht aus zu Bündeln vereinigten Einzelfasern. Fasern aus männl. und weibl. Pflanzen unterscheiden sich voneinander durch ihre Feinheit. Die Fasern werden durch Schwingen und Hecheln gewonnen. Die H.-Faser ist weißlich, grünlich oder gelblich, je heller, umso besser die Fasereigenschaften. Die H.-Samen (nüsschenartige Früchte, auch als Vogelfutter verwendet) liefern ein grünl. Öl, das u. a. zur Seifenherstellung verwendet wird.

Hanf: Gewöhnlicher Hanf, Höhe bis etwa 3,5 m; a männliche blühende Pflanze, b männliche Blüte, c weibliche Pflanze mit Früchten, d weibliche Blüte mit Tragblatt, e vom Tragblatt umgebene Frucht

Der landwirtschaftl. H.-Anbau, 1982 aus betäubungsmittelrechtl. Gründen verboten, ist seit 1996 in Dtl. wieder erlaubt. Die jetzt zugelassenen H.-Sorten dürfen jedoch nur max. 0,3% des Rauschgifts Tetrahydrocannabinol (THC) enthalten. Seit längerem wird die Verwendung von H. als nachwachsender Rohstoff diskutiert.

Geschichtliches: Schon um 2800 v. Chr. soll der H. zur Anfertigung von Kleidern und Seilen angebaut worden sein. Die Griechen lernten H. erst nach dem 5. Jh. v. Chr. kennen und gaben ihn unter dem Namen »kannabis« an die Römer weiter. Spätestens im 5. Jh. v. Chr. war H. den Germanen, im 3. Jh. v. Chr. auch den Galliern im Rhonetal bekannt.

🕮 BEHR, H.-G.: *Von H. ist die Rede. Kultur u. Politik einer Droge. Neuausg. Frankfurt am Main ³1995. – H. & Co. Die Renaissance der heim. Faserpflanzen, hg. v.* F. WASKOW. *Göttingen ²1996.*

Hänfling (Carduelis), Gattung meist kleiner, bräunl. bis grauer Finkenvögel mit sechs Arten auf der Nordhalbkugel. Zu den H. gehören u. a. Berg-H. und der bis 13 cm lange, in Europa, Kleinasien und NW-Afrika vorkommende **Blut-H.** (Carduelis cannabina). In M- und N-Europa, im nördl. Asien und nördl. Nordamerika kommt der ebenso große **Birkenzeisig** (Carduelis flammea) vor.

Hang, *Geomorphologie:* geneigtes Stück der Erdoberfläche. Nach der **H.-Neigung** unterscheidet man Steil- und Flach-H.; in Flusstälern mit Mäandern erscheinen →Gleithang und →Prallhang. Übersteile H. (50° und mehr) heißen Wände.

Hangar [auch -ˈgaːr, frz.] *der,* Halle zur Unterbringung, Wartung und Reparatur von Flugzeugen.

Hangbewegung, die Verlagerung von Gesteinen und Böden an Hängen durch Schwerkraftwirkung. Im Einzelnen lassen sich unterscheiden: **Kriechen,** langfristig verlaufende, sich nicht beschleunigende Bewegung ohne ausgeprägte Gleitflächen, dabei kommt es zu Hakenschlagen (-werfen) und talwärts gebogenem Säbelwuchs der Bäume. **Gleiten,** H. miteinander verbundener Massen längs einer oder mehrerer Gleitflächen mit Verbindung zum Liegenden. Das Ergebnis ist die Rutschung **(Bergrutsch). Fließen,** H. in Lockergesteinen, die zu Erd- und Blockströmen (→Solifluktion) führt. **Fallen,** sehr schnell verlaufende H., wobei die Gesteinsmassen ihren inneren Zusammenhang völlig verlieren; Ergebnis: Fels- und Bergsturz, Schutthalden.

Hangchow [-dʒɔʊ], Stadt in China, →Hangzhou.

Hängebahn, *Transportwesen:* **1)** Personentransportmittel für den öffentl. Nahverkehr, das zur Kategorie der →Einschienenbahn gehört; bei den modernen H. verkehren die Kabinenwagen bedarfsgesteuert und die Laufwerke fahren innerhalb des Tragbalkens **(H-Bahn).**

2) flurfreies, innerbetriebl. Lastentransportmittel mit hoch liegender Schienenführung und daran hängendem Fahrgestell; der Antrieb erfolgt meist durch Elektromotoren **(Elektrohängebahn).**

Hängebank, *Bergbau:* Plattform in der Schachthalle, von der aus Personen und Material auf den Förderkorb gelangen, meist einige Meter über Grund. Eine ebenerdige H. heißt **Rasenhängebank.**

Hängegleiter, ein Gleitflugzeug, in dem der Pilot nicht sitzt, sondern sich mit einem Gurtgeschirr einhängt, die Arme auf Stützen auflegt und den H. allein durch Verlagerung seines Körperschwerpunktes steuert. (→Drachenfliegen)

Hängematte, geflochtenes, gewebtes oder geknüpftes langes rechteckiges Ruhenetz zum Schlafen oder Sitzen, meist zw. Pfosten oder Baumstämmen aufgehängt; ursprünglich bei den Völkern Süd- und Mittelamerikas. H. aus Segeltuch waren früher bei Raummangel auf Schiffen üblich.

Hängende Gärten, eine nur literar. bezeugte antike Gartenform; bes. bekannt sind die Hängenden Gärten der assyr. Königin Semiramis (Ende 9./Anfang 8. Jh. v. Chr.) in der Königsburg zu Babylon, nach grch. Überlieferung von Nebukadnezar II. (605–562 v. Chr.) für seine Gemahlin erbaut. Sie wurden zu den sieben Weltwundern gerechnet. Ob die Subkonstruktionen an der NO-Ecke des Palastes in Babylon auf die H. G. zurückzuführen sind, ist fraglich.

Hangendes, *Geologie:* die über einer bestimmten Gesteinsschicht liegende, bei ungestörter Lagerung jüngere Schicht. Die unterlagernde Schicht heißt **Liegendes.**

Hängerolle, hochformatiges Rollbild, im Ggs. zur →Querrolle zum Aufhängen bestimmt, auf Stoff oder Papier gemalt, oben und unten mit je einem waagerechten Holzstab; wichtigste Bildform in der chines., korean. und japan. Kunst.

Hängetal, Seitental, dessen Sohle an der Einmündung höher liegt als die des Haupttales; häufig in glazial überformten Tälern.

Hängewerk, Tragwerk zum Überspannen großer Räume, bes. beim Holz- oder Stahlbau; die

Hänfling: Birkenzeisig (oben) und Bluthänfling

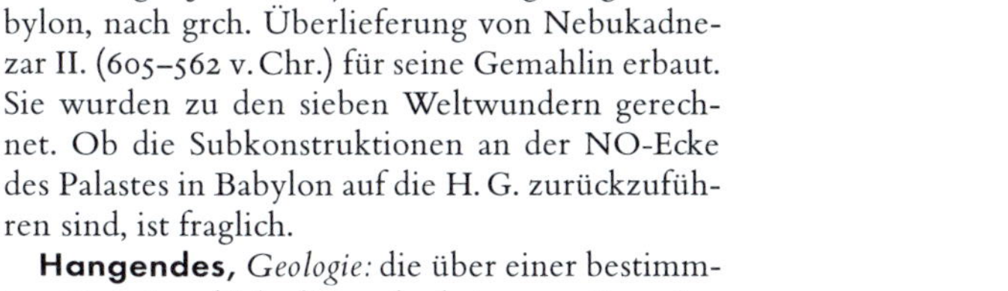

Hängewerk: einfaches (rechts) und doppeltes Hängewerk; a Hängebalken, b Hängestreben, c Hängesäulen, d Streben, e Spannriegel

Hängesäulen sind durch Streben gegen die Auflager abgesteift. Anwendung bei Dach- oder Brückenkonstruktionen.

Hangö, Stadt in Finnland, →Hanko.

Hangtäter, Täter, der durch wiederholte Ausführung einen Hang zu erkennen gibt, erhebliche Straftaten zu begehen, namentlich solche, durch welche die Opfer seelisch oder körperlich schwer geschädigt werden oder schwerer wirtsch. Schaden angerichtet wird, und der dadurch für die Allgemeinheit gefährlich ist. Als Hang wird eine eingewurzelte, aufgrund charakterl. Veranlagung bestehende oder durch Übung erworbene intensive Neigung zu Rechtsbrüchen definiert. Der Hang kann auch auf Willensschwäche beruhen. Vom H. differenziert zu betrachten ist der Triebtäter. Ein H. kann, wenn er schon mehrfach verurteilt worden ist und mindestens zwei Jahre Freiheitsentzug verbüßt hat, in Sicherungsverwahrung genommen werden (§66 StGB; gilt nicht in den neuen Bundesländern).

Tom Hanks

Hangtschou, Stadt in China, →Hangzhou.

Hangwind, durch den tägl. Wechsel von Ein- und Ausstrahlung bei heiterem Wetter entstehende Luftströmung an Hängen, die tagsüber aufwärts, nachts abwärts fließt. Der Aufwind wird beim Segelfliegen genutzt.

Hangzhou [-dʒɔʊ] (Hangchow, Hangtschou), Hptst. der ostchines. Küstenprovinz Zhejiang, am S-Ende des Kaiserkanals und am Mündungstrichter des Fuchun Jiang in die seichte H.-Bucht, 1,1 Mio. Ew.; Univ., TU, Lehranstalt für schöne Künste, Observatorium, zoolog. Garten; Seiden-, Baumwoll-, Papier-, Tee-, Stahl- und chem. Ind., Maschinenbau, Erdölraffinerie; Hafen. – Der **Westsee** (Xihu) ist Touristenziel mit kunsthistorisch bed. Denkmälern: Pavillon (17./18. Jh.), Stupas (17. Jh.) u.a. auf mehreren Inseln, Grabmal eines Generals (12. Jh.) am N-Ende; westlich des Sees das Tempelkloster Lingyin Si (heutige Gebäude 19./20. Jh.), gegenüber die über 200 m hohe Felswand Feilai Feng mit Höhlentempeln mit buddhistischen Darstellungen im Flachrelief (10.–14. Jh.). – H. war 1127–1279 unter dem Namen **Linan** Hptst. der Südl. Songdynastie, damals schon Millionenstadt.

Hangzhou: In die über 200 m hohe Felswand Feilai Feng gemeißelte Buddhafigur (10.–14. Jh.)

Han Jiang [-dʒɪaŋ], Fluss in China, →Han Shui.

Hankar [ãˈkaːr], Paul, belg. Architekt, *Frameries (bei Mons) 10. 12. 1859, †Saint-Gilles 17. 1. 1901; Vertreter des belg. Jugendstils, befreite die Architektur von historisierenden Tendenzen.

Hankiang, Fluss in China, →Han Shui.

Hanko (schwed. Hangö), Hafenstadt und Seebad auf der südwestlichsten Landzunge Finnlands, 12100 Ew. (46% Schwedisch sprechend); Eisen- und Stahlwerk, Herstellung von Radio- und Fernsehgeräten, Konservenind.; Eisenbahnfährverbindung mit Lübeck-Travemünde. – Seit 1270 als Handelsplatz belegt; erhielt 1878 Stadtrecht. 1940–44 war H. an die Sowjetunion verpachtet.

Hankou, Stadtteil der chines. Stadt →Wuhan.

Hanks [hæŋks], Tom, amerikan. Schauspieler, *Concord (Calif.) 9. 7. 1956; zunächst Bühnenrollen; erfolgreiche Filme waren u.a. »Eine Klasse für sich« (1991); »Schlaflos in Seattle« (1992); »Philadelphia « (1993); »Forrest Gump« (1994); »Apollo 13« (1995); auch Regiearbeiten.

Hann, Julius Ferdinand Edler von (seit 1910), österr. Meteorologe, *Schloss Haus (bei Linz) 23. 3. 1839, †Wien 1. 10. 1921; bedeutendster Meteorologe und Klimatologe seiner Zeit, führte erstmals thermodynam. Begriffe in die Meteorologie ein, entwickelte eine neue Theorie der Berg- und Talwinde; grundlegende Arbeiten zur Klimatologie (»Hb. der Klimatologie«, 1883, 3 Bde. 1908–11), und »Lb. der Meteorologie«, 2 Bde., 1901).

Hanna *die* (tschech. Haná), rechter Nebenfluss der March in Mähren, Tschech. Rep., 54 km lang, fließt durch die fruchtbare Beckenlandschaft **Große Hanna,** mündet nordwestlich von Kremsier.

Hanna [hebr. »die Begnadete«] (Vulgata Anna), **1)** *A. T.:* Mutter des Propheten Samuel (1. Sam. 1,20).

2) *N. T.:* Prophetin am Tempel in Jerusalem z.Z. der Geburt Jesu (Lk. 2,36ff.).

Hannaken, die mähr. Bewohner der Niederung an der →Hanna. Das **Hannakische** ist ein tschech. Dialekt.

Hannas (Vulgata Annas), nach Lk. 3,2 jüd. Hohepriester (6–15 n.Chr.); nach Joh. 18,13ff. maßgeblich am Prozess gegen Jesus beteiligt.

Hänneschen-Theater, ein Stockpuppentheater in Köln, gegründet 1802 von J. C. Winters (*1772, †1862). Sie stehen auf rd. 2 m hohen Standstangen und werden von unten durch einfache Drehbewegung geführt. Die auftretenden Figuren sprechen vorwiegend in Kölner Mundart.

Hannibal [punisch »Günstling des Baal«], karthag. Feldherr, *Karthago 247/246 v. Chr., †(Selbstmord) Libyssa in Bithynien 183 v. Chr., Sohn des Hamilkar Barkas; einer der größten Heerführer und Staatsmänner des Altertums, unterwarf nach dem Tode seines Schwagers Hasdrubal (221) das östl. Spanien bis zum Ebro, eroberte 219 gegen den Einspruch Roms Sagunt, überschritt den Ebro und bot dadurch den Anlass für den 2. Pun. Krieg. H. überschritt 218 mit seinem Heer und 37 Kriegselefanten die verschneiten Alpen, siegte über die Römer am Ticinus und an der Trebia und 217 am Trasimen. See. Mit dem großen Sieg bei Cannae (216) erschütterte er die röm. Machtstellung. Süditalien fiel nach und nach in H.s Hand. Durch ein Bündnis mit Philipp V. von Makedonien und die Unterstützung von Syrakus konnte H. den allg. Krieg gegen Rom entfesseln, aber die Ausweitung des Kriegsschauplatzes zersplitterte gleichzeitig die Kräfte. Ohne nennenswerte Unterstützung aus Karthago wurde H. seit 215 langsam in die Defensive gedrängt. Nach der Niederlage seines Bruders Hasdrubal am Metaurus (207) zog sich H. nach Bruttium (Kalabrien) zurück. 203 wurde er nach Karthago zurückgerufen, das von den Römern unter der Führung von Scipio d. Ä. bedroht war; 202 wurde H. von Scipio bei Zama geschlagen. Damit war die Großmachtstellung Karthagos vernichtet. 196 setzte H. eine Neugestaltung der Verf. und eine Reform des Finanzwesens durch. Unter dem Druck seiner karthag. Gegner musste er fliehen. Am Hof Antiochos' III. von Syrien entwarf er bei Ausbruch des syrisch-röm. Kriegs (192) einen Kriegsplan. Nach dem Sieg Roms 190/189 floh er zu König Prusias I. nach Bithynien. Als auch hier die Römer seine Auslieferung forderten, tötete sich H. selbst durch Gift. (→ Punische Kriege)

📖 SCHREIBER, H.: *H. Wien 1986.* – FABER, G.: *Auf den Spuren von H. Neuausg. Rastatt 1988.* – SEIBERT, J.: *H. Darmstadt 1993.*

Hannibal ante portas! [lat. »Hannibal vor den Toren!«], Schreckensruf der Römer, als Hannibal 211 v. Chr. gegen die Hauptstadt zog; richtig **Hannibal ad portas!** [»Hannibal bei den Toren«], so u. a. angeführt bei Cicero »Philippica« 1, 5, 11 und »De finibus« 4, 9, 22.

Hann. Münden (Hannoversch Münden, bis 1990 Münden), Stadt im Landkreis Göttingen, Ndsachs., am Zusammenfluss von Fulda und Werra, 26 300 Ew.; Hess. Forstl. Versuchsanstalt; Herstellung von Verpackungsfolien, Gummiwaren und Luftgewehrmunition, Kunststoff verarbeitende Industrie. – Altstadt mit zahlr. Fachwerkbauten, got. Sankt-Blasius-Kirche, Rathaus im Renaissancestil (1603–19), Welfenschloss (1562–1584, jetzt Museum). – Münden ist 1183 als Stadt bezeugt. Der heutige Name geht auf die einstige Zugehörigkeit zum Königreich Hannover zurück.

Hänneschen-Theater: typische Figuren; Mählwurmspitter, Schäl, Tünnes, Bärbelchen, Hänneschen, Schnäuzerkowski (von links)

Hanno, 1) karthag. Seefahrer, führte in der 1. Hälfte des 5. Jh. v. Chr. eine Flottenexpedition entlang der W-Küste Afrikas, gelangte wahrscheinlich bis zum Golf von Guinea. Sein Fahrtenbericht ist in grch. Übersetzung (»Periplus«) erhalten.

2) H. der Große, karthag. Heerführer um 240 v. Chr.; polit. Gegner des Hamilkar Barkas; nach Livius warnte er die Karthager 218 v. Chr. vergebens vor einem Krieg mit Rom.

Hannibal (Marmorbüste; Neapel, Museo Nazionale)

Hannongfayencen [-faˈjãsən], in der Straßburger Fayencefabrik unter Leitung der Familie Hannong seit 1721 hergestellte Fayencen, in deren Formenreichtum und mannigfaltigem Dekor sich frz. (Rouen) und dt. Einflüsse (Meißen) verbinden; 1755–80 in Frankenthal produziert.

Hannover, 1) histor. Land in NW-Dtl., fast ausschl. auf dem Gebiet des heutigen Ndsachs., ehemals Kernland des Königreichs H.; Herzstück war das welf. Teilfürstentum Calenberg (Reg.sitz seit 1636 in H.). Herzog Ernst August (1676–98) sicherte die Einheit des Landes (Primogenitur) und

Hanno

Auf einem Papyrus der Universitätsbibliothek Heidelberg ist ein Teil der griechischen Übersetzung des Fahrtberichts von Hannos Afrikaumsegelung erhalten. Eine Passage daraus beschreibt offenbar die Begegnung der Expedition mit Menschenaffen: »... Nachdem wir drei Tage den Feuerflüssen gefolgt waren, kamen wir zu einem Golf namens »Südliches Horn«. In diesem Golf lag eine Insel ... Sie wimmelte von Wilden. Bei weitem die meisten waren Weiber mit haarigen Leibern, die unsere Dolmetscher »Gorillas« (Gorgades) nannten. Wir machten auf die »Männer« Jagd, da sie auf steile Felsen hinaufkletterten und uns mit Steinen bewarfen ...«

Hannover 4): Das 1903-08 erbaute Neue Rathaus liegt in einer Parkanlage in der Nähe des Maschsees

erreichte 1692 die Erhebung zum Kurfürstentum (reichsrechtlich Kurbraunschweig, allg. jedoch Kur-H. genannt).

Kurfürstentum H.: Ernst Augusts Gemahlin Sophie von der Pfalz (* 1630, † 1714) brachte als Enkelin Jakobs I. dem Haus H. die Anwartschaft auf den engl. Thron; Georg Ludwig (1698–1727) begründete als Georg I. die Personalunion mit Großbritannien (1714–1837), H. wurde von einem königl. Statthalter und einem Geheimen Rat regiert. 1705 wurde das Fürstentum Celle, 1720 das Herzogtum Bremen und das Herzogtum Verden erworben. 1757/58 und 1803/06–13 französisch (1801 und 1805 preußisch) besetzt, kam der S zum Königreich Westphalen (1807–13). 1813 befreit, wurde H. am 12. 10. 1814 zum Königreich erhoben.

Hannover 4)
Stadtwappen

Königreich H.: Auf dem Wiener Kongress erhielt H. Ostfriesland, Emsland, Osnabrück, Hildesheim, Goslar. 1819 wurde eine Verf. (zwei Kammern) oktroyiert. König Ernst August (1837–51) hob das liberale Staatsgrundgesetz von 1833 auf und provozierte ganz Dtl. bewegende Verfassungskämpfe (→ Göttinger Sieben). Nach einer Reform 1848/49 kam es unter Georg V. (1851–66) zu erneuter Reaktion; nach der Niederlage im Dt. Krieg wurde H. von Preußen annektiert.

Preußische Provinz H.: Gegen den Verlust der Eigenstaatlichkeit (preuß. Verf., 1. 10. 1867) leistete v. a. die Dt.-Hannoversche Partei Widerstand; es kam zur Beschlagnahme des königl. Vermögens (→ Welfenfonds). Nach Gebietsaustauschen (1922 und 1932/33) mit anderen dt. Ländern kam es nach 1945 unter der brit. Militärreg. zu neuen Selbstständigkeitsbestrebungen; das wieder errichtete Land H. (23. 8. 1946) ging aber am 1. 10. 1946 im neu gebildeten Land Ndsachs. auf.

2) RegBez. des Landes Ndsachs., 9046 km², (1996) 2,14 Mio. Ew.; umfasst die kreisfreie Stadt H. und die Landkreise Diepholz, Hameln-Pyrmont, H., Hildesheim, Holzminden, Nienburg (Weser), Schaumburg.

3) Landkreis im RegBez. H., Ndsachs., 2086 km², (1996) 587 300 Einwohner.

4) Hptst. von Ndsachs., Sitz der Verw. des RegBez. H. und des Landkreises H., kreisfreie Stadt, 522 700 Ew. Die Stadt liegt am Südrand der Norddt. Tiefebene an der Leine und am Mittellandkanal; die Ausläufer des Weserberglandes grenzen an das Stadtgebiet. H. ist eine bed. Ind.- und Handelsstadt und als Verw.- und Kulturzentrum Niedersachsens Sitz der Landesreg., der Wasser- und Schifffahrtsdirektion, Bundesanstalt für Geowiss. und Rohstoffe, Bundessortenamt, Landesarbeitsamt Niedersachsen-Bremen, Niedersächs. Finanzgericht, Landesarbeitsgericht u. a. Gerichte; Kirchenkanzlei der Evang. Kirche in Dtl., Landeskirchenamt der Evang.-Luther. Landeskirche, Akademie für Raumforschung und Landesplanung, Max-Planck-Inst. für experimentelle Endokrinologie, Fraunhofer-Inst. für Toxikologie und Aerosolforschung, Dt. Institut für Kautschuk-Technologie; Univ., Medizin. und Tierärztl. Hochschulen, Hochschule für Musik und Theater, zwei FH; Niedersächs. Landesmuseum, Kestner-Museum, Kunstmuseum, Histor. Museum, Wilhelm-Busch-Museum, Niedersächs. Landesbibliothek, Niedersächs. Hauptstaatsarchiv, mehrere Theater, u. a. neues Schauspielhaus (1992); zoolog. Garten. Wichtige Industriebranchen sind Maschinen- und Fahrzeugbau, Gummiind., Herstellung von Bürobedarf, Nahrungs- und Genussmittel-, elektrotechn. und elektron. sowie chem. Industrie. Große Wirtschaftsunternehmen und Versicherungen haben in H. ihren Sitz. Die Stadt ist ein bed. Messestandort (H.-Messe, CeBiT u. a.); günstige Verkehrslage mit internat. Flughafen (H.-Langenhagen), vier Häfen am Mittellandkanal, Autobahnkreuz. Mit weitläufigen Wald- und Grüngebieten, Parkanlagen und dem 1934–36 angelegten Masch-

Hannover 4): Das 1992 eröffnete neue Schauspielhaus

Hanoi: Der dem Konfuzius im frühen 11. Jh. geweihte Tempel der Literatur; der heutige Bau stammt zum großen Teil aus dem 15. Jahrhundert

see, weist H. einen hohen Wohn- und Freizeitwert auf. Im Jahr 2000 findet in H. die Weltausstellung Expo 2000 (Motto »Mensch-Natur-Technik«) statt. – Nach starken Zerstörungen im 2. Weltkrieg Aufbau einer modernen City. Erhalten bzw. wieder aufgebaut wurden u.a. Marktkirche (14. Jh.), Kreuzkirche (1333), Altes Rathaus (15. Jh.), Neues Rathaus (1903–08, Innenausstattung 1910–13), Leineschloss (18./19. Jh., seit 1962 Landtagsgebäude) und Opernhaus (1848–52). In **H.-Herrenhausen** berühmte Barock-Gartenanlagen.

Vor 1100 entstand die Marktsiedlung **Honovere** (1202 als Stadt bezeichnet, 1241 Bestätigung und Erweiterung der Stadtrechte durch den Herzog von Braunschweig-Lüneburg). Im 13. Jh. rasche wirtsch. Entwicklung; 1368 Mitgl. der Hanse. Im 14. Jh. erhielt H. weitgehende Selbstständigkeit vom Stadtherrn, wurde aber 1636 Residenz des welf. Fürstentums Calenberg. 1837 Residenz des Königreichs H., 1866 Verw.sitz der preuß. Provinz H., 1946 Landeshauptstadt.

📖 *H. Porträt einer Landeshauptstadt, hg. v.* B. Häussermann. *Hannover 1988.* – Schrader, E.: *Der Große Garten zu Herrenhausen, H. Hannover* ^{2}*1989.* – *H.-Chronik, hg. v.* K. Mlynek *u.* W. R. Röhrbein. *Hannover 1991.*

Hannoveraner, Pferderasse vom Typ des Deutschen Reitpferds aus der histor. Region Hannover, Hochleistungsturnierpferde, seit etwa 200 Jahren gezüchtet.

Hanoi [haˈnɔj], Hptst. von Vietnam, im Tongkingdelta am Roten Fluss, als Stadtprovinz 921 km^2, (1993) 2,16 Mio. Ew.; Erzbischofssitz; Univ., TH, land- und forstwirtsch. Hochschulen, Kunstakademie, Militärakademie; Museen, Ho-Chi-Minh-Mausoleum, botan. Garten; Maschinenbau, Kugellagerfabrik, Herstellung von Fahrrädern, Gummi-, Nahrungsmittel-, Textil- und chem. Ind.; Flusshafen, internat. Flughafen.

Bed. Bauten u.a. die Ein-Pfeiler-Pagode der Göttin Quan-Am (Mitte des 11. Jh.) als Nationalheiligtum und der dem Konfuzius geweihte Tempel der Literatur (gegr. 1070, im Wesentl. 15. Jh.). Älteste Befestigungsanlagen stammen wohl aus dem 3. Jh. v. Chr. – Vor dem 10. Jh. bereits chines. Herrschaftszentrum, wurde 1010 als **Thang Long** Hptst. des annamit. Reiches; erhielt 1831 (nach Verlegung der Landeshptst. nach Huê 1802) den Namen **Ha Noi** (»Stadt zw. zwei Flüssen«). 1873 und 1882 von Franzosen erobert; ab 1887 Sitz des Generalgouv. von Frz.-Indochina, 1940–45 unter japan. Besetzung. In H. rief am 2. 9. 1945 Ho Chi Minh die Demokrat. Rep. Vietnam aus; 1946–54 erneut von frz. Truppen besetzt; wurde 1954 Hptst. Nord-Vietnams (während des Vietnamkrieges durch amerikan. Bombenangriffe stark zerstört), seit 1976 Hptst. Vietnams.

Hanoi: Straßenszene

Hanotaux [anɔˈto], Gabriel, frz. Historiker und Staatsmann, *Beaurevoir (Dép. Aisne) 19. 11. 1853, †Paris 11. 4. 1944; förderte als Außenmin. die koloniale Ausdehnung Frankreichs (bes. in Afrika) und die Annäherung an Russland. 1897 Mitgl. der Académie française.

Werke: Gesch. des zeitgenöss. Frankreich, 1871–1900 (4 Bde., 1903–08); Histoire des colonies françaises (6 Bde., 1929–34, mit A. Martineau).

Hannoveraner

Der Hannoveraner, eine Pferderasse im Typ des Deutschen Reitpferdes, nimmt unter den im Hochleistungsreitsport eingesetzten Pferderassen eine führende Stellung ein. Hannoveraner sind großrahmige, edle Pferde (Widerristhöhe 160–170 cm; alle Farben) mit elastischen, schwungvollen Gängen.
Anfänge der Zucht lassen sich bis ins 15./16. Jahrhundert zurückverfolgen. Grundlage für die heutige Zucht war die Einrichtung des Landgestüts Celle (1735), in dem Hengste unterschiedlichster Rassen (v. a. Andalusier, Neapolitaner, Holsteiner, Mecklenburger, Vollblüter) zur Veredlung der einheimischen Landrasse gehalten wurden; zur späteren Vereinheitlichung der Zucht trug die Eröffnung des hannoverschen Stutbuchs für edles Warmblut (1880) bei.
Seit der Gründung der Hengstprüfungsanstalt Westercelle (1928; 1975 nach Adelheidsdorf verlegt) werden alljährlich Hengstleistungsprüfungen zur Ermittlung der Zuchtfähigkeit durchgeführt.

Hans Adam II., Fürst von und zu Liechtenstein

Hansabund, liberale wirtschaftspolit. Vereinigung, 1909 in Berlin als Interessenvertretung von Handel, Gewerbe und Ind. gegr., wandte sich gegen agrar. Konservativismus und die starke Bevorzugung der Landwirtschaft, gegen Sozialismus und Planwirtschaft; löste sich 1934 auf.

Hans Adam II., Fürst von und zu Liechtenstein, *Zürich 14. 2. 1945; 1984 zum Stellv. des Regierenden Fürsten ernannt, wurde nach dem Tod seines Vaters Franz Joseph II. 1989 Staatsoberhaupt.

Hans-Böckler-Preis, seit 1980 vom DGB jährlich verliehener Preis an Personen, die sich um Arbeitnehmerinteressen verdient gemacht haben.

Hänsch, Klaus, Politiker (SPD), *Sprottau (heute Szprotawa) 15. 12. 1938; seit 1979 MdEP, 1979–94 u. a. Mitgl. des Ausschusses für auswärtige Angelegenheiten und Sicherheit, 1989–94 stellv. Vorsitzender der Sozialdemokrat. Fraktion im Europ. Parlament, wurde 1994 dessen Präsident.

Hans-Christian-Andersen-Preis, internat. Kinder- und Jugendliteraturpreis, der seit 1956 alle zwei Jahre vom Internat. Kuratorium für das Jugendbuch (Sitz: Zürich) in Form einer Goldmedaille an einen lebenden Schriftsteller verliehen wird. Seit 1966 wird daneben eine Medaille an einen Kinderbuchillustrator verliehen.

Hanse [mhd., von ahd. hansa »Kriegerschar, Gefolge«], im MA. Bez. für Gemeinschaften von Kaufleuten im Ausland zu gemeinsamer Vertretung von Handelsbelangen sowie zu gegenseitigem Schutz.

Christian Frederik Hansen: Innenansicht der 1811–29 erbauten Frauenkirche in Kopenhagen, Lithographie (Kopenhagen, Kongelige Bibliotek)

Die Ursprünge liegen in der Privilegierung dt. Kaufmannsgenossenschaften im Ausland. Im Zuge der dt. Ostsiedlung verlagerte sich das Gewicht der H. zunehmend in den Ostseeraum (2. Hälfte des 12. Jh. H.-Kontore in → Nowgorod und Smolensk). Unter der Leitung Lübecks formierte sich ein (erst seit 1356 förml.) Bündnis der westfäl., sächs., wend., pommerschen und preuß. Städte (H.-Quartiere). In der Folgezeit wurde die H. immer wieder in Kämpfe mit den skandinav. Herrschern verwickelt. Zur Zeit der größten Blüte, die mit dem Frieden von Stralsund (1370; Sieg über Waldemar IV. von Dänemark) begann, gehörten alle bed. Städte nördlich der Linie Köln–Dortmund–Göttingen–Halle–Breslau–Thorn–Dünaburg–Dorpat der H. an. Im Vordergrund standen wirtsch. Ziele; eine polit. Zielsetzung (wie die süddt. Städtebünde) besaß die H. nicht. Mit der Schließung des hans. Kontors von Nowgorod (1494) setzte der Niedergang der H. ein. 1598 wurde das Londoner Kontor (»Stalhof«) geschlossen. Nach dem Dreißigjährigen Krieg setzten Lübeck, Hamburg und Bremen die hans. Tradition fort (letzter H.-Tag 1669).

Organisation: Zum Kern der H. zählten 70 (vorwiegend dt.) Städte, weitere 130 Städte, auch außerhalb des Reichs, waren locker an sie gebunden. Leitendes Organ waren die H.-Tage als Hauptversammlungen der Mitglieder. Unterste Stufe der hans. Organisation war i. d. R. der Rat der jeweiligen H.-Stadt.

📖 Dollinger, P.: *Die H. A. d. Frz. Stuttgart* *⁴1989.* – Ziegler, U.: *Die H. Aufstieg, Blütezeit u. Niedergang der ersten europ. Wirtschaftsgemeinschaft. Bern 1994.*

Hanselmann, Johannes, evang. Theologe, *Ehingen a. Ries (Kr. Donau-Ries) 9. 3. 1927; seit 1975 Landesbischof der Evang.-Luth. Kirche in Bayern; seit 1987 auch Präs. des Luth. Weltbundes.

Hänsel und Gretel, Märchen der Brüder Grimm, in deren Fassung Kinder aus Not von den Eltern im Wald ausgesetzt werden und zu dem Kuchenhaus einer Hexe gelangen, die sie verzehren will. Sie täuschen sie jedoch, und Gretel gelingt es, die Hexe in den Ofen zu schieben. – Einzelne Motive gehen auf Märchen von G. Basile und C. Perrault zurück. Märchenoper von E. Humperdinck (1893).

Hansemann, David, preuß. Wirtschaftspolitiker, *Finkenwerder (heute zu Hamburg) 12. 7. 1790, †Schlangenbad 4. 8. 1864; setzte sich für ein neues Steuersystem und für eine wirtsch. Lösung der sozialen Frage ein; 1848 preuß. Finanzmin., dann bis 1851 Leiter der Preuß. Bank. H. gründete 1825 die Aachener Feuerversicherungsges., 1851 die Disconto-Ges. in Berlin, 1862/64 die Erste Preuß. Hypotheken AG.

Hansen, 1) Christian Frederik, dän. Baumeister, *Kopenhagen 29. 2. 1756, †ebd. 10. 7. 1845; Hauptvertreter des dän. Klassizismus, baute Bürgerhäuser im damals dän. Holstein (u.a. das Waisenhaus in Altona, 1792–94) sowie das Rathaus (1815, heute Gerichtsgebäude) und die Frauenkirche in Kopenhagen (1811–29).

2) Hans Christian, dän. Politiker, *Århus 8. 11. 1906, †Kopenhagen 19. 2. 1960; während der dt. Besetzung in der Widerstandsbewegung, war 1953–58 Außenmin., 1955–60 Vors. der Sozialdemokrat. Partei und Ministerpräsident.

3) Theophil Edvard Freiherr von (seit 1884), dän. Baumeister, *Kopenhagen 13. 7. 1813, †Wien 17. 2. 1891; tätig in Athen, seit 1846 in Wien, wo seine historisierende Architektur die Neugestaltung der Stadt (u.a. an der Ringstraße) mitbestimmte (Kunstakademie, Börse, Parlament).

Hanshin [-ʃ-], Bez. für die Hafengemeinschaft Kōbe-Ōsaka auf Honshū, Japan, sowie für die nach N bis Kyōto reichende Wirtschaftsregion an der Ōsakabucht; nach Keihin das bedeutendste japan. Industriegebiet; umfasst als Planungsregion 431 km² mit rd. 10 Mio. Menschen.

Han Shui [-ʃui] (Han Jiang, Hankiang), linker Nebenfluss des Jangtsekiang in Mittelchina, entspringt im westl. Qinling, mündet in Wuhan, rd. 1500 km lang.

Hans im Glück, Märchen von der Einfalt und Narrheit der Menschen. Der Protagonist Hans tauscht einen Goldklumpen gegen ein Pferd, dieses wiederum gegen eine Kuh, bis er nach weiteren Tauschgeschäften einen Schleifstein erhält, der ihm in einen Brunnen fällt. Das Motiv des Tauschhandels, bei dem ein Ding jeweils gegen ein schlechteres weggegeben wird, was am Schluss aber doch von Vorteil ist, begegnet schon in der isländ. »Gautreks-Saga« (um 1265).

Hanslick, Eduard, österr. Musikschriftsteller und Musikkritiker, *Prag 11. 9. 1825, †Baden (bei Wien) 6. 8. 1904; förderte J. Brahms, stand der Musik R. Wagners ablehnend gegenüber; schrieb »Vom Musikalisch-Schönen« (1854), »Concerte, Componisten und Virtuosen« (1886) u.a.

Eduard Hanslick

Hanse

Hanson [hænsn], Duane, amerikan. Bildhauer, *Alexandria (Minn.) 17. 1. 1925, †Boca Raton (Fla.) 6. 1. 1996; arrangierte lebensgroße, minutiös nachgebildete Figuren mit charakterisierender Kleidung und Objekten zu spezif. sozialen Szenen; auch Environments.

Duane Hanson: »Supermarket Lady«, Fiberglasfigur (1970; Aachen, Neue Galerie – Sammlung Ludwig)

Hansson, Per Albin, schwed. Politiker, *Fosie (bei Malmö) 28. 10. 1885, †Stockholm 6. 10. 1946; war 1920–26 Verteidigungsmin., seit 1925 Vors. der Sozialdemokrat. Partei; 1932–46 MinPräs.; verfolgte im 2. Weltkrieg eine Politik der Neutralität.

Han Suyin, eigtl. Elizabeth Comber, engl. Schriftstellerin chinesisch-belgischer Abstammung, *Henan 12. 9. 1917; erfolgreiche Unterhaltungsromane über Ostasien und bes. China.

Hans von Tübingen, Maler, *um 1400/05, †Wiener Neustadt vor Febr. 1462; Hauptvertreter des ausgehenden weichen Stils (→schöner Stil) in Österreich; von der burgundisch-frz. Malerei beeinflusste Tafelbilder, Zeichnungen, Holzschnitte und Glasfenster.

Hanswurst, dt. Prototyp der kom. Figur oder lustigen Person. In der Literatur erscheint H. zuerst als **Hans Worst** in einer nd. Übersetzung von S. Brants »Narrenschiff« (1519). Als Bühnengestalt wird der H. stark beeinflusst durch den →Pickelhering der engl. Komödianten. Unter dem Einfluss der Commedia dell'Arte wird der H. zum →Harlekin des 17. und 18. Jh. auf den dt. Bühnen.

Hantel, Sportgerät aus zwei durch Griff oder Stange verbundenen Kugeln oder Scheiben. Sie werden als Freiübungs- oder Kugel-H. für Gymnastik, als Kurz- oder Lang-H. für das (Konditions-)Training verwendet. Beim Gewichtheben benutzt man veränderbare **Scheibenhanteln** mit auswechselbaren Gewichtsscheiben.

Hanyang, Stadtteil der chines. Stadt →Wuhan.

Haora (Howrah), Stadt im Bundesstaat West Bengal, NO-Indien, am Hugli gegenüber von Kalkutta, 946 700 Ew.; botan. Garten; Werften, Metall-, Textilind.; Flusshafen.

HAPAG, →Hamburg-Amerika-Linie.

Hapag-Lloyd AG, Hamburg und Bremen, 1970 durch Fusion der →Hamburg-Amerika-Linie mit dem →Norddeutschen Lloyd entstandene Reederei. Die Reiseagenturen der beiden Reedereien hatten sich schon 1948 zum Hapag-Lloyd-Reisebüro zusammengeschlossen. Die H.-L. AG ist heute v. a. in den Bereichen Linienschifffahrt, Touristik, Spedition und Luftverkehr tätig; 1979 Übernahme durch die Preussag AG.

Haparanda, die nördlichste Hafenstadt Schwedens, an der Mündung des Torneälv in den Bottn. Meerbusen, 10 000 Ew.; Schul- und Marktort. – 1812 gegründet.

haploid [grch.], *Biologie:* Bez. für Zellen mit einfachem Chromosomensatz (→Chromosomen); Ggs.: diploid.

Haploidisierung, *Genetik:* Herstellung von haploiden Zellen oder Individuen durch Stimulation der Zellteilung unbefruchteter Eizellen (z. B. bei Fröschen) oder durch Auskeimenlassen von Pollenkörnern zu haploiden Zellkulturen, aus denen sich dann haploide Pflanzen entwickeln können. Die H. ermöglicht es, Gene von diploiden Organismen im haploiden Zustand zu analysieren (z. B. rezessive Gene).

Happening ['hæpənɪŋ; engl. »Ereignis«] *das,* »lebendig gemachte Pop-Art« (W. Vostell), eine Form der →Aktionskunst (seit 1958), hebt die Grenzen zw. Kunst und tägl. Leben auf. Unter Einbeziehung der Zuschauer kommt ein überraschendes Erlebnis zustande; beispielhaft für die Aufhebung der Mediengrenzen. Zu den Hauptvertretern gehörten A. Kaprow in den USA und W. Vostell in Deutschland. Parallel zum H. entwickelten sich die Fluxusbewegung (→Fluxus) und die Aktionskunst der Vertreter des »Wiener Aktionismus«. Der Begriff H. wurde von der künstler. auf die polit. Szene übertragen. Heute in **Aktionen** lebendig, z. B. H. Voth, J. Beuys, W. Vostell (1981 Fluxus-Zug). Die →Performance ist eine modifizierte Weiterentwicklung des Happening.

Happyend ['hɛpiɛnt; engl. »glückl. Ende«] *das,* glückl. Ausgang eines (konfliktbeladenen) Geschehens (v. a. in Romanen, Filmen u. a.).

Haptene [grch.] (Halbantigene), niedermolekulare Verbindungen, die erst nach Koppelung an Eiweißkörper zu voll wirksamen →Antigenen werden und dann deren Spezifität bestimmen.

Hapteren [grch.], *Botanik:* 1) Haftorgane festsitzender Algen; 2) Haftfäden der Schachtelhalmsporen.

Haptoglobine, Glykoproteine, die beim Transport und Abbau von Hämoglobin mitwirken.

Haptotropismus *der,* die Fähigkeit (z.B. der Ranken von Kletterpflanzen), nach einem Berührungsreiz den berührten Körper zu umschlingen.

Harakiri [japan. »Bauchaufschneiden«] *das* (Seppuku), in Japan seit dem 12. Jh. eine dem Kriegerstand (Samurai) vorbehaltene Art des rituellen Selbstmords; diente v.a. der Wahrung der eigenen Ehre (um der Gefangenschaft zu entgehen, einer Strafe zuvorzukommen oder die Loyalität gegenüber dem Herrn zu beweisen). Unter Einhaltung zeremonieller Regeln schnitt sich der H. Begehende von links nach rechts den Leib auf, worauf ihm ein Sekundant den Kopf abschlug. Seit dem 17. Jh. auch ehrenvolle Todesstrafe für Adlige (bis 1873).

Harald, Herrscher:

Dänemark: **1) H. Blatand** [»Blauzahn«], König (etwa 940–985 oder 987), Sohn Gorms des Alten; ließ sich um 965 taufen; eroberte Teile Norwegens, wurde durch Kaiser Otto II. 974 besiegt; von seinem Sohn Svend Gabelbart vertrieben, fiel H. im Krieg gegen ihn.

Norwegen: **2) H. I. Harfågre** [»Schönhaar«], König (860–930), *850, †930; vereinigte Ende des 9. Jh., bes. nach der Schlacht am Hafrsfjord (bei Stavanger), die norweg. Gebiete zu einem Reich.

3) H. III. Hardråde [»der Strenge«], König (1047–66), *1015, †25. 9. 1066; diente in der kaiserl. Leibwache in Konstantinopel; trat 1047 die Nachfolge von König Magnus dem Guten an; zog 1066 zur Eroberung Englands aus, wo er in der Schlacht von Stamford Bridge (bei York) fiel.

4) H. V., König (seit 1991), *Skaugum (bei Oslo) 21. 2. 1937; Sohn König Olafs V. und Prinzessin Märthas von Schweden, besuchte die norweg. Kriegsschule, studierte Volkswirtschaft und polit. Wiss., ⚭ seit 1968 mit Sonja Haraldsen.

Haram [arab. »geweihter Platz«] *das,* heiliger, nur Muslimen zugänglicher Bezirk; als »die beiden hl. Bezirke« bezeichnet man im Islam diejenigen von Mekka und Medina; ebenfalls als H. gilt der Tempelberg in Jerusalem.

Haran, altoriental. Gebiet und Stadt, →Harran.

Harappakultur (Induskultur), nach Harappa am Ravi (Pandschab, Pakistan), einem der Hauptausgrabungsplätze, benannte Hochkultur (4. Jt. bis Mitte des 2. Jt. v. Chr.), v.a. im Industal, in Sind, Pandschab und Gujarat, auf der Halbinsel Kathiawar und an der Küste Belutschistans sowie in Afghanistan verbreitet. Bed. Stadtanlagen neben Harappa v.a. Mohenjo Daro, Chanhu Daro, Kot Diji, Kalibangan, Lothal; Hieroglyphenschrift, kunstvolle Keramik. Eine Besonderheit sind die zahlr. Siegel aus Speckstein mit qualitätvollen Tierdarstellungen.

📖 JANSEN, M.: *Die Indus-Zivilisation. Wiederentdeckung einer frühen Hochkultur. Köln 1986.*

Harar (Harer), Provinzhauptstadt in O-Äthiopien, 1855 m ü.M., 68000 Ew. (Galla, Somal); Zentrum der Muslime in Äthiopien. In der fruchtbaren Umgebung Anbau von Kaffee, Bananen, Hirse; bei H. landwirtsch. Hochschule. – Stadtmauer und Moschee aus dem 16. Jahrhundert.

Harare (bis 1982 Salisbury), Hptst. von Simbabwe, im Zentrum des Maschonalandes, 1500 m ü.M., auf einer Hochebene, 1,18 Mio. Ew.; kath. und anglikan. Erzbischofssitz, kultureller Mittelpunkt mit Univ., Polytechnikum, Musik- und Kunsthochschulen, Theater, Museen; internat. Buchmesse. H. ist Verkehrs- und Handelszentrum des Landes (Tabak, Mais) mit vielseitiger Verarbeitungsind. (Textilien, Nahrungs-, Genussmittel, Maschinen, Elektrogeräte, Zement); Goldraffinerie; internat. Flughafen. – 1890 als Fort gegründet.

Harald V., König von Norwegen

Harbig, Rudolf, Leichtathlet, *Dresden 8. 11. 1913, ⚔ 5. 3. 1944; lief 1939 Weltrekorde über 400 m und 800 m (bestand bis 1955), 1941 über 1000 m.

Harbin (Charbin, Haerbin), Hptst. der Prov. Heilongjiang, in der Mandschurei, NO-China, am Songhua Jiang, 2,4 Mio. Ew.; 1949 begann die Entwicklung zur Ind.stadt (Kraftwerksmaschinen, Elektromotoren, Kugellager, Werkzeug- und Landmaschinen u.a.) und zum kulturellen Mittelpunkt (Univ., Fachhochschulen, Bibliotheken, Museen); Eisenbahnknotenpunkt, von April–Oktober eisfreier Flusshafen, Flughafen. – H. wurde 1898 im Zusammenhang mit der von Russen errichteten »Ostchines. Eisenbahn« zur Handelsstadt ausgebaut; 1932 von Japanern besetzt und als **Pinkiang** Mandschukuo zugeschlagen; seit 1949 Provinzhauptstadt.

Harappakultur: Specksteinsiegel aus Mohenjo Daro mit einem Einhorn und Zeichen der Indusschrift (3. Jt. v. Chr.; Karatschi, Nationalmuseum)

Harbou ['harbu], Thea von, Schriftstellerin, *Tauperlitz (heute zu Döhlau, Kr. Hof) 27. 12. 1888, †Berlin 1. 7. 1954; ⚭ 1921–23 mit Filmregisseur F. Lang; schrieb Unterhaltungsromane, z.T. verfilmt (»Das ind. Grabmal«, 1917; »Nibelungenbuch«, 1924; »Metropolis«, 1926).

Harburg, 1) Landkreis im RegBez. Lüneburg, Ndsachs.; 1245 km², (1996) 217300 Ew.; Verw.sitz ist Winsen (Luhe).

2) Stadtbez. von Hamburg.

Hardedge: Ellsworth Kelly, »Blau, Schwarz, Rot« (1964; Boston, Museum of Fine Arts)

Harburger Berge (Schwarze Berge), Endmoränenzug der nördl. Lüneburger Heide, im Stadtgebiet von Hamburg und in Ndsachs., bis 155 m ü. M.; fällt steil zum Alten Land ab.

Arthur Harden

Harburg (Schwaben), Stadt im Kr. Donau-Ries, Bayern, am Durchbruch der Wörnitz durch die Fränk. Alb, 5 800 Ew.; Zementfabrik. – Im über der Wörnitz gelegenen Schloss, einem wuchtigen Wehrbau, die Fürstlich-Oettingen-Wallersteinsche Kunstsammlung. – 1093 erstmals erwähnt.

Hardangerarbeit, aus Norwegen stammende Weißstickerei, deren Musterung quadratisch ausgezogene und umstopfte Durchbruchfelder enthält (Durchbruchstickerei). **Hardanger** ist ein poröser, gitterartiger Vorhang- und Stickereistoff aus Leinen in Leinwand- oder Panamabindung.

Maximilian Harden

Hardangerfjord, maler. Fjord im W Norwegens, z. T. in der Landschaft **Hardanger,** etwa 120 km lang, stark verzweigt. Östlich liegt die **Hardangervidda,** die größte Hochfläche Skandinaviens (1200–1 400 m ü. M.) mit dem 78 km² großen Plateaugletscher des **Hardangerjøkul** (bis 1 862 m ü. M.); arkt. Klima und arkt. Pflanzenwuchs; Wander- und Skigebiet. 1981 wurde ein Nationalpark (3 400 km²) eingerichtet.

Hardbop ['hɑ:dbɔp, engl.] *der,* Jazzstil der 1950er- und 60er-Jahre, der an der O-Küste der USA v. a. von schwarzen Musikern als Reaktion auf den »weißen« Westcoastjazz ausgeprägt wurde. Der H. stellt in stilist. Hinsicht die Fortsetzung des →Bebop dar, gleichzeitig jedoch dessen Glättung und z. T. Vereinfachung. Die zunehmende Schematisierung führte um 1960 zum →Freejazz.

Karl August von Hardenberg (Ausschnitt aus einem Kupferstich, um 1815)

Hardcopy ['hɑ:dkɔpɪ, engl.] *die, Datenverarbeitung:* die Zeichen- bzw. Textausgabe mithilfe eines Druckers oder Plotters auf Papier (im Ggs. zur →Softcopy).

Hardcover ['hɑ:dkʌvə, engl.] *das,* Buch mit festem Einband.

Hardedge ['hɑ:dedʒ; engl. »harte Kante«] *die,* abstrakte Malweise innerhalb der Farbfeldmalerei mit klar begrenzten Farbzonen, in den USA der 1950er-Jahre als Gegenbewegung zum →abstrakten Expressionismus entwickelt.

Harden, 1) ['hɑ:dn], Sir (seit 1936) Arthur, brit. Chemiker, *Manchester 12. 10. 1865, †London 17. 6. 1940; erhielt 1929 für Arbeiten über Kohlenhydratvergärung und Gärungsenzyme mit H. von Euler-Chelpin den Nobelpreis für Chemie.

2) Maximilian, eigtl. Felix Ernst Witkowski, Publizist und Schriftsteller, *Berlin 20. 10. 1861, †Montana (Kt. Wallis) 30. 10. 1927; 1875–88 Schauspieler, 1889 Mitbegründer der Berliner »Freien Bühne«. Mit seiner Wochen-Ztschr. »Die Zukunft« (1892–1922) und in vielen Vorträgen (Pseudonym **Apostata**) griff er das persönl. Regiment Wilhelms II. und seiner Berater (Moltke, Eulenburg) an. Nach 1918 wurde er heftiger Kritiker der Weimarer Rep., aber auch Zielscheibe antisemit. Angriffe. H. verbrachte seine letzten Jahre in der Schweiz.

Hardenberg, 1) F. Freiherr von, →Novalis.

2) Karl August Freiherr von, Fürst (seit 1814), preuß. Staatsmann, *Essenrode (heute zu Lehre, Kr. Helmstedt) 31. 5. 1750, †Genua 26. 11. 1822; bis 1782 in hannover. Staatsdienst, verwaltete als preuß. Min. 1791–98 Ansbach-Bayreuth als Prov. und war 1795 beim Abschluss des Baseler Friedens maßgebend beteiligt. 1798–1806 leitete er neben C. von Haugwitz die preuß. Neutralitätspolitik; erst durch den Zusammenbruch von 1806/07 wurde er auf Verlangen Napoleons I. nach dem Tilsiter Frieden entlassen. Seit 1810 Staatskanzler, setzte er im Bemühen, den preuß. Staat vom aufgeklärten Absolutismus zum Liberalismus zu führen, die von Stein in Gang gesetzten Reformen fort **(stein-hardenbergsche Reformen).** 1810 führte er die Gewerbefreiheit ein und säkularisierte das Kirchengut. Seiner Idee staatsbürgerl. Gleichheit entsprach die Judenemanzipation (1812). Dem Adel musste H. in dem Regulierungsedikt (1811) zur Ablösung der Grundherrschaft (→Bauernbefreiung) und in der Deklaration von 1816 entgegenkommen. Seinen Ruf als Staatsmann von europ. Rang begründete er in seiner abwartenden Koalitionspolitik in den Befreiungskriegen. Auf dem Wiener Kongress 1814/15 konnte er für Preußen bed. Gebietszuwachs erreichen; danach schuf er eine mustergültige Verwaltung. Mit der Teilnahme Preußens am metternichschen System der Restauration schwand sein polit. Einfluss, v. a. nach den Karlsbader Beschlüssen (1819). – »Denkwürdigkeiten …« (5 Bde., hg. 1877).

📖 VOGEL, B.: *Allgemeine Gewerbefreiheit. Die Reformpolitik des preuß. Staatskanzlers Hardenberg. (1810–1820).* Göttingen 1983.

Harding ['hɑ:dɪŋ], Warren Gamaliel, 29. Präs. der USA (1921–23), * Blooming Grove (Ohio) 2. 11. 1865, † San Francisco 2. 8. 1923; Republikaner, wurde 1920 als Gegner der Reformbewegung und der Weltkriegspolitik W. Wilsons zum Präs. gewählt. Außenpolitisch setzte er durch, dass die USA dem Völkerbund fernblieben.

Hardouin-Mansart [ar'dwɛ̃ mɑ̃'sa:r], Jules, frz. Baumeister, → Mansart.

Hardrock ['hɑ:drɔk, engl.], Stilbereich der Rockmusik, der durch sehr einfache harmon. und rhythm. Struktur sowie extreme Lautstärke gekennzeichnet ist. Eine bes. harte Variante ist der **Heavymetal (Heavyrock).**

Hardt *die,* Teil des Pfälzerwaldes, → Haardt.

Hardt, Ernst, Schriftsteller, * Graudenz 9. 5. 1876, † Ichenhausen (Kr. Günzburg) 3. 1. 1947; 1919–24 Generalintendant des Nationaltheaters in Weimar, 1926–33 Leiter des Westdt. Rundfunks in Köln; schrieb Lyrik, Dramen (»Tantris der Narr«, 1907, »Gurdrun«, 1911), Erzählungen.

Hardtmuth, Joseph, österr. Fabrikant und Baumeister, * Asparn an der Zaya (NÖ) 20. 2. 1752, † Wien 23. 5. 1816; erfand die keram. Bleistiftmine (1795) und eine der chines. gleichwertige Tusche (1808).

Haremhab (rechts) vor der Göttin Hathor, Fresko im Grabmal des Königs Haremhab im Tal der Könige in Theben (um 1306 v. Chr.)

Hardtop ['hɑ:dtɔp; engl. »festes Verdeck«] *das* oder *der,* festes, abnehmbares Verdeck bei Kfz, v. a. bei Sportwagen.

Hardwar [»Tor des Hari«] (Gangadwara), Stadt im Bundesstaat Uttar Pradesh, Indien, am Ganges, 114 000 Ew.; Univ., bed. hinduist. Wallfahrtsort; Elektroindustrie.

Hardware ['hɑ:dweə; engl. »Metallwaren«] *die,* Oberbegriff für die maschinentechn. Ausrüstung einer Computeranlage; Ggs.: → Software.

Hardy ['hɑ:dɪ], **1)** Oliver, amerikan. Filmkomiker, * Atlanta (Ga.) 18. 1. 1892, † Los Angeles (Calif.) 7. 8. 1957; bildete mit S. → Laurel das Paar »Laurel and Hardy« (»Stan und Ollie«, »Dick und Doof«). BILD S. 109

2) Thomas, engl. Schriftsteller, * Upper Bockhampton (Cty. Dorset) 2. 6. 1840, † Max Gate (Cty. Dorset) 11. 1. 1928. H. entwickelte, bes. unter dem Einfluss Schopenhauers, ein pessimist. Weltbild, das seine Romane beherrscht (»Die Liebe der Fancy Day«, 1872; »Die Heimkehr«, 3 Bde., 1878; »Tess von D'Urbervilles«, 3 Bde., 1891; »Juda der Unberühmte«, 1895).

Hardy-Weinberg-Regel ['hɑ:dɪ-], von dem brit. Mathematiker G. H. Hardy (* 1877, † 1947) und dem dt. Biologen W. Weinberg (* 1862, † 1937) 1908 unabhängig voneinander aufgestellte Regel über die Verteilung von Erbmerkmalen in großen Populationen, nach der die ursprüngl. Proportionen von → Allelen in allen folgenden Generationen erhalten bleiben (Konstanz der Genfrequenzen); grundlegende Regel der Populationsgenetik. Werden Genfrequenzen gefunden, die nicht der H.-W.-R. entsprechen, ist Evolution erfolgt. Daher gelten alle Erscheinungen, die die nach der H.-W.-R. erwarteten Genfrequenzen ändern, als Faktoren der Evolution.

Hare-Krishna-Bewegung [-'kriʃna-] (offiziell Internationale Gesellschaft für Krishna-Bewusstsein, engl. International Society for Krishna Consciousness, Abk. ISKCON), 1966 von dem Inder A. C. Bhaktivedanta Svami Prabhupada, eigtl. Abhay Charan De (* 1896, † 1977), in New York gegr. Gesellschaft zur Verbreitung der Krishna-Verehrung im Westen. Lehrgrundlage ist die »Bhagavadgita«, Hauptziel die Erlangung des Krishna-Bewusstseins durch dienende Hingabe an den ind. Gott Krishna; die (meist jugendl.) Anhänger verpflichten sich zu einem vegetar. und (außerhalb der Ehe) sexuell enthaltsamen Leben.

Harem [arab. »verboten«] *der,* der in islam. Ländern den Frauen und Kindern vorbehaltene, sonst nur dem Hausherrn zugängl. Teil des Hauses, bes. am Hof des türk. Sultans und in den wohlhabenden Schichten, weniger auf dem Land.

Haremhab (Horemheb, grch. Harmais), letzter ägypt. König (1333–06 v. Chr.) der 18. Dynastie; schuf durch die Abwehr der Hethiter und innenpolit. Reformen die Grundlagen für einen Wiederaufstieg Ägyptens nach den Wirren der Amarnazeit; reich geschmücktes Felsengrab im Tal der Könige.

Warren G. Harding

Thomas Hardy (Bleistiftzeichnung, 1919)

Harfe: Die Pedalharfe wurde 1780 von dem französischen Harfenbauer Jean-Henri Nadermann für Königin Marie Antoinette gebaut (Paris, Musée Instrumental du Conservatoire National de Musique)

Haren (Ems), Stadt im Kr. Emsland, Ndsachs., nahe der niederländ. Grenze an der kanalisierten Ems, 21500 Ew.; Mühlen- und Freilichtschifffahrtsmuseum; Werften, Baustoffind., Kunststoffverarbeitung; Versuchsanlage der Magnetschwebebahn »Transrapid«.

Corinna Harfouch

Hare-Niemeyer-Verfahren [nach dem Engländer T. Hare, *1806, †1891, und dem dt. Mathematiker H. Niemeyer, *1931], Verfahren der Sitzverteilung bei Verhältniswahl (→Wahlrecht). Die Stimmenzahl für die jeweiligen Parteien wird mit der Zahl der zu vergebenden Sitze multipliziert und das Produkt durch die Gesamtzahl der Stimmen aller Parteien geteilt. Jede Partei erhält so viele Sitze, wie ganze Zahlen auf sie entfallen. Die Restsitze werden in der Reihenfolge der höchsten Zahlen nach dem Komma an die Parteien vergeben. – Anders als das →d'hondtsche Höchstzahlverfahren oder das →Hagenbach-Bischoff-Verfahren begünstigt das H. die kleineren Parteien.

Häresie [grch. »Wahl«, das »Gewählte«] *die,* in der grch. und hellenist. Antike Bez. für ein Bekenntnis religiösen oder polit. Inhalts und eine wiss. Lehrmeinung; in der frühen Kirche seit dem 2. Jh. Bez. für eine von den Normen der Orthodoxie abweichende theolog. Auffassung; im MA. identisch mit dem Begriff der Ketzerei; im kath. Kirchenrecht das Leugnen oder Bezweifeln des kirchl. Dogmas (→Glaubensdelikte); im prot. Verständnis (entscheidende) Verkürzung bzw. Entstellung der Botschaft des Evangeliums.

📖 Lambert, M. D.: *Ketzerei im Mittelalter. A. d. Engl. Freiburg im Breisgau u. a. 1991.*

Harfe, Saiteninstrument, das mit den Fingerkuppen beider Hände angezupft wird. Die Saiten verlaufen von einem schräg aufsteigenden Resonanzkörper zum quer verlaufenden Saitenhalter, der durch die Vorderstange gestützt wird. Die H. ist seit dem 3. Jt. v. Chr. in Ägypten nachweisbar. Im 8. Jh. wurde sie auf den Brit. Inseln und um 1000 auf dem europ. Festland bekannt. Im 18. Jh. war sie beliebtes Hausinstrument, seit dem 19. Jh. v. a. Orchesterinstrument. Bei der 1720 von J. Hochbrucker entwickelten **Pedal-H.** konnten alle gleichnamigen Töne durch je ein Pedal um einen Halbton erhöht werden. Die moderne **Doppelpedal-H.** gestattet eine zweifache Erhöhung und damit die Einstellung aller Tonarten. Kennzeichnende Spielmanier ist die Ausführung gebrochener Akkorde (arpeggio).

📖 Zingel, H. J.: *Lexikon der H. Laaber 1977.*

Harfenschnecken (Harpidae), Familie der Schnecken in trop. Meeren mit längs gerippter Schale; die **Davidsharfe** (Harpa ventricosa) ist beliebtes Sammelobjekt.

Harfouch [-fux], Corinna, Schauspielerin, *Suhl 16. 10. 1954; subtile, variantenreiche Theater- und Filmdarstellerin. – *Filme:* Das Haus am Fluß (1986), Das Versprechen (1994), Sexy Sade (1996).

Hargeysa (Hargeisa), Stadt in NW-Somalia, nahe der Grenze zu Äthiopien, 90000 Ew.; Regionalverwaltung; Handelszentrum eines Agrargebiets; Flughafen.

Harich, Wolfgang, Philosoph, *Königsberg (Pr) 9. 12. 1923, †Berlin 15. 3. 1995; 1945 Mitgl. der KPD, 1946–56 der SED; 1949 Prof. in Berlin, 1953–56 Chefredakteur der »Dt. Zeitschrift für Philosophie«; 1957 wegen »Bildung einer konspirativen, staatsfeindl. Gruppe« zu zehn Jahren Zuchthaus verurteilt; lebte 1979–81 in der BRD. Verfasste u. a. »Zur Kritik der revolutionären Ungeduld« (1969), »Kommunismus ohne Wachstum?« (1975).

📖 *Ein Streiter für Deutschland. Gedenk-Kolloquium, hg. v.* S. Prokop. *Berlin 1996.*

Harig, Ludwig, Schriftsteller, *Sulzbach/Saar 18. 7. 1927; stellt vorgefundene Sprache, Muster und Klischees mit experimentellen Techniken (Permutation, Collage, Montage u.a.) infrage und demonstriert die absurde Komik der Logik (»Weh' dem, der aus der Reihe tanzt«, R., 1990; »Wer mit den Wölfen heult, wird Wolf«, R., 1996).

Haring ['hærɪŋ], Keith, amerikan. Maler, *Kutztown (Pa.) 4. 5. 1958, †New York 16. 2. 1990; Hauptvertreter der Graffiti-Art (→Graffiti) in den USA.

🕮 *K. H., hg. v.* G. Celant, *Beiträge v.* B. Blinderman *u. a. A. d. Engl. München* ^{2}*1994.*

Häring, 1) Bernhard, kath. Theologe, *Böttingen (Kr. Tuttlingen) 10. 11. 1912, †Gars am Inn 3. 7. 1998; Redemptorist, 1957–87 Prof. an der Lateran-Univ. in Rom; theolog. Berater des 2. Vatikan. Konzils; zahlr. Werke zur Moraltheologie und zu Zeitfragen.

2) Hugo, Architekt, *Biberach an der Riß 22. 5. 1882, †Göppingen 17. 5. 1958; einer der führenden dt. Architekturtheoretiker. H. entwickelte die Idee des →Neuen Bauens, die er in den Siedlungsbauten in Berlin-Zehlendorf (1926) und Berlin-Siemensstadt (1929/30) zu realisieren suchte.

Haringer, Jakob, Schriftsteller, *Dresden 16. 3. 1898, †Zürich 3. 4. 1948; emigrierte 1938 in die Schweiz; schrieb v.a. expressionist. Lyrik, ferner Dramen, Erzählungen, kulturkrit. und philosoph. Essays. Übersetzungen aus dem Französischen (F. Villon) und Chinesischen.

Haringey ['hærɪŋgeɪ], Stadtbezirk (seit 1965) im N von London, 192 800 Ew.

Hariri, Al-, Abu Mohammed al-Kasim ibn Ali, arab. Philologe und Schriftsteller, *Al-Maschan (bei Basra) 1054, †Basra 10. 9. 1122; bekannt durch seine →Makamen, meisterl. arab. Kunstprosa.

Härjedalen, histor. Provinz und Gebirgslandschaft im nordwestl. Mittelschweden, wald- und moorreich; Forst- und Viehwirtschaft.

Oliver Hardy und Stan Laurel (rechts) als Dick und Doof in dem Film »Rache ist süß« (1934)

Keith Haring: Ohne Titel (1982; Privatbesitz)

Harkins ['hɑːkɪnz], William Draper, amerikan. Chemiker, *Titusville (Pa.) 28. 12. 1873, †Chicago (Ill.) 7. 3. 1951; zeigte in kernchem. Arbeiten die Möglichkeit der Energieerzeugung durch Kernfusion, sagte 1920 das Neutron voraus und bestimmte die relative Häufigkeit der Elemente im Weltall. Nach der **H.-Regel** sind chem. Elemente mit geraden Ordnungszahlen (Kernladungszahlen) häufiger als solche mit ungeraden.

Wolfgang Harich

Harkort, Friedrich, Industrieller und Politiker, *Harkorten (bei Hagen) 25. 2. 1793, †Hombruch (heute zu Dortmund) 6. 3. 1880; gründete 1819 die Mechan. Werkstätte H. & Co., führte den engl. Maschinenbau in Dtl. ein. H. entwickelte 1844 ein Modell zur Integration der Arbeiter in die bürgerl. Gesellschaft und zur Sozialpolitik (Hebung der Volksbildung, Arbeiterschutz-Ges., Verbot von Kinderarbeit, Arbeitszeitbegrenzung, Gründung von Konsumvereinen, Spar- und Krankenkassen).

Ludwig Harig

Harlan, Veit, Filmregisseur, *Berlin 22. 9. 1899, †Capri 13. 4. 1964; Schauspieler, Regisseur; drehte nat.-soz. Propagandafilme wie »Jud Süß« (1940), »Kolberg« (1945); war ∞ mit der schwed. Schauspielerin Kristina Söderbaum (*1912).

Harlekin [italien.] *der,* dem →Arlecchino der Commedia dell'Arte entsprechende Theaterfigur, er löste seit Ende des 17. Jh. den →Hanswurst ab. Der H. erscheint als kom. Figur in Possen **(Harlekinaden).**

Harlem, Stadtteil von New York, USA, im N von Manhattan; v.a. von Farbigen und Puertoricanern bewohnt.

Gro Harlem Brundtland

Harlem Brundtland [-lan], Gro, norweg. Politikerin, *Oslo 20. 4. 1939; Ärztin, 1974–79 Min. für Umwelt, war 1981–92 Vors. der Sozialdemokrat. Arbeiterpartei sowie 1981, 1986–89 und 1990–96 MinPräs. Sie trat für den Beitritt Norwegens zur

EU ein, scheiterte jedoch damit bei einem Referendum. 1994 erhielt sie den internat. Karlspreis der Stadt Aachen. Als Vors. der UN-Weltkommission für Umwelt und Entwicklung veröffentlichte sie 1987 ihren Bericht unter dem Titel »Our common future«.

Harlingen: Giebelhäuser aus dem 16.–18. Jahrhundert

Harlem-Jump ['hɑ:ləm 'dʒʌmp, engl.] *der,* in den 1930er-Jahren in Harlem entstandener Tanz; musikalisch Vorläufer des →Rhythm and Blues.

Harlingen, Hafenstadt in der Prov. Friesland, Niederlande, an der Waddenzee, 16 200 Ew.; Fischkonservenind. und Schiffbau; Endpunkt eines Kanalnetzes; Fischerei- und Handelshafen (Großbritannien, Skandinavien). – Gut erhaltenes Stadtbild mit Giebelhäusern des 16.–18. Jh, barockes Rathaus.

Harlinger Land, Marschlandschaft in Ndsachs., im N der ostfries. Halbinsel; Zentren sind Esens und Wittmund; von den Sielhäfen und Küstenbadeorten Bensersiel, Neuharlingersiel und Harlesiel besteht Fährverkehr zu den ostfries. Inseln Langeoog, Spiekeroog und Wangerooge.

Harlow ['hɑ:ləʊ], Stadt in der engl. Cty. Essex, nordöstlich von London, 79 300 Ew.; über 130 Fabriken in vier Industrieparks. – H. wurde 1947 als New Town gegründet.

Harmattan [afrikan.] *der,* trockenheißer, Staub führender, aus NO kommender Passatwind in der westl. Sahara und in Oberguinea, der in den Wintermonaten oft wochenlang weht.

Harmin [grch.] (Banisterin) *das,* Alkaloid aus der Steppenraute Peganum harmala und südamerikan. Banisteriaarten; halluzinogenes Rauschmittel der Indianer Südamerikas.

Harmodios und Aristogeiton, zwei durch Freundschaft verbundene athen. Freiheitshelden, erdolchten 514 v. Chr. Hipparch, den Sohn des Tyrannen Peisistratos; sie wurden hingerichtet.

Harmonia [grch. »Eintracht«], *grch. Mythos:* Tochter des Ares und der Aphrodite, mit Kadmos vermählt. Bei Euripides ist H. Mutter der Musen, später allegor. Verkörperung der Eintracht.

Harmonie [zu Harmonia], **1)** *allg.:* Wohlordnung, Ebenmaß, Übereinstimmung, Eintracht.

2) *Ästhetik:* die intuitiv erfassbare Übereinstimmung aller Teile der Erscheinung.

3) *Musik:* der Zusammenklang gleichzeitig erklingender Töne im Unterschied zu der linear sich entwickelnden Melodie.

Harmonielehre, *Musik:* Lehre von der Verbindung der Akkorde im →Tonsatz. Die Grundlage aller harmon. Bewegung sind die Dreiklänge auf der Tonika, der Dominante und der Subdominante und ihre Umkehrungen; die Grundform der harmon. Beziehungen ist die Kadenz. Von wesentl. Bedeutung ist ferner die →Modulation, der Übergang von einer Tonart in die andere. Den Abschluss bildet die Lehre von der chromat. Alteration und →Enharmonik sowie die von der Behandlung der harmoniefremden Töne. – Die H. geht in den Grundzügen auf J.-P. Rameau zurück; sie bildet die Grundlage der Musik des 19. Jh. und war bis um 1920 wichtigster Teil der Musiktheorie.

📖 LaMotte, D. de: *H. München u. a.* [9]*1995.*

Harmoniemusik, von einem Blasorchester (Holz- und Blechblasinstrumente) ausgeführte Musik, z. B. die Militärmusik.

Harmonik *die, Musik:* das Ganze der musikal. Erscheinungen, der Klang- oder Akkordvorrat und dessen Verwendung.

Harmonika *die,* Musikinstrument, →Glasspiel, →Ziehharmonika, →Mundharmonika.

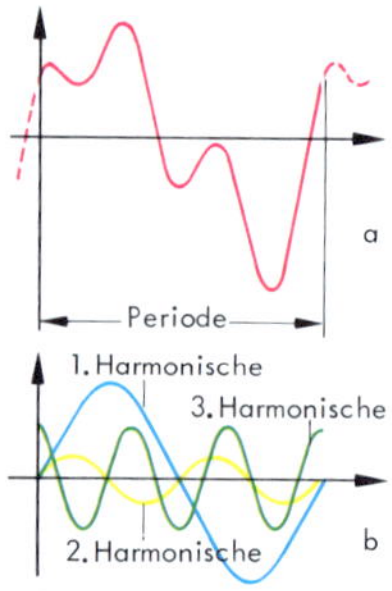

harmonische Analyse: a der sich periodisch wiederholende Teil der darzustellenden Funktion; b ihre durch harmonische Analyse ermittelten Harmonischen

harmonische Analyse (Fourier-Analyse), ein mathemat. Verfahren nach J. B. J. Fourier, durch das eine period. Schwingung oder Welle in ihre Grundschwingung **(1. Harmonische)** und deren Oberschwingungen **(2., 3. ... Harmonische)** zerlegt werden kann, z. B. ein Klang in Grund- und Obertöne. Die h. A. nutzt aus, dass jede period. Funktion durch eine (endl. oder unendl.) Reihe aus Sinus- (und Kosinus-)Funktionen (→Fourier-Reihe) dargestellt werden kann. Die Umkehrung der h. A. ist die **harmon. Synthese (Fourier-Synthese).**

harmonische Folge, die Zahlenfolge 1, $\frac{1}{2}$, $\frac{1}{3}$, $\frac{1}{4}$ ...; die daraus gebildete divergente Reihe $1+\frac{1}{2}+\frac{1}{3}+\frac{1}{4}+\ldots$ ist eine **harmon. Reihe.**

harmonischer Oszillator, schwingungsfähiges System (Oszillator), bei dem die rücktreibende Kraft der Auslenkung aus der Ruhelage proportional ist; führt harmon. →Schwingungen aus, deren Weg-Zeit-Diagramm eine Sinuskurve ist.

harmonisches Mittel, ein →Mittelwert.

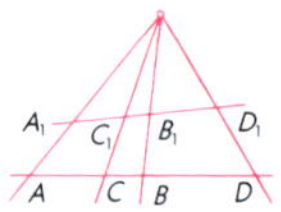

harmonische Teilung

harmonische Teilung, die Teilung einer Strecke $\overline{AB}$ durch einen inneren Punkt C und einen äußeren Punkt D im gleichen Verhältnis, sodass die Proportion gilt: $\overline{AC} : \overline{CB} = \overline{AD} : \overline{DB}$. A, B, C, D heißen **harmon. Punkte,** 4 durch sie gelegte Strahlen mit gleichem Ausgangspunkt **harmon.**

Strahlen. Jede beliebige Gerade wird von ihnen wieder in harmon. Punkten A_1, B_1, C_1, D_1 geschnitten. Die Bez. h. T. ist aus der Musiklehre übernommen. Gibt eine Saite *AD* den Grundton und liefert *AB* die große Terz und *AC* die Quinte dazu, so sind *A, B, C, D* harmon. Punkte.

Harmonium [grch.-lat.] *das,* Tasteninstrument, dessen orgelartige Töne durch frei schwingende (durchschlagende) Metallzungen entstehen, die durch einen Luftstrom in Schwingung versetzt werden. Mit zwei Pedalen werden Blasebälge betätigt, die Luftstrom (je nach System Druckwind oder Saugwind) erzeugen und über einen Magazinbalg die Zungen in Schwingung versetzen. Jedes größere H. besitzt mehrere Zungenreihen, die durch Registerzüge eingeschaltet werden, und Sondereinrichtungen (Fortezug, Oktavkoppel). – Nach zahlr. Vorläufern wurde das H. erstmals 1840 unter dieser Bez. von dem frz. Instrumentenbauer A. F. Debain (* 1809, † 1877) gebaut. Das H. war als Orgelersatz beliebt.

🕮 GROSSBACH, J.: *Das H. Frankfurt am Main 1991.*

Harn (Urin), flüssiges, v.a. H.-Stoff enthaltendes Ausscheidungsprodukt der Nieren der Säugetiere und des Menschen. Durch den H. werden v.a. die stickstoffhaltigen Endprodukte aus dem Eiweiß- und Nucleinsäurestoffwechsel, aber auch nicht verwertbare, u.a. giftige oder im Überschuss zugeführte Nahrungsbestandteile sowie Blut- und Gewebesubstanzen als Schlacken- und Schadstoffe aus dem Körper entfernt. Die H.-Bildung erfolgt in den Nieren, wobei aus dem Blut der stark wässrige, ionen- und glucosehaltige **Primär-H.** abgepresst wird. Der größte Teil davon (beim Menschen etwa 99%) wird in das Blut rückresorbiert, sodass die Schlackenstoffe im **Sekundär-** oder **End-H.** (beim Menschen täglich 1–2 l) stark angereichert sind. Über die beiden H.-Leiter wird der H. dann von den Nieren in die H.-Blase weitergeleitet. Durch die H.-Bildung und H.-Ausscheidung werden der Salz- und Wasserhaushalt des Organismus (Volumen und Osmolarität des Blutes) sowie das Säure-Basen-Gleichgewicht (pH-Wert) des Blutes reguliert.

Harmonium: Das Instrument wurde um 1870 von Alexandre François Debain gebaut (Brüssel, Musée Instrumental du Conservatoire de Musique)

Harnack, Adolf von (seit 1914), evang. Theologe, Kirchenhistoriker, * Dorpat (heute Tartu) 7. 5. 1851, † Heidelberg 10. 6. 1930; ab 1888 Prof. in Berlin; seit 1890 Mitgl. der Preuß. Akademie der Wiss.; seit 1911 Präs. der »Kaiser-Wilhelm-Ges. zur Förderung der Wiss.«; suchte die Gedankenwelt Goethes und Humboldts mit dem Evangelium zu verbinden. – »Lb. der Dogmengesch.« (3 Bde., 1886–90, Nachdr. 1964).

🕮 DÖBERTIN, W.: *A. v. H. Theologe, Pädagoge, Wissenschaftspolitiker. Frankfurt am Main 1985.*

Adolf von Harnack

Harnblase, häutig-muskulöses Hohlorgan als Sammelbehälter für den von den Nieren ausgeschiedenen und durch die →Harnleiter zugeleiteten Harn der meisten Wirbeltiere und des Menschen. Die H.-Wand ist von dicken, ring- und längsförmig verlaufenden glatten Muskelzügen durchsetzt und innen mit einer Schleimhaut ausgekleidet. Die H. sammelt den Harn und entleert ihn nach Erschlaffung der Schließmuskeln in zeitl. Abständen durch die →Harnröhre. Das Fassungsvermögen beträgt i. Allg. bis zur Entleerung (Miktion) der gespeicherten Harnmenge 200–500 cm^3. Der willkürl. Schließmuskel liegt in der H.-Wand und verschließt den Abgang der Harnröhre.

Harnblasenentzündung, die →Blasenentzündung.

Harnblasenkrebs, der →Blasenkrebs.

Harnflut, die →Polyurie.

Harninkontinenz, Unvermögen, den Harn willkürlich zurückzuhalten; tritt auf bei Schwäche des Schließmuskels, Rückenmarkerkrankung, Blasenentzündung, Tumoren der Harnblase und gynäkologisch bedingter Harnblasensenkung.

Harnisch, 1) *Geologie:* an Verwerfungen u.a. durch Reibung von Gestein gegen Gestein in der Bewegungsrichtung geschrammte oder geglättete, z.T. glänzende (Spiegel-)Flächen.

2) *Textiltechnik:* die Gesamtheit der Schnüre, die die Litzen an der →Webmaschine mit den Platinen der Jacquardmaschine (→Jacquardgewebe) verbindet, womit mustergerechte Platinenbewegungen auf die in den Litzen eingefädelten Kettfäden übertragen werden.

3) *Waffenwesen:* aus beweglich verbundenen Eisenplatten zusammengesetzte, durch den Helm vervollständigte Rüstung, wie sie vom Spät-MA. bis ins 17. Jh. im Kampf und Turnier getragen wurde. – Der H. besteht aus Helm, Kragen, Brust, Armschiene, Handschuhen (»Hentzen«, wenn ungefingert), Bauch- und Gesäßreifen, Beinzeug

Nikolaus Harnoncourt

(Beintaschen, Diechlingen, Kniekacheln, Beinröhren oder -schienen, Schuhen); für das Turnier Verstärkungsstücke, für die schwere Turnierlanze der an der Brust befestigte Rüsthaken. Das Gewicht eines H. betrug durchschnittlich 25–35 kg. – Im späten 15. und im 16. Jh. wurde auch das Pferd bei Turnieren geharnischt **(Rossharnisch).**

Harnkanälchen, →Niere.

Harnleiter (Ureter), paariger, häutig-muskulöser Schlauch, der beim Menschen und den meisten Wirbeltieren den Harn aus dem Nierenbecken in die Harnblase leitet.

Harnoncourt [arnɔ̃'ku:r], Nikolaus, österr. Dirigent, Violoncellist und Musikforscher, *Berlin 6. 12. 1929; war 1952–69 Mitgl. der Wiener Symphoniker; Forschungen zur Aufführungspraxis der Renaissance- und Barockmusik und zur Spieltechnik alter Instrumente. Der von ihm 1953 begründete »Concentus musicus«, Wien, musiziert auf Originalinstrumenten. H. setzte sich seit 1981 in Zürich und Wien für eine historisch fundierte, lebendige Wiedergabe der Opern Mozarts ein.

Härnösand, Hptst. des Verw.gebietes (Län) Västernorrland, Schweden, am Bottn. Meerbusen, 27 500 Ew.; Hafen- und Handelsplatz für N-Schweden; Holzverarbeitung, Cellulose-, Tabakindustrie, Maschinenbau. – Der alte Teil der 1586 gegr. Stadt liegt auf der Insel **Härnö.**

Harnröhre (Urethra), Ausführungsgang der Harnblase beim Menschen und den Säugetieren. Beim Mann ist die H. 18–20 cm lang; nach Einmündung der Samenleiter wird sie als **Harnsamenleiter** bezeichnet; dieser durchzieht den Penis und mündet an dessen Spitze aus. Die H. der Frau, 3–5 cm lang, mündet in den Scheidenvorhof.

Harnröhrenentzündung (Harnröhrenkatarrh, Urethritis), durch Gonokokken (Trippererreger), versch. Bakterien, Trichomonaden (Geißeltierchen) oder chron. Reizzustände verursachte Entzündung der Harnröhrenschleimhaut.

Harnsäure (2,6,8-Trihydroxypurin), weiße, geruchlose Kristalle bildende chem. Verbindung von geringer Wasserlöslichkeit. Sie tritt in zwei tautomeren Formen (Keto- und Enolform) auf. Ihre Salze heißen **Urate.** H. entsteht bei allen Tieren und beim Menschen in fast jeder Zelle (endogene H.) beim Nucleinsäurestoffwechsel. Der Mensch scheidet je Tag durchschnittlich 1 g H. aus, bei Ausscheidungsstörungen kann die Substanz in den Geweben abgelagert werden (Gicht).

Harnsediment, Bodensatz des frisch gelassenen Harns; die mikroskop. Betrachtung gibt Hinweise auf Nieren- und Blasenkrankheiten. Nichtorgan. Bestandteile sind Salze, die kristallin im Harn ausfallen. Organ., aber im Harn des Gesunden nicht oder kaum enthaltene Bestandteile sind v.a. abgeschilferte Epithelien, weiße und rote Blutkörperchen und Eiweiß.

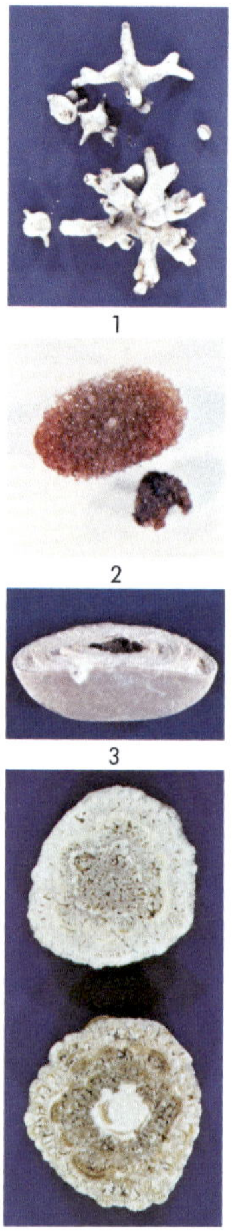

Harnsteine: 1 Calciumoxalatstein (aus dem Nierenbecken), 2 Calciumoxalat-Harnsäure-Mischstein (aus der Blase), 3 Harnsäurestein (Bruchfläche), 4 Magnesium-Ammonium-Phosphatstein

Harnisch 3) für George Clifford, 3. Earl of Cumberland, gebläuter Stahl mit vergoldeter Ätzung (um 1590; New York, Metropolitan Museum of Art)

Harnsteine (Nierensteine), vorwiegend in den Nieren entstehende feste, sandkorn- bis apfelgroße Gebilde, die bei chron. Entzündungen oder bei Stoffwechselstörungen auftreten. Je nach Sitz unterscheidet man Nierenkelch-, Nierenbecken-, Harnleiter-, Blasen- und Harnröhrensteine, nach der Zusammensetzung v.a. Calciumoxalat-, Harnsäure-, Calciumphosphat-, Xanthin-, Magnesium-Ammonium-Phosphat- und Cystinsteine. *Behandlung:* →Lithotripsie, →Urolitholyse und Operation.

📖 MAY, P. *u.a.: Harnsteinleiden. Stuttgart u.a.* [3]*1988.*

Harnstoff (Carbamid, Kohlensäurediamid), farblose, kristalline, in Wasser leicht lösl. chem. Verbindung, die bei 132,7 °C schmilzt. Durch das Enzym Urease wird H. in Ammoniak und Kohlendioxid gespalten. – H. wird technisch aus Ammoniak und Kohlendioxid hergestellt. Etwa 85% der H.-Produktion werden als Düngemittel verwendet. H. dient darüber hinaus zur Herstellung von Aminoplasten und als Eiweißersatz in Futtermitteln für Wiederkäuer. Im menschl. Körper ist H. das wichtigste Endprodukt des Eiweißstoffwechsels. Aus Aminosäuren abgespaltenes Ammoniak wird in der Leber mit Bicarbonat zu H. umgesetzt.

Die tägliche, mit dem Urin ausgeschiedene H.-Menge liegt zw. 20 und 35 g.

Harnstoffharze, →Aminoplaste.

harntreibende Mittel (Diuretika), Arzneimittel, die eine vermehrte Wasser- und Salzausscheidung mit dem Harn herbeiführen. Sie entlasten das Herz, indem sie das Volumen in den Gefäßen vermindern und Flüssigkeitsansammlungen im Organismus beseitigen. Die h. M. dienen v. a. zur Behandlung von Ödemen und Bluthochdruck. Man unterscheidet Benzothiadiazinderivate (Saluretika), Schleifendiuretika, Aldosteronantagonisten und Kalium sparende Diuretika.

Harnvergiftung (Urämie), stets mit akutem oder chron. Nierenversagen verbundene Anreicherung stickstoffhaltiger Stoffwechselabbauprodukte im Blut. Symptome der H. sind u. a. quälender Durst, Erbrechen, Benommenheit bis zur Bewusstlosigkeit mit Krampfanfällen. – *Behandlung:* Hämodialyse, Peritonealdialyse (unterstützt durch diätet. Maßnahmen); ggf. Nierentransplantation.

Harnverhaltung (Ischurie), akute oder chron. Behinderung oder Aufhebung der Harnentleerung aus der Harnblase, z. B. bei Vergrößerung der Prostata oder bei narbigen Verengungen der Harnröhre (Harnröhrenstriktur).

Harnwege, Sammelbez. für die Organe, die der Weiterleitung und Ausscheidung des Harns dienen: Harnkanälchen (→Niere), →Harnleiter, →Harnblase, →Harnröhre.

Harnzucker, im Harn enthaltener Zucker, v. a. Glucose; die normale Konzentration liegt bei 15 mg/100 ml, eine höhere bedeutet →Glucosurie.

Harnzwang (Strangurie), schmerzhafter Drang zum Harnlassen bei Entzündungen von Harnblase und Harnröhre.

Harold II., gen. H. Godwinson, letzter angelsächs. König (1066), *1020, ⚔ bei Hastings 14. 10. 1066; besiegte am 25. 9. 1066 den norweg. König Harald III. Hardråde, unterlag jedoch in der Schlacht bei Hastings Herzog Wilhelm von der Normandie (Wilhelm der Eroberer).

Harpokrates, ägypt. Gott, →Horus.

Harpune [niederländ.] *die,* Wurfspeer oder Pfeil mit Widerhaken und Fangleine. Als eisernes Geschoss mit Widerhaken und einem beim Einschuss explodierenden Sprengkörper als Spitze oder als elektr. H. mit Strom führender Leine wird die H. beim Walfang eingesetzt. Die H. gehört zu den ältesten und am weitesten verbreiteten Jagd- und Fanggeräten; bei den Eskimo, mit zusätzl. Vorschaft und einem durch Riemen mit der Spitze verbundenen Luftsack, hat sie ihre höchste Entwicklung erreicht.

Harpyie [grch.] *die,* **1)** *grch. Mythos:* weibl. Unheilsdämon mit Flügeln und Vogelkrallen oder Vogel mit Frauenkopf.

2) *Zoologie:* (Harpia harpyia) südamerikanischer adlerartiger Greifvogel, 80 bis 100 cm groß, mit kräftigen Fängen und starkem Schnabel.

Harran (Haran), altoriental. Gebiet und Name der antiken Stadt →Karrhai. Das heutige Dorf H. liegt im Zentrum des türk. Teils der **H.-Ebene,** die sich südlich von Urfa bis jenseits der syr. Grenze hinzieht. Die fruchtbaren Lösslehmböden der trockenheißen Ebene sollen im Rahmen des →Südostanatolien-Projekts durch den Urfatunnel mit Wasser aus dem Atatürkstausee bewässert werden. Typisch für die Landschaft sind die bienenkorbförmigen Häuser aus Lehmziegeln.

Heinrich Harrer

Harrer, Heinrich, österr. Naturforscher und Reiseschriftsteller, *Hüttenberg (Kärnten) 6. 7. 1912; war 1938 an der Erstdurchsteigung der Eigernordwand beteiligt sowie an Expeditionen in den Anden und im Himalaja; floh 1944 aus brit. Internierung in Indien nach Lhasa; befreundet mit dem Dalai Lama, den er 1951 (1950 Einmarsch chines. Truppen in Tibet) auf seiner Flucht vor den Chinesen begleitete (»Sieben Jahre in Tibet«, 1952).

Averell Harriman

Harriman ['hærımən], William Averell, amerikan. Bankier und Politiker, *New York 15. 11. 1891, †Yorktown Heights (N. Y.) 26. 7. 1986; Mitgl. der Demokrat. Partei, im 2. Weltkrieg 1941–43 als Sondergesandter Präs. F. D. Roosevelts in Großbritannien und der UdSSR mit der Organisation des Lend-Lease-Systems betraut; 1943–46 Botschafter in Moskau, 1946 in London, 1946–48 Handelsmin., 1948–50 Sonderbeauftragter für den Marshallplan, 1961 Sonderbotschafter Präs. J. F. Kennedys, 1965–69 Präs. L. B. Johnsons. 1968–69 leitete er die amerikan. Delegation bei der Pariser Vietnam-Konferenz.

Harris ['hærıs], **1)** Bill, eigtl. Willard Palmer H., amerikan. Jazzmusiker (Posaunist), *Philadelphia (Pa.) 28. 10. 1916, †Hallandale (Fla.) 6. 8. 1973; wirkte im Orchester von W. Herman mit. Seine techn. Perfektion wirkte schulebildend.

2) Don »Sugar Cane«, amerikan. Jazzmusiker, *Pasadena (Calif.) 18. 6. 1938; gehört zu den führenden Jazzrockgeigern.

3) Frank (John Thomas), amerikan. Schriftsteller, *Galway (Irland) 14. 2. 1856, †Nizza 26. 8. 1931; gehörte zum Freundeskreis von M. Beerbohm, G. B. Shaw und O. Wilde; schrieb »Die Bombe« (1908), »Oscar Wilde« (Biographie, 2 Bde., 1916), »Mein Leben und Lieben« (4 Bde., 1922–27).

4) Joel Chandler, amerikan. Schriftsteller, *bei Eatonton (Ga.) 9. 12. 1848, †Atlanta (Ga.) 3. 7. 1908; veröffentlichte wichtige Texte afroamerikan. Volkskultur, die er im Süden sammelte und die er

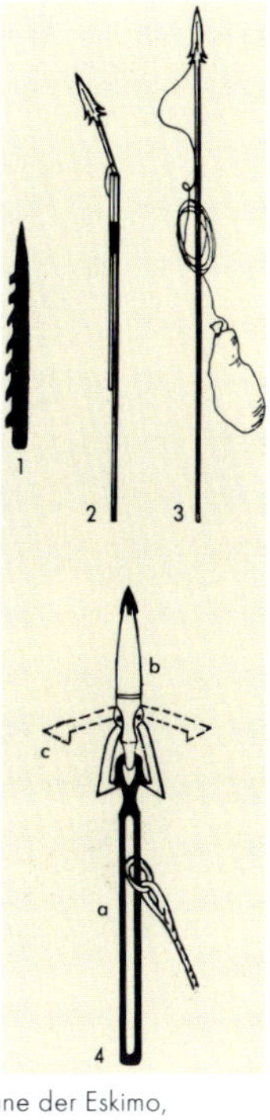

Harpune: 1 vorgeschichtliche Harpune aus Knochen, 2 Stoßharpune der Eskimo, 3 Wurfharpune der Eskimo mit Luftsack, 4 Walfangharpune, a Harpunenschaft mit Leine, b Granate, c Widerhaken

in der Sprache schwarzer Landarbeiter von dem alten »Uncle Remus« erzählen lässt.

5) Roy (Leroy), amerikan. Komponist, *Lincoln County (Okla.) 12. 2. 1898, †Santa Monica (Calif.) 1. 10. 1979; verarbeitete in seinen Werken nationalfolklorist. Elemente.

Harrisburg ['hærɪsbə:g], Hptst. des Staates Pennsylvania, USA, am Susquehanna River, 53 400 Ew.; Schwerind., Maschinenbau, elektrotechn., Schuhindustrie. – Bei H. das Kernkraftwerk Three Mile Island (schwerer Reaktorunfall 1979). – Um eine 1718 gegr. Handelsstation entstanden.

Benjamin Harrison

Harrison ['hærɪsn], **1)** Benjamin, 23. Präs. der USA (1889–93), *North Bend (Ohio) 20. 8. 1833, †Indianapolis 13. 3. 1901; Republikaner, förderte den Wirtschaftsimperialismus der USA.

2) Wallace, amerikan. Architekt, *Worchester (Mass.) 28. 9. 1895, †New York 2. 12. 1981; zusammen mit M. Abramowitz maßgeblich an Planung und Bau des Hauptquartiers der UN (1947–52) in New York beteiligt; sein Hauptwerk ist das Metropolitan Opera House in New York (1962–66).

John C. Harsanyi

Harrod ['hærəd], Sir (seit 1959) Henry Roy Forbes, brit. Volkswirtschaftler, *London 13. 2. 1900, †Holt (Cty. Norfolk) 8. 3. 1978; Arbeiten zur Wachstumstheorie (H.-Domar-Modell) sowie zu internat. Wirtschafts- und Währungsbeziehungen (»Dynam. Wirtschaftstheorie«, 1973).

Wallace Harrison erbaute 1962–66 die Metropolitan Opera in New York

Harrogate ['hærəgɪt], Stadt in der Cty. North Yorkshire, N-England, 66 500 Ew.; Heilbad mit eisen- und schwefelhaltigen Quellen, Kongressstadt und Messezentrum; Leder- und Bekleidungsindustrie. – Gebäude des »Royal Bath« von 1897.

Harsanyi ['hɔrʃɔnji], John Charles, amerikan. Volkswirtschaftler ungar. Herkunft, *Budapest 29. 5. 1920; nach Emigration nach Australien seit 1961 in den USA; sein Hauptarbeitsgebiet ist die Spieltheorie und deren Anwendung auf das soziale Verhalten. Für seine Beiträge zu Gleichgewichtsanalysen in der nichtkooperativen Spieltheorie erhielt H. 1994 zus. mit J. F. Nash und R. Selten den Nobelpreis für Wirtschaftswissenschaften.

Harsch, verfestigter Schnee; **Wind-H.** entsteht durch Oberflächenverdichtung als Folge von Winddruck, **Sonnen-H.** durch Schmelzen und erneutes Gefrieren der Schneeoberfläche.

Hạrsdorff, Caspar Frederik, dän. Baumeister, *Kopenhagen 26. 5. 1735, †ebd. 24. 2. 1799; 1770 Hofbaumeister; nach dem Brand von 1795 prägte er mit klassizist. Bürgerhäusern das Stadtbild von Kopenhagen. Ferner errichtete er die Kolonnaden am Schlossplatz von Amalienborg (1795).

Hạrsdörffer, Georg Philipp, Dichter, *Nürnberg 1. 11. 1607, †ebd. 17. 9. 1658; gründete mit J. Klaj 1644 den Nürnberger Dichterkreis. Seine »Frawen-Zimmer Gespräch-Spiele« (8 Bde., 1641–49), ein Werk zur Frauenbildung, behandeln in zwanglosen Dialogen alle Gegenstände des Wissens. Seine Theorie entwickelte er in seinem später als »Nürnberger Trichter« sprichwörtlich gewordenen »Poet. Trichter ...« (3 Bde., 1647–53).

Harstad ['ha:rsta], Hafenstadt auf der norweg. Insel Hinnøy, Prov. Troms, 24 700 Ew.; Werften, Fischerei, Fischöl- und Konservenfabriken, Margarineherstellung, Textil-, chem. Ind.; neben Tromsø Ausgangspunkt für den Verkehr mit Spitzbergen.

Hạrt, 1) Heinrich, Schriftsteller, *Wesel 30. 12. 1855, †Tecklenburg 11. 6. 1906, Bruder von 2); zusammen gaben sie die »Kritischen Waffengänge« (1882–84) heraus und wurden damit zu Vorkämpfern des Naturalismus.

2) Julius, Schriftsteller, *Münster 9. 4. 1859, †Berlin 7. 7. 1930, Bruder von 1); enger Mitarbeiter seines Bruders; schrieb pantheist. Gedankenlyrik.

Hartblei, *Werkstoffkunde:* Blei-Antimon-Legierung mit 0,7–21% Antimon; H. wird u. a. als Basislegierung zur Herstellung weiterer Legierungen mit zusätzl. Komponenten, für Akkumulatoren-Gitterplatten (→Akkumulator), Kabelmäntel sowie im chem. Apparatebau verwendet.

Harte [hɑ:t], Francis Bret(t), amerikan. Schriftsteller, *Albany (N. Y.) 25. 8. 1836, †Camberley (bei London) 5. 5. 1902; verbindet in seinen Goldgräbergeschichten das Motiv vom edlen Bösewicht mit dem Lokalkolorit des Wilden Westens.

Härte, 1) *Chemie:* (H. des Wassers) →Wasserhärte.

2) *Mineralogie:* das Maß des Widerstandes, den ein Mineral (Kristall) der mechan. Verletzung seiner Oberflächenschichten entgegensetzt. Nach der **mohsschen Härteskala** sind die Minerale in zehn Härtegrade eingeteilt. Jedes darin eingeordnete Mineral wird von dem nachfolgenden Mineral geritzt und ritzt selbst das vorangehende. Statt an den Vergleichsmineralen kann man sich auch an den angegebenen Hilfsmitteln orientieren.

mohssche Härteskala

Härtestufe	*Mineral*		
1	Talk	mit Fingernagel ritzbar (1–2)	mit Taschenmesser oder Stahlnagel ritzbar (1–4)
2	Gips		
3	Kalkspat		
4	Flussspat		
5	Apatit	etwa gleich hart wie Fensterglas	
6	Orthoklas	ritzen Fensterglas (6–10)	
7	Quarz		
8	Topas		
9	Korund		
10	Diamant		

3) *Physik:* Durchdringungsfähigkeit von Strahlungen (elektromagnet. Wellen oder Teilchenstrahlen, z.B. →Röntgenstrahlen) durch Materie; sie ist umso größer, je kleiner die Wellenlänge, d.h. je höher die Energie der Strahlung ist.

4) *Werkstoffkunde:* →Härteprüfung.

Hartebeests, südafrikan. →Kuhantilopen.

Härten (Härtung), **1)** *Kunststofftechnologie:* bei Kunststoffen der durch chem. Reaktionen bewirkte Übergang bestimmter Kunstharze in unschmelzbaren und unlösl. Zustand. Durch das H. werden i. Allg. gleichzeitig hohe Härte und mechan. Festigkeit, gutes elektr. Isoliervermögen sowie andere günstige Werkstoffeigenschaften erreicht. Es tritt meist durch Erwärmen der Harze auf etwa 80–200 °C **(Wärme-H.)** oder nach Zusatz katalytisch wirkender Härter auch schon bei Raumtemperatur **(Kalt-H.)** ein. Die Stoffe reagieren dabei über bestimmte, bes. reaktionsfreudige Molekülgruppen durch Polykondensation, Polymerisation oder Polyaddition zu räumlich vernetzten Makromolekülen weiter. Es können auch Gemische verschiedenartiger Stoffe miteinander härten, wobei u.U. die eine Komponente als Härtungsmittel dient. Beispiele härtbarer Harze sind v.a. bestimmte Phenolharze (Resole), ferner Aminoplaste, Epoxidharze und ungesättigte Polyester. Sie bilden als **Duroplaste** eine Hauptgruppe innerhalb der Kunststoffe.

2) *Metallurgie:* Verfahren bei Metallen und Legierungen, bes. Stahl, die mechan. Eigenschaften, wie Härte, Festigkeit und Zähigkeit, durch Wärmebehandlung zu verbessern; die Verbesserung der mechan. Eigenschaften wird durch Gefügeänderungen im Werkstoff hervorgerufen, die unter der Wirkung der Wärme erfolgen. H. erfolgt in drei Arbeitsgängen: Erwärmen, Halten auf Härtetemperatur und →Abschrecken. – Beim H. von Stählen bildet sich der sehr harte, aber spröde →Martensit, sodass es bei Belastung zu vorzeitigem Sprödbruch kommen kann. Durch **Vergüten,** das H. und nachfolgende →Anlassen auf Temperaturen zw. 400 und 750 °C, wird die Sprödigkeit beseitigt, wobei auch die Härte geringfügig abnimmt. – Unter **Randschicht-H.** versteht man das H. einer dünnen Randschicht eines Werkstückes durch schnelles Erwärmen der Oberfläche und sofortiges Abschrecken; es dient der Erhöhung der Verschleißfestigkeit. Mit Brennhärten (oder Flamm-H.), Induktions-H. und Laser-H. wird dabei die Art der Erwärmung der Oberfläche durch Brenner, Induktion oder Laser bezeichnet. – Beim **Einsatz-H.** wird die Oberfläche eines Werkstückes aus kohlenstoffarmem Stahl mit Kohlenstoff angereichert und anschließend gehärtet. Die Zufuhr des Kohlenstoffs **(Aufkohlen)** erfolgt durch Einbringen der Werkstücke in Kohlenstoff abgebende Einsatzmittel, die fest, flüssig oder gasförmig sein können (Pulver-, Salzbad- bzw. Gasaufkohlen). Durch **Nitrier-H.** wird beim Glühen in einer Ammoniakatmosphäre Stickstoff in die Oberfläche des Werkstückes eingebracht; dabei entfällt das Abschrecken.

Härteparagraph (Härteklausel), Bestimmung in Gesetzen oder Vertragswerken, die eine nach den allg. Regeln sich ergebende, als unerwünscht erachtete Härte im Einzelfall ausgleichen soll. So können z.B. im Steuerrecht nach §227 AO Steuern erlassen werden.

Härteprüfung, Ermittlung der Härte eines Werkstoffs (bes. eines Metalls) durch stat. oder dynam. Härteprüfverfahren. Stat. H.: Bei der **Brinell-H.** wird eine Kugel aus gehärtetem Stahl oder Hartmetall (Durchmesser *D*) durch eine bekannte Kraft *F* in den Stoff gedrückt und der Durchmesser des Kugeleindrucks (Durchmesser *d*) gemessen.

Georg Philipp Harsdörffer (Ausschnitt einer zeitgenössischen Zeichnung)

Heinrich Hart (Holzstich, um 1904)

Julius Hart

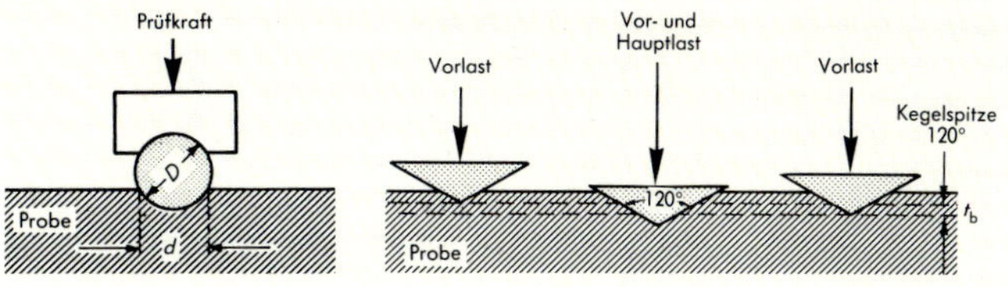

Härteprüfung: Schema der Brinell-Härteprüfung (links) und des Rockwell-C-Verfahrens; D Kugeldurchmesser, d Durchmesser des Kugeleindrucks

Gustav Hartlaub

Haldan K. Hartline

Peter Härtling

Daraus lässt sich die **Brinellhärte** *(HB)* berechnen. Bei der **Vickers-H.** wird eine Diamantpyramide in den Prüfstoff eingedrückt und die Diagonale des Eindrucks gemessen. Durch Vergleich mit Tabellenwerten lässt sich die **Vickers-** oder **Pyramidenhärte** *(HV)* bestimmen. Bei der **Rockwell-C-H.** ist der Prüfkörper ein Diamantkegel mit abgerundeter Spitze und einem Kegelwinkel von 120°, der in zwei Stufen in die Probe eingedrückt wird; bei der **Rockwell-B-H.** dagegen eine gehärtete Stahlkugel; die Eindringtiefe wird jeweils mit einer Messuhr gemessen. Nach einer Formel lässt sich daraus die **Rockwellhärte** *(RHC* oder *RHB)* ermitteln. Dynam. H.: Die **Schlag-H.** mit dem Poldihammer ergibt die **Poldihärte** *(HBp)*, die mit dem Kugelschlaghammer die **Schlaghärte**. Die **Rückprall-, Rücksprung-** oder **Fall-H.** mit dem Skleroskop (Fallhammer mit Diamantspitze) ergibt die **Rückprall-, Fall-** oder **Skleroskophärte**.

🕮 DOMKE, W.: *Werkstoffkunde u. Werkstoffprüfung. Düsseldorf [10]1989.*

Hartfaserplatte, eine → Holzfaserplatte.

Hartford ['hɑ:tfəd], Hptst. des Staates Connecticut, USA, am Connecticut River, 135 400 Ew.; kath. Erzbischofssitz, berühmte Colleges; Hauptsitz des amerikan. Versicherungsgewerbes und Finanzzentrum; elektrotechn. Ind. und Instrumentenbau. – Zahlr. Bauten des 18. und 19. Jh., u.a. Mark Twain House. – H. wurde 1635 als **Newtown** um ein holländ. Fort gegründet.

Hartgewebe, Schichtpressstoffe aus kunstharzgetränkten Gewebebahnen, u.a. als schlagfeste Isolierstoffe in der Elektrotechnik sowie zur Herstellung von geräuscharmen Zahnrädern u.Ä. eingesetzt.

Hartgummi, mit 25–50% Schwefel vulkanisierter Natur- oder Synthesekautschuk; der hohe Schwefelgehalt führt zu einer starken Quervernetzung des Kautschuks während der → Vulkanisation, wodurch Vulkanisate mit hoher Härte entstehen; internat. Name **Ebonit**. Als H. werden heute auch schwefelarme oder -freie Kautschukderivate bezeichnet, die durch Zusatz von Harzen gehärtet werden (Pseudoebonite). H. dient als chemikalienbeständiger Werkstoff mit gutem elektr. Isolationsvermögen; vielfach durch Kunststoffe ersetzt.

Hartguss, → Eisen.

Harth, Philipp, Bildhauer, *Mainz 9. 7. 1887, †Bayrischzell 25. 12. 1968; schuf meisterhafte Tierplastiken.

Hartheugewächse (Johanniskrautgewächse, Hypericaceae), artenreiche Familie trop. und subtrop. Pflanzen, darunter das → Johanniskraut.

Hartlaub, 1) Felix, Schriftsteller, *Bremen 17. 6. 1913, †bei Berlin (?) April 1945, Bruder von 2); schrieb von eigentümlich-realist. Stil und objektiver Darstellung gekennzeichnete Erzählungen, Dramen und Tagebücher, u.a. aus dem Führerhauptquartier.

2) Geno(veva), Schriftstellerin, *Mannheim 7. 6. 1915, Schwester von 1); schrieb psychologisch feinfühlige Romane (»Die Tauben von San Marco«, 1953); Erzählungen, Hörspiele u.a.

3) Gustav Friedrich, Kunsthistoriker, *Bremen 12. 3. 1884, †Heidelberg 30. 4. 1963, Vater von 1) und 2); 1923–33 Direktor der Kunsthalle Mannheim, ab 1946 Prof. in Heidelberg; Förderer zeitgenöss. (expressionist.) Kunst; prägte den Stilbegriff Neue Sachlichkeit.

Hartlaubgewächse, subtrop. Pflanzen, mit lederigen, immergrünen Blättern; meist Holzgewächse.

Hartleben, Otto Erich, Schriftsteller, *Clausthal 3. 6. 1864, †Salò (Italien) 11. 2. 1905; schrieb gesellschaftskrit. Dramen, Novellen in der Art von Maupassant. Ein großer Theatererfolg war die Offizierstragödie »Rosenmontag« (1900).

Hartlepool ['hɑ:tlɪpu:l], Hafenstadt in der Cty. Cleveland, NO-England, an der Nordsee, 94 400 Ew.; Industriepark mit chem., Süßwarenind., Metallbau; Kernkraftwerk.

Hartley ['hɑ:tlɪ], Leslie Poles, engl. Schriftsteller, *Whittlesey (Cty. Cambridgeshire) 30. 12. 1895, †London 13. 12. 1972; Romane und Erzählungen, u.a. »Das Goldregenhaus« (1944), »Der sechste Himmel« (1946), »Der Zoll des Glücks« (1953).

Hartline ['hɑ:tlaɪn], Haldan Keffer, amerikan. Physiologe, *Bloomsburg (Pa.) 22. 12. 1903, †Fallston (Md.) 17. 3. 1983; führte grundlegende mikroelektr. Untersuchungen an den Lichtrezeptoren des Auges durch; erhielt 1967 mit R. A. Granit und G. Wald den Nobelpreis für Physiologie oder Medizin.

Härtling, Geländeerhebung, die infolge ihres widerstandsfähigeren Gesteins weniger abgetragen wurde als ihre Umgebung und diese nun überragt, z.B. der Pfahl im Bayer. Wald.

Härtling, Peter, Schriftsteller, *Chemnitz 13. 11. 1933; Publizist, schreibt Lyrik, Erinnerungsstudien, Kinderbücher (»Oma«, 1975; »Krücke«, 1986; »Fränze«, 1989), (häufig biographische) Romane: »Niembsch oder Der Stillstand« (1964), »Janek« (1966), »Das Familienfest oder Das Ende der Geschichte« (1969), »Eine Frau« (1974), »Hölderlin« (1976), »Hubert oder Die Rückkehr nach Casablanca« (1978), »Das Windrad« (1983), »Herzwand« (1990), »Božena« (1994), »Schumanns Schatten« (1996); bed. Herausgebertätigkeit.

Hartmanganerz, Mineral, der → Psilomelan.

Hartmann, 1) Eduard von, Philosoph, *Berlin 23. 2. 1842, †Groß-Lichterfelde (heute zu Berlin) 5. 6. 1906; suchte eine auf die Ergebnisse der modernen Naturwissenschaften gegründete Metaphysik zu entwickeln: erklärte das absolute Unbewusste – eine Art Synthese zw. Hegels absolutem Geist, dem Willensbegriff Schopenhauers und Schellings Begriff des Unbewussten – für den letzten Weltgrund, den Allgeist und die Weltsubstanz; war Begründer des neueren → Vitalismus, erkenntnistheoretisch einer der ersten »krit. Realisten«; näherte sich dem Buddhismus.

Werke: Philosophie des Unbewußten (1869); Ästhetik, 2 Bde. (1886–88); Gesch. der Metaphysik, 2 Bde. (1899/1900); System der Philosophie im Grundriß, 8 Bde. (hg. 1907–09).

2) Karl Amadeus, Komponist, *München 2. 8. 1905, †ebd. 5. 12. 1963; schrieb, von der Schönberg-Schule angeregt, u. a. Sinfonien, die Kammeroper »Des Simplicius Simplicissimus Jugend« (1955), Instrumentalkonzerte, Kammermusik.

3) Max, Biologe und Naturphilosoph, *Lauterecken (Kr. Kaiserslautern) 7. 7. 1876, †Buchenbühl (heute zu Weiler-Simmerberg, Allgäu) 11. 10. 1962; erforschte bes. einzellige Tiere, später allg. Fragen der Befruchtung und Geschlechtsbestimmung (Theorie der relativen Sexualität).

Weitere Werke: Die Sexualität (1943); Die philosoph. Grundlagen der Naturwiss. (1948); Einführung in die allg. Biologie (1956).

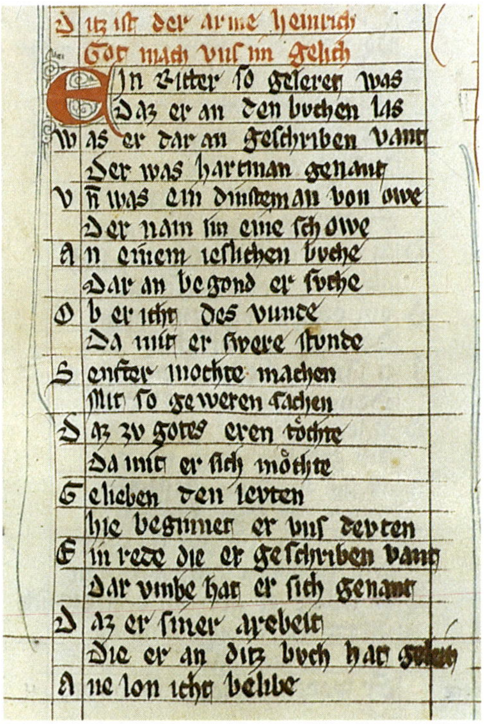
Dis ist der arme heinrich
Got mach vns im gelich
Ein Ritter so geleret was
Das er an den buchen las
Was er dar an geschriben vant
Der was hartman genant
Vn was ein dinstman von owe
Der nam im eine schowe
An einem leslichen buche
Dar an begond er suche
Ob er iht des vunde
Da mit er swere stunde
Senfter mochte machen
Mit so geweren sachen
Das zv gotes eren tochte
Da mit er sich mochte
Geliben den levten
hie beginnet er vns devten
Ein rede die er geschriben vant
Dar vmbe hat er sich genant
Das er siner arebeit
Die er an ditz buch hat geleit
Ane lon iht belibe

Hartmann von Aue: Beginn des »Armen Heinrich« (»Ein Ritter so geleret was …«) in einer Handschrift des 14. Jh. (Heidelberg, Universitätsbibliothek)

4) Moritz, österr. Schriftsteller und Politiker, *Duschnik (heute Dalekė Dušníky, bei Příbram) 15. 10. 1821, †Oberdöbling (heute zu Wien) 13. 5. 1872; 1848/49 Mitgl. der Frankfurter Nationalversammlung, Vertreter der äußersten Linken; am Wiener Oktoberaufstand 1848 und am Bad. Aufstand 1849 beteiligt; schrieb u. a. »Kelch und Schwert« (Ged., 1845).

5) Nicolai, Philosoph, *Riga 20. 2. 1882, †Göttingen 9. 10. 1950; gehörte anfänglich zur Marburger Schule des Neukantianismus, dann entwickelte er, bes. von E. Husserl, M. Scheler und der traditionellen Ontologie beeinflusst, eine realist. Lehre vom Sein. Grundgedanke war dabei die Gliederung der realen Welt in Seinsschichten: Materie, Leben, Bewusstsein, Geist. Vom realen Sein unterscheidet H. eine Sphäre des idealen Seins, die das Gebiet des »objektiven Geistes« umfasst und in der sowohl die Werte (materiale → Wertethik) als auch die mathemat. Gegenstände existieren.

Werke: Grundzüge einer Metaphysik der Erkenntnis (1921); Ethik (1926); Das Problem des geistigen Seins (1933); Zur Grundlegung der Ontologie (1935); Philosophie der Natur (1950); Teleolog. Denken (1951); Ästhetik (hg. 1953).

📖 *N. H. 1882–1982, hg. v.* A. J. BUCH. *Bonn* *²1987.*

6) Paul, Schauspieler, *Fürth 8. 1. 1889, †München 30. 6. 1977; Vertreter des Heldenfachs (Faust), auch in Filmen.

Hartmannbund (Verband der Ärzte Deutschlands e. V.), von dem Arzt Hermann Hartmann (*1863, †1923) im Jahr 1900 in Leipzig gegr. Ärzteverband.

Hartmannsweilerkopf (frz. Vieil Armand), Berg in den Südvogesen, Frankreich, 957 m ü. M., im 1. Weltkrieg schwer umkämpft; Gedenkstätte für 30 000 gefallene Franzosen.

Hartmann von Aue, mittelhochdt. Dichter, *zweite Hälfte des 12. Jh., †Anfang des 13. Jh.; bezeichnet sich in seinem Werk selbst als gelehrten Ritter. Welchem der alemann. Orte namens Aue (Eglisau, Reichenau, Au bei Freiburg, Obernau bei Tübingen) er zuzuordnen ist, ist nicht mehr zu klären. Strittig ist auch, ob er am Kreuzzug 1189/90 oder 1197/98 teilgenommen hat. H. verfasste Lieder der hohen Minne, der Absage an die Minnekonvention, Kreuzzugslieder, eine didakt. Minnelehre, das »Büchlein«. Nach dem Vorbild des frz. Epikers Chrétien de Troyes schuf er die ersten mhd. Artusromane »Erec« und »Iwein«. Neben den Artusromanen sind noch zwei höf. Verslegenden erhalten: »Der arme Heinrich«, die Geschichte eines Ritters, der sich einseitig dem Weltleben widmet, schließlich, vom Aussatz befallen, durch die Opferbereitschaft einer Jungfrau geheilt wird, und »Gregorius«, die höf. Gestaltung

Karl Amadeus Hartmann

Max Hartmann

Hartriegel (von oben): blühender Zweig und Zweig mit Früchten des Roten Hartriegel (Höhe 1–5 m) und der Kornelkirsche (Höhe 2–6 m)

der Legende von der doppelten Blutschande. Sein klarer, rhetorisch einprägsamer Versstil wurde Vorbild für spätere Dichtergenerationen.

📖 CORMEAU, C. *u.* STÖRMER, W.: *H. von Aue. Epoche – Werk – Wirkung. München* ²*1993.*

Hartmetalle, Sammelbez. für gegossene oder gesinterte Werkstoffe hoher Härte, bes. Warmhärte, die für stark auf Verschleiß beanspruchte Teile wie Bohrer, Fräser u.a. Schneidwerkzeuge, für Ziehsteine, Glasschneider, Pressmatrizen u.Ä. dienen. Sie bestehen aus einem oder mehreren metall. →Hartstoffen (z.B. Wolfram-, Titan- oder Tantalcarbid) und einem Bindemittel (Hilfsmetall) der Eisengruppe, v.a. Kobalt.

Hartog ['hartɔx], Jan de, niederländ. Schriftsteller, *Haarlem 22. 4. 1914; schrieb über das Seefahrermilieu, u.a. »Hollands Glorie« (R., 1940), sowie die Komödie »Das Himmelbett« (1951), »Die Spur der Schlange« (R., 1983).

Hartpapier, Schichtpressstoffe aus Kunstharz und Papier. H. haben hohe Festigkeit, Wärmebeständigkeit und ein außerordentliches Isolationsvermögen; sie dienen daher als Isolierstoff in der Elektrotechnik, mit Kupferauflage als Ausgangsmaterial für →gedruckte Schaltungen.

Hartree ['hɑːtrɪ], Douglas Rayner, brit. Physiker und Mathematiker, *Cambridge 27. 3. 1897, †ebd. 12. 2. 1958; entwickelte zus. mit dem russ. Physiker W. A. Fock (*1898, †1974) die **H.-Fock-Methode,** ein quantenmechan. Verfahren zur näherungsweisen Berechnung der Wellenfunktionen und Eigenwerte von Mehrelektronensystemen (z.B. in Atomen).

Hartriegel (Hornstrauch, Cornus), Gattung der Familie **H.-Gewächse** (Cornaceae; 12 Gattungen mit rd. 100 Arten in trop. und gemäßigten Zonen; Bäume oder Sträucher) mit rd. 45 Arten in der gemäßigten Zone der N-Halbkugel. In Mitteleuropa kommen vor: **Roter H. (Blutweide,** Cornus sanguinea), 1–5 m hoch, und **Kornelkirsche (Herlitze, Gelber H.,** Cornus mas), 2–6 m hoch, mit essbaren roten Früchten.

Hartsalz, meist aus Steinsalz (NaCl), Sylvin (KCl) und Kieserit ($MgSO_4 \cdot H_2O$) oder Anhydrit ($CaSO_4$) bestehendes Salzgestein.

Hartschaumstoffe, →Schaumkunststoffe.

Hartschaumverband, ein →Gipsverband.

Hartschier [von italien. arciere »Bogenschütze«] *der,* Bez. für die Angehörigen der Residenzwache (Leibgarde) der bayerischen Könige bis 1918.

Hartschlägigkeit, *Tiermedizin:* →Dämpfigkeit.

Hartsfeld (Härdtsfeld), waldreiche wellige Hochfläche der nordöstl. Schwäb. Alb., zw. der Brenz und dem Ries.

Hartspann (Muskelhärte, Myogelose), tastbare Verspannungen in Skelettmuskeln; Folgeerscheinung unzureichender oder einseitiger stat. Beanspruchung der Muskulatur. Ursachen sind nervale Fehlsteuerung, örtl. Durchblutungs- und Stoffwechselstörungen.

Karl Hartung: Vogel (1955; Mannheim, Städtische Kunsthalle)

Hartspiritus, durch Zusatz von Celluloseester, Seife oder Kieselgur in feste Form gebrachter Brennspiritus.

Hartstoffe (Hartmetallvorstoffe), Sammelbez. für Stoffe mit großer Härte und Verschleißfestigkeit, die v.a. als Schleifmittel, beim Verschleißschutz und zur Herstellung von →Hartmetallen eine Rolle spielen. Metall. H. sind hochschmelzend mit metall. Charakter und zeichnen sich durch gute elektr. sowie therm. Leitfähigkeit aus; hierzu gehören v.a. →Carbide, →Nitride und Carbonitride der Übergangsmetalle (z.B. Wolframcarbid, Tantalcarbid). Nichtmetall. H. sind Nichtleiter, im reinen Zustand durchscheinend und besitzen die größte Härte (z.B. Diamant, Borcarbid).

Hartung [ahd. hart »stark«, »streng«], alte Bez. für →Januar.

Hans Hartung: T55-15-A (1955; Privatbesitz)

Hartung, 1) Fritz, Historiker, *Saargemünd 12. 1. 1883, †Berlin (West) 24. 11. 1967; 1923–49 Prof. in Berlin, schrieb u.a. »Dt. Verfassungsgesch. vom 15. Jh. bis zur Gegenwart« (1914).

2) Hans, frz. Maler und Grafiker dt. Herkunft, *Leipzig 21. 9. 1904, †Antibes 8. 12. 1989; ging 1935 nach Paris, gehört zu den führenden Künstlern der gegenstandslosen Malerei, zu der er schon 1922 gelangte. Seine schwungvoll, aber sorgsam ausgeführten Bilder vermitteln zw. der École de Paris und dem Actionpainting. Seit 1964 Experimente mit der Fotografie.

📖 *H. H., bearb. v.* J. HARTEN *u.a., Ausst.-Kat. Berlin 1981.*

3) Hugo, Schriftsteller, *Netzschkau 17. 9. 1902, †München 2. 5. 1972; schrieb den Roman vom Kampf um Breslau 1945 »Der Himmel war unten« (1951), v.a. aber heitere Romane wie »Ich denke oft an Piroschka« (1954), »Wir Wunderkinder« (1957).

4) Karl, Bildhauer, *Hamburg 2. 5. 1908, †Berlin (West) 19. 7. 1967. Sein plast. Werk umfasst großzügig rhythmisierte Figuren und seit 1933 gegenstandsfreie, aber stark naturbezogene Arbeiten.

Haruden (Charuden), german. Volk. Die H. sandten 58 v. Chr. Hilfstruppen zu Ariovist und huldigten 5 n. Chr. Kaiser Augustus. Sie werden bei Ptolemäus als Bewohner Jütlands erwähnt.

Harun ar-Raschid [»Harun der Rechtgeleitete«], abbasid. Kalif (786–809), *Raj 763 oder 766, †Tus (bei Meschhed) 24. 3. 809; ließ in Bagdad prächtige Bauten errichten und förderte Wiss. und Kunst; soll (nach Überlieferung abendländ. Quellen) durch Gesandtschaften mit Karl d. Gr. in Verbindung gewesen sein; in den Erzählungen von »Tausendundeiner Nacht« als gerechtigkeitsliebender Herrscher mit ritterl. Sinn geschildert.

Harunobu, Suzuki, japan. Maler und Holzschnittmeister, *Edo (heute Tokio) 1724 (?), †ebd. 29. 6. 1770; schuf erlesene Farbholzschnitte mit grazilen Frauengestalten.

Haruspex [lat.] *der,* bei den Etruskern und im alten Rom der Orakelpriester, der aus Wunderzeichen, aus den Eingeweiden der Opfertiere, auch aus Blitz und Donner weissagte.

Harvard University ['hɑ:vəd juni'vɜ:sɪtɪ], die älteste und eine der führenden (privaten) Univ. der USA, gegr. 1636 in Cambridge (Mass.) aus Staatsmitteln und Stiftung des puritan. Geistlichen John Harvard (*1607, †1638); angeschlossene Museen, Verlag, Bibliothek (rd. 11 Mio. Bde.).

Harvey ['hɑ:vɪ], **1)** Lilian, brit. Filmschauspielerin, *Hornsey (heute zu London) 19. 1. 1907, †Cap d'Antibes 27. 7. 1968; bildete mit Willy Fritsch das volkstümlichste Liebespaar des dt. Films, u.a. in »Die Drei von der Tankstelle« (1930), »Der Kongreß tanzt« (1931), »Ein blonder Traum« (1932); emigrierte 1939 nach Paris, später in die USA.

2) William, engl. Anatom und Arzt, *Folkestone 1. 4. 1578, †Hampstead (heute zu London) 3. 6. 1657; Leibarzt Jakobs I. und Karls I.; entdeckte 1628 den großen Blutkreislauf.

Lilian Harvey

Harwich ['hærɪdʒ], Hafenstadt und Seebad in der Cty. Essex, O-England, 15100 Ew.; chem. Ind. und Schiffsreparaturanlagen; einer der Hauptfährhäfen des Landes. – Im Ortskern georgian. Häuser. – Seit 1317 Stadt.

Haryana, Bundesstaat in NW-Indien, 44212 km², (1994) 17,9 Mio. Ew.; Hptst. Chandigarh. – H. entstand 1966 durch Abtrennung der Hindi sprechenden Gebiete von dem Bundesstaat Punjab.

Harz, nördlichstes dt. Mittelgebirge, etwa 90 km lang und 30 km breit, im Brocken 1141 m ü. M. Der H. ist eine Pultscholle mit steilen Randstufen im N und allmähl. Abdachung nach SO, aufgebaut aus überwiegend paläozoischen, z.T. metamorphen Gesteinen. Er gliedert sich in Ober- und Unterharz. Der **Ober-H.** wird aus einer Rumpffläche in rd. 600 m Höhe (Clausthaler Hochfläche) und dem sich darüber erhebenden Bergland des Brockenmassivs in Höhenlagen von 800–900 m ü. M. gebildet. Er wird von einem dichten Gewässernetz stark zertalt und ist überwiegend mit Fichtenforsten bestanden. Der ebenfalls von weiten Hochflächen geprägte **Unter-H.** im SO, dessen östl. Gebirgsrand von Flüssen (z.B. Bode) stark zerschnitten ist, liegt in 350–500 m Höhe im Regenschatten des Brockens, der etwa 1700 mm Niederschlag/Jahr erhält (dagegen Ober-H. 900 mm, Unter-H. von W nach O 750–580 mm); das Maximum der Niederschläge fällt im Winter (über 100 Schnee-

Suzuki Harunobu: »Mädchen auf nächtlicher Pilgerfahrt«, Farbholzschnitt (um 1770)

tage). Im Unter-H. sind überwiegend Misch- und Laubwälder verbreitet. Aus den Stauseen werden Göttingen und der Raum Halle (Saale)–Leipzig mit Trinkwasser versorgt. Für die Besiedlung des H. war der heute bedeutungslos gewordene Bergbau (Silber-, Blei-, Kupfer-, Zinkerze, Schwerspat) von entscheidender Bedeutung. Seit 968 wurden am Rammelsberg bei Goslar (bis 1988) Erze gefördert, im 16. Jh. entstanden u.a. die freien Bergstädte Grund, Wildemann, Clausthal, im Unter-H. z.B. Harzgerode und Stolberg. Wichtigste Einnahmequelle der Bev. ist heute der ganzjährige Fremdenverkehr; im Unter-H. spielt die Landwirtschaft eine größere Rolle. 1990 wurde in Sachs.-Anh. der Nationalpark Hochharz (58,7 km²) und 1994 in Ndsachs. der an ihn grenzende Nationalpark Oberharz (158 km²) eingerichtet.

📖 WALZ, J.: *Der H. Im Herzen Deutschlands, Reisen in einer zweitausend Jahre alten Kulturlandschaft. Köln 1993. – Bergbau u. Hüttenwesen im u. am H., hg. v.* K. H. KAUFHOLD. *Hannover* ²*1994.*

Harzburg, Bad, → Bad Harzburg.

Harzburger Front, der Zusammenschluss von NSDAP, DNVP, Stahlhelm u.a. Verbände (»Nat. Opposition«) unter Führung A. Hitlers, A. Hugenbergs und F. Seldtes gegen die Reg. H. Brüning (**Harzburger Tagung** 11. 10. 1931); forderte die Auflösung des Reichstags und des preuß. Landtags, scheiterte 1932, als die Deutschnationalen es ablehnten, die Wahl Hitlers zum Reichspräsidenten zu unterstützen; im Jan. 1933 als Kulisse zur Regierungsbildung Hitlers wieder belebt.

Harz: Bergwerksteich bei Clausthal-Zellerfeld; Bergwerksteiche dienten vom 16. bis 20. Jh. als Energielieferanten des Oberharzer Erzbergbaus; heute sind sie als Kulturdenkmäler unter Schutz

Harzburger Modell, Konzeption der Unternehmensführung, in deren Mittelpunkt die Delegation von Verantwortung steht; 1966 von Reinhard Höhn (*1904), dem Begründer der »Akademie für Führungskräfte der Wirtschaft«, Bad Harzburg, entwickelt. Durch feste Abgrenzung der Aufgabenbereiche mit entsprechenden Kompetenzen für jeden Mitarbeiter soll der »patriarchal. Führungsstil« abgelöst werden.

Harze, Sammelbegriff für organ., nichtkristalline Stoffe mit mehr oder weniger breiter Verteilung der molaren Massen. Normalerweise haben H. einen Schmelz- oder Erweichungsbereich, sind im festen Zustand spröde und brechen dann muschelartig. Sie neigen zum Fließen bei Raumtemperatur. – **Natur-H.** sind pflanzl. (z.B. Kolophonium, Kanadabalsam) oder tier. Ursprungs (z.B. Schellack). Je nach Alter unterscheidet man rezente H. (frisch gewonnene) und fossile H. (z.B. Bernstein). **Kunst-H.** sind durch Polymerisation, Polyaddition oder Polykondensation gewonnene H. (z.B. Aminoplaste, Epoxid- und Phenolharze), die ggf. durch Naturstoffe (fette Öle, Natur-H.) modifiziert sind (z.B. Alkydharze). Als Kunst-H. bezeichnet man auch durch chem. Umsetzungen (Veresterung, Verseifung u.a.) veränderte Naturharze. Im Ggs. zu den Natur-H. kann ein großer Teil der Kunst-H. durch Vernetzung in Thermodure überführt werden. – H. werden z.B. als Bindemittel für Formmassen, Klebstoffe und Lacke sowie zur elektr. Isolation (z.B. als Gießharze) verwendet (→ Reaktionsharze).

Harzer Roller, Zuchtform des Kanarienvogels.

Harzfluss (Resinose), bei Nadelhölzern nach Verwundung einsetzende, sehr reichliche Abgabe von Harz.

Harzgerode, Stadt im Landkreis Quedlinburg, Sa.-Anh., im Unterharz, 5100 Ew.; Metall-, Holz- und pyrotechn. Industrie. Im tief eingeschnittenen Selketal der Erholungsort **Alexisbad** (früher Kurbad). – Schloss (1549–52), Fachwerkhäuser. – Vom 16.–18. Jh. Silbererzbergbau.

Harzöl, bei der trockenen Destillation des Kolophoniums entstehendes Öl (z.B. für Firnisse, Lacke, Schmieröl).

Harzsäuren, in Naturharzen (z.B. zu 90% in Kolophonium) enthaltene Carbonsäuren, z.B. Abietin- und Pimarsäure. Ihre Salze heißen Harzseifen.

Harzseifen (Resinate), Salze der Harzsäuren, bes. Alkalisalze sowie Calcium-, Zinksalze u.a.; Zusatz zu Kernseifen, Waschmitteln, Pflanzenleim, zur Herstellung von Trockenstoffen. Calcium- und Zink-H. sind Bestandteil von Farben und Klebstoffen.

Harzvorland, weitgehend lössbedeckte, fruchtbare Landschaften im N, O und SW des Harzes. Das nördl. H. liegt zw. dem N-Rand des Harzes und dem Aller-Urstromtal, das östl. H. ist dem Unterharz vorgelagert, zw. der Bode im W, dem Flechtinger Höhenzug im N und der Leipziger Tieflandsbucht im O, das südwestl. H. ist eine Schichtstufenlandschaft zw. Harz und Eichsfeld.

Hasa, El- (El-Ahsa), Ostprovinz Saudi-Arabiens am Pers. Golf, 58 000 km², etwa 800 000 Ew.; Hptst. ist Damman; Erdölvorkommen (Mittelpunkt Dhahran); größte Palmenoase Saudi-Arabiens.

Hasan, islam. Herrscher: **1) H.** der 5. Kalif (661), *Medina 625, †ebd. 669; ältester Sohn des Kalifen Ali und von Mohammeds jüngster Tochter Fatima; wurde nach der Ermordung seines Vaters (24. 1. 661) in Irak zum Kalifen ausgerufen, verzichtete aber gegen eine hohe Abfindungssumme nach sechs Monaten zugunsten von Moawija I. – Für die Schiiten ist H. der 2. Imam.

2) Hasan II. (Hassan II.), König von Marokko, *Rabat 9. 7. 1929; bestieg 1961 den Thron, regiert, gestützt auf ihm ergebene Gruppen, mit großer Machtfülle; 1961–63 und 1965–67 auch MinPräs. Im Nahostkonflikt vertritt er eine gemäßigte Linie, lehnte aber den israelisch-ägypt. Friedensvertrag von 1979 ab. Im Konflikt um →Westsahara schlug er einen nationalist. Kurs ein.

Hasara, die →Hazara in Afghanistan.

Hasard [frz. az'a:r] *das,* Glücksspiel.

Haschee [von frz. hacher »hacken«] *das* (Haché), *Gastronomie:* Gericht aus fein zerkleinertem, gegartem Fleisch oder Innereien (z. B. Lungenhaschee), mit pikant abgeschmeckter Sauce gebunden.

Haschimiten (Haschemiten), arab. Geschlecht in Irak und Jordanien, das seinen Ursprung auf Haschim (†um 540) zurückführt, der als Urgroßvater Mohammeds gilt. Die Nachfahren Hasans, des Enkels Mohammeds, waren die scherif. Emire von Mekka. Husain, seit 1907 Scherif von Mekka, erklärte sich 1917 zum König von Arabien, herrschte aber nur im Hidjas (bis 1924); von seinen Söhnen wurden Faisal 1921 König des Irak und Abd Allah 1921 Emir (1946 König) von Transjordanien. Die H. wurden 1958 in Irak gestürzt; sie regieren bis heute in Jordanien (→Husain II.).

Haschisch [arab. »Gras«] *das* auch *der,* weit verbreitetes Rauschgift, das durch Extraktion aus dem Harz des Ind. Hanfs gewonnen wird. Die wirksamen Bestandteile, Tetrahydrocannabinol u. a. Cannabinolabkömmlinge, befinden sich in einem harzartigen Sekret, das von Drüsenhaaren an Blüten, Blättern und Stängeln (bes. der weiblichen Pflanzen) ausgeschieden wird. Beim **Marihuana** handelt es sich um die getrockneten blühenden Triebspitzen. H. ruft (individuell unterschiedlich) Euphorie, Halluzinationen hervor und führt zu psych. Abhängigkeit (→Rauschgift).

📖 TÄSCHNER, K.-L.: *Das Cannabisproblem. H. u. seine Wirkungen.* Köln ³1986. – *Cannabis. Zwanzig Plädoyers aus Politik, Kultur u. Wissenschaft,* hg. v. J. NEUMEYER. München 1996.

Hasdrubal, karthag. Feldherren: **1)** Schwiegersohn des Hamilkar Barkas, †(ermordet) 221 v. Chr.; erweiterte die karthag. Macht in Spanien, wo er Cartagena gründete.

2) Sohn des Hamilkar Barkas, Bruder des Hannibal, †207 v. Chr.; bekämpfte die Römer in Spanien; zog 207 Hannibal zu Hilfe und fiel am Metaurus in Mittelitalien.

Hasan II., König von Marokko

Hase *die,* rechter Nebenfluss der Ems, entspringt im Teutoburger Wald, durchfließt Osnabrück und das Artland und mündet in Meppen; 193 km lang. Von der oberen Hase besteht westlich von Melle eine Abflussverbindung (Bifurkation) über Else und Werre zur Weser.

Hase, Karl August von (seit 1883), evang. Theologe, *Niedersteinbach (heute zu Langensteinbach, Kr. Mittweida) 25. 8. 1800, †Jena 3. 1. 1890; seit 1830 Prof. in Jena, 1848/49 Mitgl. der Frankfurter Nationalversammlung; bed. Kirchenhistoriker; verstand Gesch. als »Anschauung« und Glauben in seiner jeweiligen Gestaltung als geschichtlich bedingt und legitimiert.

Karl August von Hase: Holzstich (um 1860)

Hase, 1) *Astronomie:* (lat. Lepus) ein Sternbild des Südhimmels.

2) *Zoologie:* ein Säugetier, →Hasen.

Hašek ['haʃɛk], Jaroslav, tschech. Schriftsteller, *Prag 30. 4. 1883, †Lipnice nad Sázavou (bei Havlíčkův Brod) 3. 1. 1923; persiflierte in vielen Satiren und Humoresken die österr.-ungar. Monarchie. Weltruhm erlangte er mit dem satir. Roman »Die Abenteuer des braven Soldaten Schwejk während des Weltkrieges« (unvollendet, 4 Bde., 1921–23). Schwejk wurde zu einer Symbolfigur (u. a. von B. Brecht dramatisiert; auch verfilmt). K. Vaněk vollendete den Roman und schrieb eine Fortsetzung.

Jaroslav Hašek

Hasel, 1) *Botanik:* → Haselnuss.

2) *Zoologie: der* (Häsling, Rüssling, Leuciscus leuciscus) 20–30 cm langer karpfenartiger Weißfisch in Süßwasser und Haffen Mittel- und N-Europas; Köderfisch.

Hasel 2) (Länge 20–30 cm)

Haselhuhn (Tetrastes bonasia), ein in dichten Wäldern Eurasiens lebendes rebhuhngroßes Raufußhuhn; rostfarben, weiß und schwarz, der Hahn schwarzkehlig, mit Schopf.

Haselmaus, → Schlafmäuse.

Haselnuss (Hasel, Haselstrauch, Corylus), Gattung der Birkengewächse mit 15 Arten, in der nördl. gemäßigten Zone. Die männl. Blütchen sitzen in langen, hängenden Kätzchen, die weibl. in knospenähnl. Blütenständen, die hartschaligen, meist einsamigen Früchte in je einer becher- oder schlauchförmigen Hochblatthülle. Heimisch ist die **Gemeine H. (Waldhasel, Haselstrauch,** Corylus avellana), wächst in Gebüschen und Wäldern Europas; bis 5 m hoch, mit öl- und eiweißreichen einsamigen Früchten (Haselnüsse).

Haselnussbohrer (Länge 5–9 mm), darunter eine Haselnuss mit Bohrloch

Haselnussbohrer (Haselrüsselkäfer, Curculio nucum), ein 5–9 mm langer gelbbrauner Rüsselkäfer mit langem, dünnem Rüssel; bes. in Haselnussbeständen ein gefürchteter Schädling.

Haselünne, Stadt im Landkreis Emsland, Ndsachs., 10 900 Ew., an der Hase; Branntweinbrennereien, Textilindustrie.

Haselwurz (Asarum), Gattung der Osterluzeigewächse, bes. unter Haselsträuchern wachsend. Die kriechende, staudige, giftige **Europäische H.** (Asarum europaeum) hat ledrige, wintergrüne Blätter, braune, glockige Blüten und kapselförmige Früchte.

Hasen [ahd. haso, eigtl. »der Graue«] (Leporidae), Familie der Hasentiere; fast weltweit verbreitet. H. sind überwiegend nachtaktiv und fressen Pflanzen. Die H. umfassen Echte H. und → Kaninchen. Die **Echten H.** (Gattung Lepus) bewohnen Kultursteppen und lichte Wälder. Sie sind schnelle »Läufer« mit stark verlängerten Hinterbeinen (im Fluchtlauf sollen sie bis 80 km/h erreichen), ihre Neugeborenen sind behaart und haben offene Augen (Nestflüchter). In Europa kommen zwei Arten vor: 1) der **Feld-H.** (Lepus capensis), 40–70 cm lang mit graugelbem bis braunem Fell. Die Häsin (**Setz-** oder **Satz-H.)** wirft 2- bis 4-mal im Jahr in einer Mulde (Sasse). Der männl. H. heißt **Rammler.** Der Feld-H. drückt sich bei Gefahr nieder, verhält sich ruhig und beobachtet scharf; dies wurde als Schlafen (mit »offenen Augen«) gedeutet. 2) der **Schnee-H.** (Lepus timidus); Körperlänge etwa 45–70 cm; angepasst an kühlere Klimate, besiedelt er auch Hochlagen (Alpen) und nord. Gebiete (Tundra), wechselt hier sein im Sommer braunes Fell mit dem weißen Winterkleid.

Hasen: Die in Europa vorkommenden Arten der Echten Hasen

Hasenmäuse: Langschwanzchinchilla (Kopf-Rumpf-Länge etwa 25 cm)

Hasenauer, Karl Freiherr von (seit 1873), österr. Baumeister, *Wien 20. 7. 1833, †ebd. 4. 1. 1894; Vertreter des Wiener Historismus, der bei seinen Bauten Stilelemente der Renaissance und des Barock neu belebte. Er schuf mit G. Semper den Plan für den Hofbautenkomplex an der Wiener Ringstraße mit Naturhistor. und Kunsthistor. Museum (1871–91), Burgtheater (1874–88) und Neuer Hofburg (1881–94, vollendet 1913), die er mit Innendekor im Makartstil versah. An der Ausführung der Bauten war Semper bis 1876 beteiligt.

Hasenclever, Walter, Schriftsteller, *Aachen 8. 7. 1890, † (Selbstmord) Lager Les Milles (bei Aix-en-Provence) 21. 6. 1940; wurde unter dem Eindruck des 1. Weltkrieges radikaler Pazifist, musste 1933 Dtl. verlassen; expressionist. Lyriker und Dramatiker (»Der Sohn«, 1914; »Antigone«, 1917), schrieb später unterhaltsame, geistreiche Komödien (»Ein besserer Herr«, 1926; »Ehen werden im Himmel geschlossen«, 1928).

Hasenhacke (Kurbe), bei Pferden auftretende Erkrankung, bei der es zu einer kuppelförmigen Hervorwölbung an der Hinterfläche des Sprunggelenks kommt. Es werden weiche **(Sehnen-H.)** und harte H. **(Knochen-H.)** unterschieden.

Hasenlattich (Prenanthes), Korbblütlergattung mit dem **Purpur-H.** (Prenanthes purpurea); bis 2 m hohe Staude in europ., asiat. und nordamerikan. Bergwäldern, mit purpurfarbenen, langgestielten Blütenköpfchen in lockerer Weise.

Hasenmäuse (Lagidium), südamerikan. Nagetierfamilie; nachtaktive, bis kaninchengroße Steppentiere. Wertvolles silbergraues, seidenweiches Pelzwerk liefert die Gattung **Chinchilla** mit zwei Arten (Kurzschwanzchinchilla und Langschwanzchinchilla), die in Pelztierfarmen gezüchtet werden und als frei lebende Wildtiere fast ausgerottet sind.

Hasenohr, 1) (Bupleurum) Doldenblütlergattung; korbblütlerähnlich, mit ungeteilten Blättern.

2) ein Pilz, →Becherling.

Hasenöhrl, Friedrich, österr. Physiker, *Wien 30. 11. 1874, ⚔ Folgaria (Prov. Trient) 7. 10. 1915; verfasste Untersuchungen zur Hohlraumstrahlung und 1904 erste Aussagen zur Äquivalenz von Masse und Energie, die später von A. Einstein verallgemeinert wurden.

Hasenpest, die →Tularämie.

Hasenscharte, →Spaltbildungen.

Haskala [hebr. »Aufklärung«] *die,* Bez. der durch die europ. Aufklärung inspirierten, wirtsch., geistig und sozial motivierten jüd. Emanzipationsbestrebungen der jüd. Aufklärer **(Maskilim)** in W- und Mitteleuropa (18. Jh.) sowie in O-Europa (um die Wende vom 18. zum 19. Jh.). Grundlegend für die H. waren der neue Religionsbegriff der Aufklärung (Vernunftreligion) und das Ideal einer neuen Humanität, wie es v. a. von M. Mendelssohn vertreten wurde, der als »Vater der H.« gilt. Hauptanliegen war die Zuwendung zur nichtjüd. Umwelt und Wiss. und, damit verbunden, der Auszug aus dem (materiellen und geistigen) Getto. In W- und Mitteleuropa führte die H. im 19. Jh. zur Assimilierung v. a. des jüd. Bürgertums, in O-Europa scheiterte sie weitgehend am Widerstand orth.-jüd. Kreise. Pogrome, nat.-religiöse und sozialist. Bestrebungen führten hier zum Zionismus.

📖 ALLERHAND, J.: *Das Judentum in der Aufklärung. Stuttgart 1980.*

Haskil, Clara, schweizer. Pianistin rumän. Herkunft, *Bukarest 7. 1. 1895, †Brüssel 7. 12. 1960; v. a. Mozart-, aber auch bed. Beethoven-, Schubert- und Chopin-Interpretin.

Haslach im Kinzigtal, Stadt im Ortenaukreis, Bad.-Württ., im mittleren Schwarzwald, 6800 Ew.; Hansjakob-Museum, Trachtenmuseum; Werkzeug- und Maschinenbau, Holzverarbeitung; Fremdenverkehr. – Denkmalgeschütztes Fachwerkensemble der Altstadt. – Wurde 1278 als Burg und Stadt genannt.

Häsling, ein Fisch, →Hasel.

Haslinger, Josef, österr. Schriftsteller, *Zwettl (NÖ) 5. 7. 1955; Erzähler und Essayist, bes. bekannt wurde sein im Stil eines Politthrillers geschriebener Roman »Opernball« (1995). – *Weitere Werke:* »Der Konviktskaktus« (Erzn., 1980); »Der Tod des Kleinhäuslers Ignaz Hajek« (Nov., 1985); »Hausdurchsuchung im Elfenbeinturm« (Essays, 1996).

Haslital (Hasli), Tal der oberen Aare im schweizer. Kt. Bern, vom Grimselpass bis zum Brienzer See, 40 km lang. Hauptorte sind Guttannen und Innertkirchen im steilen und felsigen **Oberhasli,** Meiringen im breiten und offenen **Unterhasli.** Intensive Nutzung der Wasserkraft (Stauseen); lebhafter Fremdenverkehr, oberhalb von Meiringen liegt das Wintersportgebiet **Hasliberg** (1045 m ü. M.), daneben Viehwirtschaft und Heimgewerbe.

Hasmonäer, in der nichtbibl. jüd. Literatur Bez. für die →Makkabäer.

Haspel, Vorrichtung zum Auf- bzw. Abwickeln von Fäden, Drähten, Bändern u. a.

Haspengau (niederländ. Haspengouw, frz. Hesbaye), Agrargebiet in Mittelbelgien, westlich der Maas; im S-Teil Anbau von Weizen, Mais und Zuckerrüben, im feuchteren N Grünlandwirtschaft, stellenweise Obstkulturen.

Haspinger, Johann Simon (Ordensname Joachim), Tiroler Freiheitskämpfer, *Sankt Martin im Gsies (Pustertal) 28. 10. 1776, †Salzburg 12. 1. 1858; Kapuziner, stellte sich 1809 neben A. Hofer und J. Speckbacher an die Spitze des Tiroler Aufstands gegen Franzosen und Bayern.

Hass, Hans, österr. Zoologe, Wien *23. 1. 1919; unternahm seit 1937 Unterwasserexpeditionen und Forschungsreisen, u. a. im Karib. Meer, im Roten Meer, am Großen Barriereriff Australiens, auf den Galápagosinseln, den Malediven, Ceylon, Nikobaren und bei Singapur (Bücher und Filme).

Hass, intensives Gefühl der Abneigung und Feindseligkeit bis hin zur Aggression gegen Personen oder soziale Gruppen, in der die Motive und Eigenheiten des Gehassten nicht mehr wahrgenommen werden **(blinder H.).** Insofern wird der H. vom »gerechten Zorn« unterschieden. In der Philosophie sind H. und Liebe für Empedokles die beiden grundlegenden kosm. Kräfte, durch deren Wirken alles entsteht und vergeht.

📖 KLEIN, M. *u.* RIVIERE, J.: *Seel. Urkonflikte. Liebe, Haß u. Schuldgefühl. A. d. Engl. Neuausg. Frankfurt am Main 9.–10. Tsd. 1992.*

Hassan II., König von Marokko, →Hasan II.

Haßberge, 1) Keuperhöhenzug in Unterfranken, zw. Grabfeld und Main, in der Nassacher Höhe 511 m ü. M.

2) Landkreis im RegBez. Unterfranken, Bayern; 957 km², (1996) 87400 Ew.; Kreisstadt ist Haßfurt.

Hasse, 1) Johann Adolf, Komponist, getauft Bergedorf (heute zu Hamburg) 25. 3. 1699, †Vene-

Haselwurz: Europäische Haselwurz (Höhe bis 10 cm)

Walter Hasenclever (Zeichnung von Oskar Kokoschka, 1918)

Clara Haskil

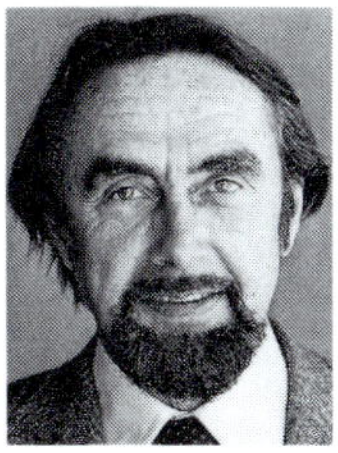

Hans Hass

Ernst Hassebrauk: »Venedig« (1958; Privatbesitz)

dig 16. 12. 1783; in Venedig, Dresden und Wien als Kapellmeister tätig, ⚭ mit der italien. Opernsängerin Faustina Bordoni (*1700, †1781); bed. Komponist der italien. Opera seria; schuf ferner Orchester- und Kammermusik, Oratorien und kirchl. Werke.

Odd Hassel

2) O. E. (Otto Eduard), Schauspieler, *Obersitzko (heute Obrzycko, Wwschaft Poznań) 11. 7. 1903, †Berlin (West) 12. 9. 1978; spielte u. a. an den Münchner Kammerspielen, an Berliner Bühnen sowie in Filmen (»Entscheidung vor Morgengrauen«, 1951; »Canaris«, 1954; »Die Ehe des Herrn Mississippi«, 1961; »Lulu«, 1962).

Hassebrauk, Ernst, Maler und Grafiker, *Dresden 28. 6. 1905, †ebd. 30. 8. 1974; beeinflusst von O. Kokoschka, malte er Porträts, Stadtlandschaften und Stillleben mit leuchtenden Farben und expressivem Pinselduktus.

Ulrich von Hassell

Hassel, 1) Kai-Uwe von, Politiker (CDU), *Gare (Tansania) 21. 4. 1913, †Aachen 8. 5. 1997; Kaufmann, 1953–54 und 1965–80 MdB; 1954–62 MinPräs. von Schlesw.-Holst., 1963–66 Bundesverteidigungs- und 1966–69 Bundesvertriebenenmin., war 1969–72 Präs., 1972–76 Vizepräs. des Bundestags, 1973–80 Präs. der Europ. Union Christl. Demokraten und 1979–84 Mitgl. des Europ. Parlaments.

2) Odd, norweg. Physikochemiker, *Oslo 17. 5. 1897, †ebd. 11. 5. 1981; Prof. in Oslo, erforschte die Konformation des Cyclohexans und seiner Derivate, erhielt für diese stereochem. Untersuchungen mit D. H. R. Barton 1969 den Nobelpreis für Chemie.

Hastings

Der normannische Chronist Wilhelm von Jumièges berichtet um 1070 über die für die Normannen unter Wilhelm I., dem Eroberer, siegreiche Schlacht von Hastings im Jahre 1066:
»Die Schlacht begann zur dritten Stunde des Tages und dauerte in einem Chaos von Gemetzel und Abschlachten bis zum Abend. Harold II. selbst fiel, in der ersten Reihe seiner Armee kämpfend, übersät von tödlichen Wunden. Und als die Engländer sahen, dass ihr König tot war, verloren sie das Vertrauen in ihre eigene Sicherheit und flohen bei Anbruch der Nacht.«

Hassell, Ulrich von, Diplomat, *Anklam 12. 11. 1881, †(hingerichtet) Berlin-Plötzensee 8. 9. 1944; Jurist, 1932–38 Botschafter in Rom, nach seiner Entlassung in der Widerstandsbewegung tätig, war als Außenmin. in einer Regierung unter einem Reichskanzler K. Goerdeler vorgesehen. Nach dem 20. 7. 1944 wurde er zum Tode verurteilt. – »Vom anderen Dtl.« (Tagebücher 1938–44, 1946).

Hasselt, Hptst. der Prov. Limburg, Belgien, zw. Haspengau und Kempenland, 67 500 Ew.; Brauereien, Ginbrennereien, Lebensmittel-, Möbel-, elektrotechn. Ind., Maschinenbau; Hafen am Albertkanal. – Gotische Kathedrale (13.–16. Jh.), Beginenhof (18. Jh.). – Erhielt 1252 Stadtrecht.

Haßfurt, Krst. des Landkreises Haßberge, Bayern, am Main, 12 600 Ew.; Schuh-, Marmeladenfabrik, Messgerätebau. – Drei Stadttore (16. Jh.), got. Pfarrkirche, spätgot. »Ritterkapelle«. – Seit 1243 Stadt.

Hassi Messaoud [asimɛsaˈud] (Hassi Masud), Zentrum der Erdölförderung in der alger. Sahara; Raffinerie; Flughafen; Ausgangspunkt zahlreicher Erdöl- und Erdgasleitungen.

Hassi Rmel, Erdgaszentrum in der nördl. alger. Sahara, nordwestlich von Ghardaïa, Flughafen; Pipeline (2 500 km) über Tunesien nach Sizilien.

Hassium [nach dem Land Hessen], chem. Symbol **Hs,** bei der Ges. für Schwerionenforschung in Darmstadt 1984 durch Verschmelzung von ^{208}Pb und ^{58}Fe nach Emission eines Neutrons künstlich erzeugtes chem. Element, ein →Transuran mit der Kernladungszahl 108. Das Isotop ^{269}Hs hat mit 9,3 s die längste Halbwertszeit.

Haßler (Hasler), Hans Leo von (seit 1595), seit 1605 H. L. H. von Roseneck, Komponist, getauft Nürnberg 26. 10. 1564, †Frankfurt am Main 8. 6. 1612; in Augsburg, Prag, Nürnberg, Dresden tätig, neben M. Praetorius bedeutendster dt. Meister der Stilwende um 1600. Seine Motetten und Messen sind von der venezian. Schule beeinflusst. In seinen weltl. Liedern verdeutschte er die italien. Villanella und Canzonetta und schuf damit Vorbilder des neuen homophonen Gesellschaftslieds.

Haßloch, Gemeinde im Landkreis Bad Dürkheim, Rheinl.-Pf., im Oberrhein. Tiefland, 20 300 Ew.; Herstellung von Blechemballagen; großer Freizeitpark.

Hasta [lat.] *die,* altröm. Stoßlanze, durch das →Pilum verdrängt.

Hastings [ˈheɪstɪŋz], Stadt in der Cty. East Sussex, SO-England, am Ärmelkanal, 74 800 Ew.; Seebad mit 5 km langer Promenade. – Über der Stadt die Ruine der 1069 begonnenen Burg. – Durch den Sieg Wilhelms des Eroberers bei H. (1066) kam England unter normann. Herrschaft.

Hastings ['heɪstɪŋz], Warren, brit. Kolonialpolitiker, *Churchill (Cty. Oxfordshire) 6. 12. 1732, †Daylesford 22. 8. 1818; 1772 Gouv. von Bengalen, 1774–85 erster Generalgouv. in O-Indien; 1785 nach England zurückgekehrt, wurde er des Amtsmissbrauchs und der Erpressung angeklagt, 1795 freigesprochen.

Hata, Sahachiro, japan. Bakteriologe, *Tsumo 23. 3. 1873, †Tokio 22. 11. 1938; entwickelte mit P. →Ehrlich das Salvarsan.

Hathor [ägypt. »Haus des Horus«] (grch. Athyr), ägypt. Himmels-, auch Liebesgöttin; Gattin des Horus. In Theben als Totengöttin verehrt; dargestellt mit Kuhhaupt oder Kuhhörnern. Nach ihr war der 3. Monat des ägypt. Jahres benannt.

Hatoyama, Ichiro, japan. Politiker, *Tokio 1. 1. 1883, †ebd. 7. 3. 1959; Jurist, gründete 1945 die Liberale Partei neu, wegen seines Anteils an der Kriegspolitik von der polit. Tätigkeit bis 1952 ausgeschlossen, war danach Gegenspieler S. Yoshidas. 1954–56 als Führer der Liberaldemokrat. Partei MinPräs.; erreichte die Aufnahme Japans in die UNO (1956).

Hatra (arab. El-Hadr), antike Stadt in Irak (100 km südwestlich von Mosul), lag an der Kreuzung wichtiger Handelsstraßen. Innerhalb der runden Stadtmauern wurde der parth. Palast aus dem 1.–3. Jh. freigelegt. Im Schutt der Tempelanlagen wurden mehrere Hundert Statuen aus Marmor und Kalkstein (streng frontale Darstellung) sowie Bronze gefunden; UNESCO-Weltkulturerbe.

Hathor (rechts) mit König Amenophis II., Fresko auf einem Pfeiler der Grabanlage des Königs im Tal der Könige in Theben (um 1410 v. Chr.)

Hatschepsut, ägypt. Königin, Tochter Thutmosis' I., Gemahlin ihres Stiefbruders Thutmosis II.; regierte 1490–68 v. Chr. zunächst als Vormund ihres Stiefsohns Thutmosis III., dann als Königin; unternahm Handelsreisen nach →Punt, erbaute u. a. den Tempel von Deir el-Bahari (Westseite von Theben).

Hatschepsut: Porträt der ägyptischen Königin als Osiris aus ihrem Terrassentempel in Deir el-Bahari, bemalter Kalkstein (um 1480–70 v. Chr.; Kairo, Ägyptisches Museum)

Hatschinohe, Stadt in Japan, →Hachinohe.

Hatschiodschi, Stadt in Japan, →Hachiōji.

Hatta, Mohammed, indones. Politiker, *Fort de Kock (heute Bukittinggi, Sumatra) 12. 8. 1902, †Jakarta 14. 3. 1980; rief nach dem militär. Zusammenbruch Japans 1945 zus. mit Sukarno die unabhängige Republik Indonesien aus, erreichte als Min.-Präs. (1948–50) 1949 deren Anerkennung durch die Niederlande. 1945–49 und 1950–56 war er Vizepräs. Indonesiens. Als Verfechter einer Demokratie nach westeurop. Muster lehnte er den Gedanken Präs. Sukarnos ab, Indonesien nach dem Prinzip einer »gelenkten Demokratie« zu regieren.

Hatteras ['hætərəs], schmale Nehrungsinsel vor der Atlantikküste von North Carolina, USA; zahlr. Badeorte; an der Landspitze Kap H. wegen häufiger Stürme Gefahren für die Schifffahrt.

Hattersheim am Main, Stadt (seit 1970) im Main-Taunus-Kreis, Hessen, 24700 Ew.; Schokoladen-, Kartonagenfabrik; Rosenkulturen; Versuchsgut der Farbwerke Hoechst AG.

Hattingen, Stadt im Ennepe-Ruhr-Kr., NRW, an der Ruhr, 58500 Ew.; Produktion von Industriegasen, Textilverarbeitung, Maschinenbau. – Seit 1854 Ansiedlung von Schwerindustrie (Henrichshütte, Ende der 1980er-Jahre geschlossen).

Hatto I., Erzbischof von Mainz (891–913), *um 850, †5. 5. 913; führte unter Ludwig IV., dem Kind, die Reichsreg., verhalf 911 Konrad I. zur Königswürde und wurde sein Kanzler (→Mäuseturm).

Roman Haubenstock-Ramati

Josef Matthias Hauer

Hattrick ['hætrɪk; engl. hat »Hut« und trick »Kunststück«] *der, Sport:* urspr. im Kricket gebräuchl. Ausdruck für das drei- oder mehrfache Abwerfen des Wicket durch den Werfer; später auf den Fußball übertragen: drei Tore hintereinander von einem Spieler innerhalb einer Halbzeit ohne andere Tore dazwischen; in anderen Sportarten drei Siege hintereinander beim gleichen Wettbewerb.

Hattusa, Hptst. des Hethiterreiches, → Boğazkale.

Hatzfeld (Hatzfeldt), edelfreies Geschlecht aus Oberhessen, erwarb 1380/1430 die Herrschaft Wildenburg. Melchior von H. (*1593, †1658), kaiserl. General im Dreißigjährigen Krieg, wurde 1635 in den Grafenstand erhoben und erhielt 1641 die schles. Herrschaft Trachenberg, die von Friedrich II. von Preußen 1741 zum Fürstentum erhoben wurde. Gräfin Sophie von **H.-Trachenberg** (*1805, †1881) wurde als Freundin und Anhängerin Lassalles bekannt; ihr Sohn Graf Paul von **H.-Wildenburg** (*1831, †1901) wurde 1885 Botschafter in London, wo er für ein dt.-brit. Einvernehmen wirkte.

Haubach, Theodor, Journalist, *Frankfurt am Main 15. 9. 1896, † (hingerichtet) Berlin-Plötzensee 23. 1. 1945; Mitgl. der SPD, führend im Reichsbanner Schwarz-Rot-Gold, gehörte seit 1942 der Widerstandsbewegung (Kreisauer Kreis) an. Nach dem 20. 7. 1944 wurde er verhaftet.

Haubarg (Hauberg, Heuberg), Typ des niederdt. Hallenhauses, in dessen hohem Mittelraum (Gulf, Vierkant) Heu gestapelt wird.

Haube, 1) *Architektur:* geschweiftes Turmdach.

2) *Mode:* haarverhüllende weibl. Kopfbedeckung aus Leinen, Seide, Spitze, Samt oder Brokat von einfacher rundl. bis zu vielfältig gekniffter Form, findet sich bereits als Kopftracht der altägypt. Königin (→ Geierhaube), entwickelte sich jedoch erst seit dem späten MA. zu einem wichtigen Bestandteil der weibl. Tracht. Sie wurde meist nach Alter und Stand unterschiedlich getragen und kam bes. der verheirateten Frau zu. In der Klostertracht lebt die H. bis heute fort.

3) *Zoologie:* a) aufrichtbarer Federschopf auf dem Vogelkopf (z. B. Haubenlerche); b) der Netzmagen der → Wiederkäuer.

Haubarg aus dem Jahre 1795 auf der Halbinsel Eiderstedt in Schleswig-Holstein

Haubenadler (Spizaetus), Gattung der Greifvögel, mit Schopf; in Afrika, SO-Asien, Südamerika.

Haubenlerche, Art der → Lerchen.

Haubenstock-Ramati, Roman, israel. Komponist poln. Herkunft, *Krakau 27. 2. 1919, † Wien 3. 3. 1994; 1973–89 Prof. an der Musikhochschule in Wien; bediente sich als vielseitiger Avantgardist aller neueren Techniken; komponierte die Oper »Amerika« (1966, Neufassung 1992); Anti-Oper »La comédie« (1969), »musikal. Grafiken«, »Mobiles«. Schrieb »Musik–Graphik–Pre-Texte« (1980).

Haubentaucher, Vogelart, → Steißfüße.

Haubitze, *Waffenkunde:* → Geschütze.

Hauchlaut, *Sprache:* → Laut.

Hauenstein, Name zweier Pässe im Schweizer Kettenjura, die Basel mit dem Mittelland verbinden: **Oberer H.,** 731 m ü. M., 12 km lange Passstraße von Waldenburg nach Balsthal, und **Unterer H.,** 691 m ü. M., 10 km lange Passstraße von Läufelfingen nach Olten, unterfahren von dem 8134 m langen **H.-Basistunnel** der Eisenbahnlinie Basel–Olten. Zw. beiden Pässen ein 3,2 km langer Autobahntunnel (Belchentunnel).

Hauer, Josef Matthias, österr. Komponist und Musiktheoretiker, *Wiener Neustadt 19. 3. 1883, † Wien 22. 9. 1959; gelangte unabhängig von A. Schönberg zu einer Zwölftonmusik, deren Grundlagen er theoretisch begründete: »Vom Wesen des Musikalischen« (1920), »Zwölftontechnik« (1925); schrieb u. a. die Oper »Salambô« (1930) sowie Lieder und Orchesterwerke.

Hauer, 1) *Bergbau:* Bergmann, der vorwiegend im Streckenvorbau tätig ist.

2) *Zoologie:* Eber, männl. Hausschwein.

Haufen, *Militärwesen:* Heerhaufen, allg. bei den Landsknechten eine Vielzahl von Söldnern; auch Bez. für einen festen Verband; in Gefechtsform: **Gevierthaufen.**

Haufendorf, ein geschlossen bebautes Dorf mit unregelmäßigem Grundriss und häufig unterschiedlich großen Höfen. Zum H. gehörte die Gewannflur.

Haufenstern, zu einem → Sternhaufen gehörender Fixstern; Ggs.: Feldstern.

Haufenveränderliche, → RR Lyrae-Sterne.

Haufenwolke, dt. Bez. für Cumulus (Kumulus), → Wolken.

Wilhelm Hauff: Holzstich (um 1830) nach einem Miniaturbildnis des Zeitgenossen Johann Michael Holder

Hauff, 1) Reinhard, Filmregisseur, *Marburg 23. 5. 1939; wurde nach »Ausweglos« (1970, Drehbuch zus. mit M. Walser) durch die film. Biographie über den legendären bayer. Räuber »Mathias Kneissl« (1971) bekannt; es folgten u.a. »Die Verrohung des Franz Blum« (1974), »Paule Pauländer« (1976), »Messer im Kopf« (1979); »Stammheim« (1985); seit 1993 Direktor der Dt. Film- und Fernsehakademie.

2) Wilhelm, Schriftsteller, *Stuttgart 29. 11. 1802, †ebd. 18. 11. 1827; schrieb Gedichte (»Morgenrot, Morgenrot«), die witzig-fantast. »Mitteilungen aus den Memoiren des Satans« (2 Bde., 1826/27), den Roman »Lichtenstein« (3 Bde., 1826), mit dem er im Gefolge W. Scotts neben W. Alexis den histor. Roman in Dtl. begründete. »Der Mann im Monde« (2 Bde., 1826) ahmt die Manier des Unterhaltungsschriftstellers H. Clauren (*1771, †1854) nach; Erzählungen (»Jud Süß«, 1827); Märchen (»Kalif Storch«, »Zwerg Nase«, »Das kalte Herz«). Seit Anfang 1827 leitete H. das »Morgenblatt für gebildete Stände«.

📖 PFÄFFLIN, F.: *W. H. u. der Lichtenstein. Marbach 1981.*

Häufigkeit, Begriff der Wahrscheinlichkeitslehre: Zahl *m*, die angibt, wie oft ein bestimmtes Merkmal bei *n*-maliger Möglichkeit seines Eintreffens (bei *n*-maliger Messung) auftritt; der Quotient m/n ist die **relative H.** dieses Ereignisses.

Häufungspunkt, grundlegender Begriff der Mengenlehre; ein Punkt ist H. einer Menge, wenn in jeder noch so kleinen Umgebung von ihm unendlich viele Punkte der Menge liegen. Ein H. muss der Menge nicht angehören; z.B. ist die Null H. der Menge der Brüche von der Form $1/n$ ($n = 1, 2, 3$ ...), ohne ein Element dieser Menge zu sein.

Haufwerk, *Bergbau:* körniges Gemenge; aus einer Lagerstätte gewonnener, noch nicht fertig aufbereiteter Rohstoff, z.B. Erz, Kohle.

Haugesund ['hœjgəsun], Hafenstadt in SW-Norwegen, 29100 Ew.; Fischfang und -verarbeitung, Werften; Servicefunktionen für die Erdölförderung in der Nordsee; 700 m lange Brücke zur dicht besiedelten Insel Karmøy (Aluminiumfabrik).

Haughey ['hɔːɪ], Charles, irischer Politiker, *Castlebar (Cty. Mayo) 16. 9. 1925; Rechtsanwalt, mehrfach Min., 1979–92 Vors. der Fianna Fáil, 1979–81, 1982 und 1987–92 Ministerpräsident.

Hauhechel (Ononis), Schmetterlingsblütlergattung, meist in den Mittelmeerländern; einjährige Kräuter und Stauden, viele drüsig behaart mit dreizähligen Blättern. Die **Dornige H.,** auch **Hachel(kraut)** oder **Hachelwurz** (Ononis spinosa), mit rötl. Blüten, ist auf Brach- und Kulturland Unkraut, auf nährstoffarmen Sandböden bodenverbessernd.

Haumesser, ein Messer, das sich vom Griff an nach der Spitze hin verbreitert, wodurch die Wucht beim Schlagen erhöht wird; dient bes. zum Wegbahnen in trop. Waldgebieten (z.B. **Parang** der Malaien, **Buschmesser** in Afrika, **Machete** in Lateinamerika).

Hauhechel: Dornige Hauhechel (Höhe 30-60 cm)

Haupt, 1) *Bautechnik:* die im gemauerten Verband sichtbare Seite eines behauenen Natursteins.

2) *Wasserbau:* Teil einer Schleuse, der das Schleusentor aufnimmt, bei Binnenschiffsschleusen **Ober-H.** und **Unter-H.,** bei Seeschleusen **Außen-H.** und **Binnen-H.;** zur Unterteilung einer langen Schleusenkammer **Mittelhaupt.**

Hauptanschluss, unmittelbar an das öffentl. Fernsprechnetz angeschlossene Sprechstelle. Bei **Einzelanschlüssen** ist nur ein, bei **Gemeinschaftsanschlüssen** sind mehrere Fernsprechapparate (Endgeräte) durch eine gemeinsame Amtsleitung an die Vermittlungsstelle angeschlossen.

Hauptbuch, *Buchführung:* die systemat. Zusammenfassung der im **Grundbuch** (chronolog. Aufzeichnung aller Geschäftsvorfälle) enthaltenen Informationen. Im H. werden die Sachkonten (sämtl. Bestands- und Erfolgskonten) geführt. In der einfachen Buchführung werden im H. die Geschäftsvorfälle mit Kunden und Lieferanten (Debitoren, Kreditoren) erfasst. Es entspricht dem Kontokorrentbuch der doppelten Buchführung.

Hauptebene, → Kardinalelemente.

Hauptgemeinschaft des Deutschen Einzelhandels e.V., Abk. **HDE,** Köln, Dachverband der dt. Einzelhandelsorganisationen, gegr. 1947; vertritt als Berufs-, Wirtschafts- und Arbeitgeberverband die Interessen der selbstständigen Unternehmen.

Häuptling, die oberste Herrschaftsinstanz in Verwandtschafts- und Lokalgruppen. Der H. steht an der Spitze eines Dorfes **(Dorf-H.)** oder Stammes **(Stammes-H.).** Die Stellung des H. beruht v.a. auf prakt. oder religiösen Kenntnissen, auch auf Leistungen und dem so bedingten Ansehen. Die Macht der H. war bes. bei einigen nordamerikan. Indianerstämmen durch einen Rat begrenzt.

Herbert A. Hauptman

Hauptman [-mæn], Herbert Aaron, amerikan. Mathematiker und Biophysiker, * New York 14. 2. 1917; seit 1972 Forschungsdirektor der Medical Foundation in Buffalo (N. Y.); erhielt für die Entwicklung einer statistischen Methode zur direkten Kristallstrukturbestimmung mit Röntgenstrahlen 1985 mit J. Karle den Nobelpreis für Chemie.

Hauptmann, militär. Dienstgrad der Offiziere. Der H. ist Führer einer Einheit.

Hauptmann, 1) Carl, Dichter, * Obersalzbrunn (heute Bad Salzbrunn) 11. 5. 1858, † Schreiberhau 4. 2. 1921, Bruder von 2); bestimmt durch das Erlebnis der schles. Gebirgslandschaft und der älteren schles. Mystik, kam von naturalist. Heimatdichtung (»Mathilde«, R., 1902) über Neuromantik (»Einhart der Lächler«, R., 1907) zum Expressionismus (»Krieg. Ein Tedeum«, 1914); außerdem Lyrik und Aphorismen.

Gerhart Hauptmann

2) Gerhart, Dichter, * Obersalzbrunn (heute Bad Salzbrunn) 15. 11. 1862, † Agnetendorf 6. 6. 1946, Bruder von 1); betrieb künstler. und wiss. (histor.) Studien; lebte seit Ende 1884 in Berlin, heiratete 1885 die Großkaufmannstochter Marie Thienemann und wurde damit finanziell unabhängig; nach einer schweren Lebenskrise 1893 wurde die Ehe getrennt; 1891 Übersiedlung nach Schlesien (Schreiberhau, dann Agnetendorf). 1912 erhielt er den Nobelpreis für Literatur. H., der – unterschiedl. Stilrichtungen verpflichtet – ein vielgestaltiges Werk schuf, ist Schöpfer lebendiger, plast., proletar. Gestalten. Durchschlagenden Erfolg erzielte H. mit dem sozialen Drama »Vor Sonnenaufgang« (1889), mit dem er dem Naturalismus zum Durchbruch verhalf, und mit der dramat. Bearbeitung des Weberaufstands von 1844 in dem Drama »Die Weber« (1892, 1. Fassung in schles. Mundart u. d. T. »De Waber«). In der Traumdichtung »Hannele Matterns Himmelfahrt« (1893, 1897 u. d. T. »Hanneles Himmelfahrt«) verlässt H. das soziale Drama (»Der Biberpelz«, Kom., 1893) zwar nicht, aber den Naturalismus, den er dann jedoch in realist. Milieutragödien (z. B. »Fuhrmann Henschel«, 1899; »Rose Bernd«, 1903; »Die Ratten«, 1911) wieder aufgreift. Daneben neuromant. Versdramen und Bearbeitungen von histor. (»Florian Geyer«, Dr., 1896), Sagen- und literar. Stoffen. Unter seiner Prosa ragt die naturalistisch-psycholog. Novelle »Bahnwärter Thiel« (in »Die Gesellschaft«, 1888) hervor; außerdem »Der Narr in Christo Emanuel Quint« (R., 1910), »Vor Sonnenuntergang« (Dr., 1932); autobiographisch u. a. »Das Abenteuer meiner Jugend« (1937).

📖 Tank, K. L.: *G. H. mit Selbstzeugnissen u. Bilddokumenten. Reinbek 1993.* – Hilscher, E.: *G. H. Leben u. Werk. Neuausg. Berlin 1996.* – Leppmann, W.: *G. H. Eine Biographie. Neuausg. Frankfurt am Main 1996.*

Gerhart Hauptmann: Ausschnitt aus einem Gemälde des zeitgenössischen russischen Malers Leonid Ossipowitsch Pasternak (1930; Marbach am Neckar, Schiller-Nationalmuseum), darunter Autogramm

Hauptnenner, das kleinste gemeinsame Vielfache der Nenner mehrerer ungleichnamiger Brüche, z. B. ist der H. von $^2/_3$, $^1/_2$ und $^3/_4$ gleich 12.

Hauptpunkt, → Kardinalelemente.

Hauptquantenzahl, die für die Charakterisierung und Festlegung der Energiezustände und ihrer Energiewerte wichtigste → Quantenzahl.

Hauptquartier, die Befehlszentrale der Armee und übergeordneter Großverbände.

Hauptreihe, der Bereich im → Hertzsprung-Russell-Diagramm, in dem sich die meisten der die Sterne repräsentierenden Bildpunkte **(H.-Sterne)** befinden.

Hauptsatz, 1) *Naturwissenschaft:* Bez. für einen fundamentalen Satz eines Wissenschaftsgebietes, z. B. die drei H. der → Thermodynamik.

2) *Sprachwissenschaft:* selbstständiger Satz (Syntax, Übersicht).

Hauptschild, *Heraldik:* bei mehreren aufeinander gelegten Schilden der größte (auch Rückenschild).

Hauptschlagader, die → Aorta.

Hauptschlussmotor (Reihenschlussmotor), ein → Elektromotor.

Hauptschule, auf der Grundschule oder der Orientierungsstufe aufbauende, weiterführende, organisatorisch selbstständige Schulart. In den

1990er-Jahren wurden in einigen Bundesländern unter versch. Bez. als eigene Schulart →integrierte Klassen für Haupt- und Realschüler eingerichtet. Die H. umfasst das 5.–9. oder 10. Schuljahr, bei sechsjähriger Grundschulzeit oder einer schulartunabhängigen Förder- oder Orientierungsstufe das 7.–9./10. Schuljahr. Der qualifizierte H.-Abschluss der 10. Klasse ermöglicht den Besuch einer Berufsfachschule, der einfache H.-Abschluss den Besuch der Berufsaufbauschule, über die der Weg zur Fachoberschule möglich ist.

📖 *Die H. Materialien – Entwicklungen – Konzepte, hg. v.* H.-J. Ipfling *u.* U. Lorenz. *Bad Heilbrunn 1991. – H. konkret, hg. v.* B. Lehmann. *Langenau 1994.*

Hauptspeicher, *Datenverarbeitung:* der →Arbeitsspeicher.

Haupt- und Staatsaktionen, die Repertoirestücke der dt. Wanderbühnen um 1700: Hauptaktion im Ggs. zum lustigen Nachspiel, Staatsaktion wegen des geschichtlich-polit. Inhalts, vielleicht auch wegen der Pracht (Staat) der Ausstattung; in schwülstiger Sprache, mit effektvollen Motiven (Krönung, Hochzeit, Mord, Hinrichtung) und derben Possen des Hanswursts.

Hauptverhandlung, im →Strafprozess Kernstück des **Hauptverfahrens** (§§226–275 StPO). Die öffentl., mündl. und unmittelbare H. findet in ununterbrochener Gegenwart der Richter und Schöffen statt, auch der Angeklagte muss grundsätzlich anwesend sein, Staatsanwalt, Protokollführer und Verteidiger dürfen wechseln. In der H. wird der Angeklagte zunächst zur Person, später zur Sache vernommen, die Anklageschrift von der Staatsanwaltschaft verlesen, es folgt die Beweisaufnahme, u.a. durch Anhören von Zeugen und Sachverständigen; danach folgen die Schlussvorträge (Plädoyers) des Anklägers und des Verteidigers, der Angeklagte erhält das letzte Wort. Das Hauptverfahren schließt mit der Verkündung des Urteils, das auf der in der H. gewonnenen Überzeugung des Gerichts beruht (Grundsatz der Unmittelbarkeit der H.). Die Rechtslage in *Österreich* und in der *Schweiz* ist ähnlich.

Hauptversammlung, die Versammlung der Anteilseigner als Organ einer →Aktiengesellschaft oder einer Kommanditgesellschaft auf Aktien.

Hauptwirt, *Biologie:* der →Endwirt.

Hauptwort, *Sprachwiss.:* →Substantiv.

Hauran *der,* i.w.S. die Gesamtheit der jungtertiären und quartären Vulkanlandschaften S-Syriens und N-Jordaniens; dank fruchtbarer Böden schon im Altertum dicht besiedelt. 1685/1711 und im 19. Jh. wanderten Drusen aus dem Libanon dorthin aus. I.e.S. die niederschlagsbegünstigten südsyr. Ackerebenen südlich des Djebel Drus mit basalt. Verwitterungsböden; Getreideanbau.

Haus, das →Wohnhaus; i.w.S. auch das aus Wänden und Dach bestehende Gebäude, ohne Rücksicht auf seinen Zweck. Früher wurden einzelne Räume mit H. (hûs) bezeichnet, so im vorarlberg. Bauern-H. die Küche mit Herd. – Vielfach bildete das H., die **H.-Gemeinschaft** (→Familie), eine besondere Kultgemeinschaft mit eigenen →Hausgöttern. Römer und Germanen kannten den häusl. Opferherd, der im Christentum später durch den H.-Altar ersetzt wurde. Mit Wurzeln im antiken und german. H.-Recht entwickelte sich im MA. mit dem H. die kleinste Rechts-, Wirtschafts- und Herrschaftseinheit eines H.-Herrn, v.a. des Adels; erst durch die Herrschaftsausweitung im Absolutismus schrumpfte das H. zum bürgerl. Haushalt. – Während des MA. erfolgte im Bereich des Hochadels eine Differenzierung: Die bediensteten und nicht bediensteten H.-Genossen des Fürsten bildeten den Hof, die Familienmitgl. (Dynastie) das H. (Herrscher-H.); rechtlich selbstständige dynast. Seitenlinien bildeten schon im MA. eigene Häuser. Die Zugehörigkeit zum H. regelten →Hausgesetze.

Hausa (Haussa), islamisierte Völkergruppe Afrikas, in der zentralen Sudanzone; bildet keine kulturelle oder polit. Einheit. Wichtige Zentren der H. sind Kano, Sokoto und das Josplateau in N-Nigeria. Viele H. sind Händler, die auf zahlr. westafrikan. Märkten auftreten. Sie treiben aber auch Hackbau sowie Groß- und Kleinviehzucht. In Handwerk und Siedlungsweise zeigen sich mittelmeer. Einflüsse. Seit etwa 1000 n.Chr. bildeten die H. Staaten, die wichtigsten waren Kano, Gobir, Katsina, Daura, Biram, Rano und Zaria. Seit dem 14. Jh. setzte sich in ihnen der Islam durch. Zu Beginn des 19. Jh. gliederte die islam. Reformbewegung des →Osman dan Fodio (aus dem Volk der →Fulbe) die meisten H.-Staaten seinem Reich ein. Gegen Ende des 19. Jh. gelangten die H. unter die Herrschaft europ. Kolonialmächte.

Hausanschluss, die Verbindungsstelle zw. den Leitungen der öffentl. Versorgungsleitungen für Wasser, Gas, Fernwärme und Elektrizität mit den Verbraucherleitungen im Haus.

Hausapotheke, Zusammenstellung von Arznei- und Verbandmitteln für die erste Hilfe und häusl. Krankenpflege.

Hausbank, Bank, mit der ein Unternehmen überwiegend zusammenarbeitet.

Hausbesetzung, das Einziehen in leer stehende Häuser durch Personen oder Personengruppen, ohne die Erlaubnis des Eigentümers bzw. gegen dessen Widerspruch. Die H. richtet sich zum einen gegen die Vernichtung von Wohnraum aus Gründen der Bodenspekulation und gegen die Verdrängung der Wohnbev. in den Städten, zum andern will sie auf mangelnde soziale Einrichtun-

Hausbock
(Größe 10–20 mm)

gen (z. B. Jugendhäuser) in dicht besiedelten Stadtvierteln hinweisen. Oft steht auch das Ziel im Vordergrund, in für abbruchreif erklärten Häusern durch Renovierungsarbeiten (»Instandbesetzung«) eigene Lebensräume gemeinschaftlich zu gestalten. H., die meist in Konflikt stehen zu rechtsstaatl. Normen, finden seit Beginn der 1970er-Jahre statt und führten zu Diskussionen um die Sozialbindung des Eigentums und die Planungspraxis der Stadtverwaltungen.

📖 ARTKÄMPER, H.: *Hausbesetzer, Hausbesitzer, Hausfriedensbruch. Berlin u. a. 1995.*

Hausbesorger, österr. Bez. für Personen, die auf privatrechtl. Grundlage bestimmte häusl. Dienste verrichten; ihre Rechtsstellung regelt das H.-Ges. vom 11. 12. 1969. § 23 des Mietrechtsges. bestimmt, in welchem Umfang die H.-Kosten auf Mieter umlagefähig sind.

Hausbock (Hylotrupes bajulus), Art der Bockkäfer, der gefährlichste einheim. Schädling des verbauten Nadelholzes (Dachstühle, Tür- und Fensterrahmen, Telegrafenpfähle u. a.); 10–20 mm lang, braunschwarz, flachgedrückt. 5–10 mm lange und 4–5 mm breite Fluglöcher im Holz kennzeichnen äußerlich den Befall.

Hausbuchmeister (Meister des Hausbuchs), Zeichner, Kupferstecher und Maler, gegen Ende des 15. Jh. meist am Mittelrhein tätig, ben. nach einer Hausbuchhandschrift auf Schloss Wolfegg (Oberschwaben), deren Zeichnungen zu den lebendigsten Bildzeugnissen des ausgehenden MA. gehören (Turniere, Jagden, Bade- und Frauenhausszenen, Planetenbilder); Zeichnungen und Kupferstiche mit meist weltl. Thematik. Als malerisches Hauptwerk gilt der um 1475 entstandene Passionsaltar (Teile in Museen von Freiburg im Breisgau, Berlin, Frankfurt am Main). Von den 89 bekannten Kaltnadelradierungen befinden sich 82 im Amsterdamer Kupferstichkabinett.

Felix Hausdorff

Hausdorff, Felix, Mathematiker, *Breslau 8. 11. 1868, †(Freitod) Bonn 26. 1. 1942; Prof. in Leipzig, Greifswald und Bonn; bed. Arbeiten zur Mengenlehre und Topologie, bes. zur Theorie metrischer Räume, sowie zur Wahrscheinlichkeitsrechnung und Geometrie.

Hausegger, Siegmund von, österr. Komponist und Dirigent, *Graz 16. 8. 1872, †München 10. 10. 1948; komponierte, der Neudt. Schule verpflichtet, u. a. sinfon. Dichtungen (»Barbarossa«, 1900), Opern (»Zinnober«, 1898), Chorwerke, Lieder.

Wilhelm Hausenstein

Hausen, Europäischer (Huso huso), ein bis 9 m langer und 1400 kg schwerer Störfisch des Kasp. und Schwarzen Meeres, steigt zum Laichen in Zuflüsse. Sein Rogen liefert Kaviar.

Hausenstein, Wilhelm, Kunsthistoriker, Publizist und Diplomat, *Hornberg 17. 6. 1882, †München 3. 6. 1957; leitete 1934–43 die literar. Beilage der »Franfurter Zeitung«, erhielt 1936 Schreibverbot; war 1953–55 Botschafter in Paris. H. schrieb Kunst- und Reisebücher, Erzählungen und Erinnerungen (»Giotto«, 1923; »Europ. Hauptstädte«, 1932; »Pariser Erinnerungen«, 1961).

Hauser, 1) Arnold, brit. Literatur- und Kunstsoziologe ungar. Herkunft, *Temesvar 8. 5. 1892, †Budapest 28. 1. 1978; seit 1938 in Großbritannien. H. versuchte, die Geschichte der Kunst sozialhistorisch und soziologisch darzustellen und zu begründen (»Sozialgesch. der Kunst und Lit.«, 2 Bde., 1951; »Philosophie der Kunstgesch.«, 1958; »Der Manierismus«, 1964).

2) Erich, Bildhauer und Grafiker, *Rietheim (Kr. Tuttlingen) 15. 12. 1930; großformatige Skulpturen aus Edelstahlplatten, -kuben und -röhren, meist als Freiplastiken konzipiert.

3) Heinrich, Schriftsteller, *Berlin 27. 8. 1901, †Dießen a. Ammersee 25. 3. 1955; lebte 1938–48 in den USA, schrieb v. a. Seefahrterzählungen, Reiseberichte (»Brackwasser«, 1928; »Die letzten Segelschiffe«, 1930; »Gigant Hirn«, hg. 1958).

4) Kaspar, Findelkind, *(nach eigenen Angaben) 30. 4. 1812, †Ansbach 17. 12. 1833; tauchte 1828 in Nürnberg auf. Nach eigenen Angaben war er al-

Hausbuchmeister: »Der Planet Luna und seine Kinder«, Federzeichnung auf Pergament aus einer Hausbuchhandschrift auf Schloss Wolfegg in Oberschwaben

lein in einem dunklen Raum aufgewachsen. Des Findlings, dessen geistige Entwicklung begrenzt blieb, nahm sich bes. der Rechtsgelehrte Anselm von Feuerbach an. Früh tauchte die Behauptung auf, er sei ein von der Gräfin von Hochberg beiseite geschaffter Erbprinz von Baden (1996 durch Genanalyse widerlegt). H. starb an den Folgen einer am 14. 12. 1833 erlittenen Stichwunde. – Gedichte (u.a. Verlaine, G. Trakl), Romane (K. Gutzkow, J. Wassermann u.a.) und Schauspiele (P. Handke); Filme von W. Herzog (1974) und Peter Sehr (1994).

📖 *Die Wahrheit über K. H.s Auftauchen u. erste Nürnberger Zeit, hg. v.* H. Pies. *Neuausg. Stuttgart 1987.*

5) Kaspar, Pseudonym von K. → Tucholsky.

Hausfrau, die einen Familienhaushalt führende (Ehe-)Frau; auch als Berufsbez. gebraucht. Trotz rechtl. Anerkennung der grundsätzl. Gleichwertigkeit der Tätigkeit im Haushalt und der außerhäusl. Erwerbstätigkeit des Ehepartners (Eherechtsreform 1977) und trotz Erkenntnis der volkswirtsch. Bedeutung der H.-Tätigkeit (→ Frauenarbeit) ist deren soziale Wertschätzung niedrig.

Hausfrauenvereine, Vereine, die die Anerkennung der Hausfrauentätigkeit als Beruf mit entsprechender wirtsch., sozialer und rechtl. Sicherung, Fortbildung usw. erstreben. Der erste H. wurde 1873 in Berlin gegründet. Die örtl. H. in Dtl. sind im **Dt. Hausfrauen-Bund e.V.,** Bonn, organisiert; daneben existiert die **Dt. Hausfrauengewerkschaft e.V.** (gegr. 1979), Berlin.

Hausfriedensbruch, Straftat, die begeht, wer in die Wohnung, Geschäftsräume oder das befriedete Besitztum eines anderen sowie in abgeschlossene Räume, die zum öffentl. Dienst oder Verkehr bestimmt sind, widerrechtlich eindringt oder diese trotz Aufforderung des Berechtigten nicht verlässt. Berechtigt ist derjenige, der gegenüber dem Täter das stärkere Recht besitzt (u.U. sogar der Mieter gegenüber dem Vermieter). H. ist gemäß §123 StGB mit Geldstrafe oder mit Freiheitsstrafe bis zu einem Jahr (Antragsdelikt), der schwere H. (§124, begangen durch eine gewalttätige Menschenmenge) bis zu zwei Jahren bedroht. – Eine entsprechende Regelung enthält Art. 186 des *schweizer.* StGB; §109 des *österr.* StGB erfasst als H. das Erzwingen des Eintritts mit Gewalt oder durch Drohung mit Gewalt.

Hausgesetze (Hausverträge), auf autonomer Rechtsetzungsbefugnis beruhende Sonderregelungen des hohen Adels in Dtl. für das Erb-, Familien- und Vermögensrecht (z.B. die Pragmatische Sanktion von 1713). Art. 109 Weimarer Reichsverf. gab den Ländern die Möglichkeit, die H. durch Gesetz aufzuheben, was nur z.T. geschah (so in Preußen 1920).

Hausgewerbetreibender, Person, die in eigener Arbeitsstätte (Wohnung oder Betriebsstätte) mit nicht mehr als zwei fremden Hilfskräften im Auftrag eines Gewerbetreibenden oder Zwischenmeisters Waren herstellt, bearbeitet oder verpackt, die Verwertung der Arbeitsergebnisse jedoch dem Gewerbetreibenden überlässt (§2 Heimarbeitsges.). H. sind gewerbesteuerpflichtig.

Hausgötter, die → Laren und → Penaten.

Haushalt, 1) *Soziologie, Statistik:* (Privathaushalt) zusammen wohnende und wirtschaftende Personengruppe ohne Rücksicht auf ihre verwandtschaftl. Beziehung. Es wird zw. Ein- und Mehrpersonen-H. unterschieden. Da H. und Kernfamilie (Eltern mit ihren Kindern) häufig identisch sind (Familien-H.), werden diese Begriffe auch synonym verwendet. In den Ländern der EU haben v.a. die nördl. Länder einen hohen Anteil von Einpersonen-H. an allen H.; 1993/94 betrug dieser in Schweden (1990) 39,6%, Dänemark 35,3%, Dtl. 34,7% und Finnland 34,5% gegenüber 12,0% in Spanien und 12,8% in Portugal. Durchschnittlich leben in einem H. in Dtl. (1994) 2,23 Personen (1970: 2,74).

Um den Einfluss des jeweiligen Einkommensniveaus eines H. auf dessen Einnahme- und Ausgabeverhalten sowie dessen Vermögen und H.-Ausstattung zu ermitteln und um auch möglichst realist. Warenkörbe zur Preisindexberechnung zu bilden, bildet die amtl. Statistik versch. **H.-Typen,** die sich nach Erwerbstätigkeit, Einkommenshöhe und Kinderzahl unterscheiden.

📖 *H. an der Schwelle zum nächsten Jahrtausend, hg. v.* U. Oltersdorf *u.a. Frankfurt am Main u.a. 1996.*

2) *Finanzwissenschaft:* i.e.S. der → Haushaltsplan; i.w.S. als **öffentl. H.** oder **Staats-H.** die öffentl. Finanzwirtschaft mit ihren Einnahmen und Ausgaben. Der finanzwirtschaftl. Bereich wird dabei nicht vollständig erfasst, da z.B. erwerbswirtschaftl. Bundesunternehmen und Sondervermögen des Bundes lediglich mit ihren Zuführungen oder Ablieferungen zum öffentl. H. aufgeführt werden und deren Wirtschaftspläne nur in Anlagen oder Erläuterungen zum H.-Plan erscheinen sowie Steuererleichterungen, zinsverbilligte Kredite und Gewährleistungen unberücksichtigt bleiben. Die geplanten finanzwirtschaftl. Aktivitäten werden im Haushaltsplan (Soll-Etat) und im mittelfristigen Finanzplan, die in der abgelaufenen Periode tatsächlich entstandenen Ausgaben und Einnahmen in der **H.-Rechnung** (Ist-Etat) erfasst. Ergänzende Informationsquellen zum Bundes-H. sind v.a. der Finanz- und der Subventionsbericht.

Haushaltbesteuerung, die Veranlagung aufgrund der Zusammenrechnung der Einkünfte von Ehegatten. (→ Ehegattenbesteuerung)

Erich Hauser: 6/87–88, Stahlskulptur, Höhe 18,30 m (1987/88; Privatbesitz)

Kaspar Hauser (Darstellung auf einem Flugblatt, um 1832)

Haushaltsfreibetrag, Freibetrag im Rahmen der Einkommensteuer für Alleinstehende, zu deren Haushalt mindestens ein Kind gehört, für das ein Kinderfreibetrag gewährt wird. Der H. (derzeit 5 616 DM) wird bei der Ermittlung des zu versteuernden Einkommens vom Einkommen abgezogen; bei Lohnsteuerpflichtigen ist er in die Lohnsteuertabelle (Steuerklasse II) eingearbeitet.

Haushaltshilfe, *Sozialpolitik:* in der gesetzl. Kranken-, Renten- oder Unfallversicherung im Falle von Krankheit, Entbindung oder Kur bzw. bei Rehabilitationsmaßnahmen dem Versicherten zustehender Anspruch auf Führung des Haushalts durch eine Ersatzkraft, wenn dem Versicherten die Weiterführung des Haushalts nicht möglich ist, und in dem betroffenen Haushalt ein behindertes oder ein noch nicht zwölf Jahre altes Kind lebt und eine andere im Haushalt lebende Person die Haushaltsführung nicht übernehmen kann. Statt der gestellten Ersatzkraft kann der Versicherte selbst jemanden verpflichten, wobei die dadurch entstandenen Kosten ersetzt werden. H. kann auch im Rahmen der Sozialhilfe erfolgen.

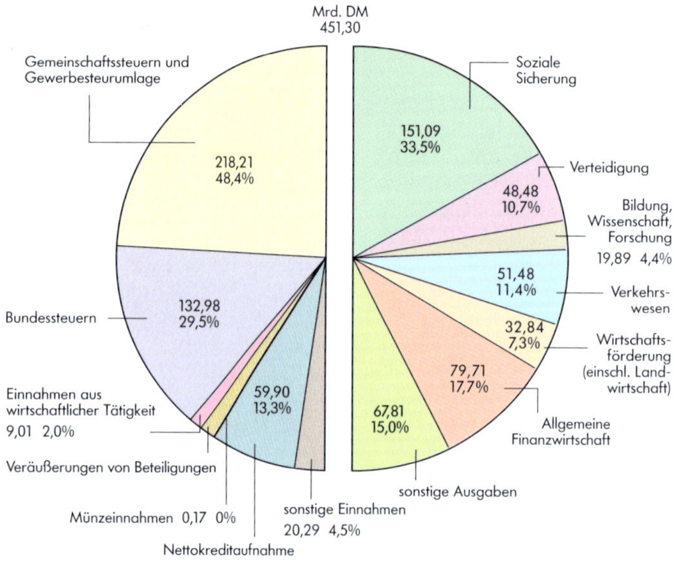

Haushaltsplan: Einnahmen und Ausgaben im Bundeshaushalt 1996

Haushaltsplan (frz. Budget, État), Gegenüberstellung der für eine Finanzperiode (Haushaltsjahr) vorgesehenen Ausgaben und Einnahmen öffentl. Gebietskörperschaften (Bund, Länder, Gemeinden) und auch Parafiski (z. B. Sozialversicherung). Der H. (Soll-Etat) ist der zahlenmäßige Niederschlag der geplanten finanzwirtschaftl. Aktivitäten der öffentl. Gebietskörperschaften; er wird vom Parlament im Haushaltsgesetz verabschiedet und ist politisch und rechtlich bindend. Der H. spiegelt in seinen veranschlagten finanziellen Aufwendungen das polit. Programm der Reg. wider. Die nachträgl. Haushaltsrechnung (Ist-Etat) enthält die in der abgelaufenen Periode tatsächlich entstandenen Ausgaben und Einnahmen.

Der H. des Bundes und der Länder umfasst die Einzelpläne und den Gesamtplan. Die **Einzelpläne** enthalten die Einnahmen, Ausgaben und Verpflichtungsermächtigungen der einzelnen Ministerien bzw. Verwaltungszweige (Gliederung nach dem Ressort- oder Ministerialprinzip) und sind unterteilt in Kapitel und Titel. Der **Gesamtplan** besteht aus der Zusammenfassung der Einnahmen, Ausgaben und Verpflichtungsermächtigungen der Einzelpläne (Haushaltsübersicht), der Berechnung des Finanzierungssaldos (Finanzierungsübersicht) und einer Darstellung der Einnahmen aus Krediten und der Tilgungsausgaben (Kreditfinanzierungsplan). Die früher übl. Unterteilung in den ordentl. und den außerordentl. H. (für den allein Kreditfinanzierung zulässig war), ist durch die Haushaltsrechtsreform von 1969 entfallen. Ein **Nachtragshaushalt** wird aufgestellt, wenn Ausgaben in der Finanzperiode nötig sind, die über den urspr. Voranschlag hinausgehen.

Der Haushalts- oder Budgetkreislauf gemäß Bundeshaushaltsordnung, BHO, umfasst mehrere Phasen. 1. Phase: Vorbereitung und Aufstellung des H. durch die Exekutive (»Exekutivbudget«) in einem von unten nach oben ablaufenden Koordinationsprozess. Danach erstellt das Bundesfinanzministerium einen H.-Entwurf, der im Kabinett beraten, verabschiedet und als offizieller Regierungsentwurf an Bundesrat und Bundestag weitergeleitet wird. 2. Phase: Parlamentar. Beratung des Entwurfs und Verabschiedung als Haushaltsgesetz; 3. Phase: Durchführung des H. durch die Exekutive (Haushaltsvollzug); 4. Phase: Abrechnung in der Haushalts- und Vermögensrechnung; 5. Phase: → Finanzkontrolle anhand der Haushaltsrechnung durch die Rechnungshöfe und -kammern.

Rechtlich bestimmen v. a. das Grundgesetz (Art. 110 ff. GG), das Haushaltsgrundsätze-Ges. und die Bundes- bzw. Landeshaushaltsordnungen Inhalt, Form, Vorbereitung und Durchführung des H. Wichtige darin festgelegte Normen (Haushaltsgrundsätze) sind die Grundsätze der Vollständigkeit, der Einheit, des Budgetausgleichs sowie das → Nonaffektationsprinzip. Weitere Grundsätze beinhalten die Forderungen nach Öffentlichkeit, Klarheit, Genauigkeit und Vorherigkeit des H. Wenn ein Teil der Staatsausgaben durch Kredite gedeckt wird, nennt man den H. defizitär.

Die Auswirkungen, die vom Umfang und der Zusammensetzung eines H. auf den Wirtschaftsprozess ausgehen und in welchem Verhältnis diese zu den von der Wirtschaftspolitik verfolgten Zielen stehen, werden von der →Finanzpolitik untersucht. Wichtige Indikatoren sind in diesem Zusammenhang die sog. staatswirtschaftl. Quoten wie die Staats-, Steuer- und Verschuldungsquote. (→Staatsschulden)

Geschichte: Im 15. und 16. Jh. existierte in Haushaltsangelegenheiten ein dualist. System, da das vom Landesfürsten verwaltete **Camerale** (zur Bestreitung der fürstl. Hofhaltung und Zivilverwaltung) einem landständ. **Contribunale** (Landkasten; v.a. für Militärausgaben durch Steuerbewilligung) gegenüberstand und beide voneinander unabhängig waren. Bis zum beginnenden 18. Jh. entwickelten sich in Preußen nach dem Niedergang der Stände Ansätze einer planmäßigen Haushaltsordnung. Den Ursprung des modernen Haushaltsrechts bildet das Steuerbewilligungsrecht der alten Stände und später der Volksvertretungen.

📖 *Haushaltsrecht, hg. v.* K. H. FRIAUF *u.* J. SCHUY, *Heidelberg* [16]*1996.*

Haushaltstheorie, Teil der mikroökonom. Theorie neben der Produktions- und Preistheorie. Die H. i.e.S. untersucht die Bestimmungsgründe für die Nachfrage nach Konsumgütern, i.w.S. auch diejenigen für das Angebot an Produktionsfaktoren bzw. Arbeit. Dabei unterstellt die H., dass der subjektive Nutzen das Maß der Bedürfnisbefriedigung ist und jeder Haushalt versucht, seinen Nutzen zu maximieren.

Haushaltswissenschaft, untersucht interdisziplinär die techn., betriebswirtsch. und sozialen Probleme bei der Führung von Privat- oder Großhaushalten (Kantinen, Krankenhäuser, Heime).

Haushofer, 1) Albrecht, Geograph und Schriftsteller, *München 7. 1. 1903, †(hingerichtet) Berlin 23. 4. 1945, Sohn von 2); seit 1940 Prof. für polit. Geographie in Berlin. Nach dem 20. 7. 1944 wurde H. verhaftet und in Moabit erschossen. Seine »Moabiter Sonette« (postum 1946) sind ein ergreifendes Zeugnis der Widerstandsbewegung.

2) Karl, Geopolitiker, *München 27. 8. 1869, †(Selbstmord) Pähl (bei Weilheim i. OB) 10. 3. 1946, Vater von 1); 1921–39 Prof. der Geographie in München, Hauptvertreter der Geopolitik (Mitgründer und Herausgeber der »Ztschr. für Geopolitik«, seit 1924). Seine Lehren wurden vom Nationalsozialismus aufgegriffen.

Haus-, Hof- und Staatsarchiv, Abteilung des Österr. Staatsarchivs in Wien, die zentrale Überlieferungen zur Gesch. des Hl. Röm. Reichs und des Kaiserreichs Österreich (1804–1918) enthält.

Haushuhn, Sammelbez. für die aus dem Bankivahuhn (→Kammhühner) gezüchteten Hühnerrassen. Die rd. 150 Hühnerrassen lassen sich in fünf große Gruppen zusammenfassen: **Legerassen** mit einer Legeleistung von nahezu 300 über 60 g schweren Eiern pro Huhn im Jahr (z.B. Weißes

Raoul Hausmann: »ABCD«, Ausschnitt einer Collage, (1923; Privatbesitz)

Leghuhn); **Zwierassen,** die zur Eier- und Fleischnutzung gezüchtet werden (z.B. Dt. Sperber); **Fleischrassen,** die v.a. der Fleischgewinnung dienen; bis 6 kg schwer (z.B. Dt. Langschan). **Zierhühner** werden aus Liebhaberei gehalten (z.B. Zwerghühner). **Kampfhühner** (für Hahnenkämpfe) bilden die wohl älteste H.-Rasse.

Häusler, früher armer Bauer mit eigenem Haus, ohne oder mit kleinem Feldbesitz, auf Lohnarbeit angewiesen (H.-Stelle).

häusliche Pflege, →Pflegeversicherung.

Hausmacht, im MA. zunächst der erbl. Besitz des Königsgeschlechts; im Investiturstreit (11./12. Jh.) kamen im Hl. Röm. Reich die noch nicht an die Kirche übertragenen Reste des Reichsguts hinzu. Zuerst gelang den Staufern Friedrich I. Barbarossa und Heinrich VI. der Aufbau einer großen Hausmacht. Nach dem Interregnum (1254–73) konnten sich nur noch Wahlkönige mit großer H. durchsetzen. Die **H.-Politik,** bes. zielstrebig von Habsburgern und Hohenzollern verfolgt, führte zur Landesherrschaft und zum Flächenstaat.

Hausmann, Mann, der seine berufl. Tätigkeit eingeschränkt oder aufgegeben hat, um einen größeren Anteil an der Hausarbeit und der Erziehung der Kinder zu übernehmen.

Hausmann, 1) Manfred, Schriftsteller, *Kassel 10. 9. 1898, †Bremen 6. 8. 1986; seit 1967 Ältestenprediger in Bremen-Ronnebeck. Der durch Naturerlebnis und Vagabundenromantik geprägten Frühzeit folgte in der Nachkriegszeit die Wen-

Albrecht Haushofer

Manfred Hausmann

Rudolf Hausner: »Bei Sonnenaufgang« (1974; Privatbesitz)

dung zu entschiedenem Christentum; schrieb Erzählungen, Dramen (»Das Worpsweder Hirtenspiel«, 1946), Romane (»Abel mit der Mundharmonika«, 1932) und Essays; ferner Betrachtungen, Erinnerungen, Predigten; übersetzte grch., hebräische, japan., chin., eskimoische Werke.

2) Raoul, österr. Schriftsteller, Fotograf und Kunsttheoretiker, * Wien 12. 7. 1886, † Limoges 1. 2. 1971; Mitbegründer der Berliner Dada-Bewegung; emigrierte 1933; schrieb u.a. eine Geschichte des Dadaismus »Courier Dada« (1958). BILD S. 133

Hausmannit [nach dem Mineralogen J. F. L. Hausmann, * 1782, † 1859] *der,* bräunlich schwarzes, metallisch glänzendes tetragonales Mineral der chem. Zusammensetzung Mn_3O_4, kommt in hydrothermalen und metamorphen Manganerzlagerstätten vor.

Hausmarke (Hauszeichen), Zeichen, das in Hausbalken, in die bewegl. und unbewegl. Habe eingeschnitten, eingebrannt oder eingezeichnet wurde und das Eigentum kennzeichnete.

Hausmeier (lat. Maiordomus), urspr. Vorsteher der Hausverwaltung an german. Fürstenhöfen, im →Fränkischen Reich unter den Merowingern Vorstand der königl. Hofhaltung; seit Anfang des 7. Jh. auch Führer des krieger. Gefolges, verdrängten allmählich die Königsmacht. Das H.amt erlosch 751 mit der Absetzung des letzten Merowingers Childerich III. und der Wahl des H. Pippin d.J. zum König.

Hausmusik, in der Familie sowie in bürgerlichständ. Gemeinschaften gepflegtes, oft von Laien ausgeführtes Musizieren, für das sich Sonderformen der Instrumental- und Vokalmusik herausgebildet haben. Bis um 1750 war die H. der Hauptteil der weltl. Musik (z.B. Kanons, Madrigale, Klaviermusik, Triosonaten). Im 19. und beginnenden 20. Jh. bildeten Bearbeitungen größerer Formen (Opern, Sinfonien) einen wichtigen Teil der H.literatur. In neuerer Zeit haben Jugendmusikbewegungen und Schulmusik die H.-Pflege mit alter und neuer Sing- und Spielmusik gefördert.

Hausner, Rudolf, österr. Maler und Grafiker, * Wien 4. 12. 1914, † Mödling 25. 2. 1995; Vertreter der →Wiener Schule des fantast. Realismus; malte in einer altmeisterl. Technik.

Hausrat, alle bewegl. Sachen des Haushalts, v.a. Möbel, Gardinen, Teppiche, Geschirr und Wäsche; i.d.R. auch der Familien-Pkw, nicht jedoch Gegenstände des persönl. Gebrauchs.

Hausratsverordnung, die 6. DVO zum Eheges. vom 21. 10. 1944 (mit späteren Änderungen) über die Behandlung der Ehewohnung und des Hausrats nach der Scheidung. Können sich die geschiedenen Ehegatten nicht einigen, wer von ihnen Ehewohnung und Hausrat erhalten soll, kann auf Antrag der Richter nach seinem Ermessen eine Regelung unter Berücksichtigung v.a. des Wohls der Kinder treffen.

Hausratversicherung (Verbundene H.), kombinierte Versicherung von allen Gegenständen, die im Haushalt zur Einrichtung gehören bzw. zum Gebrauch oder Verbrauch dienen, sowie gesondert genannter weiterer Sachen (z.B. Wertsachen bis zu bestimmten Entschädigungsgrenzen). Schutz besteht nach den Allgemeinen H.-Bedingungen von 1984 gegen Feuer, Einbruchdiebstahl, Sturm- und Leitungswasserschäden. Haushaltsglas und Fahrräder sind heute nicht mehr eingeschlossen.

Hausschwamm

Hausrecht, das Recht zur Wahrung des Hausfriedens. H. hat, wer die Befugnis besitzt, über die tatsächl. Benutzung des geschützten Raumes zu bestimmen, z.B. auch der Mieter gegenüber dem Vermieter.

Hausruck *der,* 30 km langer, bewaldeter Mittelgebirgszug zw. Inn und Traun im oberösterr. Alpenvorland, im Göbelsberg bis 801 m ü.M. Braunkohleabbau um Ampflwang. Eine Bahnlinie quert den H. in einem 600 m langen Tunnel.

Haussa, Völkergruppe Afrikas, →Hausa.

Hausschwamm (Serpula lacrimans), Ständerpilz mit weißem bis grauem, watte- und strangartigem Myzel und rostbraunen, weiß umrandeten Fruchtkörpern (Breite bis 20 cm); zerstört das Holz feuchter Gebäude, aber auch Papier, Stroh, textile Gewebe. Seine Myzelstränge können Mauerwerksfugen durchwachsen. Schutzmaßnahmen: Das Holz muss nach dem Einbau austrocknen können und trocken bleiben (Sperrschichten gegen eindringende Feuchtigkeit, chem. Imprägnierung).

Hausse [(h)o:s; frz. »Erhöhung«] *die, Börsenwesen:* stärkeres und länger anhaltendes Steigen aller oder einzelner Wertpapier-, Devisen- oder Rohstoffkurse; Ggs.: Baisse.

Haussegen, 1) die →Haussegnung.

2) mit Zaubersprüchen und -zeichen versehene Zettel oder Rollen oder gedruckte Schutzbriefe frommen oder mag. Charakters, die Haus und Hof vor Unglück bewahren sollen. An Türen und Wände geheftete, zumeist im →Herrgottswinkel aufbewahrte H. zählen zu den geistl. →Bilderbogen, z.B. der »Christl. Haussegen«, »Tobiassegen«, »Haussegen Jacobs« u.a. bisweilen zugleich als Stallsegen gebräuchl. Formen. Neben Andachtsbildern dienen auch Schutzzeichen wie der Drudenfuß, drei Kreuze oder die Initialen C+M+B der Hl. Drei Könige dem gleichen Zweck.

Haussegnung, Hausweihe, bereits im 7.Jh. bezeugter Brauch, mit in der Osternacht geweihtem Wasser Haus, Feld und Weinberg zu besprengen; später auch auf andere Tage (Epiphanie, Fertigstellung eines neuen Hauses) ausgedehnt.

Häusser, Robert, Fotograf, *Stuttgart 8. 11. 1924; gehört mit seinen der subjektiven Fotografie zuzuordnenden Bildern zu den bed. Vertretern der modernen Fotografie in Deutschland.

Haussmann [os'man], Georges Eugène Baron (seit 1853), frz. Staatsbeamter, *Paris 27. 3. 1809, †ebd. 12. 1. 1891; war 1853–70 unter Napoleon III. Präfekt von Paris; führte unter Zerstörung des histor. Stadtbilds die großzügige Modernisierung von Paris durch (breite Boulevards, Radialstraßen, Sternplätze, Parkanlagen). Seine Vorstellungen wirkten erheblich auf den Städtebau der Gründerzeit.

Hausspinne (Winkelspinne, Tegenaria ferruginea), Spinne mit Fanggewebe und Lauerröhre in und an Gebäuden.

Haussuchung (Hausdurchsuchung), →Durchsuchung.

Haustechnik (technische Gebäudeausrüstung), Planung, Projektierung und Ausführung der Heizungs-, Lüftungs-, Klimatisierungs-, Elektro- und sanitärtechn. Anlagen, der Gasinstallation, der Aufzüge, der Brandschutzeinrichtungen sowie der Kommunikation und Nachrichtenübermittlung in einem Gebäude. Die haustechnischen Einrichtungen werden heute nach Möglichkeit in besonderen Installationswänden und -schächten oder leicht einzubauenden Installationszellen zusammengefasst.

Robert Häusser: »Selbst« (1981; Privatbesitz)

Haustiere, vom Menschen zur Nutzung ihrer Produkte oder Arbeitsleistungen oder aus Liebhaberei gezüchtete Tiere: Hund, Katze, Schwein, Rind, Schaf, Ziege, Rentier, Kamel, Lama, Wasserbüffel, Jak, Arbeitselefant, Pferd, Esel, Maultier, Kaninchen, Huhn, Ente, Pute, Perlhuhn, Gans, Taube, versch. Singvögel u.a. Viele H. sind auf bestimmte Bereiche der Erde beschränkt, wie Kamel und Rentier, andere, bes. der Hund, fast überall verbreitet. – *Geschichte:* Den Hund als H. findet man vor etwa 10000 Jahren, Rind und Schwein in der Jungsteinzeit, später Schaf, Ziege und Esel. Das Pferd wurde gegen Ende der jüngeren Steinzeit gezähmt, erst später gezüchtet. Seit etwa 5000 Jahren gibt es die Taube und das Huhn als H., Gans und Ente erst seit dem Altertum.

Georges Eugène Haussmann

📖 HERRE, W. *u.* RÖHRS, M.: *H. – zoologisch gesehen. Stuttgart u.a.* [2]*1990.* – BENECKE, N.: *Der Mensch u. seine H. Stuttgart 1994.*

Haustiere

Welcher Antarktisbewohner hält sich eine Schnecke als »Haustier«?

Die Hyperiella dilatata, ein Krebs aus der Klasse der Flohkrebse. Er hält sich die kleine Meeresschnecke Clione antarctica. Zwischen die beiden Scheren geklemmt, trägt er die Schnecke wie einen Rucksack mit sich herum. Natürlich nicht nur aus lauter Schneckenliebe: Der Schneckengeruch nimmt den Fischen auch den Appetit auf den Krebs. Die Abwehrsubstanz erfüllt für Clione antarctica aber noch eine Funktion. Bill Baker vom Florida Institute of Technology hat herausgefunden, dass der Appetitzügler für die Fische der Schnecke selbst auch als Sonnenschutzmittel dient – in der Antarktis heutzutage angesichts des Ozonlochs sehr praktisch ...

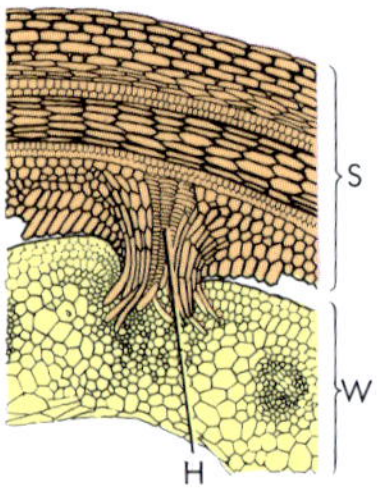

Haustorium
(H) der Schmarotzerpflanze (S) in der Wirtspflanze (W)

Haustorium [lat.] *das* (Saugfortsatz), zapfenartiges Organ der Schmarotzerpflanzen zum Eindringen in die Wirtspflanze, um ihr Nährstoffe und Wasser zu entziehen.

Haustürgeschäft, Vertragsabschluss über eine entgeltl. Leistung, der in bestimmten räuml. Bereichen getätigt wird, insbesondere am Arbeitsplatz, in der Privatwohnung (Haustür), bei Kaffeefahrten, in öffentl. Verkehrsmitteln. Das H. kann vom Kunden gemäß Ges. vom 16. 1. 1986 innerhalb einer Woche frei widerrufen werden. Der Fristlauf beginnt erst nach schriftl. Belehrung über das Widerrufsrecht. Das Widerrufsrecht besteht nicht, wenn die Verhandlung auf Bestellung des Kunden geführt wurde, die Leistung sofort erbracht und bezahlt wurde sowie ihr Wert unter 80 DM liegt. Das Gesetz ist nicht bei Abschluss eines Versicherungsvertrages anwendbar.

Haus- und Grundbesitzervereine, Organisationen der privaten Haus- und Grundbesitzer. Spitzenverband ist der Zentralverband der Dt. Haus-, Wohnungs- und Grundeigentümer e. V., Düsseldorf.

Hausurne
aus Ton aus der Eisenzeit, Höhe 40 cm (Fundort Königsaue bei Aschersleben, Sachsen-Anhalt)

Hausurne, vorgeschichtl. Urne in Hausform als Behälter für den Leichenbrand; verbreitet gegen Ende der jüngeren Bronzezeit und in der älteren Eisenzeit (10.–6. Jh.) zuerst in Mittelitalien, dann in Mittel-Dtl. (eisenzeitl. H.-Kultur im Harz-Saale-Gebiet) und in Skandinavien. Verwandt sind die **Fensterurnen.**

Hauswurz:
Echte Hauswurz

Hauswirtschaft, 1) *allg.:* die selbstständige Wirtschaftsführung in einem Privathaushalt, einem Anstaltshaushalt oder in kleineren Gewerbebetrieben. Instrumente rationeller H. sind Haushaltsbuch und -budget. Die H. ist Gegenstand der Haushaltswissenschaft.

2) *Volkswirtschaftslehre:* (geschlossene H.) von K. Bücher geprägte Bez. für eine Wirtschaftsstufe, bei der die Wirtschaftssubjekte im Rahmen einer Hausgemeinschaft (Familie, Sippe) ausschließlich für den Eigenbedarf produzieren. Der Begriff H. entspricht etwa dem der →Subsistenzwirtschaft.

Hauswirtschafterin, Ausbildungsberuf (drei Jahre) mit Schwerpunkt für städtische und ländl. private Haushalte.

hauswirtschaftliche Schulen, Schulen zur Erlernung der Haushaltsführung und Ausbildung zu hauswirtsch. Berufen. Zu den h. S. rechnen die Berufsaufbauschulen (1- bis 2-jährig; Fachschulreife), die Fachoberschulen (Fachhochschulreife), die hauswirtsch. Berufsschulen, die hauswirtsch. Berufsfachschulen und Fachschulen.

Hauswirtschaftsleiterin, Hausangestellte in leitender Stellung. Die städt. H. leitet hauswirtsch. Großbetriebe (z. B. Kantinen, Küchen von Krankenanstalten), die ländl. H. größere landwirtsch. Betriebe; meist 2-jährige Fachschulausbildung.

Hauswurz (Hauswurzel, Sempervivum), Gattung der Dickblattgewächse; Stauden mit fleischigen, sternförmigen oder kugelrunden Blattrosetten, aus denen sich ein Blütenstängel erhebt. Die **Echte H.** oder **Dachwurz** (Sempervivum tectorum) galt früher als blitzableitende Zauberpflanze. Viele Arten sind Zierpflanzen.

Haut, 1) *Biologie:* (Cutis, Derma, Integument) den ganzen Körper bei Wirbeltieren und beim Menschen umgebendes Organsystem; setzt sich zusammen aus der oberflächl. Ober-H. und der tiefer liegenden Leder-H., auf die ohne scharfe Abgrenzung in die Tiefe die Unter-H. folgt. Die **Ober-H. (Epidermis)** gliedert sich in die tiefe, dauernd teilungsfähige und für den Zellnachschub verantwortl. **Keimschicht** (Stratum germinativum) sowie die oberflächl. **Hornschicht** (Stratum corneum), deren verhornte Zellen laufend abgeschilfert werden. Abkömmlinge der Ober-H. sind Drüsen, Nägel und Haare. An der **Leder-H. (Corium)** unterscheidet man die äußere, an die Ober-H. mit warzen- oder leistenförmigen Fortsätzen (Bindegewebepapillen) grenzende Schicht (Stratum papillare) sowie die innere, durch ein grobmaschiges Netzwerk von Bindegewebefasern ausgezeichnete Schicht (Stratum reticulare), die der H. ihre Festigkeit verleiht. Die **Unter-H. (Subcutis)** schließt sich ohne scharfe Grenze der Leder-H. an und besteht vorwiegend aus Binde- und Fettgewebe; dient in erster Linie der Wärmeisolation des Körpers, daneben auch als Druckpolster und zur Speicherung von Reservestoffen. Der Säureschutzmantel der H. wehrt Bakterien ab. Die Pigmente der Keimschicht, die auch in den verhornten Zellen verbleiben, absorbieren Licht und UV-Strahlung. Durch die Absonderung von Schweiß ist die H. an der Regulation des Wasserhaushaltes und v. a. an der Temperaturregulation beteiligt. Schließlich ist die reichlich mit Sinnesrezeptoren ausgestattete H. ein Sinnesorgan, das dem Zentralnervensystem eine Vielfalt von Wahrnehmungen vermittelt. – Bei wirbellosen Tieren

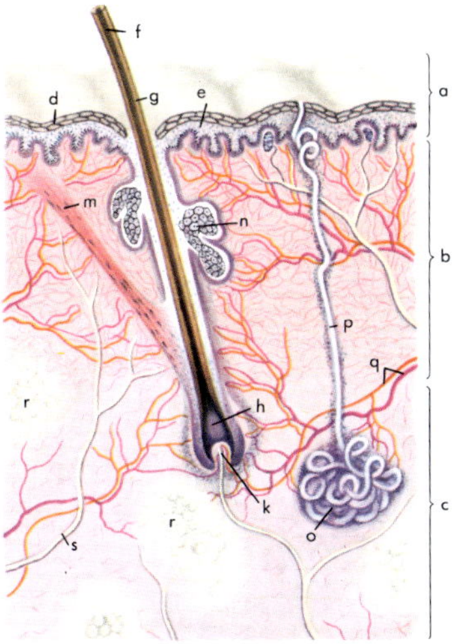

Haut 1): schematischer Querschnitt durch die Haut des Menschen; a Oberhaut, b Lederhaut, c Unterhaut, d Hornschicht der Oberhaut, e Keimschicht der Oberhaut, f Haarmark, g Haarrinde, h Haarzwiebel, k Haarpapille, m Haarmuskel, n Haarbalgdrüse, o Schweißdrüsenknäuel, p Schweißdrüsenausführungsgang, q Blutgefäße der Haut, r Fettgewebe, s Nerven

ist die H. meist eine einschichtige Epidermis. – Über die H. bei Pflanzen →Epidermis.

📖 ACHENBACH, R. K.: *Gesunde u. kranke H. Stuttgart* [2]*1989.*

2) *Lederherstellung:* Rohmaterial für die Herstellung von →Leder. Der Gerber versteht unter H. nur die Körperdecken der großen Schlachttiere (z.B. Rinder, Pferde, Schweine) sowie die zur Lederherstellung geeigneten H. von Meeressäugetieren, Reptilien, Amphibien und Fischen; die Körperdecken kleinerer Schlachttiere (z.B. Kälber, Schafe, Ziegen) werden als Felle bezeichnet.

Haute-Corse [ot'kɔrs], Dép. auf Korsika, 4666 km², (1995) 134000 Ew.; Hptst. ist Bastia.

Haute Couture [otku'ty:r; frz. »hohe Schneiderkunst«] *die,* Bez. für das richtungweisende Modeschaffen Pariser Modesalons, seit 1868 zusammengeschlossen in der »Chambre Syndicale de la Couture Parisienne«. In den 1950er-Jahren entstand der H. C. mit dem Zusammenschluss italien. Modeschöpfer zur »Alta Moda Italiana« eine erste ernst zu nehmende Konkurrenz. Seit den 1960er-Jahren führte der Erfolg junger Modedesigner der H. C. zu eigenen Prêt-à-porter-Kollektionen. Über die Zugehörigkeit eines Modesalons zur H. C. entscheidet ein Fachkomitee.

Hauteffekt, *Physik:* der →Skineffekt.

Haute-Garonne [otga'rɔn], Dép. in S-Frankreich, 6309 km², (1995) 987000 Ew.; Hptst. ist Toulouse.

Haute-Loire [ot'lwa:r], Dép. in Frankreich, im Zentralmassiv, 4977 km², (1995) 207000 Ew.; Hptst. ist Le Puy-en-Velay.

Haute-Marne [ot'marn], Dép. in Frankreich, in der Champagne, 6211 km², (1995) 200000 Ew.; Hptst. ist Chaumont.

Hautes-Alpes [ot'zalp], Dép. in Frankreich, in der Dauphinée, 5549 km², (1995) 119000 Ew.; Hptst. ist Gap.

Haute-Saône [ot'so:n], Dép. in Frankreich, in der Franche-Comté, 5360 km², (1995) 230000 Ew.; Hptst. ist Vesoul.

Haute-Savoie [otsav'wa], Dép. in O-Frankreich, in den Alpen, 4388 km², (1995) 616000 Ew.; Hptst. ist Annecy.

Hautes-Pyrénées [otpire'ne], Dép. in SW-Frankreich, in der Gascogne, 4464 km², (1995) 223000 Ew.; Hptst. ist Tarbes.

Haute-Vienne [ot'vjɛn], Dép. in Frankreich, im Limousin, 5520 km², (1995) 353000 Ew.; Hptst. ist Limoges.

Hautevolee [(h)o:tvo'le:, frz.] *die, spöttisch:* vornehme, feine Gesellschaft.

Hautfarbe, Farbton der menschl. Haut, der im Wesentlichen von der Menge der in die Haut eingelagerten Farbstoffkörner, aber auch von der Dicke, vom Fettgehalt und von der Durchblutung der Haut sowie von der Einlagerung von Carotin abhängt. Die Fähigkeit zur Pigmentbildung ist erblich fixiert. Ein völliges Fehlen der Farbstoffbildung liegt bei →Albinismus vor.

Hautflügler (Hymenoptera), weltweit verbreitete Insektenordnung mit etwa 110000 Arten. Ihre Entwicklung ist eine vollkommene Verwandlung (mit Larven- und Puppenstadium). Vollinsekten haben zwei Paar häutige Flügel, manche sind jedoch flügellos. Der Legeapparat der Stechimmen ist in einen kurzen Giftstachel umgebildet. Man unterscheidet die beiden Unterordnungen **Pflanzenwespen** (Symphyta), z.B. Blattwespen, und **Taillenwespen** (Apocrita), z.B. Ameisen, Bienen.

Hautgout [o'gu:, frz.] *der,* typ. Geruch und Geschmack gereiften Wildfleisches; *übertragen:* Anrüchigkeit.

Haut

Warum schrumpelt die Haut an Händen und Füßen, wenn man lange badet?

Die Haut der Finger, Handflächen, Fußsohlen und Zehen sättigt sich bei der gemütlichen Sitzung in der Badewanne mit Wasser. Das Stratum corneum, die Hornhautschicht, die die Haut unserer Hände und Füße bedeckt und schützt, dehnt sich dabei aus und verursacht so den Schrumpeleffekt. An anderen Stellen des Körpers findet der gleiche Prozess statt, hat aber nicht solch sichtbare Folgen, da das Wasser dort großflächiger absorbiert wird.

Hautgrieß (lat. Milien), stecknadelkopfgroße, in die Haut eingelagerte Hornperlen, bes. im Gesicht. Entfernung durch Ausschälen.

Hauthorn (Cornu cutaneum), hornartige spitze Wucherung der Oberhaut; v.a. auf der Gesichtshaut älterer Menschen auftretend. Das H. muss operativ entfernt werden, da es zum Krebs entarten kann.

Hautkrankheiten (Dermatosen), krankhafte Veränderungen der Haut und/oder ihrer Anhangsgebilde. Nach der Ursache unterscheidet man: 1) entzündl. H. durch Bakterien und Protozoen (z.B. Furunkulose, Milzbrand), durch Viren (z.B. Herpes simplex, Gürtelrose, Warzen), durch Parasiten (z.B. Krätze) oder Pilze (→Hautpilzerkrankungen); 2) allergisch und autoimmun bedingte H. (z.B. Ekzem, Nesselsucht); 3) H. durch physikal. oder chem. Schädigungen (Verbrennung, Sonnenbrand, Erfrierung und Verätzung); 4) H. durch unbekannte Ursachen (z.B. Schuppenflechte, Blasenausschlag); 5) gut- und bösartige Hautneubildungen (z.B. Fibrom, Melanom, Hautkrebs); 6) angeborene Hautmissbildungen (u.a. Muttermal, Behaarungsanomalien); 7) H. mit Hautschwund oder Hautverdickung (z.B. Verhornung, Schwielen); 8) H. durch Störungen der Hautdrüsenfunktion (z.B. Akne, Seborrhö); 9) exanthemat. H. im Gefolge bestimmter Infektionskrankheiten (z.B. Röteln, Masern, Windpocken).

📖 CHRISTOPHERS, E. *u.* STÄNDER, M.: *Haut- u. Geschlechtskrankheiten. München u.a.* [6]*1997.*

Hautkrebs (Hautkarzinom), Sammelbez. für bösartige Wucherungen der Haut. Nach Entstehung und Art der Tumorzellen unterscheidet man v.a. das Basaliom, das →Spinaliom und das →Melanom. Das von den Basalzellen der Oberhaut ausgehende **Basaliom** ist eine Hautgeschwulst, die bes. im Gesicht älterer Menschen auftritt und meist lange Zeit gutartig bleibt. Wichtig ist das frühzeitige Erkennen und Behandeln.

Hautleisten, die →Papillarlinien.

Hautpilzkrankheiten (Dermatomykosen), durch Hautpilze verursachte Infektionskrankheiten der Oberhaut, der Haare oder Nägel. Die Übertragung der H. kann vom Menschen auf den Menschen, von Tieren auf den Menschen, bes. aber von pilzverseuchten Gegenständen (z.B. Kleidungsstücke, Badematten) auf die menschl. Haut erfolgen. Nach der Übertragung gedeihen die Pilze am besten in feuchter Umgebung, also auf Hautpartien, die häufig schweißbedeckt sind bzw. länger feucht bleiben (bes. in den Zehenzwischenräumen als Fußpilz, auch in Leistenbeuge, Analfalte oder Achselhöhle). Die häufigsten H. sind →Erbgrind, →Mikrosporie, →Soor, →Trichophytie und →Blastomykosen.

Havanna
Stadtwappen

Hautreizmittel (Irritantia), Stoffe, die die Durchblutung der Haut und indirekt (durch Reizung der Hautnerven) die der inneren Organe verbessern, z.B. Senf-, Eukalyptus- oder Kampferöl.

Haut-Rhin [o'rɛ̃], Dép. in Frankreich, im Elsass, 3525 km², (1995) 687000 Ew. Hptst. ist Colmar.

Hauts-de-Seine [odə'sɛn], Dép. in Frankreich, umfasst den westl. Vorortbereich von Paris, 176 km², (1995) 1,37 Mio. Ew. Hptst. ist Nanterre.

Hauttuberkulose, →Tuberkulose.

Häutung (Ekdysis), period., hormonell gesteuertes Abstoßen der wachstumsunfähigen Körperbedeckung und ihre Erneuerung. Krebse, Insekten, Spinnen, die einen starren Hautpanzer haben, können ohne H. nicht wachsen. Schlangen streifen als sog. **Natternhemd** ihre alte, verhornte Haut als Ganzes ab.

Häutung: Leopardnatter beim Abstreifen des so genannten Natternhemds

Hautwolf, *Medizin:* 1) volkstüml. Bez. für Wundsein; 2) Lupus vulgaris (Hauttuberkulose; →Tuberkulose).

Haüy [a'ɥi], René Juste, frz. Mineraloge, *Saint-Just-en-Chaussée (Dép. Oise) 28. 2. 1743, †Paris 1. 6. 1822; gilt durch seine grundlegenden Arbeiten über den Aufbau der Kristalle als Begründer der Kristallographie.

Haüyn [ha'ɥi:n] *der,* Mineral, →Sodalith.

Havanna *der,* vollaromat. Zigarrentabak aus Kuba (auch Name der Zigarre aus H.).

Havanna (span. La Habana, amtl. San Christóbal de la Habana), Hptst. der Rep. Kuba und der Prov. La Habana und Ciudad de la Habana, an der NW-Küste der Insel, 2,176 Mio. Ew.; Erzbischofssitz; kulturelles (Univ., Akademie der Wiss., Museen, Bibliotheken, Theater, Nationalballett) und industrielles (Erdölraffinerie, Stahlwerk, Schiffbau, chem. Ind. u.a.) Zentrum des Landes; besitzt einen der besten Naturhäfen der Karibik (von Tunnel unterquert), internat. Flughafen. – Die nur 200 m breite Hafeneinfahrt wird von drei Forts (16. und 18. Jh.) flankiert. Hinter der Uferpromenade, der Calzáda de Malecón, liegt das alte Zentrum. In der Altstadt u.a. Kathedrale San Cristóbal (um 1660–1724), Kloster Santa Clara (1635–44, heute

Arbeitsministerium), Kirche La Merced (18. Jh.), Casa de Gobierno (1776–92), Rathaus (18. Jh.). Nahebei das Castillo de la Fuerza (16. Jh.); Kapitol (1929; heute Sitz der Akademie der Wiss.). – Altstadt und Festung wurden von der UNESCO zum Weltkulturerbe erklärt. – H. ist eine der ältesten Stadtgründungen der Neuen Welt, sie wurde 1515 von den Spaniern (zunächst im S der Insel) gegründet und entwickelte sich in der 2. Hälfte des 16. Jh. zur wichtigsten span. Handels- und Hafenstadt in Westindien (Sammelplatz der span. Silberflotten); seit 1552 Hptst. Kubas.

📖 GRAU, G.: *H. Ein Reiseführer durch Geschichte u. Gegenwart. Neuausg. Hamburg 1988.*

Havant and Waterloo ['hævənt ənd wɔːtə'luː], Stadt in der Cty. Hampshire, S-England, 116700 Ew.; pharmazeut., Spielwaren-, elektrotechn. und elektron. (IBM), Blechwarenind.; Fremdenverkehr auf Hayling Island im Ärmelkanal.

Havarie [niederländ.] *die* (Haverei), Seeunfall durch Kollision, Grundberührung oder ein anderes, das Schiff schädigendes Ereignis. *Seehandelsrecht:* Verluste und Schäden eines Schiffes oder seiner Ladung während der Seereise. Die **kleine H.** umfasst alle Kosten der Schifffahrt (§ 621 HGB; z. B. Lotsen- und Hafengelder, Schlepplohn); bei fehlender besonderer Abrede trägt sie der Verfrachter. Die **große H.** umfasst alle Schäden, die der Kapitän dem Schiff, der Ladung oder beiden zur Rettung aus einer gemeinsamen Gefahr mit Absicht zufügt, sowie die dadurch verursachten Kosten (§§ 700 ff. HGB). Der Schaden wird auf Schiff, Fracht und Ladung umgelegt (→ Dispache). Die **besondere H.** umfasst alle nicht zur großen oder kleinen H. zu zählenden Unfallschäden. Sie wird von den Eigentümern des Schiffes und der Ladung getrennt getragen (§ 701 HGB).

Havas S.A. [a'vas-], Neuilly-sur-Seine, größtes frz. Medienunternehmen, gegr. 1832 als Nachrichtenagentur von C. L. Havas, aus der die AFP hervorging; ist v. a. aktiv in den Bereichen Verlage (u. a. Larousse), Zeitschriften (L'Express, Le Point) sowie Hörfunk und Fernsehen (Canal plus). Mehrheitseigner ist die Compagnie Générale des Eaux.

Havel [-f-; zu altnord. haf »See«], bedeutendster rechter Nebenfluss der Elbe, 343 km lang, davon 243 km schiffbar, entspringt auf der Mecklenburg. Seenplatte östlich der Müritz, bildet zahlr. seenartige Erweiterungen **(Havelseen),** mündet bei Werben. Zuflüsse sind von rechts Rhin und Dosse, von links Spree, Nuthe und Plaue. Die H. liegt in dem verkehrswichtigen Kanalsystem zw. Elbe und Oder, zu dem u. a. gehören: der Großschifffahrtsweg Berlin–Stettin, der Teltowkanal (zur Spree), der Elbe-H.-Kanal (zur Elbe).

Havel ['havɛl], Václav, tschech. Dramatiker und Politiker, * Prag 5. 10. 1936; benutzt, geschult an E. Ionesco, Elemente des absurden Theaters, um die Sinnlosigkeit in den mechanisierten Beziehungen der heutigen Gesellschaft aufzudecken, u. a. »Das Gartenfest« (1964), »Die Benachrichtigung« (1965), »Audienz« (1976), »Die Sanierung« (1989); ab 1969 Publikationsverbot (ab 1977 Veröffentlichungen im Ausland); 1977 Mitbegründer und Sprecher der Bürgerrechtsbewegung »Charta 77«; mehrfach inhaftiert (zuletzt 1989); erhielt 1989 den Friedenspreis des Dt. Buchhandels, 1991 den Karlspreis. – Im Nov. 1989 als Mitbegründer und Sprecher des Bürgerforums einer der Initiatoren der »sanften Revolution« und des demokrat. Umbaus; 1989–92 Staatspräs. der ČSFR (Juli 1990 bestätigt; Rücktritt nach Wahlniederlage und slowak. Unabhängigkeitserklärung); versuchte vergeblich, der staatl. Auflösung der ČSFR entgegenzuwirken; seit 1993 Präs. der Tschech. Republik. Weiteres BILD Europa

Václav Havel

📖 KRISEOVÁ, E.: *V. H. Dichter u. Präsident. Die autorisierte Biographie. A. d. Tschech. Reinbek 1993.*

Havelberg, Stadt im Landkreis Stendal, Sa.-Anh., nahe der Havelmündung, 7000 Ew.; Herstellung von Grobkeramik, Möbelind., Schiffsreparatur. – Die Stadt wird vom Dom (12.–15. Jh.) beherrscht, einer dreischiffigen Basilika mit wuchtigem Westwerk; Stiftsgebäude (mit Prignitz-Museum). – H. entstand im 10. Jh.; erhielt Stadtrecht im 12. Jh. und war bis 1994 Kreisstadt. – Das **Bistum H.,** 948 gegründet, bestand bis 1571.

Havelkanal, 1951/52 erbauter Kanal zur Umgehung Westberlins, 34,9 km lang, für Schiffe bis zu 1000 t befahrbar.

Havelland, 1) Landkreis in Brandenburg, 1707 km², (1996) 132200 Ew.; Verw.sitz: Rathenow.

2) Landschaft westlich von Berlin. Zwischen trockenen Grundmoränenplatten (u. a. Ländchen Glin, Ländchen Bellin) liegen die Niederungen im Bereich des Thorn-Eberswalder und des Warschau-Berliner Urstromtals. Das **Havelländ. Luch** im Zentrum und das **Rhinluch** im N sind Flachmoorgebiete, deren landwirtsch. Nutzung erst durch die im 18. Jh. erfolgte Trockenlegung und Entwässerung (1718–25 Anlage des Havelländ. Großen Hauptkanals) möglich wurde. Am Rand des H., an der Havel, liegen die Städte Potsdam, Brandenburg an der Havel und Rathenow.

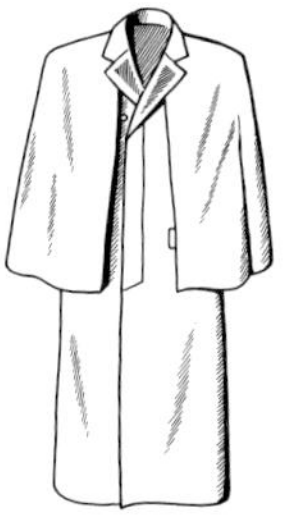

Havelock

Havelock [nach dem brit. General Sir Henry Havelock, * 1795, † 1857] *der,* seit Mitte des 19. Jh. Herrenmantel mit hüftlanger Pelerine; um 1900 auch von der Damenmode übernommen.

Robert Havemann

Havemann, Robert, Physikochemiker und polit. Theoretiker, * München 11. 3. 1910, † Grünheide/Mark (Kr. Oder-Spree) 9. 4. 1982; seit 1932 Mitgl. der KPD, leitete im 2. Weltkrieg eine Wi-

Bob Hawke

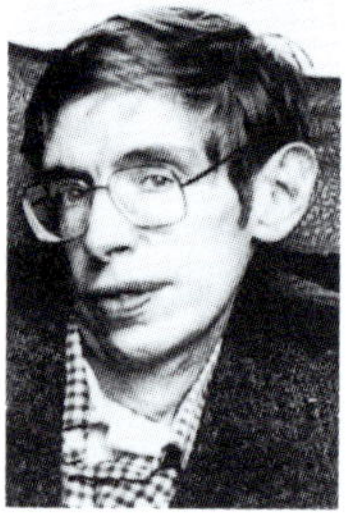

Stephen William Hawking

Coleman Hawkins

derstandsgruppe, deshalb 1943 zum Tode verurteilt; seit 1946 Prof. für physikal. Chemie an der Humboldt-Universität in Berlin (Ost). H. wurde 1964 wegen seiner von der SED-Parteilinie abweichenden Veröffentlichungen aller Partei-, Staats- und Lehrämter enthoben, 1977–79 Hausarrest; im November 1989 von der SED postum rehabilitiert. – »Dialektik ohne Dogma?« (1964); »Fragen, Antworten, Fragen« (1970).

🕮 *R. H. Dokumente eines Lebens, hg. v.* D. DRAHEIM *u. a. Berlin 1991.*

Havering ['heɪvərɪŋ], Stadtbezirk im NO Londons, 238 100 Ew.; Wohngebiet mit junger Industrie.

Havixbeck, Gemeinde im Kreis Coesfeld, NRW, 100 m ü. M. am östl. Fuß der Baumberge, 10 700 Ew.; Holzverarbeitung; Ausflugs- und Erholungsort, in der Umgebung mehrere Wasserschlösser.

Havlíčkův Brod ['havli:tʃku:f 'brɔt] (dt. Deutsch-Brod), Stadt im Ostböhm. Gebiet, Tschech. Rep., an der Sazawa, 25 200 Ew.; Textil-, chem. und Maschinenindustrie. – Im 13. Jh. als dt. Bergmannssiedlung gegr., 1422 von den Hussiten zerstört; wurde 1637 zur Freien Stadt erhoben.

Hawaii [ha'vaɪ, ha'vaɪi, engl. hə'wɑ:i:], Abk. **Ha.,** Bundesstaat der USA, umfasst die **Hawaii-Inseln** (engl. Hawaiian Islands), im zentralen N-Pazifik, 16 760 km², (1993) 1,17 Mio. Ew.; Hptst. ist Honolulu auf Oahu.

Landesnatur, Bevölkerung: Der Archipel besteht aus acht Hauptinseln (die größten sind → Hawaii, Kauai, Oahu, Molokai, Maui) und mehr als 120 kleinen Inseln, Atollen und Klippen (meist unbewohnte Koralleninseln). Die Inseln verdanken, abgesehen von Korallenriffen, ihre Entstehung Vulkanen, die sich aus Tiefen bis 5 400 m u. M. in Höhen bis zu 4 205 m ü. M. (Mauna Kea) erheben. Noch aktiv sind der Mauna Loa und der Kilauea. Das Klima ist mild und ausgeglichen. Im Ggs. zu den feuchten Luvseiten mit trop. Vegetation bleiben die Leeseiten der Inseln relativ trocken. Die Bev. besteht aus Weißen (bes. aus den übrigen Staaten der USA zugewandert), Japanern, Filipinos, Hawaiianern (12,3 %), Chinesen u. a., die in zunehmendem Maße verschmelzen.

Wirtschaft: An erster Stelle steht der Fremdenverkehr. Anbau und Verarbeitung von Zuckerrohr und Ananas (wichtigste Exportgüter, v. a. zum amerikan. Festland) in hoch mechanisierten Plantagen, daneben Kaffee, Gemüse, Bananen, Blumen (Orchideen). Zw. den Inseln besteht reger Schiffs- und Flugverkehr. Haupthafen und internat. Flughafen ist Honolulu.

Geschichte: 1778 entdeckte J. Cook die von Polynesiern etwa seit 800 n. Chr. besiedelten H.-Inseln und nannte sie **Sandwich Islands.** Um 1800 vereinte Kamehameha I. (* 1753, † 1817) die Inseln zu einem Königreich, das ab 1850 zunehmend unter den Einfluss der USA geriet (1887 Errichtung der amerikan. Marinebasis Pearl Harbor). Nach Gründung der Rep. (1894) wurden die H.-Inseln 1898 von den USA annektiert (1900–1959 Territorium); seit 1959 50. Bundesstaat.

🕮 STAHN, E.: *H. Reiseführer mit Landeskunde. Neuausg. Dreieich 1995.* – CUNNINGHAM, S.: *Mana. Magie u. Spiritualität auf H. A. d. Engl. Neuausg. Bern u. a. 1996.*

Hawaii [ha'vaɪ, ha'vaɪi, engl. hə'wɑ:i:], die größte der Hawaii-Inseln, 10 414 km² groß, berühmt durch ihre großartige Vulkanlandschaft mit den Vulkanen Mauna Loa (4 169 m ü. M.), Kilauea (1 243 m ü. M.) und dem erloschenen Mauna Kea (4 205 m ü. M.), dem höchsten Berg der Inselgruppe. Der Nationalpark »Vulkane von Hawaii« wurde von der UNESCO zum Welterbe erklärt.

Hawaii (von links): Lavasee mit Lavafontäne im Mauna Ulu, einem Nebenkrater des Kilauea; Anbau von Taro, aus dem das Nationalgericht Poi zubereitet wird, auf der Insel Kauai

Hawaiianer, die polynes. Bewohner von Hawaii; ihre Zahl betrug zur Zeit der Entdeckung durch J. Cook etwa 300 000, heute leben nur noch rd. 118 000 Nachkommen (meist Mischlinge) der Ureinwohner auf den Inseln.

Hawaiigitarre, große Gitarre mit hohem Steg, Bünden und 6–10 Metallsaiten, die mit einem Schlagring angerissen und durch einen in der linken Hand gehaltenen Metallriegel verkürzt werden, wodurch das charakterist. Vibrato- und Glissandospiel möglich wird. Die H. entstand Ende des 19. Jh. aus der von amerikan. Seeleuten nach Hawaii mitgebrachten span. Gitarre.

Hawke [hɔ:k], Robert (»Bob«) James Lee, austral. Politiker, *Bordertown (Südaustralien) 9. 12. 1929; 1970–80 Präs. des austral. Gewerkschaftsdachverbands, 1983–91 Führer der Labor Party und Premierminister.

Hawking ['hɔ:kɪŋ], Stephen William, brit. Physiker, *Oxford 8. 1. 1942; seit 1977 Prof. in Cambridge, schuf eine Theorie der Schwarzen Löcher und bahnbrechende theoret. Arbeiten über den Ursprung und die Entwicklung des Kosmos (Versuch einer →Großen Vereinheitlichten Theorie). H. ist aufgrund einer seltenen Nervenerkrankung (amyotroph. Sklerose) an den Rollstuhl gefesselt und kann sich nur per Computer mit seiner Umwelt verständigen. Sein Buch »Eine kurze Geschichte der Zeit« (1988) wurde ein Welterfolg.

📖 WHITE, M. *u.* GRIBBIN, J.: *S. H. Die Biographie. A. d. Engl. Reinbek 1995.*

Hawkins ['hɔ:kɪnz], Coleman, amerikan. Jazzmusiker (Tenorsaxophon, Klavier, Klarinette), *Saint Joseph (Mo.) 21. 11. 1904, †New York 19. 5. 1969; wirkte schulebildend auf Saxophonisten des Swing, Modernjazz und Freejazz.

Hawks [hɔ:ks], Howard, amerikan. Filmregisseur, *Goshen (Ind.) 30. 5. 1896, †Palm Springs (Calif.) 26. 12. 1977; Meister des film. Erzählens; drehte u. a. Gangsterfilme und Komödien (»Leoparden küßt man nicht«, 1938; »Tote schlafen fest«, 1946; »Blondinen bevorzugt«, 1953; »Rio Bravo«, 1959; »El Dorado«, 1966).

Haworth ['hɔ:əθ], Sir (seit 1947) Walter Norman, brit. Chemiker, *Chorley (Cty. Lancashire) 19. 3. 1883, †Birmingham 19. 3. 1950; untersuchte u. a. die Struktur von Polysacchariden, synthetisierte (nach der Strukturaufklärung) als Erster Vitamin C; erhielt 1937 mit P. Karrer den Nobelpreis für Chemie.

Hawthorne ['hɔ:θɔ:n], Nathaniel, amerikan. Schriftsteller, *Salem (Mass.) 4. 7. 1804, †Plymouth (N. H.) 19. 5. 1864; einer der bedeutendsten Schriftsteller des 19. Jh. in den USA; stand den Transzendentalisten nahe. Die Geschichte Neuenglands gehört zum Kern seines Erzählwerks, u. a. die Romane »Der scharlachrote Buchstabe« (1850), »Das Haus der sieben Giebel« (1851), »Der Marmorfaun« (1860). Seine Shortstorys sind frühe Beiträge zu dieser Gattung.

📖 GREEN, J.: *Engl. Suite. Literar. Porträts. A. d. Frz. Neuausg. München 1992.*

Hawthorne-Studi|en ['hɔ:θɔ:n-], in den Hawthorne-Werken, Chicago (1927–32) durchgeführte Untersuchungen über Verhalten und Leistung der Arbeiter am Arbeitsplatz, die zeigten, dass, auch in hoch rationalisierten Betrieben, soziale Beziehungen bes. durch informelle Gruppen die Arbeitsleistung in starkem Maße bestimmen. Die H. bewirkten eine Neuorientierung der Industriesoziologie.

Hax, Herbert, Betriebswirtschaftler, *Köln 24. 9. 1933; Prof. u. a. in Köln (seit 1976); beschäftigt sich v. a. mit Finanzierungs-, Investitions-, Entscheidungs- und Organisationstheorie. H. ist Mitgl. des Sachverständigenrats zur Begutachtung der gesamtwirtsch. Entwicklung.

Haxe, *süddt.:* Kniebug der Schlachttiere, →Hachse.

Haxel, Otto, Physiker, *Neu-Ulm 2. 4. 1909, †Heidelberg 26. 2. 1998; Prof. in Göttingen und Heidelberg, arbeitete über Struktur und Umwandlung von Atomkernen; entwickelte ab 1949 (unabhängig von M. Goeppert-Mayer) zusammen mit H.-D. Jensen ein Schalenmodell des Atomkerns.

Hay [heɪ], John Milton, amerikan. Politiker und Schriftsteller, *Salem (Ind.) 8. 10. 1838, †Newbury (N. H.) 1. 7. 1905; 1898–1905 Außenmin. Im britisch-amerikan. **H.-Pauncefote-Vertrag** (1901) sicherte H. den USA das alleinige Recht zum Bau eines Kanals in Mittelamerika (→Panamakanal), zu dessen Verw. und zur Durchfahrtsregelung.

Háy ['ha:i], Gyula (Julius), ungar. Dramatiker, *Abony (Bez. Pest) 5. 5. 1900, †Ascona (Schweiz) 7. 5. 1975; emigrierte als Kommunist 1919 nach Dtl., dann in die UdSSR, kehrte 1945 nach Ungarn zurück, war 1956 führend im Petőfi-Kreis, nach dem Volksaufstand 1956 zu Gefängnis verurteilt, nach dreijähriger Haft 1960 amnestiert. H. schrieb histor. und soziale Dramen, u. a. »Haben« (1938), »Gerichtstag« (1946), sowie die Autobiographie »Geboren 1900« (1971).

Haya de la Torre ['aja-], Víctor Raúl, peruan. Politiker, *Trujillo 22. 2. 1895, †Lima 2. 8. 1979; indian. Abstammung, gründete 1921 die peruan. Volksuniversität González Prada. 1923–30 im Exil in Mexiko, gründete dort die →Alianza Popular Revolucionaria Americana (Abk. APRA), die in Peru unter dem Namen Partido Aprista Peruano (PAP) Fuß fasste, und lebte, von peruan. Reg. verfolgt, u. a. 1934–45 und 1953–57 im Exil. 1962 in Peru zum Staatspräs. gewählt, jedoch verhinderten Militärs seinen Amtsantritt. 1978–79 war er Präs. der Verfassunggebenden Versammlung Perus.

Norman Haworth

Nathaniel Hawthorne

Víctor Raúl Haya de la Torre

Marcia Haydée

Haydée [aɪ-], Marcia, brasilian. Tänzerin, *Niterói 18. 4. 1937; wurde unter Ballettdirektor J. Cranko 1962 Primaballerina am Württemberg. Staatstheater Stuttgart; leitete 1976–96 das Stuttgarter Ballett, seit 1987 Choreographin (»Herbst«, 1988; »Die Wilis«, 1989; »Die Planeten«, 1991).

Haydn, 1) Franz Joseph, österr. Komponist, *Rohrau (Bez. Bruck an der Leitha) 31. 3. 1732, †Wien 31. 5. 1809, Bruder von 2); Sohn eines Schmiedemeisters, wurde 1740 in Wien Chorknabe; 1761–90 war er Kapellmeister des Fürsten Esterházy, erst in Eisenstadt, dann auf Schloss Eszterháza. 1791/92 und 1794/95 hatte er in London große Erfolge. In Wien übernahm er 1795 die Leitung der hier neu gegründeten esterházyschen Kapelle. Größte Bedeutung erlangte H. mit seinen Streichquartetten und Sinfonien, wo er dem Formenbau und der Satztechnik das klass. Gepräge verlieh. Er legte den Grund für das Schaffen Mozarts und Beethovens, bes. für deren Sinfonik. Von H. stammt auch die österr. Kaiserhymne »Gott erhalte Franz den Kaiser«, die später zur Melodie des Deutschlandliedes wurde; Variationen darüber im »Kaiserquartett« (op. 76, Nr. 3).

Weitere Werke: 106 Sinfonien, u.a.: »Der Abschied«, »Oxford«, »Mit dem Paukenschlag« (die Beinamen der Sinfonien stammen nicht von H.); Kassationen, Divertimenti u.a.; Konzerte für Klavier, Violine, Violoncello, Kontrabass, auch für Bläser; über 70 Streichquartette, zahlr. Klavier- und Streichtrios, Geigen-, Klaviersonaten, Stücke für Baryton u.a.; 20 Opern, darunter die kom. Opern: »Der krumme Teufel« (1752, nicht erhalten), »Der Apotheker« (1768); Oratorien »Die Schöpfung« (1798), »Die Jahreszeiten« (1801), Kirchenmusik, darunter Heilig-, Theresien-, Nelson-, Pauken-, Schöpfungs- und Harmoniemesse, Stabat mater, Passionsoratorium: Die sieben Worte des Erlösers am Kreuz (umgearbeitet aus 7 Orchesteradagios; auch für Streichquartett); Lieder, Kanons.

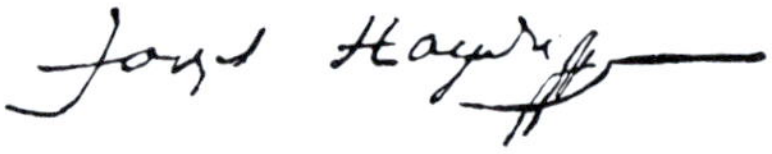

Joseph Haydn: Gemälde des zeitgenössischen deutschen Malers Johann Carl Rösler (1799; Oxford, University of Oxford), darunter Autogramm

📖 Geiringer, K.: *J. H. Eine Biographie. München 1986.* – Barbaud, P.: *J. H. mit Selbstzeugnissen u. Bilddokumenten. A. d. Frz. Reinbek 1989.*

2) Johann Michael, österr. Komponist, getauft Rohrau (Bez. Bruck an der Leitha) 14. (15.?) 9. 1737, †Salzburg 10. 8. 1806, Bruder von 1); wurde 1782 als Nachfolger von W. A. Mozart Hof- und Domorganist in Salzburg, schuf Kirchenmusik und Instrumentalwerke.

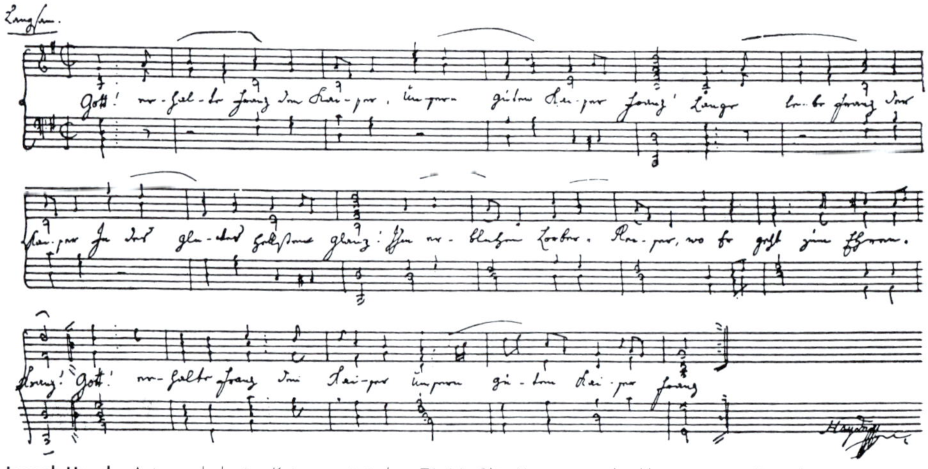

Joseph Haydn: Autograph der im »Kaiserquartett« (op. 76, Nr. 3) in Variationen durchkomponierten Kaiserhymne »Gott erhalte Franz den Kaiser« (1797; Wien, Österreichische Nationalbibliothek)

Hayek, Friedrich August von, brit. Volkswirtschaftler österr. Herkunft, *Wien 8. 5. 1899, †Freiburg im Breisgau 23. 3. 1992; war 1927–31 Direktor des von ihm gegründeten Österr. Instituts für Konjunkturforschung, 1931–50 Prof. an der London School of Economics, 1950–62 in Chicago, 1962–68 in Freiburg im Breisgau; Vertreter des Neoliberalismus und Verfechter einer liberalen Wirtschafts- und Gesellschaftsordnung. H. ist Mitbegründer der Mont Pélerin Society und erhielt 1974 (zus. mit G. Myrdal) den Nobelpreis für Wirtschaftswissenschaften.

Werke: Der Weg zur Knechtschaft (1944); Individualismus und wirtsch. Ordnung (1948); Wirtschaft, Wiss. und Politik (1963); Recht, Gesetzgebung und Freiheit, 3 Bde. (1973–79).

Hayes [heɪz], Joseph, amerikan. Schriftsteller, *Indianapolis (Ind.) 2. 8. 1918; schrieb Kurzgeschichten, Hörspiele, Broadwaystücke, Kriminalromane (»An einem Tag wie jeder andere«, 1954; »Morgen ist es zu spät«, 1985).

Haym, Rudolf, Literarhistoriker und Publizist, *Grünberg in Schlesien (heute Zielona Góra) 5. 10. 1821, †Sankt Anton am Arlberg 27. 8. 1901; gründete 1858 die »Preuß. Jahrbücher«. Grundlegend für die Romantikforschung war sein Werk »Die Romant. Schule« (1870).

Haynau, Stadt in Polen, → Chojnów.

Hayworth ['heɪwəːθ], Rita, eigtl. Margarita Carmen Cansino, amerikan. Filmschauspielerin, *New York 17. 10. 1919, †ebd. 14. 5. 1987; galt in den 1940er-Jahren als das populärste Pin-up-Girl des amerikan. Films. ⚭ u. a. mit O. Welles; in Tanzfilmen war sie u. a. Partnerin von F. Astaire und G. Kelly.

Hazara ['haz-; von pers. hazār »tausend«; hier: Tausendschaft] (Hasara, Hesoreh), Sammelname für heute in Iran, Pakistan, Turkmenistan, Usbekistan, Kasachstan und Afghanistan ansässige Bev.gruppen, die sich im 13./14. Jh. nach dem Mongoleneinfall aus fremden (u. a. mongol.) und altansässigen Elementen im afghan. Raum herausgebildet haben. Die H., die keine ethn. Einheit bilden, gehören der schiit. Richtung des Islam an.

Hazienda [span.] *die* (Hacienda), landwirtsch. Großbetrieb in den ehem. span. Kolonien Mittel- und Südamerikas.

Hazlitt ['hæzlɪt], William, engl. Schriftsteller, *Maidstone 10. 4. 1778, †London 18. 9. 1830; schrieb krit. Essays, z. B. »The Characters of Shakespeare's plays« (1817).

H-Bombe, Wasserstoffbombe, → ABC-Waffen.

h. c., Abk. für lat. **h**onoris **c**ausa, ehrenhalber. **Doktor h. c.,** Ehrendoktor.

HCH, Abk. für → **H**exa**c**hlorcyclo**h**exan.

HDE, Abk. für → **H**auptgemeinschaft des **D**eutschen **E**inzelhandels e. V.

HD-Öl, Kurzbez. für **H**eavy-**D**uty-Öl, ein Motorenöl, dem → Additive zur Reinhaltung des Motors, Erhöhung der Scherfestigkeit, Verhinderung der Korrosion sowie bei Mehrbereichsölen (→ Motorenöle) zur Erweiterung des nutzbaren Viskositätsbereichs über eine größere Temperaturspanne zugesetzt sind.

HDTV [Abk. für engl. **h**igh-**d**efinition **t**ele**v**ision »hoch auflösendes Fernsehen«], ein Fernsehsystem, das mit höherer Zeilenzahl je Bild, höherer Bildwechselfrequenz und breitbandigeren Videosignalen arbeitet als die übl. → Fernsehnormen. Bei einem größeren Bildschirmformat (Breite-Höhe-Verhältnis 16 : 9, bisher 4 : 3) liefert HDTV damit brillantere, flimmerfreie Bilder und eine deutlich verbesserte Tonqualität. Die in Japan – dem Ursprungsland des HDTV – und in Europa entwickelten Standards sehen bisher eine analoge Bild-, jedoch eine digitale Tonübertragung vor. In den USA wird seit Herbst 1994 eine komplett digitalisierte Übertragung aller Komponenten getestet. Die Ausstrahlung analoger HDTV-Sendungen erfordert eine bis zu fünfmal so große Übertragungskapazität und folglich eine weitaus größere Kanalbandbreite als das konventionelle Fernsehen; eine Übertragung ist daher nur über Satellit und Kabel möglich. Das digitale HDTV hat den Vorteil einer Datenkompression, die eine schmalbandige Ausstrahlung der Programme auch durch terrestr. Sender ermöglicht. Eine internat. Bildauflösungs- und Zeilennorm wurde bisher nicht festgelegt.

He, chem. Symbol für → Helium.

Headline ['hedlaɪn, engl.] *die,* die → Schlagzeile.

Head-Zonen ['hed-; nach dem brit. Neurologen H. Head, *1861, †1940], Hautareale, die bestimmten inneren Organen zugeordnet sind, bei deren Erkrankung sie in charakterist. Weise schmerzempfindlich sind.

Heaney ['hiːnɪ], Seamus Justin, irischer Dichter, *Castledawson (Cty. Derry) 13. 4. 1939; lebt seit 1972 in der Rep. Irland; Gastprofessuren an engl. und amerikan. Univ. Seine Lyrik steht in der keltisch-nat. und bäuerl. Tradition seiner kath. Vorfahren; »Preoccupations« (Prosa, 1980), in dt. Auswahl »S. H. Ausgew. Gedichte 1963–75« (1984), »The Haw Lantern« (Ged., 1987). 1995 erhielt er den Nobelpreis für Literatur.

Heard-Insel ['həːd-] (eng. Heard Island), vergletscherte vulkan. Felsinsel im Südpolarmeer (etwa 370 km², bis 2745 m ü. M.), gehören mit der 10 km nördlich gelegenen **Shag-Insel** und den 40 km westlich liegenden **McDonald-Inseln** (zus. 412 km²) seit 1947 zum Austral. Bund.

Hearing ['hɪərɪŋ, engl.] *das,* Vernehmung, Befragung; öffentl. (parlamentar.) Anhörung, auch mit Aussprache.

Head-Zonen: Hautempfindlichkeitsbereiche kurz nach einer Gallenkolik (1), bei Entzündung der Bauchspeicheldrüse (2) und bei Herzanfällen (3)

Seamus Heaney

Hearst [hɔ:st], William Randolph, amerikan. Zeitungsverleger, *San Francisco 29. 4. 1863, †Beverly Hills (Calif.) 14. 8. 1951; baute das Mehrmedienunternehmen Hearst Corporation (u. a. Cosmopolitan, Esquire) auf.

Heartfield ['hɑ:tfi:ld], John, eigtl. Helmut Herzfeld, Grafiker, Bildpublizist und Bühnenbildner, *Berlin 19. 6. 1891, †Berlin (Ost) 26. 4. 1968, Bruder von W. Herzfelde; Mitgründer der Berliner Dada-Gruppe, setzte die Fotomontage als polit. Agitationsmittel ein; emigrierte 1933 über Prag nach Großbritannien. Nach 1950 arbeitete er als Plakat- und Buchkünstler in Leipzig und Berlin; für B. Brecht u. a. schuf H. Bühnenbilder.

Edward Heath

📖 TÖTEBERG, M.: *J. H. mit Selbstzeugnissen u. Bilddokumenten. Reinbek 1994.*

Heath [hi:θ], Edward Richard George, brit. Politiker, *Broadstairs (Cty. Kent) 9. 7. 1916; Mitgl. der Konservativen Partei, zw. 1959 und 1964 Min. (u. a. 1960–63 Lordsiegelbewahrer), führte 1961–63 die Verhandlungen mit der EWG über den Beitritt seines Landes, scheiterte aber am Widerstand des frz. Staatspräs. C. de Gaulle. 1965–75 Führer der Konservativen im Unterhaus, setzte H. als Premiermin. (1970–74) den Beitritt seines Landes zu den Europ. Gemeinschaften durch.

John Heartfield: »Deutsche Eicheln«, Fotomontage (1933; Berlin, Deutsche Akademie der Künste)

Heatpipes ['hi:tpaɪps, engl.] (Wärmerohre), Vorrichtung für den Wärmetransport, zur Rückgewinnung von Abwärme oder zur automat. Kühlung. H. sind teilevakuierte Metallrohre, deren Innenwandungen mit einer porösen Schicht mit Kapillarstruktur ausgekleidet sind. Diese Schicht ist mit einer niedrig siedenden Flüssigkeit getränkt. Am wärmeren Rohrende verdampft die Flüssigkeit und nimmt dabei Verdampfungswärme auf. Am kühleren Ende kondensiert sie und gibt die Verdampfungswärme ab. Durch die Kapillarwirkung der Oberflächenschicht fließt das Kondensat wieder zum wärmeren Rohrende zurück. Schon bei einer Temperaturdifferenz von 3 bis 5 °C zwischen den Enden der in sich geschlossenen H. können mehrere Kilowatt Wärmeleistung übertragen werden. Mit H. können Wärmetauscher gebaut werden, die z. B. der Abluft einer Heizungsanlage Wärme entziehen und kältere Frischluft vorwärmen; dadurch kann der Brennstoffbedarf wesentlich gesenkt werden.

Heaviside ['hevɪsaɪd], Oliver, brit. Physiker und Elektroingenieur, *Camden Town (heute zu London) 18. 5. 1850, †Paignton (heute zu Torbay) 3. 2. 1925; Privatgelehrter; wichtige Arbeiten auf dem Gebiet der Elektrostatik und der elektromagnet. Induktion, die zur Weiterentwicklung des Telefons führten; entwickelte die heutige Form der Vektoren- und Operatorenrechnung, führte 1900 unabhängig von A. E. Kennelly (*1861, †1939) die Ausbreitung elektr. Wellen um die Erde auf das Vorhandensein einer in etwa 60–160 km Höhe liegenden ionisierten Schicht der Atmosphäre **(H.-Schicht, Kennelly-H.-Schicht)** zurück.

Hebamme, staatlich geprüfte und anerkannte, an einer Hebammenlehranstalt (drei Jahre) ausgebildete Geburtshelferin. Neben Beratung während der Schwangerschaft und Hilfe bei der Entbindung pflegt sie Mutter und Kind in den ersten Tagen des Wochenbetts. H. können in freier Praxis oder an einer Klinik tätig sein. Der Beruf kann unter der Bez. **Entbindungspfleger** auch von Männern ausgeübt werden.

📖 GUBALKE, W.: *Die H. im Wandel der Zeiten. Hannover ²1985.*

Hẹbbel, Friedrich, Dichter, *Wesselburen 18. 3. 1813, †Wien 13. 12. 1863; Sohn eines Maurers; betrieb autodidakt. Studien in Hamburg, studierte dann Jura in Heidelberg und München; nach Reisen ab 1845 in Wien, seit 1846 ⚭ mit der Hofschauspielerin Christine Enghaus. H. bewahrte den strengen Stil der Tragödie, nahm aber bereits viele Züge des modernen Theaters (Strindberg, Wedekind) vorweg. Durch die geschichtl. Dialektik seiner Dramen (von ihm auch theoretisch formuliert), die den Untergang des Helden zur Bedingung der Überwindung einer überalterten und des Aufstiegs einer neuen Geschichtsepoche machte, suchte H. der trag. Notwendigkeit einen überindividuellen Sinn zu geben. Einen versöhnl. Trost für das trag. Individuum wie in der Klassik gibt es bei H. nicht mehr (»Genoveva«, 1843; »Agnes Ber-

Friedrich Hebbel: Ausschnitt aus einem Gemälde des zeitgenössischen österreichischen Malers Karl Rahl (1851; Frankfurt am Main, Freies Deutsches Hochstift – Frankfurter Goethe-Museum), darunter Autogramm

nauer«, 1852; »Gyges und sein Ring«, 1856; »Die Nibelungen«, Uraufführung 1861; 2 Bde., 1862). Das bürgerl. Trauerspiel »Maria Magdalene« (1844) gibt ein detailreiches Bild des dt. Kleinbürgertums und gestaltet wie auch das bibl. Drama »Judith« (1841) das Zeitproblem der Emanzipation der Frau in psycholog. Eindringlichkeit; außerdem prosanahe, gedankenschwere Gedichte, Erzählungen, das Hexameterepos »Mutter und Kind« (1859) und Tagebücher (2 Bde., zuerst hg. 1885–87).

📖 STOLTE, H.: *Im Wirbel des Seins. Erkundungen über H. Heide 1991.* – MATTHIESEN, H.: *F. H. mit Selbstzeugnissen u. Bilddokumenten. Reinbek 1992.*

Hẹbe, *grch. Mythos:* Göttin der Jugend, Tochter des Zeus und der Hera; Mundschenkin der Götter, Gemahlin des Herakles; von den Römern der Iuventas gleichgesetzt.

Hebebaum, Stange mit Abstützvorrichtung zum Anheben von Lasten durch Hebelwirkung.

Hebebühne, *Fördertechnik:* hydraulisch oder mit Elektromotor bewegte Plattform oder ähnl. Einrichtung zum Anheben von Lasten (z.B. Kfz), oder als heb- und senkbare Arbeitsbühne (Arbeitskorb).

Hebei (Hopei, Hopeh, 1421–1928 Chihli), Provinz in NO-China, am Golf von Bo Hai, 187700 km², (1994) 90,3 Mio. Ew.; Hptst.: Shijiazhuang. Kernraum von H. ist der nördlich des Hwangho gelegene, aus fruchtbarem Schwemmland gebildete Teil der Großen Ebene, im W und N von Gebirgsländern umrandet. Die Provinz ist heute der größte Baumwollproduzent Chinas, außerdem Anbau von Weizen, Mais, Hirse, Sojabohnen, Bataten und Ölfrüchten, in den Bergländern auch Obstbau; Kohle-, Eisen- und Kupfererzvorkommen; an der Küste Salzgewinnung. Hauptwirtschaftszentren sind Peking und Tientsin. Eisen- und Stahlind., Maschinenbau, Textilindustrie.

Hebel, 1) *Mechanik:* um eine feststehende Achse drehbarer starrer Körper, oft in Form einer geraden oder gewinkelten **(Winkel-H.)** Stange. Am H. herrscht Gleichgewicht, wenn das Drehmoment aller an ihm angreifenden Kräfte gleich null ist **(H.-Gesetz).** Für den einfachen geraden H., an dessen einem Ende eine Kraft angreift und dessen anderes Ende eine Last trägt, gilt dann die Gleichung: Kraft × Kraftarm = Last × Lastarm; dabei sind **Kraftarm** und **Lastarm** die Entfernungen der Angriffspunkte von Kraft und Last von der Drehachse. Beim **einarmigen H.** greifen die Kräfte am gleichen H.-Arm an, beim **zweiarmigen H.** an je einem Arm. Der H. gehört zu den ältesten einfachen Maschinen; mit ihm lassen sich mit kleinem Kraftaufwand und großem H.-Arm große Kräfte an einem entsprechend kleinen Arm erzeugen (Hebebaum, Schere, Zange).

2) *Sport:* im Budo Form des Angriffs auf ein Gelenk, bes. ein Armgelenk des Gegners **(Arm-H.);** im Judo nur am Ellbogengelenk erlaubt. Im Ringen alle Griffe, bei denen Arme und Oberkörper des Angreifers als Hebel angesetzt werden, um den Gegner aus dem Gleichgewicht und am Boden in eine gefährl. Lage zu bringen.

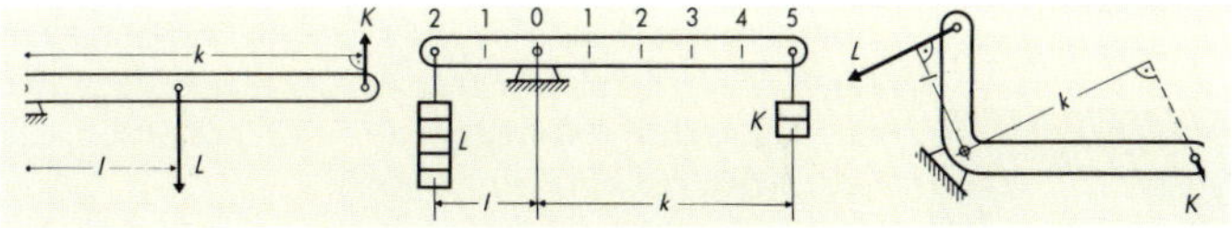

Hebel 1): einarmiger Hebel, zweiarmiger Hebel, Winkelhebel (von links); *K* Kraft, *L* Last, *k* Länge des Kraftarms, *l* Länge des Lastarms

Hẹbel, Johann Peter, Dichter, *Basel 10. 5. 1760, †Schwetzingen 22. 9. 1826; seit 1791 Lehrer am Gymnasium in Karlsruhe, 1808–14 Direktor, 1819 evang. Prälat und Mitgl. der Ständeversammlung. Bed. alemann. Mundartdichter (»Alemann. Gedichte«, 1803); schrieb bildkräftig, mit heiter-ernsten Szenen und Betrachtungen. Die Kurzerzählungen, als »Kalendergeschichten« im »Rheinländ. Hausfreund« erschienen, den H. 1808–15 und später herausgab, erwarben sich große Volkstümlichkeit; veröffentlichte außerdem die Sammlung »Schatzkästlein des rhein. Hausfreundes« (1811).

Johann Peter Hebel

📖 *J. P. H, hg. v.* C. PIETZCKER *u.* G. SCHNITZLER. *Freiburg im Breisgau 1996.*

Hebephrenie [grch.] *die,* in der Pubertät beginnende Form der Schizophrenie mit läppisch-albernem Verhalten, Antriebs- und Gefühlsverarmung, seltener auch Denkstörungen.

Heber, Vorrichtung zur Entnahme von Flüssigkeiten aus offenen Gefäßen. Der **Stech-H.** wird durch Ansaugen der Flüssigkeit, z.B. mit einem Gummiballon, gefüllt, oben geschlossen und aus der Flüssigkeit gehoben. Der **Saug-H.** oder **Winkel-H.,** eine gebogene Röhre, wird mit Flüssigkeit gefüllt und mit dem kurzen Ende in das Gefäß getaucht; es fließt dabei so lange Flüssigkeit heraus, wie die Ausflussöffnung tiefer liegt als der Flüssigkeitsspiegel im Gefäß. Der **Gift-H.** ist eine Sonderform des Saug-H. mit Hahn und einem besonderen Saugrohr.

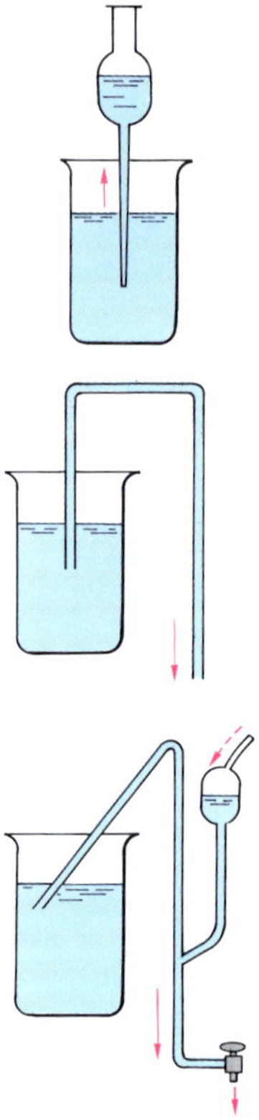

Heber (von oben): Stechheber, Saugheber, Giftheber

Hebesatz, von den Gemeinden festzulegender Prozentsatz bei der Grund- und Gewerbesteuer, mit dem der Steuermessbetrag zu vervielfältigen ist, um die Höhe der Steuerschuld zu berechnen.

Hebewerk, ein →Schiffshebewerk.

Hebezeuge, Förder- und Transportmittel, die das Heben von Lasten ermöglichen.

Hebr., Abk. für **Hebr**äerbrief (N. T.).

Hebra, Ferdinand Ritter von, österr. Dermatologe, *Brünn 7. 9. 1816, †Wien 5. 8. 1880; schuf die Grundlagen der modernen Dermatologie und ihre (z.T. noch gültige) Nomenklatur.

Ferdinand von Hebra

Hebräer (Ebräer, grch. Hebraio, lat. Hebraeui), im A. T. die Angehörigen des Volkes Israel; im N.T. Synonym für die Juden.

Hebräerbrief, vor 95 n.Chr. entstandene Schrift des N.T. mit unbekannten Verfassern und Adressaten; im 2. Jh. fälschlich Paulus zugeschrieben. Eine Gemeinde (oder Gruppe) wird, wohl in einer Predigt, bestärkt, am Glauben festzuhalten; das A.T. wird auf Christus bezogen ausgelegt, der als der wahre Hohepriester und →Mittler des neuen Bundes bezeichnet wird.

hebräische Literatur, die in hebr. Sprache in den letzten 200 Jahren entstandenen literar. Werke, wobei das religiöse Schrifttum ausgeschlossen bleibt (→jüdische Literatur). Im MA. und in der Renaissance gab es neben dem religiösen Schrifttum nur vereinzelt profane Literatur (Liebes- und Weinlyrik in Spanien und Italien), sie setzte erst mit der Aufklärung im 18. Jh. v.a. in Dtl. ein, im 19. Jh. aber auch in Polen und Russland. Dort erreichte die europ. Periode der h. L. ihren Höhepunkt durch Mendele Moicher Sforim und J. L. Perez, v.a. jedoch durch C. N. Bialik. Mit dem Aufkommen der zionist. Bewegung zu Beginn des 20. Jh. wurde Palästina zum neuen Zentrum der h. L. Als Lyriker traten A. Schlonski, N. Alterman und Lea Goldberg hervor. Die Prosa erfuhr durch das umfangreiche Romanwerk von S. J. Agnon einen neuen Höhepunkt. Nach 1945 und der 1948 erfolgten Gründung des Staates Israel nahmen die Katastrophe der europ. Judenheit in der Hitlerzeit und aktuelle polit. und soziale Entwicklungen breiten Raum ein, so etwa bei J. Amichai und A. Megged, A. Oz, A. Appelfeld. Weltberühmt wurde das humorist. Werk E. Kishons. Zu nennen sind u.a. auch A. B. Jehoschua, B. Tammuz, D. Shahar, Y. Kaniuk, Y. Kenaz und D. Grossman, ferner Y. Hoffmann, Dalia Ravikovitsch; bed. Vertreter der israel. Gegenwartsdramatik ist J. Sobol.

📖 STEMBERGER, G.: *Geschichte der jüd. Literatur. Eine Einführung. München 1977.* – *Hauptwerke der h. L., hg. v.* L. PRIJS. *Zürich 1978.* – STEMBERGER, G.: *Epochen der jüd. Literatur an ausgewählten Texten. München 1982.* – *Hebrew writers. A general directory, hg. v.* G. SHAKED. *Ramat Gan 1993.*

hebräische Schrift. Die althebräische Schrift geht auf das aus 22 Buchstaben bestehende Alphabet der Phöniker zurück, das die Israeliten um 1200 v.Chr. übernahmen; sie wurde seit dem 5. Jh. v.Chr. durch die aramäische Schrift verdrängt; diese ist seit dem 1. Jh. v.Chr. als sog. Quadratschrift die vorherrschende Schrift. Im MA. entwickelte sich in Mitteleuropa die sog. Raschischrift, eine Halbkursive, in der v.a. religiös-rechtl. Schrifttum geschrieben wurde. Heute gibt es neben der Quadratschrift eine Kursive, in der handschriftl. Texte abgefasst werden; auch jidd. Texte bedienen sich der h. S. – Die h. S. wird von rechts nach links geschrieben. Ab dem 8. Jh. n.Chr. wurden die Bücher des A.T., Gebetbücher u.a. nach ursprünglich von sog. Massoreten festgelegten Regeln vokalisiert (Punktation).

hebräische Sprache, dem kanaanäischen Zweig der semit. Sprachen angehörige Sprache, seit 1948 Amtssprache in Israel; verwandt mit Phönikisch, Moabitisch und Aramäisch. Sie entstand nach der Landnahme der Israeliten (um 1200 v.Chr.) aus der Angleichung des eigenen Dialekts an die kanaanäische Landessprache. Außer einigen Inschriften und den Texten der Schriftrollen von →Qumran sind die Bücher des A. T. das einzige Denkmal des **Althebräischen** (Bibelhebräisch), das seit dem 5. Jh. v.Chr. durch die aramäische Staatssprache des Achaimenidenreiches zurückgedrängt wurde. Etwa um die Zeitenwende entstand das **Mischna-** oder **Mittelhebräische,** das in der umfangreichen Literatur von Talmud, Midrasch u.a. seinen Niederschlag fand. Durch die Verschmelzung des Bibelhebräischen mit dem Mischnahebräischen gegen Ende des 19. Jh. wurde das **Neuhebräische (Iwrit)** geschaffen.

📖 RABIN, C.: *Die Entwicklung der h. S. Wiesbaden 1988.* – HARSHAV, B.: *Hebräisch. A. d. Engl. Frankfurt am Main 1995.*

Hebrịden *Pl.,* **1)** (engl. Hebrides) Inselgruppe vor der W-Küste Schottlands. Verwaltungsmäßig bilden die Äußeren H. als **Western Isles** (3 134 km^2, 29 400 Ew., die z. T. gälisch sprechen; Verw.sitz: Stornoway) eine der drei schott. Islands Areas; die Inneren H. gehören zur Highland Region und zum Verw.gebiet Argyll and Bute. Von den etwa 500 felsigen Inseln und Klippen, zus. 7285 km^2, sind weniger als 100 bewohnt. Der 210 km lange Bogen der **Äußeren H.** (Hauptinseln Lewis with Harris, North Uist, South Uist, Barra) wird durch die Meeresgebiete The Minch, The Little Minch und H.-See von den **Inneren H.** getrennt, die unmittelbar vor der Küste Schottlands liegen (Hauptinseln Skye, Rhum, Coll, Tiree, Mull, Jura, Islay). Das Klima ist kühl, sturmreich und feucht, die Pflanzenwelt besteht v. a. aus atlant. Grasheide und Moor. Wenig Ackerbau (Gerste, Hafer), Schafzucht, Fischfang; Tweedherstellung, Whiskybrennereien, Fremdenverkehr. – Die im 1. Jt. v. Chr. von Kelten besiedelten H. wurden im 6. Jh. christianisiert (Columban d. Ä.). Seit dem 9. Jh. unter norweg. Herrschaft, kamen die H. 1266 an Schottland. BILD S. 148

2) (Neue Hebriden) Inselgruppe im Pazifik, → Vanuatu.

He̱bron (arab. Al-Chalil, El-Khalil), arab. Stadt im → Westjordanland, südlich von Jerusalem, auf dem Hochland von Judäa, 927 m ü. M., rd. 80 000 Ew.; Pilgerverkehr (aber keine Hotels); Kunsthandwerk; Anbau von Tafeltrauben. – Nach dem A. T. Hptst. Judas unter David und Krönungsstadt Davids; nach der Überlieferung die Grabstätte Abrahams (Machpelahöhle), eine heilige Stätte von Judentum, Christentum und Islam.

Hebung, 1) *Geologie:* Aufwärtsbewegung von Erdkrustenteilen durch Bruchtektonik (Schollenverschiebung an Verwerfungen), Gebirgsbildung (Orogenese) oder andere weiträumige Niveauänderungen (Epirogenese) oder durch vulkan. Tätigkeit.

2) *Literaturwissenschaft:* betonte Silbe eines Wortes im Vers (→ Metrik).

Hechel, *Spinnerei:* kammartiges Werkzeug zum Öffnen und Reinigen von Bastfasern.

Hẹchingen, Stadt im Zollernalbkreis, Bad.-Württ., am Nordrand der Schwäb. Alb, am Fuß von Berg und Burg → Hohenzollern, 18 900 Ew.; Textilind., Maschinenbau, Holzverarbeitung. – Ehemalige Franziskanerklosterkirche St. Luzen (1586–89); röm. Gutshof (Ende 1. Jh. n. Chr.; Freilichtmuseum) im Ortsteil Stein. – 726 erstmals erwähnt; im 13. Jh. zur Stadt ausgebaut; seit 1423 Sitz der Grafen, seit 1623 der Fürsten von Hohenzollern-H.; 1850–1945 preußisch.

Hecht (Esox lucius), bis 1,5 m langer und 35 kg schwerer, schlanker Raubfisch der euras. und nordamerikan. Binnengewässer; Speisefisch. INFO S. 148

Hecht (Länge bis 1,5 m)

Hechtbarsch, der → Zander.

Heck, der hintere Teil eines Fahrzeugs, insbesondere der (über das Wasser herausragende) hintere Teil eines Schiffes. Man unterscheidet: das el-

Hebräische Schrift

Konsonantenzeichen

Name	*Zeichen*	*moderne Schreibschrift*	*wissenschaftliche Umschrift*	*gängige Wiedergaben*
Aleph	א	א	ʼ[1)]	–
Bet	ב	ב	v, b[2)]	v (w), b
Gimel	ג	ג	ḡ, g[2)]	g
Dalet	ד	ד	ḏ, d[2)]	d
He	ה	ה	h[4)]	h
Waw	ו	ו	w	w (v)
Zajin	ז	ז	z	z, s
Chet	ח	ח	ḥ	ch, h
Tet	ט	ט	ṭ	t
Jod	י	י	y	j, y
Kaf	כ ך[3)]	כ ך[3)]	ḵ, k[2)]	ch, kh, k
Lamed	ל	ל	l	l
Mem	מ ם[3)]	מ ם[3)]	m	m
Nun	נ ן[3)]	נ ן[3)]	n	n
Samech	ס	ס	s	s
Ajin	ע	ע	ʻ	–
Pe	פ ף[3)]	פ ף[3)]	f, p[2)]	f, p
Zade	צ ץ[3)]	צ ץ[3)]	ẕ	z, tz, s
Kof	ק	ק	q	k, q
Resch	ר	ר	r	r
Sin	שׂ	ש	ś	s
Schin	שׁ	ש	š	sch, sh
Taw	ת	ת	ṯ, t[2)]	th, t

Vokalzeichen

Name	*Zeichen*	*wissenschaftliche Umschrift*
Patach	◌ַ	a
Kametz	◌ָ	ạ
Kametz Chatuf	◌ָ	ǫ
Segol	◌ֶ	ę
Sere	◌ֵ	e
Chirek	◌ִ	i
Cholem	◌ֹ	o
Kibutz	◌ֻ	u
Chatef Patach	◌ֲ	ă
Chatef Segol	◌ֱ	ę̆
Chatef Kametz	◌ֳ	ŏ
Schwa (Murmelvokal)	◌ְ	ĕ

[1)] wird am Wortanfang nicht wiedergegeben; wird am Wortende durch Querstrich über dem letzten Vokal wiedergegeben. – [2)] das zweite Zeichen gibt den entsprechenden hebräischen Buchstaben mit Dagesch lene (› · ‹, z. B. im ›בּ‹), d. h. mit der Aussprache als Verschlusslaut wieder. – [3)] das zweite Zeichen ist die Buchstabenvariante am Wortende. – [4)] wird am Wortende durch Trema über dem letzten Vokal wiedergegeben.

Hebriden 1): Fischerort auf der Insel Skye

lipt. **Dampfer-H.** älterer Schiffe; das bei Fracht- und Fahrgastschiffen bevorzugte **Kreuzer-H.**; das v.a. bei Segel- und Motorbooten zu findende **Spiegel-** oder **Plattgatt-H.**; das **Jacht-H.** bei Rennjachten, das bugähnlich gestaltete **Spitzgatt-H.** bei Fischkuttern und das **Tunnel-H.** mit tunnelförmig gewölbtem Unterwasserteil bei Binnenschiffen.

Hẹck, Philipp von (geadelt 1912), Rechtsgelehrter, *Sankt Petersburg 22. 8. 1858, †Tübingen 22. 6. 1943; Prof. in Greifswald, Halle und Tübingen; wegweisender Vertreter der Interessenjurisprudenz.

Heckantrieb, *Kraftfahrzeugtechnik:* ein →Hinterradantrieb, bei dem Motor, Kupplung, Getriebe und Achsantrieb in einer Baueinheit hinter dem Fahrgastraum an der Hinterachse angeordnet sind.

Heck des Schiffes (lat. Puppis), Sternbild des südl. Himmels.

Hecke, dichte Pflanzung von Gehölzen als Schutz-, Grenz- oder Zier-H.; bietet auch Unterschlupf für Tiere (z.B. Vögel, Insekten).

Hecht

Hecht im Karpfenteich

*In der Natur jagt der Hecht die trägen Karpfen hin und her und lässt sie nicht zur Ruhe kommen. Mit einem Hecht verglich der deutsche Historiker Heinrich Leo (*1799, †1878) in einem Aufsatz den französischen Kaiser Napoleon III., den er als politischen Störenfried im Gleichgewicht der europäischen Kräfte sah. In einer Reichstagsrede am 6. 2. 1888 griff Bismarck dieses Bild auf und charakterisierte die Stellung Deutschlands zwischen den beiden kriegerisch gesinnten Nachbarstaaten Frankreich und Russland mit den Worten: »Die Hechte im europäischen Karpfenteich hindern uns, Karpfen zu werden.« Heute wird jemand, der durch seine Anwesenheit, besonders in einer langweiligen, nicht sehr aktiven Umgebung, Unruhe schafft, als Hecht im Karpfenteich bezeichnet.*

Hẹckel, Erich, Maler, Grafiker, *Döbeln 31. 7. 1883, †Hemmenhofen (heute zu Gaienhofen, Kr. Konstanz) 27. 1. 1970. Als Mitbegründer der →Brücke hatte er wesentl. Anteil an der Entstehung des Expressionismus in Deutschland. Als Grafiker trat er v.a. mit Holzschnitten und Lithographien hervor.

📖 HENZE, A.: *E. H. Leben u. Werk. Stuttgart u. a. 1983.*

Heckelphọn *das,* 1904 von W. Heckel (*1856, †1909) gebaute metallene Baritonoboe mit vollem, weichem Ton, eine Oktave tiefer als die Oboe.

Heckenkirsche, *Botanik:* das →Geißblatt.

Heckenlandschaft, durch eingehegte Fluren, meist Blockfluren, gekennzeichnete Kulturlandschaft; das Flurbild wird durch Hecken oder Wallhecken (Knick) bestimmt. Die Hecken dienen neben der Abgrenzung dem Frost- und Windschutz sowie als Feuchtigkeitsregler. H. finden sich in Südskandinavien, Norddeutschland, auf den Britischen Inseln, in Nordwestfrankreich (dort Bocage genannt) und auf der Iber. Halbinsel.

Heckenmünze, im 16. und 17. Jh. Münzstätte, in der gesetzwidrig Münzen geprägt wurden; auch die dort hergestellten Münzen selbst. (→Kipper und Wipper)

Heckenrose, Wildart der Rose.

Hẹcker, Friedrich, Politiker, *Eichtersheim (heute zu Angelbachtal, Rhein-Neckar-Kr.) 28. 9. 1811, †St. Louis (Mo.) 24. 3. 1881; war Mitgl. der bad. zweiten Kammer und in der Revolution von 1848 ein Führer der radikalen Linken; führte mit G. von Struve den bewaffneten Aufstand in Baden (am 20. 4. 1848 niedergeschlagen); floh in die Schweiz, 1849 in die USA; dort Oberst bei den Unionstruppen im Sezessionskrieg.

Hẹckmann, 1) Herbert, Schriftsteller, *Frankfurt am Main 25. 9. 1930; Mithg. der »Neuen Rundschau«; Romane (»Benjamin und seine Väter«, 1961), Erzählungen, Kinderbücher; 1984–87 Präs. der Dt. Akademie für Sprache und Dichtung.

2) Otto Hermann Leopold, Astronom, *Opladen (heute zu Leverkusen) 23. 6. 1901, †Heidelberg 14. 5. 1983; 1941–62 Direktor der Hamburger Sternwarte, 1962–73 Gründungsdirektor der →Europäischen Südsternwarte; Arbeiten zur Astrometrie und Photometrie, bes. Stellarstatistik und Kosmologie.

Hẹckscher, Eli Filip, schwed. Volkswirtschaftler, *Stockholm 24. 11. 1879, †ebd. 26. 11. 1952; beschäftigte sich v.a. mit Außenwirtschaftstheorie; entwickelte 1933 mit B. Ohlin eine Theorie internat. Güterströme **(H.-Ohlin-Theorem).**

Hẹcuba, latinisierte Form von Hekuba.

Hẹddal, Ort in O-Telemark bei Notodden, S-Norwegen, mit der größten erhaltenen norweg.

Erich Heckel: »Der schlafende Pechstein« (1910; Privatbesitz)

Stabkirche (Mitte 13. Jh.) mit Wandmalereien (14. Jh.) im Innern.

Hẹdebostickerei [dän. hedebo »Heidebewohner«], dän. Weißstickerei auf grobem Leinen.

Hedenbergịt *der,* Mineral aus der Reihe der →Pyroxene.

Hederich [zu lat. hederaceus »efeuartig«], Name mehrerer Pflanzen, u.a. →Ackerrettich.

Hedging ['hedʒɪŋ; engl. to hedge »sichern«] (Hedgegeschäft), Sicherungsgeschäft zur Ausschaltung oder Verringerung von Preisrisiken bei börsengängigen Objekten. Beim **Rohstoff-H.** wird eine am Kassamarkt gekaufte Rohstoffmenge in gleicher Menge gleichzeitig per Termin (entspricht dem vorgesehenen Verkaufszeitpunkt der Fertigware) verkauft. Mit dem **Finanzhedging** werden Zinsänderungs- oder Wechselkursrisiken im Handel mit Devisen, Edelmetallen oder Wertpapieren minimiert.

Hedịn, Sven Anders, schwed. Asienforscher, *Stockholm 19. 2. 1865, †ebd. 26. 11. 1952; unternahm ab 1894 mehrere Expeditionen nach Zentralasien (bes. Tibet) und 1923 eine Reise um die Welt. 1927–35 erforschte er mit wiss. Mitarbeiterstab die Gobi und Chinesisch-Turkestan.

Werke: Southern Tibet, 11 Bde. Text, 3 Bde. Atlas (1917–22); Zentralasien-Atlas (in Lieferungen seit 1940). Volkstüml. Reisebücher: Im Herzen von Asien, 2 Bde. (1903); Transhimalaja, 3 Bde. (1909–12); Der wandernde See (1937) u.a.

Hẹdjra [-dʒ-], →Hidjra.

Hedonịsmus [zu grch. hēdonḗ »Freude«, »Vergnügen«, »Lust«] *der,* als Sonderform des Eudämonismus die philosoph. Lehre, dass das Streben nach Lust alles menschl. Handeln und Verhalten entscheidend bestimmt bzw. bestimmen sollte. Begründet von Aristippos, stand auch Epikur dem H. nahe. Während der psycholog. H. (S. Freud) im Streben nach Lust einen entscheidenden Beweggrund menschl. Tuns erblickt, vertritt der eth. H. die moralphilosoph. These, Lust sei um ihrer selbst willen erstrebenswert.

Hẹdschas, arab. Landschaften, →Hidjas.

Hẹdschra, →Hidjra.

Hẹdwig, Herrscherinnen:

Polen: **1) H.** (poln. Jadwiga), Königin (1382–99), *um 1374, †Krakau 17. 7. 1399; jüngste Tochter Ludwigs I. von Ungarn und Polen, nach dessen Tod (1382) vom poln. Adel auf den Thron erhoben und 1384 gekrönt, seit 1386 ⚭ mit dem Großfürsten Jagiełło von Litauen. Die Heirat legte den Grund zur polnisch-litauischen Union.

Schlesien: **2) H. die Heilige,** Herzogin, *Andechs 1174, †Zisterzienserinnenkloster Trebnitz (bei Breslau) 15. 10. 1243; Gemahlin Herzog Heinrichs I. von Schlesien, stiftete viele Kirchen und Klöster, gilt als Patronin Schlesiens; 1267 heilig gesprochen; Tag: 16. 10.

Sven Hedin

Hedwig die Heilige: Errichtung der 1202 gestifteten Zisterzienserabtei Trebnitz 25 km nördlich von Breslau, Miniatur aus dem Ostrauer Codex der Hedwiglegende (Mitte 14. Jh.; Los Angeles, J. Paul Getty Museum); Hedwig siedelte in diesem ersten Frauenkloster Schlesiens Nonnen aus Bamberg an

Schwaben: **3) Hadwig,** Herzogin, *um 940, †28. 8. 994; Tochter Herzog Heinrichs I. von Bayern, ⚭ mit Herzog Burchard II. (†973), Schülerin von →Ekkehart II.

Heem, Jan Davidsz. de, niederländ. Maler, *Utrecht 1606, †Antwerpen 26. 4. 1684; einer der Hauptmeister der in grauen und gelbbraunen Farben gehaltenen Vanitasstillleben; nach 1635 entstanden Früchte- und Blumenstillleben mit liebevoll ausgeführten Details in warmem Helldunkel. Sein Sohn Cornelis (*1631, †1695) arbeitete ebenfalls als Stilllebenmaler.

Jan Davidsz. de Heem: Stillleben mit Büchern (1628; Den Haag, Mauritshuis)

Heemskerck, Maarten van, niederländ. Maler und Zeichner, *Heemskerk (Prov. Nordholland) 1498, †Haarlem 1. 10. 1574; Schüler des Jan van Scorel; sein Italienaufenthalt (1532–36) brachte ihn mit dem röm. Manierismus der Michelangelo-Schule in Verbindung; er schuf große Altarblätter und Flügelaltäre (u.a. Laurentius-Altar aus Alkmaar, 1538–42; Linköping, Dom).

Constantin Freiherr Heereman von Zuydtwyck

Heer [ahd. heri, urspr. »das zum Krieg Gehörige«], Bez. für die Landstreitkräfte eines Staates. Nach Organisation und Aufbau gliedern sich H. zum einen in versch. Truppengattungen (z.B. Artillerie, Pioniere, Panzertruppen), zum anderen in Truppenkörper der unterschiedlichsten Größe (z.B. Kompanien, Brigaden, Korps). I.d.R. ab der Brigadeebene bestehen die Truppenkörper aus Einheiten und Verbänden der unterschiedl. Truppengattungen.

Heer, 1) Friedrich, österr. Kulturhistoriker und Publizist, *Wien 10. 4. 1916, †ebd. 18. 9. 1983; seit 1962 Prof. an der Univ. Wien, daneben 1961–71 Chefdramaturg des Burgtheaters.

Werke: Europ. Geistesgesch. (1953); Europa – Mutter der Revolutionen (1964); Der Kampf um österr. Identität (1980).

Johannes Heesters

2) Jakob Christoph, schweizer. Schriftsteller, *Töss (heute zu Winterthur) 17. 7. 1859, †Rüschlikon 20. 8. 1925; 1899–1902 Schriftleiter der »Gartenlaube« in Stuttgart; Romane mit effektvollen Hochgebirgsschilderungen.

Heerbann [ahd. heriban »Aufgebot der waffenfähigen Freien zum Kriegsdienst«], bei den Germanen das Aufgebot zur Teilnahme an einem Feldzug **(Heerfahrt).** Im frühen MA., bes. bei den Franken, bezeichnete H. sowohl die militär. Hoheitsgewalt des Königs, die bei Nichtbefolgung Geldstrafe vorsah, als auch das aufgebotene Heer selbst.

Heereman, Constantin Bonifatius Hermann Josef Maria Freiherr H. von Zuydtwyck, Landwirt, *Münster 17. 12. 1931; war 1969–97 Präs. des Dt. Bauernverbandes, 1979–81 und 1990–92 Präs. des Komitees der landwirtsch. Berufsverbände in der EG und 1982–86 des Weltbauernverbandes; 1983–90 MdB (CDU).

Heeresfliegertruppe, Truppengattung des dt. Heeres. Die H. führt Verbindungs-, Aufklärungs-, Überwachungs-, Transport- und Kampfaufgaben (u.a. Panzerabwehr) durch; sie ist hierfür mit unterschiedl. Hubschraubern ausgestattet.

Heeresflugabwehrtruppe, Truppengattung des dt. Heeres, →Flugabwehr.

Heeresgruppe, die Zusammenfassung mehrerer Armeen unter einheitl. Führung.

Heerfolge, im MA. die Verpflichtung der Vasallen, Kriegs- und Waffendienste für den Lehnsherrn zu leisten.

Heerlen ['he:rlə], Stadt im S der Prov. Limburg, Niederlande, 95300 Ew.; Fern-Univ.; Geolog. und Thermenmuseum; bis 1974 Zentrum des südlimburg. Steinkohlenbergbaus; nach dessen Einstellung entwickelte sich H. zu einem Industrie- und Dienstleistungszentrum. – H. entstand aus einer röm. Siedlung des 3. Jh. (Reste röm. Thermen).

Heermann, Johannes, evang. Geistlicher und Kirchenlieddichter, *Raudten (heute Rudna, Wwschaft Legnica) 11. 10. 1585, †Lissa (heute Leszno) 17. 2. 1647; wurde 1608 zum »Poeta laureatus« gekrönt. Seine volkstüml. Kirchenlieder (»Herzliebster Jesu«) werden z.T. noch heute gesungen.

Heerschild, im Lehnsrecht des Hoch-MA. die Fähigkeit zum Erwerb eines Ritterlehens. Der Sachsen- und der Schwabenspiegel kannten eine H.-Ordnung von sieben Stufen: 1) König, 2) geistl. Fürsten, 3) weltl. Fürsten, 4) Grafen und Freiherren, 5) schöffenbar Freie und Ministerialen, 6) die Mannen der Vorigen, 7) übrige Ritterbürtige.

Heesters, Johannes, österr. Operettensänger und Schauspieler niederländ. Herkunft, *Amersfoort 5. 12. 1903; neben Bühnentätigkeit auch Filme: »Der Bettelstudent« (1936), »Die Fledermaus« (1944), »Die Csárdásfürstin« (1951) u.a.; Erinnerungen: »Es kommt auf die Sekunde an« (1978).

Hefei (Hofei, bis 1912 Luchow, Lutschou, Luzhou), Hptst. der chines. Provinz Anhui, 733300

Ew.; Univ., TU, Fachhochschulen; Eisen-, Stahl-, Aluminiumwerke, chem., Textilindustrie. – Am Osttor Tempel aus der Qingzeit (6. Jh.).

Hefen, 1) *Botanik:* mikroskopisch kleine einzellige **Hefepilze** (Saccharomyces u. a. Gatt.), die die alkohol. →Gärung bewirken. Durch Reinzucht obergäriger Rassen und Nährlösungen (v. a. Melasse) wird **Back-H.** hergestellt, die als **Press-H.** oder auch **Trocken-H.** in den Handel kommt. Die in der Natur frei vorkommende **Wein-H.** wird heute ausschl. als Reinzucht-H. gezüchtet. Die **Bier-H.** sind dagegen nur als Kulturstämme bekannt; hier werden untergärige und obergärige Stämme unterschieden. Ebenfalls zu den H. wird die **Nähr-H.** (Eiweiß-H.) gerechnet.

2) *Kellereitechnik:* feste Stoffe, die sich nach der alkohol. Gärung von untergärigem Bier und Wein absetzen **(Drusen, Geläger)** oder bei obergärigem Bier an die Oberfläche steigen **(Geest);** H. bestehen vorwiegend aus lebenden oder toten Hefezellen, Eiweißen u. a. organ. Stoffen; sie dienen noch zur Herstellung von wein- und branntweinartigen Getränken minderer Güte **(Hefepresswein, Hefewein, Hefebranntwein).**

Hefner-Alteneck, Friedrich von, Elektrotechniker, *Aschaffenburg 27. 4. 1845, †Biesdorf (heute zu Berlin) 7. 1. 1904; 1867–90 Ingenieur bei Siemens & Halske, erfand 1872/73 den Trommelanker für elektr. Maschinen, 1878/79 die Differenzialbogenlampe; konstruierte 1884 die Amylacetat-Lampe, deren →Lichtstärke unter vorgeschriebenen Betriebsbedingungen bis 1948 als gesetzl. Einheit diente (**Hefner-Kerze,** Einheitenzeichen *HK*, 1 HK = 0,903 cd).

Heft, *Technik:* Handgriff an Werkzeugen und Waffen.

Heften, in der buchbinder. Weiterverarbeitung das manuelle oder maschinelle Vereinigen einzelner Blätter oder Bogenteile zu einem Heft oder Buchblock. Die **Ring-** oder **Spiralheftung** verbindet lochgestanzte Blätter mittels Ringen oder Spiralen aus Metall oder Plastik.

Hegau *der,* alte Kulturlandschaft in Bad.-Württ., nordwestlich des Bodensees, mit zahlr. Bergkegeln aus jungvulkan. Gestein, z. B. dem Hohentwiel (686 m ü. M.), Hohenhewen (846 m ü. M.), die meisten von Burgruinen gekrönt; Hauptort ist Singen. – Die 787 erstmals urkundlich erwähnte Grafschaft H. fiel gegen 1180 an die Staufer; der Kern des H. gehörte seit dem späten MA. zur Landgrafschaft Nellenburg, die 1805 von Österreich an Württemberg und 1810 an Baden kam.

Hegel, Georg Wilhelm Friedrich, Philosoph, *Stuttgart 27. 8. 1770, †Berlin 14. 11. 1831; studierte am Tübinger Stift zus. mit F. Hölderlin und F. W. Schelling, wurde 1805 außerordentl. Prof. in Jena,

Georg Wilhelm Friedrich Hegel: Stich des zeitgenössischen Kupferstechers Friedrich Wilhelm Bollinger, darunter Autogramm

1808 Rektor des Gymnasiums in Nürnberg, 1816 Prof. in Heidelberg und 1818 J. G. Fichtes Nachfolger in Berlin. – Als angehender Theologe beteiligte sich H., zunächst von der Aufklärung (v. a. J.-J. Rousseau) beeinflusst, an den Auseinandersetzungen um das Christentum und wandte sich staatsphilosoph. Problemen zu. Einen ersten Höhepunkt ihrer Entwicklung fand H.s Philosophie in seiner »Phänomenologie des Geistes« (1807), die er u. a. in der »Enzyklopädie der philosoph. Wissenschaften im Grundrisse« (1817) ausgestaltete. Im Mittelpunkt seines Systems, in dem er die tradierte aristotel. Metaphysik, die modernen naturwiss. Methoden, das moderne Naturrecht (Locke, Hobbes) und die Theorie der bürgerl. Gesellschaft (Stewart, A. Smith, Ricardo) zum Ausgleich zu bringen versucht, steht das Absolute, der Weltgeist, in seinen verschiedenen Ausgestaltungen. In der »Wiss. der Logik« (2 Bde., 1812–16) stellt H. das Absolute im Zustande des »An-sich-Seins«, in seiner abstrakt-log. Form dar. Die Naturphilosophie beschreibt es – als »Für-sich-Sein« – im Zustand der Entäußerung: In der materiellen Welt der Natur gewinnt das Absolute dingl. Form. Zu sich selbst kommt es durch das immer stärker erwachende Selbstbewusstsein des menschl. Geistes (sein »An-und-für-sich-Sein«, Philosophie des Geistes). Weltgeschichte ist demnach der notwendig fortschreitende Prozess des absoluten Geistes, in welchem er sich seiner Freiheit bewusst wird. Als subjektiver Geist konkretisiert sich das Absolute im menschl. Individuum, als objektiver Geist in Familie, Gesellschaft, Staat, als absoluter Geist in Kunst, Religion und Philosophie. Das Absolute ist für H. nichts unbewegt Substanzielles wie für Parmenides, sondern prozesshaft im Sinne Heraklits; es entwickelt sich »dialektisch«. Die Dialektik ist keine äußerl. Denktechnik, sondern die Entwicklung in Gegensätzen und Widersprüchen (Dreischritt von These, Antithese und Synthese) gehört notwendig zu Geist und Begriff, damit aber auch zur Wirklichkeit selbst (Realdialektik). – Gehalt und Methoden der Philosophie H.s waren von großem Einfluss sowohl auf philosophisch-geisteswiss. wie auf politisch-soziales Denken. Bes. nachhaltig wirkten die »Phänomenologie des Geistes« (1807), in der einzelne Formen des Bewusstseins und sittl. Einstellungen als für geschichtl. Epochen repräsentativ erscheinen, die Philosophie der Weltgeschichte (die Staaten als Manifestationen der Volksgeister, aus der geschichtl. Abfolge ergibt sich »Fortschritt im Bewusstsein der Freiheit«), die v.a. in den »Grundlinien der Philosophie des Rechts« (1820) dargestellte Rechts- und Staatsphilosophie (»Sittlichkeit« zeigt sich hiernach konkret in der Familie, in der bürgerl. Gesellschaft und im Staat); Letztere, ein konstitutionell-monarchisch geprägter Liberalismus, wurde v.a. von konservativen Ideologen ausgewertet. Zur Wirkungsgesch. →Hegelianismus, →Neuhegelianismus.

📖 WIEDMANN, F.: *G. W. F. H. mit Selbstzeugnissen u. Bilddokumenten. Reinbek 76.–78. Tsd. 1993.* – LUDWIG, R.: *Hegel für Anfänger, Phänomenologie des Geistes. München 1997.* – TAYLOR, C.: *H. A.d. Engl. Frankfurt am Main ³1997.*

Josef Hegenbarth: Illustration zu »Herodias« von Gustave Flaubert, Federzeichnung (1957)

Hegelianismus *der,* die an Hegel anschließenden philosoph. Richtungen: Während die **Rechts-** oder **Althegelianer** (K. F. Göschel u.a., später auch J. E. Erdmann) Hegels Philosophie mit dem Christentum in Einklang sahen und in konservativem Sinn auslegten, gingen die **Links-** oder **Junghegelianer** (A. Ruge, B. Bauer, L. Feuerbach, D. F. Strauß, K. Marx, F. Engels u.a.) von den geistesgeschichtlich revolutionären Momenten bei Hegel aus und stellten den Menschen und sein Selbstbewusstsein in den Mittelpunkt. Marx und Engels übernahmen Hegels dialekt. Methode, gaben ihr aber eine andere, von L. Feuerbachs Anthropologie geprägte materialist. Grundlage (→Marxismus). Seit 1900 kam Hegels Philosophie zu neuer großer Wirkung (in Italien: B. Croce, G. Gentile; in Russland wirkte die radikale Deutung der Linkshegelianer u.a. auf M. Bakunin, W. I. Lenin, G. W. Plechanow; in Dtl.: T. Litt, H. Freyer u.a.), und K. Fischer und W. Dilthey leiteten den →Neuhegelianismus ein. Aus unorthodox marxist. Sicht (G. Lukács, E. Bloch) und durch Vertreter der →Frankfurter Schule (H. Marcuse) wurde Hegel neu eingeschätzt. In Frankreich führten v.a. Jean Wahl und Alexandre Kojève Hegels Philosophie in die Diskussion ein und beeinflussten damit eine große Zahl marxist. orientierter Philosophen (J.-P. Sartre, M. Merleau-Ponty, J. Hyppolite u.a.).

Hegemonie [grch. »Führung«] *die,* in der internat. Politik die Vormachtstellung eines Staates gegenüber anderen. Sie gründet sich auf die Anerkennung der polit. (ideolog.), militär., wirtsch. und/oder kulturellen Überlegenheit eines Staates seitens anderer. H. geht über bloße Einflussnahme hinaus, endet aber unterhalb der Schwelle unmittelbarer Herrschaftsausübung. Im Ggs. zu einem mit Gewalt erzwungenen Über- und Unterordnungsverhältnis schließt H. – idealtypisch gesehen – das Moment der Freiwilligkeit und Gleichberechtigung der Partner innerhalb des H.-Systems ein. In der polit. Realität überschreitet die H. eines Staates über andere jedoch oft die Schwelle zur Herrschaft im Sinne einer Über- und Unterordnung.

Beispiele hegemonialer Bestrebungen sind die Auseinandersetzungen, z.B. in der Antike zw. Athen und Sparta, im MA zw. Venedig und Genua, in der Neuzeit zw. Österreich und Preußen. Nach dem Zweiten Weltkrieg entwickelte sich unter ideolog. Vorzeichen zw. den Führungsmächten von Blöcken im Ost-West-Konflikt ein Kampf um den beherrschenden Einfluss in der Welt.

Josef Hegenbarth: Illustration zum Buch »Wunderbare Reisen des Freyherrn von Münchhausen« (1950)

Hegenbarth, Josef, Maler und Grafiker, * Böhmisch Kamnitz (heute Česká Kamenice, bei Děčín) 15. 6. 1884, † Dresden 27. 7. 1962; arbeitete für die Ztschr. »Jugend«, »Simplicissimus« und »Ulenspiegel«; seine Buchillustrationen zeigen einen ausgeprägten Sinn für das Groteske und Fantastische; Szenen aus der Märchen- und Zirkuswelt; bekannt auch seine Tierdarstellungen.

Hegner, Johann Ulrich, schweizer. Schriftsteller, *Winterthur 7. 2. 1759, †ebd. 3. 1. 1840; Friedensrichter in Winterthur, bedeutendster Volksschriftsteller der Schweiz vor J. Gotthelf (z.B. »Die Molkenkur«, R., 1812–19, 3 Bde.).

Hehlerei, Straftat, die begeht, wer seines Vorteils wegen Sachen, von denen er weiß oder den Umständen nach annehmen muss, dass sie durch strafbare Handlung erlangt sind, ankauft, sich oder einem Dritten verschafft, sie absetzt oder absetzen hilft, um sich oder einen Dritten zu bereichern. Strafe: Freiheitsstrafe bis zu fünf Jahren oder Geldstrafe; bei gewerbsmäßiger H. und gewerbsmäßiger Banden-H. Freiheitsstrafe bis zu zehn Jahren, außerdem drohen Vermögensstrafe oder Verfall (§§259, 260, 260a StGB). – Das *österr.* Recht fasst den Tatbestand der H. weiter und bestraft auch fahrlässige Begehung (§§164ff, StGB); das *schweizer.* Recht regelt die H. ähnlich wie das dt. Recht und straft mit Gefängnis oder Zuchthaus bis zu fünf, bei gewerbsmäßigem Handeln bis zu zehn Jahren (Art. 160 StGB).

Hehn, Victor, balt. Kulturhistoriker, *Dorpat (heute Tartu) 8. 10. 1813, †Berlin 21. 3. 1890; stilistisch hervorragende kulturhistor. Schriften und Reiseberichte (»Italien«, 1867; »Gedanken über Goethe«, 1887).

Heide, 1) *Botanik:* (Erica) Gattung der Heidekrautgewächse; Zwergsträucher mit kleinen, nadelförmigen Blättern, in Feuchtheiden und Mooren die **Glocken-H.** (Erica tetralix) mit rosa Blüten in endständigem Blütenstand, in Gebirgskiefernwäldern die **Schnee-H.** (Erica herbacea) mit fleischfarbenen Blüten, häufig als Zierpflanze kultiviert.

2) *Geographie:* urspr. Rechtsbegriff für die mageren Weiden und Wälder sandiger Gegenden; östlich der Elbe die Bez. für Kiefernwälder (z.B. Jungfernheide); heute i. Allg. eine Pflanzengesellschaft von Zwergsträuchern, Gräsern und Kräutern auf nährstoffarmen Böden. In der H. des nordwestdt. Tieflandes (→Lüneburger Heide) und seinen Nachbarländern hatte sich Heidekraut anstelle urspr. Eichenwälder weit verbreitet, begünstigt durch die Beweidung mit Heidschnucken. Heute ist sie bis auf wenige Naturschutzgebiete in Kiefernforste umgewandelt. Die seltenen natürl. **Sumpf-H.** sind nur die Ausläufer der atlant. **Zwergstrauch-H.,** die entlang der europ. Atlantikküste auftritt. Auf subalpiner Stufe treten im Hochgebirge **Alpenrosen-H.** auf, darüber Zwergstrauchheiden. Die kontinentalen **Steppen-H.** bilden gehölzarme Magerrasen, die sich durch extensive Weidewirtschaft über ihre wenigen natürl. Standorte (erdarme Felsen) ausdehnen. Den Hauptanteil bilden Heidekrautgewächse, Stauden und Wacholder.

Heide, Krst. des Landkreises Dithmarschen, Schlesw.-Holst., auf dem Geestrand, 20600 Ew.; Klaus-Groth-Museum, Heimatmuseum; Apparate- und Maschinenbau, elektron. Ind.; bei Hemmingstadt Erdölraffinerie. – H., 1434 erstmals urkundlich erwähnt, war 1447–1559 Hauptort des Bauernfreistaates Dithmarschen; 1870 Stadt.

Martin Heidegger

Heidegger, Martin, Philosoph, *Meßkirch 26. 9. 1889, †Freiburg im Breisgau 26. 5. 1976; wurde 1923 Prof. in Marburg, 1928 in Freiburg im Breisgau; Schüler und Nachfolger E. Husserls. Ausgehend von S. Kierkegaards Existenzialismus und E. Husserls →Phänomenologie greift H. seit seinem grundlegenden Werk »Sein und Zeit« (1927) die Frage nach dem »Sein« (später von H. auch »Seyn« genannt) auf, das vom Seienden geschieden werden müsse (ontolog. Differenz). Zu H.s Philosophie gehört unabtrennbar eine ontolog. Sprachdeutung und stark reflektierte neue Terminologie. Als Seinsweisen der menschl. Existenz (»Existenzialien«) stellt H. »Befindlichkeit« (»Geworfenheit«), »Verstehen« (»Entwurf«), »Rede«, »Verfallen«, »Sein zum Tode«, »Gewissen« und »Geschichtlichkeit« heraus. Die Grundverfassung des (menschl.) Daseins fasst er als »In-der-Welt-Sein«, sein konkretes Sein als »Angst« und »Sorge«, seinen tiefsten ontolog. Sinn als »Zeitlichkeit«.

Die bisherige Philosophie (oder: Metaphysik) von Platon an gilt H. als Verstellung des Seins durch ausschließl. Thematisierung des Seienden; sie führt zu den modernen Wiss. und der Technik, in denen sich der Versuch einer Weltbemächtigung manifestiert. Ein ursprünglicheres Verständnis von Sein klingt dagegen in der vorsokrat. Philosophie an (Sein als »Anwesenheit«, mit Zeit in Verbindung stehend); dieses wird von H. weitergeführt, und neue Denkwege münden in eine andere Form von Verbindlichkeit des Wissens und Handelns. H. hat weit über den philosoph. Bereich (so u.a. auf J.-P. Sartre) hinaus gewirkt, bes. auf Theologie (R. Bultmann), Psychologie (L. Binswanger, E. Fromm, E. Drewermann), Literatur und Kunst.

Weitere Werke: Vom Wesen des Grundes (1929); Was ist Metaphysik? (1929); Vom Wesen der Wahrheit (1943); Erläuterungen zu Hölderlins Dichtung (1944); Über den Humanismus (1949); Holzwege (1950); Zur Seinsfrage (1956); Identität und Differenz (1957); Unterwegs zur Sprache (1959); Nietzsche, 2 Bde. (1961); Die Technik und die Kehre (1962); Wegmarken (1967); Zur Sache des Denkens (1969).

📖 STEINER, G.: *M. H. Eine Einführung. A.d. Engl. München u.a. 1989.* – BIEMEL, W.: *M. H. Reinbek* ^{13}*1996.*

Heidekraut (Besenheide, Calluna), Gattung der H.-Gewächse mit der einzigen Art **Calluna**

Heidelberg: Blick vom Philosophenweg nördlich des Neckars auf das Zentrum der Altstadt mit dem Heidelberger Schloss, der Alten Brücke und der Heiliggeistkirche am Fuße des Königstuhls

vulgaris auf Moor- und Sandböden Europas und an den Küsten Nordamerikas; 20–100 cm hoher Zwergstrauch mit bis 3 mm langen, nadelförmigen Blättern; Blüten in einseitswendigen Trauben; Blütenkrone fleischrot, selten weiß.

Heidelberg Stadtwappen

Heidelbeere [zu ahd. heitperi »auf der Heide wachsende Beere«] (Vaccinium), Gattung der Heidekrautgewächse mit rd. 150 Arten in Europa und N-Asien. Eine auf sauren Böden in Nadel- und Laubwäldern weit verbreitete Art ist die **Blaubeere** (H. im engeren Sinn, Bickbeere, Vaccinium myrtillus), ein sommergrüner Zwergstrauch mit einzeln stehenden, kugeligen, grünl. bis rötl. Blüten. Die wohlschmeckenden blauschwarzen, bereiften Beeren (Heidelbeeren) werden u.a. zu Saft, Wein, Gelee, Marmelade und Kompott verarbeitet.

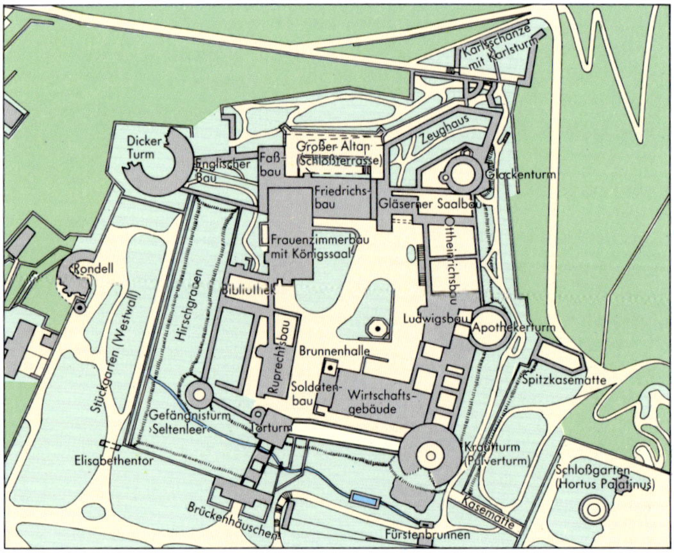

Heidelberger Schloss: Vereinfachter Grundriss mit den Bezeichnungen einzelner Bauten und Gebäudeteile

Heidelberg, Stadt in Bad.-Württ., am Austritt des Neckars aus dem Odenwald in die Oberrheinebene, Stadtkreis und Verw.sitz des Rhein-Neckar-Kreises, 138 800 Ew.; Ruprecht-Karls-Univ. (gegr. 1386) mit Südasieninstitut und Dolmetscherinstitut, Heidelberger Akademie der Wiss., Max-Planck-Institute für Kernphysik, für medizin. Forschung, für Astronomie, für ausländ. öffentl. Recht und Völkerrecht, Dt. Krebsforschungszentrum, Europ. Zentrallabor für Molekularbiologie (EMBO), Hochschule für Musik, PH, FH der Stiftung Rehabilitation H., Hochschule für Jüd. Studien; Landessternwarte; Kurpfälz. Museum (mit Riemenschneideraltar), Dt. Apothekenmuseum, Völkerkundemuseum, Theater, botan. und zoolog. Garten. Textil-, Elektro-, Fahrzeug- und Maschinenbau-, Leder und Holz verarbeitende, Zement-, Tabak-, chem. und Kunststoffind., ferner bed. Verlage. Sitz des Hauptquartiers des amerikan. Heeres in Europa (USAREUR/7th Army) und der NATO-Kommandobehörde LANDCENT (Land Forces Central Europe).

Stadtbild: H. gilt als eine der schönsten dt. Städte und ist Anziehungspunkt des internat. Fremdenverkehrs; oberhalb von Stadt und Schloss die Ausflugsziele Molkenkur und Königstuhl (Bergbahn). Bed. Baudenkmäler sind neben dem →Heidelberger Schloss die spätgot. Heiliggeistkirche mit Hallenchor (15. Jh.), die im 19. Jh. umgebaute Peterskirche (1485), das Renaissancehaus »Zum Ritter« (1592), das barocke Rathaus (1701–05), die Jesuitenkirche (1712–51) und Kolleg (1703–34), die Alte Univ. (1712), Karlstor (1773–81) und Alte Brücke mit Neckartor (1786–88).

Geschichte: H. war röm. Kastell, später Zivilsiedlung, zuerst 1196 erwähnt, kam 1214 an die Wittelsbacher, 1329 an die pfälz. Wittelsbacher und wurde die Grundlage der pfälz. Territorialmacht (vom 13. Jh. an bis 1720 Residenz); 1689 und 1693 im Pfälz. Erbfolgekrieg von frz. Truppen vollständig zerstört; seit 1803 zu Baden. Die 1386 gegründete Ruprecht-Karls-Univ. war im Humanismus und nach der Reformation ein geistiger Mittelpunkt (→Heidelberger Katechismus). Nach ihrer Neugründung 1803 gelangte sie zu Weltruhm; seit der Romantik nahm sie eine kulturelle Sonderstellung ein.

📖 HEINEMANN, G.: *H., Heidelberg ³1996.* – *H.-Lesebuch, hg. v.* M. BUSELMEIER. *Frankfurt am Main u. a. ⁵1996.*

Heidelberger Kapsel, *Medizin:* eine →Endoradiosonde.

Heidelberger Katechismus, neben Luthers Kleinem Katechismus der bedeutendste evang. Katechismus des 16. Jh., 1563 auf Veranlassung Friedrichs III. von der Pfalz von Z. Ursinus (*1524, †1583) und C. Olevianus (*1536, †1587) verfasst; fand als Bekenntnisschrift weite Verbreitung in den ref. Kirchen.

Heidelberger Liederhandschrift, →Manessische Handschrift.

Heidelberger Schloss, das auf einem bewaldeten Vorsprung des Königstuhls aus rotem Sandstein erbaute Schloss in Heidelberg, entstanden aus einer mittelalterl. Burg, von den Kurfürsten mehrmals erweitert und umgebaut; im Pfälz. Erbfolgekrieg 1689 und 1693 von den Franzosen verwüstet. Nach Erneuerung der Dächer wurde es 1764 durch Blitzschlag zerstört und ist seitdem weitgehend Ruine (1897–1900 Restaurierung). Die bedeutendsten der den Innenhof umgebenden Gebäude sind im O der Ottheinrichsbau (unter Otto Heinrich seit 1556 erbaut, ein Meisterwerk der dt. Renaissancearchitektur, dessen Fassade mit reichem Figurenprogramm erhalten ist), im N der Friedrichsbau (unter Friedrich IV. 1601–07 von J. Schoch errichtet; um 1900 restauriert) und zw. beiden der Gläserne Saalbau mit seiner dreigeschossigen offenen Laube (seit 1544). Aus älterer Zeit sind z.T. erhalten der got. Ruprechtsbau und die got. Brunnenhalle, der Bibliotheksbau und der Frauenzimmerbau. Dem Innenhof abgewandt sind der Engl. Bau (1612–15) im palladian. Stil, ben. nach der engl. Gemahlin von Friedrich V. und der Fassbau mit dem großen Fass (1751; 221726 Liter).

📖 OECHELHÄUSER, A. VON: *Das H. S. Heidelberg* [8]*1987.*

Heidelbergmensch (Homo heidelbergensis), Bez. für den ältesten in Europa gefundenen Menschen. Vom H. wurde 1907 in pleistozänen Schichten einer Sandgrube bei Mauer nur der robuste kinnlose Unterkiefer gefunden; dadurch lässt sich die Frage, ob der H. noch den Frühmenschen (Homo-erectus-Gruppe) oder bereits dem archaischen Homo sapiens oder dem Neandertaler zuzurechnen ist, nicht mit Sicherheit entscheiden. – Archäometr. Forschungen klassifizierten den H. 1992 wissenschaftl. als Homo erectus heidelbergensis und datierten ihn in eine Warmzeit des frühen Mittelpleistozäns (zw. 600000 und 750000 Jahre alt).

Heidenau, Stadt im Landkreis Sächsische Schweiz, Sachsen, an der Elbe, 18900 Ew.; Maschinen- und Motorenbau, Druckindustrie. – Barockpark Großsedlitz (angelegt 1719–23 durch J. C. Knöffel für Graf Wackerbarth; mit Oberer Orangerie von 1720), 1723 von August dem Starken erworben und danach nach Versailler Muster neu gestaltet. Das heutige Friedrichsschlösschen entstand 1872–74. – H. erhielt 1924 Stadtrecht.

Heidenburg (Heidengraben, Heidenmauer, Heidenschanze, Heidenwall), volkstümlich für Reste vor- und frühgeschichtl. Befestigungen.

Heidenchristen, im 1. Jh. Bez. für die Christen nichtjüd. Herkunft; das Apostelkonzil (Apg. 15) klärte ihre Stellung zur judenchristl. Jerusalemer Urgemeinde und befreite sie vom jüd. Zeremonialgesetz. Die heidenchristl. Gemeindebildungen des 1. Jh. gehen v.a. auf die Missionstätigkeit des Paulus und seiner Schüler zurück.

Heidenheim, Landkreis im RegBez. Stuttgart, Bad.-Württ., 627 km², (1996) 137300 Ew.; Verw.-sitz: Heidenheim an der Brenz.

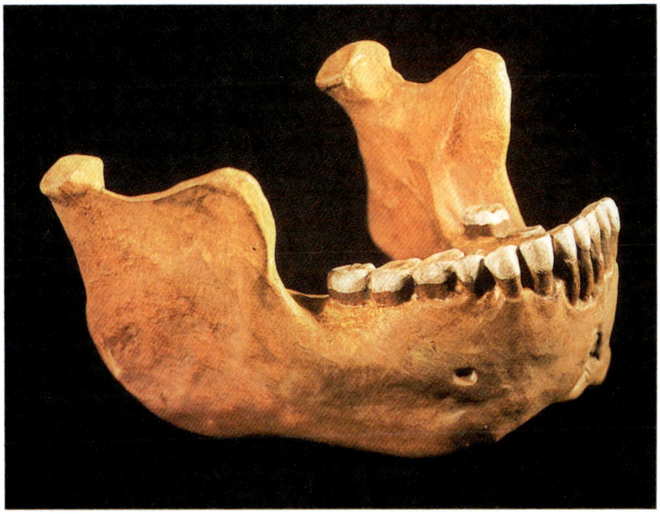

Heidelbergmensch: Der 1907 in einer Sandgrube bei Mauer südlich von Heidelberg gefundene Unterkiefer des Homo erectus heidelbergensis

Heidenheim an der Brenz, Krst. des Landkreises Heidenheim, Bad.-Württ., Große Kreisstadt auf der östl. Schwäb. Alb, 491 m ü.M., 52500 Ew.; Staatl. Studienakademie; Stahl- und Maschinenbau, Textil- und elektrotechn. Industrie. – Über der Stadt das mächtige Renaissanceschloss **Hellenstein** mit Schlosskirche und Naturtheater (heute Museum und Freizeitpark). – Entwickelte sich aus einer röm. Siedlung (großes Ausgrabungsgelände); 1335 erstmals als Stadt bezeichnet.

Heidenheim an der Brenz Stadtwappen

Heidenstam ['hɛj-], Verner von, schwed. Dichter, *Olshammar (bei Örebro) 6. 7. 1859, †Övralid (Östergötland) 20. 5. 1940; schrieb Romane, den Novellenzyklus »Karl XII. und seine Krieger« (1897–99) und Gedichte. 1916 erhielt H. den Nobelpreis für Literatur.

Heidensteine (Hünensteine), volkstümlich für vorgeschichtliche Steinsetzungen (→Hinkelstein, →Menhir).

Heider, Werner, Komponist, Pianist und Dirigent, *Fürth 1. 1. 1930; schuf unter Anwendung neuester musikal. Techniken Kompositionen, die z.T. Einflüsse des Jazz erkennen lassen, u.a. Ballett »Modelle« (1964), »Kunst-Stoff« für Elektroklarinette, präpariertes Klavier und Tonband (1971), »VI Exerzitien« (1987; für Orgel), »Der Dreiklang« für Akkordeonorchester (1993).

Heiderauch, der →Höhenrauch.

Heidschnucke, anspruchslose, unveredelte Schafrasse der Lüneburger Heide; genügsam, spätreif und wenig fruchtbar. H. besitzen ein fettarmes, nach Wild schmeckendes Fleisch.

Heidụcken, die →Haiduken.

Jascha Heifetz

Heifetz, Jascha, amerikan. Violinist russ. Herkunft, *Vilnius 2. 2. 1901, †Los Angeles (Calif.) 10. 12. 1987; lebte seit 1917 in den USA; einer der besten Violinvirtuosen seiner Zeit.

Heijermans ['hɛj-], Herman, niederländ. Schriftsteller, *Rotterdam 3. 12. 1864, †Zandvoort 22. 11. 1924; Hauptvertreter des naturalist. niederländ. Dramas, stellte unter dem Einfluss sozialist. Ideale derb-realistisch das Leben der Seeleute und Kleinbürger dar (»Ahasver«, Dr., 1893; »Das siebente Gebot«, Dr., 1900); auch Romane.

Heilbronn 2) Stadtwappen

Heil, 1) *Geschichtswissenschaft:* seit dem german. Altertum bis ins 11. Jh. die auf göttl. Abstammung oder auf glücklich vollbrachten Taten beruhende charismat. Auszeichnung von Menschen, bes. Königen und Heerführern.

2) *Religionswissenschaft:* in den Religionen Bez. der durch sie vermittelten Existenzweise (z.B. Erkenntnis, Glückseligkeit, Nirvana). H. wurde in der Religionsgeschichte vielfach als Substanz gedacht (so im Dschainismus die unbefleckte Lebensmonade, jiva) oder als Befreiung von dämon. Besessenheit. Erlösungsreligionen erblicken im H. eine völlig verwandelte Daseinsweise, die in einer neuen Bewusstseins-, Seelen- und Charakterstruktur besteht. Um das H. zu erlangen, muss ein Heilsweg beschritten werden (Meditation, Kontemplation u.a.). H. kann jedoch auch als göttl. Gnadengabe und durch einen Heiland den Menschen vermittelt werden (Jesus Christus, Buddha).

Heilige Familie: Gemälde von Bartolomé Esteban Murillo (vor 1650; Madrid, Prado)

Heiland [ahd. heilant, zu heilan »heilen«, »erlösen«], im Christentum Bez. Jesu Christi als Erlöser; Heilandsgestalt des Judentums ist der Messias, im Hinduismus Krishna; bekannteste Gestalt des Buddhismus ist Amitabha.

Heilanstalt, Einrichtung zur Aufnahme und stationären Behandlung von erkrankten Personen (z.B. Suchtkranken), die einer spezif. länger dauernden und in den allg. Krankenhäusern nicht durchführbaren Behandlung bedürfen. – *Recht:* →Maßregeln der Besserung und Sicherung, →Unterbringung.

Heilanzeige, *Medizin:* die →Indikation.

Heilbäder, 1) *Gesundheitswesen:* staatl. anerkannte Kurorte mit natürl. →Heilquellen.

2) *Medizin:* der Krankheitsbehandlung dienende Bäder (→Bad).

Heilbrọnn, 1) Landkreis im RegBez. Stuttgart, Bad.-Württ., 1100 km², (1996) 303500 Einwohner.

2) kreisfreie Stadt in Bad.-Württ., Verw.sitz des Landkreises H., in einer Weitung des Neckartales, 121500 Ew.; FH für Technik und Wirtschaft, Staatl. Gehörlosenschule, Museen. Mittelpunkt eines Gemüse-, Obst- und Weinbaugebiets; die Ind. umfasst Nahrungs- und Genussmittel-, chem. Ind., Fahrzeug-, Werkzeug- und Stahlbau, Elektro-, Textil-, Papierind.; Salzbergwerk; Hafen am (kanalisierten) Neckar. – In der Altstadt (1944 fast völlig zerstört) sind wiederhergestellt das Renaissance-Rathaus, die Kilianskirche (13.–16. Jh.) mit 62 m hohem Renaissanceturm, der Deutschhof (16.–18. Jh.) und das Käthchenhaus am Markt; bed. auch Kaufhaus »Merkur« (1951) von E. Eiermann. – Auf röm. Siedlungsgebiet entstanden, 741 als Königshof erwähnt, 1281 Stadt, 1371–1803 Reichsstadt; kam 1803 an Württemberg.

Heilbrụnn, Bad, →Bad Heilbrunn.

Heilbutt, →Plattfische.

Heilfasten, die →Fastenkur.

Heilfieber, künstlich erzeugtes Fieber zur Behandlung chronisch verlaufender, fieberloser Krankheiten (v.a. Nervenkrankheiten).

heilig, in den Religionen Bez. dessen, was einer Gottheit angehört (→heilige Stätten) und vom Profanen getrennt ist; in der Religionswiss. seit Rudolf Otto (*1869, †1937) Bez. für »das ganz Andere« (»Numen«), das dem Menschen in seiner Doppelnatur als »tremendum« (das Furcht Erregende schlechthin) und »fascinosum« (das Fesselnde, Anziehende schlechthin) gegenübertritt.

📖 OTTO, R.: *Das Heilige. Neuausg. München 50.–53. Tsd. 1991.* – ELIADE, M.: *Das Heilige u. das Profane. A. d. Frz. Neuausg. Frankfurt am Main u. a. ³1995.*

Heilige, in den Religionen Menschen, die in besonderer Weise Vorbilder, Lehrer, Bekenner oder Märtyrer des Glaubens sind: im Islam »Freunde Gottes« (Wali Allah); im Buddhismus die »Erleuchteten« (Buddhas und Bodhisattvas); im N.T. die Mitgl. der Gemeinde Jesu Christi (z.B. 1. Kor. 1, 2; Kol. 3, 12); in der frühen Kirche die Märtyrer; seit dem 10. Jh. (993) in der kath. Kirche die nach ihrem Tod und abgeschlossenem Heiligsprechungsprozess und päpstl. Bestätigung (→Heiligsprechung) in der Gesamtkirche als Fürbitter und →Mittler zu Gott amtlich verehrten Zeugen des Glaubens; in den orth. Kirchen die verstorbenen »vor dem Thron Gottes stehenden« (in ihren Ikonen im Gottesdienst wirkmächtigen) Zeugen des Glaubens; in den luther. Kirchen in Anschluss an Luther Vorbilder des Glaubens zur Stärkung des eigenen Glaubens ohne besondere Verehrung. Die ref. Kirchen lehnen jegl. Heiligenverehrung ab.

Heilige Allianz, auf Veranlassung des russ. Kaisers Alexander I. am 26. 9. 1815 von den Monarchen Russlands, Österreichs und Preußens unterzeichnete Absichtserklärung, die Prinzipien der christl. Religion (Gerechtigkeit, Liebe, Frieden) zur Grundlage ihrer Innen- und Außenpolitik zu machen; vom österr. Kanzler Metternich in ein konservatives Bündnis zur Erhaltung der Ordnung von 1815 gewandelt. Die H. A., der alle christl. Mächte außer Großbritannien und dem Hl. Stuhl beitraten und deren Politik sich v.a. auf Monarchenkongressen (der erste in Aachen, 1818) manifestierte, wurde zum Inbegriff der Restauration; sie zerbrach schließlich am Interessengegensatz der Großmächte im grch. Unabhängigkeitskrieg.

Heilige der letzten Tage, die →Mormonen.

Heilige Drei Könige, →Drei Könige.

Heilige Famili|e, die häusl. Gemeinschaft des Kindes Jesu mit Maria und Joseph; seit dem 17. Jh. als Vorbild der christl. Familie verehrt.

heilige Kriege (Glaubenskriege), Bez. für Kriege im Namen einer religiösen Idee, z.B. im Islam der →Djihad, im europ. MA. die →Kreuzzüge.

Heilige Lanze, die Lanze, mit der nach Joh. 19, 34 ein röm. Kriegsknecht die Seite des gekreuzigten Christus durchstach; nach der Legende von der Kaiserin Helena gefunden.

Heilige Liga, Bez. mehrerer Fürstenbünde im 16. und 17. Jh., meist mit Unterstützung des Hl. Stuhls geschlossen. (→Liga)

Heilige Nacht, die Nacht der Auferstehung Jesu Christi (Ostern); im heutigen Sprachgebrauch die seiner Geburt (Weihnachten).

Heiligenbeil, Stadt in Russland, →Mamonowo.

Heiligenberg, Gemeinde im Bodenseekreis, Bad.-Württ., Luftkurort nordöstlich von Überlingen, 726 m ü.M., 3 100 Ew. – Renaissanceschloss der Fürsten von Fürstenberg (begonnen 1559) mit prunkvollem Rittersaal (1580–84, in den 1950er-Jahren restauriert) und Schlosskapelle (1590–1607).

Heiligenberg: Besonders bemerkenswert ist die aufwendig gestaltete Kassettendecke des 1580-84 eingerichteten Rittersaals im Schloss der Fürsten von Fürstenberg

Heiligenbild, die bildl. Darstellung von Heiligen; in der christl. Kirche seit dem 3. Jh. nachweisbar; Bestandteil der Volksfrömmigkeit. Die Theologie der Ostkirche geht von der Realpräsenz (Urbild) des im H. Abgebildeten (Abbild) aus, die in der andächtigen Verehrung erfahren wird.

Heiligenblut, Fremdenverkehrsort in den Hohen Tauern, Kärnten, Österreich, im oberen Mölltal, 1300 m ü.M., 1300 Ew.; südl. Endpunkt der Großglockner-Hochalpenstraße; Mühlenfreilichtmuseum, spätgot. Wallfahrtskirche (1491 geweiht).

Heiligenhafen, Stadt im Kr. Ostholstein, Schlesw.-Holst., am Fehmarnsund, 9 100 Ew.; Ostseebad; Bootswerft, Strandkorbfabrik, Fischerei; Hafen, Jachthafen. – Frühgot. Stadtkirche.

Heiligenhaus, Stadt im Kr. Mettmann, NRW, im westl. Bergischen Land, 29 400 Ew.; Schloss- und Beschlag-, Elektroind., Gießereien, Maschinenbau, Kunststoffverarbeitung. – 1947 Stadt.

Heiligenkreuz, Gemeinde im südl. Wienerwald, Niederösterreich, 1 100 Ew.; Wallfahrts- und Ausflugsort. Zisterzienserabtei mit roman. Basilika (12. Jh.) und Kreuzgang (13. Jh.), wertvolle Bibliothek.

Heiligenschein (Nimbus, Gloriole), *Kunst:* Lichtkreis, Lichtscheibe oder Strahlenkranz bei göttl. oder hl. Gestalten. Der die ganze Figur kreisförmig umgebende H. heißt **Aureole,** der mandelförmige **Mandorla;** beide fast ausschl. für Christus und Maria. Die allgemeinste Form ist der **Nimbus** hinter dem Haupt.

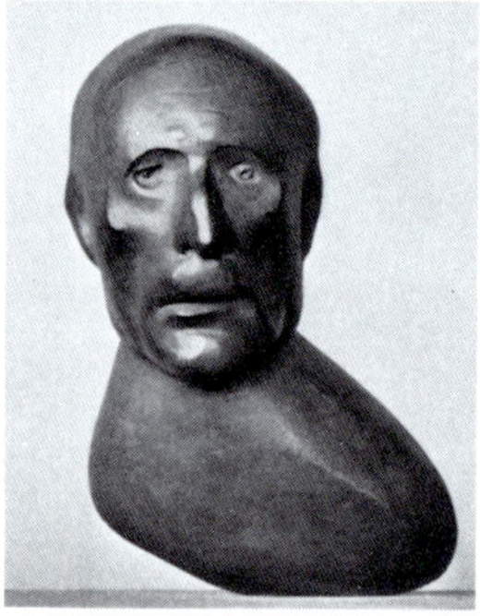

Bernhard Heiliger: Porträtbüste von Karl Hofer, Bronze, Höhe 42 cm (1951; Hannover, Niedersächsisches Landesmuseum)

Heiligenschrein, 1) →Reliquiare.

2) →Schreinaltar.

Heiligenstadt (amtl. Heilbad H.), Krst. des Landkreises Eichsfeld in Thür., im Eichsfeld, an der Leine, 17200 Ew.; Kneippkurort; Textil- und Papierindustrie. – Got. Stiftskirche (14./15. Jh.), Pfarrkirche St. Marien (14. Jh.), ehem. Jesuitenkolleg (1739/40), Barockschloss (1736–38), Bürgerhäuser (15.–18. Jh.). – Erhielt 1227 Stadtrecht.

Bernhard Heiliger: Seraph, Bronze (1950; Wolfsburg, Stadthalle)

Heiliger, Bernhard, Bildhauer, *Stettin 11. 11. 1915, †Berlin 25. 10. 1995; lehrte 1949–84 an der Hochschule für Bildende Künste in Berlin (West). Sein Werk umfasst figürl., von der menschl. Figur ausgehende, z.T. abstrakte Plastiken und bed. Porträtbüsten, in neuerer Zeit auch Collagen.

Heiliger Abend (Heiligabend), der Abend vor Weihnachten.

Heiliger Geist (grch. Hagion Pneuma, lat. Spiritus Sanctus), bibl. Bez. des Geistes Gottes; beschreibt im A.T. die Schöpfermacht Gottes (1. Mose 1,2), die Leben spendet (1. Mose 2,7) und den Menschen mit Weisheit und Erkenntnis ausrüstet; im N.T. der »Geist des Herrn«, der zu einem neuen Leben im Glauben befreit (2. Kor. 3,17), die Kirche begründet (Apg. 2,33), leitet und ihr beisteht; in der christl. Theologie neben dem Vater und dem Sohn die dritte und mit ihnen wesensgleiche Person der →Trinität. – In der *bildenden Kunst* wird der H. G. nach Mk. 1, 10f. symbolisch als Taube oder nach Apg. 2, 3f. als Flammenzunge dargestellt.

📖 Congar, Y.: *Der H. G. A. d. Frz. Freiburg im Breisgau u. a.* [3]*1991.*

Heiliger Rock, der nach Joh. 19,23 von den Soldaten unter dem Kreuz verloste ungenähte Leibrock Christi, dessen Besitz im MA. viele Städte für sich in Anspruch nahmen (Rom, Konstantinopel, Wittenberg, Argenteuil). Eine besondere Stelle nimmt der H. R. im Dom zu Trier ein.

Heiliger Stuhl, *Völkerrecht:* Bez. des Oberhaupts der kath. Kirche in seiner Eigenschaft als Völkerrechtssubjekt. Die historisch gewachsene völkerrechtl. Subjektqualität des H. S.s trat bes. nach dem territorialen Verlust des Kirchenstaates (1870) hervor, als zahlreiche Staaten mit dem H. S. diplomat. Beziehungen unterhielten. Sie blieb auch nach Abschluss der Lateranverträge (1929) und dem Entstehen des souveränen Vatikanstaats als neuem Völkerrechtssubjekt erhalten und ist von diesem getrennt zu betrachten. Im Rahmen seiner traditionellen Aufgaben nimmt der H. S. am völkerrechtl. Verkehr teil und schließt völkerrechtl. Verträge, bes. Konkordate.

Heiliger Synod, Organ der →russisch-orthodoxen Kirche.

Heiliger Vater, Ehrentitel und Anredeform des Papstes.

Heilige Schrift, zusammenfassende Bez. für das A. T. und N. T.; die →Bibel.

Heiliges Grab, 1) Grabstätte Jesu, nach Mt. 27,60 ein einzelnes Felsengrab vor den Toren Jerusalems; im 4. Jh. mit einer Höhle identifiziert, über der Konstantin d. Gr. die Jerusalemer Grabeskirche errichten ließ.

Heiliges Grab 2) im Konstanzer Münster (um 1280)

2) *bildende Kunst:* seit dem frühen MA. bis ins 18. Jh., v.a. in der roman. Baukunst häufige Nachahmung der Jerusalemer Grabeskirche bzw. des Grabes Christi als zentraler Kirchenbau (Michaelskapelle in Fulda, 822), als Einbau in eine Kirche (im Konstanzer Münster, um 1280) oder als Figurengruppe, meist im Seitenschiff einer Kirche (Freiburger Münster, um 1330).

Heiliges Jahr, das →Jubeljahr.

Heiliges Land, aus dem A. T. belegter Name für Palästina als Ort der Offenbarung Jahwes. (→Gelobtes Land)

Heiliges Römisches Reich, amtl. Bez. für den Herrschaftsbereich des abendländ. Röm. Kaisers und der in ihm verbundenen Reichsterritorien (Dtl., Italien [seit 951] und Burgund [seit 1033]); 911/18 aus dem Ostfränk. Reich hervorgegangen und zunächst »Regnum Teutonicum« gen.; 1806 aufgelöst. Die lat. Bez. **Romanum Imperium** (seit 1034) gehörte bereits zum Kaisertitel Karls d. Gr.; als **Sacrum Imperium** wird das Reich seit 1157 in Urkunden Kaiser Friedrichs I. bezeichnet. Seit 1254 bürgerte sich in den Königsurkunden die lat. Bez. **Sacrum Romanum Imperium** ein. In dt. Urkunden tritt die Bez. H. R. R. bei Kaiser Karl IV. auf; im 15. bis Mitte des 16. Jh. mit dem Zusatz:

Heilpflanzen (Auswahl)

dt. Name	*lat. Name*	*verwendete Pflanzenteile*	*Inhaltsstoffe*	*Anwendung*
Arnika	Arnica montana	Blüten	äther. Öl, Bitterstoffe, Flavonoide	äußerlich bei Blutergüssen und Mundschleimhautentzündungen
Baldrian	Valeriana officinalis	Wurzel	äther. Öl, Valepotriate	bei Nervosität, Schlafstörungen
Bärentraube	Arctostaphylos uva-ursi	Blätter	Hydrochinonverbindungen, Gerbstoffe	bei Entzündungen der Harnwege (nur bei alkal. Harn)
Beifuß	Artemisia vulgaris	Kraut	äther. Öl, Bitterstoffe	bei Verdauungsbeschwerden, Blähungen, Appetitlosigkeit
Echte Kamille	Matricaria recutita	Blüten	äther. Öl mit Chamazulen	bei innerl. und äußerl. Entzündungen, Magen-Darm-Beschwerden
Eibisch	Althaea officinalis	Wurzel, Blätter	Schleim, Stärke, Pektin	bei Reizhusten, Magen-Darm-Katarrhen, Bronchitis, Entzündungen des Rachenraums
Engelwurz	Angelica archangelica	Wurzelstock	äther. Öl, Bitterstoffe	bei Magenverstimmung, Verdauungsstörungen
Eukalyptus	Eucalyptus globulus	Blätter	äther. Öl mit Zineol	bei chron. Bronchitis
Fenchel	Foeniculum vulgare	Früchte	äther. Öl	appetitanregend, verdauungsfördernd, bei Blähungen, Magen-Darm-Krämpfen, Erkrankungen der Atemwege
Frauenmantel	Alchemilla xanthochlora	Kraut	Gerbstoffe, Bitterstoffe	bei Magen-Darm-Erkrankungen, Durchfall, Blähungen
Holunder (Schwarzer Holunder)	Sambucus nigra	Blüten	äther. Öl, Flavonoide	bei fieberhaften Erkältungen (schweißtreibend)
Huflattich	Tussilago farfara	Blüten	äther. Öl, Schleim, Bitterstoffe	bei entzündeten Schleimhäuten
Isländ. Moos	Cetraria islandica	ganze Pflanze (eine Flechte)	Schleimstoffe, Flechtensäuren	bei Husten, Entzündungen der Atmungsorgane, verdauungsfördernd
Knoblauch	Allium sativum	Zwiebeln	äther. Öl, Allizin	appetitanregend, verdauungsfördernd
Lein (Flachs)	Linum usitatissimum	Samen	fettes Öl, Schleim	bei chron. Verstopfung, Magenschleimhautentzündung
Löwenzahn	Taraxacum officinale	Wurzel, ganze Pflanze	Bitterstoffe	appetitanregend, bei Verdauungsbeschwerden, Blutreinigungsmittel
Melisse	Melissa officinalis	Blätter	äther. Öl mit Zitronellal und Zitral	bei Nervosität, Magen-Darm-Beschwerden
Odermennig (Kleiner Odermennig)	Agrimonia eupatoria	Kraut	Gerbstoffe, Bitterstoffe, äther. Öl	bei Magen-Darm-Entzündungen, Gallenbeschwerden
Pfefferminze	Menthax piperita	Blätter	äther. Öl mit Menthol, Gerb- und Bitterstoffe	bei Magenschleimhautentzündungen, Magen-Darm-Koliken, Gallenbeschwerden
Röm. Kamille	Anthemis nobilis	Blüten	äther. Öl, Bitterstoffe	wie Echte Kamille
Sanikel	Sanicula europaea	Kraut	Triterpensaponine, Pflanzensäuren, äther. Öl	bei Blähungen
Schafgarbe	Achillea millefolium	Blüten, Kraut	äther. Öl mit Azulen, Bitterstoffe	appetitanregend, verdauungsfördernd, bei Magenbeschwerden
Schlehe (Schlehdorn, Schwarzdorn)	Prunus spinosa	Blüten	Kohlenhydrate, Glykoside	bei Erkältungen, mildes Abführmittel
Spitzwegerich	Plantago lanceolata	Kraut	Glykoside, Schleim, Kieselsäure	bei Katarrhen der oberen Atemwege
Wermut	Artemisia absinthium	Kraut	äther. Öl, Bitter- und Gerbstoffe	bei Verdauungsstörungen, Magenleiden, Appetitlosigkeit

Deutscher Nation (lat. **Nationis Germanicae**) (→deutsche Geschichte).

heilige Stätten (Heiligtümer), in den Religionen Bez. für alle Bauten, Orte, Städte, Regionen und natürl. Stätten (z.B. Bäume, Haine, Flüsse) mit spezifisch religiöser Bedeutung; sind vielfach Kultstätten; oft herrscht an ihnen das Asylrecht.

heilige Zeiten, in den Religionen dem Alltag enthobene Zeitabschnitte, die meist in jährl. Wiederholung durch Feste begangen werden und eine Ursache für die Erstellung des Kalenders waren.

Heiligsprechung (Kanonisation), in der kath. Kirche auf der Grundlage eines abgeschlossenen, kirchenrechtlich genau geordneten Verfahrens (H.-Prozess) in liturg. Form erfolgende, seit 1234 dem Papst vorbehaltene feierl. und endgültige Erklärung, durch die ein zuvor selig Gesprochener unter die Heiligen aufgenommen und seine amtl. Verehrung in der Gesamtkirche gestattet wird; setzt den Nachweis von nach der Seligsprechung geschehenen Wundern voraus.

Heilkunde, die →Medizin.

Heiller, Anton, österr. Komponist, Organist und Dirigent, *Wien 15. 9. 1923, †ebd. 25. 3. 1979; schrieb v.a. Kirchenmusik und weltl. Orgelmusik.

Heilmeyer, Ludwig, Internist, *München 6. 3. 1899, †Desenzano del Garda (Prov. Brescia) 6. 9. 1969; arbeitete v.a. auf den Gebieten Hämatologie und Chemotherapie.

Heilquellen: Chemische und physikalische Eigenschaften und Wirkungen

Wässer mit mehr als 1 g gelösten festen Mineralstoffen je kg:

Chloridwässer
schleimlösend bei Inhalation und Trinkkur; dämpfend als Bad

Hydro(gen)carbonatwässer
Trinkkuren bei Diabetes, Gicht, Magenschleimhautentzündung, Entzündungen der Harnwege

Sulfatwässer
Anwendung bei chron. Leberkrankheiten und Entzündungen der Harnwege

Wässer mit besonders wirksamen Bestandteilen, unabhängig vom Gesamtgehalt an gelösten festen Mineralstoffen:

Eisenwässer und Arsenwässer
Trinkkuren bei Blutarmut, Unterernährung, Schilddrüsenüberfunktion

Jodwässer
Trink- und Badekuren bei Blutdruckerhöhung und Arteriosklerose

Schwefelwässer
Anwendung bei Gelenkerkrankungen, Hautleiden, Kreislaufstörungen

Radonwässer
Anwendung bei rheumat. Krankheiten

Kohlensäurewässer
Anwendung bei Herzkrankheiten und peripheren Durchblutungsstörungen

Wässer, deren natürl. Temperatur höher ist als 20 °C:

Akratothermen, Thermen, Thermalquellen
günstiger Einfluss bei degenerativen Schäden am Bewegungsapparat, bei Lähmungen, Nervenentzündungen, leichten Formen der Hochdruckkrankheit

Heilong Jiang [-dʒjaŋ] (Heilungkiang), **1)** Strom in Ostasien, →Amur.

2) (Heilungkiang), Provinz im äußersten NO Chinas, 454 000 km², (1994) 36,7 Mio. Ew.; Hptst.: Harbin. H. umfasst den Kleinen Chingan, den nördl. Abschnitt des zentralen mandschur. Berglandes und das Sumpfgebiet an den Unterläufen von Songhua Jiang und Ussuri. Bei gemäßigtem Klima Anbau von v.a. Sommerweizen, Zuckerrüben, Sojabohnen, Sonnenblumen und Flachs. Kohlenlagerstätten bei Shuangyashan, Erdölfeld Daqing nordwestlich von Harbin, Holz verarbeitende Industrie (zahlr. Papierfabriken).

Heilpädagogik, →Sonderpädagogik.

Heilpflanzen (Arzneipflanzen), Pflanzen zur Arzneiherstellung oder zu anderen Heilzwecken. ÜBERSICHT S. 159

Heilpraktiker, Berufsbez. für Personen, die entsprechend dem H.-Gesetz vom 17. 2. 1939 i.d.F.v. 2.3.1974 die staatl. Genehmigung zur Ausübung der Heilkunde (mit Beschränkungen, z.B. keine Impfungen, Zahnheilkunde, Geburtshilfe oder Behandlung von meldepflichtigen Krankheiten) besitzen und beim zuständigen Gesundheitsamt registriert sind. Die Ausbildung ist gesetzlich nicht festgelegt; es gibt private H.-Schulen mit etwa 2-jähriger Ausbildungszeit. I.d.R. werden die Behandlungskosten von den gesetzl. Krankenversicherungen nicht übernommen.

Heilquellen (Heilwässer), Quellwässer oder aus Quellsalzen hergestellte künstl. Mineralwässer mit nachweisbaren gesundheitsfördernden Wirkungen, die teils auf ihren chem. Bestandteilen, z.B. Kohlensäure, Natriumchlorid, Natriumsulfat, Eisensulfat **(Mineralquellen),** teils auf ihren physikal. Eigenschaften **(Thermalquellen)** beruhen. H. dienen zu Trink-, Bade- und Inhalationskuren.

Heilsarmee (Salutisten, engl. Salvation Army), aus der von dem Methodistenprediger William Booth 1865 gegr. Ostlondoner Zeltmission 1878 hervorgegangene, nach militär. Vorbild organisierte volksmissionarisch-diakon. Gemeinschaft, die das Evangelium verbreiten will und sich der Rettung Verwahrloster, dem Kampf gegen das Laster (v.a. den Alkoholmissbrauch) und der Sorge für Arbeitslose und sozial Schwache widmet. In Dtl. gibt es vier Divisionen (Bezirksverwaltungen). Weltweit wird das Werk von 17 000 aktiven Offizieren und ca. 2,5 Mio. Soldaten in 94 Ländern durchgeführt. Hauptquartier ist London, in Dtl. Köln.

📖 GNEWEKOW, D. *u.* HERMSEN, T.: *Die Geschichte der H. Opladen 1993.*

Heilsberg, Stadt in Polen, →Lidzbark Warmiński.

Heilschlaf, durch Arzneimittel (Schlafmittel) zu Heilzwecken in einer Spezialklinik herbeigeführter länger dauernder Schlafzustand; angewendet z. B. bei Erschöpfungszuständen.

Heilserum, Blutserum (Immunserum) von Tier oder Mensch, das nach natürl. oder künstl. Immunisierung mit Antigenen gewonnen wird und eine hohe Konzentration von spezif. Antikörpern enthält. Es wird auch als Immunglobulinfraktion (→Immunglobulinprophylaxe) verwendet und dient der passiven Immunisierung v. a. gegen Wundstarrkrampf, Diphtherie, Botulismus, Gasbrand, Tollwut, Hepatitis B oder Schlangenbiss.

Heilsgeschichte, Begriff jüdisch-christl. theolog. Denkens, der (im Ggs. zum mythisch-religiösen Denken) Geschichte als den konkreten örtl. und zeitl. Raum begreift, in dem sich Gottes Heil für den Menschen erfahrbar ereignet, und als Prozess, der auf ein von Gott gesetztes Ziel hinläuft.

Heilungkiang, →Heilongjiang.

Heilungsbewegung, Bez. für Gemeinschaften, die die Genesung von Krankheiten durch rein religiöse Mittel (z. B. Gebet) erstreben (→Christian Science, →Neugeistbewegung, J. C. →Blumhardt).

Heim, öffentl. Einrichtung der Sozial-, Kranken- und Jugendhilfe.

Heim, Karl, evang. Theologe, *Frauenzimmern (heute zu Güglingen, Kr. Heilbronn) 20. 1. 1874, †Tübingen 30. 8. 1958; 1920–39 Prof. für systemat. Theologie in Tübingen; versuchte als einer der wenigen evang. Theologen des 20. Jh. das christl. Erbe (des schwäb. Pietismus) mit dem neuzeitl. naturwiss. Denken zu verbinden (»Der evang. Glaube und das Denken der Gegenwart«, 6 Bde., 1931–52).

Heimaey ['hɛjmaɛj], einzige ständig bewohnte Insel der Westmännerinseln vor der SW-Küste von Island, 13 km², 4 800 Ew. Die einzige Siedlung, der Hafenort Vestmannaeyjar, musste 1973 wegen eines Vulkanausbruchs, der Teile der Stadt unter Asche begrub, für mehrere Monate evakuiert werden.

Heimaey: Blick auf den Hafenort Vestmannaeyjar, dahinter die Vulkane Eldfall (links) und Helgafell

Heimarbeit, Arbeit, die von einem arbeitnehmerähnl. Personenkreis in selbst gewählter Arbeitsstätte (insbesondere in eigener Wohnung) im Auftrag eines Gewerbetreibenden selbstständig und ohne direkte Zeitkontrolle geleistet wird. In modernen Volkswirtschaften gewinnt H. durch neue Telekommunikationsmittel zunehmend an Bedeutung (Telearbeit).

In Dtl. ist das H.-Gesetz vom 14. 3. 1951 (HAG) verbindl. Rechtsnorm für diesen arbeitnehmerähnl. Personenkreis, der zwar persönlich selbstständig und frei von Zeitkontrolle (direktionsfrei) arbeitet, den Arbeitsauftrag aber von einem Arbeitgeber erhält. Die dadurch bedingte wirtsch. Abhängigkeit begründet eine soziale Schutzbedürftigkeit, die das HAG durch zahlr. Vorschriften zu gewährleisten versucht: Meldepflicht durch den Auftraggeber (beim Arbeitsamt und der obersten Arbeitsbehörde des Landes), Fürsorgepflicht des Auftraggebers, Kündigungsschutz (mindestens vier Wochen zum 15. oder zum Ende des Folgemonats), Mutterschutz, Gefahren- und Arbeitsschutz. – In *Österreich* enthält ein H.-Gesetz ähnl. Schutzbestimmungen wie in Dtl. In der *Schweiz* gilt das Bundes-Ges. über H. vom 20. 3. 1981; daneben bestehen Sondernormen für die Uhrenind. u. a. Wirtschaftszweige.

Heimat, subjektiv von einzelnen Menschen oder kollektiv von Gruppen, Stämmen, Völkern, Nationen erlebte territoriale Einheit, zu der ein Gefühl besonders enger Verbundenheit besteht. Im allgemeinen Sprachgebrauch ist H. zunächst auf den Ort (auch als Landschaft verstanden) bezogen, in den der Mensch hineingeboren wird, wo die frühen Sozialisationserlebnisse stattfinden, die weithin Identität, Charakter, Mentalität, Einstel-

Heimat

Ubi bene, ibi patria

*Der lateinische Vers (deutsch: »Wo es mir gut geht, da ist mein Vaterland«) ist nach einer Stelle aus Marcus Tullius Ciceros »Gesprächen in Tusculum« (V, 37) gebildet: »Patria est, ubicumque est bene.« Cicero übernahm das Zitat aus dem Drama »Teucer« des römischen Tragikers Marcus Pacuvius (220 – um 130 v. Chr.). Letztlich geht die sprichwörtliche Redensart auf den griechischen Komödiendichter Aristophanes (vor 445 – um 385 v. Chr.) zurück. In »Plutos« (1151) bittet der Götterbote Hermes die reich gewordenen Armen, die nun nicht mehr den Göttern opfern, um Aufnahme und benutzt dabei die Sentenz als Argument. – Der heute kaum noch bekannte Dichter Friedrich Hückstädt (*1781, †1823) gab einem kosmopolitischen Gedicht den Titel »Ubi bene, ibi patria« und ließ darin auch jede Strophe mit dieser Zeile enden.*

lungen und schließlich auch Weltauffassungen prägen. Insoweit kommen dem Begriff grundlegend eine äußere, auf den Erfahrungsraum zielende, und eine auf die Modellierung der Gefühle und Einstellungen zielende innere Dimension zu, die (zumal der Begriff H. zunächst mit der Erfahrung der Kindheit verbunden ist) dem Begriff eine meist stark gefühlsbetonte, ästhet., nicht zuletzt ideolog. Komponente verleihen.

📖 KROCKOW, C. GRAF VON: *H. Erfahrungen mit einem dt. Thema. Neuausg. München 1992.* – *H. Auf der Suche nach der verlorenen Identität, hg. v.* J. RIEDL. *Wien 1995.*

Heimatkunst, i.w.S. jede aus dem Gefühl der Heimatverbundenheit erwachsene Kunst; in der Literatur eine in Volkstum und heimatl. Landschaft wurzelnde Dichtung, die leicht der Gefahr der Idyllisierung des Dorf- und Landlebens verfällt. Die Heimat war selbstverständl. Rahmen vieler Schriftsteller des 19. Jh. (z.B. J. P. Hebel, B. Auerbach, L. Anzengruber, J. Gotthelf, F. Reuter, P. Rosegger, L. Ganghofer). Ende des 19. Jh. wurde H. v.a. von F. Lienhard und dem Literarhistoriker Adolf Bartels (*1862, †1945) zum Programm erhoben. Der Dekadenzdichtung, dem Symbolismus und Naturalismus der Großstadt sollten ideale Werte entgegengestellt werden. Bartels vertrat eine stark völk. Richtung, woran die Blut-und-Boden-Dichtung des Nationalsozialismus anknüpfte. (→Trivialliteratur)

heimatlose Ausländer, fremde Staatsangehörige oder Staatenlose, die als →Displaced Persons von internat. Organisationen betreut wurden, nicht Deutsche im Sinne des Art. 116 GG sind und am 30. 6. 1950 ihren Aufenthalt im Geltungsbereich des GG oder in Berlin (West) hatten. Ihr ausländerrechtl. Sonderstatus bestimmt sich nach dem Gesetz über die Rechtsstellung h. A. im Bundesgebiet vom 25. 4. 1951. Sie sind in weiten Bereichen dt. Staatsangehörigen gleichgestellt.

Heimatmuse|um, Typ eines lokal ausgerichteten Museums mit dem Ziel, die Denkmäler der heim. Natur und Kultur zu sammeln, zu erhalten und im größeren Zusammenhang zu erforschen.

Heimatrecht, ein vererbl., durch Geburt, Heirat, Verleihung oder Ersitzung erworbenes Gemeindebürgerrecht, das in Dtl. für die Stammes- oder Staatszugehörigkeit bis ins 19. Jh. (1867 Gesetz über die Freizügigkeit) bestimmend war. Heute erfüllen die einheitl. Staatsangehörigkeit, die Freizügigkeit und die Garantie gleicher staatsbürgerl. Rechte (Art. 11, 33 GG) die Funktion des früheren H. – In *Österreich* wurde das H. am 30. 6. 1939 aufgehoben, entscheidend ist heute der ordentl. Wohnsitz; in der *Schweiz* hat jeder Schweizer Bürger neben dem Schweizerbürgerrecht das kantonale H. und das Gemeindebürgerrecht.

Völkerrecht: das Recht, Aufenthalt und Wohnsitz frei zu wählen, nicht willkürlich seiner Heimat und Staatsangehörigkeit verlustig zu gehen und Freizügigkeit zu genießen; gehört zu den Menschenrechten. – Im *internat. Privatrecht* das Recht des Staates, dem jemand angehört.

Heimatschein, in der Schweiz der Bürgerrechtsausweis des Schweizers im Inland; er muss im Inland verbleiben.

Heimatvertriebene, →Vertriebene, →Landsmannschaft.

Heimburg, Gregor, Rechtsgelehrter und Humanist, *Schweinfurt um 1400, †Wehlen (heute Stadt Wehlen, bei Pirna) August 1472; trat gegen die polit. Ansprüche des Papsttums auf; 1460 von Pius II. exkommuniziert; versöhnte sich jedoch kurz vor seinem Tod mit der Kirche.

Heimchen, Art der →Grillen.

Heimcomputer [-kɔmpjuːtər] (engl. Homecomputer), veraltete Bez. für kleinere, wenig leistungsfähige Computer v.a. für private Zwecke; heute vom →Personalcomputer abgelöst.

Heimdall, nordgerman. Gott, der alles sehende Wächter der Götter; warnt die Asen zu Beginn der Götterdämmerung vor den nahenden Feinden.

Heimeran, Ernst, Schriftsteller, Verleger, *Helmbrechts (Kr. Hof) 19. 6. 1902, †Starnberg 31. 5. 1955; gründete 1922 in München den **Ernst Heimeran Verlag,** der bis 1980 edierte; schrieb u.a. heitere Erzählungen (»Das stillvergnügte Streichquartett«, 1936).

Heimerziehung, die im Rahmen der Jugendhilfe vorübergehend oder dauernd durchgeführte Erziehung von Kindern und Jugendlichen in einem Heim (§ 34 SGB VIII). H. soll die Rückkehr in die Familie zu erreichen versuchen, die Erziehung in einer anderen Familie vorbereiten oder die Verselbstständigung des Jugendlichen fördern. H. kann bei Verwaisung erfolgen oder wenn die Eltern ihrer Erziehungspflicht nicht angemessen nachkommen. Auch wenn die körperl. bzw. seelisch-geistige Situation des Kindes heil- oder sonderpädagog. Betreuung fern vom Wohnort erfordert, wird auf H. zurückgegriffen. – Die neuere H. legt zur Vermeidung von spezif. Störungen, die bei Heimzöglingen auftreten können, Wert auf familienähnl. Kleingruppen oder Wohngemeinschaften, bes. in Kinder- und Jugenddörfern.

Heimfall, *Recht:* **1)** im Lehnsrecht der Rückfall eines Lehnsgutes an den Lehnsherrn, wenn keine Erben des Vasallen vorhanden waren. Vom H. leitet sich das Erbrecht des Fiskus, wenn weder Ehegatte noch Verwandte des Erblassers vorhanden sind (§ 1936 BGB), ab.

2) (Heimfallrecht, Anfallrecht) die Verpflichtung des Nutzungsberechtigten, die jeweilige Sache unter bestimmten Voraussetzungen auf den

Eigentümer zurückzuübertragen; ggf. bei Erbbau-, Heimstätten- und Dauerwohnrecht.

Heimkehrer, im Sinn des 1992 aufgehobenen H.-Ges. in das Bundesgebiet aus fremdem Gewahrsam zurückgekehrte Deutsche, die wegen ihrer Zugehörigkeit zu militär. o.ä. Verbänden kriegsgefangen waren; ferner Internierte, Verschleppte, z.T. auch Zivilarbeiter sowie Ausländer und Staatenlose, die auf dt. Seite in militär. o.ä. Verbänden gekämpft hatten.

heimliches Gericht, das Femgericht.

Heimpel, Hermann, Historiker, *München 19.9.1901, †Göttingen 23.12.1988; seit 1931 Prof. in Freiburg i.Br., dann in Leipzig (ab 1934), Straßburg (ab 1941) und seit 1947 in Göttingen; arbeitete v.a. zur Reichs- und Wirtschaftsgeschichte des Spätmittelalters.

Heimskringla [altnord. »Weltkreis«] *die,* das Hauptwerk des →Snorri Sturluson, wohl um 1230 entstanden; behandelt die Geschichte der norweg. Könige bis 1177; besteht aus 16 Sagas und ist das klass. Werk der isländ. Prosaliteratur.

Heimsoeth [-zø:t], Heinz, Philosoph, *Köln 12.8.1886, †ebd. 10.9.1975; Philosophiehistoriker, Studien zu Paracelsus, G. Bruno, Fichte und Nietzsche, insbes. Forschungen zu Kant.

Werke: Die sechs großen Themen der abendländ. Metaphysik und der Ausgang des MA. (1922); Transzendentale Dialektik. Ein Kommentar zu Kants Kritik der reinen Vernunft, 4 Bde. (1966–71).

Heimstätte, Grundstück, bestehend aus einem Einfamilienhaus mit Nutzgarten, landwirtsch. oder gärtner. Anwesen, zu deren Bewirtschaftung die Familie nicht ständiger Hilfe bedarf. H. werden durch Bund, Länder, Gemeinden, Gemeindeverbände oder gemeinnützige Siedlungsgesellschaften zu günstigen Bedingungen ausgegeben. Das Eigentum ist vererblich und an »heimstättenfähige« Personen veräußerlich. Das Reichsheimstätten-Ges. von 1920 wurde 1993 aufgehoben.

Heimsuchung Mariä (lat. Visitatio Beatae Mariae Virginis), Marienfest oriental. Herkunft zum Gedächtnis der in Lk. 1, 39–56 geschilderten Begegnung der werdenden Mütter Maria und Elisabeth; Tag: 31.5. (seit 1969), in den deutschsprachigen Diözesen weiterhin am 2.7.

Heimtücke, Hinterlist, Arglist; als bewusstes Ausnutzen der Arg- und Wehrlosigkeit des Opfers Tatbestandsmerkmal des Mordes.

Heimtückegesetz, Kurzbez. des nat.-soz. Ausnahme-Ges. »gegen heimtück. Angriffe auf Staat und Partei und zum Schutz der Uniformen« vom 20.12.1934, das der Sicherung der nat.-soz. Herrschaft diente; seine unklaren und weit gefassten Tatbestände erlaubten den Behörden, die polit. Opposition einzuschüchtern und zu unterdrücken.

Heimweh, durch Distanz von der vertrauten Umgebung bedingtes Mangelgefühl (H.-Depression); verursacht v.a. durch geringe Bereitschaft oder Fähigkeit, sich an die Gegebenheiten einer neuen Umgebung zu gewöhnen.

Heimwehren (Heimatwehren, Heimatschutz), paramilitär. österreichische Selbstschutzverbände entstanden nach dem 1. Weltkrieg in den Nationalitätenkämpfen, v.a. in Kärnten 1919. Nach den Unruhen 1927 entwickelten sich die H. zu einer polit. Kampfbewegung. Am Vorbild des italien. Faschismus ausgerichtet, traten sie im Programm von Korneuburg (1930) für eine diktator., am Führerprinzip ausgerichtete Staatsführung und einen ständ. Gesellschaftsaufbau (»Austrofaschismus«) ein. Unter ihrem Bundesführer Fürst E. R. →Starhemberg unterstützte sie 1933/34 Bundeskanzler E. Dollfuss bei der Errichtung eines autoritären Reg.-Systems. 1936 gingen die H. in der →Vaterländischen Front als »Frontmiliz« auf.

Hein, Christoph, Schriftsteller, *Heinzendorf (heute Jasienica, Wwschaft Wałbrzych) 8.4.1944; gestaltet v.a. die morbide Gesellschaft der Gegenwart und reflektierte frühzeitig die Lebensunfähigkeit bisheriger gesellschaftl. Utopien; greift häufig auf histor. Sujets zurück; auch Übersetzer und Essayist. – *Werke:* Der fremde Freund (Nov., 1980); Passage (Stück, 1988); Das Napoleon-Spiel (R., 1993); Randow (Dr., 1994).

Heine, 1) Heinrich, bis 1825 Harry H., Dichter, *Düsseldorf 13.12.1797, †Paris 17.2.1856; Sohn eines jüd. Tuchhändlers; nach kaufmänn. Lehrzeit Studium in Bonn, Göttingen und Berlin; 1824 Be-

Heimsuchung Mariä: kolorierter Holzstich (um 1435; Wien, Grafische Sammlung Albertina)

Heinrich Heine: Ausschnitt aus einem Gemälde des Zeitgenossen Moritz Oppenheim (1831; Hamburg, Kunsthalle)

such bei Goethe; 1825 Abschluss seines Studiums in Göttingen und Übertritt zum Protestantismus. 1831 ging H. als Korrespondent der Augsburger »Allg. Zeitung« nach Paris, wo er mit den Saint-Simonisten sympathisierte und u. a. mit L. Börne, J. P. de Béranger, V. Hugo, H. de Balzac und G. Sand zusammentraf. Auch die Kontakte mit K. Marx (ab 1834 beteiligte er sich an dessen »Dt.-Frz. Jahrbüchern«) waren für H. polit. Entwicklung von Bedeutung. 1841 heiratete er Crescence Eugénie Mirat (»Mathilde«, *1815, †1883). Seit 1848 war er aufgrund eines Rückenmarkleidens an seine »Matratzengruft« gefesselt; in dieser Zeit stand ihm seine Geliebte Elise Krinitz (»Mouche«, *1830, †1897) zur Seite.

H. erwarb frühen literar. Ruhm als Lyriker. Seine »Gedichte« (1822) und das »Lyr. Intermezzo« (1823) erschienen, vermehrt um den Zyklus »Die Heimkehr« und die Gedichte aus den Reiseberichten »Harzreise« und »Die Nordsee« (1827) als »Buch der Lieder«. Von der Romantik übernahm er das Volksliedhafte; das Charakteristikum seiner Lyrik besteht in der witzig-iron. Behandlung (»romant. Ironie«) des Erlebnisses; lyr. Subjektivität bezeichnet seine nachklass. Stellung in der Übergangszeit zum Realismus. In den »Neuen Gedichten« (1844) wandte sich H. polit. Ereignissen seiner Zeit zu. In der Sammlung »Romanzero« (1851) herrscht ein pessimist. Grundton vor. Viele seiner Lieder und Balladen sind von F. Schubert und R. Schumann vertont worden. Beispielhafte realist. Gestaltungen gelangen ihm als Reiseschriftsteller; unter dem Sammeltitel »Reisebilder« erschienen 1826–31 u. a. »Harzreise«, »Ideen. Das Buch Le Grand«, »Die Bäder von Lucca«. Durch seinen witzig-pointierten, kritisch-entlarvenden und polem. Stil schuf H. eine moderne feuilletonist. Prosa. Das Verbot der Schriften des Jungen Dtl. und seiner eigenen (Bundestagsbeschluss 1835) stützte sich auf seinen Beitrag »Zur Gesch. der Religion und Philosophie in Dtl.« (»Der Salon«, Bd. 2, 1835). Das Pendant in der Literatur ist seine Darstellung »Zur Gesch. der neueren schönen Lit. in Dtl.« (2 Bde., 1833, ^{2}1836 u. d. T. »Die romant. Schule«). Für seine beißende Satire über die dt. Zustände und den zeitgenöss. polit. Utopismus (anachronist. Idee von Kaiser und Reich) wählte H. die Form des Versepos sowohl für »Deutschland. Ein Wintermärchen« (1844 in »Neue Gedichte«) wie auch für »Atta Troll. Ein Sommernachtstraum« (1847). Außerdem verfasste H. »Aus den Memoiren des Herrn von Schnabelewopski« (Essay, 1834), »Florentin. Nächte« (Essay) und »Elementargeister« (Essay, beide 1837), »Der Rabbi von Bacherach« (R.-Fragment), »Über Ludwig Börne. Eine Denkschrift« (Essay, 1840). H. war während des Nationalsozialismus als »jüdisch entartet« und »Fremdling in der dt. Dichtung« diffamiert.

🕮 MENDE, F.: *H. H. Chronik seines Lebens u. Werkes. Berlin ^{2}1981.* – HÄDECKE, W.: *H. H. München u. a. 1985.* – WÜRFFEL, S. B.: *H. H. München 1989.* – MARCUSE, L.: *H. H. mit Selbstzeugnissen u. Bilddokumenten. Reinbek 145.–148. Tsd. 1992.*

Thomas Theodor Heine
(Selbstporträt)

2) Thomas Theodor, satir. Zeichner, *Leipzig 28. 2. 1867, †Stockholm 26. 1. 1948; Mitbegründer und führender Mitarbeiter des →Simplicissimus; schuf hart konturierte satir. Zeichnungen, auch Jugendstilgrafik (Plakate, Buchschmuck); 1933 wegen »nichtar. Abstammung« aus der Preuß. Akademie der Künste ausgeschlossen und Flucht nach Prag, 1942 nach Schweden (1947 schwed. Staatsbürger).

Gustav Heinemann

Heinemann, Gustav, Politiker, *Schwelm 23. 7. 1899, †Essen 7. 7. 1976; Rechtsanwalt, 1933–45 führend für die Bekennende Kirche tätig, trat 1945 der CDU bei. 1945–67 war er Mitgl. des Rats und 1949–55 Präses der Synode der EKD, 1946–49 Oberbürgermeister von Essen und 1947–48 Justizmin. von NRW. Aus Protest gegen die Wiederbewaffnung trat er 1950 als Bundesinnenmin. zurück; 1952 Austritt aus der CDU, 1953 Gründungsmitgl. der Gesamtdt. Volkspartei (GVP) und deren Vorsitzender. Nach der Selbstauflösung der GVP schloss sich H. 1957 der SPD an, 1957–69 MdB; 1966–69 Bundesjustizmin. (betrieb die Große Strafrechtsreform, die Reform des Unehelichenrechts und die des polit. Strafrechts). Als Bundespräs. (1969–74) bemühte sich H. v. a. um eine Aussöhnung der Deutschen mit ihren Nachbarn.

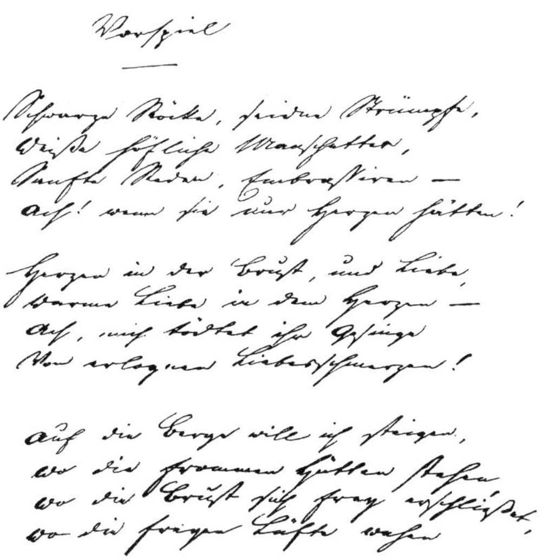

Heinrich Heine: Beginn des Prologs zur »Harzreise« (1826), Autograph

📖 Braun, J.: *Der unbequeme Präsident. Karlsruhe 1972.*

Heine-Medin-Krankheit [nach dem Orthopäden J. von Heine, *1800, †1879, und dem schwed. Kinderarzt K. O. Medin, *1847, †1927], die spinale →Kinderlähmung.

Hein, Freund, 1774 von M. Claudius in die Literatur eingeführte volkstüml. Bez. für den Tod.

Heinichen, Johann David, Komponist und Musiktheoretiker, *Krößuln (heute zu Krauschwitz, Kr. Weißenfels) 17. 4. 1683, †Dresden 16. 7. 1729; seit 1717 Kapellmeister am Dresdner Hof, schrieb Kirchen-, Orchester- und Kammermusik, zahlr. Opern und das Lehrbuch »Der General-Baß in der Composition« (1728).

Heinicke, Samuel, Pädagoge, *Nautschütz (heute zu Schkölen, Saale-Holzland-Kreis) 10. 4. 1727, †Leipzig 30. 4. 1790; gründete 1778 in Leipzig die erste dt. Taubstummenschule; schuf den Taubstummenunterricht, der nicht auf die Gebärdensprache, sondern auf eine artikulierte Lautsprache (Oralsystem) zielt.

Ernst Heinkel: He 178, das erste Flugzeug mit Turbinenluftstrahltriebwerk (1939)

Heinkel, Ernst Heinrich, Flugzeugkonstrukteur, *Grunbach (heute zu Remshalden) 24. 1. 1888, †Stuttgart 30. 1. 1958; entwickelte zahlr. Flugzeugtypen, u.a. das erste Raketenflugzeug (He 176, 1939) und das erste Flugzeug mit Turbinenluftstrahltriebwerk (He 178, 1939). Die von ihm 1922 gegr. **Ernst-Heinkel-Flugzeugwerke,** Warnemünde, wurden nach dem Zweiten Weltkrieg z.T. enteignet; Nachfolgeunternehmen fusionierten mit der Daimler-Benz AG und den Vereinigten Flugtechn. Werken.

Ernst Heinkel

Heinlein ['hi:nlın], Robert (Anson), amerikan. Schriftsteller, *Butler (Mo.) 7. 7. 1907, †Carmel (Calif.) 7. 5. 1988; zählt mit seinen zahlr. Romanen und Kurzgeschichten zu den Klassikern der Sciencefictionliteratur.

Heinrich, Willi, Schriftsteller, *Heidelberg 9. 8. 1920; realist. Kriegs- und Heimkehrerromane, Unterhaltungsromane (»Das geduldige Fleisch«, 1955; »Die Gezeichneten«, 1958).

Heinrich, Herrscher:

Heiliges Römisches Reich: **1) H. I.,** König (919–936), Herzog von Sachsen (seit 912), *um 875, †Memleben 2. 7. 936, Vater von 9); Liudolfinger, von König Konrad I. zum Nachfolger designiert, 919 von Franken und Sachsen gewählt. Die Anerkennung Herzog Burchards I. von Schwaben und Herzog Arnulfs von Bayern (Gegenkönig) erlangte er, indem er ihnen Sonderrechte, bes. die Kirchenhoheit, beließ. 925 wurde Lothringen wieder für das Ostreich (jetzt »Regnum Teutonicorum«) gewonnen. Den 926 mit den Ungarn geschlossenen Waffenstillstand nutzte H. zur Anlage von Burgen im östl. Sachsen; 933 schlug er die Ungarn bei →Riade. 927–929 brachte er die Slawen östlich der Elbe (Brandenburg) und Böhmen unter dt. Oberhoheit, 934 das Land zw. Eider und Schlei (dän. Mark). 935 schloss er einen Freundschaftsvertrag mit den Königen von Westfranken und Hochburgund, die gegen ihre Anerkennung durch H. endgültig auf Lothringen verzichteten. Um den »Gründer« des dt. Reichs sind Sagen entstanden, die meist an seinen Beinamen »auceps« (Vogelfänger) anknüpfen, z.B. Gedicht von J. N. Vogl, »Herr Heinrich sitzt am Vogelherd ...«, vertont von C. Loewe).

Heinrich I., Römischer König (Ausschnitt aus einem Relief im Kloster Pöhlde, Herzberg am Harz)

📖 Diwald, H.: *Heinrich der Erste. Die Gründung des Deutschen Reiches. Bergisch-Gladbach 1987.*

2) H. II., der Heilige, König (seit 1002), Kaiser (seit 1014), *Bad Abbach 6. 5. 973, †Pfalz Grone (bei Göttingen) 13. 7. 1024, Enkel von 9); letzter Liudolfinger (bayr. Linie), als H. V. seit 995 Herzog von Bayern, 1002 gegen Markgraf Ekkehard I. von Meißen und Herzog Hermann II. von Schwaben als Nachfolger Ottos III. zum König gewählt; stellte in Italien die erschütterte dt. Herrschaft wieder her, ließ sich 1004 zum König von Italien

Heinrich II., der Heilige, Römischer Kaiser (Detail aus der Adamspforte im Bamberger Dom)

krönen und erlangte 1014 die Kaiserkrönung. Boleslaw I. Chrobry von Polen musste ihm nach mehreren Feldzügen (1002–18) huldigen (1013 und 1018). H. förderte die Kirchen- und Klosterreform (Höhepunkte des Reichskirchensystems); 1007 stiftete er das Bistum Bamberg. Heilig gesprochen 1146; Tag: 13. 7.

3) H. III., König (regierte 1039–56), Herzog von Bayern (1027) und Schwaben (1038), König von Burgund (1038), Kaiser (seit 1046), *28. 10. 1017, †Pfalz Bodfeld (im Harz) 5. 10. 1056, Vater von 4); Salier, Sohn Konrads II., 1026 zum König gewählt, 1028 gekrönt, trat die Herrschaft nach dem Tod seines Vaters (1039) an. Von den Ideen der kluniazens. Reform bestimmt, griff er in die Auseinandersetzungen um den Papstthron ein und ließ 1046 die drei streitenden Päpste Gregor VI., Benedikt IX. und Sylvester III. absetzen und den Bischof Suitger von Bamberg als Klemens II. zum Papst erheben, der ihn am 24. 12. 1046 zum Kaiser krönte. In der Folge wirkte er als Patricius von Rom bei der Erhebung von drei weiteren dt. Bischöfen zu Päpsten mit und besetzte Bistümer und Abteien des Reichs mit Anhängern der kirchl. Reformbewegung. In H. erlangte das dt. Königtum seinen größten Einfluss auf die Kirche. 1041 unterwarf er Herzog Břetislaw I. von Böhmen, Ungarn musste ebenfalls die dt. Lehnshoheit anerkennen. 1043 ⚭ mit →Agnes von Poitou.

Heinrich VI., Römischer Kaiser (Ausschnitt aus einer Miniatur der Manessischen Handschrift, 1. Hälfte des 14. Jh.; Heidelberg, Universitätsbibliothek)

4) H. IV., König (seit 1056), Kaiser (seit 1084), *Goslar (?) 11. 11. 1050, †Lüttich 7. 8. 1106, Sohn von 3), Vater von 5); 1053 zum König gewählt, 1054 gekrönt; stand zunächst unter Vormundschaft seiner Mutter Agnes von Poitou. 1062 entführte Erzbischof Anno von Köln den König, verlor aber die Regentschaft an Erzbischof Adalbert von Bremen (bis 1066). H.s Versuch, die königl. Macht wiederherzustellen, führte zum Aufstand der Sachsen (1075 niedergeschlagen). Die Frage der Besetzung des Erzbistums Mailand leitete den Machtkampf mit Papst Gregor VII. ein (→Investiturstreit). Als Gregor VII. H. mit Absetzung drohte, ließ H. seinerseits Gregor absetzen (1076), worauf dieser ihn bannte. Fürsten und Bischöfe beschlossen in Trebur die Absetzung des Königs, wenn dieser sich nicht mit dem Papst aussöhne. 1077 erreichte H. in →Canossa die Lösung vom Bann. Dennoch wurde Rudolf von Rheinfelden zum Gegenkönig gewählt, gegen den sich H. jedoch behaupten konnte, ebenso gegen den folgenden Gegenkönig Hermann von Salm. Als Gregor VII. ihn 1080 erneut bannte, ließ H. ihn absetzen und Erzbischof Wibert von Ravenna als Klemens III. zum Papst wählen, der ihn 1084 in Rom zum Kaiser krönte. Während des 2. Italienzugs (1090–97) empörte sich sein Sohn Konrad gegen ihn. 1098 ließ H. ihn ächten und seinen zweiten Sohn Heinrich (V.) zum König wählen. Auch dieser erhob sich (1104) und zwang ihn 1105 zur Abdankung.

🕮 VOGEL, J.: *Gregor VII. u. H. IV. Berlin 1983.* – BOSHOF, E.: *H. IV. Herrscher an einer Zeitenwende. Göttingen u. a.* ^{2}*1990.*

5) H. V., König (1106–25), Kaiser (seit 1111), *wohl 11. 8. 1086, †Utrecht 23. 5. 1125, Sohn von 4); letzter Salier; 1098 zum König gewählt, 1099 gekrönt, erhob sich 1104 gegen seinen Vater, erreichte 1105 die Anerkennung, lehnte später wie sein Vater das kirchl. Investiturverbot ab. 1111 setzte er Papst Paschalis II. gefangen, erzwang das Privileg der Investitur und die Kaiserkrönung; eine röm. Synode widerrief den Vertrag. Im Reich erhoben sich die sächs. und thüring. Fürsten und besiegten ihn in der Schlacht am Welfesholz in der Nähe von Eisleben (11. 2. 1115). Verhandlungen mit Papst Kalixt II. führten 1122 zum →Wormser Konkordat, das den Investiturstreit beendete.

6) H. VI., König (1190–97), Kaiser (seit 1191), König von Sizilien (seit 1194), *Nimwegen 1165, †Messina 28. 9. 1197; Sohn Kaiser Friedrichs I., 1169 zum König gewählt und gekrönt, ⚭ 1186 mit Konstanze, der Erbin des normann. Königreichs Sizilien, 1191 zum Kaiser gekrönt. Den Versuch, die Erbansprüche seiner Frau durchzusetzen, musste er wegen der Fürstenopposition in Dtl. zunächst abbrechen, die jedoch nach der Gefangennahme des engl. Königs Richard Löwenherz, ihres wichtigsten Verbündeten, zusammenbrach. 1194 söhnte sich H. mit Heinrich dem Löwen aus; in Palermo wurde er zum König von Sizilien gekrönt. Unter H. erreichte die Staufermacht ihren Höhepunkt. Sein Plan, das dt. Königtum für sein Haus erblich zu machen, scheiterte jedoch 1196.

🕮 SELTMANN, I.: *H. VI. Herrschaftspraxis u. Umgebung. Erlangen 1983.*

7) H. (VII.), König von Sizilien (1212), König im dt. Reichsgebiet und Herzog von Schwaben (1220–35), *Sizilien 1211, †Martirano (Prov. Catanzaro) 10. (12.?) 2. 1242; Sohn Kaiser Friedrichs II., der ihm die Reg. in Dtl. überließ (bis 1228 unter Vormundschaft). Durch seine städtefreundl. Politik geriet er in Konflikt mit den Fürsten, die ihm

Heinrich IV.

Otto von Freising, der Biograph Kaiser Friedrichs I. Barbarossa, überliefert eine Anekdote über Heinrich IV. und den Gegenkönig Rudolf von Rheinfelden (Gesta Friderici 1, 7): »Über Heinrich IV. wird berichtet, nachdem diese Aufstände einigermaßen niedergeschlagen waren, sei er einmal in die Merseburger Kirche gekommen und habe dort diesen Rudolf wie einen König bestattet liegen gesehen; als ihn nun jemand fragte, warum er zugelassen habe, dass jemand, der nicht König gewesen sei, mit königlichen Ehren bestattet liege, habe er gesagt: Möchten doch alle meine Feinde so ehrenvoll bestattet liegen!«

Heinrich IV. überreicht seinem Sohn Heinrich V. im Zuge seiner Abdankung im Jahre 1105 Zepter, Reichsapfel und Königskrone als Insignien der Herrschaft; Illustration aus einer Handschrift (Berlin, Staatsbibliothek)

1231 als Reichsgrundgesetz das »Statutum in favorem principum« abnötigten (1232 von Friedrich II. bestätigt; →Landesherrschaft). 1234 empörte er sich gegen seinen Vater, musste sich 1235 unterwerfen und wurde seitdem gefangen gehalten; er starb an den Folgen eines Selbstmordversuchs.

8) H. VII., König (1308–13), Kaiser (seit 1312), *1274 (1275?), †Buonconvento (bei Siena) 24. 8. 1313; Luxemburger; nach der Ermordung Albrechts I. (1308) zum König gewählt. 1310 gewann er für seinen Sohn Johann das Königreich Böhmen und zog nach Italien, wo ihn Dante und die Ghibellinen begeistert empfingen. 1311 in Mailand zum italien. (»langobard.«) König gekrönt, 1312 in Rom zum Kaiser.

Bayern: **9) H. I.,** Herzog (948–55), *Nordhausen um 920, †Regensburg 1. 11. 955, Sohn von 1), Großvater von 2); war an den Verschwörungen von 938/39 und 941 gegen König Otto I., seinen Bruder, beteiligt. 948 erhielt er das Herzogtum Bayern als Lehen.

Bayern und Sachsen: **10) H. X., der Stolze,** Herzog von Bayern (1126–38) und Sachsen (1137–39), *vor 1108, †Quedlinburg 20. 10. 1139, Vater von 11); Welfe, ⚭ 1127 mit Gertrud, Tochter König Lothars III. von Supplinburg. Während Lothars 2. Italienzug (1136/37) wurde er mit dem Herzogtum Tuszien belehnt. 1137 gab ihm Lothar auch Sachsen und designierte ihn zu seinem Nachfolger. Dennoch wurde der Staufer Konrad (III.) gewählt. Konrad ächtete H., gab Bayern an Leopold IV. von Österreich, Sachsen an Albrecht den Bären, doch behauptete sich H. in Sachsen.

11) H. der Löwe, Herzog von Sachsen (1142–80) und Bayern (1156–80), *um 1129, †Braunschweig 6. 8. 1195, Sohn von 10); bekam 1142 das seinem Vater entzogene Herzogtum Sachsen zurück, erst 1156 auch Bayern, das jedoch um das neue Herzogtum Österreich verkleinert war. Er erstrebte bes. die Stärkung der Herzogsgewalt und die Mehrung des welf. Besitzes um Braunschweig, das er zur Residenz ausbaute. Durch die Neugründung Lübecks (1159) brach er dem dt. Ostseehandel Bahn, den er durch Verträge mit Gotland, Schweden, Nowgorod förderte. 1176 überwarf er sich mit Kaiser Friedrich I., als er dem Kaiser seine Hilfe gegen den Lombardenbund verweigerte. Er wurde 1180 geächtet, seine Herzogtümer wurden neu vergeben. Nach anfängl. Widerstand unterwarf er sich 1181 und ging nach England in die Verbannung (seit 1168 in 2. Ehe ⚭ mit Mathilde, Tochter Heinrichs II. von England). 1194 söhnte er sich mit Heinrich VI. aus, blieb jedoch auf den welfischen Eigenbesitz um Braunschweig-Lüneburg beschränkt.

📖 JORDAN, K.: *H. der Löwe. Eine Biographie. Neuausg. München 1993.* – HILLER, H.: *H. der Löwe. Frankfurt am Main [5]1995.*

Heinrich der Löwe, Herzog von Sachsen und Bayern (Detail seines Grabmals im Braunschweiger Dom)

Braunschweig-Wolfenbüttel: **12) H. Julius,** Herzog (1589 bis 1613), *Schloss Hessen (bei Wolfenbüttel) 15. 10. 1564, †Prag 30. 7. 1613, seit 1578 Bischof von Halberstadt, wo er die Reformation durchführte, 1582–85 auch von Minden. 1592 rief er engl. Komödianten an seinen Hof, für die er selbst Stücke schrieb. Er war vertrauter Ratgeber Kaiser Rudolfs II.

Heinrich II., König von England, Darstellung der Heirat mit Eleonore von Aquitanien (1152; Fenster in der Kathedrale Saint-Pierre in Poitiers)

Heinrich VI., König von England (Ausschnitt aus einem anonymen zeitgenössischen Gemälde (London, National Portrait Gallery)

Heinrich VIII., König von England (Ausschnitt aus einem Gemälde von Hans Holbein d. J., um 1536; Madrid, Palais Villahermosa)

Deutscher Orden: **13) H. von Plauen,** Hochmeister (1410–13), *im Vogtland um 1370, †Lochstädt (heute Pawlowo, auf der Kur. Nehrung) 9. 11. 1429; seit 1391 Ordensritter, seit 1399 Komtur; verteidigte nach der Niederlage des Ordens bei Tannenberg (1410) die Marienburg gegen die Polen, wurde zum Hochmeister gewählt und handelte den 1. Thorner Frieden aus (1411). Beim Versuch, die Verw. des Ordensstaats zu reorganisieren, wurde er 1413 gestürzt.

England: **14) H. I.,** auch H. Beauclerc, König (1100–35), *Selby (Yorkshire) 1068, †Lyons-la-Forêt (bei Rouen) 1. 12. 1135; Sohn Wilhelms I., des Eroberers, bemächtigte sich nach dem Tod seines Bruders Wilhelm II. Rufus des Throns; gab seinen Untertanen eine Charta (»Charta libertatum«); herrschte seit 1106 auch in der Normandie.

15) H. II., auch H. Kurzmantel, König (1154–89), *Le Mans 5. 3. 1133, †Chinon 6. 7. 1189, Sohn Gottfrieds V., Graf von Anjou (Plantagenet), und Mathildes, der Tochter Heinrichs I., Begründer der Dynastie Plantagenet und des →Angevinischen Reiches, erbte von seinem Vater 1151 Anjou mit Maine und Touraine, von seiner Mutter England und die Normandie; durch die Heirat mit Eleonore von Aquitanien (1152) gewann er noch Poitou, Guyenne und Gascogne. 1171/72 eroberte er auch einen Teil Irlands. H. stärkte das Königtum gegenüber den Baronen und erließ gegen die Machtansprüche des Papstes 1164 die Konstitutionen von Clarendon, wodurch er in Konflikt mit seinem ehem. Kanzler, Erzbischof Thomas →Becket, geriet. Bild S. 167

16) H. III., König (1216–72), *Winchester 1. 10. 1207, †Westminster (heute zu London) 16. 11. 1272; Sohn Johanns I. ohne Land; 1264 durch die aufständ. Barone unter Simon von Montfort bei Lewes besiegt und gefangen genommen; von seinem Sohn Eduard (I.) 1265 (Schlacht bei Evesham) wieder befreit.

17) H. IV., Herzog von Bolingbroke, König (1399–1413), *Schloss Bolingbroke (bei Spilsby, Cty. Lincolnshire) April(?) 1366, †Westminster (heute zu London) 20. 3. 1413, Enkel Eduards III., Vater von 18); stürzte Richard II. Mit ihm gelangte die Linie Lancaster auf den Thron. H. schlug 1403 eine Rebellion der Barone und 1408 den Aufstand in Wales unter Owen Glendower nieder.

18) H. V., König (1413–22), *Monmouth 16. 9. (?) 1387, †Vincennes 31. 8. 1422, Sohn von 17), Vater von 19); errang im Hundertjährigen Krieg gegen Frankreich 1415 bei Azincourt einen Sieg und zog in Paris ein; 1420 (Frieden von Troyes) wurde sein Anspruch auf die frz. Krone anerkannt und durch die Heirat mit der Tochter Karls VI. von Frankreich, Katharina, gefestigt.

19) H. VI., König (1422–61 und 1470/71), *Windsor 6. 12. 1421, †London 21./22. 5. 1471, Sohn von 18). Unter ihm verlor England im →Hundertjährigen Krieg bis 1453 alle Besitzungen in Frankreich. In den →Rosenkriegen wurde H. 1461 durch Eduard IV. (Haus York) gestürzt, gelangte 1470 noch einmal auf den Thron; 1471 (Schlacht von Tewkesbury) wieder von Eduard verdrängt. H. starb auf ungeklärte Weise im Tower.

20) H. VII., König (1485–1509), *Pembroke Castle (Wales) 28. 1. 1457, †Richmond (heute zu London) 21. 4. 1509, Vater von 21); Erbe der Thronansprüche des Hauses Lancaster; stürzte Richard III. durch seinen Sieg bei Bosworth (1485, Ende der →Rosenkriege) und begründete die Dynastie Tudor.

21) H. VIII., König (1509–47), *Greenwich (heute zu London) 28. 6. 1491, †Westminster (heute zu London) 28. 1. 1547, Sohn von 20); führte drei Kriege gegen Frankreich (1511–15, 1522–25, 1543–46) und besiegte 1513 König Jakob IV. von Schottland bei Flodden (Cty. Northumberland). Obwohl er ein gläubiger Katholik war und persönlich gegen Luther auftrat, trennte er die engl. Kirche von Rom, nachdem Papst Klemens VII. unter dem Druck des Kaisers die Nichtigkeitserklärung seiner 1509 geschlossenen Ehe mit Karls V. Tante Katharina (und damit die kirchenrechtl. Legitimierung seines Verhältnisses mit Anna Boleyn) verweigerte. Nach Annahme der Suprematsakte durch das Parlament (1534) proklamierte sich H. zum Oberhaupt der Kirche von England und forderte den Suprematseid, dessen Verweigerung mit der Todesstrafe bedroht wurde (Opfer u. a. T. More). Die Bannbulle von Paul III. 1538 bestimmte ihn zum Anschluss an den dt. Protestantismus. In der Folge (1538–40) wurden die Klöster eingezogen und zugunsten des Kronschatzes verkauft. H. heiratete noch fünfmal: 1533 Anna Boleyn (hingerichtet 1536), 1536 Jane Seymour (†1537), 1540 Anna von Cleve (kurz danach geschieden), 1540 Katharina Howard (hingerichtet 1542); Katharina Parr (⚭ seit 1543) überlebte ihn. Weiteres Bild Großbritannien und Nordirland

Heinrich VIII.

Mit der Suprematsakte (Act of Supremacy) vom November 1534 bestätigte das Parlament Heinrich VIII. und seinen Nachfolgern die Würde eines Oberhaupts der Kirche von England, die im Januar 1535 in die königliche Titulatur aufgenommen wurde:

»(Der König wird anerkannt als) das einzige Oberhaupt (Supreme Head) auf Erden der Kirche von England, genannt Anglicana Ecclesia, und soll in Verbindung und Vereinigung mit der Krone dieses Reiches sowohl den entsprechenden Titel als auch alle dazugehörigen Ehren, Würden, Vorrechte, Zuständigkeiten, Privilegien, Vollmachten, Freiheiten, Vorteile und Güter haben und genießen.«

BAUMANN, U.: *H. VIII. mit Selbstzeugnissen u. Bilddokumenten. Reinbek 9.–10. Tsd. 1994.*

Frankreich: **22) H. II.,** König (1547–59), *Saint-Germain-en-Laye 31. 3. 1519, †(infolge einer Turnierverwundung) Paris 10. 7. 1559; Sohn Franz' I., Vater von 23); ⚭ seit 1533 mit Katharina de Medici, nahm 1552 im Bund mit den dt. Protestanten (Vertrag von Chambord) den Kampf gegen Kaiser Karl V. wieder auf und nahm Metz, Toul und Verdun in Besitz; im Frieden von Cateau-Cambrésis (1559) mit Spanien und England musste er auf Mailand verzichten; festigte die frz. Königsmacht.

23) H. III., König (1574–89), *Fontainebleau 19. 9. 1551, †Saint-Cloud 2. 8. 1589, dritter Sohn von 22); 1573/74 König von Polen, kehrte nach dem Tod seines Bruders Karl IX. nach Frankreich zurück, begann 1586 einen Krieg gegen die →Hugenotten, bis er 1588, um sich dem mächtigen Einfluss der kath. Liga zu entziehen, deren Führer, Herzog Henri von Guise, und dessen Bruder ermorden ließ. Von der Liga für abgesetzt erklärt, verband er sich mit dem Führer der Hugenotten, Heinrich (III.) von Navarra, wurde aber während der Belagerung des ligist. Paris ermordet. Mit H. erlosch das Haus Valois.

24) H. IV., König (1589–1610), seit 1562 König H. III. von Navarra, *Pau 13. 12. 1553, †(ermordet) Paris 14. 5. 1610; Sohn von Anton von Bourbon und Johanna von Albret. Als Kalvinist war er seit 1569 der Führer der Hugenotten; bei seiner Vermählung mit Margarete von Valois kam es 1572 zur →Bartholomäusnacht. Nach dem Tod des kinderlosen H. III. fiel ihm die frz. Krone zu, doch wurde er von der kath. Liga und Philipp II. von Spanien bekämpft, bis er durch den Übertritt zum Katholizismus (1593) die Hauptstadt Paris gewann (»Paris ist eine Messe wert«) und allgemein anerkannt wurde. Den Hugenotten gewährte H. 1598 mit dem Edikt von Nantes Gewissens- und Kultfreiheit sowie einen festen Rechtsstatus. Mit Finanzmin. Sully begann er den inneren Wiederaufbau und schuf damit die Grundlagen des absolutist. frz. Staates. In der Außenpolitik verfolgte er einen antihabsburg. Kurs mit dem Ziel eines europ. Gleichgewichts. Ging als frz. Idealherrscher in die Lit. ein (u. a. bei Voltaire, A. Dumas d. Ä., H. Mann).

SAINT-RENÉ TAILLANDIER, M. M.: *H. IV. Der Hugenotte auf Frankreichs Thron. A. d. Frz. Neuausg. München 1995.*

Meißen: **25) H. III., der Erlauchte,** Markgraf (1221–88), *1215 oder 1216, †1288; Wettiner, erhielt 1243 das Pleißenland, erstritt im hessisch-thüring. Erbfolgekrieg (1247/49–63) die Landgrafschaft Thüringen und die Pfalzgrafschaft Sachsen; teilte 1263 die Herrschaft mit seinen Söhnen, behielt Meißen und die Ostmark; in der »Maness. Liederhandschrift« als Minnesänger vertreten.

Österreich: **26) H. II. Jasomirgott,** Markgraf (1141–56) und Herzog (1156–77), Herzog von Bayern (1143–56), *1114, †13. 1. 1177; Babenberger, verzichtete 1156 zugunsten H. des Löwen auf Bayern, wofür Österreich zum Herzogtum erhoben wurde.

Portugal: **27) H. der Seefahrer,** Infant, *Porto 4. 3. 1394, †Sagres 13. 11. 1460; wurde 1419 Gouverneur des Königreichs Algarve, 1420 Großmeister des Christusordens; veranlasste seit 1418 viele Entdeckungsfahrten längs der afrikan. Westküste bis Guinea und legte damit den Grund für die portugies. See- und Kolonialmacht.

Heinrich II., König von Frankreich (Ausschnitt aus einem Gemälde, um 1555)

Heinrich der Seefahrer, Infant von Portugal (Ausschnitt aus dem für die Lissabonner Kathedrale geschaffenen Vinzenzaltar von Nuno Gonçalves, 1465–67; Lissabon, Museo Nacional de Arte Antigua)

Preußen: **28) H.,** Prinz, preuß. General und Staatsmann, *Berlin 18. 1. 1726, †Rheinsberg 5. 8. 1802; Bruder Friedrichs d. Gr., einer der führenden preuß. Heerführer im Siebenjährigen Krieg (Sieg bei Freiberg, 29. 10. 1762). 1772 ging aus seinen Verhandlungen mit Katharina II. von Russland die 1. poln. Teilung hervor; 1795 drängte er zum Abschluss des Baseler Friedens.

Sachsen: **29) H. X., der Stolze,** Herzog, →H. 10).

30) H. der Löwe, Herzog, →Heinrich.

Thüringen: **31) H. Raspe,** Landgraf (1227–47), *um 1204, †auf der Wartburg 16. 2. 1247; Bruder Landgraf Ludwigs IV., verdrängte seine Schwägerin Elisabeth die Heilige. Von Kaiser Friedrich II. 1242 zum Reichsverweser für Konrad IV. bestellt, ließ er sich 1246 auf Betreiben des Papstes zum Gegenkönig wählen, konnte aber seinen Sieg über Konrad IV. (5. 8. 1246) nicht mehr nutzen.

Heinrich der Glichesaere ['gli:çəsæ:rə, »Gleisner«], Dichter der 2. Hälfte des 12. Jh., wohl aus dem Elsass; verfasste um 1185 das älteste dt. Tierepos »Reinhart Fuchs« (vier Bruchstücke erhalten; vollständig überliefert ist eine Bearbeitung des 13. Jh.); das satirisch-lehrhafte Werk benutzte die Tierfabel zur Kritik an den stauf. Herrschern.

Heinrich der Teichner, mhd. Spruchdichter, †vor 1377; vermutlich aus der Steiermark. Sein ab etwa 1350 entstandenes Werk von rd. 720 Reimreden mit insgesamt 70 000 Versen ist eines der umfangreichsten des dt. Spätmittelalters.

Heinrich IV., König von Frankreich (Ausschnitt aus einem Gemälde eines unbekannten Meisters; Florenz, Uffizien)

Heinrich, Prinz von Preußen (Punktierstich von Friedrich W. Bollinger, um 1800)

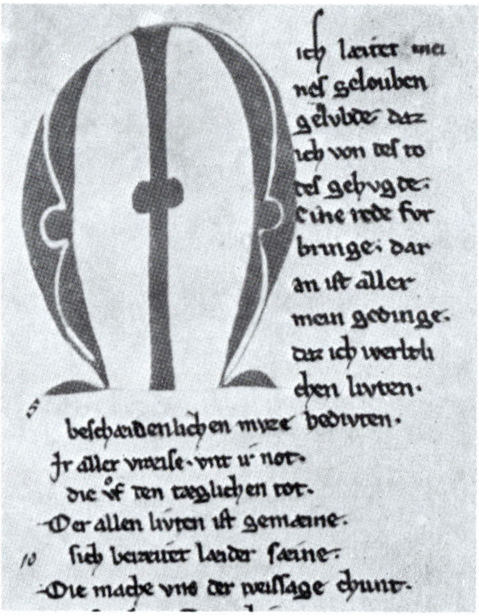

Heinrich von Melk: Anfang des Gedichts »Erinnerung an den Tod« (»Von des tôdes gehugede«) in einer Sammelhandschrift aus dem 14. Jh. (Wien, Österreichische Nationalbibliothek)

Heinrich der Vogelaere [-lɛ:rə], mhd. Epiker der 2. Hälfte des 13. Jh.; stammte vielleicht aus Tirol; verfasste vermutlich um 1275 im Stil höf. Poesie Teile des Gedichts »Dietrichs Flucht«; unsicher ist auch, ob er der Autor der »Rabenschlacht« ist.

Heinrich von dem Türlin, mhd. Epiker der 1. Hälfte des 13. Jh., aus Kärnten; überliefert »Der aventiure crône«, ein um 1220 verfasstes Epos.

Heinrich von Freiberg, mhd. Epiker vom Ende des 13. Jh.; vermutlich aus Freiberg in Sachsen; verfasste um 1290 eine dem Stil Gottfrieds von Straßburg angepasste Fortsetzung von dessen unvollendetem »Tristan-Epos«.

Heinrich von Meißen, → Frauenlob.

Heinrich von Melk, mhd. Dichter der 2. Hälfte des 12. Jh.; wahrscheinlich Laienbruder des Klosters Melk, ritterl. Abkunft. Zugeschrieben werden ihm die zeit- und kirchenkrit. Gedichte »Erinnerung an den Tod« (»Von des tôdes gehugede«) und »Priesterleben«.

Wilhelm Heinse

Heinrich von Morungen, mhd. Lyriker vom Ende des 12. Jh. und Anfang des 13. Jh. Sein Stammsitz war wahrscheinlich die Burg Morungen bei Sangerhausen; gilt neben Reinmar dem Alten und Walther von der Vogelweide als wichtigster Vertreter mhd. Minnesangs.

Heinrich von Mügeln, mhd. Dichter des 14. Jh.; stammte aus Mügeln (bei Oschatz oder Pirna?); zeitweise am Hofe Kaiser Karls IV. in Prag; Chronist und Übersetzer im Dienst versch. Fürstenhöfe. Sangsprüche (zu Ehren Karls IV.) und das allegorisierende Reimpaargedicht »Der meide kranz«; außerdem Minnelieder.

Heinrich von Ofterdingen, sagenhafter (historisch nicht nachgewiesener) Sänger des 13. Jh.; der Name stammt aus dem mhd. Gedichte »Singerkriec ûf Wartburc« (um 1260); Romanfragment von Novalis (1802), Novelle von E. T. A. Hoffmann (1819), bei R. Wagner mit »Tannhäuser« verschmolzen.

Heinrich von Veldeke [f-], mhd. Dichter der 2. Hälfte des 12. Jh. Sein Versroman »Eneit« (vollendet bis 1186), die mittelalterl. Umformung von Vergils »Aeneis«, war wegbereitend für die Entwicklung des höf. Epos.

Heinsberg, **1)** Kreis im RegBez. Köln, NRW, 628 km², (1996) 239 700 Einwohner.

2) Krst. von 1), in NRW, nahe der niederländ. Grenze in der Niederrhein. Bucht, 39 900 Ew.; Chemiefaser-, Bau-, Metall- und Schuhind., Anlagenbau. – Kath. Propsteikirche (14.–15. Jh.; Krypta, um 1130); im Torbogenhaus (16. Jh.) das Heimatmuseum. – H. erhielt 1255 Stadtrecht.

Heinse, Johann Jakob Wilhelm, Dichter, * Langewiesen (bei Ilmenau) 15. 2. 1746, † Aschaffenburg 22. 6. 1803; verkündete das schrankenlose Recht auf Sinnengenuss, Schönheit und Kraft, bes. in seinem Hauptwerk »Ardinghello und die glückseli-

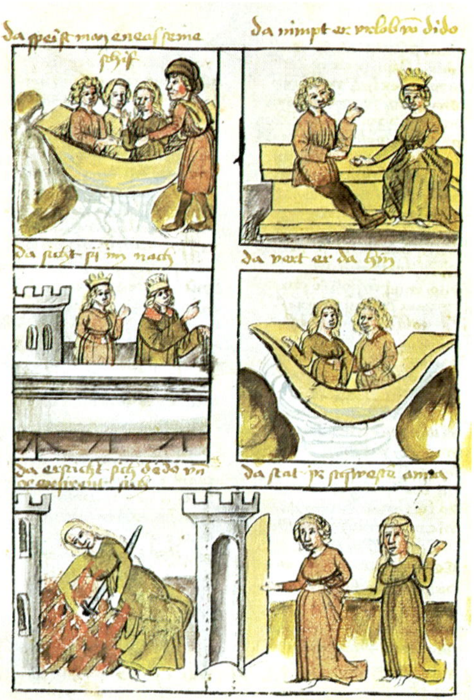

Heinrich von Veldeke: Szenenfolge aus dem Versroman »Eneit« in einer um 1474 in Schwaben entstandenen Handschrift (Wien, Österreichische Nationalbibliothek)

gen Inseln« (2 Bde., 1787). Musiktheoret. Ausführungen enthält »Hildegard von Hohenthal« (R., 3 Tle., 1795–96). Die kunstphilosoph. Erörterungen des Romans bilden den Beginn einer modernen Kunstbetrachtung. Bed. auch als Übersetzer (C. Petronius, T. Tasso, L. Ariosto).

Heinsius ['hɛjnsi:ys], Daniel, niederländ. Dichter und klass. Philologe, *Gent 9. 6. 1580, †Leiden 25. 2. 1655. Seine lat. und niederländ. Gedichte beeinflussten u.a. M. Opitz; Hg. der Werke klass. Autoren (Terenz, Ovid, Vergil).

Heintel, Erich, Philosoph, *Wien 29. 3. 1912; Schüler R. Reimingers. H. bildet aus Elementen der aristotel. Metaphysik und der Transzendentalphilosophie Kants im Sinne der hegelschen Dialektik eine Metaphysik des Erlebens; in diesem werde die absolute Wirklichkeit offenbar.

Heirat, die Eheschließung, →Eherecht; über Bräuche bei der Eheschließung →Hochzeit.

Heiratsbuch (früher Heiratsregister), Personenstandsverzeichnis, in dem die Eheschließung in Anwesenheit der Ehegatten und der Trauzeugen vom Standesbeamten beurkundet wird. In *Österreich:* Ehebuch, in der *Schweiz:* Eheregister.

Heiratsvermittlung, →Ehevermittlung.

Heiseler, 1) Bernt von, Schriftsteller, *Großbrannenberg (heute zu Brannenburg, Kr. Rosenheim) 14. 6. 1907, †ebd. 24. 8. 1969, Sohn von 2); Verfasser von sprachlich wohlgeformten christl. Laien- und Volksspielen, Dramen, Romanen und Essays, u.a. »Hohenstaufen-Trilogie« (Dr., 1948).

2) Henry von, Schriftsteller aus dt.-russ. Familie, *Sankt Petersburg 23. 12. 1875, †Vorderleiten (heute zu Soyen, Kr. Rosenheim) 25. 11. 1928, Vater von 1); kam 1898 nach Dtl., trat mit dem George-Kreis in Verbindung; formstrenger Lyriker und Dramatiker.

Heisenberg, Werner Karl, Physiker, *Würzburg 5. 12. 1901, †München 1. 2. 1976; war 1927–41 Prof. für theoret. Physik in Leipzig, 1941–45 Direktor des Kaiser-Wilhelm-Inst. für Physik (Berlin); Mitarbeit am »Uran-Projekt« (Bau eines Uran-Reaktors); 1946–70 Direktor des Max-Planck-Inst. für Physik und Astrophysik (Göttingen, seit 1958 in München) sowie Prof. in Göttingen und München. Gemeinsam mit M. Born und P. Jordan begründete H. die Quantenmechanik in der Matrizenform und stellte 1927 die für sie grundlegende →Unschärferelation **(heisenbergsche Unschärferelation)** auf. Weitere Arbeiten H.s förderten die Quanten- und Wellenmechanik, die Atom- und Kernphysik, die Physik der kosm. Strahlung und der Elementarteilchen, die Theorie der Supraleitung und des Ferromagnetismus. Seit etwa 1953 arbeitete H. an einer einheitl. Feldtheorie der Materie (»heisenbergsche Weltformel«). 1932 erhielt H. den Nobelpreis für Physik.

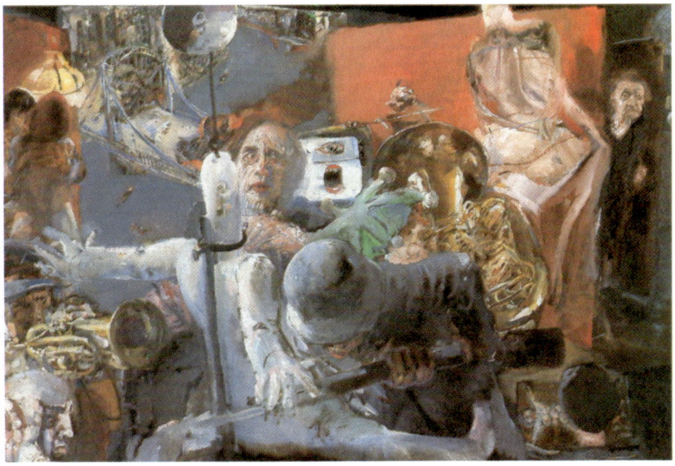

Bernhard Heisig: »Der Zauberlehrling«, II. Fassung (1978–81; Privatbesitz)

Werke: Die physikal. Prinzipien der Quantentheorie (1930); Das Naturbild der heutigen Physik (1955); Physik und Philosophie (1959); Der Teil und das Ganze (1969); Schritte über Grenzen (1971).

🕮 POWERS, T.: *H.s Krieg. Die Geheimgeschichte der dt. Atombombe. A. d. Amerikan. Hamburg 1993.* – CASSIDY, D. C.: *W. H. Leben u. Werk. A. d. Amerikan. Heidelberg u. a. 1995.*

Werner Heisenberg

Heiserkeit, klanglose, raue oder belegte Stimme, hervorgerufen durch krankhafte Veränderungen der Stimmbänder oder auf Erkrankungen des Kehlkopfs beruhenden Stimmstörungen.

Heisig, Bernhard, Maler und Grafiker, *Breslau 31. 3. 1925; beeinflusst von L. Corinth und O. Kokoschka, gestaltet er bes. histor. und zeitgeschichtl. Themen in dynamisch-expressiver Auffassung; auch Porträts und Stillleben.

Heiß, 1) Hermann, Komponist, *Darmstadt 29. 12. 1897, †ebd. 6. 12. 1966; Schüler u.a. von J. M. Hauer; leitete ab 1955 ein Studio für elektron. Komposition in Darmstadt; schrieb u.a. Orchestermusik und zahlr. elektron. Werke.

2) Robert, Philosoph und Psychologe, *München 22. 1. 1903, †Freiburg im Breisgau 21. 2. 1974; Prof. für Psychologie; fachübergreifende Arbeiten (»Die Lehre vom Charakter«, 1936; »Allg. Tiefenpsychologie«, 1956; »Die großen Dialektiker des 19. Jh.: Hegel, Kiergegaard, Marx«, 1963).

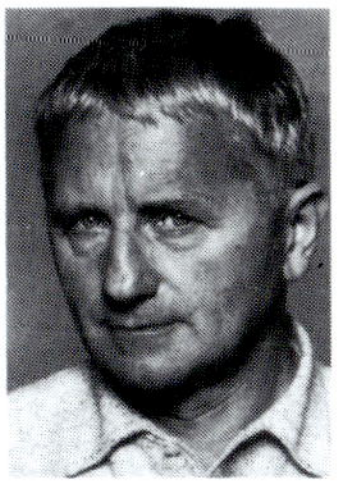

Hermann Heiß

Heißdampf, überhitzter →Dampf.

Heißdampfkühler, Einrichtung bei Dampferzeugern zur Regelung der Endtemperatur der →Überhitzer. Beim **Oberflächenkühler** wird ein Teil des Heißdampfes in Rohrbündeln durch den Wasser- oder Dampfraum geführt; beim schneller reagierenden **Einspritzkühler** wird feinverteiltes Kondensat in einen in die Dampfleitung eingebauten Raum gespritzt, der zur Oberflächenvergrößerung mit Ringen oder Kugeln gefüllt ist.

heiße Chemie, Teil der Radiochemie, der sich mit Stoffen hoher Aktivität **(heißen Substanzen)** und mit chem. Umwandlungen befasst, die bei Kernreaktionen zustande kommen.

Helmut Heißenbüttel

Heißenbüttel, Helmut, Schriftsteller, *Rüstringen (heute zu Wilhelmshaven) 21. 6. 1921, †Glückstadt 19. 9. 1996; schrieb Gedichte (»Topographien«, 1956), sprach- und formexperimentierende Werke, u.a. »Textbuch« (11 Bde.; 1960–87); »Projekt Nr. 1. D'Alemberts Ende« (1970); »Wenn Adolf Hitler den Krieg nicht gewonnen hätte« (1979); »Das Ende der Alternative« (1980); »mehr ist dazu nicht zu sagen. neue Herbste« (1983); herausragender Vertreter der →experimentellen Dichtung; auch Essays und Hörspiele. 1969 Georg-Büchner-Preis.

heißer Draht, seit 1963 bestehende direkte Fernschreibverbindung vom Weißen Haus (Washington) zum Kreml (Moskau); der unmittelbare Kontakt soll friedensgefährdende Fehldeutungen von Maßnahmen des anderen vermeiden.

heißes Geld (Hotmoney), aus spekulativen Gründen ins Ausland transferiertes Geld, um aus mögl. Währungsabwertungen oder -aufwertungen Gewinn zu erzielen. Weil bei h. G. ständig mit einem plötzl. Abzug gerechnet werden muss, wird versucht, den unerwünschten Zufluss durch Nichtverzinsung u.a. abzuwehren.

heiße Zone, *Geographie:* die Tropen.

Heißgasmotor, der →Stirlingmotor.

Heißhunger, anfallartig auftretendes übersteigertes Hungergefühl, z.B. bei Magenfunktionsstörungen, zu niedrigem Blutzuckerspiegel, Diabetes und zentralnervösen Regulationsstörungen.

Heißlauf, unzulässig hohe Erwärmung von Lagern, Getrieben u.a. durch Reibung infolge nicht ausreichender Schmierung, Kühlung oder anderer Schäden.

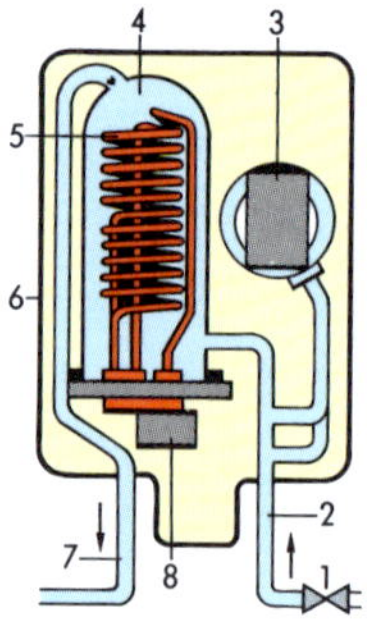

Heißwasserbereiter: Schema eines Elektrodurchlauferhitzers; 1 Druckminderventil, 2 Kaltwassereinlauf, 3 Fließdruckschalter, 4 Innenbehälter, 5 Rohrheizkörper, 6 Außenmantel, 7 Heißwasserauslauf, 8 Temperaturbegrenzer

Heißleiter (Thermistor), elektron. Bauelement aus gesinterten Metalloxiden, dessen Leitfähigkeit mit steigender Temperatur zunimmt; Anwendung für Mess- und Regelzwecke.

Heißluftbad, trockene Heißluftbehandlung als Vollbad (→Sauna) oder als Teilbad mit Heißluftduschen oder -kästen (Lufttemperatur 60–80 °C); bewirkt Anregung des Stoffwechsels und der Hauttätigkeit; angewendet z.B. bei degenerativen Gelenkerkrankungen oder Muskelverspannungen.

Heißluftdusche (Heißlufttrockner), elektrisch betriebener Ventilator, dessen Luftstrom durch Heizdrähte erwärmt wird; im Haushalt (als Haartrockner), in Medizin und Technik verwendet.

Heißsiegeln, Verfahren zum Verbinden thermoplast. Schmelzschichten von Verpackungsmaterialien (z.B. Verbundfolien) durch Heißpressen.

Heißwasserbereiter (Boiler), Gerät zur Warmwasserversorgung im Haushalt durch rasches Erwärmen mit Heizgas oder elektr. Energie. Die H. werden als Durchlauferhitzer und →Heißwasserspeicher gebaut. Der Durchlauferhitzer wird nur bei Entnahme von Wasser beheizt, das dann sofort heiß zur Verfügung steht; darum ist eine relativ große Anschlussleistung erforderlich. – Beim Öffnen des Warmwasserhahns eines **gasbeheizten Durchlauferhitzers (Gastherme)** drückt das Leitungswasser gegen eine gefederte Sperre (Gasventil) und öffnet dadurch dem Gas den Weg zum Brenner, wo es von der Dauerzündflamme entzündet wird. Eine Zündsicherung (→Gassicherung) verhindert, dass das Gas in den Brenner strömt, ohne dass die Zündflamme brennt. – **Elektrodurchlauferhitzer** sind geschlossene Geräte mit einem druckfesten Innenbehälter; bei ihnen wird das Wasser an Heizstäben oder einem Rohrheizkörper vorbeigeführt und dabei erwärmt. Thermisch geregelte Durchlauferhitzer besitzen einen kleinen Speicher, wodurch sofort Wasser verfügbar ist. Bei hydraulisch gesteuerten Durchlauferhitzern schaltet ein Fließdruckschalter beim Aufdrehen des Hahns die Heizung ein und reguliert die Heizleistung in Abhängigkeit von der Wasserdurchlaufmenge. – Eine Kombination aus Heißwasserspeicher und Durchlauferhitzer sind die elektr. beheizten **Durchlaufspeicher.**

Heißwasserspeicher (Warmwasserspeicher), Gerät zur Erwärmung und Speicherung von warmem Brauchwasser. Der H. besitzt einen geschlossenen Innenbehälter, umgeben von einer hochwertigen Wärmeisolation; die Heizung erfolgt entweder durch einen Tauchsieder **(Elektro-H.)** oder durch Verbrennung von Heizgas **(Gas-H.);** die max. Wassertemperatur liegt bei 85 °C.

Heisterbach, Stadtteil von Königswinter, NRW, mit ehem. Zisterzienserabtei, 1189 gegr., 1803 aufgehoben. Erhalten ist von der 1202–37 erbauten Abteikirche der Chorabschluss.

Heizer ['haɪzə], Michael (Mike), amerikan. Künstler, *Berkeley (Calif.) 4. 11. 1944; Vertreter der Land-Art; v.a. Projekte in den Wüsten von Nevada und Arizona; seit den 70er-Jahren auch Holz- und Steinskulpturen, monochrome Bilder sowie abstrakte Zeichnungen und Grafiken.

Heizgas, 1) gasförmiger Brennstoff unterschiedl. Zusammensetzung und verschieden hoher Heizwerte, der zu Heiz- und Kochzwecken, zur Energieerzeugung, in der Metallurgie usw. benutzt wird (Stadtgas, Erdgas, Gichtgas, Biogas u.a.).

2) bei der Verbrennung fester oder flüssiger Brennstoffe entstehendes Gas (Mischung aus Stickstoff, Kohlendioxid, Sauerstoff und Wasserdampf), das einen großen Teil der frei werdenden therm. Energie enthält.

Heizkessel, Wärmeerzeuger mit Feuerungen für feste, flüssige oder gasförmige Brennstoffe, der die Wärmeenergie für Heizzwecke bei der Raumheizung, Warmwasserbereitung o.Ä. bereitstellt. Die bei der Verbrennung der Brennstoffe entstehende Verbrennungswärme wird an Wärmeträger (Wasser, Wasserdampf) abgegeben und zum Wärmeverbraucher (Heizkörper, Wärmetauscher) transportiert. Der **Brennwertkessel** nutzt die Kondensationswärme des Brennstoffs (→Brennwerttechnik) und arbeitet mit Rauchgasrückkühlung, d.h., die Rauchgase durchlaufen einen zweiten Wärmetauscher. Schadstoffe werden dadurch im Kessel gebunden und gelangen nicht in die Umwelt. Der Brennwertkessel erreicht gegenwärtig einen →Normnutzungsgrad von 108%.

Heizkissen, elektrisch erwärmbares Kissen mit allseitig geschlossener, feuchtigkeitsdichter Hülle in einem Stoffbezug; dient als Bett-, Leib- oder Fußwärmer sowie für Heilzwecke. Der Heizkörper besteht aus einem in ein Isoliermaterial eingebetteten →Heizleiter mit Temperaturregler und Schmelzsicherung (→Sicherung).

Heizkörper, Bestandteil einer Heizungsanlage, dessen Innenraum von einem Wärmeträger (Warmwasser, Dampf, Öl) durchströmt oder in dem elektr. Energie in Wärmeenergie umgewandelt wird. Der H. dient der Raumerwärmung; die Wärmeabgabe erfolgt v.a. durch Konvektion und in geringerem Maß durch Strahlung.

Heizkostenverteiler, Gerät zur Erfassung der Wärmeabgabe von Heizkörpern als Grundlage der Heizkostenberechnung. Der nach dem Verdunstungsprinzip arbeitende H. ermittelt die im Lauf einer Heizperiode verdunstende Flüssigkeitsmenge, die durch die Betriebsdauer und die mittlere Heizkörpertemperatur bestimmt ist; aus ihr wird der Heizkostenanteil errechnet. Genauer sind H. mit elektr. Messgrößenerfassung, bei denen die Differenz zw. Heizkörper- und Raumtemperatur zur Ermittlung der Wärmeabgabe erfasst und an einen elektron. Zentralzähler weitergeleitet wird. H. dienen lediglich der Feststellung prozentualer Verbrauchsanteile (dagegen zeigen →Wärmezähler den Gesamtwärmeverbrauch an).

Heizkraftwerk, ein →Wärmekraftwerk, in dem Elektrizität und nutzbare Wärme (→Fernwärme) durch →Kraft-Wärme-Kopplung aus anderen Energieformen erzeugt werden.

Heizleiter, elektr. Leiter mit hohem elektrischem Widerstand und hoher Temperaturbeständigkeit, der zur Wärmeerzeugung genutzt wird; verwendet werden v.a. Nickel-Chrom- und Eisen-Chrom-Aluminium-Legierungen; für höhere Temperaturen eignen sich u.a. Siliziumcarbid und hochschmelzende Metalle in nicht oxidierender Atmosphäre (z.B. Molybdän, Wolfram).

Heizlüfter, elektr. Raumheizgerät mit eingebautem Ventilator und stufenweiser Einstellung der Heizleistung, bei dem Luft angesaugt, über die Heizspiralen geleitet und erwärmt in den Raum ausgeblasen wird.

Heizöl, flüssiger Brennstoff aus Erdöl, Schieferöl, Steinkohlen- oder Braunkohlenteerölen, der für Feuerungs- und Brennzwecke geeignet sein muss. Nach der Viskosität unterscheidet man die Sorten: **EL** (extra leichtflüssig, bes. für kleine Heizanlagen), **L** (leichtflüssig), **M** (mittelflüssig), **S** (schwerflüssig, v.a. für Großverbraucher). H. EL wird aus Gasölfraktionen der Erdöldestillation gemischt; um die missbräuchliche Verwendung als Dieselkraftstoff zu verhindern, muss H. EL mit Zusatzstoffen (Furfural und roter Farbstoff) gekennzeichnet sein. H. S besteht meist aus Rückständen der Erdöldestillation; H. L und H. M sind Produkte der Braun- und Steinkohlenschwelung. H. besitzt einen hohen Heizwert (bis zu 42000 kJ/kg für H. EL).

Heizölsteuer, →Mineralölsteuer.

Heizung, Vorrichtung oder Anlage zum Erwärmen von Räumen zur Schaffung einer physiologisch günstigen Umgebung. Eine H.-Anlage besteht im Wesentlichen aus der Wärmeerzeugungsanlage und den zur Wärmeabgabe bestimmten Teilen. Die Wärme wird entweder durch Verbrennung fossiler Brennstoffe oder durch Umwandlung von elektr. Energie erzeugt. Zur einfachsten und ältesten Form der H., der **Einzel-H.,** gehören alle Arten von Öfen, die ihre Wärme durch Konvektion oder Strahlung abgeben. Die Öfen unterscheidet man nach Baustoffen oder nach Brennstoffen bzw. Energieart. – Der **Kachelofen** zählt zu den Speicheröfen. Seine Ummantelung nimmt

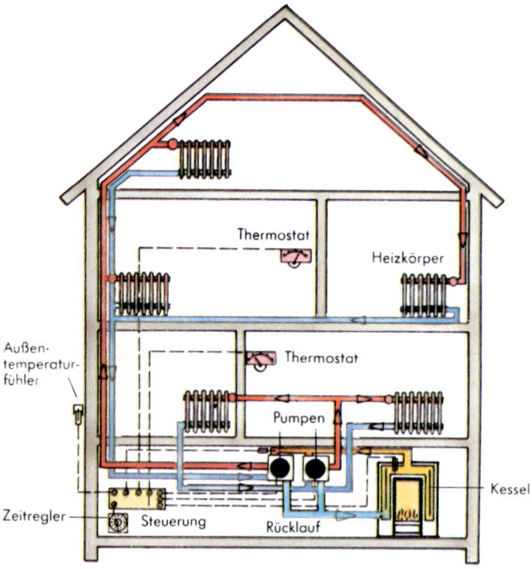

Heizung: Schema einer Zentralheizungsanlage mit elektronischer Temperaturregelung

Wärme auf und gibt sie langsam, vorwiegend durch Konvektion ab. Bei keram. oder eisernen **Dauerbrandöfen** für Kohle und Koks sind Füllschacht und Verbrennungsraum voneinander getrennt. Durch selbsttätige Regulierung der Luftzufuhr wird die Zimmertemperatur in beschränktem Umfang konstant gehalten. – An den **Ölöfen,** in denen hochwertige leichte mineral. Öle verbrannt werden, ist ein Heizöltank mit Schwimmerregelventil angebaut. Über ein Regulierventil fließt dem Verdampfungsbrenner das Heizöl zu. Das Heizöl kann aber auch vom Keller durch Pumpen den Öfen zugeführt werden. – Bei **Gasöfen** (Strahlungs-, Konvektionsöfen) wird das Heizgas (Stadt-, Raffinerie-, Propanerdgas) verbrannt. In Strahlungsöfen erhitzt die Gasflamme Heizflächen aus Metall oder Schamotte, die die Wärme abstrahlen. Konvektionsöfen werden als Glieder- oder v. a. als Kaminöfen gebaut; die Wärmeabgabe erfolgt über Wärmeaustauscher. – Bei **elektr. Öfen** wird durch elektr. Energie in einem aufgewickelten Widerstandsdraht oder einem Stab Wärme erzeugt. Man unterscheidet Strahlungsheizkörper (z. B. Wand-, Deckenstrahler) sowie Konvektionsheizkörper (z. B. →Heizlüfter) mit und ohne Ventilator zur Luftumwälzung. In elektr. Speicheröfen wird, meist mit verbilligtem Nachtstrom, Wärme speicherndes Material aufgeheizt; die Wärmeabgabe kann reguliert werden

Heizwert verschiedener Brennstoffe (in kJ/kg)

Benzin	43 500	Erdgas (Niederlande, Russland)	32 000
Heizöl, leicht	42 600	Koks	29 310
Heizöl, schwer	40 500	Kokereigas	17 375
Methan	35 795	Kohlenmonoxid	12 640
Steinkohle (Anthrazit)	33 390	Wasserstoff	10 760

(→Elektrospeicherheizung). – Zur zentralen Versorgung ganzer Gebäudegruppen dient die →Fernheizung. Bei der **Zentral-H.** werden die zu beheizenden Räume von einer meist im Keller angeordneten zentralen Feuerstelle aus mit Wärme versorgt. Als Wärmeträger dienen Warmwasser, Dampf oder Luft. Weitaus am häufigsten ist die **Warmwasser-H.** bei der das Wasser in einem Heizkessel durch die Verbrennung von Koks, Gas oder Öl bis etwa 90 °C (in einer **Druck-H.** oder **Heißwasser-H.** auf 110 °C) erwärmt wird. Als Heizkörper dienen zumeist Gliederheizkörper (Radiatoren). Nach der Art des Wasserumlaufs unterscheidet man Schwerkraft- und Pumpenheizung. Bei der **Schwerkraft-H.** erfolgt der Wasserkreislauf wegen der unterschiedl. Dichte zwischen erwärmtem (Vorlauf) und abgekühltem Wasser (Rücklauf). Die **Pumpen-H.** wird bei großen, hohen Gebäuden angewendet; hierbei wird das Wasser mit einer elektr. Pumpe umgewälzt. – Bei der **Dampf-H.** wird der Dampf im Niederdruckdampfkessel erzeugt und gibt seine Verdampfungswärme in den Heizkörpern ab. Das dabei niedergeschlagene Wasser (Kondensat) fällt durch eine besondere Fallleitung in den Kessel zurück. Wegen der schlechten zentralen Regelbarkeit und geringen Wärmespeicherung werden Dampf-H.

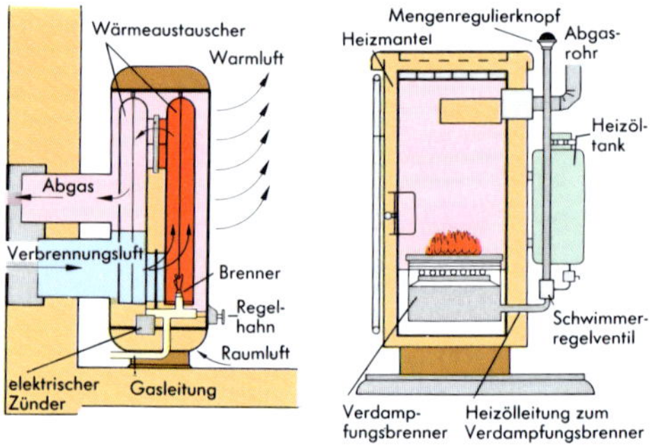

Heizung (von links): Gasofen mit Außenluftzufuhr und Wärmeaustauschern; Ölofen mit Verdampfungsbrenner

nur noch im industriellen Bereich oder in Gebäuden, die nur kurzzeitig, aber schnell beheizt werden müssen (z. B. Kirchen), angewendet. – **Niedertemperatur-H.** verwenden Heizmittel mit Temperaturen zw. 30 und 60 °C. Sie gehören aufgrund der verringerten Wärmeverluste zu den Energie sparenden Heizsystemen. Nur als Niedertemperatur-H. betreibbar sind die →Solarheizung, bei der mittels Sonnenkollektoren die Sonnenenergie genutzt wird, und die →Wärmepumpe, die die Umwelt (z. B. Luft, Wasser, Erdreich) als Wärmequelle nutzt. Zu den Niedertemperatur-H. gehört auch die **Warmluft-H.,** bei der mehrere Räume gleichzeitig meist von einem zentral gelegenen Kachelofen über Luftkanäle beheizt werden.

Heizwert, Reaktionswärme, die bei der vollständigen Verbrennung einer bestimmten Brennstoffmenge freigesetzt wird. Dabei ist im Unterschied zum Brennwert Voraussetzung, dass das bei der Verbrennung gebildete Wasser im gasförmigen Zustand anfällt. Bei festen und flüssigen Brennstoffen unterscheidet man zw. **spezif.** (bezogen auf 1 kg Brennstoff) und **molarem** (bezogen auf die Stoffmenge von 1 mol) **Heizwert.** Bei gasförmigen Brennstoffen wird der H. auf 1 m^3 Gas im →Normzustand bezogen.

Hekabe (latinisiert Hecuba, Hekuba), *grch. Mythos:* Gemahlin des Königs Priamos von Troja; Mutter von Hektor, Paris und Kassandra; nach Trojas Zerstörung Sklavin des Odysseus.

Hekataios von Abdera, grch. Schriftsteller der 2. Hälfte des 4. Jh. v. Chr. Sein Werk über Ägypten schildert idealisierend den Ptolemäerstaat.

Hekataios von Milet, grch. Geograph und Historiograph, *um 560, †um 480 v. Chr.; Forschungsreisender, verfasste eine »Erdbeschreibung« (die ihr entsprechende kreisrunde Erdkarte teilt die Welt erstmals in Europa und Asien ein).

Hekate (latinisiert Hecate), urspr. kleinasiat. Muttergottheit, von den Griechen übernommen; als Herrin der Zauberei mit Fackel und Geißel erschien sie umgeben von heulenden Hunden, Torhüterin und Schutzgöttin der »Dreiwege« (Schnittpunkt von drei Wegen), daher meist dreigestaltig oder dreiköpfig dargestellt; oft gleichgesetzt mit Artemis oder Persephone.

Hekatombe [grch.] *die,* urspr. im alten Griechenland ein Opfer von 100 Rindern; später Bez. für jedes Massenopfer.

Hekatoncheiren [grch. »Hunderthändige«] *grch. Mythos:* die riesenhaften Söhne von Uranos und Gaia; Riesen mit 50 Köpfen und 100 Armen; Helfer des Zeus gegen die Titanen.

Hekla *die,* Vulkan im südl. Island, ein 7 km langer Rücken aus Laven und Aschen, 1491 m ü. M.; letzte Ausbrüche: 1947, 1970, 1980–81.

Hektar [von grch. hekatón »hundert« und lat. area »Fläche«] *das* auch *der,* Einheitenzeichen **ha,** gesetzl. Einheit zur Angabe der Fläche von Grund- und Flurstücken: 1 ha = 100 a = 10 000 m^2.

Hekto [von grch. hekatón »hundert«], Vorsatzzeichen **h,** Vorsatz vor Einheiten für den Faktor 100, z. B. 1 Hektoliter = 1 hl = 100 l, 1 Hektopascal = 1 hPa = 1 Millibar.

Hektographie [grch.] *die,* veraltetes Vervielfältigungsverfahren, bei dem eine Spezialdruckfarbe von einem Trägermedium (Farbband, Farbblatt), z. B. durch Schreibmaschinenanschlag, auf einen Papierbogen übertragen wird; von dieser so hergestellten Druckform lassen sich durch Feuchtung Abdrucke herstellen.

Hektor [grch. »Erhalter«], *grch. Mythos:* der Hauptheld der Trojaner, Sohn des Königs Priamos und der Hekabe, Gatte der Andromache; fiel im Zweikampf mit Achill, dessen Freund Patroklos er getötet hatte.

Hekuba, latinisierte Form von →Hekabe.

Al Held: »Roberta's Trip III« (1987; Privatbesitz)

Hel [altnord., eigtl. »die Bergende«] *die,* eine der Totenwohnstätten der german. Mythologie; jedoch gelangen die Ertrunkenen zur Ran, die gefallenen Krieger nach Walhall. Personifiziert ist H. Göttin der Unterwelt.

Hel [xɛl] (dt. Hela), Stadt und Seebad in der Wwschaft Gdańsk (Danzig), Polen, an der Spitze der Halbinsel Hela (→Putziger Nehrung), 4900 Ew.; Fischereimuseum; Fischereihafen.

Held, urspr. der sich durch Tapferkeit und Kampfgewandtheit auszeichnende Mann, insbesondere in den german. Sagen der berühmte Krieger edler Abkunft (im grch. Mythos →Heros); allg. dann eine Person, die den Mittelpunkt einer Begebenheit bildet (z. B. die Hauptperson in Drama, Film, Roman) oder durch vorbildl., selbstloses Handeln Anerkennung und Bewunderung hervorruft; auch Rollenfach im Theater.

Held, 1) Al, amerikan. Maler, *New York 12. 10. 1928; bed. Vertreter der Farbfeldmalerei; dynam. Bildarchitekturen zw. räuml. Illusion und linearer Abstraktion.

2) Heinrich, Politiker (Zentrum, Bayer. Volkspartei), *Erbach (heute zu Eltville am Rhein) 6. 6. 1868, †Regensburg 4. 8. 1938; Rechtsanwalt, war 1924–33 bayer. Ministerpräsident.

Heinrich Held

3) Kurt, eigtl. K. Kläber, Schriftsteller, *Jena 4. 11. 1897, †Sorengo (bei Lugano) 9. 12. 1959; ⚭ mit L. Tetzner; emigrierte 1933 in die Schweiz. Besondere Beachtung fanden seine Jugendbücher (»Die rote Zora und ihre Bande«, 1941).

4) Martin, Bühnen- und Filmschauspieler, *Berlin 11. 11. 1908, †ebd. 31. 1. 1992; spielte seit 1951 bei den (heutigen) Staatl. Schauspielbühnen Berlin; Charakterdarsteller; auch Filme: »Canaris« (1954), »Rosen für den Staatsanwalt« (1959).

Martin Held

Heldbock, Art der →Bockkäfer.

Heldenbuch, handschriftliche oder gedruckte Sammlungen von Heldendichtungen des 15. und 16. Jh. Das **Gedruckte H.** erschien 1477; es enthält »Ortnit«, »Wolfdietrich«, den »Großen Rosengarten« und »Laurin«. Das **Dresdner H.** (1472 geschrieben) enthält, sprachlich überarbeitet, diese und einige andere Dichtungen. Das **Ambraser H.** wurde zw. 1504 und 1516 geschrieben; 17 der 25 in diesem H. aufgezeichneten Dichtungen des MA. sind allein hier überliefert worden (»Kudrun«, »Erec« u. a.).

Werner Heldt: »Gewitternachmittag an der Spree« (1951; Privatbesitz)

Heldenepos, Großform der Heldendichtung. Die Bez. H. ist in Unterscheidung zum höf. Epos, der →Spielmannsdichtung oder auch dem Kunstepos (L. Ariosto, T. Tasso, F. G. Klopstock) ein Synonym für das Epos in strengem Sinn, das histor. Geschehen und z. T. auch myth. Überlieferung reflektiert und sich um Heldengestalten kristallisiert. Alle frühen Epen sind Heldenepen: »Gilgamesch-Epos«, »Mahabharata«, »Ramayana« sowie »Ilias« und »Odyssee«, vorbildlich für viele hellenist. und röm. sowie mittelalterl. geistl. Epen und z. T. die Episierungen german. Heldenlieder (»Waltharius«, »Beowulf«). Große Verbreitung fanden die Heldenepen des MA., die frz. Chansons de Geste (z. B. »Rolandslied«) und das mhd. »Nibelungenlied«. (→Epos)

Karl Helfferich

Heldenlied, die knappere und ältere Variante der Heldendichtung (gegenüber dem umfangreicheren →Heldenepos). Das H. konzentriert sich auf die Höhepunkte der Handlung und hat episch-dramat. Charakter. Die Personenzahl ist reduziert. Der Text liegt nicht unbedingt fest und zeigt ein schlichtes Metrum. – Von diesen international nachweisbaren »rhapsod.« H. unterscheiden sich die aus dem frühen und hohen MA. erhaltenen Denkmäler german. H.-Dichtung (»Hildebrandslied«, »Finnsburglied« und die H. der altnord. Literatur wie die »Edda«). Die metr. Form ist der Stabreimvers. Ein großer Teil der Eddalieder wird der **Heldenballade** zugerechnet, die v. a. in der mittelalterl. dän. Volksdichtung bezeugt ist, eine stark lyr. Gattung.

Heldensage, v. a. in Heldenlied und -epos fixierte Sage. Die H.-Überlieferung der einzelnen Völker ordnet sich meist zyklisch zu Sagenkreisen, in deren Mittelpunkt jeweils ein überragender Held, ein göttl. Heros oder ein ganzes Geschlecht steht, z. B. Gilgamesch, Rama, Herakles, Theseus, die Argonauten, die Labdakiden (Ödipus), die Atriden, Achilleus, Odysseus, Äneas, Siegfried und die Nibelungen, Dietrich von Bern (Theoderich), König Artus, Karl d. Gr., der Cid. Der H. stehen die isländ. Sögur (→Saga) nahe.

📖 SEE, K. VON: *German. H. Stoffe, Probleme, Methoden. Eine Einführung. Wiesbaden ²1981.* – YOUNG, E.: *Kelt. H. A. d. Engl. Stuttgart ³1996.*

Helder *der* oder *das,* Marschland, →Groden.

Heldt, Werner, Maler, *Berlin 17. 11. 1904, †Sant'Angelo (auf Ischia) 3. 10. 1954; malte lyrisch gestimmte Berliner Stadtmotive in harten, zeichenhaften Formen.

Helena ['helınə], Hptst. des Staates Montana, USA, 1270 m ü. M. in den Rocky Mountains, 24600 Ew.; Handelszentrum eines Agrar- und Erzbergbaugebietes; Metallindustrie. – 1864 aus einem Goldgräberlager entstanden.

Helena, *grch. Mythos:* Tochter des Zeus und der Leda, Schwester der Dioskuren, Gemahlin des Menelaos. Als schönste Frau von Aphrodite dem →Paris versprochen, wurde sie von diesem entführt und gab so Anlass zum Trojan. Krieg.

Helena, eigtl. Flavia Iulia H., Kaiserin (Augusta) seit 325, *Drepanon (Bithynien) um 250, †329 (?); in Rom bestattet; Mutter Konstantins d. Gr., stammte aus einfachen Verhältnissen (früher Schankwirtin); seit 312 Christin; hatte großen Einfluss am kaiserl. Hof; soll nach der Legende das Kreuz Christi aufgefunden haben; Heilige; Tag: Westkirche 18. 8., Ostkirchen 21. 5.

Helene, ein Mond des Saturn.

Helenenkraut, ein →Alant.

Helfe, →Litze.

Helferzellen, Typ der T-Lymphozyten (→Lymphozyten).

Helfferich, Karl, Politiker (DNVP), *Neustadt an der Weinstraße 22. 7. 1872, †(Eisenbahnunglück) bei Bellinzona 23. 4. 1924; finanzierte als Staatssekretär im Reichsschatzamt (1915–16) die Kriegskosten v. a. durch große Anleihen. 1916–17 leitete er als Staatssekretär das Reichsamt des Innern und war zugleich Vizekanzler. H. wandte sich gegen den uneingeschränkten U-Boot-Krieg. Nach Ende des 1. Weltkrieges übernahm er 1920 den Vorsitz der DNVP. Innenpolitisch erzwang H. den Rücktritt M. Erzbergers als Reichsfinanzminister. Außenpolitisch bekämpfte er als Wortführer der Rechtsopposition die auf Verständigung mit den Weltkriegsgegnern Dtl.s gerichteten Bemühungen als »Erfüllungspolitik«.

Helge (Helgen), die →Helling.

Helgoland, Insel in der Dt. Bucht, gehört zum Kr. Pinneberg, Schlesw.-Holst., 2,09 km², 1600 Ew.; umfasst eine bis 61 m hohe, aus Buntsandstein gebildete Felseninsel (»Oberland«) mit dem an der S-Seite künstlich vorgeschütteten sandigen »Unterland« (1952 wiederhergestellt, mit Hafenanlagen) sowie eine 1,5 km östlich gelegene, bis 1720 mit der Insel zusammenhängende Düneninsel (»Düne«). Die Kliffkanten des Oberlandes werden durch Betonmauern geschützt; als einzelner Felsturm blieb nur die »Lange Anna« erhalten. Die Düne hat einen Flugplatz und dient als Badestrand. H. ist Seeheilbad, hat Vogelwarte, Meeresbiolog. Anstalt, Erdbebenwarte, Wetterdienst, Seenotrettungsstation, Fischereischutzhafen; bed. Ausflugsverkehr.

Geschichte: H., von Friesen besiedelt, kam 1402 an Schleswig. Im Hoch-MA. wurden Kupfererze abgebaut und verhüttet. 1714 kam es an Dänemark, das es 1814 an Großbritannien abtreten musste. Im **H.-Sansibar-Vertrag** vom 1. 7. 1890 erkannte das Dt. Reich die brit. Oberhoheit über Sansibar und Witu an und bekam dafür H. und den →Caprivi-Zipfel. Aufgrund des Versailler Vertrags mussten die starken Befestigungen geschleift werden. 1935 wurde H. erneut militärisch ausgebaut. Ein brit. Bombenangriff am 18. 4. 1945 vernichtete den Ort H. vollständig. Nach dem 2. Weltkrieg wurde die Bev. ausgewiesen. Die Sprengung des U-Boot-

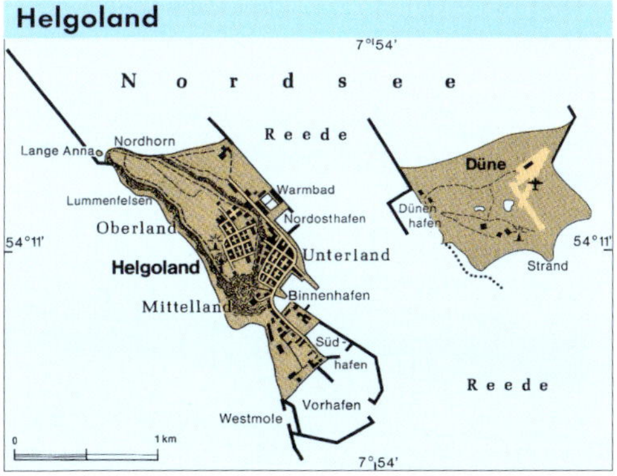

Bunkers und der Festungswerke am 18. 4. 1947 riss auch einen Teil der Steilküste mit. Danach diente H. der brit. Luftwaffe als Übungsziel für Bombenabwürfe. Am 1. 3. 1952 wurde H. an Dtl. zurückgegeben, 1960 war der Wiederaufbau beendet.

📖 SCHMIDT-THOMÉ, P.: *H. Berlin u. a. 1987.*

Helgoländer Bucht, innerer Teil der Deutschen Bucht.

Heliand, altsächs. Gedicht des 9. Jh., 1830 so benannt von J. A. Schmeller, erzählt in Stabreimversen die Geschichte Christi: Basierend auf zeitgenöss. Bibelkommentaren und der Evangelienharmonie des Tatian, ist der H. (altniederdt. »Heiland«) eine freie Gestaltung des Lebens Jesu, mit dem Ziel, den kurz zuvor bekehrten Sachsen die christl. Botschaft unter Verwendung german. Vorstellungen nahe zu bringen. Jesus erscheint als german. Fürst, die Jünger als Gefolgsleute, Jesus durch german. Gefolgstreue verbunden.

Helgoland: Im Vordergrund die Felseninsel, im Hintergrund die Düneninsel

Helianthin [grch.] *das,* → Methylorange.

Helikon [grch.] *das,* Blechblasinstrument; eine Basstuba (→ Tuba), die nahezu kreisrund gewunden ist und beim Spiel über die Schulter gehängt wird; noch heute in Militärkapellen (bes. in den USA) verwendet.

Helikon *der* (neugrch. Elikon), Kalkgebirge in Griechenland, zw. dem Golf von Korinth und der Kopaisebene in Böotien, bis 1748 m ü. M.; galt als Sitz der Musen.

Helikopter [grch.] *der,* → Hubschrauber.

helio... [grch.], sonnen...

Heliodor [grch.] *der,* hellgelbgrüner Edelstein, Varietät des Beryll.

Heliodor, grch. Sophist und Erzähler aus Emesa in Syrien, verfasste im 3. Jh. den Abenteuerroman »Aithiopika«, der den europ. Roman im 16.–18. Jh. beeinflusste.

Heliogabal (Elagabal), eigtl. Varius Avitus Bassianus, röm. Kaiser (218–222), *Emesa (heute Homs) 204, † (ermordet) Rom 11. 3. 222; war Hoher Priester des Sonnengottes Elagabal in Syrien, führte als Kaiser dessen Verehrung in Rom ein.

Heliograph [grch. »Sonnenschreiber«] *der,* astronom. Fernrohr mit Kamera für fotograf. Aufnahmen von der Sonne.

Heliotrop 1): Europäische Sonnenwende (Höhe 15–20 cm)

Heliogravüre [grch.-frz.] *die* (Photogravüre, Gravüre, Heliographie), Reproduktionsverfahren des Tiefdrucks, bei dem die Druckplatte mithilfe fotograf. Prozesse präpariert wird. Auf eine mit angeschmolzenem Asphaltstaub versehene Kupferplatte wird das Halbtonbild mittels Pigmentpapier übertragen und mit Eisenchloridlösungen geätzt; auch Bez. für die Drucke selbst. Die H. wurde 1879 erfunden und bes. 1890–1910 zur einfarbigen Illustrierung anspruchsvoller Bücher verwendet.

Heliometer [grch. »Sonnenmesser«] *das,* Fernrohr zum Messen kleinster Winkel und Abstände am Himmel. Die beiden Hälften eines längs eines Durchmessers zerschnittenen Objektivs, von denen jedes ein fokales Sternbild erzeugt, können messbar gegeneinander verschoben werden; im 20. Jh. von fotograf. Methoden abgelöst.

Hélion [eˈljɔ̃], Jean, frz. Maler, *Couterne (Dép. Orne) 21. 4. 1904, † Paris 27. 10. 1987; Autodidakt, schuf neben abstrakten Kompositionen buntfarbige figurative Bilder (Straßenszenen), mit denen er auf die Pop-Art wirkte; wandte sich in den 1970er-Jahren einer abstrahierenden Malerei in der Nachfolge von H. Matisse zu; schuf Ölbilder, Gouachen und Zeichnungen.

Heliopolis [grch. »Sonnenstadt«], **1)** (ägypt. Iunu, im A. T. On), altägypt. Stadt, heute Vorstadt von Kairo; bed. Kultort des Schöpfergottes Atum und des Sonnengottes Re; von der Stadt ist nur ein Obelisk Sesostris' I. (1971–1926 v. Chr.) erhalten.

2) grch. Name von → Baalbek.

Helioregulation, bei vielen in Hochgebirgen, Steppen, Savannen und Wüsten lebenden Tieren (z. B. Insekten, Kriechtieren) vorkommende Form der Regulation des Wärmehaushaltes, bei der der Körper nach dem Sonnenstand orientiert und somit maximaler oder minimaler Strahlung ausgesetzt wird. Die H. hilft, starke Temperaturschwankungen zw. Tag und Nacht auszugleichen.

Helios, zwei dt., von den USA gestartete Raumsonden zur Erforschung der Sonne und des sonnennahen interplanetaren Raumes; **Helios A** wurde 1974, **Helios B** 1976 gestartet. Sie erreichten mehrfache Sonnenannäherung auf nur 0,31 (Helios A) bzw. 0,29 → astronom. Einheiten (Helios B). Die für 18 Monate ausgelegte Betriebsdauer wurde um viele Jahre überschritten: Helios A wurde 1981 aufgegeben, Helios B erst 1986.

Helios, *grch. Mythos:* der Sonnengott, Sohn des Titanen Hyperion; fährt nach der Sage täglich in dem mit feurigen Rossen bespannten Sonnenwagen über den Himmel, nachts in einem goldenen Becher, der ihm als Nachen dient, auf dem Okeanos nach Osten zurück.

Helioskop [grch. »Sonnenschauer«] *das,* eine Prismen- oder Polarisationsvorrichtung zur Abschwächung des Sonnenlichts bei Beobachtung der Sonne durch ein Fernrohr.

Heliosphäre [grch.], Bereich um die Sonne, in dem der Sonnenwind und mit diesem mitgeführte Magnetfelder wirksam sind. Die Birnenform der H. wird durch die Relativbewegung der Sonne zum angrenzenden interstellaren Gas bedingt.

Heliostat [grch.] *der, Astronomie:* → Siderostat.

Heliotherapie [grch.], Behandlung mit Sonnenlicht (→ Sonnenbad).

Heliotrop [grch., eigtl. »was sich zur Sonne hinwendet«], **1)** *das, Botanik:* (Sonnenwende, Heliotropium) Gattung der Raublattgewächse in den Tropen und Subtropen sowie in der warmgemäßigten Zone; Kräuter oder Halbsträucher. In Dtl. kommt nur die bis 50 cm hohe, weißbläulich blühende, einjährige **Europ. Sonnenwende (Skorpi-**

Jean Hélion: »Zwillingsfiguren« (1938; Chicago, Art Institute)

Helios: Die Raumsonde Helios B während einer technischen Prüfung

onskraut, Heliotropium europaeum) in Unkrautgesellschaften und in Weinbergen vor. Versch. mehrjährige Arten sind beliebte Topf- und Gartenpflanzen.

2) *das, Optik:* von C. F. Gauss entwickelter Sonnenspiegel zum Sichtbarmachen entfernter Vermessungspunkte, heute i. Allg. durch Scheinwerfer ersetzt.

3) *der, Mineralogie:* (Blutjaspis) dunkelgrüner, rot gefleckter →Chalcedon.

Heliotropin [grch.] *das* (Piperonal), nach der Heliotropblüte duftende organ. Verbindung (aromat. Aldehyd), in der Parfümerie verwendet.

heliozentrisch [grch.], auf die Sonne als Mittelpunkt bezogen. Im **heliozentr. System** bewegen sich die Erde und die anderen Planeten um die Sonne (→Kopernikus, →geozentrisch).

Heliozoen [grch.], die →Sonnentierchen.

Helium [grch.] *das,* **He,** farbloses chem. Element aus der Gruppe der Edelgase. Ordnungszahl 2, relative Atommasse 4,0026, Dichte 0,1785 g/l, Schmelzpunkt −271,4 °C (bei 30 bar Druck), Siedepunkt −268,9 °C. – H. ist geruchlos, unbrennbar, äußerst reaktionsträge (es gibt keinerlei bekannte Verbindungen) und innerhalb der Erdatmosphäre und der Erdkruste außerordentlich selten. Es kommt in allen Uran- und Thoriummineralen vor, in denen es durch radioaktive α-Zerfallsprozesse entstanden ist, in Mineralquellen, in der Luft (4,6 cm^3 He in 1 m^3 Luft). Im Weltall ist es nach Wasserstoff das zweithäufigste Element. Techn. Gewinnung vorwiegend aus Erdgas. H. ist die einzige bekannte Substanz, die keinen →Tripelpunkt besitzt und am absoluten Nullpunkt flüssig bleibt; es wird aber fest (gefriert) unter äußerem Druck. Die beiden natürl. Isotope ^{3}He und ^{4}He werden bei 3,2 K bzw. 4,2 K flüssig. Flüssiges ^{4}He tritt in zwei versch. Modifikationen auf: oberhalb des Lambdapunkts von 2,184 K als normalflüssiges **He I,** unterhalb als supraflüssiges **He II.** ^{3}He zeigt →Suprafluidität erst unterhalb 2,7 mK. He II ist der beste bekannte Wärmeleiter. H. wird wegen seiner geringen Dichte und Unbrennbarkeit zum Füllen von Luftschiffen, Ballonen, Gasthermometern, als Zusatz zu Taucher-Atemgemischen, als indifferente Atmosphäre bei versch. chem. und techn. Prozessen, als Kühlgas in Kernreaktoren und zum Erzeugen tiefster Temperaturen verwendet. In der Raumfahrt dient H. als Kompensationsfüllgas für Raketentreibstofftanks.

Heliumbrennen, der →Drei-Alpha-Prozess.

Heliummethode, Methode zur →Altersbestimmung von Gesteinen durch Vergleich des Uran- (U 235 oder U 238) oder Thoriumgehalts (Th 232) mit der Menge an eingeschlossenem, durch radioaktiven Zerfall gebildetem Helium ($^4_2$He).

Helix [grch. »Windung«, »Spirale«] *die,* **1)** *Anatomie:* Ohrleiste, Ohrkrempe; äußerer, umgebogener Rand der menschl. Ohrmuschel.

2) *Zoologie:* Gattung der →Weinbergschnecken.

Helixstruktur, stabile wendelförmige räuml. Anordnung der Bausteine (niedrigmolekulare Molekülreste) von Makromolekülen, z. B. die Doppelhelix der DNS.

Helizität [zu Helix] *die,* Projektion des Spinvektors eines Elementarteilchens auf dessen Bewegungsrichtung. Die H. ist eine innere Eigenschaft von Teilchen mit der Ruhemasse null (Photonen, Neutrinos) und charakterisiert einen Schraubensinn (Spiralität) oder eine Chiralität.

Hellabrunn, Tierpark von München.

helladische Kultur, die festländ. grch. Frühkultur, →ägäische Kultur.

Hellas, 1) antike Bez. für Griechenland, 1822 für den neugrch. Staat wieder aufgegriffen.

2) bei Homer in der Ilias eine Landschaft im südöstl. Thessalien, in der Odyssee bereits für ganz Mittelgriechenland verwendet; die Heimat der Hellenen.

Hellbrunn, seit 1935 Stadtteil von Salzburg, mit Barockschloss, Park und Wasserspielen, 1613–19 für Erzbischof Markus Sittikus von Salzburg errichtet.

Helldunkel (italien. Chiaroscuro, frz. Clair-obscur), Gestaltungsmittel in Malerei und Grafik, bei dem der Ggs. von Hell und Dunkel Komposition und Bildwirkung bestimmt. Zugleich treten die Lokalfarben und die Schärfe der Umrisszeichnung immer mehr zugunsten einer maler. Gesamtwirkung zurück; Beginn der **H.-Malerei** um 1500

Helldunkel: Rembrandt, »Der Segen Jakobs« (1656; Kassel, Staatliche Kunstsammlungen)

bei Leonardo da Vinci, weitere Höhepunkte um 1600 bei Caravaggio und bes. bei Rembrandt.

Hellebarde [mhd. helmbarte, aus helm »Axtstiel« und barte »Beil«] *die,* Hieb- und Stoßwaffe des Fußvolks im späteren MA., etwa 2 m lang, mit Stoßklinge, Beil und Reißhaken, seit dem 16. Jh. durch langen Spieß oder Pike verdrängt.

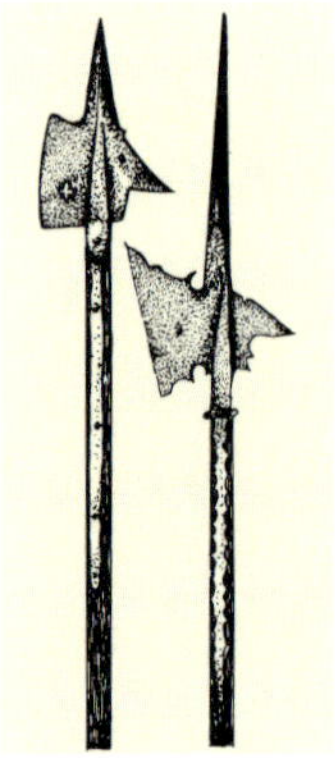

Hellebarde: verschiedene Formen

Hellempfindlichkeitskurven, graf. Darstellung der Hellempfindlichkeit des menschl. Auges in Abhängigkeit von der Wellenlänge des Lichts. Die sich daraus ergebenden, international für Normalbeobachter genormten Kurven bilden die Grundlage der Photometrie: Die V(λ)-Kurve gilt für Verhältnisse beim Tagessehen (photop. Sehen), die V'(λ)-Kurve für Nachtsehen (skotop. Sehen).

Hellenismus [grch.-lat.] *der,* Begriff zur histor. Einordnung des Zeitraumes zw. Alexander d. Gr. und der röm. Kaiserzeit, eingeführt von J. G. Droysen. Er umfasst die Ausbreitung grch. Kultur über die sich seit 326 v. Chr. bis zum Indus wie auch nach W erstreckende hellenist. Staatenwelt. Diese **Hellenisierung** einte die Kultur und führte zu großartigen Kulturleistungen; Griechisch wurde Weltsprache. – In der Spätantike unterschied H. das Selbstverständnis des grch. Heidentums von der christl. Religiosität. (→ Griechenland, Geschichte, → griechische Kunst, → griechische Literatur, → griechische Philosophie)

📖 GRANT, M.: *Von Alexander bis Kleopatra. Die hellenist. Welt. A. d. Engl. Neuausg. Bindlach 1987.* – WALBANK, F.: *Die hellenist. Welt. A. d. Engl. Tb.-Ausg. München* [4]*1994.* – GEHRKE, H.-J.: *Geschichte des H. München* [2]*1995.*

hellenistische Staaten, die auf dem Boden der unvollendeten Reichsgründung Alexanders d. Gr. zw. Griechenland, Ägypten und Indus im Lauf der Kämpfe zw. den → Diadochen nach 323 v. Chr. entstandenen Staaten, in denen eine grch. Minderheit herrschte: die Ptolemäer in Ägypten 323–30; die Seleukiden in Persien (bis ins 2. Jh. v. Chr.), Syrien und in Teilen Kleinasiens 312–63; die Antigoniden erst im Osten, etwa 276–168 in Makedonien; später Pergamon unter den Attaliden 261–133; außerdem das gräkobaktr. Reich (→ Baktrien) mit Blüte um 250 bis 140; ferner die syrakusan. Großmacht Anfang des 3. Jh. v. Chr. auf Sizilien.

Heller (Haller, Häller), urspr. der Pfennig der Königl. Münzstätte Schwäbisch Hall; ein Silberpfennig, erstmals etwa 1200 erwähnt, seit dem 13. Jh. weit geschätzte Handelsmünze; seit dem 17. Jh. eine Kupfermünze. Im Allg. setzte sich der H. als Halbpfennig durch. Im 19. Jh. waren süddt. H. meist 18 Kreuzer (in der Schweiz bis 1850) = 1480 Gulden, mitteldt. H. = 124 Groschen = 1720 Taler; nur um Frankfurt am Main waren H. und Pfennig gleichbedeutend. – In Österreich-Ungarn wurde der H. 1892 neu belebt als $^{1}/_{100}$ Krone; als **Haléř** (tschech.) noch in der Tschech. Republik, als **Halier** (slowak.) in der Slowak. Republik (= $^{1}/_{100}$ Krone); als **Fillér** noch in Ungarn (= $^{1}/_{100}$ Forint) üblich.

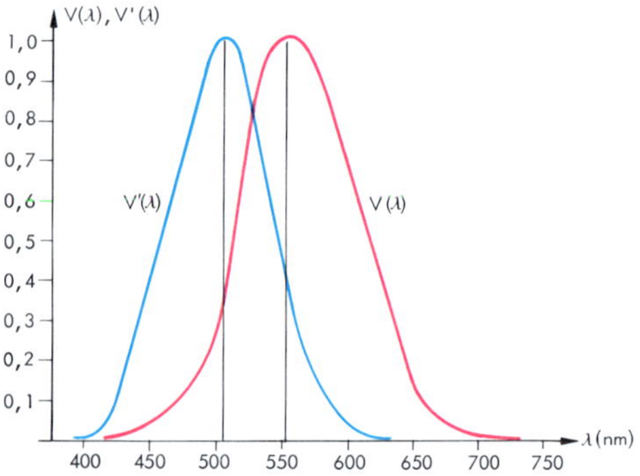

Hellempfindlichkeitskurven: international genormte Hellempfindlichkeitskurven für das Tagessehen (rote Kurve) und das Nachtsehen (blaue Kurve); λ Wellenlänge des Lichts (in Nanometer)

Heller, 1) Agnes, ungarisch-amerikan. Philosophin, * Budapest 12. 5. 1929; studierte bei G. Lukács; Lehrtätigkeit in Australien und New York; befasst sich v. a. mit der Kritik des real existierenden Sozialismus und des westl. Gesellschaftssystems, dem Verhältnis von Politik und Ethik und der Beziehung zw. Verstand und Gefühl: Jede wiss. Feststellung ist immer mit Wertentscheidungen verknüpft. – *Werke:* Alltag und Geschichte (1970); Theorie der Gefühle (1980); Der sowjet. Weg (1983).

André Heller

2) André, österr. Liedermacher und Aktionskünstler, * Wien 22. 3. 1947; wurde bekannt mit krit. Liedern über Wien, 1975 als Gründer des »Zirkus Roncalli«; Inszenierung künstler. Veranstaltungen: 1981–82 Varieté »Flic-Flac«; 1983 in Lissabon »Theater des Feuers« (Großfeuerwerk; 1984 Berlin); 1985–86 chines. Akrobatik »Begnadete

Körper«, 1988–89 Show »Body & Soul«; schrieb u.a.; »Schattentaucher« (R., 1987).

3) Hermann, Staatsrechtslehrer und Politologe, *Teschen 17. 7. 1891, †Madrid 5. 11. 1933; 1919 Zusammenarbeit mit G. Radbruch in Kiel, 1928 Prof. in Berlin, 1932 in Frankfurt am Main, 1933 Emigration. In seinen staatsrechtl. Werken postulierte H. die Pflicht der Rechtswissenschaft, für eine gerechte Ordnung einzutreten, nicht der Erforschung des staatl. Herrschaftswillens den Vorrang einzuräumen. Die politischen Wiss. (als deren »Vater in Dtl.« ihn Hans Mommsen bezeichnete) verstand er als Wiss. für die Demokratie. Seine Lehre stellte ihn in Ggs. zu Carl Schmitt, als dessen Antipode er gilt. – *Werke:* Hegel und der nat. Machtstaatsgedanke (1921); Sozialismus und Nation (1925); Souveränität (1927); Europa und der Faschismus (1929); Rechtsstaat oder Diktatur (1930).

4) ['helə], Joseph, amerikanischer Schriftsteller, *Brooklyn (N. Y.) 1. 5. 1923. Sein Roman »Der IKS-Haken« (1961, dramatisiert 1971) ist eine Entlarvung der Sinnlosigkeit des Krieges; schrieb ferner u.a.: »Was geschah mit Slocum« (R., 1974), »Weiß Gott« (R., 1984), »Rembrandt war 47 und sah dem Ruin ins Gesicht« (R., 1988).

Hellerau, ab 1909 angelegte Gartenstadt, seit 1950 Stadtteil von →Dresden.

Hellerkraut (Thlaspi), Gattung der Kreuzblütler in der gemäßigten Zone der N-Halbkugel; in Dtl. häufig das **Acker-H.** (Thlaspi arvense) mit kleinen weißen Blüten und flachen, fast kreisrunden, breit geflügelten Schotenfrüchten.

Hellespont [grch.] *der,* in der Antike Name der →Dardanellen.

Helligkeit, 1) *Astronomie:* ein Maß für die Strahlung eines kosm. Objekts, ausgedrückt in →Größenklassen. Man unterscheidet versch. H., v.a. →absolute Helligkeit und →scheinbare Helligkeit. Die richtige Angabe der H. ist die Voraussetzung, um die Entfernung von astronom. Objekte bestimmen zu können.

2) *Optik:* Stärke einer Lichtempfindung. In der Farbmetrik ist die H. neben Farbton und Sättigung die 3. Eigenschaft zur Charakterisierung einer →Farbe.

Helling *die* (Helgen), die geneigte Ebene, auf der ein Schiff gebaut wird und von der es vom Stapel läuft; als Längs-H. (für Seeschiffe) und Quer-H. (für Binnenschiffe).

Hellman [-mən], Lillian, amerikan. Schriftstellerin, *New Orleans (La.) 20. 6. 1906, †Martha's Vineyard (Mass.) 30. 6. 1984; schrieb psycholog., sozialkrit. Dramen, Filmdrehbücher; autobiographisch ist »Die Zeit der Schurken« (1976).

Hellmesberger, Wiener Musikerfamilie: **1)** Georg, Violinist, Dirigent und Komponist, *Wien 24. 4. 1800, †Neuwaldegg (heute zu Wien) 16. 8. 1873, Vater von 2) und Großvater von 3); Lehrer von J. Joachim und L. Auer.

2) Joseph, Violinist und Dirigent, *Wien 3. 11. 1828, †ebd. 24. 10. 1893, Sohn von 1) und Vater von 3); seit 1877 Hofkapellmeister; Leiter eines Streichquartetts.

3) Joseph, Violinist, Komponist und Dirigent, *Wien 9. 4. 1855, †ebd. 26. 4. 1907, Sohn von 2) und Enkel von 1); seit 1890 Hofkapellmeister in Wien, 1904/05 in Stuttgart; schrieb v.a. Operetten und Ballette.

Hellpach, Willy, Psychologe und Politiker (DDP), *Oels (heute Oleśnica) 26. 2. 1877, †Heidelberg 6. 7. 1955; 1922–25 bad. Min. für Kultur und Unterricht, 1924/25 bad. Staatspräs.; trat bes. durch seine geopsycholog. Studien über den Einfluss von Klima und Landschaft auf den Menschen hervor.

Heller aus Schwäbisch Hall: um 1300 geprägte Münze (Vorder- und Rückseite)

Willy Hellpach

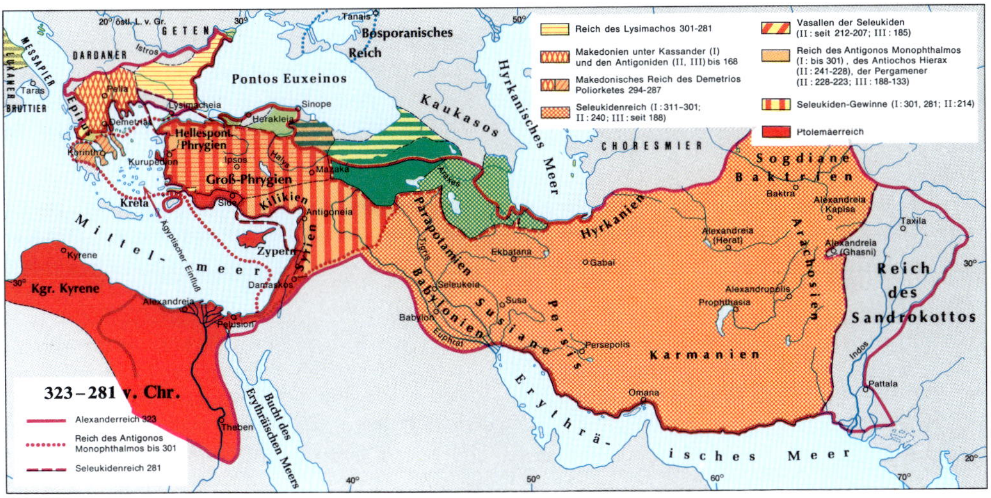

Hellenismus: Hellenistische Staatenwelt 323–281 v. Chr.

Hell-Schreiber [nach dem dt. Ingenieur R. Hell, *1901], Bildschreiber, der jedes Schriftzeichen in einen Raster von sieben Zeilen und sieben Spalten zerlegt und die einzelnen Rasterelemente spaltenweise als elektr. Impulsfolge überträgt. Der H.-S. arbeitet auf der Senderseite wie ein Drucktelegraf und auf der Empfängerseite nach dem Prinzip des Bildtelegrafen.

Hellsehen, Form der außersinnl. Wahrnehmung, bei der im Unterschied zur → Telepathie angenommen wird, dass sie direkt von objektiven Dingen oder Ereignissen in der physikal. Welt herrührt; auch das Erkennen des räumlich Verborgenen, des unerschließbaren Zukünftigen und des Vergangenen.

Hellweg [von älter Hallweg »Weg zur Hölle«], im MA. Name für große Durchgangsstraßen, bes. für den wohl aus vorrömisch-german. Zeit stammenden Verbindungsweg zw. Rhein (Ruhrort) und Weser (Minden) über Dortmund, Soest, Paderborn. Der Name übertrug sich auf die Ebene (H.-Börde) zw. Lippe und dem Haarstrang. Dem H. folgt über weite Strecken die heutige Bundesstraße 1 (Ruhrschnellweg). – Karl d. Gr. baute den H. zur Heerstraße aus.

Helm [ahd., zu helan »verdecken«], **1)** *Baukunst:* kegel-, zelt- oder pyramidenförmiges Turmdach.

2) *Heraldik:* seit dem 14. Jh. Hauptbestandteil des Wappens (Oberwappens); ist immer mit einem **H.-Kleinod (H.-Figur, H.-Zier)** versehen.

3) *Militärwesen:* haubenförmiger Kopfschutz; in den Kulturen des Alten Orients seit dem 3. Jt. v. Chr. nachweisbar; aus Stoff oder Leder gefertigt und gelegentlich mit Kupfer verstärkt; aus Metall in Europa seit myken. Zeit belegt. Grch. und röm. H. waren zunächst aus Leder, später aus Bronze oder Eisen gefertigt. Im 6. Jh. kam der **Spangen-H.** auf, dessen Metallgerüst mit Platten aus Horn, Leder oder Metall ausgefüllt war. Im 11. und 12. Jh. verbreitete sich der **normann. H.** in ganz Europa, abgelöst von dem **Topf-H.** mit Augenschlitzen. Bald nach 1300 entstand für den Gesichtsschutz die Haube mit hochklappbarem Visier **(Hundsgugel).** Den gebräuchlichsten H. der leicht bewaffneten Krieger stellte der spätmittelalterl. **Eisenhut** dar. Aus diesem ging Anfang des 15. Jh. die **Schaller** hervor, deren breiter Rand Gesicht und Nacken deckte. Im 15. Jh. wurde der vollkommen geschlossene H. entwickelt, der auch den Hals schützte. Seit Mitte des 16. Jh. wurden leichtere H. bevorzugt (z. B. **Sturmhaube**). Preußen führte 1842 die **Pickelhaube** ein, einen Leder-H. mit Metallspitze. Im 1. Weltkrieg entwickelte man den **Stahlhelm.**

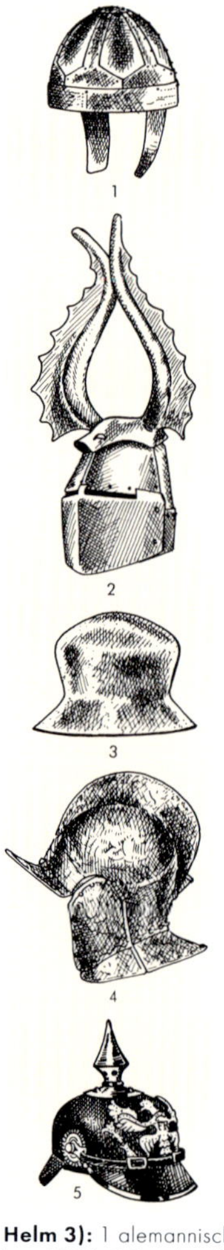

Helm 3): 1 alemannischer Spangenhelm (um 600), 2 Topfhelm mit Helmzier aus Leder (um 1375), 3 Eisenhut (15. Jh.), 4 Prunksturmhaube (um 1500), 5 Pickelhaube (1895)

Helmand (Hilmend) *der,* größter Fluss Afghanistans, 1130 km lang, enspringt im Kuh-e Baba, durchfließt als Fremdlingsfluss das Sistanbecken und mündet im Endsee Hamun-e Helmand, verlagert oft die Mündung; bes. im Unterlauf zur Bewässerung genutzt; Stausee bei Kajakai (107 km²).

Helmbohne (Faselbohne, Lablab, Dolichos lablab), in den Tropen und Subtropen angebauter Schmetterlingsblütler mit meist violetten Blütentrauben und purpurvioletten Hülsenfrüchten. Die jungen Hülsen und die Samen dienen als Gemüse.

Helmbrechts, Stadt im Landkreis Hof, Bayern, auf der Münchberger Hochfläche, im Naturpark Frankenwald, 600 m ü. M., 10 300 Ew.; Textilind., Kunststoffverarbeitung. – Erhielt 1449 Stadtrecht.

Helme *die,* linker Nebenfluss der Unstrut, 90 km lang, entspringt im Ohmgebirge (Unteres Eichsfeld), durchfließt die Goldene Aue, mündet bei Artern (Unstrut); bei Kelbra (Kyffhäuser) der H.-Stausee (35,6 Mio. m³ Stauraum).

Helm 3): Hundsgugel (um 1400)

Helmer, Oskar, österr. Politiker, *Gattendorf (heute Gattendorf-Neudorf, Bezirk Neusiedl am See) 16. 11. 1887, † Wien 13. 2. 1963; Mitgl. der SPÖ, 1920–34 Sekretär seiner Partei in Niederösterreich, 1934–44 mehrfach verhaftet, war 1945–59 Innenmin. und stellv. Vors. der SPÖ.

Helmholtz, Hermann Ludwig Ferdinand von (seit 1882), Physiker und Physiologe, *Potsdam 31. 8. 1821, † Charlottenburg (heute zu Berlin) 8. 9. 1894; Prof. in Königsberg, Bonn, Heidelberg, Berlin, seit 1888 Präs. der Physikalisch-Techn. Reichsanstalt in Charlottenburg. H. bestimmte erstmals die Fortpflanzungsgeschwindigkeit der Nervenerregung, erfand den Augenspiegel, erklärte physiolog. Vorgänge des Sehens und entwickelte die Klanganalyse mit Resonatoren. Daneben erklärte H. die Bedeutung des Prinzips von der Erhaltung der Energie, berechnete die Wirbelbewegung von

Flüssigkeiten, bereitete eine umfassende Elektrizitätslehre vor und prägte den Begriff der elektr. Elementarladung. Bed. sind seine erkenntnistheoret. Untersuchungen über die Geometrie sowie über Wahrnehmung, Zählen und Messen.

Werke: Über die Erhaltung der Kraft (1847); Hb. der physiolog. Optik (1856–67); Vorlesungen über theoret. Physik, 6 Bde. (1897–1907).

📖 RECHENBERG, H.: *H. v. H. Bilder seines Lebens u. Wirkens. Weinheim u. a. 1994.*

Helmholtz-Funktion, die →freie Energie.

Helmholtz-Resonator, akust. Resonator zur Klang- bzw. Schallanalyse, bestehend aus einer Metallhohlkugel mit einer Öffnung, durch die der Schall eindringt. Enthält der zu analysierende Schall einen Teilton mit einer Frequenz, die mit der Eigenfrequenz des H.-R. übereinstimmt, so wird der Teilton verstärkt wahrgenommen.

Helmholtz-Spulen, Anordnung aus zwei gleichen, flachen Zylinderspulen, die sich koaxial im Abstand ihres Radius gegenüberstehen und vom gleichen Strom durchflossen werden. H. dienen zur Erzeugung allseitig zugängl. homogener Magnetfelder.

Helminthiasen, die →Wurmkrankheiten.

Helmkraut (Scutellaria), Gattung der Lippenblütler; in Dtl. v.a. das 10–50 cm hohe **Sumpf-H.** (**Gemeines H.,** Scutellaria galericulata) mit blauvioletten Blüten.

Helmkrone, Blatt- oder Blätterkrone zur Krönung der Wappenhelme; seit dem 15. Jh. auch als Kennzeichen des Adelsstands.

Helmold von Bosau, Chronist, *vor 1125, †nach 1177; schildert in seiner 1162–72 verfassten »Chronica Slavorum« die Christianisierung der östlich der Unterelbe lebenden Westslawen von Karl d. Gr. bis in seine Zeit. Die Chronik wurde von Arnold von Lübeck fortgesetzt.

Helmond, Stadt in der Prov. Nordbrabant, Niederlande, 71 500 Ew.; Fahrzeug- und Maschinenbau, Herstellung von Stahlröhren, Kartonagen, Möbelstoffen; Industriehafen. – Rathaus 1402 als Schloss gebaut, im Park Plastiken von A. Maillol. – H. erhielt 1220 Stadtrecht.

Helmont, Franciscus Mercurius van (d. J.), Arzt und Naturphilosoph, *bei Brüssel 1614, †Berlin 1699; entwickelte, beeinflusst von Paracelsus, der Kabbala und Anne Conway, eine spekulative Naturphilosophie und Monadenlehre, mit der er auf Leibniz' Metaphysik wirkte.

Helmstedt, 1) Landkreis im VerwBez. Braunschweig, Ndsachs., 674 km^2, (1996) 101 600 Ew.

2) Krst. von 1) in Ndsachs., in der Mitte des Braunkohlengebiets zw. Elm und Lappwald, 26 900 Ew.; Heimatmuseum; Braunkohlenbergbau, Metall- und Holzverarbeitung, Textilindustrie. – Ehem. Benediktinerklosterkirche St. Ludgeri (11. Jh.), Kloster Marienberg (12. Jh.), Juleum (Aula und Auditoriengebäude der ehem. Univ., 1592–97). – 1247 wurden H. Stadtrechte bestätigt, 1426–1518 war H. Hansestadt; 1576–1810 bestand die Landesuniversität Academia Julia.

Helmstedt 2): Das Juleum – Aula und Auditoriengebäude der ehemaligen Universität – mit achteckigem Treppenturm (1592–97)

Helmzier, herald. Helmschmuck, z. B. Hörner, Flügel, Federn; gehört zum Oberwappen; wurde auch zu einem vom Wappenschild unabhängigen Symbol. (→Helm, →Heraldik)

Heloise (frz. Héloïse), *Paris 1101, †Kloster Le Paraclet (bei Nogent-sur-Seine) 1164; Schülerin, Geliebte und heiml. Gemahlin des →Abälard; später Nonne und Äbtissin; »Die neue H.« (1761), Briefroman von J.-J. Rousseau. BILD Abälard

Heloten [grch.], die Staatssklaven im alten Sparta, Nachkommen der von den Doriern unterworfenen Bev. Lakoniens und Messeniens. Sie bestellten die Landanteile der Spartiaten und dienten im Krieg als Waffenknechte.

Helsingborg [hɛlsiŋ'bɔrj] (bis 1971 Hälsingborg), Hafenstadt an der engsten Stelle des Sunds, Schweden, Verw.gebiet Malmöhus, 110 600 Ew.; Museen; Sitz von Reedereien; Schiffbau, elektrotechn., chem. Ind., Schokoladenfabriken, Zuckerraffinerie; Eisenbahn- und Autofähre nach Helsingør. – Von der Burg ist der Turm »Kärnan« (14. Jh.) erhalten; Marienkirche (13. Jh., Anfang 15. Jh. spätgotisch umgebaut). – 1070 erstmals erwähnt.

Helsingfors, schwedisch für →Helsinki.

Helsingør [hɛlseŋ'ø:r], Hafenstadt auf Seeland, Dänemark, an der engsten Stelle des Sunds, 56 900 Ew.; internat. Hochschule; Werften; Maschinen-, Brauerei-, Textilind.; Eisenbahn- und Autofähre nach Helsingborg. – In beherrschender Lage am

Hermann von Helmholtz

Helmkraut: Sumpfhelmkraut (Höhe 10–50 cm)

Sund Renaissanceschloss Kronborg (1574–84, durch Shakespeares »Hamlet« bekannt), Handels- und Schifffahrtsmuseum. – H. erhielt 1426 Stadtrecht und erlangte Bedeutung mit der Erhebung des Sundzolls (1425–1857).

Claude Adrien Helvétius
(Punktierstich nach einer zeitgenössischen Vorlage, um 1810)

Helsinki (schwed. Helsingfors), Hptst. von Finnland und des VerwBez. Uusimaa (Nyland), liegt auf einer in den Finn. Meerbusen ragenden Landzunge, 508 600 Ew. (davon 9 % schwedischsprachig); Sitz der Reg. und des Reichstags; Univ. (seit 1828), TH, zwei Wirtschaftshochschulen, Veterinärmedizin. Hochschule, Musikhochschule, Akademie der Wiss. u. a. wiss. Gesellschaften, Nationalbibliothek, Museen, Theater, Opernhaus, Festhalle »Finlandia«, botan. und Tiergarten; Olympiastadion (1938 erbaut, Olymp. Spiele 1952). H. ist der wichtigste Ind.standort Finnlands mit Papierind., Maschinen- und Fahrzeugbau, Holz- und Metallverarbeitung, chem. Ind., Werften, Aluminium-, Elektro-, Textil-, Bekleidungs-, Nahrungs- und Genussmittelind., Porzellanfabrik. Der Hafen hat v. a. für die Einfuhr und für den Passagierverkehr Bedeutung; internat. Flughafen.

Helsinki
Stadtwappen

Stadtbild: Zahlr. Buchten, Halbinseln und Inseln (Schären) bestimmen das Bild der »weißen Stadt des Nordens«. H. wurde seit 1816 nach Planung von J. C. L. →Engel (BILD) ausgebaut, seine klassizist. Bauten beherrschen bis heute das Zentrum um den Senatsplatz: Regierungspalais, Universitätsbibliothek, Domkirche. Engels Stil wirkte bis in die 1880er-Jahre fort (ehem. Ständehaus, Reichsarchiv). Östlich vom Zentrum liegt auf der Halbinsel Katajanokka (Wohnort mit Beispielen eines national geprägten Jugendstils) die orthodoxe Uspenski-Kathedrale (1868). Im Stil der finn. Nationalromantik entstanden der Hauptbahnhof (1910–14) von Eliel Saarinen, das Nationaltheater (1902), das Nationalmuseum (1910), die Kirche von L. Sonck (1908) im Stadtteil Kallio, auch einige Geschäftshäuser. Ein herausragender Monumentalbau ist das neoklassizist. Reichstagsgebäude von J. S. Sirén (1931). 1971 wurde die Konzert- und Kongresshalle »Finlandia« von A. Aalto (BILD) vollendet; er plante auch die Neugestaltung des gesamten Bereichs um die Töölöbucht und des Bahnhofsviertels. Dem Zentrum im SO vorgelagert liegen die Ruinen der Festung Suomenlinna (1748–72, UNESCO-Weltkulturerbe); im westl. Vorortbereich die TH in Otaniemi (1961 begonnen von Aalto u. a.) und die Gartenstadt Tapiola.

Helsinki: Das finnische Nationaltheater (1902), im Vordergrund das Denkmal des Klassikers der finnischen Literatur Aleksis Kivi

Geschichte: 1550 vom schwed. König Gustav I. Wasa an der Mündung des Vantaanjoki gegründet und 1640 ans offene Meer verlegt; wurde 1812 Hptst. des russ. Großfürstentums Finnland; 1973 und 1975 Tagungsort der →KSZE (»Schlussakte von H.« vom 1. 8. 1975).

Heluan (Hilwan), Stadt in Ägypten, 25 km südlich von Kairo, am rechten Nilufer, 328 000 Ew.; Univ., Forschungsinstitut für Astronomie und Geophysik; Eisenhütten- und Stahlwerk, Zement- und Düngemittelind.; nahebei Automobilwerk. H. ist auch Kurort (Schwefelthermen).

Helvetia, lat. Name der Schweiz.

Helvetiler, kelt. Stamm, der Anfang des 1. Jh. v. Chr. aus Süd-Dtl. in das Schweizer Mittelland einwanderte. Beim Versuch, das südliche Gallien zu erobern, wurden sie von Cäsar 58 v. Chr. bei Bibracte besiegt und zum Rückzug gezwungen.

Helvetische Gesellschaft, 1761 gegr. schweizer. Vereinigung zur Überbrückung religiöser und kantonaler Gegensätze; 1848 aufgelöst. Die **Neue H. G.,** gegr. 1914 u. a. wegen der starken Einwanderung, bemüht sich heute um die polit., wirtsch. und geistige Selbstständigkeit der Schweiz sowie um den Kontakt zw. den Auslandsschweizern.

Helvetische Konfession (Confessio Helvetica), Name zweier reformator. Bekenntnisschriften: 1. H. K. 1536, 2. H. K. 1566; Bekenntnis der reformierten Kirchen der dt.-sprachigen Schweiz und der ehem. habsburg. Länder.

Helvetische Republik, amtlicher Name der Schweiz zwischen 1798 und 1815; häufig nur Bez. der Epoche von 1798 bis 1803.

Helvétius [ɛlveˈsjys], Claude Adrien, frz. Philosoph, *Paris 26. 1. 1715, †ebd. 26. 12. 1771; Vertreter der frz. Aufklärung; entwickelte eine auf dem Prinzip der Selbstliebe gegr. sensualistisch-mechanist. Moralphilosophie. Sein Hauptwerk »De l'esprit« (1758) wurde als staats- und religionsgefährdend öffentlich verbrannt.

Helwig, Werner, Schriftsteller, *Berlin 14. 1. 1905, †Thônex (bei Genf) 4. 2. 1985; verfasste Reisebücher, Romane: »Raubfischer in Hellas« (1939), »Das Paradies der Hölle« (1965) sowie Nachdichtungen ostasiat. Lyrik.

Jan Sanders van Hemessen: »Berufung des heiligen Matthäus« (1536; München, Alte Pinakothek)

Hemd [ahd. hemidi »Gewand«], Kleidungsstück von Männern und Frauen. Urspr. diente das kittelartige H. als Obergewand bei Ägyptern, Griechen, Römern (Chiton, Tunika), seit etwa 1200 als Untergewand und Leibwäsche. Seit dem 17. Jh. sind Männer- und Frauen-H. stärker voneinander unterschieden und erfuhren seitdem mod. Veränderungen. Das Nacht-H. ist seit dem 16. Jh. allg. in Gebrauch.

Hemer, Stadt im Märkischen Kreis, NRW, am N-Rand des Sauerlandes, 36 000 Ew.; Eisen-, Maschinen-, Papierindustrie. Naturschutzgebiet Felsenmeer und Heinrichshöhle. – Seit 1936 Stadt.

Hemeralopie [grch.] *die,* →Nachtblindheit.

Hemessen ['he:məsə], Jan Sanders van, fläm. Maler, * Hemiksem (bei Antwerpen) um 1500, † Haarlem (?) nach 1575; 1524 Meister in Antwerpen, ab 1551 in Haarlem tätig; Begründer des fläm. Sittenbildes; oft lebensgroße Halbfiguren in bibl. und profanen Szenen.

hemi... [grch.], halb...

Hemianopsie [grch.] *die,* →Halbseitenblindheit.

Hemicellulosen [grch.] (Polyosen), pflanzl. Polysaccharide, die im Unterschied zur Cellulose verzweigte Ketten bilden und aus versch. Monosacchariden aufgebaut sind. Der Polymerisationsgrad liegt zw. 50 und 200. **Hexosane** bestehen aus Hexosen. Aus Pentosen sind die **Pentosane** aufgebaut, die z.B. in Roggenmehl vorkommen. Die wichtigste H. ist das in bestimmten Hölzern, Kleie und Stroh enthaltene Xylan (Holzgummi).

Hemimorphit [grch.] *der* (Kieselgalmei), farbloses bis hellgrünes oder braunes rhombisches Mineral der chemischen Zusammensetzung $Zn_4[Si_2O_7|(OH)_2] \cdot H_2O$, das mit Zinkspat das wichtige Zinkerz Galmei bildet; entsteht sedimentär und in der Oxidationszone sulfid. Blei-Zink-Lagerstätten.

Hemimorphit

Hemingway ['hemɪŋweɪ], Ernest, amerikan. Schriftsteller, * Oak Park (Ill.) 21. 7. 1899, † (Selbstmord) Ketchum (Id.) 2. 7. 1961; 1918 Freiwilliger des Roten Kreuzes an der italien. Front (»In einem anderen Land«, R., 1929); 1921–27 als Korrespondent in Europa (v.a. Paris, wo er mit Gertrude Stein, E. Pound und F. Scott Fitzgerald zusammentraf); 1936/37 Berichterstatter im Span. Bürgerkrieg (»Wem die Stunde schlägt«, R., 1940). H. ist Vertreter der →verlorenen Generation. Seine Reportagen, Kurzgeschichten (»Tod am Nachmittag«, 1932; »Die grünen Hügel Afrikas«, 1932; »49 stories«, 1938; »Der alte Mann und das Meer«, 1952; »Paris, ein Fest fürs Leben«, hg. 1964) und Romane (»Fiesta«, 1926; »Über den Fluß und die Wälder«, 1950; »Inseln im Strom«, hg. 1970) sind vornehmlich Verarbeitungen eigener Erlebnisse und Ereignisse seiner Zeit. Er suchte Bewährung in der Konfrontation mit Formen der Gewalt und des Todes, die sich ihm in existenziellen Grundsituationen des Lebens (Krieg, Stierkampf) boten. Die nüchterne, emotionslose Sprache besitzt eine durch Symbole und Metaphern erkennbare Tiefendimension, die ein objektives Korrelat zur Erlebniswelt darstellt. 1954 erhielt H. den Nobelpreis für Literatur.

Weitere Werke: Gefährlicher Sommer (Reportagen, hg. 1985); Der Garten Eden (R., hg. 1986).

📖 BURGESS, A.: *E. H. A. d. Amerikan. Neuausg. München ³1989.* – HARTWIG, W.: *E. H. Triumph u. Tragik seines Lebens. Biografie. Berlin ²1990.*

Ernest Hemingway

Hemiole [grch.] *die,* in der Mensuralnotation Einfügung schwarzer Noten, bezeichnet den Übergang von einer 2×3-teiligen in eine 3×2-teilige Taktgruppe.

Ernest Hemingway

»Wem die Stunde schlägt«

Der größte Roman des amerikanischen Schriftstellers Ernest Hemingway, der 1940 erschien, trägt im Deutschen diesen Titel. Man zitiert ihn, wenn man umschreiben will, dass jemand einer lebensbedrohenden Gefahr, einer sehr schwierigen Aufgabe nicht entrinnen kann, dass für jemand das Ende eines Lebensabschnitts oder das Ende überhaupt gekommen ist. In dem Roman, der den Kampf gegen den Faschismus im spanischen Bürgerkrieg zum Thema hat, steht die tragisch endende Liebe zwischen einer Spanierin und einem Amerikaner, der für die antifaschistische Sache kämpft, im Mittelpunkt. Der Roman wurde 1943 mit Ingrid Bergmann und Gary Cooper in den Hauptrollen verfilmt. Der erfolgreiche Film machte den Titel (im englischen Original »For Whom the Bell tolls«) noch populärer. Hemingway hat diesen Titel im Übrigen den »Meditationen« des englischen Lyrikers John Donne entnommen. Dort wird der Gedanke, dass der Mensch immer auch ein Teil der Menschheit ist, mit folgender Sentenz beendet: »And therefore never send to know for whom the bell tolls; It tolls for thee« (»Und lass deshalb niemand nachfragen, für wen die [Toten]glocke läutet; sie läutet für dich«).

Peter Hemmel: Muttergottes zwischen zwei Engeln, Teil eines Fensters aus einer unbekannten Kirche (um 1485; Nürnberg, Germanisches Nationalmuseum)

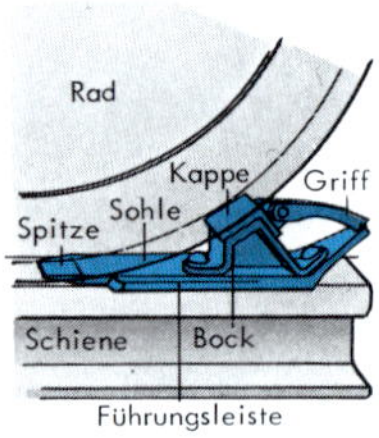

Hemmschuh

Johannes Hempel

Hemiplegie [grch.] *die*, → Halbseitenlähmung.

Hemisphäre [grch.], **1)** *Anatomie:* seitl., gewölbter Abschnitt des Großhirns **(Großhirn-H.)** und des Kleinhirns **(Kleinhirn-H.)**, jeweils paarig angelegt.

2) *Geographie:* Halbkugel, bes. der Erde.

Hemlocktanne [engl.] (Tsuga), Gattung der Kieferngewächse in Nordamerika, O-Asien und im Himalaja; mit kleinen Zapfen und zwei silberweißen Streifen auf der Nadelunterseite. Die **Kanad. H.** (Tsuga canadensis) wird im mitteleurop. Raum als Zier- und Forstbaum angepflanzt.

Hemmel, Peter (auch Peter von Andlau), Glasmaler, * vermutlich Andlau (Elsass) um 1420, † nach 1501; unterhielt in Straßburg die bedeutendste Glasmalerwerkstatt des ausgehenden MA. Erhalten sind große Fenster von leuchtender Farbigkeit und virtuoser Beherrschung der Glasmaltechnik in Straßburg, Ulm, Nürnberg, München, Salzburg.

Hemmingstedt, Gemeinde im Kr. Dithmarschen, Schlew.-Holst., in der Dithmarscher Marsch, 2900 Ew.; Erdölraffinerie, durch Pipelines mit dem Hafen in Brunsbüttel und den ostholstein. Erdölfeldern verbunden. – In der **Schlacht von H.** 1500 erlitt ein Söldnerheer unter König Johann von Dänemark und Herzog Friedrich von Holstein eine schwere Niederlage gegen die zahlenmäßig unterlegenen Dithmarscher Bauern, die ihre Freiheit behaupten konnten.

Hemmschuh (Bremsschuh), auf eine Schiene gesetzte keilförmige Vorrichtung aus Stahl zum Abbremsen von Schienenfahrzeugen beim Rangieren oder zu deren Sicherung im Stillstand.

Hemmung, 1) *Psychologie:* Störung des Antriebs durch seel. Widerstand emotionaler oder moral. Art. Die **bewusste H.** richtet sich bes. gegen Triebe und Instinkthandlungen. Die **unbewusste H.** wird v. a. durch Verdrängung oder durch gleichzeitig einander entgegengesetzte Bewusstseinsimpulse verursacht. – H., ein Zentralbegriff der Tiefenpsychologie, wird von S. Freud schon in seinen psycholog. Frühwerken für die Folge psych. Konflikte verwendet. Im Sprachgebrauch der (klin.) Psychiatrie bezeichnet H. die Verzögerung der Antriebsfunktionen und damit aller assoziativen, sensor. und motor. Leistungen **(Gehemmtheit).**

2) *Technik:* bei mechan. Uhren zw. Schwingsystem (Pendel, Unruh) und Gehwerk eingeschaltete Vorrichtung; besteht aus dem pendelnden **Anker** und dem **H.-Rad** (Gang-, Anker-, Steigrad). Sie hemmt das Ablaufen des Räderwerks im Rhythmus der Periodendauer des Schwingsystems, sodass das Zeigerwerk synchron mit dem Schwingsystem abläuft. Verbreitet sind die **Stiftanker-** und die **Palettenankerhemmung**.

Hempel, 1) Carl Gustav, amerikan. Wissenschaftstheoretiker dt. Herkunft, * Oranienburg 8. 1. 1905, † Princeton (N. J.) 9. 11. 1997; war 1948–55 Prof. in New Haven (Conn.), 1955–73 in Princeton (N. J.); entwickelte gemeinsam mit P. Oppenheim (Hempel-Oppenheim-Schema) eine Theorie des Erklärens. Seine Methode der Typen- und Skalenbildung hat bes. die Exaktheit der empir. Sozialforschung gefördert.

Werke: Der Typusbegriff im Lichte der neuen Logik (mit P. Oppenheim, 1936); Philosophie der Naturwissenschaften (1966).

2) Johannes, evang. Theologe, * Zittau 23. 3. 1929, seit 1972 Landesbischof der Evang.-Luther. Landeskirche Sachsens, seit 1991 stellv. Vors. des Rates der EKD.

Hemsterhuis [-hœjs], Frans, niederländ. Philosoph und Kunsttheoretiker, * Groningen 27. 12. 1721, † Den Haag 7. 7. 1790; vertrat einen ästhetisch bestimmten Neuplatonismus; bezeichnet die Materie als »gewonnenen Geist«. Seine Vorstellung eines goldenen Zeitalters und seine Begriffe der poet. Wahrheit und der Schönheit wirkten auf J. G. Herder, F. H. Jacobi, F. Hölderlin und die Romantik (bes. Novalis).

Henan (Honan), vom Hwangho durchflossene Provinz im nördl. China, 167 000 km², (1994) 90,3 Mio. Ew.; Hptst. und wichtiger Eisenbahnknotenpunkt ist Zhengzhou. H. ist dank fruchtbarer Lössböden bed. Anbaugebiet für Weizen, Baumwolle, Tabak und Ölpflanzen; Seidenfabrikation (Honanseide); Steinkohlenabbau und Schwerind. bei Anyang.

Hench [hentʃ], Philip Shoewalter, amerikan. Endokrinologe, * Pittsburgh (Pa.) 28. 2. 1896,

†Ocho Rios (Jamaika) 30. 3. 1965; erforschte die Heilwirkung von Cortison bei rheumat. Erkrankungen sowie dessen chem. Bau. H. erhielt 1950 mit T. Reichstein und E. C. Kendall den Nobelpreis für Physiologie oder Medizin.

Henckels, Paul, Bühnen- und Filmschauspieler, *Hürth 9. 9. 1885, †Schloss Hugenpoet (heute zu Essen) 27. 5. 1967; feinsinnig charakterisierender Darsteller etwas schrulliger Figuren (»Der Maulkorb«, 1938; »Die Feuerzangenbowle«, 1943).

Henckel von Donnersmarck, schles. Adelsgeschlecht, aus der Zips stammend; erwarb 1623 die schles. Herrschaften Beuthen und Oderberg; 1636 in den Freiherren-, 1651 in den Grafenstand erhoben. Guido Graf H. von D. (*1830, †1916), seit 1901 Fürst von Donnersmarck, war ein bed. Großindustrieller.

Hendeka [grch.] (Elfmänner), im alten Athen eine jährlich durch das Los bestellte Gerichtsbehörde, der ein Teil der Strafjustiz (Verhaftungen, Hinrichtungen, Gefängnisaufsicht) oblag.

Henderson ['hendəsn], **1)** Arthur, brit. Politiker, *Glasgow 13. 9. 1863, †London 20. 10. 1935; war 1908–10 und 1914–17 Vors. sowie 1911–34 Sekr. der Labour Party, beteiligte sich 1918 maßgeblich an der Umformung der Labour Party von einer locker gefügten Vereinigung versch. Arbeiterorganisationen zu einer sozialist. Partei. 1924 war er Innen-, 1929–31 Außenmin. Für seine Tätigkeit als Vors. der Genfer Abrüstungskonferenz (1932–33) erhielt er 1934 den Friedensnobelpreis.

2) Fletcher, amerikan. Pianist und Arrangeur, *Cuthbert (Ga.) 18. 12. 1898, †New York 29. 12. 1952; mit Benny Goodman Begründer des Swing.

Hendricks, Barbara, amerikan. Sängerin (Sopran), *Stephens (Ark.) 20. 11. 1948; wurde als Liedinterpretin (frz., dt., russ., engl. Lieder, Negrospirituals) sowie als Opernsängerin bekannt.

Hendrix ['hendrɪks], Jimi, eigtl. James Marshall H., amerikan. Rockmusiker (Gitarre, Gesang) afrikanisch-indian. Herkunft, *Seattle (Wash.) 27. 11. 1942, †London 18. 9. 1970; expressiver Starsolist der Rockmusik, erweiterte die Gitarrentechnik (elektr. Klangverfremdung).

Peter Henlein zugeschriebene dosenförmige Taschenuhr (um 1510; Nürnberg, Germanisches Nationalmuseum)

Hengelo, Stadt in der Prov. Overijssel, Niederlande, am Twentekanal, 77 300 Ew.; Maschinenbau, Elektrotechnik, chem. Ind. auf der Basis von Kochsalzverarbeitung, Brauereien; Hafen.

Hengist und Horsa [wohl altengl. »Hengst und Ross«], legendäres (Bruder-)Paar, nach der Überlieferung die Führer der ersten Angelsachsen, die sich Mitte des 5. Jh. in SO-England als Söldner niederließen, später die röm. Herrschaft abstreiften und Britannien unterwarfen.

Hengsbach, Franz, kath. Theologe, *Velmede (heute zu Bestwig) 10. 9. 1910, †Essen 24. 6. 1991; 1957–91 Bischof von Essen, seit 1988 Kardinal.

Hengst, männl. Tier bei Pferd, Esel, Zebra, Kamel, Dromedar.

Hengyang (bis 1912 Hengchow), Handelsstadt in der chines. Provinz Hunan, am Endpunkt der Schifffahrt auf dem Xiang Jiang für große Motordschunken, 487 100 Ew.; Maschinenbau, chem. u. a. Ind.; nahebei kaum erschlossene Lager von Kupfer, Zinn, Zink, Magnesium, Arsen. – Im N der Stadt liegt der Wallfahrtsberg **Hengshan,** einer der fünf heiligen Berge des Taoismus; die 40 Hallen und Pavillons des »Hängenden Klosters« wurden im 6. Jh. in die Felswand geschlagen.

Henie ['henɪ], Sonja, amerikan. Eiskunstläuferin norweg. Herkunft, *Christiania (heute Oslo) 8. 4. 1912, †(auf dem Flug von Paris nach Oslo) 12. 10. 1969; Olympiasiegerin 1928, 1932, 1936, Weltmeisterin 1927–36, Europameisterin 1931–36.

Hen kai pan [grch. »eins und alles«], antike Formel – ansatzweise bei Parmenides, ausgeführt bei Plotin – für Einheit und Ewigkeit des Kosmos, für das wechselseitige Ineinander-verwoben-Sein aller Dinge; seit Lessing für den →Pantheismus.

Henkel KGaA, Holding des Chemiekonzerns, der 1876 von Fritz Henkel (*1848, †1930) gegründet wurde; Sitz: Düsseldorf. Das Produktionsprogramm umfasst u. a. Ind.chemikalien, Klebstoffe, Wasch- und Reinigungsmittel, Kosmetika.

Henker, →Scharfrichter.

Henlein, 1) Konrad, sudetendt. Politiker, *Maffersdorf (heute Vratislavice nad Nisou, bei Liberec) 6. 5. 1898, †(Selbstmord) in alliierter Gefangenschaft 10. 5. 1945; gründete 1933 die »Sudetendt. Heimatfront« (seit 1935 »Sudetendt. Partei«). Er forderte, von der nat.-soz. Regierung in Dtl. finanziell und politisch unterstützt, 1938 den Anschluss des Sudetenlandes an das Dt. Reich. 1938–39 war er Reichskommissar, 1939–45 Gauleiter und Reichsstatthalter im Sudetenland.

2) Peter, fälschlich Hele, Schlosser, *Nürnberg um 1480, †ebd. Sept. 1542; baute als einer der Ersten um 1510 Taschenuhren in Dosenform.

Philip S. Hench

Arthur Henderson

Jimi Hendrix

Franz Hengsbach

Henley-Regatta ['henlɪ-], *Rudern:* seit 1839 jährlich ausgetragene Regatta auf der Themse unweit Londons.

Henna [arab.] *die,* rotgelber Farbstoff, der aus den mit Kalkmilch zerriebenen Blättern und Stängeln des ligusterähnl., in den Tropen und Subtropen angebauten H.-Strauchs (Lawsonia inermis) gewonnen wird; schon im Altertum zum Rotfärben der Fingernägel, Haare und Haut verwendet.

Henneberg, ehem., seit 1310 gefürstete Grafschaft in Franken und Thüringen, benannt nach der Burg H., südwestlich von Meiningen. 1274 Teilung in die Linien **H.-Schleusingen** (bis 1583), **H.-Aschach** (bis 1549) und **H.-Hartenberg-Römhild** (bis 1379). Nach Aussterben der Grafen von H. (Henneberger, 1583) kam – nach Coburg (1353) – auch der größte Teil von H. an die Wettiner, 1660 Teilung in einen kursächs. Teil (1815 an Preußen) und Sachsen-Meiningen (1680–1918 Herzogtum); Schmalkalden kam zu Hessen-Kassel (1866 an Preußen).

Hennef (Sieg), Stadt im Rhein-Sieg-Kreis, NRW, an der unteren Sieg, 38500 Ew.; Philosophisch-theolog. Hochschule der Redemptoristen, Akademie für Arbeitssicherheit und Verwaltung; Gießerei, Herstellung von Waagen, Büromöbeln, Land- und Straßenbaumaschinen, Waschmaschinen, Pumpen. – Burg Blankenburg, 1150 gegr., ist ein gut erhaltenes Beispiel einer hochmittelalterl. Großburganlage. – H. erhielt 1981 Stadtrecht.

Hennin: Ausschnitt aus einer Miniatur im »Stundenbuch der Maria von Burgund« (um 1477; Wien, Österreichische Nationalbibliothek)

Hennegau (niederländ. Henegouwen, frz. Hainaut), Provinz im SW von Belgien, 3786 km², (1995) 1,287 Mio. Ew.; Hptst. ist Mons; umfasst v.a. ein fruchtbares Hügelland (Weizen-, Zuckerrüben-, Gemüseanbau; Viehzucht), der SO-Teil reicht in die bewaldeten Ardennen. Der Steinkohlenbergbau ist seit 1984 erloschen; Eisen-, Glas-, Stein-, Zement-, Elektro-, Textil-, chem. Industrie. – Die aus einem karoling. Gau hervorgegangene Grafschaft H. an der W-Grenze des Hl. Röm. Reichs kam durch Erbe 1051 zu Flandern; seit 1299 mit Holland und seit 1323 auch mit Seeland vereinigt, fiel 1345 mit Holland an die Wittelsbacher, 1433 an Burgund, 1477 an Habsburg, teilte dann die Geschichte der südl. →Niederlande. Der südl. H. (Valenciennes, Maubeuge) kam 1659 an Frankreich, gehört z.T. seit 1830 zu Belgien.

Hennigsdorf, Stadt im Landkreis Oberhavel, Brandenburg, an der Havel; 23700 Ew.; Elektrostahlwerk, Lokomotivbau, Holzbau.

Hennin [ɛ'nɛ̃, frz.] *der* (burgundische Haube), im 15. Jh. hohe, kegelförmige, meist aus Samt gefertigte Frauenhaube, deren Spitze mit einem lang herabhängenden Schleier geschmückt war.

Henoch (Enoch) [hebr. Hănôk »der Eingeweihte«], in den Stammbäumen 1. Mos. 4 und 5 (→Henochbücher) Name eines der Urväter Israels.

Henochbücher, drei zw. 170 v. Chr. und 300 n. Chr. verfasste apokryphe Apokalypsen in versch. Sprachen (äthiop., slaw. und hebr. H.), die unter der Verfasserschaft des Henoch in Umlauf gebracht wurden und in denen die Gestalt Henochs eine wesentl. Rolle spielt.

Henotheismus [zu grch. heĩs »einer« und theós »Gott«] *der,* Eingottverehrung; seit F. M. →Müller Bez. für die Verehrung einer bevorzugten Gottheit durch den Gläubigen innerhalb einer polytheist. Religion, als sei diese Gottheit die einzige (subjektiver Monotheismus).

Henri [ã'ri], frz. Könige, →Heinrich.

Florence Henri: Composition 76, Fotografie (1929; Privatbesitz)

Henri [engl. 'henrɪ, frz. ã'ri], Florence, amerikanisch-frz. Malerin und Fotografin, *New York 28. 6. 1893, †Laboissière-en-Thelle (Dép. Oise) 24. 7. 1982; studierte Malerei u.a. bei K. Schwitters in Berlin und bei F. Léger in Paris, ab 1927 Studium der Fotografie am Bauhaus. Ab 1929 in Paris, war bis 1963 v.a. als Fotografin tätig.

Henrich, Dieter, Philosoph, *Marburg 5. 1. 1927; Prof. in Berlin, Heidelberg und München; Schüler von H.-G. Gadamer. H. erforscht die klass. dt. Philosophie und bemüht sich u.a. um eine Metaphysik der Moderne.

Werke: Fichtes ursprüngl. Einsicht (1967), Selbstverhältnisse (1982), Ethik zum nuklearen Frieden (1990).

Henrici, Christian Friedrich, Pseud. Picander, Schriftsteller, *Stolpen (bei Dresden) 14. 1. 1700, †Leipzig 10. 5. 1764; verfasste Kirchenlieder und geistl. Texte, u.a. für die »Matthäuspassion« J. S. Bachs; daneben derb-realist. Komödien.

Henry ['henrɪ; nach J. Henry] *das,* Einheitenzeichen **H,** SI-Einheit der Induktivität. 1 H ist gleich der Induktivität einer geschlossenen Windung, die, von einem elektr. Strom der Stärke 1 A durchflossen, im Vakuum den magnet. Fluss 1 Weber umschlingt; 1 H = 1 Wb/A = 1 Vs/A.

Henry ['henrɪ], engl. Könige, →Heinrich.

Henry ['henrı], **1)** Joseph, amerikan. Physiker, *Albany (N. Y.) 17. 12. 1797, †Washington 13. 5. 1878; Hochschullehrer, entdeckte gleichzeitig mit M. Faraday die Induktionserscheinungen, war an der Entwicklung des Morsetelegrafen beteiligt, schuf das amerikan. System der Wetterberichterstattung.

2) O., eigtl. William Sidney Porter, amerikan. Schriftsteller, *Greensboro (N. C.) 11. 9. 1862, †New York 5. 6. 1910. Charakteristisch für seine »Shortstories«, vielfach aus dem Alltagsleben New Yorks nach 1900, sind die Betonung iron. Zufälle und ihr überraschender Schluss.

Henry-Gesetz ['henrı-; nach dem engl. Physiker und Chemiker W. Henry, *1774, †1836], →Absorption.

Hẹnscheid, Eckhard, Schriftsteller, *Amberg 14. 9. 1941; arbeitet mit F. K. Waechter und R. Gernhardt an satir. Zeitschriften. Bekannt wurde er u. a. durch seine »Trilogie des laufenden Schwachsinns« (1973–78).

Hẹnschel, Georg Christian Carl, Unternehmer, *Gießen 24. 4. 1759, †Kassel 2. 6. 1835; stammte aus einer alten Gießerfamilie, die seit 1614 in Mainz, seit 1777 in Kassel eine Geschütz- und Glockengießerei betrieb; gründete 1810 eine neue Werkstätte, aus der die Henschel & Sohn GmbH hervorging, seit 1962 Henschel-Werke AG (bes. Lokomotiv-, Fahrzeugbau). 1976 erfolgte die Übernahme durch die Thyssen-Gruppe.

Hẹnsel, 1) Luise, Dichterin, *Linum (bei Neuruppin) 30. 3. 1798, †Paderborn 18. 12. 1876; Tochter eines prot. Predigers, befreundet mit C. Brentano; konvertierte 1818; schrieb schlicht-fromme geistl. Lieder (»Müde bin ich, geh' zur Ruh…«).

2) Walther, eigtl. Julius Janiczek, Musikerzieher, *Mährisch-Trübau (heute Moravská Třebová, Nordmähr. Gebiet) 8. 9. 1887, †München 5. 9. 1956; gründete 1923 den für die Jugendmusikbewegung bedeutsamen »Finkensteiner Bund«.

Hẹntig, Hartmut von, Erziehungswissenschaftler, *Posen 23. 9. 1925; ab 1963 Professur in Göttingen, 1968–87 in Bielefeld; Veröffentlichungen zur Didaktik, zur Schul- und Hochschulreform und zur Alternativschulpädagogik.

Hẹntrich, Helmut, Architekt, *Krefeld 17. 6. 1905; arbeitete mit H. Petschnigg (*1913, †1997) & Partnern (HPP) zusammen; konzipierte zahlr. Bürobauten, v. a. das Thyssenhaus (»Dreischeibenhaus«) in Düsseldorf (1957–60) und das Finnlandhaus in Hamburg (1966), das erste Hochhaus mit Hängekonstruktion in Europa.

Hẹnze, Hans Werner, Komponist, *Gütersloh 1. 7. 1926; Schüler von W. Fortner; entwickelte eine äußerst vielgestaltige musikal. Sprache, in der sich moderne Strukturformen (serielle Techniken, Aleatorik, Elemente des Jazz, Geräuschmontage) ebenso finden wie Rückgriffe auf traditionelle Stilmittel. 1988 initiierte er in München ein Festival für experimentelles Musiktheater; schrieb »Musik und Politik. Schriften und Gespräche 1955–1984« (1984) und gab die Aufsatzsamml. »Neue Aspekte der musikal. Ästhetik« (1979–90, 4 Bde.) heraus.

Weitere Werke: Opern: Boulevard Solitude (1952); König Hirsch (1956, Neufass. 1963); Der Prinz von Homburg (1960, revidierte Fassung 1991); Der junge Lord (1965); Die Bassariden (1966); Wir erreichen den Fluß (1976); Die engl. Katze (1983); Venus und Adonis (1997); Orchester-, Kammer-, Ballett- und Vokalmusik.

Hepar [grch.] *das,* →Leber.

Heparin [grch.] *das,* blutgerinnungshemmendes saures Mucopolysaccharid mit breitem Wirkungsspektrum. H. ist die stärkste im Körper vorkommende organ. Säure. Es hemmt die Thrombinbildung und die Umwandlung von Fibrinogen in Fibrin. Das medizinisch verwendete H. wird aus den Mastzellen der Leber, Lunge und des Bauchfells von Schlachttieren gewonnen; angewendet z. B. bei Thrombose, Embolie oder zur Herzinfarkt- und Thromboseprophylaxe.

Joseph Henry

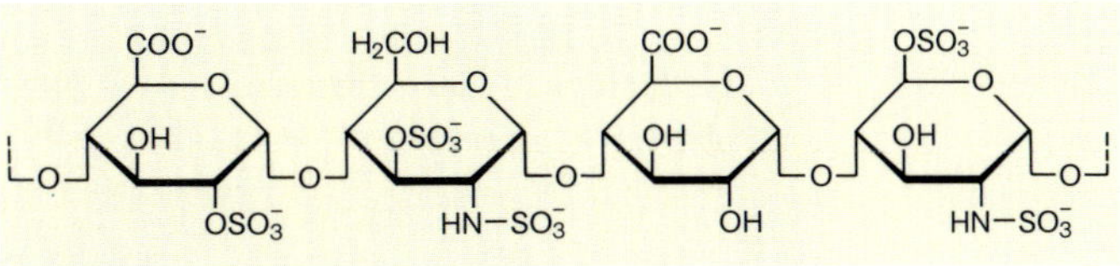

Heparin: Ausschnitt aus der Strukturformel

Hepartest, Vorprobe zum qualitativen Nachweis von Schwefel in organ. und anorgan. Stoffen. Schwefelhaltige Substanzen werden durch Glühen von Holzkohlepulver und Soda zu Natriumsulfid reduziert und färben Silberblech schwarz.

Hepatitis [grch.] *die* (Leberentzündung), herdförmig oder diffus auftretende Entzündung des Leberparenchyms mit nachfolgender Leberzellschädigung. Sie kann durch Viren, Bakterien, Protozoen, Parasiten, Lebergifte, auch Alkohol und Arzneimittel verursacht werden. Häufigste Erkrankung ist die meldepflichtige, diffuse **akute Virus-H.** In Abhängigkeit vom Erregertyp werden versch. Formen unterschieden. Die **Virus-A-H. (H. epidemica)** tritt v. a. bei Jugendlichen auf. Die Übertragung der mit dem Stuhl ausgeschiedenen Viren geschieht in erster Linie über den Mund (oral) infolge einer Schmier- und Schmutzinfektion oder durch verunreinigte Lebensmittel (auch Trinkwasser). Nach einer Inkubationszeit von 10 bis 40 Tagen kommt es zur Erkrankung, die lebenslange Immunität gegen diesen Erregertyp hinterlässt. Bislang ist nur eine passive Immunisierung durch Gammaglobuline

Hartmut von Hentig

Hans Werner Henze

Audrey Hepburn

Katharine Hepburn

möglich. Die **Virus-B-H. (Serum-, Transfusions- oder Inokulations-H.)** wird v.a. durch Einbringen des in Blut, Speichel, Schweiß u.a. Körperflüssigkeiten enthaltenen Erregers in die Blutbahn (parenteral) übertragen, z.B. bei Bluttransfusionen, durch verunreinigte Spritzen, auch beim Geschlechtsverkehr, und hat eine Inkubationszeit von 40 bis 160 Tagen. Der Verlauf ist häufig schwerer als bei der Virus-A-H. und kann in eine chron. Form übergehen. Neben der passiven Immunisierung ist auch die für Risikogruppen empfohlene vorbeugende Impfung mit antigenhaltigem Serum möglich. Neben diesen Formen bestehen Infektionen, die als **Virus-C-H.** (früher Non-A-Non-B-Hepatitis) bezeichnet werden und nach Übertragung und Verlauf der Virus-B-H. ähneln. Eine Schutzimpfung ist noch nicht möglich. – Die **H. D** wird durch einen virusähnl. Erreger (Viroid) hervorgerufen. Eine Schutzimpfung gegen Virus-B-H. schützt auch gegen diese Form. Die **H. E** tritt akut auf; sie kommt nur in Teilen Asiens, Afrikas und Mittelamerikas vor. – Die Symptome einer H. bestehen zunächst in »grippalen« Erscheinungen, wie Glieder- und Kopfschmerzen, Appetitlosigkeit, Übelkeit, »Druck« in der Magen- und Lebergegend und mäßigem Fieber, später Gelbsucht mit hellem Stuhl und dunkelbraunem Harn. Nach stark unterschiedl. Krankheitsdauer (etwa 12 Wochen) kommt es meist zur Abheilung; 10–15% der Virus-B- oder Non-A-Non-B-H. gehen in ein chron. Stadium über, das ausheilen oder aber zu einer Leberzirrhose führen kann. Eine ursächl. *Behandlung* ist nicht möglich; allg. Maßnahmen sind Bettruhe, kohlenhydrat-, vitamin- und eiweißreiche (1,5 g je kg) Diät, Fettreduktion, Verzicht auf alkohol. Getränke für mindestens ein Jahr.

Barbara Hepworth: »Conversation with Magic Stones«, Bronze (1973; Saint Ives, Barbara Hepworth Museum and Sculpture Garden)

Hepatose [grch.] *die,* Stoffwechselstörung der Leberzellen mit unterschiedlich ausgeprägter Gewebeschädigung und bzw. oder Funktionsminderung, z.B. bei Fehlernährung (Fettleber u.a.), Stoffwechselstörungen oder Vergiftungen durch Phosphor oder Tretrachlorkohlenstoff.

Hepburn ['hebən], **1)** Audrey, Filmschauspielerin britisch-niederländ. Herkunft, *Brüssel 4. 5. 1929, †Tolochenaz (bei Lausanne) 20. 1. 1993; urspr. Tänzerin; wurde zum internat. Filmstar in »Ein Herz und eine Krone« (1953), »Sabrina« (1954), »Krieg und Frieden« (1956), »Frühstück bei Tiffany« (1960), »My fair lady« (1964) u.a.

2) Katharine, amerikanische Filmschauspielerin, *Hartford (Conn.) 8. 11. 1909; spielte eindrucksvolle Charakterrollen in Filmen wie »Die Frau, von der man spricht« (1942), »African Queen« (1951), »Plötzlich im letzten Sommer« (1959), »Am goldenen See« (1981); schrieb »Ich. Geschichten meines Lebens« (1991).

Hephaistos (lat. Hephaestus), *grch. Mythos:* Gott des Feuers und der Schmiedekunst, Sohn des Zeus und der Hera, Gemahl der Aphrodite, der Charis oder der Aglaia, von den Römern dem Vulcanus gleichgesetzt; dargestellt als kräftiger, hinkender Mann in Handwerkertracht mit Hammer oder Zange.

Hephthaliten (chines. Hua oder Yeda), nomad. Stammesverband, den byzantin. u.a. Geschichtsquellen den Hunnen zurechnen (auch als **Weiße Hunnen** bezeichnet); sie wanderten im 4. Jh. aus der Altairegion in das Oxusgebiet (W-Turkestan) ein und griffen das Sassanidenreich an. Auf dem Höhepunkt ihrer Macht im 5. Jh. herrschten sie über Sogdiana, Baktrien sowie den W des Tarimbeckens und eroberten N-Indien; um 558 wurden sie von den Westtürken (Türküt) unterworfen.

Heppenheim (Bergstr.), Krst. des Landkreises Bergstraße, Hessen, am W-Rand des Odenwaldes, 25400 Ew.; Nahrungsmittel-, Textil-, Maschinen-, Holz-, Metall-, feinmechan. u.a. Ind.; Wein-, Obstbau; Festspiele. – Maler., z.T. mittelalterl. Stadtbild (Amtshof, Rathaus); unterhalb der Ruine Starkenburg (1065) Reste der Stadtbefestigung. – Um 755 urkundlich erwähnt, seit 1318 Stadt.

Heptameron, Das [grch. »Siebentagewerk«, zu heptá »sieben«], Novellensammlung der Margarete von Navarra (hg. 1559).

Heptanal *das,* →Önanthaldehyd.

Heptane, flüssige, gesättigte Kohlenwasserstoffe (C_7H_{16}), in Benzinfraktionen enthalten.

Heptode *die,* eine →Elektronenröhre mit sieben Elektroden.

Heptose *die,* Zuckerart, →Zucker.

Hepworth ['hepwə:θ], Dame (seit 1965) Barbara, brit. Bildhauerin, *Wakefield 10. 1. 1903, †Saint Ives (Cornwall) 20. 5. 1975; Menschen- und

Hera: Marmorkopf aus Dyrrhachium (heute Durrës), römische Kopie, Höhe 44 cm (2. Jh. n. Chr.; Tirana, Archäologisches Museum)

Tierdarstellungen in abstrahierender Form, auch gegenstandslose Plastik in Stein, Holz, Metall.

Hera, *grch. Mythos:* Göttin, Tochter des Kronos und der Rhea, Schwester und Gemahlin des Zeus, Beschützerin der Ehe und der Frauen, Mutter von Hephaistos, Ares, Hebe, Eileithyia. Die Römer setzten sie der Juno gleich. Ihre Attribute waren Zepter, Diadem, Schleier und Pfau. Dargestellt wurde sie in strenger, hoheitsvoller Schönheit, meist mit einem Stirnreif, u. a. in ihrem Heiligtum **(Heraion)** von Argos (Goldelfenbeinbildwerk, Kopf durch Münzbilder bekannt), in Olympia (6. Jh. v. Chr.), Samos.

Heracleum [grch.] *das,* die Pflanzengattung → Bärenklau.

Herakleia, Name mehrerer antiker Städte, z. B. **H. Pontike** in Bithynien, heute die türk. Stadt Ereğli am Schwarzen Meer; **H.** am Latmosgebirge östlich von Milet, mit gut erhaltener Befestigung; **H.** in Lukanien, am Golf von Tarent, beim heutigen Policoro; hier schlug Pyrrhos I. 280 v. Chr. die Römer.

Herakleios, byzantin. Kaiser (610–641) armen. Herkunft, * in Kappadokien 575, † 11. 2. 641; wehrte die Awaren und Perser ab, unterlag aber 636 den Arabern und verlor Syrien, Palästina und Ägypten.

Herakles (lat. Hercules, Herkules), *grch. Mythos:* Sohn des Zeus und der Alkmene; von Geburt an von Hera verfolgt: Sie schickte zwei Schlangen in die Wiege, die H. jedoch erwürgte. Von Hera mit einem Wahnsinnsanfall geschlagen, tötete H. seine Kinder. Zur Entsühnung musste er für König Eurystheus zwölf Arbeiten (Dodekathlos) verrichten: H. reinigte u. a. in einem Tag die Ställe des Königs Augias von Elis, bändigte den Kret. Stier, raubte die goldenen Äpfel der Hesperiden und entführte den Höllenhund Kerberos aus der Unterwelt. Danach vollbrachte er zahlr. weitere Taten, u. a. die Befreiung des Prometheus. Zur Buße für seinen Jähzorn musste er der lyd. Königin Omphale dienen. Um sich seiner Liebe zu versichern, sandte ihm seine Gattin Deianira auf den Rat des treulosen Kentauren Nessos ein vergiftetes Gewand (Nessoshemd); dadurch von Schmerzen gepeinigt, verbrannte er sich selbst auf dem Berge Öta. Mit seinem Tod war Hera versöhnt, H. wurde mit ihrer Tochter Hebe vermählt und in den Olymp aufgenommen. – H. war grch. Nationalheros, dem göttl. Ehren zukamen, er war Heil- und Orakelgott, Beschützer der Jugend, der Gymnasien und Paläste; er galt als Stifter der Olympischen Spiele. Attribute des H. sind Löwenfell, Bogen, Köcher, Keule und Füllhorn.

Die Taten des H. wurden von der frühgrch. Kunst oft dargestellt, so auf Vasenbildern, in den Metopen des Tempels von Selinunt (6. Jh. v. Chr.) und des Zeustempels von Olympia (5. Jh. v. Chr.). In späterer Zeit erscheint H. als bärtiger Mann von gewaltigem Körperbau (Farnes. Sammlungen, Neapel, Archäolog. Nationalmuseum).

📖 SCHEFOLD, K. u. JUNG, F.: *Die Urkönige Perseus, Bellerophon, H. u. Theseus in der klass. u. hellenist. Kunst. München 1988.*

Heraklessäulen (Herkulessäulen), nach altgrch. Auffassung die Bergfelsen beiderseits der

Herakles entführt den Höllenhund Kerberos, Darstellung eines attischen Vasenmalers (Andokidesmaler) auf einer Amphora (um 515 v. Chr.; Paris, Louvre)

Straße von Gibraltar (die Säulen, die Herakles aufgerichtet haben soll).

Herakliden, *grch. Mythos:* die Nachkommen des Herakles, die im 80. Jahr nach der Zerstörung Trojas fast die gesamte (einst Herakles gehörende) Peloponnes zurückeroberten. Der Mythos spiegelt die Eroberung der Peloponnes durch die Dorer.

Heraklion (ngrch. Iraklion), Hptst. des Verw.gebietes H. an der N-Küste der Insel Kreta, Griechenland, 102 400 Ew.; griechisch-orth. Bischofssitz, Teil der Univ. Kreta; archäolog. Museum mit Samml. minoischer Kultur (→ägäische Kultur); Industrie; Hafen, Flughafen. – Zahlr. Bauwerke aus venezian. Zeit: Hafenkastell, Befestigungsanlage mit Toren, Loggia, Zeughaus, Morosini- und Bembobrunnen. – War im Altertum Hafenort von Knossos, kam 961 an Byzanz, nach 1204 an die Venezianer, die die Stadt zur Festung **Candia** ausbauten. Bis 1913 war H. fast ausschließlich von Türken und Juden bewohnt.

Heraklit (grch. Herakleitos), grch. Philosoph, *um 550 v. Chr., † um 480 v. Chr.; lebte in Ephesos. Er lehrte, alles Sein befinde sich im Strom des Entstehens und Vergehens (panta rhei), im »Krieg« der Gegensätze verwirkliche sich die der Welt immanente Weltvernunft (Logos). H. denkt die Welt als ewig, nicht erschaffen, nicht vergehend. Diese Lehre vom Wesen des Seins fasste er teils in rätselhaft-dunkle Formeln, teils in Sinnbilder: Am bekanntesten ist das Bild vom Fluss, dessen Wasser ständig wechselt und der dennoch derselbe bleibt. Das Feuer als Inbegriff steter Wandelbarkeit setzte er als Prinzip des Seienden, der Weltvernunft. – H. übte bed. Einfluss auf die Sophistik, Platon und die Stoa, auf Hegel, Hölderlin und Nietzsche aus; auch die Theoretiker des dialekt. Materialismus beriefen sich auf Heraklit.

Heraldik [frz. »Heroldskunst«, zu héraut »Herold«] *die,* histor. Hilfswissenschaft, die **Wappenkunde** (Geschichte, Regeln und Gesetze der Wappenanfertigung und -führung; auch **theoret. H.** gen.) und **Wappenkunst** (Entwurf und Darstellung von Wappen gemäß herald. Regeln; auch **prakt. H.** gen.) umfasst. Die **Wappenbeschreibung (Blasonierung)** wird vom Schildträger aus gedacht, nennt also »rechts«, was vom Beschauer aus »links« ist, und umgekehrt. Hauptbestandteile eines vollständigen Wappens (Vollwappen) sind Schild und Helm mit Helmzier und Helmdecken. Der **Schild** ist mit linearen Einteilungen (Heroldsstücken) gemustert oder trägt im »Feld« eine oder mehrere Figuren (Heroldsbilder). Die linearen Einteilungen bilden Plätze in mindestens zwei Farben. Leere Flächen können durch ornamentale Musterung belebt (damasziert) werden. Die Figuren dienen vielfach zur bildl. Darstellung des Namens des Wappeninhabers (redendes Wappen).

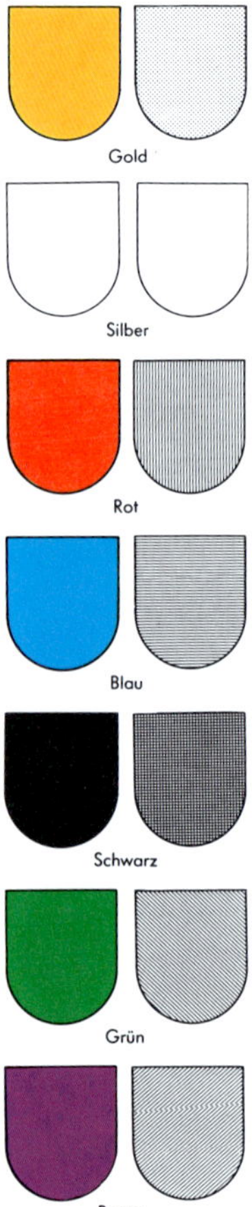

Heraldik: Die »heraldischen Farben« und »Metalle« und die für sie in einfarbigem Druck verwendeten Schraffuren

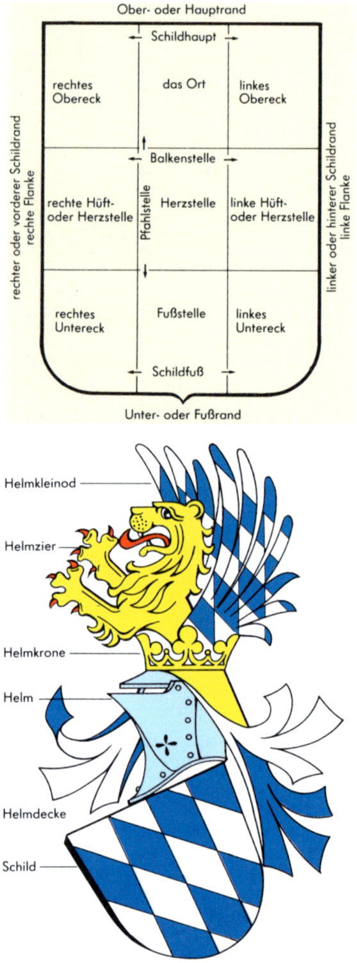

Heraldik: Bezeichnungen der einzelnen Schildplätze (oben) sowie die wichtigsten Bestandteile eines Vollwappens

Manche Lebewesen, Pflanzen oder »gemeine Figuren« werden wegen eines bestimmten Sinngehalts als **Wappenbilder** bevorzugt (Löwe, Adler, Rose, Lilie). Wappenschild und Figuren sind mit »heraldischen Farben« (Tinkturen) und »Metallen« versehen. Der **Helm,** teilweise mit einer Helmkrone versehen, ruht auf dem oberen Schildrand. Die Helmzierden (Zimier, von frz. cimier) sind formenreich. Sie waren urspr. plast. Aufbauten auf dem Helm. Oft wiederholen sie die Bilder des Schildes, bes. Tiere.

In Siegeln leben die Wappen fort; sie sind eine Hauptquelle für die Kenntnis der Wappenbilder. Ihre rechtl. Bedeutung überträgt sich auch auf die Wappen, sodass Inhaber versch. Rechte auch mehrere Wappen führten oder führen. Die bei Rundsiegeln in die Hohlräume komponierten Figürchen entwickelten sich seit dem 15. Jh. zu ständigen

Begleitfiguren, die schließlich als Schildhalter zu vielen hochadligen Wappen gehören. Weitere Verzierungen (Prachtstücke, Prunkstücke) können aus Spruchbändern mit Wahlsprüchen und aus zusätzl. Fahnen bestehen, bei fürstl. Wappen auch aus Lorbeer-, Eichen-, Öl- und Palmzweigen; dazu kommen seit Ende des 17. Jh. **Wappenmäntel** und **Wappenzelte** (Thronzelte, »Pavillons«).

📖 NEUBECKER, O.: *Wappenkunde. Neuausg. München 1991. – Wappenfibel. Handbuch der H., begr. v.* A. M. HILDEBRANDT. *Neustadt a. d. Aisch* [18]*1991. – Volborth, C. von: H. Stuttgart u. a.* [2]*1992. – Familiengeschichte u. Wappenkunde, bearb. v.* A. F. KAISER *u.* E. D. LINDER. *Augsburg 1994.*

Heranwachsende, im →Jugendstrafrecht Personen, die zur Zeit der Tat mindestens 18, aber noch nicht 21 Jahre alt sind.

Herat, Provinz-Hptst. im NW von Afghanistan, am Hari Rud, 930 m ü. M., 160 000 Ew.; Handelszentrum einer intensiv genutzten Flussoase; Textil-, Metallind., Teppichmanufaktur; Flugplatz. – Das bereits in altpers. Inschriften erwähnte H. wurde unter Alexander d. Gr. neu gegründet, um 660 von den Arabern und 1221 von den Mongolen erobert; unter den Timuriden im 15. Jh. Blütezeit als Residenz sowie Handels-, Wiss.- und Kulturzentrum; unter den Safawiden (1502–1722) Zentrum von Khorasan; fiel 1863 an Afghanistan. Ruine der Zitadelle (9./10. Jh.), Freitagsmoschee (um 1175 errichtet, Fayencedekor aus safawid. Zeit).

Hérault [eˈro], **1)** *der,* Fluss in S-Frankreich, 160 km lang, entspringt in den Cevennen, durchquert die Garrigues in tiefen Schluchten und mündet bei Agde ins Mittelmeer.

2) Dép. in S-Frankreich, im Languedoc, 6 101 km², (1995) 853 000 Ew.; Hptst. ist Montpellier.

Herausgabeanspruch, das Recht, die Herausgabe einer Sache (Übertragung des Besitzes) zu verlangen. Ein H. kann sich z. B. aus Vertrag (§ 556 BGB), aus Eigentum oder Besitz (§§ 861, 985, 1007 BGB), ungerechtfertigter Bereicherung (§ 812 BGB) oder der Erbenstellung (§ 2018 BGB) ergeben; er setzt gegenüber dem Besitzer ein »besseres Recht« zum Besitz voraus. Das Familienrecht kennt auch die H. des Kindes an den Personensorgeberechtigten (§ 1632 BGB).

Herausgeber, urheberrechtlich diejenigen, denen die organisator. und ordnende Arbeit bei der Publizierung eines →Sammelwerks obliegt. Je nach Gestaltung ist der Vertrag zw. H. und Verlag ein Verlags-, Arbeits- oder Geschäftsbesorgungsvertrag.

Herba [lat. »Pflanze«], *Pharmazie:* die getrockneten oberird. Teile krautiger Heilpflanzen, z. B. **H. Thymi,** der krautige, arzneilich verwendete Teil des Thymians.

Herbarium *das,* wissenschaftlich geordnete Sammlung getrockneter (gepresster), meist auf Papier befestigter Pflanzen; urspr. Kräuterbuch, auch Drogenmuseum.

Herbart, Johann Friedrich, Philosoph und Pädagoge, * Oldenburg 4. 5. 1776, † Göttingen 14. 8. 1841; Prof. in Königsberg und Göttingen; Bekanntschaft mit Pestalozzi. Von Demokrits Atom- und Leibniz' Monadenlehre beeinflusst und gegen Kants Metaphysikkritik gewendet, nahm er eine Vielheit einfacher und unveränderl. Wesen (»Reale«) an, durch deren Beziehungen untereinander der Schein des Mannigfachen und Veränderlichen hervorgebracht werde. Diese realist. Metaphysik übertrug H. auf die Psychologie (die »Reale« der Seele erscheinen als Vorstellungen bzw. Triebe) und gründete hierauf seine wiss. Pädagogik. Aufgabe des Unterrichts sei es, von der Klärung der Vorstellungen über deren Verbindung (Assoziation) und Systematisierung bis zur »Methodik« zu führen. Weiterhin kennzeichnend für H. ist – gegen Kants Pflichtethik gewendet – die Zurückführung der Ethik auf Ästhetik (»Geschmacksurteile« über Willenshandlungen). – Für die Schulpädagogik in Dtl. und Österreich war H. bes. seit Ende des 19. Jh. als einer der Begründer des **Herbartianismus** (T. Ziller, W. Rein, F. W. Dörpfeld) von Bedeutung.

Johann Friedrich Herbart

Werke: Allg. Pädagogik (1806); Psychologie als Wiss., 2 Bde. (1824/25); Allg. Metaphysik, 2 Bde. (1828/29).

📖 TRÄGER, F.: *H.s realist. Denken. Würzburg 1982.*

Herberger, Josef (Sepp), Sportlehrer, * Mannheim 28. 3. 1897, † ebd. 28. 4. 1977; war 1936–64 Trainer des Dt. Fußballbunds. Unter seiner Lei-

Herat: Blick vom Innenhof der Freitagsmoschee (um 1175) auf den Mihrab (Gebetsnische) mit Fayencedekor aus safawidischer Zeit

Zbigniew Herbert

Herbstfärbung am Beispiel eines Ahornblatts: grünes Blatt in der Hauptvegetationszeit; nach Einsetzen des Chlorophyllabbaus tritt Gelbfärbung auf, die beim absterbenden Blatt in Braunfärbung übergeht

tung wurde die Nationalmannschaft der Bundesrep. Dtl. 1954 Weltmeister.

Herberge zur Heimat, erstmals 1854 in Bonn durch C. T. Perthes gegr. Herbergstyp zur Betreuung wandernder Handwerksgesellen gegen geringes Entgelt; im 20. Jh. zur planmäßigen Fürsorge für ökonomisch und sozial Entwurzelte ausgebaut; in Dtl. zusammengefasst in der Bundesarbeitsgemeinschaft für Nichtsesshaftenhilfe e. V.

Herbert, 1) ['hɔ:bət], Edward Lord of Cherbury, engl. Philosoph und Politiker, *Eyton-on-Severn (Cty. Shropshire) 3. 3. 1583, †London 20. 8. 1648, Bruder von 2); entwickelte im Zeitalter der Religionskriege Grundlehren einer Vernunftreligion, begründete damit den engl. Deismus und bereitete die darauf beruhende engl. Aufklärung vor.

2) ['hɔ:bət], George, engl. Dichter, *Montgomery Castle (Wales) 3. 4. 1593, †Bemerton (bei Salisbury) 3. 3. 1633, Bruder von 1); Geistlicher, schrieb religiöse Dichtungen, gehörte zu den →Metaphysical Poets.

3) ['xɛr-], Zbigniew, poln. Schriftsteller, *Lemberg 29. 10. 1924, †Warschau 28. 7. 1998; erstrebt in seiner Lyrik formale Vervollkommnung traditioneller literar. Vorbilder, sucht auch in Dramen und Hörspielen die Situation des modernen Menschen zu erfassen (»Bericht aus einer belagerten Stadt ...«, Gedichte, 1983; »Stilleben mit Kandare«, 1994; »Opfer der Könige«, 1996).

Herbin [ɛr'bɛ̃], Auguste, frz. Maler, *Quiévy (bei Cambrai) 29. 4. 1882, †Paris 1. 2. 1960; gehörte zu den Begründern der Gruppe Abstraction-Création und war bis 1937 Mithg. ihrer Schriften. Mit seinen Kompositionen von stark farbigen einfachen geometr. Figuren beeinflusste er maßgeblich V. Vasarely und die Op-Art.

Herbizide [zu lat. herba »Pflanze« und caedere »töten«], chem. Unkrautbekämpfungsmittel. Nach ihrem Wirkungsspektrum werden sie in **nichtselektive H. (Total-H.)** zur Vernichtung jegl. Pflanzenwuchses und **selektive H.,** die nur bestimmte Pflanzenarten vernichten und zur Unkrautbekämpfung in Kulturpflanzenbeständen eingesetzt werden, eingeteilt. H. wirken entweder als Ätzmittel **(Kontakt-H.),** die die Pflanzen an den vom Wirkstoff getroffenen Stellen zerstören, oder als **translokale H.** (dazu gehören auch die Wuchsstoff-H.), die von der Pflanze aufgenommen, im Leitgewebe transportiert werden und Stoffwechsel- und Wachstumsstörungen hervorrufen.

Herbolzheimer, Peter, Jazzmusiker (Posaunist, Komponist, Arrangeur), *Bukarest 31. 12. 1936; lebt seit 1951 in der Bundesrep. Dtl., gründete 1969 die Bigband »Rhythm Combination & Brass«, die eine Verbindung von Jazz, Rock und lateinamerikan. Musik suchte. 1988 wurde er Leiter des Bundes-Jazzorchesters.

Herborn, Stadt im Lahn-Dill-Kreis, Hessen, östlich des Westerwaldes, an der Dill, 21 700 Ew.; Evang.-Theolog. Landesseminar, Museum; Eisen-, Metallverarbeitung, Herstellung von Heiz- und Kochgeräten, Flugzeugküchen, Maschinen u. a. – Gut erhaltenes Ortsbild mit Fachwerkhäusern (16.–18. Jh.), Schloss des Grafen von Nassau (v. a. 14. Jh.), Rathaus (1589–91). – Erhielt 1251 Stadtrecht. War 1584–1817 Sitz der »Hohen Schule«, einer Verbreitungsstätte der prot. Lehre.

Herbort von Fritzlar, mhd. Epiker, vermutlich Geistlicher, verfasste zw. 1190 und 1217 in Reimversen das »Liet von Troye«, die älteste dt. Bearbeitung des Trojan. Krieges.

Herbrechtingen, Stadt im Landkreis Heidenheim, Bad.-Württ., an der Brenz, im O der Schwäb. Alb, 13 000 Ew.; Textilind., Glühlampenfabrik. – Stiftskirche des ehemaligen Klosters (13.–14. Jh.).

Herbst, eine →Jahreszeit.

Herbstfärbung, im Herbst vor dem Laubfall einsetzende Buntfärbung der grünen Blätter. Durch Abbau des Chlorophylls werden die roten Carotinoide und gelben Xanthophylle farbwirksam, Braunfärbung entsteht erst beim Absterben der Blätter durch braune, wasserlösl. Farbstoffe.

Herbstpunkt (Waagepunkt), Schnittpunkt des Himmelsäquators und der Ekliptik, in dem die Sonne bei Herbstanfang steht. (→Äquinoktium)

Auguste Herbin: »Luft-Feuer« (1944; Paris, Museé National d'Art Moderne)

Herbstzeitlose (Colchicum autumnale), giftiges Liliengewächs des europ. Graslandes; entwickelt aus einer zwiebelähnl. Knolle im Herbst nur die sehr lang röhrige, krokusähnl., lilafarbene Blüte und im nächsten Frühjahr das Kraut mit der blasigen, zuletzt braunen Fruchtkapsel. Bes. die Samen enthalten das Alkaloid **Colchicin.**

Herburger, Günter, Schriftsteller, *Isny im Allgäu 6. 4. 1932; schildert, z. T. mit utop. Perspektiven, die Realität dt. Gegenwart (»Die Eroberung der Zitadelle«, Erz., 1972; »Thuja«, 1991, R.); Kinderbücher (»Birne kann alles«, 1971; »Birne brennt durch«, 1975), Hörspiele, Filmdrehbücher sowie

Lyrik (»Orchidee«, 1979; »Das brennende Haus«, 1990).

Herculaneum, Ruinenstätte südöstlich von Neapel, bei und z.T. unter der heutigen Stadt **Ercolano.** H. wurde wie Pompeji durch den Ausbruch des Vesuvs 79 n.Chr. verschüttet. Erste Ausgrabungen im 18. Jh.; systemat. Grabungen seit 1927 legten u.a. zwei- bis dreistöckige Häuser mit Balkonen, ein Theater (1. Jh. v.Chr.) und zwei Thermen frei. In den reich ausgemalten Häusern kamen neben zahlr. dekorativen Bildwerken auch Reste des Mobiliars zum Vorschein. Die vor der Stadt gelegene Villa der Pisonen enthielt eine reiche Bibliothek von Papyrusrollen, philosoph. Schriften und eine Fülle von Statuen und Büsten aus Bronze und Marmor.

Herculano de Carvalho e Araújo [irkuˈlanuðəkarˈvaʎu i araˈuʒu], Alexandre, portugies. Geschichtsforscher und Dichter, *Lissabon 28. 3. 1810, †Vale de Lobos (Distr. Santarém) 13. 9. 1877; seit 1856 Hg. der »Portugalae monumenta historica«; Mitbegründer der portugies. romant. Schule; schrieb grundlegende histor. Werke, religiös-polit. Dichtungen und histor. Romane.

Hercules, lat. für →Herakles.

Hercules X-1, Abk. **Her X-1,** etwa 15 000 Lichtjahre entferntes Röntgen-Doppelsternsystem im Sternbild →Herkules, Prototyp einer Klasse von pulsierenden Röntgensternen. Her X-1 besteht aus einem rotierenden Neutronenstern und einem blauen Überriesen, von dem Materie auf den Neutronenstern überströmt, dabei wird Röntgenstrahlung ausgesendet.

Herculina *die,* erster Planetoid, bei dem (1978) Hinweise auf die Existenz eines Planetoidenmondes gefunden wurden.

Hercynit [von lat. Hercynia silva »Herzynischer Wald«] *der,* Mineral, ein schwarzer, im Dünnschliff tiefgrüner →Spinell.

Herd, 1) *Haushaltstechnik:* Gerät zum Kochen, Braten und Backen von Speisen **(Koch-H., Küchen-H.)** und/oder zum Heizen (Ofen); früher meist durch Holz- oder Kohlebefeuerung, heute i.d.R. mit Gas (→Gaskochgeräte) oder elektrisch (→Elektroherd) beheizt. Moderne H. sind eine Kombination aus getrennt installierten Kochmulden und Backöfen, die seit dem Vordringen der Einbauküchen den klass. Stand-H. vielfach ersetzen. Seit den 1970er-Jahren ist der →Mikrowellenherd verbreitet. – Urspr. befand sich eine zum Kochen, Backen und Wärmen dienende H.-Stelle im Zentrum des Hauptraumes auf dem Erdboden. Im MA. wurde der H., immer noch eine offene Feuerstelle, bis auf Tischhöhe aufgemauert. Mit der Einführung des Rauchfangs rückte der H. von der Raummitte in Wandnähe. Der neuzeitl. Haushalts-H. entwickelte sich aus dem geschlossenen

Herculaneum: Teilansicht der Ausgrabungsstätte

»Spar-H.«, der Roste zur Steinkohlenfeuerung und eine eiserne H.-Platte mit Öffnungen, in die Töpfe eingehängt werden konnten, besaß; die meisten dieser H. waren bereits mit Bratofen, Wärmeschrank und Wasserkasten ausgestattet. Um 1860 lösten transportable Metall-H. die bis dahin gemauerten H. ab. Anfang des 19. Jh. wurden erste Versuche mit Gasbeheizung unternommen, die ersten Elektro-H. kamen Ende des 19. Jh. auf. – In vielen Religionen kam dem H. im Zusammenhang mit dem als heilig geltenden Feuer besondere Bedeutung zu. So wurden bei manchen Völkern, in prähistor. Zeit auch in W-Europa, die Toten bei der H.-Stelle begraben. In der Antike diente der H. der Familie und größeren Verbänden als Kultstätte. Auch im Brauchtum spielte der H. eine Rolle: Die Braut wurde bei der Aufnahme in die Hausgemeinschaft um den H. geführt, das neugeborene Kind um den H. getragen. Das Ausschütten des H.-Feuers auf offener Straße bedeutete Vertreibung von Haus und Hof.

📖 *Über den H., hg. v.* P. Zec *u.* V. Orazem. *Essen 1995.*

2) *Hüttentechnik:* beim metallurg. Ofen der Teil, auf den das Einsatzgut aufgetragen wird. – Bei der Erzaufbereitung eine schwach geneigte, stoßweise bewegte Platte, auf der das mit Wasser vermengte Gut langsam fließt, sodass die wertvollen schweren Erzteilchen liegen bleiben, während die Sandkörnchen mit dem Wasser weggeschwemmt werden **(H.-Aufbereitung).**

3) *Medizin:* (Krankheits-H., Fokus) Sitz eines örtl. Krankheitsprozesses, der über die direkte Umgebung hinaus durch Toxinstreuung, Erreger- oder Antigenausbreitung Fernwirkungen im Körper auslösen kann (→Herdinfektion).

Herdbuch (Zuchtbuch, Stammbuch), zentral geführtes Register von Zuchttieren mit Angaben

José-Maria de Heredia

zur Identifizierung der Tiere, über Nachzucht, Entwicklung u.a.; bei Pferden **Stutbuch** genannt.

Herde, Ansammlung von meist größeren Säugetieren (Antilopen, Büffel, Pferde).

Hẹrdecke, Stadt im Ennepe-Ruhr-Kreis, NRW, an der Ruhr, 26200 Ew.; Privatuniv. (eröffnet 1983); Eisenwarenherstellung, chem. und Kunststofffabriken; Wasserkraftwerk am Hengsteysee (Ruhrstausee). – H. erhielt 1355 Markt- und 1739 Stadtrecht.

Herdentrieb, die manchen Tieren eigene Tendenz, in einer Herde zusammenzuleben und sich entsprechend zu verhalten (z.B. Einhalten einer Rangordnung).

Hẹrder, Johann Gottfried von (seit 1802), Schriftsteller, Theologe, Philosoph, *Mohrungen (heute Morąg, Wwschaft Olsztyn) 25. 8. 1744, †Weimar 18. 12. 1803; studierte Theologie und Philosophie, von Kant und Hamann gefördert; Prediger in Riga; unternahm 1769 eine Seereise nach Nantes, die seine Wendung von der Aufklärung zum Sturm und Drang, dessen bedeutendster Theoretiker er wurde, bewirkte; ab 1801 Oberkonsistorialpräsident in Weimar; befreundet mit C.M. Wieland und Jean Paul. Seine Gedanken und Denkanstöße, bes. auf den Gebieten der Sprachphilosophie (»Abhandlung über den Ursprung der Sprache«, 1772), der Geschichtsphilosophie, der Literatur- und Kulturgeschichte sowie der Anthropologie waren für die europ. Geistesgeschichte zukunftsweisend. H. wurde bekannt durch die Schriften »Über die neuere dt. Lit.« (1767) und »Krit. Wälder« (Ästhetik, 1769). Das »Journal meiner Reise im Jahr 1769« (gedruckt 1846) enthält den Grundriss seiner Ideen in Form eines weltumfassenden Kulturprogramms; gewann mit seinen Ideen (bes. auch mit seinem Begriff der »originalen Poesie«) großen Einfluss auf Goethe, 1770 erste Begegnung in Straßburg; 1778/79 Hg. der Samml. »Volkslieder« (1807 u.d.T. »Stimmen der Völker in Liedern«, darin u.a. Übersetzungen aus dem Englischen, v.a. Shakespeare, aus dem Schottischen, Griechischen, Lateinischen, Italienischen, Spanischen, Dänischen); 1784–91 »Ideen zur Philosophie der Geschichte der Menschheit«.

Johann Gottfried Herder: Ausschnitt aus einem Ölgemälde von Sally von Kügelgen (um 1910) nach dem Herderporträt von Gerhard von Kügelgen aus dem Jahr 1809 (Frankfurt am Main, Goethehaus und Frankfurter Goethemuseum), darunter Autogramm

📖 Kantzenbach, F. W.: *J. G. H. Reinbek 28.–29. Tsd. 1996.*

Hẹrder GmbH & Co. KG, Verlag, Verlagsbuchhandlung in Freiburg i. Br.; 1801 als Herdersche Verlagsbuchhandlung von Bartholomä Herder (*1774, †1839) in Meersburg gegr., seit 1808 in Freiburg; Schwerpunkte sind Nachschlagewerke, theolog. und religiöses Schrifttum sowie Jugend- und Taschenbücher; seit 1952 Buchclub Herders Buchgemeinde (v.a. für christl. Leser).

Herdinfektion (Fokalinfektion), Erkrankung, die von einem chron. Krankheitsherd durch dauernde oder schubweise Ausschwemmung von Bakterien, deren Giften oder ihren Abbauprodukten verursacht wird. Ausgangsherde sind oft Entzündungsvorgänge und Eiterungen in den Gaumenmandeln, im Zahn-Kiefer-Bereich, innerhalb der Nasennebenhöhlen, der Gallenblase, des Blinddarms und der Harnröhre. Typ. H. entzündl. und entzündlich-allerg. Art sind z.B. Gelenkrheumatismus, Herz- und Nierenentzündungen.

Heredia [e'reðja], Hptst. der Provinz H., Costa Rica, 1200 m ü.M., 27900 Ew.; Univ. (gegr. 1973); Zentrum des Kaffeeanbaus und -handels.

Heredia [ere'dja], José-Maria de, frz. Dichter, *La Fortuna (bei Santiago de Cuba) 22. 11. 1842, †auf Schloss Bourdonné (Dép. Yvelines) 3. 10. 1905; neben C. M. Leconte de Lisle der bedeutendste Vertreter der →Parnassiens; schrieb formvollendete Sonette (»Trophäen«, 1893).

Hereford ['herɪfəd], Stadt in der Cty. H. and Worcester, im westl. England, am Wye, 47700 Ew.; anglikan. Bischofssitz; Marktzentrum mit Obstverarbeitung, Brauerei; Metall-, Möbel-, elektrotechn. Industrie. – Kathedrale (12.–15. Jh.) mit wertvoller »Kettenbibliothek« (Handschriften und Inkunabeln), mittelalterl. Brücke über den Wye. – Seit 676 Bischofssitz.

Hereford and Worcester ['herɪfəd ænd 'wʊstə], Cty. in SW-England, 3926 km^2, (1995) 694300 Ew., Hptst. ist Worcester.

Loy Hering: Sitzfigur des heiligen Willibald, Höhe 2 m, Kalkstein (1512-14; Eichstätter Dom)

Hérens [eˈrã], Bezirk im Kt. Wallis, Schweiz, 471 km², 8400 Ew.; umfasst das von der Borgne durchflossene **Val d'Hérens** (dt. Eringertal), ein 35 km langes südl. Seitental der Rhone (bis Sitten), und dessen Seitental **Val d'Hérémence,** 471 km²; Luftkurorte: Evolène, Arolla, Chandolin, Salay; bei Euseigne Erdpyramiden (Naturdenkmal).

Herero (Ovaherero, früher fälschlich Damara gen.), Bantuvolk in Namibia, Angola und Botswana, über 100000 Angehörige, vorwiegend Christen. Mittelpunkt seiner traditionellen Kultur sind Ahnenverehrung und Rinderkult. Bei den Himba im N (Kaokoveld) hat sich die ursprüngl. Lebensweise weitgehend erhalten. Ihre Sprache, eine formenreiche Tonsprache, gehört zu den südwestl. Bantusprachen (→Bantu). – Im 18. Jh. von N und NW als nomad. Rinderzüchter eingewandert, kämpften die H. gegen die Nama, kamen 1884 unter dt. Oberhoheit (→Namibia). 1904 wurden die H. nach einem Aufstand am Waterberg geschlagen und in die Kalahari abgedrängt; Zehntausende kamen um, viele flohen nach Betschuanaland.

📖 SUNDERMEIER, T. *u.* KUVARE, S.: *Die Mbanderu. Sankt Augustin 1977.*

Herford, 1) Kreis im RegBez. Detmold, NRW, 450 km², (1996) 251400 Einwohner.

2) Krst. von 1) in NRW, an der Werre, zw. Teutoburger Wald und Wiehengebirge, 65900 Ew.; Studienzentrum, Landesmusikschule, Theater, Nordwestdt. Philharmonie; Möbel-, Textil-, Kunststoff-, Teppich-, Metall verarbeitende Industrie. – Spätroman. Münsterkirche (13. Jh.) mit got. Anbauten (14./15. Jh.), hochgot. Marienkirche (1350 vollendet); Fachwerkhäuser (16.–18. Jh.). – H. ging aus einem Frauenstift (gegr. 789, aufgehoben 1802) hervor. Vermutlich im 12. Jh. wurde H. Stadt.

Hergesell, Hugo, Meteorologe, *Bromberg 29. 5. 1859, †Berlin 6. 6. 1938; Leiter des Aeronaut. Observatoriums in Lindenberg bei Berlin, nach dem 1. Weltkrieg des Dt. Flugwetterdienstes; Arbeiten über den Aufbau der Atmosphäre.

Hergot, Hans, Buchdrucker und Buchhändler, *Nürnberg, †(hingerichtet) Leipzig 20. 5. 1527; druckte ab 1524 in Nürnberg v.a. Schriften der Reformatoren, das N.T. und reformationsfreundl., volkstüml. Broschüren; wegen Verbreitung der revolutionär-utop. Schrift »Von der neuen Wandlung eines christl. Lebens« enthauptet.

Herford 2) Stadtwappen

Hering, Loy, Bildhauer, *Kaufbeuren um 1484/85, †Eichstätt um 1554; schuf mit der Sitzfigur des hl. Willibald im Eichstätter Dom (1512–14) ein Meisterwerk der Renaissancekunst; auch Altäre, Epitaphe und Grabplatten.

Heringe (Clupea), Gattung bis 45 cm langer Heringsfische mit zwei Arten in gemäßigten und kalten Gewässern des nördl. Atlantiks und nördl. Pazifiks. Der H. i.e.S. ist der **Atlant. H.** (Clupea harengus) mit grünlich blauem Rücken, silberglänzenden Körperseiten, bläulich durchscheinenden

Heringe: Atlantischer Hering (Länge bis 40 cm)

Flossen und gekielter Bauchkante. Er kommt in riesigen Schwärmen v.a. in planktonreichen Meeresgebieten vor. Nach Ort und Zeitpunkt der Laichabgabe werden zahlr. H.-Rassen unterschieden, z.B. **Herbst-H.** (laichen im Spätherbst in der Nordsee), **Frühjahrs-H.** (laichen im Frühjahr in den norweg. Fjorden). Ein Weibchen legt etwa 20000–70000 Eier ab. Die Jugendentwicklung er-

Hereford: Die über den Wye führende mittelalterliche Brücke; im Hintergrund ist die eine wertvolle Bibliothek beherbergende Kathedrale (12-15. Jh.) zu erkennen

Herkules 1)

folgt im Küstenbereich, erst mit 2–3 Jahren wandern die etwa 20 cm langen Jung-H. von der Küste ab. Die Geschlechtsreife tritt im Alter von 3 bis 7 Jahren ein, die Lebensdauer beträgt etwa 20 Jahre. Der Atlant. H. ist einer der wirtsch. wichtigsten Nutzfische, der in verschiedensten Formen auf den Markt gebracht (z. B. Voll-H., Matjes-H., Grüner H., Bückling, Brat-H.) und zu Konserven verarbeitet wird, daneben aber auch zur Gewinnung von Tran und Fischmehl dient. – Der **Pazif. H.** (Clupea pallasii) im nördl. Pazifik und im Weißen Meer ist dem Atlant. H. sehr ähnlich, bleibt jedoch meist kleiner als dieser. Seine Bauchkante ist vor den Bauchflossen ungekielt. Auch er ist ein wirtsch. bed. Nutzfisch. – H.-Fischerei wurde schon im 7. Jh. in Europa betrieben. Um 900 war der gesalzene H. bereits im Handel begehrt. Im 13. Jh. entwickelte sich die H.-Fischerei bes. in der westl. Ostsee bei der schwed. Landschaft Schonen. Der Handel lag in den Händen der Hanse.

Hẹringen (Wẹrra), Stadt im Kr. Hersfeld-Rotenburg, Hessen, im Werratal, nördlich der Rhön, 8 700 Ew.; Kalibergwerk; Metall- und Holzverarbeitung. – Seit 1977 Stadt.

Woody Herman

Hẹringsdorf, Gemeinde im Kr. Ostvorpommern, Meckl.-Vorp., an der NO-Küste der Insel Usedom, 3 600 Ew.; Seebad mit 508 m langer Seebrücke (Pier); Sternwarte; Flugplatz. – H. entstand nach 1818 aus dem Fischerdorf Neukrug.

Heringshaie, Familie der → Haie.

Heringskönig (Petersfisch, Zeus faber), bis etwa 60 cm langer Knochenfisch im Mittelmeer und an der O-Küste des Atlantiks; Speisefisch.

Heringskönig (Länge bis 60 cm)

Hẹrisau, Hauptort des Kt. Appenzell-Ausserrhoden, Schweiz, an der Glatt, 774 m ü. M., 14 800 Ew.; Kunststoffverarbeitung, Textil- und Kabelind., Maschinen- und Apparatebau; Fremdenverkehr. – Schöne Bürgerhäuser, v. a. aus dem 18. Jh., mit Treppentürmen. – H. ist seit 1876 Hauptort des äußeren (evang.) Rhoden.

Hẹrking, Ursula, Schauspielerin und Kabarettistin, * Dessau 28. 1. 1912, † München 17. 11. 1974; seit den 30er-Jahren beim Kabarett (»Kabarett der Komiker«, »Die Katakombe in Berlin«; »Die kleine Freiheit« in München); zahlr. Filmrollen.

Herkomer ['hɔ:kɔmə], Sir (seit 1907) Hubert von (seit 1899), brit. Maler und Grafiker dt. Herkunft, * Waal (bei Landsberg a. Lech) 26. 5. 1849, † Budleigh Salterton (Cty. Devon) 31. 3. 1914; lebte ab 1856 in Großbritannien; zunächst Illustrator für das Wochenblatt »The Graphic«; wurde später mit Bildern mit sozialer Thematik, Porträts und Genreszenen bekannt.

Hẹrkules (lat. Hercules), **1)** *Astronomie:* Abk. **Her, Herc,** Sternbild des nördl. Himmels (mit dem Hauptstern Ras Algathi), ist am sommerl. Abendhimmel gut beobachtbar. Innerhalb des H. befinden sich die Kugelsternhaufen M 13 und M 92 sowie Hercules X-1.

2) *grch. Mythos:* → Herakles.

Herkunftsbezeichnung (Herkunftsangabe), Information eines Warenanbieters über die Herkunft einer Ware, mit der sich i. d. R. bestimmte Erwartungen im Hinblick auf ihre Beschaffenheit und Qualität verbinden. Es können geograph., betriebl. und personengebundene H. unterschieden werden. Der Gebrauch unzutreffender H. ist wettbewerbswidrig (§ 3 Ges. gegen unlauteren Wettbewerb). Dem internat. Schutz geograph. H. dient u. a. die → Pariser Verbandsübereinkunft.

Hẹrlin (Herlein), Friedrich, Maler, * Rothenburg ob der Tauber um 1430, † Nördlingen zw. 6. 6. und 11. 11. 1500; malte unter dem Einfluss der niederländ. Kunst, bes. des Rogier van der Weyden. – Flügelbilder des Hochaltars von St. Georg u. a. Altäre in Nördlingen (1462–65; ebd., Städt. Museum) und von St. Jakob in Rothenburg (1466/67).

Hẹrmagor-Prẹssegger See, Bezirksstadt in Kärnten, Österreich, an der Mündung des Gitschtales in das Gailtal, erstreckt sich südwärts bis zur italien. Grenze (Naßfeldpass), 7 400 Ew.; Holz- u. a. Ind.; Fremdenverkehr. – H. wurde 1288 Markt, 1930 Stadt.

Herman ['hɔ:mən], **1)** Jerry, amerikan. Komponist, * New York 10. 7. 1933; schrieb u. a. die Musicals (auch Songtexte) »Hello Dolly« (1964, nach T. Wilders Komödie »The Matchmaker«), »La cage aux folles« (1983, nach J. Poirets Komödie).

2) Woody, eigtl. Woodrow Charles H., amerikan. Jazzmusiker (Klarinettist), * Milwaukee (Wis.) 16. 5. 1913, † Los Angeles 29. 10. 1987; widmete sich mit seiner 1936 gegr. Band zunächst dem Blues, seit 1945 dem Swing und nahm später Elemente des Bebop auf. Seit den 70er-Jahren leitete er ein Orchester, das dem Rockjazz nahe stand.

Hẹrmann, Georg, eigtl. G. H. Borchardt, Schriftsteller, * Berlin 7. 10. 1871, † KZ Birkenau (?) 19. 11. 1943; schrieb Romane aus dem Berliner Judentum der Biedermeierzeit: »Jettchen Gebert« (1906), »Henriette Jacoby« (1909).

Hermann, Herrscher:

Deutscher Orden: **1) H. von Salza,** Hochmeister (1209–39), aus thüring. Dienstmannengeschlecht, *um 1170, †Salerno 20. 3. 1239; Vertrauter Kaiser Friedrichs II., dem er als Diplomat große Dienste leistete. Unter H. besaß der Orden 1211–25 das Burzenland und begann mit der Unterwerfung der heidn. →Prußen. Die ihm von Friedrich II. 1226 ausgestellte »Goldbulle von Rimini« begründete die Landesherrschaft des Dt. Ordens in Preußen.

Köln: **2) H. V.,** Graf von Wied, Kurfürst und Erzbischof (1515–47), *Wied (Westerwaldkreis) 14. 1. 1477, †ebd. 15. 8. 1552; führte 1543 reformator. Neuerungen im Erzbistum Köln ein, die aber keine Unterstützung fanden; 1546 exkommuniziert; 1547 von Karl V. zur Abdankung gezwungen.

Sachsen: **3) H. Billung,** Herzog (seit 961?), †Quedlinburg 27. 3. 973; wurde von Otto I., d. Gr., 936 als Markgraf an der unteren Elbe (»Billunger Mark«) gegen Slawen und Dänen eingesetzt, erhielt 953/954 Sachsen; mit Otto besiegte er die Slawen 955.

Thüringen: **4) H. I.,** Landgraf (1190–1217), Pfalzgraf von Sachsen (seit 1181), *um 1155, †Gotha 25. 4. 1217; baute die Wartburg aus und machte sie zu einem Mittelpunkt der höf. Kultur. Unter ihm soll um 1207 der »Sängerkrieg« auf der Wartburg stattgefunden haben.

Hermännchen, Mauswiesel, →Marder.

Hermann der Cherusker, im 17. Jh. aufgekommener verdeutschter Name des →Arminius.

Hermannsburger Mission, 1849 in Hermannsburg (Nds.) gegründete evang. »Gemeindemission«, seit 1977 »Evang.-Luther. Missionswerk«; arbeitet v. a. in Südafrika, Zentralaustralien und bei den Oromo (in Äthiopien).

Hermannsdenkmal, von E. von Bandel 1838–75 gebautes Denkmal für den Cheruskerfürsten →Arminius auf der Grotenburg bei Detmold im Teutoburger Wald. BILD Bandel

Hermannsschlacht, die Schlacht im →Teutoburger Wald 9 n. Chr. (→Arminius, →Varusschlacht). – Schauspiele von Klopstock (1769), H. von Kleist (1839; UA), C. D. Grabbe (1838).

Hermannstadt (rumän. Sibiu), Hptst. des Kreises Sibiu in Siebenbürgen, Rumänien, nördlich der Südkarpaten, 170 500 Ew.; H. ist Sitz eines rumän.-orthodoxen und eines dt. evang.-luther. Bischofs; Schulstadt, Museen, rumän. und dt. Theater; Landmaschinen- und Apparatebau, Holzverarbeitung u. a. Ind.; Verkehrsknotenpunkt, Flughafen. – Die in Ober- und Unterstadt gegliederte Stadt hat ihr mittelalterl. Gepräge weitgehend bewahrt. Reste der starken Umwallung (14.–17. Jh.) mit Basteien und Wehrtürmen, spätgot. evang. Pfarrkirche, spätgot. Rathaus, barockes Brukenthalpalais (heute Museum mit bed. Bibliothek). – H., als dt. Siedlung im 12. Jh. entstanden, wurde 1241 von den Mongolen zerstört, erhielt Mitte des 14. Jh. Stadtrecht, war Mittelpunkt der Siebenbürger Sachsen.

Hermannstadt Stadtwappen

Hermann von Helmholtz-Gemeinschaft Deutscher Forschungszentren, Abk. **HGF,** aus der Arbeitsgemeinschaft der Großforschungseinrichtungen (AGF) hervorgegangener Zusammenschluss von 16 außeruniversitären Forschungseinrichtungen, die eng mit Hochschulen und Industrie zusammenarbeiten. Die Projekte gelten der Grundlagenforschung, Vorsorgeforschung und technolog. Entwicklung im vorindustriellen Bereich. Sie sind naturwissenschaftlich-technisch und biologisch-medizinisch ausgerichtet. Die HGF fördert die Konsensfindung von Wissenschaft, Wirtschaft und Gesellschaft. Mitglieder der HGF sind u. a. Forschungszentrum Karlsruhe (FZK), GKSS-Forschungszentrum Geesthacht (GKSS), GMD-Forschungszentrum Informationstechnik, Bonn (GMD), GSF-Forschungszentrum für Umwelt und Gesundheit, Oberschleißheim (GSF), Hahn-Meitner-Inst. Berlin (HMI).

Hermans, Willem Frederik, niederländ. Schriftsteller, *Amsterdam 1. 9. 1921, †Utrecht 27. 4. 1995; entlarvte in seinen aggressiven, stilistisch und psychologisch ausgefeilten Romanen menschl. Handlungen und Bestrebungen als tragikom., oft neurotisch geprägten Selbstbetrug (u. a. »Die Tränen der Akazien«, 1949); ferner Novellen und Essays.

Hermaphrodit [grch.] *der,* ein Lebewesen, das männl. und weibl. Geschlechtszellen produziert (→Zwitter); urspr. Bez. einer oriental. Zwittergottheit, die im grch. Mythos als Sohn des Hermes und der Aphrodite **(Hermaphroditos)** galt.

Hermaphroditismus *der,* echtes →Zwittertum.

Hermas, christl. Schriftsteller, Mitgl. der röm. Christengemeinde. Seine Mahnschrift über die Buße der Christen und die Heiligkeit der Kirche: »Poimen« (Der Hirt des H., um 140) gehört zum ältesten christl. Schrifttum und ist ein wichtiges Dokument für die Bußdisziplin der frühen Kirche.

Herme von Siphnos (490–480 v. Chr.; Athen, Archäologisches Nationalmuseum)

Herme [grch.] *die,* im Altertum Kultpfeiler mit dem bärtigen Kopf des Hermes, Armansätzen und einem →Phallus, meist an Wegkreuzungen aufgestellt; seit dem 4. Jh. auch mit der Darstellung anderer Götter. Seit dem späten 6. Jh. kamen die in der röm. Kunst beliebten **Doppel-H.** mit zwei nach entgegengesetzten Seiten gerichteten Köpfen auf.

Hermelin [Verkleinerung von ahd. harmo »Wiesel«], **1)** *Heraldik:* Art des herald. Pelzwerks (schwarze Kreuzchen auf silbernem oder weißem Grund) oder als Helmzier vorkommendes Wappentier.

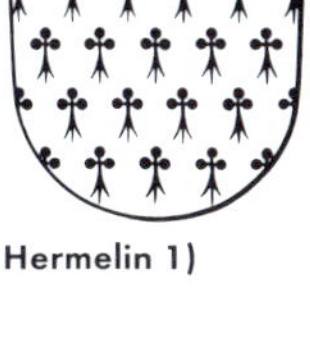

Hermelin 1)

2) *Kürschnerei:* Pelz aus dem weißen Winterfell des Hermelins.

3) *Zoologie:* eine Art der →Marder.

Hermeneutik [zu grch. hermēneúein »aussagen«, »auslegen«, »erklären«] *die,* i.e.S. die Kunst und Theorie der Auslegung von Texten, i.w.S. das Verstehen von Sinnzusammenhängen in menschl. Lebensäußerungen aller Art. – Bis zum 18. Jh. war die **hermeneutica sacra** als Deutung hl. Texte unterschieden von der **hermeneutica profana,** die sich mit der klass. Literatur der Antike beschäftigte. F. D. E. Schleiermacher bestimmte dann die H. als »Kunstlehre des Verstehens«, die von W. Dilthey als methodolog. Grundlegung der Geisteswiss. verstanden und ausgebaut wurde. – Die **hermeneut.** (»verstehende«) **Methode,** die in Ggs. zur erklärenden der Naturwiss. gesetzt wird, will Bedeutung und Sinn von Äußerungen und Werken des menschl. Geistes aus sich und in ihrem Zusammenhang verstehen. – Dass »Verstehen« nicht allein Methode einer Wissenschaft, sondern der Geisteswissenschaft vorgeordnet ist, entwickeln M. Heidegger und H. G. Gadamer in der **philosoph. H.:** »Verstehen« wird als Weise des menschl. Existierens selbst begriffen. Der Verstehende muss immer schon ein Vorverständnis von dem haben, was Gegenstand des Verstehens ist **(hermeneut. Zirkel).** – Zentrum der theolog. H. und Ziel ihrer (exeget.) Bemühungen ist die immer neue Übersetzung der bibl. (Sprach-)Wirklichkeit in die jeweilige (Sprach-)Wirklichkeit der Gegenwart unter Wahrung des unverkürzten → Kerygmas, vollzogen in der christl. Predigt. Traditions-, Schrift- und Vernunftprinzip bilden die grundlegenden hermeneut. Denkansätze, unterschieden nach den die Bibelauslegung normierenden »Instanzen« Lehramt, (göttlich inspirierte) Hl. Schrift und (historisch-krit.) Vernunft. Wesentl. hermeneut. Ansätze des 20. Jh. begreifen die bibl. Botschaft als Ausdruck von Existenzerfahrungen (R. Bultmann, Heideggers »Hermeneutik des Daseins« aufgreifend), Sprachereignis, in dem sich Heil ereignet (Gerhard Ebeling, * 1912), archetypisch zur Sprache gebrachte, den Menschen in seiner Zerrissenheit heilende Urwünsche, -erfahrungen und -zusagen (E. Drewermann).

📖 *Seminar: Philosoph. H., hg. v.* H.-G. GADAMER *u.a. Frankfurt am Main* ^{3}*1982. – H. in der Kontroverse, Beiträge v.* F. J. WETZ *u.a. Frankfurt am Main 1996.* – MORASCH, G.: *Hermetik u. H. Verstehen bei Heinrich Rombach u. Hans-Georg Gadamer. Heidelberg 1996.*

Hermes: Giambologna, »Merkur«, Bronze (1580; Florenz, Museo Nazionale del Bargello)

Hermes, *grch. Mythos:* grch. Gott, von den Römern dem Merkur gleichgesetzt, Sohn des Zeus und der Nymphe Maia; galt als erfinderisch und listig. Urspr. ein Natur- und Hirtengott, wurde er später Götterbote, Gott des Handels, der Wege, Wanderer, Diebe, des Schlafs und Traums, Begleiter der Verstorbenen in die Unterwelt, Erfinder der Lyra. H. wurde als anmutiger Jüngling mit Heroldsstab, Flügelschuhen und Reisehut dargestellt. Die Römer, die in H. bes. den Gott der Kaufleute sahen, gaben ihm zu den überkommenen Attributen noch den Geldbeutel bei. In der Spätantike spielte er als → Hermes Trismegistos eine Rolle.

Hermes, 1) Andreas, Politiker (CDU), * Köln 16. 7. 1878, † Krälingen (heute zu Altenahr) 4. 1. 1964; Landwirt, zunächst Mitgl. des Zentrums, 1920–21 Reichsernährungs-, 1922–23 Reichsfinanzmin. und 1928–33 Präs. der Vereinigung der christl. deutschen Bauernvereine, schloss sich in der Zeit des Nationalsozialismus der Widerstandsbewegung an; 1945 an der Gründung der CDU in der SBZ beteiligt; seitdem deren Vors., musste als Gegner der Bodenreform im Dez. 1945 zurücktreten; seit 1946 in West-Dtl.; 1947–54 Präs. des Dt. Bauernverbands, 1947–61 des Dt. Raiffeisenverbands.

2) Georg, kath. Philosoph und Theologe, * Dreierwalde (heute zu Hörstel) 22. 4. 1775, † Bonn 26. 5. 1831; ab 1807 Prof. der Dogmatik in Münster, 1820 in Bonn; versuchte in Auseinandersetzung mit Kant eine rationale Begründung des kirchl. Dogmas; sah in der (autonomen) prakt. Vernunft die Begründung des christl. (Offenbarungs-)Glaubens. Seine Lehre wurde 1835 von Papst Gregor XVI. verurteilt.

3) Johann Timotheus, evang. Theologe und Schriftsteller, * Petznick (heute Piasecznik, Wwschaft Gorzów) 31. 5. 1738, † Breslau 24. 7. 1821; Prof. der Theologie in Breslau, schrieb im Sinne der Aufklärung den kulturgeschichtlich bedeutsamen Roman »Sophiens Reise von Memel nach Sachsen« (5 Bde., 1769–73).

Hermes Kreditversicherungs-AG, Versicherungsunternehmen, das Warenkredit-, Investitionsgüterkredit-, Kautions-, Vertrauensschadenversicherung betreibt, Sitz: Hamburg und Berlin; gegr. 1917; gewährt Ausfuhrgarantien und -bürgschaften im Auftrag und für Rechnung des Bundes zur Deckung wirtsch. und polit. Risiken **(Hermes-Deckung).** Großaktionär ist die Allianz AG.

Hermes Trismegistos [grch. »Hermes, der dreimal Größte«], grch. Name des ägypt. Gottes Thot, der in der Spätantike mit Hermes gleichgesetzt wurde. Er soll die **hermet. Schriften** verfasst haben (Corpus Hermeticum), meist grch., auch lat. und kopt. Texte aus dem 2.–3. Jh. n. Chr., die eine myst. Geheimlehre, beeinflusst von ägypt. und orph. Mysterien und neuplaton. Gedankengut, verkünden. Sie wirkten auf die christl. Gnosis sowie auf Albertus Magnus, Paracelsus und die Freimaurer.

hermetisch [nach dem ägypt. Gott Hermes Trismegistos], 1) luft- und wasserdicht (verschlossen); 2) eine geheimnisvolle Ausdrucksweise bevorzugend.

Hermetismus *der* (italien. Ermetismo), Stilrichtung der Lyrik des 20. Jh., insbesondere der 30er-Jahre, die in der Tradition des frz. Symbolismus steht; bekannteste Vertreter sind die Italiener E. Montale, G. Ungaretti und S. Quasimodo. Wesentl. Merkmale des H. sind Dunkelheit und Vieldeutigkeit der Aussage. In Dtl. hat die Lyrik von S. George, G. Benn und P. Celan hermet. Züge.

Herminonen (Hermionen, Erminonen), nach Tacitus eine der drei Stammesgruppen der →Germanen.

Hermite [ɛr'mit], Charles, frz. Mathematiker, *Dieuze (Dép. Moselle) 24. 12. 1822, †Paris 14. 1. 1901; arbeitete über Analysis und Zahlentheorie, bewies (1873) die Transzendenz der eulerschen Zahl; zeigte, dass Gleichungen 5. Grades mit elliptischen Funktionen lösbar sind.

Hermlin, Stephan, eigtl. Rudolf Leder, Schriftsteller, *Chemnitz 13. 4. 1915, †Berlin 6. 4. 1997; 1936–45 in der Emigration, ging 1947 nach Berlin (Ost); schrieb form- und sprachbewusste, oft pathet. Lyrik zu antifaschist. Widerstand und sozialist. Aufbau (»Zweiundzwanzig Balladen«, 1947), Prosa (»Die erste Reihe«, Porträtskizzen, 1951; »Scardanelli«, Hsp., 1970; »Abendlicht«, autobiograph. Erz., 1979; »Erzählungen«, Samml., 1990).

Stephan Hermlin

Hermongebirge (Hermon, arab. Djebel esch-Scheich), aus Jurakalken aufgebauter Bergrücken in Vorderasien, über den Hauptkamm verläuft die libanesisch-syr. Grenze. Der SW-Gipfel ist mit 2814 m ü. M. die höchste Erhebung Syriens. Durch Entwaldung stark verkarstet.

Hermosillo [ɛrmo'sijo], Hptst. des Staates Sonora, NW-Mexiko, 406000 Ew.; Erzbischofssitz; Univ.; Zentrum eines Bewässerungsfeldbaugebietes; Flughafen.

Hermsdorf, Stadt im Saale-Holzland-Kreis, Thür., westlich von Gera, 9300 Ew.; elektrokeram. Ind., Getränkedosenherstellung; nahebei **Klosterlausnitz** (ehem. Klosterkirche von 1212).

Hermunduren (Ermunduren), german. Stamm der Elbgermanen, siedelten ab dem 1. Jh. v. Chr. im Gebiet von mittlerer Elbe und Saale. Aus den H. gingen die Thüringer hervor.

Hermupolis (ngrch. Ermupolis), Hptst. der Kykladen, Griechenland, an der O-Küste der Insel Syros, 13900 Ew.; orth. Bischofssitz; Werften, Eisenwerk, Baumwollspinnerei; Fischerei; wichtiger Hafen. – Neben der ehem. venezian. Oberstadt wurde 1834 die Neustadt gegründet.

Hernández [ɛr'nandɛθ], **1)** (Fernández), Gregorio, span. Bildhauer, *in Galicien um 1576, †Valladolid 22. 1. 1636; überwand den Manierismus der kastil. Schule zugunsten eines neuen, realist. Stils. Seine in leuchtenden Farben bemalten und vergoldeten Holzbildwerke wurden z. T. mit echter Gewandung ausgestattet **(Estofadoskulptur)**.

2) [ɛr'nandes], José, argentin. Schriftsteller, *Pueyrredón (bei Buenos Aires) 10. 11. 1834, †Buenos Aires 21. 10. 1886; schilderte in der zum Nationalepos gewordenen volkstüml. Dichtung »Martín Fierro« (2 Tle., 1872–78) das Leben der Gauchos; schrieb auch didakt., polit. und biograph. Prosa.

3) Miguel, span. Lyriker, *Orihuela 30. 10. 1910, †Alicante (im Gefängnis) 28. 3. 1942; nahm am Span. Bürgerkrieg auf republikan. Seite teil. Seine neoklassizist. Lyrik war von großem Einfluss auf die span. Dichtung nach dem Bürgerkrieg.

Herne, kreisfreie Stadt im RegBez. Arnsberg, NRW, im mittleren Ruhrgebiet, südlich der Emscher, 179200 Ew.; Bücherei des dt. Ostens; Universitätskliniken der Ruhr-Univ. Bochum; Maschinenbau, elektrotechn., chem. Ind., Stahlbau, Röhrenfertigung; Häfen am Rhein-Herne-Kanal, Verbindungskanal zum Dortmund-Ems-Kanal. – Im Herrenhaus von Schloss Strünkede (16. und 17. Jh.) Emschertalmuseum. Im Ortsteil **Wanne-Eickel** (1975 eingemeindet) warme Mineralquelle (41 °C). – H. wurde 1897 Stadt; 1856–1978 bed. Steinkohlenbergbau.

Herne
Stadtwappen

Hernie [lat.] *die, Medizin:* der →Eingeweidebruch.

Hero, grch. Priesterin der Aphrodite in Sestos, in der Sage Geliebte des **Leander** aus Abydos, der jede Nacht zu ihr über den Hellespont schwamm. Sie stürzte sich, als Leander bei einem Sturm ertrank, ins Meer.

Herodes, jüd. Herrscher und Tetrarchen: **1) H. der Große,** Herrscher des jüd. Staates (seit 37 v. Chr.), *um 73 v. Chr., †4 v. Chr.; 47 Stratege in Galiläa, 43 in röm. Dienst; sicherte sich mit röm. Hilfe die Herrschaft in Judäa und machte es zu einem starken Föderiertenstaat. Der jüd. Kult wurde

Herne: Schloss Strünkede (16./17. Jh.), in dem sich heute das Emschertalmuseum befindet

Herodes der Große: Darstellung des bethlehemitischen Kindermordes, Detail des bronzenen Hauptportals des Doms von Pisa (2. Hälfte des 12. Jh.)

Herodot (römische Kopie einer griechischen Herme aus der 2. Hälfte des 4. Jh. v. Chr.; Neapel, Museo Archeologico Nazionale)

nicht angetastet. H. ließ den Tempel von Jerusalem wieder aufbauen; befahl nach Mt. 2,16 ff. den bethlehemitischen Kindermord. Nach dem Tod des H. teilte Kaiser Augustus das Reich unter dessen Söhne Archelaos (6 n. Chr. abgesetzt und verbannt), H. Antipas und H. Philippos.

🕮 Grant, M.: *H. der Große. A. d. Engl. Bergisch Gladbach 1982.*

2) H. Agrippa I., Tetrarch (37–44), *10 v. Chr., †44 n. Chr., Enkel von 1); ließ nach Apg. 12,1 ff. Petrus einkerkern und Jakobus d. Ä. hinrichten.

3) H. Agrippa II., Tetrarch, *um 28, †um 100 n. Chr., Sohn von 2); Anhänger Kaiser Vespasians; berühmt ist sein Gespräch mit dem Apostel Paulus (Apg. 25,13–26,32).

4) H. Antipas, Tetrarch (4 v. Chr. bis 39 n. Chr.), *20 v. Chr., †nach 39 n. Chr., Sohn von 1); Landesherr zur Zeit Jesu, ließ nach Mt. 14,1–21 auf Betreiben seiner Gemahlin Herodias, die zugleich seine Nichte und Schwägerin war, Johannes den Täufer hinrichten; 39 n. Chr. von Kaiser Caligula verbannt.

Herodot (grch. Herodotos), grch. Geschichtsschreiber (»Vater der Geschichtsschreibung«), *Halikarnassos um 490 v. Chr., †um 425 v. Chr.; unternahm weite Reisen nach Asien und Afrika, war in Athen mit Perikles und Sophokles befreundet und ging 444 v. Chr. nach Thurii in Italien. Sein in ion. Dialekt geschriebenes Werk umfasst die Gesch. Griechenlands bis 479 v. Chr., bes. die Perserkriege; zugleich gibt es ein farbenreiches Bild von den Ländern und Völkern der damals bekannten Welt. Glanzstücke der Erzähl- und Charakterisierungskunst sind die über das Werk verstreuten Anekdoten und Novellen. – Die Zuverlässigkeit H.s in den sachlich berichtenden Partien ist durch die neue Forschung vielfach bestätigt worden.

🕮 Schadewaldt, W.: *Tübinger Vorlesungen, Bd. 2: Die Anfänge der Geschichtsschreibung bei den Griechen. Frankfurt am Main [3]1990.* – Erbse, H.: *Studien zum Verständnis H.s. Berlin u. a. 1992.*

Heroin [grch.] *das,* (Diacetylmorphin), halbsynthet. Morphinderivat; gefährlichstes, körperlich und seelisch abhängig machendes Rauschgift. Herstellung und Handel sind in zahlr. Ländern verboten; medizinisch wird H. nicht verwendet, da seine Abhängigkeit erzeugende Wirkung stärker als die des Morphins ist.

Heroine [zu Heros] *die, Theater:* Darstellerin einer weibl. Heldenrolle.

heroisch-galanter Roman, nach frz. Vorbildern (M. Le Roy de Gomberville, G. de Costes de La Calprenède, Madeleine de Scudéry) entstandene Sonderform des höf. Romans der Barockzeit. Im Mittelpunkt der Handlung vor einem pseudohistor. Hintergrund stehen Figuren aristokrat. Herkunft, die in Liebessituationen (galante Situationen) eine Fülle von Missgeschicken erleiden. Vertreter dieser Romanform in Dtl. sind D. C. von Lohenstein, Herzog Anton Ulrich von Braunschweig-Wolfenbüttel, A. H. Buchholtz, P. von Zesen, A. von Zigler und Kliphausen.

Herold [frz., aus dem German., eigtl. »Heerwalter«] *der,* herrschaftl. Bote, Verkündiger; im MA. ein durch Personen- und Wappenkenntnis qualifizierter Diener von Fürsten u. a., der, bes. bei Turnieren, die Funktionen eines Zeremonienmeisters ausübte.

Heroldsamt, Behörde in Monarchien zur Aufsicht über das Adels- und Wappenrecht sowie zur Führung der Adelsmatrikel; in Republiken z. T. von herald. Vereinen übernommen.

Heroldsdichtung (heraldische Dichtung, Wappendichtung), seit Ende des 13. Jh. Preisdichtung auf Rüstung und Wappen, verbunden mit dem Lob ihrer Träger. Bedeutende Vertreter waren der

Herodot

Folgende von Herodot (III, 38) überlieferte Episode über den Perserkönig Dareios I., den Großen, veranschaulicht, dass dieser Geschichtsschreiber auch noch so befremdliche Sitten und Wertvorstellungen als Ausdruck einer bei den jeweiligen Völkern geltenden, dort absolut verbindlichen Ordnung respektierte:

»Als Dareios König war, ließ er einmal alle Griechen seiner Umgebung zu sich rufen und fragte sie, um welchen Lohn sie bereit wären, die Leichen ihrer Väter zu verspeisen. Die aber antworteten, sie würden das um keinen Preis tun. Darauf rief Dareios die indischen Kalatier, die die Leichen ihrer Eltern essen, und fragte sie in Anwesenheit der Griechen – durch einen Dolmetscher erfuhren sie, was er sagte –, um welchen Preis sie ihre verstorbenen Väter verbrennen möchten. Sie schrieen laut auf und baten ihn inständig, solch gottlose Worte zu lassen.«

fahrende Dichter Peter Suchenwirt (* um 1320/30, † 1395) und Konrad von Würzburg.

Heron von Alexandria, grch. Mechaniker und Mathematiker der zweiten Hälfte des 1. Jh. n. Chr.; verfasste Schriften über Mechanik, Pneumatik und Vermessungskunde, beschrieb eine Art Theodolit und einen Wegemesser. Der von H. v. A. beschriebene **Heronsball** ist ein Gefäß mit einer Röhre, in der durch den Druck eingeblasener zusammengepresster Luft Wasser hochgetrieben wird; nach diesem Prinzip funktionieren z. B. Spritzflaschen und Zerstäuber.

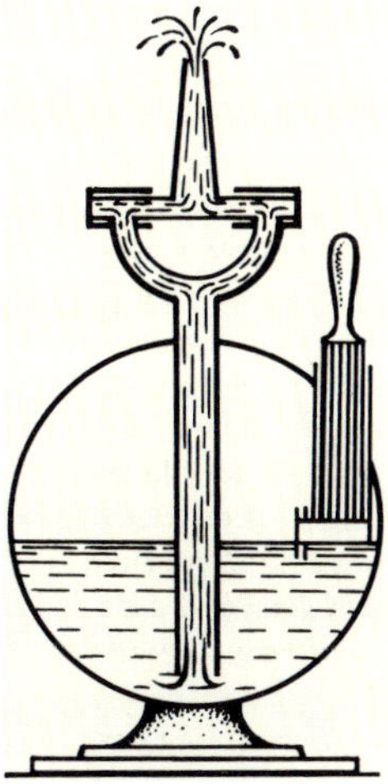

Heron von Alexandria: Darstellung des Funktionsprinzips des Heronballs

Heros [grch.] *der,* gottähnl. Held, Halbgott, der wunderbare Taten vollbringen kann. Nach dem Mythos entstammt er meist der Verbindung eines Gottes oder einer Göttin mit einem Menschen. Der **Heroenkult** ist neben dem Götterkult ein bed. Element der grch. Religion. Er reicht bis in die myken. Zeit zurück und setzt den Totenkult für die Könige fort. Die Kulte für die einzelnen Heroen waren lokal gebunden. Die bekanntesten grch. Heroen sind Herakles und Theseus.

Héroult [e'ru], Paul Louis Toussaint, frz. Metallurge, * Harcourt (Dép. Eure) 10. 4. 1863, † bei Antibes 9. 5. 1914; leitete mit der Darstellung von Aluminium aus Tonerde und Kryolith mittels Elektrolyse (patentiert 1886) die industrielle Aluminiumgewinnung ein; entwickelte am Anfang des 20. Jh. den nach ihm benannten Lichtbogenofen zur Erzeugung von Qualitätsstahl.

Herpangina [grch.-lat.] *die,* durch Viren verursachte gutartige Infektionskrankheit (bes. bei Kindern), u. a. mit Rachen- und Gaumenentzündung sowie Bläschenbildung in der Mundhöhle.

Herpes [grch.] *der,* mit Bläschenbildung verbundene Haut- und Schleimhauterkrankung, i. e. S. der **H. simplex** (Bläschenflechte). Bei diesem handelt es sich um eine durch Tröpfchen- oder Schmierinfektion (z. B. beim Geschlechtsverkehr) übertragene Hautkrankheit, die entsprechend dem beteiligten Erregertyp des Herpes-simplex-Virus v. a. an den Übergangsstellen zw. Haut- und Schleimhaut oder an den Geschlechtsteilen **(H. genitalis)** auftritt. Die Symptome bestehen in einem nach Juckreiz und Spannungsgefühl unter geringfügigem Brennen plötzlich hervortretenden Ausschlag von gruppiert angeordneten, stecknadelkopfgroßen Bläschen auf gerötetem Grund; nach Erguss des serösen Inhalts und Eintrocknen kommt es zur Abheilung. Je nach Lokalisation unterscheidet man **H. labialis** an den Lippen und **H. corneae** an der Hornhaut des Auges. Die Erstinfektion mit dem Virus findet meist im frühen Kindesalter statt, i. d. R. als »stummer Infekt«, und führt zur Bildung von Antikörpern, ohne jedoch eine Immunität zu hinterlassen. Häufig verbleibt der Erreger in Ruhe (Latenz) im Körpergewebe, sodass es bei Störungen des immunolog. Gleichgewichts immer wieder zu Rückfällen kommt, so z. B. bei fiebrigen Erkrankungen, auch während der Menstruation oder provoziert durch Sonneneinstrahlung. – Die *Behandlung* besteht in der äußerl. Anwendung austrocknender Puder oder Salben und der Einnahme von Virostatika.

Herpesviren, Gruppe DNS-haltiger Viren, deren Vertreter beim Menschen und einer Reihe von

Heron von Alexandria

Eine weitere Erfindung Herons waren – man glaubt es kaum – Münzautomaten. Gegen den Einwurf eines Fünfdrachmenstücks spendeten diese Automaten eine Portion Weihwasser. Auch durch Erfindungen wie sich automatisch öffnende Tempeltüren und sich selbst entzündende Opferfeuer unterstützte Heron die Priesterschaft.

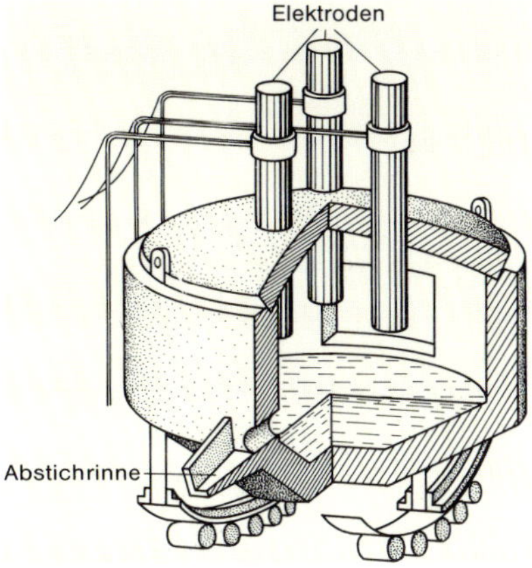

Paul Louis Héroult: Darstellung des nach Héroult benannten Lichtbogenofens zur Herstellung von Qualitätsstahl

Alfred Herrhausen

Édouard Herriot

Tieren unterschiedl. Krankheitsbilder verursachen, die sich jedoch auf Gewebe ektodermaler Herkunft beschränken. Zu den H. gehören u.a. das Herpes-simplex-Virus (→Herpes), das Zytomegalievirus, das Varizellenvirus (Erreger der Windpocken) und das →Epstein-Barr-Virus.

Herpetologie [grch.] *die,* Wiss. von den Lurchen und Kriechtieren.

Herr [ahd. herro, zu dem Komparativ heriro »älter«, »ehrwürdiger«, »erhabener«], **1)** *allg.:* urspr. jeder Höhergestellte, im frühen MA. Standesbez. für den Angehörigen des Adels; seit dem 17. Jh. Höflichkeitsbez. gegenüber Adligen, Ratsherren und Geistlichen; im 18. Jh. auch für bürgerl. Honoratioren; seit dem 19. Jh. Anrede für einen Mann jeden Standes.

2) *Religion:* Bezeichnung und Anrede Gottes (→Kyrios).

Herrenalb, Bad, →Bad Herrenalb.

Herrenberg, Große Kreisstadt im Landkreis Böblingen, Bad.-Württ., am W-Rand des Schönbuchs, 28800 Ew.; Metall-, Gipsverarbeitung, Arzneimittelherstellung. – H., im 13. Jh. als Stadt angelegt, wird überragt von der mächtigen Kollegiatsstiftskirche (14.–18. Jh.).

Herrenchiemsee [-'kiːm-], Schloss König Ludwigs II. von Bayern, nach dem Vorbild von Versailles auf der **Herreninsel** im Chiemsee 1878–85 von G. von Dollmann erbaut (»Neues Schloss«, heute Museum). Das »Alte Schloss« (17. Jh., mit Bibliothek und Kaisersaal) ist der Rest eines ehem. Augustiner-Chorherrenstifts (1130 gegründet).

Herrenchiemsee: Das Neue Schloss auf der Herreninsel im Chiemsee wurde 1878–85 von Georg von Dollmann, dem Baumeister Ludwigs II., nach dem Vorbild von Versailles erbaut

Herrenhaus, bis 1918 Bez. der 1. Kammer des preuß. Landtags (seit 1855), des österr. (1861–65) und österr.-ungar. Reichsrats (ab 1867).

herrenlose Sache, Sache, die nicht im Eigentum einer Person steht, entweder, weil sie von Anfang an herrenlos ist (z.B. wilde Bienen) oder das Eigentum an ihr aufgegeben wurde (§§ 959, 960 BGB). Jeder kann sich h. S. aneignen, wenn die Aneignung nicht gesetzlich verboten ist oder das Aneignungsrecht eines andern nicht verletzt wird, z.B. im Jagdrecht. Verlorene Sachen sind nicht herrenlos. – In *Österreich* gelten für die h. S. (»frei stehende Sachen«) ähnl. Bestimmungen (§§ 287, 381 ff. ABGB). Das *schweizer.* Recht entspricht dem dt. Recht (Art. 658, 664, 666, 718, 729 ZGB).

Herrentiere, die →Primaten.

Herrera [ɛr-], **1)** Fernando de, span. Lyriker, *Sevilla um 1534, †ebd. 1597; bed. Vertreter des Petrarkismus, den er in seiner Liebeslyrik pflegte; schrieb Oden nach klass. Vorbildern.

2) Francisco, gen. el Viejo, span. Maler, *Sevilla (?) um 1576, †Madrid 1656, Vater von 3); Vertreter der barocken Malerschule von Sevilla, malte religiöse Bilder und Genredarstellungen (v.a. Küchenstücke, sog. »Bodegones«); charakteristisch ist der starke Hell-Dunkel-Kontrast. H. war auch Kupferstecher und Medailleur.

3) Francisco, gen. el Mozo, span. Maler, *Sevilla 1622, †Madrid 25. 8. 1685, Sohn von 2); 1672 Hofmaler in Madrid; Stillleben und Genrebilder in lichten Farben und skizzenhafter Technik.

4) Juan de, span. Baumeister, *Mobellán (heute Valdáliga, Prov. Santander) um 1530, †Madrid 15. 1. 1597; schuf den von der italien. Renaissance ausgehenden klass. Baustil Spaniens: schmucklos und sparsam. Sein Meisterwerk ist der Escorial.

Herrera y Tordesillas [ɛ'rrɛra itɔrðe'siʎas], Antonio de, span. Geschichtsschreiber, *Cuéllar (bei Segovia) 1549 (?), †Madrid 29. 3. 1625; von Philipp II. zum Historiographen Kastiliens und beider Indien ernannt. Seine »Historia general ...« (4 Bde., 1601–15) ist eine wertvolle Quelle zur Gesch. der Entdeckungen.

Herrgottswinkel, eine mit Kruzifix (und Heiligenbildern) geschmückte Ecke der kath. bäuerl. Wohnstube.

Herrhausen, Alfred, Bankfachmann, *Essen 30. 1. 1930, †(Bombenattentat) Bad Homburg v.d. Höhe 30. 11. 1989; seit 1971 Vorstandsmitgl. der Dt. Bank AG, seit 1988 alleiniger Vorstandssprecher; wirtschaftspolit. Berater von H. Kohl.

Herriot [ɛr'jo], Édouard, frz. Politiker, *Troyes 5. 7. 1872, †Saint-Genis-Laval (Dép. Rhône) 26. 3. 1957; trat während der Dreyfusaffäre der Liga für die Verteidigung der Menschen- und Bürgerrechte bei und schloss sich der Radikalsozialist. Partei an; 1905–40 und 1945–57 Bürgermeister von Lyon; 1924–25, 1926 und 1932 MinPräs. (1924–25 zugleich Außenmin.); 1936–40 Präsident der Deputiertenkammer. Im 2. Weltkrieg geriet H. nach der Niederlage Frankreichs in Gegensatz zum Vichy-Regime, das ihn 1942 unter Polizeiaufsicht stellte; 1944 wurde er in Dtl. interniert. 1947–54 war er Präs. der Nationalversammlung, danach deren Ehrenpräsident; seit 1946 Mitgl. der Académie française.

Herrmann-Neiße, Max, eigtl. M. Herrmann, Schriftsteller, *Neisse (heute Nysa) 23. 5. 1886, †London 8. 4. 1941; wandte sich mit sozialer Thematik dem Expressionismus zu. In seiner späteren Lyrik in der Emigration suchte er Heimweh und »Trauer der Erde« zu überwinden.

Herrnhut, Stadt im Landkreis Löbau-Zittau, Sachsen, im Lausitzer Bergland, 3 000 Ew.; Völkerkundemuseum; Draht- und Holzverarbeitung. – Vogtshof, Kirchsaal und Archiv der Brüdergemeine. – H. entstand ab 1722 durch die Ansiedlung mähr. Exulanten (Böhmische Brüder) auf dem Gut des Grafen N. L. von Zinzendorf.

Herrnhuter Brüdergemeine, →Brüdergemeine.

Herrschaft, die universell verbreitete, institutionalisierte Form der Machtausübung, der sozialen Über- und Unterordnung. H. regelt verbindlich die Beziehungen zw. den Mitgl. einer Gesellschaft oder einer sozialen Gruppe. H. bedarf der Gehorsamsbereitschaft der ihr Unterworfenen und der Legitimierung der Machtausübung, um auf Dauer bestehen zu können; dabei ist es wesentlich, ob Herrschende und Beherrschte eine gemeinsame Wert- und Rechtsordnung anerkennen und inwieweit H.-Ausübung – im Ggs. zu Willkür und Gewalt – berechenbar für die Betroffenen ist.

Im polit. Raum ist der Staat die organisierte Form der H.; nach den ihr zugrunde liegenden Interessen, Zielsetzungen und Ansprüchen sowie nach den Techniken und Mitteln der Machtausübung gibt es versch. Formen der H.: Monarchie und Republik, Diktatur und Demokratie. Innerhalb dieser Formen können sich Strukturen der Oligarchie oder der Plutokratie entwickeln. Gegenüber diesen nach der Anzahl der Herrschenden bestimmten Systemen gibt es solche, die bestimmte Standes- und Personengruppen in das Zentrum des H.-Aufbaus stellen: Aristokratie, Hierokratie, Gerontokratie sowie Bürokratie und Technokratie, die auf besonderen Fähigkeiten aufbauen, und Meritokratie, die bestimmte Verdienste zugrunde legt. M. Weber unterschied folgende idealtyp. Formen von H.: 1) die **rationale (legale) H.** aus dem Glauben an die Legalität gesetzter Ordnungen und an das Anweisungsrecht ihrer Vertreter (bürokrat. Verwaltungsstab); 2) die **traditionale H.,** fußend auf dem Glauben an die Heiligkeit altüberkommener Ordnungen und Gewalten (Gerontokratie, Patriarchat, Ständewesen); 3) die **charismat. H.,** die auf dem Glauben an die außeralltägl. Qualitäten einer Persönlichkeit beruht (Typ »Führer und Gefolgschaft«). Das Interesse der zeitgenöss. Sozialwissenschaft richtet sich dagegen mehr auf strukturelle H.-Phänomene und die in der Gegenwart gleichzeitig anzutreffenden Strukturtypen von Herrschaft. Es werden i. d. R. zwei Grundtypen staatl. H. unterschieden: die konstitutionelle oder demokrat. sowie die autokrat. oder diktator. Herrschaft. Als konstitutionelle oder demokrat. H. wird ein H.-System verstanden, in dem Gewaltenteilung in der Regierungsweise, pluralist. Strukturen in den H.-Verhältnissen der Gesellschaft, die Geltung der Menschenrechte und die Beteiligung des Staatsbürgers an der Ausübung der staatl. H. sichtbar werden. Staaten, in denen diese Prinzipien nicht beachtet werden, gelten als autokratisch-diktator. H.-Systeme; dabei ist meist eine starke ideolog. Durchdringung von Staat und Gesellschaft festzustellen.

📖 DAHRENDORF, R.: *Pfade aus Utopia. Neuausg. München u. a. [2]1986.* – LANGER, J.: *Grenzen der H. Die Endzeit der Machthierarchien. Opladen 1988.* – ARENDT, H.: *Elemente u. Ursprünge totaler H. A. d. Engl. Neuausg. München [4]1995.*

Herrsching a. Ammersee, Gemeinde im Landkreis Starnberg, Oberbayern, 9 000 Ew.; Finanzbeamtenfachhochschule; Apparatebau, Bootswerften; Fremdenverkehr.

Hersbruck, Stadt im Kr. Nürnberger Land, Bayern, an der Pegnitz, 12 200 Ew.; Dt. Hirtenmuseum; Messgeräteherstellung, Industrieofenbau, Herstellung und Bearbeitung von Kunststofffolien; Zentrum des als **Hersbrucker Gebirges** bezeichneten Hopfenbaugebietes. – Großenteils erhaltener Mauerring mit drei Tortürmen; Schloss (16./17. Jh.). – H. wurde um 1360 Stadt.

Herschbach ['hə:ʃbak], Dudley Robert, amerikan. Chemiker, *San José (Calif.) 18. 6. 1932; seit 1963 Prof. an der Harvard University; entwickelte mit Y. T. Lee die Methode der gekreuzten Molekularstrahlen zur Erforschung der chem. Reaktionskinetik und erhielt dafür mit diesem und mit J. C. Polanyi 1986 den Nobelpreis für Chemie.

Herschel, 1) Sir (seit 1816) Friedrich Wilhelm, brit. Astronom dt. Herkunft, *Hannover 15. 11. 1738, †Slough (bei Windsor) 25. 8. 1822, Vater von 2); seit 1765 in England, schliff selbst Spiegel (größter 1,22 m Ø, 12 m Brennweite) und baute Fernrohre, untersuchte systematisch Doppelsterne, Nebel und Sternhaufen, entdeckte 1781 den Uranus, stellte 1783 die Eigenbewegung des Sonnensystems in Richtung auf das Sternbild Herkules fest, fand 1787 die beiden äußeren Uranusmonde und 1789 die beiden inneren Saturnmonde.

2) Sir (seit 1831) John Frederick William, *Slough (bei Windsor) 7. 3. 1792, †Collingwood (Cty. Kent) 11. 5. 1871, Sohn von 1); Begründer der Astrofotografie, gab ein Werk über alle Nebel und Sternhaufen heraus (1849) sowie eine detaillierte Durchmusterung des Südhimmels.

Hersey ['hə:sɪ], John (Richard), amerikan. Schriftsteller, *Tientsin (China) 17. 6. 1914, †Key West (Fla.) 24. 3. 1993; schrieb von dokumentar.

Max Herrmann-Neiße
(Zeichnung nach einem Gemälde von George Grosz)

Friedrich Wilhelm Herschel

Georg von Hertling

Gustav Hertz

Heinrich Hertz

Stil geprägte Prosa, u.a. »Eine Glocke für Adano« (R., 1944), »Hiroshima« (Bericht, 1946), »Blues« (Prosa, 1987), »Antoinietta« (R., 1991).

Hẹrsfeld, Bad, → Bad Hersfeld.

Hẹrsfeld-Rọtenburg, Landkreis im RegBez. Kassel, Hessen, 1097 km^2, (1996) 133 100 Ew.; Krst. ist Bad Hersfeld.

Hershey ['hə:ʃɪ], Alfred Day, amerikan. Biologe, *Owosso (Mich.) 4. 12. 1908, †Syosset (N. Y.) 22. 5. 1997; erhielt für Forschungen über genet. Struktur und Vermehrungsmechanismus der Viren 1969 den Nobelpreis für Physiologie oder Medizin, zusammen mit S. E. Luria und M. Delbrück.

Herstellkosten, Summe der Kosten, die einem Unternehmen durch die Herstellung eines Wirtschaftsguts entstehen. Hierzu gehören Materialkosten, Fertigungslöhne, Fertigungsgemeinkosten, kalkulator. und Sonderkosten der Fertigung.

Herstellungskosten, Begriff des Handels- und Steuerrechts zur Bewertung selbst erstellter Wirtschaftsgüter in der → Bilanz. Im Unterschied zu den Herstellkosten umfassen sie keine kalkulator. Bestandteile (z.B. Eigenkapitalzinsen, kalkulator. Unternehmerlohn).

Hẹrten, Stadt im Kr. Recklinghausen, NRW, am nördl. Rand des Ruhrgebietes, 69 000 Ew.; Staatl. Amt für Wasser- und Abfallwirtschaft; Steinkohlenbergbau, Fleischwaren-, Papier-, Textilind., Maschinen-, Apparatebau, Kunststoffverarbeitung. – Wasserschloss (um 1520, mit engl. Landschaftsgarten). – 1936 wurde H. Stadt.

Hertford ['hɑ:fəd], Hptst der Cty. Hertfordshire, England, im N von London, 21 400 Ew.; Schulzentrum; Nahrungsmittelindustrie.

Hertfordshire ['hɑ:fədʃɪə], Cty. im mittleren England, 1636 km^2, (1995) 1,011 Mio. Ew.; Hptst. ist Hertford.

Hẹrtling, Georg Freiherr (seit 1914 Graf) von, Politiker und Philosoph, *Darmstadt 31. 8. 1843, †Ruhpolding 4. 1. 1919; 1876 Mitbegründer der Görres-Gesellschaft; arbeitete an einer katholisch geprägten Staats- und Sozialphilosophie; 1875–90 und 1896–1912 MdR (Zentrum; seit 1909 Vors. der Fraktion); wurde 1912 bayer. MinPräs., 1917/18 Reichskanzler und preuß. MinPräs. (Rücktritt am 30. 9. 1918).

Herman Hertzberger: Arbeits- und Sozialministerium in Den Haag (1980–90)

Hertogenbosch, 's-H. [shɛrto:xən'bɔs], niederländ. Stadt, → Herzogenbusch.

Hẹrtz [nach H. R. Hertz] *das,* Einheitenzeichen **Hz,** SI-Einheit der Frequenz eines period. Vorgangs: $1\,Hz = 1\,s^{-1} = 1/Sekunde$.

Hẹrtz, 1) Gustav, Physiker, *Hamburg 22. 7. 1887, †Berlin (Ost) 30. 10. 1975, Neffe von 2); Prof. in Halle (Saale), Berlin und Leipzig (1954–61), leitete 1935–45 das Forschungslaboratorium der Siemens-Werke; untersuchte gemeinsam mit J. Franck die Anregung von Atomen durch Elektronenstöße **(Franck-Hertz-Versuch),** wodurch sich das bohrsche Atommodell bestätigte, und erhielt dafür mit Franck 1925 den Nobelpreis für Physik. Er entwickelte ferner ein Verfahren zur Diffusionstrennung von Isotopen. 1945–54 arbeitete er in der UdSSR an Problemen der Kernforschung, des Überschalls und der Radartechnik.

2) Heinrich Rudolf, Physiker, *Hamburg 22. 2. 1857, †Bonn 1. 1. 1894, Onkel von 1); bestätigte durch seine Untersuchungen über die Ausbreitung der elektr. Wellen 1887/88 die Voraussagen der maxwellschen Theorie elektromagnet. Wellen sowie deren Wesensgleichheit mit den Lichtwellen. Die von ihm entdeckten **hertzschen Wellen** (mit Wellenlängen von 0,1 mm bis einigen Kilometern) bilden eine der Grundlagen der heutigen Hochfrequenztechnik. H. wies ferner den Einfluss ultravioletter Strahlen auf die elektr. Entladung (1887) nach, was W. Hallwachs zur Entdeckung des lichtelektr. Effektes führte.

Hẹrtzberger [-bɛrxər], Herman, niederländ. Architekt, *Amsterdam 6. 7. 1932; Vertreter des Strukturalismus. Sein Stil ist durch die Addition kleiner Einheiten zu einer Großform gekennzeichnet. H. baute u.a. die Diagoon-Einfamilienhäuser in Amsterdam (1971–78) und den Wohnhof in Berlin (1987, Beitrag für die IBA).

Hẹrtzog, James Barry Munnick, südafrikan. Politiker, *Wellington (Prov. West-Kap) 3. 4. 1866, †Pretoria 21. 11. 1942; kämpfte im Burenkrieg (1899–1902) gegen die Engländer. 1910–12 war er Justizmin., 1924–39 MinPräs. (seit 1929 zugleich Außenmin.). Beim Ausbruch des 2. Weltkrieges lehnte er den Kriegseintritt Südafrikas an der Seite Großbritanniens ab und wurde deshalb als Reg.-Chef abgelöst.

hẹrtzscher Dịpol [nach H. R. Hertz], ein elektr. → Dipol.

Hertzsprung ['hɛrdsbrɔŋ], Ejnar, dän. Astronom, *Frederiksberg (Kopenhagen) 8. 10. 1873, †Roskilde 21. 10. 1967; Prof. in Göttingen, Potsdam und Leiden, 1920–45 Direktor der Sternwarte Leiden; arbeitete über Sternhaufen, Doppelsterne und Veränderliche, schuf die Einteilung in Riesen- und Zwergsterne und stellte mit H. N. Russell das →Hertzsprung-Russell-Diagramm auf.

📖 Herrmann, D. B.: *E. H. Pionier der Sternforschung. Berlin u. a. 1994.*

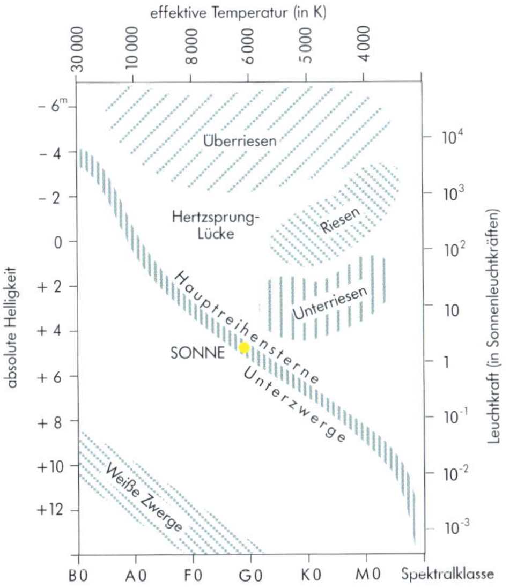

Hertzsprung-Russell-Diagramm

Hertzsprung-Russell-Diagramm ['hɛrdsbrʊŋ 'rʌsl-; nach E. Hertzsprung und H. N. Russell], Abk. **HRD,** Zustandsdiagramm und wichtiges Klassifizierungsschema für Sterne. Es stellt einen Zusammenhang her zw. der absoluten Helligkeit (in Größenklassen) und dem Spektraltyp eines Sterns; äquivalent ist der Zusammenhang zw. der Leuchtkraft eines Sterns (in Einheiten der Sonnenleuchtkraft) und der effektiven Oberflächentemperatur. – Die meisten Sterne **(Hauptreihensterne)** liegen im HRD auf dem **Hauptast** oder der **Hauptreihe.** Die lichtstarken (absolute Helligkeit -5^{M}), sehr heißen B-Sterne liegen links oben, die sehr lichtschwachen, rötl. Zwergsterne rechts unten. – Oben rechts liegen im HRD die **Riesensterne (Riesenast)** versch. Leuchtkraft (**Über-** und **Unterriesen**), getrennt von der Hauptreihe durch die **Hertzsprung-Lücke.** Die unter der Hauptreihe liegenden **Unterzwerge** haben etwa die Spektralklasse von G bis M. Ein eigenes Feld bilden die **Weißen Zwerge** mit hoher Oberflächentemperatur, aber sehr geringer absoluter Helligkeit (kleiner Durchmesser) und einer Dichte bis zu mehreren 100 kg/cm³, was auf entartete Materie hinweist. Die unterschiedl. Verteilung der Sterne im HRD ist eine Folge der versch. Stadien ihrer →Sternentwicklung, innerhalb derer sich u. a. Leuchtkraft und Oberflächentemperatur verändern.

Dem HRD gleichwertig ist das **Farben-Helligkeits-Diagramm** (FHD), in dem die scheinbare Helligkeit der Sterne zum Farbenindex in Beziehung gesetzt wird.

Heruler (Eruler), german. Volk, urspr. wohl aus S-Skandinavien stammend. **Ost-H.** traten 267 am Schwarzen Meer auf, **West-H.** wurden 286 in Gallien genannt. Die stets in der Nachbarschaft der Goten erwähnten Ost-H. kamen mit diesen unter hunn. Herrschaft; um 500 gründeten sie in der Theiß-March-Ebene ein großes Reich. 508/509 wurden sie von den Langobarden besiegt.

Herwegh, Georg, Dichter, *Stuttgart 31. 5. 1817, †Baden-Baden 7. 4. 1875; veröffentlichte in der Schweiz »Gedichte eines Lebendigen« (2 Bde., 1841–43), die mit schwungvoll-rhetor. Versen für Freiheit und Vaterland stritten; war 1848 aktiv im bad. Aufstand, floh nach dessen Scheitern in die Schweiz.

Georg Herwegh (Stich, um 1842)

Herz (Cor, Cardia, Kardia), *Anatomie:* zentrales, muskulöses Pumporgan im Blutkreislauf der Tiere und des Menschen. Das etwa faustgroße H. des Menschen liegt im Brustkorb über dem Zwerchfell und zw. den beiden Lungenflügeln. Es wiegt etwa 300 g und besteht aus zwei Hälften, die durch die H.-Scheidewand voneinander getrennt sind. Jede H.-Hälfte ist in einen muskelschwächeren oberen Abschnitt, den **H.-Vorhof (Atrium),** und in einen muskelstärkeren Abschnitt, die **H.-Kammer (Ventrikel),** unterteilt. Die **H.-Ohren** sind blindsackartige Seitenteile der Vorhöfe. Die bindegewebige Hülle des H., der **H.-Beutel (Perikard),** ist hauptsächlich mit der vorderen Brustwand und dem Zwerchfell verwachsen. Seine innere Schicht (Epikard) ist fest mit der H.-Oberfläche verwachsen. Seine äußere Schicht besteht aus straffem Bindegewebe, durch dessen Fasern der H.-Beutel auch an der Wirbelsäule, am Brustkorb und an der Luftröhre verschiebbar aufgehängt ist. Unter der inneren Schicht folgt die **H.-Muskelschicht (Myokard).** Sie ist zur H.-Höhle hin von der H.-Innenhaut (Endokard) bedeckt. In den rechten Vorhof münden die obere und untere Hohlvene sowie die H.-Kranzvene ein. Er nimmt das aus dem Körper kommende sauerstoffarme (venöse) Blut auf und leitet es in die rechte H.-Kammer weiter. Aus dieser entspringt die Lungenarterie, die das venöse Blut zur Lunge leitet. Von dort gelangt das Blut durch die Lungenvenen in den linken Vorhof. In der linken H.-Kammer beginnt die Aorta, durch die das Blut zu den einzel-

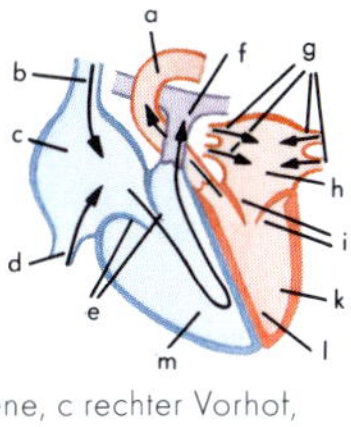

Herz: Schema der Blutströme im Herzen; a Aorta, b obere Hohlvene, c rechter Vorhof, d untere Hohlvene, e dreizipflige Klappe, f Lungenarterie, g Lungenvenen, h linker Vorhof, i Mitralklappe, k linke Kammer, l Kammerscheidewand, m rechte Kammer (blau: venöses Herz, rot: arterielles Herz)

nen Körperregionen bzw. den Organen transportiert wird. Um einen Rückfluss des Blutes bei der Kontraktion der H.-Kammern (Systole) zu verhindern, verschließen dabei aus Endokardfalten gebildete, durch sehnige Faserplatten versteifte **Segelklappen** den Weg zu den Vorhöfen. Erschlaffen die H.-Kammern (Diastole), so verhindern halbmondförmige, aus Bindegewebshäutchen bestehende **Taschenklappen** in der Lungenarterie und in der Aorta ein Zurückfließen des Blutes in die Kammern. Dabei öffnen sich die Segelklappen und geben dem Blut in den Vorhöfen den Weg frei. Da die linke H.-Hälfte stärker arbeiten muss als die rechte, ist ihre Wandung dicker als die der rechten. Die Versorgung der H.-Muskulatur mit sauerstoff- und nährstoffreichem Blut erfolgt in einem eigenen Kreislauf über die **H.-Kranzgefäße (Koronargefäße).** Etwa 5–10% des Blutstroms im Körperkreislauf werden dafür abgezweigt. Die Tätigkeit der H.-Muskulatur wird vom Erregungsleitungssystem (→Herzautomatismus) gesteuert. Das H. eines erwachsenen Menschen schlägt bei leichter Tätigkeit 60- bis 70-mal in der Minute (H.-Frequenz); bei jedem H.-Schlag fördert das H. zw. 70 und 100 ml Blut je H.-Kammer. Bei rd. 75 Schlägen je Minute dauert ein H.-Schlag 0,8 Sekunden. Davon entfallen nur 0,3 Sekunden auf die eigentl. Arbeit, die Austreibung des Blutes (Systole), während die Erschlaffungsphase (Diastole) 0,5 Sekunden dauert.

Gerhard Herzberg

Kulturgeschichte: In vielen Kulturen gilt das H. als Zentrum der Lebenskraft, als Ort des Gewissens, Sitz der Seele und der Gefühle. Die Azteken opferten die H. ihrer Gefangenen, um ihre Götter zu nähren; das Wiegen der H. in der Unterwelt gehörte zu den Vorstellungen über das altägypt. Totengericht; in der grch.-röm. Antike war das H. v.a. mit dem Gefühlsleben verbunden. Als Sitz der religiös-sittl. Haltung wird es in den Hochreligionen angesehen (separate Bestattung des H.). Einen besonderen Platz nimmt die →Herz-Jesu-Verehrung ein.

📖 *Physiologie des Menschen, hg. v.* ROBERT F. SCHMIDT *u.* G. THEWS. *Berlin u.a.* [26]*1995.*

Herz, Henriette, geb. de Lemos, *Berlin 5. 9. 1764, †ebd. 22. 10. 1847; Freundin Schleiermachers. Ihr Salon war Treffpunkt vieler Persönlichkeiten, v.a. für die Frühromantiker, aber auch für die Brüder Humboldt, für J. G. Fichte, F. Gentz, G. Schadow und L. Börne.

Herzaneurysma, *Medizin:* →Aneurysma.

Herzanfall (Herzattacke), plötzlich auftretende Störungen der Herzfunktion (→Herzrhythmusstörungen) oder Missempfindungen in der Herzgegend (Herzschmerzen).

Herzasthma, →Asthma.

Herzautomatismus (Herzautomatie, Herzautonomie, Herzautorhythmie), Fähigkeit des Herzens, eigenständig rhythmisch tätig zu sein. Die Erregung der Herzmuskelfasern wird in einem Automatiezentrum des Herzens selbst gebildet. Sie breitet sich von dort über das gesamte Herz aus (Erregungsleitungssystem des Herzens). Beim Menschen liegt in der Wand der oberen Hohlvene als primäres Automatiezentrum der **Sinusknoten** (Keith-Flack-Knoten), der die Kontraktion der Vorkammern bewirkt. Über die Muskulatur der Vorkammerwand wird die Erregung mit einer zeitl. Verzögerung auf ein zweites, sekundäres Automatiezentrum in der Ebene der Segelklappen, den **Atrioventrikularknoten** (Vorhofknoten, Aschoff-Tawara-Knoten), übertragen und von dort (bevor der Vorhofknoten eine eigene Erregung bilden kann) auf die gesamte Kammermuskulatur weitergeleitet und löst damit deren Kontraktion aus. Taktgeber für die Schlagfrequenz des Herzens ist der Sinusknoten.

Herzberg, Gerhard, kanad. Physiker dt. Herkunft, *Hamburg 25. 12. 1904, †Ottawa 3. 3. 1999; Prof. in Darmstadt, Saskatoon und Chicago, seit

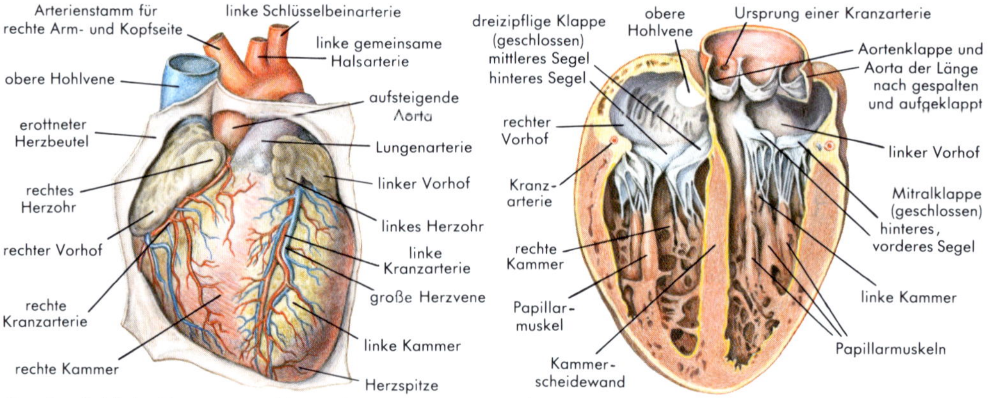

Herz (von links): Ansicht von vorn und Längsschnitt eines von vorn gesehenen Herzens

1949 am National Research Council in Ottawa; erhielt 1971 den Nobelpreis für Chemie für seine Untersuchungen über Atom- und Molekülspektroskopie, Quantenmechanik und freie Radikale.

Herzberg am Harz, Stadt im Landkreis Osterode am Harz, Ndsachs., am SW-Rand des Harzes, 16300 Ew.; Papierfabrik, Eisen- und Stahlwerk, Kunststoff-, Plattenwerk. Die Ortsteile Sieber und Lonau sind Luftkurorte. – Schloss (16.–18. Jh.). – Seit 1929 Stadt.

Herzberg/Elster, Krst. des Kreises Elbe-Elster, Brandenburg, an der Schwarzen Elster, 9000 Ew.; Armaturenwerk, Nahrungsmittelindustrie. – Spätgot. Hallenkirche (14.–15. Jh.), Rathaus (1680). – Seit 1238 Stadt.

Herzbeutelentzündung (Perikarditis), akut oder chronisch auftretende Erkrankung des Herzbeutels; verursacht z. B. durch Infektionen, Herzinfarkt, Lungenentzündung oder Magengeschwür. Kennzeichen sind Fieber und Schmerzen in der Herzgegend sowie ein beim Abhorchen feststellbares spezif. Reibegeräusch des Herzbeutels.

Herzblatt (Parnassia), Gattung der H.-Gewächse, meist auf sumpfigen Wiesen der nördl. Halbkugel; in Dtl. nur das **Sumpf-H. (Studentenröschen,** Parnassia palustris), mit weißen Blüten.

Herzblock, → Herzrhythmusstörungen.

Herzebrock-Clarholz, Gemeinde im Kr. Gütersloh, NRW, im O der Westfäl. Bucht, 15100 Ew.; Möbel-, Kunststoff-, Fleischwarenind., Maschinenbau. – Gebäude der Klosteranlagen Herzebrock (gegr. 860) und Clarholz (gegr. 1133), zwei spätgot. Pfarrkirchen, Probstei (1706).

Herzegowina [»Herzogsland«] *die* (serb. und kroat. Hercegovina), histor. Landschaft im S von Bosnien und H., ein dünn besiedeltes, von der Neretva durchflossenes verkarstetes Gebirgsland (im Hochkarst über 2000 m ü. M.). Der Küstenstreifen gehört bis auf einen schmalen Zugang zum Adriat. Meer zu Kroatien; Hauptort ist Mostar. Zur Geschichte: → Bosnien und Herzegowina.

Herzen (russ. Gerzen), Alexander Iwanowitsch, eigtl. A. I. Jakowlew, Pseud. Iskander, russ. Schriftsteller und Publizist, * Moskau 6. 4. 1812, † Paris 21. 1. 1870; setzte sich schon als Student für die Abschaffung der Leibeigenschaft und die Selbstverwaltung der Dorfkommunen ein; 1834 verhaftet und aus Moskau verbannt (1835–39, 1841/42), mit W. G. Belinski einer der Wortführer der → Westler; war stark vom dt. Geistesleben und vom frz. utop. Sozialismus beeinflusst (v. a. Schiller, Hegel, Feuerbach, Saint-Simon); entwarf ein sozialrevolutionäres Programm auf der Grundlage der russ. Gemeindeverwaltung. H. lebte seit 1847 in W-Europa, war befreundet mit Marx, Garibaldi, Mazzini, Kossuth und gab in London den Almanach »Polarstern« (1855–62 und 1869) und die Ztschr. »Die Glocke« (1857–67) heraus, die in Russland großen Einfluss ausübten.

Herzenge, die → Angina pectoris.

Herzerweiterung (Herzdilatation), Herzvergrößerung infolge Erweiterung der Herzhöhlen; beruht auf chron. Arbeitsüberlastung des Herzmuskels, z. B. infolge Bluthochdrucks.

Herzfehler (Herzvitium, Vitium cordis, Kardiopathien), Oberbegriff für angeborene krankhafte Veränderungen am Herzen, wie Scheidewanddefekte und abnorme Abgänge bzw. Abzweigungen der großen herznahen Blutgefäße sowie angeborene oder erworbene → Herzklappenfehler.

Herzfelde, Wieland, eigtl. Herzfeld, Publizist und Schriftsteller, * Weggis (Schweiz) 11. 4. 1896, † Berlin (Ost) 23. 11. 1988; Bruder von J. → Heartfield; gründete 1917 den Malik-Verlag, wurde 1919 KP-Mitgl. und emigrierte 1933 nach Prag, 1939 in die USA; lebte seit 1949 in der DDR; schrieb u. a. »Tragigrotesken der Nacht« (1920), »Unterwegs, Blätter aus 50 Jahren« (1961) sowie Gedichte.

Herzflattern, → Herzrhythmusstörungen.

Herzflimmern, → Herzrhythmusstörungen.

Herzfrequenz, Anzahl der Herzschläge je Minute, stimmt mit der Pulsfrequenz überein. Die H. ist in erster Linie vom Alter, von der körperl. und seel. Belastung sowie von der Körpertemperatur (bei Fieber erhöht) abhängig. Sie beträgt beim Erwachsenen 60 bis 70 in körperl. Ruhe, 100 bei mittelschwerer Belastung, 150 und mehr bei schwerer Belastung. Bei Höchstleistungen werden Werte um 200 erreicht. Die H. beim Pferd beträgt 20 bis 70, beim Sperling 700 bis 850.

Herzgeräusche, von den »Herztönen« abweichende, als Folge von Wirbelbildungen im strömenden Herzblut entstehende Schallphänomene (»Strömungsgeräusche«), die u. a. bei Herzklappenfehlern auftreten können.

Herzgespann (Löwenschwanz, Leonurus cardiaca), Lippenblütler mit rötl. Blüten und handförmig zerteilten Blättern; bes. an Wegrändern und auf Schuttplätzen.

Herzhypertrophie, Vergrößerung der Herzmuskelfasern und damit des Herzens, verursacht durch Mehrarbeit des Herzens, z. B. gegen erhöhten Widerstand bei Bluthochdruck oder Herzklappenfehlern sowie bei Zunahme des Blutvolumens.

Herzinfarkt (Koronarinfarkt, Myokardinfarkt, Herzmuskelinfarkt), akute schwere Durchblutungsstörung des Herzmuskels mit herdförmigem Gewebeuntergang (Herzmuskelnekrose) unterschiedl. Ausdehnung; entsteht meist durch Thrombose eines verengten und verkalkten Herzkranzgefäßes, selten durch Embolie. Bei Verschluss der linken Herzkranzarterie entsteht ein **Vorderwandinfarkt,** bei Verschluss der rechten

Herzberg/Elster
Stadtwappen

Alexander Herzen

Herzgespann
(Höhe 50–150 cm)

ein **Hinterwandinfarkt.** Nach Überstehen des H. wandelt sich der zerstörte Herzmuskelanteil in nicht funktionstüchtiges Bindegewebe um. Das Auftreten eines H. wird durch sog. koronare Risikofaktoren begünstigt. Dazu gehören neben Bluthochdruck auch körperl. Minderbeanspruchung, psych. Überlastung (Stress), Lebensangst, falsche Ernährung (Übergewicht), Rauchen (bei Frauen v.a. in Verbindung mit dem Gebrauch empfängnisverhütender hormoneller Mittel), unzureichender Schlaf und Arzneimittelmissbrauch sowie Stoffwechselstörungen (bes. Diabetes, Gicht und Schilddrüsenunterfunktion). Während der H. im jüngeren und mittleren Lebensalter früher fast nur bei Männern auftrat, betrifft er in neuerer Zeit auch zunehmend Frauen dieser Altersgruppe; der Häufigkeitsgipfel liegt jedoch bei Männern jenseits des 50., bei Frauen jenseits des 60. Lebensjahres. Der H. tritt anfallartig auf. Als Leitsymptom gilt ein schweres Druckgefühl hinter dem Brustbein mit äußerst starken Schmerzen, die in Hals, Oberbauch und (bes. linken) Arm ausstrahlen (verbunden mit Unruhe, Todesangst und »Vernichtungsgefühl«). Zusätzlich kommt es oft zu Schweißausbruch, Pulsbeschleunigung, Blutdruckerhöhung, Atemnot und Anzeichen einer Herzschwäche. In Einzelfällen sind die Beschwerden gering oder fehlen ganz (»stummer H.«). Die Auswirkungen sind vom Ausmaß und Ort der Muskelzerstörung abhängig. Bei einem großen H. kann es durch Versagen der Herzleistung zu einem akuten Lungenödem oder Kreislaufschock kommen. Auch kleine H. können dadurch gefährlich sein, dass sie zu Extraerregung der Herzkammern oder durch Sitz im Erregungsleitungssystem zu Kammerflimmern mit Sekundenherztod führen (häufigste Ursache des akuten H.-Todes). Die Diagnose des H. ist durch charakterist. Abweichungen im Elektrokardiogramm, durch Enzymbestimmung im Blutserum (Anstieg z.B. der Kreatinphosphokinase), Angiographie und Ultraschalluntersuchung möglich.

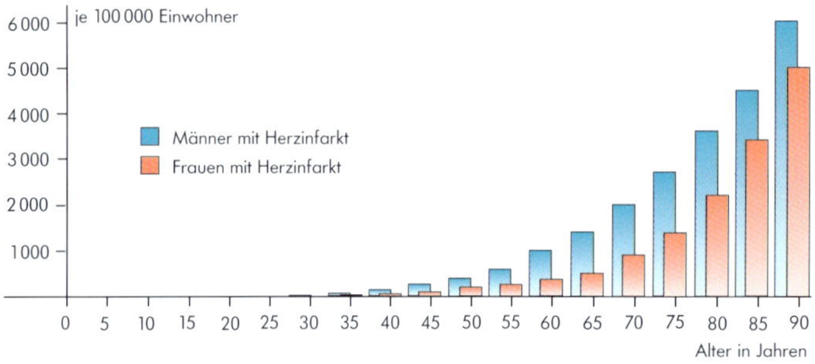

Herzinfarkt: Die Hochrechnung ergab für 1994 in Deutschland 291 000 Herzinfarkte, davon 156 000 bei Männern und 135 000 bei Frauen (Herzinfarktregister Augsburg)

Behandlung: Erste Maßnahmen sind Ruhigstellung zur Herabsetzung des Sauerstoffbedarfs, Sauerstoffbeatmung und die Gabe schmerzstillender, beruhigender, auch kreislaufstützender Medikamente. Die Überlebensaussichten hängen sehr stark von der umgehenden Einlieferung in ein Krankenhaus (Intensivstation) ab, wo der Gefährdung durch Herzrhythmusstörung und Herzinsuffizienz begegnet werden kann (Defibrillator, Herzschrittmacher). Häufig ist die Auflösung des Gefäßverschlusses durch Einspritzung von Streptokinase möglich. Zur Verhütung weiterer Thrombosen ist häufig eine längere Anwendung von blutgerinnungshemmenden Mitteln erforderlich. Die Rehabilitation wird (meist im Rahmen eines Kuraufenthaltes) mit gezieltem Körpertraining durchgeführt.

📖 TEICHMANN, W.: *Leben nach dem H.* *München* [2]*1988.* – MATHES, P.: *H. Vorbeugung, Früherkennung, Behandlung, Nachsorge u. Rehabilitation. Tb.-Ausg. München 1994.* – *Sprechstunde H. Herzkrankheiten vorbeugen. Warnsignale erkennen. Die Wahl der richtigen Therapie, bearb. v.* C. HALHUBER *u.* M. J. HALHUBER. *München 1995.*

Herzinnenhautentzündung (Herzklappenentzündung, Endokarditis), meist nur an den Herzklappen lokalisierte Entzündung; sie ist Folge rheumat. Erkrankungen und bakterieller Infektionen. Bei chron. H. kann es zu einem Herzklappenfehler als Spätfolge kommen.

Herzinsuffizi|enz (Herzschwäche, Herzmuskelschwäche, Myokardinsuffizienz), unzureichende Funktion des Herzens; es besteht ein Missverhältnis zw. der Förderleistung des Herzens und dem Bedarf des Organismus. Ursachen sind u.a. Herzinfarkt, ungenügende Funktion der Herzkranzgefäße, Bluthochdruck, Herzfehler, Herzmuskelentzündung. Kennzeichen der H. sind Leistungsminderung (leichte Ermüdbarkeit), Atemnot, Beinschwellungen, nächtl. Harnflut u.a. Die *Behandlung* umfasst die Beseitigung der organ. Ursachen (z.B. Herzklappenersatz) und die Steigerung der Herzmuskelkraft durch Arzneimittel.

Herzjagen, anfallweise auftretende Erhöhung der Herzfrequenz (→Tachykardie).

Herz-Jesu-Verehrung, *kath. Kirche:* die Verehrung des Herzens Jesu als Symbol seiner aufopfernden Liebe zu den Menschen. Sie hat ihre Wurzeln bes. in der dt. Mystik des MA. und breitete sich v.a. seit dem 19. Jh. aus. Papst Pius IX. führte das **Herz-Jesu-Fest** ein (Freitag nach dem 2. Sonntag nach Pfingsten).

Herzkatheterisierung, zur Herz-Kreislauf-Diagnostik unter Röntgenkontrolle durchgeführte Einschiebung einer elast. Sonde (Katheter) durch ein arterielles oder venöses Gefäß in die herznahen großen Gefäße und in die Herzhöhle. Bei Untersuchung der rechten Herzhälfte und der Lungenarterie wird die Sonde meist über die Armbeugevene (auch die linke Leistenvene) eingeführt. Die H. dient der Feststellung und quantitativen Erfassung angeborener oder erworbener Herzfehler, Blutprobenentnahme zur Blutgasanalyse, Direktableitung des Elektrokardiogramms, Einspritzung von Röntgenkontrastmitteln zur Angiokardiographie u.a. Außerdem dient die H. auch der Behandlung, z.B. zur Auflösung von Blutgerinnseln oder Erweiterung verengter Herzkranzgefäße. Das Verfahren der H. wurde 1929 von W. Forßmann entwickelt und im Selbstversuch erprobt.

Herzklappen, →Herz.

Herzklappenfehler, angeborene oder meist durch Herzinnenhautentzündung erworbene Verengung oder Schlussunfähigkeit der Herzklappen.

Herzklopfen, gesteigertes Empfinden der Herzaktionen, z.B. bei Bluthochdruck, Erregung und Stress.

Herzkranzgefäße, →Herz.

Herz-Kreislauf-Erkrankungen, Sammelname für Krankheiten des Herzens und Blutkreislaufsystems. Aufgrund ihrer Häufigkeit sind die H.-K.-E. von überragender medizin. und gesundheitspolit. Bedeutung. Sie stellen die häufigste Ursache für die Frühinvalidität und die häufigste Todesursache dar. (→Arteriosklerose, →Herzinfarkt, →Embolie, →Thrombose)

Herzl, Theodor, österr. Schriftsteller jüd. Herkunft, *Budapest 2.5.1860, †Edlach (heute zu Reichenau an der Rax, NÖ) 3.7.1904; unter dem Eindruck des Dreyfusprozesses Begründer des polit. →Zionismus (»Der Judenstaat«, 1896); berief 1897 den 1. Zionist. Weltkongress nach Basel ein; beschrieb im Roman »Altneuland« (1902) einen aristokratisch geleiteten jüd. Zukunftsstaat.

Herzlieb, Minna, das Urbild der Ottilie in Goethes »Wahlverwandtschaften«, *Züllichau (heute Sulechów) 22.5.1789, †Görlitz 10.7.1865.

Herz-Lungen-Maschine, Gerät, das Herz- und Lungenoperationen unter künstl. Herzstillstand bei Aufrechterhaltung der Kreislauf-, Atmungs- und Stoffwechselfunktionen ermöglicht. Eine das Herz ersetzende Pumpe treibt das aus den Hohlvenen abgesaugte Blut unter Umgehung von Herz und Lunge durch einen Oxygenator (Sauerstoffüberträger) wieder zurück in den Kreislauf.

Herzmanovsky-Orlando, Fritz Ritter von, österr. Schriftsteller, *Wien 30.4.1877, †Schloss Rametz (bei Meran) 27.5.1954; schrieb skurrile und fantast. Romane (»Der Gaulschreck im Rosennetz«, 1928; »Maskenspiel der Genien«, hg. 1958) und parodist. Dramen.

Herzmassage [-ʒə], bei plötzl. Herzstillstand angewandte Wiederbelebungsmaßnahme als **äußere H.** oder **Herzdruckmassage** (manuelle rhythm. Druckausübung auf das Brustbein; →erste Hilfe) oder **innere H.** (rhythm. Zusammendrücken des Herzens mit der Hand nach operativer Eröffnung des Brustkorbs).

Herzmittel (Kardiaka, Kardiotonika), die Herzleistung bes. bei Herzschwäche und Kompensationsstörungen verbessernde Arzneimittel.

Herzmuscheln (Cardiidae), Familie mariner Muscheln mit gleichklappiger Schale und kräftigen Radialrippen. H. leben im Sand eingegraben und können mithilfe ihres Fußes springen; sind essbar.

Herzmuscheln: Essbare Herzmuschel (Gehäusegröße bis 3 cm)

Herzmuskelentzündung (Myokarditis), rheumatisch oder infektiös-toxisch bedingte Entzündung des Herzmuskelgewebes; kann bei zahlr. Infektionskrankheiten (Scharlach, Diphterie u.a.) auftreten. Kennzeichen sind Leistungsminderung, Herzrhythmusstörungen, Herzinsuffizienz.

Herzmuskelschwäche, →Herzinsuffizienz.

Herzneurose, Form der psychogenen Organneurose, gekennzeichnet durch anfallartige Panik, Herzklopfen, Blutdruckanstieg und Angst vor einem Herzstillstand.

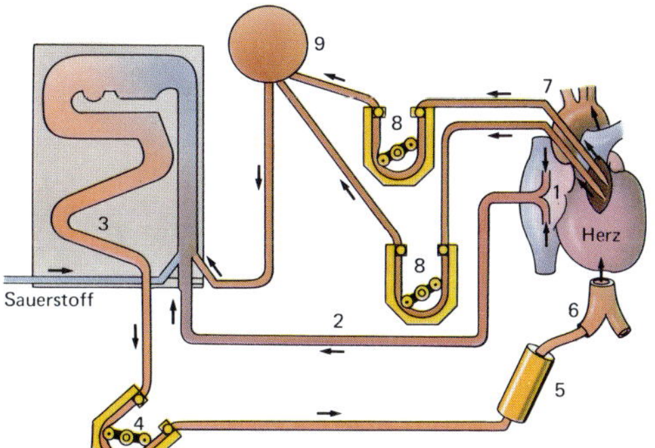

Herz-Lungen-Maschine: Schema; 1 obere und untere Hohlvene, 2 venöse Ableitung, 3 Sauerstoffüberträger, 4 arterielle Pumpe, 5 Wärmeaustauscher und Luftfalle, 6 Oberschenkelschlagader, 7 Sauger zur Ableitung von Blut aus den Herzkammern, 8 Saugerpumpen, 9 Blutreservoir mit Filter

Herzog [ahd. herizogo, urspr. »Heerführer«] (lat. Dux), urspr. bei den german. Völkern der für die Dauer eines Kriegszuges erwählte oberste militär. Befehlshaber (mitunter zum ständigen Heerkönig aufgestiegen); unter den Merowingern ein den Grafen übergeordneter königl. Amtsträger in Grenzbezirken des Frankenreiches. Durch die Schwäche des Königtums erlangten die H. weitgehende Selbstständigkeit und errichteten im 7./8. Jh. die »älteren« erbl. Stammesherzogtümer (z.B. Aquitanien, Bayern, Sachsen), die die Karolinger wieder beseitigten. Nach Versuchen der Zentralgewalt, die Macht der im 9./10. Jh. erneut auftretenden Stammes-H. einzuschränken (u.a. durch

Theodor Herzl

Chaim Herzog

Roman Herzog

Werner Herzog

Herzogskrone

lehnsrechtl. Bindung und Neubelebung des amtsherzogl. Status), kam es Ende des 12. Jh./Anfang des 13. Jh. mit der Schaffung neuer Herzogtümer zu einer fortschreitenden Territorialisierung des Hl. Röm. Reiches (Herausbildung von Gebietsherzogtümern). – Ohne Vergabe von Territorium erfolgte die Verleihung lediglich des H.-Titels **(Titular-H.)** an persönlich dem Reichsfürstenstand zugehörige Hochadlige. – Im spätmittelalterl. und frühneuzeitl. Italien wurden mächtige Stadtherren zu H. erhoben (Mailand, Florenz). In Frankreich war H. (Duc) seit dem 10. Jh. ein Titel der Lehnsfürsten. Auch slaw. Stammesherrscher wurden als H. bezeichnet. In England (Duke) und in den nord. Ländern ist die H.-Würde nur ein Titel des hohen Adels; in neuerer Zeit Rangstufe des Hochadels zw. Großherzog und Fürst.

Herzog, 1) Chaim, israel. General und Politiker, *Belfast 17. 9. 1918, †Tel Aviv 17. 4. 1997; Mitgl. der Israel. Arbeitspartei, seit 1935 in Palästina, trat der jüd. Selbstverteidigungsorganisation Haganah bei. Er stieg nach der Gründung des Staates Israel (1948) in der Armee auf. 1975–78 war er israel. Chefdelegierter bei der UNO, 1983–93 Staatspräsident.

2) Roman, Staatsrechtslehrer und Politiker (CDU), *Landshut 5. 4. 1934; Prof. in Berlin (seit 1966) und Speyer (seit 1969), 1978–83 Mitgl. der Reg. des Landes Bad.-Württ.; 1983 zum Vizepräs., 1988 zum Präs. des Bundesverfassungsgerichts ernannt. Am 23. 5. 1994 wählte ihn die Bundesversammlung zum Bundespräs. (im Amt bis 30. 6. 1999; Verzicht auf Wiederwahl). Auf Anregung von H. wird seit 1996 in Dtl. am 27. 1. der Gedenktag für die Opfer des Nationalsozialismus begangen. H. ist Mit-Hg. des »Evang. Staatslexikons« ([3]1987) sowie vieler Kommentare zu Gesetzen.

3) Rudolf, Schriftsteller, *Barmen (heute zu Wuppertal) 6. 12. 1869, †Rheinbreitbach (bei Bad Honnef) 3. 2. 1943; vertrat in seinen Romanen (u. a. »Die Stoltenkamps und ihre Frauen«, 1917) das national gesinnte Bürgertum.

4) Werner, eigtl. W. H. Stipetic, Filmregisseur und -produzent, *München 5. 9. 1942; drehte seit 1962 Kurz- und Spielfilme, auch einige Dokumentarfilme; schildert in eindringlicher Bildsprache meist Außenseiter der Gesellschaft. – *Filme:* Lebenszeichen (1967), Aguirre, der Zorn Gottes (1972), Jeder für sich und Gott gegen alle (1974; über Kaspar Hauser), Woyzeck (1979), Nosferatu – Phantom der Nacht (1979), Fitzcarraldo (1982), Cobra Verde (1987), Schrei aus Stein (1991), Lektionen in Finsternis (1992).

5) Wilhelm, Pseudonym Julian Sorel, Publizist und Dramatiker, *Berlin 12. 1. 1884, †München 18. 4. 1960; 1909–10 Hg. der Kunst- und Literaturztschr. »Pan«; seine Ztschr. »Das Forum« wurde 1915 wegen ihrer kriegsfeindl. Haltung verboten; 1919 Leiter der sozialist. Tageszeitung »Die Republik«; lebte 1933–1952 in der Emigration; schrieb u. a. mit H. J. Rehfisch das Drama »Die Affäre Dreyfuss« (UA 1929) sowie Lyrik.

Herzogenaurach, Stadt im Landkreis Erlangen-Höchstadt, Bayern, an der Aurach, 22 700 Ew.; Herstellung von Sportartikeln, Wälzlagern und Werkzeugmaschinen. – Alter Stadtkern mit got. Pfarrkirche, barockem Schloss, Teilen der Stadtmauer (1450). – Erstmals 1348 als Stadt erwähnt.

Herzogenburg, Stadt im Bezirk Sankt Pölten, im Traisental, Niederösterreich, 7 500 Ew.; Metall-, Baustoffind.; Viehhandel. – Augustinerkloster (1112 gegr., heutiger Bau 1714–40, mit bed. Kunstsammlung, Schatzkammer, Bibliothek), Stiftskirche (1743–85).

Herzogenbusch (niederländ. 's-Hertogenbosch, Den Bosch), Hptst. der niederländ. Provinz Nordbrabant, an der Zuid-Willemsvaart, 94 300 Ew.; kath. Bischofssitz; Provinzmuseum; Reifen-, Lebensmittelind., Büromaschinen-, Kühlanlagenbau. – Kathedrale Sint Jan (um 1380–1525) in Brabanter Gotik, spätgot. Giebelhäuser in der Altstadt, Rathaus im klassizist. Stil. – H., nach Herzog Heinrich I. von Brabant benannt, erhielt 1185 Stadtrecht und behielt bis 1876 seinen Festungscharakter; 1944 durch Luftangriffe schwer beschädigt.

Herzogenrath, Stadt im Kr. Aachen, NRW, an der Wurm, nahe der niederländ. Grenze, 45 800 Ew.; Glasschmelzgroßanlage, Herstellung von Flachglas und Glasfasern, Nadelproduktion. – Seit Mitte des 13. Jh. Stadt.

Herzog Ernst, mhd. vorhöf. Epos eines vermutlich mittelfränk. Dichters, in der ältesten Fassung um 1160/70 entstanden; der einzige mhd. Versroman, der sich an die dt. Reichsgeschichte anschließt. Der erste Teil verschmilzt den Aufstand Ernsts II. von Schwaben gegen seinen Stiefvater Konrad II. (1026/27) mit der Empörung Liudolfs gegen seinen Vater Otto I. (953/55), dieser histor. Teil liefert den Rahmen des Werks: der Hauptteil besteht aus fabulösen Abenteuern im Orient; zahlr. spätere Bearbeitungen des Stoffes, u. a. Romanfassung (fünf Drucke vor 1500).

Herzogshut, im Hoch-MA. zeremonielle Kopfbedeckung der Herzöge; entspricht in der Heraldik im Wesentlichen der Herzogskrone (statt Kronreif Hermelinstulp).

Herzogskrone, *Heraldik:* Rangkrone der Herzöge (purpurne Mütze, fünfblättriger Kronreif sowie fünf Halbbügel mit Reichsapfel).

Herzogstand, Gipfel der Bayer. Voralpen westlich vom Walchensee, 1731 m ü. M.; Gratweg zum **Heimgarten** (1790 m ü. M.); Sesselbahn vom Walchensee.

Herzogtum, Herrschaftsgebiet eines →Herzogs.

Herzogtum Lauenburg, Landkreis in Schlesw.-Holst., 1263 km², (1996) 170100 Ew.; Krst. ist Ratzeburg.

Herzrhythmusstörungen, Veränderungen der Herzschlagfolge durch Erregungsbildungs- und/oder Erregungsleitungsstörungen. Ausgelöst werden sie meist durch Grunderkrankungen des Herzens selbst wie Koronarinsuffizienz, Herzinfarkt, Entzündungen sowie nichtkardiale Erkrankungen wie Elektrolytstörungen oder hormonelle Erkrankungen. Es kann sowohl zu Frequenzbeschleunigung als auch zu Frequenzverlangsamung kommen **(Tachykardie** bzw. **Bradykardie); Extrasystolen** sind vorzeitige Kontraktionen des ganzen oder einzelner Teile des Herzens. **Herzkammerflimmern** (Herzflimmern) ist eine unregelmäßige Tätigkeit der Herzkammern mit völligem Ausfall der Pumpleistung des Herzens und über 350 Kontraktionen je Minute. Das **Kammerflattern** (Herzflattern) mit 250–350 Kontraktionen je Minute geht häufig in Kammerflimmern über. **Vorhofflimmern** stellt eine völlig unkoordinierte Vorhoftätigkeit dar, während beim **Vorhofflattern** noch eine regelmäßige Erregungsbildung und Kontraktion besteht. Bei Unterbrechung des Erregungsleitungssystems im Herzen mit der Folge der unkoordinierten Kontraktion von Kammer und Vorhof kommt es zum **Herzblock.** Der **atrioventrikuläre Block** (AV-Block) blockiert die Erregungsleitung zw. Herzvorhof und Herzkammer. Beim **totalen AV-Block** übernimmt, meist nach kurzem Herzstillstand, anstelle des Sinusknotens das Erregungsleitungssystem der Kammer die Erregungsleitung (Kammerautomatismus). Beim **partiellen AV-Block** kommt es zu einer gleichmäßigen Leitungsverzögerung zw. Vorhof und Kammer oder zunehmenden Leitungsverzögerungen mit period. Ausfällen der Kammererregung.

Behandlung: Im akuten Notfall ist bei Herzstillstand und bradykarden Störungen Herzmassage, auch eine medikamentöse Herzanregung, bei Herzflimmern die Defibrillation erforderlich; die weitere Therapie ist überwiegend symptomatisch und besteht in der medikamentösen Anwendung von Antiarrhythmika, ggf. in der Einpflanzung eines Herzschrittmachers.

📖 URBASZEK, W.: *Diagnostik u. Therapie der H. Leipzig ²1987.* – LÜDERITZ, B.: *Therapie der H. Berlin u. a. ⁴1994.*

Herzruptur (Herzriss), meist tödl. Verletzung durch Zerreißen der Herzwand nach ausgedehntem Herzinfarkt oder starker Gewalteinwirkung.

Herzschild, *Heraldik:* dem Hauptschild oder dem Mittelschild an der Herzstelle (mittlerer Platz im Wappen) aufgelegter kleiner Schild.

Herzschlag, 1) *Medizin:* der Schlagrhythmus des Herzens.

2) volkstüml. Bez. für →Herztod.

Herzschrittmacher (Pacemaker), in den Körper implantierbarer (intrakorporaler H.) oder außerhalb des Körpers zu tragender (extrakorporaler H.) Impulsgenerator, der elektr. Impulse zur period. Reizung der Herzmuskulatur liefert. Er besteht aus einem Batteriesatz, einem Taktgeber (mit Transistoren arbeitender Multivibrator) zur Reizsteuerung, einem Impulsverstärker und Elektroden zur Reizübertragung. Der H. bringt die Herzkammern zu rhythm. Kontraktion mit einer Frequenz, die ausreichendes Herzminutenvolumen gewährleistet; angewendet z.B. bei Herzrhythmusstörungen oder Herzinsuffizienz.

Herzschwäche, die →Herzinsuffizienz.

Herztod (Herzschlag, Sekundenherztod), plötzl. irreversibler Herzstillstand meist durch Kammerflimmern, z.B. nach Herzinfarkt, bei Aortenklappenverengung, Herzmuskelentzündung oder Elektrounfall.

Herztöne, Schallerscheinungen (keine Töne im physikal. Sinn), die a) beim Schluss der Vorhofkammerklappen aufgrund des Druckanstiegs in den Herzkammern gegenüber den Vorhöfen (1. Herzton) und b) beim Schluss der Aorten- bzw. Lungenarterienklappe nach Ausstoß des Blutes (2. Herzton) auftreten. Weitere, leisere Schallerscheinungen werden als 3. und 4. Herzton bezeichnet. – Die kindl. H. sind ab dem 4. Schwangerschaftsmonat zu hören und als ein sicheres Lebenszeichen des Lebens des Fetus zu werten.

Herztransplantation (Herzverpflanzung), operative Übertragung eines Herzens von einem

Herzog Ernst: Der Kampf mit den Kranichschnäblern, Illustration aus der 1476 in Augsburg gedruckten Romanfassung (Mainz, Gutenbergmuseum)

Jacquemart de Hesdin: Der Herzog von Berry mit seinem Stabträger, Buchmalerei aus einem Stundenbuch des Herzogs von Berry (undatiert; Paris, Bibliothèque Nationale de France)

Individuum auf ein anderes. Anlass zu einer H. bieten schwere Herzmuskel- und koronare Herzkrankheiten mit Herzinsuffizienz. Die H. wird unter Einsatz einer Herz-Lungen-Maschine ausgeführt; nach Entfernung des funktionsuntüchtigen Herzens bei Erhaltung des Herzbeutels wird das Transplantat an die Stümpfe der Aorta und die Lungenarterie durch Naht angeschlossen und die Herztätigkeit medikamentös oder durch Defibrillation wiederhergestellt. Entscheidend für den weiteren Erfolg ist die immunsuppressive Chemotherapie (→Immunsuppressiva) zur Unterdrückung der Abstoßreaktion. Die erste H. wurde 1967 von dem südafrikan. Chirurgen C. Barnard erfolgreich am Menschen durchgeführt.

📖 *Ein neues Herz. Medizin. u. psychosoziale Aspekte der H., hg. v.* H. Strenge *u. a., unter Mitarbeit v.* H. Porschke *u. a. Göttingen u. a. 1994.*

Rudolf Heß

Herzwurm, Raupe der →Kohleule.

herzynisch [lat.], *Geologie:* parallel zum Harznordrand, also NW–SO verlaufende Streichrichtung von Schichten, Gängen und tekton. Störungen (→Streichen und Fallen).

Herzynischer Wald (lat. Hercynia silva), antiker (kelt.) Name der dt. Mittelgebirge, bes. der böhm. Randgebirge und des Harzes, auch für das durch die Feldzüge des Tiberius und Drusus erforschte Gebiet um die obere Donau; unter Cäsar die Grenze zw. Kelten und Germanen.

Hesbaye [ɛz'bɛ, frz.], der →Haspengau.

Hesdin [e'dɛ̃], Jacquemart de, frz. Buchmaler, vermutlich fläm. Herkunft, nachweisbar zw. 1384 und 1410; schuf große Teile der Miniaturen für die Stundenbücher des Herzogs von →Berry (Ende 14./Anfang 15. Jh.); sein eleganter Stil fußt auf got. (sienes.) Traditionen.

Hesekiel [hebr. Ezechiel »Gott möge stärken«], israelit. Prophet, 597 v. Chr. nach Babylonien verbannt, dort 593 zum Propheten berufen. Das **Buch H.** (Abk. **Ez.**) im A. T. enthält neben Gerichts- und Heilsworten eine Vision des neuen Tempels in Jerusalem und Vorschriften zur Neuordnung des Tempelkults; in seiner Endgestalt wahrscheinlich im frühen 5. Jh. v. Chr. zusammengestellt.

Hesiod, grch. Dichter, um 700 v. Chr., aus Askra in Böotien; in seiner Jugend nach eigener Aussage Hirt. H. durchbricht in seinem Epos »Werke und Tage«, das die Welt der kleinen Bauern spiegelt, als erster Dichter mit persönl. Einspruch die Anonymität der frühen grch. Epik. In der »Theogonie« (1022 Verse) besingt H. Weltentstehung und Ursprung der Götter. Die Götter werden hier nicht als heitere Olympier gesehen, sondern als gewaltige, erhabene Mächte. H.s Epen sind wichtige Quellen für die grch. Mythologie.

Hesoreh, Volk in Asien, →Hazara.

Hesperiden, *grch. Mythos:* die Hüterinnen der goldenen Äpfel im äußersten Westen; diese Äpfel schenkten ewige Jugend; sie zu holen, war eine der zwölf Arbeiten des Herakles.

Hesperilen [grch. »Abendland«, »Westland«], in der grch. Antike zunächst Bez. für Italien, später auch für Spanien (Hesperia ultima).

Hesperos [grch.] *der,* **1)** *Astronomie:* der →Abendstern.

2) *grch. Mythos:* der den nächtl. Brautzug anführende Abendstern; als fliegender Knabe mit Fackel dargestellt.

Heß, Rudolf, Politiker (NSDAP), *Alexandria (Ägypten) 26. 4. 1894, †(Selbstmord) Berlin-Spandau 17. 8. 1987; nahm 1923 am Hitlerputsch teil; 1925–32 Privatsekretär Hitlers. 1933 ernannte ihn dieser zum »Stellv. des Führers« (auf Parteiebene). Auf staatl. Ebene war er seit 1933 Reichsmin. ohne Geschäftsbereich, ab 1939 Mitgl. des Ministerrates für Reichsverteidigung. Am 1. 9. 1939 ernannte ihn Hitler zu seinem 2. Nachfolger (nach H. Göring). Am 10. 5. 1941 flog H. nach Schottland mit dem Ziel, Großbritannien zum Friedensschluss zu bewegen. Er wurde jedoch interniert, 1945 dem Internat. Kriegsverbrechertribunal überstellt und 1946 von diesem zu lebenslängl. Gefängnis verurteilt (im alliierten Kriegsverbrechergefängnis in Berlin-Spandau inhaftiert).

Hess, 1) Germain Henri, russ. Chemiker schweizer. Herkunft, *Genf 7. 8. 1802, †Sankt

Petersburg 12. 12. 1850; stellte 1840 das nach ihm benannte Gesetz der konstanten Wärmesummen auf; Mitbegründer der Thermochemie.

2) Moses, jüd. Schriftsteller, *Bonn 21. 6. 1812, †Paris 6. 4. 1875; Mitbegründer und mit K. Marx Redakteur der »Rhein. Zeitung« in Köln. Mit seinem Werk »Rom und Jerusalem, die letzte Nationalitätsfrage« (1862), in dem er die Einrichtung eines eigenen Staates für die Juden forderte, wurde er zu einem Vorläufer des Zionismus.

3) Victor Franz, amerikan. Physiker österr. Herkunft, *Schloss Waldstein (bei Frohnleiten, Bez. Graz-Umgebung) 24. 6. 1883, †Mount Vernon (N. Y.) 17. 12. 1964; erhielt für die Entdeckung (1911) und Untersuchung der Höhenstrahlung (→kosmische Strahlung) 1936 mit C. D. Anderson den Nobelpreis für Physik.

4) Walter Rudolf, schweizer. Neurophysiologe, *Frauenfeld 17. 3. 1881, †Muralto (bei Locarno) 12. 8. 1973; forschte v. a. über die Funktion des Nervensystems (seit 1925); entdeckte auch die Bedeutung des Zwischenhirns als Organ der Steuerung bzw. Koordination vegetativer Funktionen und erhielt dafür 1949 (mit A. C. Moniz Egas) den Nobelpreis für Physiologie oder Medizin.

Hermann Hesse: Tusch- und Kohlezeichnung des zeitgenössischen Malers Gunter Böhmer

Hẹsse, 1) Eva, amerikan. Künstlerin dt. Herkunft, *Hamburg 11. 1. 1936, †New York 29. 5. 1970; emigrierte 1939 nach New York; fand Mitte der 1960er-Jahre zu amorph wirkenden Plastiken aus Schnüren, Stoffen, Gummi, später aus Fiberglas; gilt als Vorläuferin einer feministisch orientierten Kunst.

2) Hermann, Dichter, *Calw 2. 7. 1877, †Montagnola (bei Lugano) 9. 8. 1962; zunächst Buchhändler, seit 1904 freier Schriftsteller, 1911 Reise nach Indien, seit 1923 Schweizer Bürger. H.s frühe Werke spiegeln die Naturinnigkeit der Neuromantik und die psycholog. Einfühlung des Impressionismus (»Peter Camenzind«, 1904; »Unterm Rad«, R., 1906; »Gertrud«, R., 1910; »Knulp«, R., 1915; »Demian«, R., 1919), seine spätere seel. Zerrissenheit (»Siddhartha«, Erz., 1922; »Der Steppenwolf«, R., 1927). Die Konfrontation des eth. mit dem ästhet. Menschen gestaltete er in »Narziß und Goldmund« (1930), das Streben nach universaler Ganzheit in dem östl. und westl. Weisheit frei vereinenden Alterswerk »Das Glasperlenspiel« (2 Bde., 1943). Als Lyriker ist H. oft volksliednah (»Romant. Lieder«, 1899; »Unterwegs«, 1911; »Trost der Nacht«, 1929; »Letzte Gedichte«, 1960). H. erhielt 1946 den Nobelpreis für Literatur, 1955 den Friedenspreis des Dt. Buchhandels.

Hermann Hesse

📖 MILECK, J.: *H. H. Dichter, Sucher, Bekenner. Frankfurt am Main 1987.* – *H. H., hg. v.* V. MICHELS. *Frankfurt am Main* ^{8}*1993.* – ZELLER, B.: *H. H. Reinbek 252.–254. Tsd. 1993.*

Hẹssen, Land in der Mitte von Dtl., 21 115 km^2, (1996) 6,016 Mio. Ew.; Hptst. ist Wiesbaden.

Hessen
Landeswappen

Landesnatur: Der größte Teil des durch Becken und Senken stark gekammerten Landes liegt im Bereich der dt. Mittelgebirgsschwelle. Mit Taunus, Hohem Westerwald, Rothaargebirge und Gladenbacher Bergland gehört der W zum Block des Rhein. Schiefergebirges. Nach NO und O schließt das reich bewaldete Hess. Bergland an. Es wird durch zwei verkehrswichtige Senken (West- und Osthess. Senke) und Becken in einzelne Gebirgslandschaften gegliedert. Der Vogelsberg ist das flächenmäßig größte zusammenhängende Gebiet vulkan. Gesteine in Mitteleuropa. Die höchste Erhebung ist mit 950 m ü. M. die Wasserkuppe in der nur zum kleinen Teil in H. gelegenen Rhön. Im S hat H. Anteil an der Oberrhein. Tiefebene (die sich nach N in der Wetterau fortsetzt), am Odenwald und am Spessart. Zw. Wiesbaden und Rüdesheim erstreckt sich der Rheingau. Zum Rhein entwässern Main (mit Kinzig und Nidda) und Lahn (mit Ohm, Dill, Weil, Aar), zur Weser entwässert die Fulda (Nebenfluss Eder mit Schwalm); nahe der Grenze zu Thüringen durchfließt die Werra den äußersten NO. – In den Beckenzonen besitzt das Klima kontinentale Züge (bes. ausgeprägt an der Bergstraße und im Rheingau) mit relativ geringen Niederschlägen und höheren Temperaturen. In den höheren Lagen des Rhein. Schiefergebirges und im Hohen Vogelsberg ist das Klima dagegen feuchter und kühler.

Bevölkerung: Nach 1945 nahm H. eine große Zahl von Flüchtlingen auf. Eine starke Binnenwanderung hat zu einem Bev.rückgang im weitgehend agrarisch geprägten Nord- und Mittel-H. zugunsten einer erhebl. Konzentration im Rhein-Main-Gebiet geführt, in dem rd. 30% der hess. Bev. leben. Einziger Ballungsraum Nord-H.s ist Kassel. H. hat eine Ausländeranteil von 12,7% (v. a.

Türken, Menschen aus dem Gebiet des ehem. Jugoslawien und Italiener). Die Bev. ist zu rd. 47% evangelisch und zu 29% katholisch. Die jüd. Religionsgemeinschaft hat rd. 8800 Mitgl. (Frankfurt am Main hat die nach Berlin zweitgrößte jüd. Gemeinde in Dtl.). – H. hat vier Univ. (Frankfurt am Main, Gießen, Marburg, Kassel) und eine TH (Darmstadt). Außerdem bestehen eine Privat-Univ. (European Business School in Oestrich-Winkel) sowie Kunst- und Fachhochschulen.

Wirtschaft: Die nach dem Ruhrgebiet größte Ind.dichte in Dtl. besitzt das Rhein-Main-Gebiet mit chem.-pharmazeut. Ind., Maschinen- und Fahrzeugbau, Elektro- und Elektronikindustrie. Um Kassel sind Waggon-, Lokomotiv-, Kfz-Bau u.a. Ind.zweige vertreten. Textil- und Bekleidungsind. sind v.a. in Fulda von Bedeutung. In Mittel-H. mit Schwerpunkt Wetzlar herrschen feinmechan.-opt. Ind., Gießereien und Metall verarbeitende Ind. vor. Offenbach am Main ist Standort der Lederind., Darmstadt und Wiesbaden der chem. Industrie. Ein bes. großes Gewicht kommt dem Dienstleistungssektor zu. Besonderen Anteil haben Frankfurt am Main als internat. Finanz- und Handelszentrum mit Wertpapier- und Produktenbörse sowie Wiesbaden (Versicherungsunternehmen, Landesverwaltung). – An Bodenschätzen werden Kalisalz sowie in geringem Maße Erdöl und Erdgas gefördert; die Braunkohlenförderung wurde eingestellt. In H. liegen mehrere Heilbäder (Wiesbaden, Schlangenbad, Bad Homburg v.d.H., Bad Soden u.a.), außerdem wird Mineralwasser (Niederselters, Bad Vilbel u.a.) abgefüllt. – 37% der Gesamtfläche werden landwirtsch. genutzt. Ackerbau, bes. der Anbau von Weizen und Zuckerrüben, dominiert in den Beckenlandschaften. Der Anteil an Dauergrünland ist bes. hoch in den Basaltlandschaften (Hoher Westerwald, Hohe Rhön, Hoher Vogelsberg). An Sonderkulturen ist im Rheingau und an der Bergstraße der Weinbau verbreitet, im Hess. Ried Anbau von Spargel und Gurken, in der Wetterau von Gemüse und Rosen, im Vortaunus und an der Bergstraße Obstbau, um Witzenhausen Kirschkulturen. 39,7% der Fläche werden von Wald eingenommen. – H.s verkehrsgeograph. Mittelpunkt liegt im Rhein-Main-Ge-

Verwaltungsgliederung Hessen (Größe und Bevölkerung 30.9.1996)

Verwaltungseinheit	Fläche in km²	Ew. in 1000	Ew. je km²	Verw.-Sitz
RegBez. Darmstadt	7445	3694	496	Darmstadt
Kreisfreie Städte				
Darmstadt	122	138	1131	Darmstadt
Frankfurt am Main	248	648	2613	Frankfurt am Main
Offenbach am Main	45	117	2600	Offenbach am Main
Wiesbaden	204	267	1309	Wiesbaden
Landkreise				
Bergstraße	720	260	361	Heppenheim (Bergstraße)
Darmstadt-Dieburg	658	281	427	Darmstadt
Groß-Gerau	453	247	545	Groß-Gerau
Hochtaunuskreis	482	221	459	Bad Homburg v.d. Höhe
Main-Kinzig-Kreis	1398	402	288	Hanau
Main-Taunus-Kreis	222	214	964	Hofheim am Taunus
Odenwaldkreis	624	99	159	Erbach
Offenbach	356	330	927	Offenbach am Main
Rheingau-Taunus-Kreis	811	183	226	Bad Schwalbach
Wetteraukreis	1101	286	260	Friedberg (Hessen)
RegBez. Gießen	5381	1059	197	Gießen
Landkreise				
Gießen	855	253	296	Gießen
Lahn-Dill-Kreis	1067	263	246	Wetzlar
Limburg-Weilburg	738	172	233	Limburg a.d. Lahn
Marburg-Biedenkopf	1263	252	200	Marburg
Vogelsbergkreis	1459	119	82	Lauterbach (Hessen)
RegBez. Kassel	8289	1272	153	Kassel
Kreisfreie Stadt				
Kassel	107	201	1879	Kassel
Landkreise				
Fulda	1380	214	155	Fulda
Hersfeld-Rotenburg	1097	133	121	Bad Hersfeld
Kassel	1293	243	188	Kassel
Schwalm-Eder-Kreis	1538	193	125	Homberg (Efze)
Waldeck-Frankenberg	1849	171	92	Korbach
Werra-Meißner-Kreis	1025	117	114	Eschwege
Hessen	21115	6024	285	Wiesbaden

biet mit einem bes. dichten Autobahnnetz und dem internat. Flughafen von Frankfurt am Main (zweitgrößter Passagierflughafen Europas), das auch ein Eisenbahnknotenpunkt ist. Neben Rhein und Main sind auch Weser und z.T. Fulda und Lahn schiffbar. Wichtigster Binnenhafen ist der von Frankfurt am Main.

Landtagswahlen in Hessen 1987–95[1]

Parteien	5.4.1987	20.1.1991	19.2.1995[2]
SPD	44; 40,2%	46; 40,8%	44; 38,0%
CDU	47; 42,1%	46; 40,2%	45; 39,2%
Die Grünen[3]	10; 9,4%	10; 8,8%	13; 11,2%
FDP	9; 7,8%	8; 7,4%	8; 7,4%
Andere	–; 0,5%	–; 2,8%	–; 3,9%

[1] Sitzverteilung und Stimmenanteil der Parteien. – [2] aufgrund des Todes einer Direktkandidatin im Wahlkreis Bergstraße fand die Wahl dort erst am 5.3.1995 statt. – [3] seit 1993 Bündnis 90/Die Grünen.

Verfassung: Nach der Verf. vom 1.12.1946 liegt die Legislative beim Landtag (110 Abg., für vier Jahre gewählt). Er wählt den MinPräs., der die Mitgl. des Kabinetts beruft. Der gesamten Landesreg. muss das Vertrauen des Parlaments ausgesprochen werden. Die Verf. räumt der Bev. das Recht ein, über Volksentscheid an der Gesetzgebung teilzunehmen.

Geschichte: Die urspr. in H. siedelnden Kelten wurden bereits vor der Zeitenwende von Germanen verdrängt. Während dann S-Hessen römisch wurde, blieb N-Hessen Gau der Chatten. Seit dem 6.Jh. wurde H. in den fränk. Machtbereich einbezogen. Die drei wichtigsten Klöster Fritzlar, Hersfeld und Fulda wurden Ende des 8.Jh. Reichsabteien (letztere errangen umfangreiche Güter auch in Thüringen). Das seit dem 9.Jh. führende Grafenhaus der Konradiner stellte mit Konrad I. 911–918 den »dt.« König. Im hohen MA. wurden als Reichsbannerträger die Grafen Werner und nach ihnen (1121) die Gisonen führend. 1122 folgten ihnen die Ludowinger, ab 1130 Landgrafen von Thüringen, die in langwierigen Kämpfen territoriale Ansprüche des Erzbistums Mainz auf H. abwehren mussten. Als sie im Mannesstamm 1247 erloschen (Tod Heinrich Raspes), führte der hessisch-thüring. Erbfolgekrieg (1247–64) zw. den Wettinern und der thüring. Landgräfin Sophie von Brabant zur Trennung Thüringens von H., das als Landgrafschaft an Sophies Sohn, Heinrich I., das Kind († 1308), kam. 1292 wurde die Landgrafschaft zum Reichsfürstentum erhoben. Unter Philipp I., dem Großmütigen (1509–67), entwickelte sich H. zu einer die dt. Geschichte wesentlich beeinflussenden Macht. Durch die Landesteilung nach seinem Tod 1567 entstanden die Linien H.-Kassel, H.-Marburg (1604 an H.-Kassel), H.-Rheinfels (1583 an H.-Darmstadt) und H.-Darmstadt.

H.-Kassel, die ältere Linie, umfasste die Hälfte des bisherigen Landes. Nach dem »H.-Krieg« zw. H.-Kassel (Landgräfin Amalie Elisabeth [1637–51]) und H.-Darmstadt wurde 1648 die Teilung in H.-Kassel und H.-Darmstadt bestätigt. Landgraf Karl (1670–1730) zog viele Hugenotten nach H. und führte das Land zu einer Blüte. Friedrich I. (1730–51) wurde als Schwager Karls XII. (1720) König von Schweden. Für ihn führte sein Bruder Wilhelm (VIII.) die Reg.; er gründete die Kasseler Gemäldegalerie. Unter Wilhelm IX. (1785–1821) wurde H. durch den Reichsdeputationshauptschluss 1803 Kurfürstentum: **Kurhessen.** Dieses wurde 1807 dem Königreich Westfalen angegliedert und 1813–15 wiederhergestellt. Unter dem Druck von Unruhen unterzeichnete Wilhelm II. (1821–47) die liberale Verf. von 1831 und übertrug die Reg. dem Kurprinzen Friedrich Wilhelm. Eine liberale Reg. (1848/49) wich 1850 (Rückkehr H. D. Hassenpflugs) wieder einem reaktionären Kurs. Die Verfassungskämpfe hielten unter ständigen Eingriffen Preußens und des Bundestags (1853 Besetzung H.s) an, auch als 1862 die alte Verf. von 1831 wiederhergestellt wurde. Im Dt. Krieg von 1866 stellte sich der Kurfürst, entgegen dem Neutralitätswillen des Landes, auf die österr. Seite. H.-Kassel wurde daraufhin Preußen einverleibt, der Kurfürst verbannt. 1868 entstand die preuß. **Provinz H.-Nassau;** sie umfasste v.a. H.-Kassel, das Herzogtum Nassau, H.-Homburg sowie die Freie Stadt Frankfurt; Hptst. wurde Kassel. 1929 wurde Waldeck, 1932 der Kreis Wetzlar angegliedert. 1944 wurde H.-Nassau wieder in zwei Provinzen geteilt: Nassau und Kurhessen.

H.-Darmstadt, die jüngere Linie, von Philipps jüngstem Sohn, Georg I. (1567–96), gestiftet, stand später stets auf der Seite Habsburgs, daher oft gegen H.-Kassel. 1622 spaltete sich die Landgrafschaft **H.-Homburg** ab (1868 der preuß. Provinz H.-Nassau angegliedert). Landgraf Ludwig X. (1790–1830) trat dem Rheinbund bei und wurde als Ludwig I. Großherzog (1806); 1813 schloss er sich den Verbündeten gegen Napoleon I. an, trat 1815 Westfalen an Preußen ab, erhielt das Fürstentum Isenburg-Birstein sowie linksrhein. Gebiete, die zur Provinz Rheinhessen zusammengefasst wurden. Das **Großherzogtum H.** erhielt 1820 eine Verfassung. Unter dem Einfluss des Min. K. du Thil schloss sich H.-Darmstadt als eines der ersten dt. Länder 1828 dem preuß. Zollsystem an. Ludwig II. (1830–48) musste 1848 dem liberalen Oppositionsführer Heinrich von Gagern die Reg. übertragen. Ludwig III. (1848–77) trieb in Anlehnung an Österreich Restaurationspolitik. Der Min. R. von Dalwigk führte H.-Darmstadt im Dt. Krieg 1866 auf die Seite Österreichs. 1867 folgte eine Militärkonvention sowie ein Bündnis mit Preußen;

Hetäre: Szene mit Hetären, Malerei auf einem altgriechischen Weingefäß (um 340 v. Chr.; Neapel, Museo Archeologico Nazionale)

1871 trat H.-Darmstadt dem Dt. Reich bei. Im Zuge der Novemberrevolution 1918 wurde Großherzog Ernst Ludwig (1892–1918) abgesetzt und im Dez. 1919 der **Volksstaat H.** gebildet. In ihm stellte die SPD (1919–31 stärkste Partei) den Staatspräs. (1919–28 C. Ulrich, 1928–31/33 B. Adelung). Nach der nat.-soz. Gleichschaltung 1933 unterstand das Land bis 1945 einem NS-Reichsstatthalter.

Helius Eobanus Hessus (Holzschnitt nach einer Silberstiftzeichnung von Albrecht Dürer; Helius 1526)

Das **Land H.** wurde am 19. 9. 1945 von der amerikan. Militärreg., zunächst unter dem Namen Groß-H., aus dem größten Teil der ehem. preuß. Provinz H.-Nassau und dem Volksstaat H. gebildet (1. MinPräs.: K. Geiler; am 1. 12. 1946 Volksabstimmung zur Annahme der Verf.). Die SPD (1946–74 stärkste Partei des Landtags, 1950–54 und 1962–70 absolute Mehrheit) stellte die MinPräs.: C. Stock (1946–50), G. A. Zinn (1950–69), A. Osswald (1969–76), H. Börner (1976–87; 1982–84 nur geschäftsführend); dabei stand die SPD in Koalition mit anderen Parteien (1970–82 mit der FDP, 1985–87 mit den Grünen [seit 1982 im Landtag]). 1987–91 war W. Wallmann (CDU) MinPräs. einer CDU-FDP-Koalition. 1991 kam es zu einer neuen Koalitionsreg. von SPD und Grünen (seit 1993 Bündnis 90/Die Grünen) unter H. Eichel (SPD), die nach den Wahlen 1999 von einer CDU-FDP-Koalition unter R. Koch (CDU) abgelöst wurde.

📖 *Das Werden H.s, hg. v.* W. Heinemeyer. *Marburg 1986.* – Pletsch, A.: *H. Darmstadt 1989.*

Hessischer Rundfunk

Hessischer Rundfunk, Abk. **HR,** 1948 errichtete Rundfunkanstalt öffentl. Rechts, hervorgegangen aus der 1923 gegründeten »Südwestdeutscher Rundfunkdienst AG« (sendete seit 1924 Hörfunkprogramme); ist seit 1954 am Fernsehprogramm der ARD beteiligt und verbreitet ein 3. Fernsehprogramm: Sitz: Frankfurt am Main (→ Rundfunk).

Hessisches Bergland, waldreiches Berg- und Hügelland zw. dem Rhein. Schiefergebirge im W und dem Thüringer Becken und dem fränk. Stufenland im O; von den **Hessischen Senken** (tekton. Störungszone) durchzogen; die es unterteilen in Westhess. Bergland mit Waldecker Tafelland, Habichtswald, Kellerwald, Burgwald, Vorderer Vogelsberg und Osthess. Bergland (Hoher Vogelsberg, Rhön, Knüll u. a.).

Hessisches Ried, Landschaft im nördl. Teil der Oberrhein. Tiefebene zw. Rhein und Odenwald; heute Agrargebiet, urspr. weitgehend ein Sumpf- und Feuchtland. Maßnahmen gegen die Versumpfung werden seit dem 18. Jh. unternommen. Im Zuge der Rheinregulierung 1828/29 wurde bei Stockstadt am Rhein eine Flussschlinge abgetrennt, die das heutige Naturschutzgebiet Kühkopf umschließt. Wasserwerke dienen der Versorgung des Rhein-Main- und des Rhein-Neckar-Raumes (die überhöhte Grundwasserentnahme führte zu Schäden an der Vegetation); bei Gernsheim Erdölförderung.

Hessisch Lichtenau, Stadt im Werra-Meißner-Kreis, Hessen, am S-Rand des Kaufunger Waldes, 14 300 Ew.; orthopäd. Klinik und Reha-Zentrum; Textil-, Kunststoff-, Betonstein-, Holz-, Metall verarbeitende u. a. Industrie. – Gut erhaltenes Stadtbild mit Fachwerkbauten (17.–19. Jh.) und Teilen der Stadtbefestigung.

Hessisch Oldendorf, Stadt im Landkreis Hameln-Pyrmont, Ndsachs., am Fuß des Süntel, an der Weser, 20 100 Ew.; Möbelherstellung und -versand, Teppichbodenfabrik, Schuhindustrie.

Hessonit [grch.] *der,* braunrot gefärbtes Mineral, Schmuckstein, → Granat.

Hessus, Helius Eobanus, eigtl. Eoban Koch, Humanist und nlat. Dichter, * Halgehausen (heute zu Haina (Kloster), Kr. Waldeck-Frankenberg) 6. 1. 1488, † Marburg 4. 10. 1540; gehörte dem Erfurter Humanistenkreis an, berühmt durch seine »Heroides christianae« (1514, erweitert 1532); schrieb auch Gelegenheitsdichtung und übertrug die »Ilias« in lat. Sprache.

Hestia, *grch. Mythos:* Göttin des Herdes und Herdfeuers, Tochter von Kronos und Rhea, von den Römern mit Vesta gleichgesetzt.

Hesychasmus [zu grch. hēsychía »Ruhe«] *der,* Sonderform der mittelalterl. byzantin. Mystik, auf Symeon, den neuen Theologen (* 949, † 1022), zurückgehend; von Gregorios Palamas (* 1296/97, † 1359) theologisch begründet; Ziel der mit yogaähnl. Übungen verbundenen Form des geistigen Gebets ist die myst. Schau des ungeschaffenen göttl. Lichts (Taborlicht). Zentrum des H. ist bis in die Gegenwart der Athos.

Hetäre [grch. »Gefährtin«] *die,* im alten Griechenland Bez. für die gebildete Prostituierte, die im Ggs. zur eigtl. Dirne (grch. pórnai) sozial anerkannt war. Unter den H. gab es bes. seit dem 5. Jh. v. Chr. Frauen, die Einfluss auf bed. Männer ausübten, so Aspasia, die 2. Gattin des Perikles, Thais, die Geliebte Alexanders d. Gr., und Phryne, die des Praxiteles.

Hetärie [grch.] *die,* im alten Griechenland eine aus polit. oder auch erot. Verbindung entstandene männl. Gemeinschaft; im 19. Jh. grch. polit. Geheimbünde, die die Befreiung von den Türken erstrebten. In Demokratien waren H. häufig Klubs der oligarch. Opposition.

hetero... [grch.], fremd..., verschieden...

Heteroatome, die in organ. Molekülen eingebauten Nichtkohlenstoffatome, wie Stickstoff, Sauerstoff und Schwefel.

Heterochromie [grch.] *die,* Verschiedenfarbigkeit der beiden Regenbogenhäute der Augen.

heterodont [grch.], aus verschiedenartigen Zähnen gebildet, z. B. besitzen der Mensch und die Säugetiere ein **heterodontes Gebiss** (Schneide-, Eck-, Mahlzähne).

heterodox [grch.], von der offiziellen kirchl. Lehre abweichend; Ggs.: orthodox.

heterogen [grch.], ungleichartig, andersartig; Ggs.: homogen.

Heterogonie [grch.] *die, Biologie:* eine Form des → Generationswechsels.

Heterokonten [grch.] Sammelbez. für Algen, die jeweils eine lange und eine kurze Geißel tragen, u. a. die → Xanthophyceae.

Heterolyse [grch.] *die,* die Spaltung eines Moleküls unter Bildung von zwei entgegengesetzt geladenen Ionen.

heteromorph [grch.], verschieden gestaltet, andersförmig.

Heteromorphie [grch.] *die,* → Polymorphie.

heteronom [grch.], ungleichwertig, ungleichartig; Ggs.: homonom.

Heteronomie [grch.] *die, Philosophie:* Fremdgesetzlichkeit; nach I. Kant die Bestimmung des Willens durch Zwecke oder Autoritäten statt durch das Sittengesetz in uns (→ Autonomie).

Heteronym [grch.] *das, Sprache:* **1)** Wort, das der Bedeutung nach eng zu einem anderen gehört, aber eine andere Wurzel hat, z. B. »Knabe«, »Mädchen« (gegenüber lat. »puer«, »puellas«).

2) Wort, das mit einem anderen, aus einer anderen Sprache stammenden gleichbedeutend ist, z. B. »Orange«, »Apfelsine«.

Heterophonie [grch.] *die,* von mehreren Stimmen gleichzeitig ausgeführte Melodie, die aber von jeder Stimme tonlich und rhythmisch unterschiedlich abgewandelt wird, z. B. in der altgrch. und der Musik außereurop. Völker.

Heterophyllie [grch.] *die,* die Ausbildung verschieden gestalteter Blätter an einer Pflanze.

heteropolare Bindung, die Ionenbindung, eine → chemische Bindung.

Heteropteren [grch.], die → Wanzen.

Heterosexualität, auf gegengeschlechtl. Partner gerichtete Sexualität; Ggs.: Homosexualität.

Heterosis [grch.] *die* (Bastardwüchsigkeit), *Tier- und Pflanzenzucht:* die Erscheinung, dass Nachkommen aus einer Kreuzung versch. Erbverbände (Rasse, Linien) den Durchschnitt ihrer Eltern in Bezug auf Wüchsigkeit, Ertragsleistung und Vitalität übertreffen; **H.-Züchtung** z. B. bei Ölpflanzen, Geflügel.

Heterosphäre, Teil der → Atmosphäre.

Heterotrophie [grch.] *die,* Ernährung aus organ. Stoffen bei nichtgrünen **(heterotrophen)** Pflanzen (z. B. Saprophyten), bei Tieren und beim Menschen; Ggs.: Autotrophie.

heterozygot [grch.], mischerbig, gesagt von befruchteten Eizellen oder Individuen, die aus einer Bastardierung hervorgegangen sind, bei denen Allelpaare mit ungleichen Allelen vorkommen; Ggs.: homozygot.

heterozyklische Verbindungen, ringförmige, organ. Verbindungen, die außer Kohlenstoff mindestens ein Heteroatom (d. h. ein Nichtkohlenstoffatom wie Stickstoff, Sauerstoff oder Schwefel) enthalten. Besondere Bedeutung haben h. V. mit ungesättigten Fünf- und Sechsringen (z. B. → Furan, → Pyridin, → Pyrrol, Thiophen).

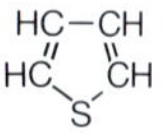

heterozyklische Verbindungen: Thiophen, eine heterozyklische Verbindung mit Schwefel als Heteroatom

Hethiter (Hettiter), Volk mit indogerman. Sprache, das im östl. Kleinasien im 2. Jt. v. Chr. das Reich **Hatti** gründete; Hptst. war Hattusa (→ Boğazkale). Die H. haben die seit dem 3. Jt. v. Chr. bestehende Kultur der vorhetit. (Proto-)Hattier übernommen. Als Gründer des **Alten Reiches** der

Hethiter

Götterkämpfe bei Hethitern und Griechen

Der am besten in hethitischer Fassung erhaltene, ursprünglich hurritische Mythenzyklus um den Gott Kumarbi berichtet von der Herrschaft mehrerer Göttergenerationen. Der Himmelsgott Alalu wird von Anu in einem Kampf besiegt, Anu aber seinerseits von Kumarbi gestürzt. Dieser entmannt ihn durch das Abbeißen der Geschlechtsteile, wodurch er sich jedoch selbst schwängert. Er gebiert den Wettergott Teschup, von dem er dann entthront wird.

Eine Entsprechung zu diesem Mythos findet sich in den griechischen Göttermythen. Der Titan Kronos entmannt seinen Vater Uranos (die Personifikation des Himmels) mit der Sichel und folgt ihm in der Herrschaft. Aus Furcht vor einer Prophezeiung (derzufolge ihn eines seiner Kinder entthronen sollte) verschlingt Kronos seine eigenen Kinder bis auf Zeus, den Rhea (Kronos' Frau) vor ihm versteckt hält. Der herangewachsene Zeus besiegt seinen Vater und wird selbst Götterkönig.

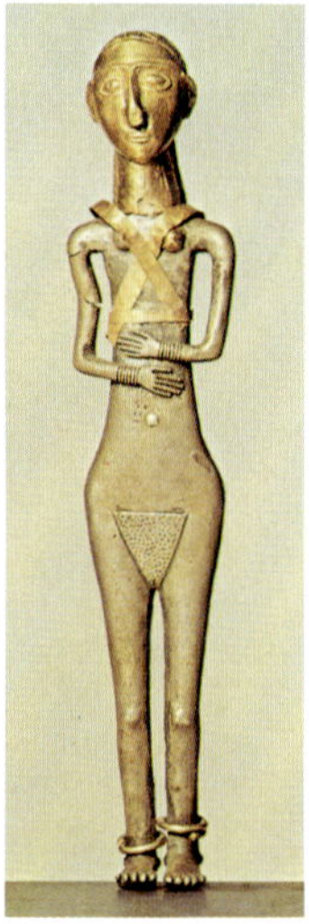

hethitische Kunst: weibliche Statuette aus Silber, Kopf mit Goldüberzug (2000 v. Chr.; Ankara, Archäologisches Museum)

H. gilt Hattusili I. (um 1570). Er zog bereits über den Taurus bis nach N-Syrien. Sein Enkel und Nachfolger Mursili I. eroberte Aleppo und unternahm einen Raubzug nach Babylon (um 1530 v. Chr.). Nach einer Zeit dynast. Wirren versuchte Telipinu (um 1500 v. Chr.) das Reich wieder zu festigen; er ordnete die Thronfolge und veranlasste vermutlich die erste Samml. der hethit. Gesetze. Suppiluliuma I. (um 1343–1320) schuf das **Neue Reich** der H., dessen Großmachtstellung Mursili II. (um 1320–1290) verteidigte. Muwatalli (etwa 1290–1273) führte Krieg mit Ägypten (Schlacht bei Kadesch 1275). Hattusili III. (etwa 1266–1236) schloss mit Ramses II. einen Friedensvertrag, der beiden ihren Besitzstand in Syrien sicherte. Um 1200 ist das hethit. Reich beim Einfall der →Seevölker untergegangen. Hethit. Kleinkönigtümer bestanden in N-Syrien noch bis ins 8. und 7. Jh. v. Chr. – Der Staat der H. war ein monarchisch regierter Feudalstaat. Der König (Titel Tabarna) war nicht nur Regent und Heerführer, sondern hatte auch besondere Aufgaben im Kult. Die Königin unterhielt eine eigene diplomat. Kanzlei und stand mit ausländ. Fürstenhöfen brieflich in Verbindung. Eine breite Schicht von Beamten sorgte für das Funktionieren des Staatsapparats. An die Großwürdenträger und die Tempel vergab der König weite Ländereien als Lehen. Ein Teil der Bauern war abhängig und musste dem Lehnsherrn und der Krone Frondienste leisten und Abgaben entrichten. Neben den freien Bürgern und Bauern gab es Sklaven. – Das Heer bestand neben der Leibwache des Königs aus einem stehenden Kontingent (z. B. zu Besatzungszwecken) und den zum Heeresdienst verpflichteten Bürgern. Neben Fußtruppen gab es Streitwagenkämpfer. – In

hethitische Kunst: Die Schnabelkanne (heute Ankara, Archäologisches Museum) und das Trinkgefäß in Form eines Löwen (heute Paris, Louvre) wurden in Kültepe nordöstlich von Kayseri ausgegraben; beide Tonarbeiten stammen aus dem 18. Jh. vor Christus

hethitische Kunst: Detail aus einem Relief des Felsheiligtums Yazılıkaya (14./13. Jh. v. Chr.) bei Boğazkale

Schreibschulen wurde gelehrt, die versch. im Hatti-Reich verwendeten Sprachen in Keilschrift aufzuschreiben.

📖 Cornelius, F.: *Geschichte der H. mit besonderer Berücksichtigung der geograph. Verhältnisse u. der Rechtsgeschichte. Darmstadt* [5]*1992.*

hethitische Kunst, die Kunst Anatoliens vom 2. Jt. v. Chr. bis zur Kunst späthethit. Fürstentümer N-Syriens am Anfang des 1. Jt. v. Chr. In umwehrten Städten mit monumental ausgeschmückten Toranlagen wurden Paläste mit Pfeilerhallen und Tempel errichtet, deren Kulträume durch tief gezogene Fenster erhellt wurden. Die Grundrisse der Gebäude und Tempel waren unsymmetrisch. Typ. Gefäßformen sind rotbraune, hochpolierte Schnabelkannen und tiergestaltige Trinkgefäße aus Ton. Aus der Zeit des Neuen Reichs stammen in weichen Stein gearbeitete Hochreliefs. Die Felsreliefe des hethit. Felsheiligtums von Yazılıkaya (bei Boğazkale) zeigen strenge Komposition. Die Orthostatenreliefs am Tor von Alaca Hüyük zeigen eine sehr lebendige Darstellungsweise, die in den späthethit. Reliefs erstarrte. Die hethit. Stempelsiegel trugen vorwiegend Tiermotive, herald. Darstellungen oder Legenden in Keilschrift und hethit. Hieroglyphen.

📖 Riemschneider, M.: *Die Welt der Hethiter. Neuausg. Essen 1985.* – Rossner, E. P.: *Die hethit. Felsreliefs in der Türkei. Ein archäolog. Führer. München* [2]*1988.*

hethitische Literatur. Erhalten sind Tontafeln aus königl. und Tempelarchiven der Hauptstadt Hattusa (→Boğazkale). Neben religiösen Texten finden sich Dienstinstruktionen, Staatsverträge, eine Rechtssammlung sowie diplomat. Korrespondenz. In den hethit. Schreiberschulen wurden sumerisch-akkad. Epen (z. B. das »Gilgamesch-Epos«) überliefert. Selbstständig von den Hethitern entwickelt wurde die Geschichtsschreibung, dokumentiert in den Annalen mehrerer Könige.

hethitische Religion. Sie enthält altkleinasiat., hurrit., babylon. und original hethit. Elemente. Da auch die Götter der Vasallen (z.B. in Verträgen) angerufen wurden, war das hethit. Pantheon sehr groß. An der Spitze stand der Wettergott Taru mit seiner Gattin Wurusemu, der Sonnengöttin von Arinna, im Neuen Reich teilweise das Götterpaar Teschub-Chebat. Unter churritisch-babylon. Einfluss gewannen die Gestirngottheiten Sonne und Mond an Bedeutung.

📖 LEHMANN, J.: *Die H. Volk der tausend Götter. Sonderausg. Bindlach 1992.*

hethitische Sprache, die älteste überlieferte indogerman. Sprache, gehört zur hethitisch-luwischen Gruppe (anatol. Sprachgruppe); sie ist mit akkad. Keilschrift auf Tontafeln geschrieben, daher **Keilschrifthethitisch** genannt. Die hethit. Texte entstammen meist dem in Boğazkale gefundenen Archiv der hethit. Könige. Im südl. Teil des hethit. Großreichs wurde eine nah verwandte Sprache, das ebenfalls in Keilschrift geschriebene **Luwische,** gesprochen. Verwandt mit dem Luwischen war das **Lykische** und die Sprache der hethit. Kleinstaaten in N-Syrien nach dem Untergang des hethit. Großreichs, die in hethit. Hieroglyphen geschrieben wurde **(Hieroglyphischhethitisch);** schließlich noch das nach der Landschaft Pala benannte **Palaische.**

Hetian, Oase in China, → Hotan.

Hetman [poln., von dt. »Hauptmann«] *der,* **1)** in Polen und Litauen vom 15. Jh. an bis zum Ende des 18. Jh. Titel des vom König ernannten Oberbefehlshabers des Heeres **(Groß-H.)** und seines Vertreters **(Feldhetman).**

2) (Ataman), bei den Kosaken (v.a. am Dnjepr) urspr. der auf ein Jahr gewählte Anführer; 1572–1764 russ. Titel des frei gewählten Heerführers aller Kosaken. Von der Mitte des 17. Jh. bis zur Mitte des 18. Jh. wurde die O-Ukraine von einem H. verwaltet. 1918 wurde das **Hetmanat** unter P. Skoropadski in der Ukraine während der dt. Besetzung kurzzeitig wieder aufgerichtet.

Hettlage, Karl Maria, Finanzwissenschaftler und Finanzpolitiker, *Essen 28. 11. 1902, †Bonn 3. 9. 1995; 1938–51 Vorstandsmitgl. der Commerzbank AG, leitete während des 2. Weltkrieges auch die Wirtschafts- und Finanzabteilung des Rüstungsministeriums; seit 1953 Prof. für öffentl. Recht, Politik und Finanzwissenschaft; 1959–62 und 1967–69 Staatssekr. im Bundesfinanzministerium, 1965–76 Präs. des Ifo-Inst. für Wirtschaftsforschung. H. machte sich bes. um die Neuordnung der Finanzverf. der Bundesrep. Dtl. verdient.

Hettner, Alfred, Geograph, *Dresden 6. 8. 1859, †Heidelberg 31. 8. 1941; die neuzeitl. geograph. Wiss. wurde durch seine krit. Untersuchungen zur Methodik geprägt.

Alfred Hettner

Hettstedt, Stadt im Kr. Mansfelder Land, Sa.-Anh., am NO-Rand des Harzes an der Wipper, 19 700 Ew.; Elektrogerätebau, bis 1990 Kupfererzbergbau und -verhüttung; 1991 wurde das Rohrwalzwerk stillgelegt (heute Museum). – Spätgot. Stadtkirche. – Seit 1046 bezeugt, Ende des 12. Jh. Beginn des Kupfererzbergbaus. H. war bis 1994 Kreisstadt.

hethitische Religion: Goldstatuette der Wurusemu, Sonnengöttin von Arinna, Höhe 4,3 cm (14./12. Jh. v. Chr.; New York, Metropolitan Museum)

Hetzjagd (Hetze, Hatz), Jagdart, bei der Wild zu Pferd oder zu Fuß mit einer Hundemeute oder mit Fahrzeugen verfolgt wird, damit es erbeutet werden kann. In Dtl. ist die H. verboten. Die Hetze des Hundes bei der Nachsuche auf angeschossenes Wild ist erlaubt (→ Parforcejagd).

Heu, vor oder in der Blüte abgeschnittene, an der Luft getrocknete Pflanzen der Wiesen, auch Feldfutterpflanzen **(Klee-H., Luzerne-H.)** und Winterzwischenfrüchte (Landsberger Gemenge), als Viehfutter. – Die **natürl. Trocknung** von H. kann in regenarmen Gebieten durch Bodentrocknung erfolgen; in Gebieten mit hohen Niederschlägen wird die Gerüsttrocknung vorgezogen. Bei der **künstl. Trocknung** unterscheidet man die maschinelle Grünfuttertrocknung und die Unterdachtrocknung mit Gebläse, bei der nur geringe Qualitätsverluste auftreten. Weitere Konservierungsverfahren sind die Vergärung von H. zu Gärfutter oder (selten) zu Braun- oder Brennheu.

Heubach, Stadt im Ostalbkreis, Bad.-Württ., am Rand der Schwäb. Alb, 10 200 Ew.; Miederfabrik, Frottierweberei, Metallverarbeitung. – Altes Rathaus mit Fachwerkobergeschoss (1581; heute Miedermuseum). – H. wurde im 14. Jh. Stadt.

Heuberg, 1) Großer H., Teil der südwestl. Schwäb. Alb, im Lemberg 1015 m ü. M.

2) Kleiner H., Gebiet im Vorland der Schwäb. Alb, westlich von Balingen, bis 680 m ü. M.

Heuberger, Richard, österr. Komponist, *Graz 18. 6. 1850, †Wien 28. 10. 1914. Sein bekanntestes Werk ist die Operette »Der Opernball« (1898).

Heublumen, Gemisch getrockneter Blüten, Samen, Blatt- und Stängelteile von Wiesenblumen (Flores Graminis); volksmedizinisch z. B. gegen Koliken und rheumat. Beschwerden (H.-Bad) angewendet.

Heuer [zu mnd. hūren »mieten«], Arbeitslohn des Besatzungsmitgl. eines Seeschiffs.

Heuerverhältnis, das Arbeitsverhältnis zw. einem Mitgl. der Schiffsbesatzung von Seeschiffen und der Reederei, geregelt im Seemanns-Ges. von 1957 (mit späteren Änderungen). Es unterscheidet sich von dem Arbeitsverhältnis sonstiger Arbeitnehmer durch die Mitwirkung einer amtl. Stelle (→Seemannsamt). Der wesentl. Inhalt des H. wird im Heuerschein niedergelegt. Ein H. als Besatzungsmitgl. darf nur eingehen, wer ein vom Seemannsamt ausgestelltes **Seefahrtbuch** besitzt. Das Seemannsamt nimmt auch die **Anmusterung** (Eintragung der Besatzungsmitgl. und des H. in die →Musterrolle) vor, ebenso die **Abmusterung** bei Beendigung des Dienstes an Bord.

Heufalter, der Schmetterling →Goldene Acht.

Heufieber, der →Heuschnupfen.

Heuhüpfer, Bez. für einige Vertreter der Feld- und der Laubheuschrecken.

Heumonat (Heumond, Heuert, Heuet), alter dt. Name für den Monat Juli.

Heuneburg, frühkelt. Befestigungsanlage am linken Donauufer bei Hundersingen (Gem. Herbertingen, Kr. Sigmaringen, Bad.-Württ.) mit Ausbauphasen der Bronze- und Eisenzeit sowie des MA. Bes. gut erforscht ist der späthallstattzeitliche Fürstensitz (6. Jh. und 1. Hälfte 5. Jh. v. Chr.). Ausgrabungen 1950–79 weisen Befestigungen in Holz-Stein-Konstruktion nach, in der Bauphase IV Verwendung luftgetrockneter Lehmziegel; zahlr. Funde importierter grch. Keramik.

Andreas Heusler

Heupferd, →Laubheuschrecken.

heureka! [grch. »ich habe (es) gefunden!«], angebl. Ausruf des Archimedes bei der Entdeckung des Gesetzes vom statischen →Auftrieb; danach: Freudenruf, wenn ein schwieriges Problem gelöst worden ist.

Heuriger, *österr.:* der neue Wein von Martini (11. 11.) bis zum nächsten Weinjahrgang.

Theodor Heuss

Heuristik [zu grch. heurískein »finden«] *die,* Lehre von der method. Gewinnung neuer Erkenntnisse mithilfe von Denkmodellen, Analogien, Gedankenexperimenten; im Unterschied zur Logik, welche lehrt, diese zu begründen.

Heuscheuer (poln. Góry Stołowe), Teil der Sudeten, in Schlesien, Polen, in der Großen H. 919 m ü. M., bildet den steil abfallenden NW-Abschluss des Glatzer Berglandes.

Heuschnupfen (Heufieber, Pollenallergie, Pollinosis), allerg. Erkrankung, verursacht durch Pollen von Gräser- oder Baumarten, tritt überwiegend im Mai und Juni in Erscheinung. Der H. beginnt plötzlich mit erhebl. Schwellung und Sekretabsonderung der Nasenschleimhaut, anfallartigem, heftigem Niesen, Jucken, Brennen und Tränen der Augen, in schweren Fällen auch einer Reizung der Bronchien mit Asthma. Zur Behandlung dienen abschwellende Augen- und Nasentropfen, Antihistaminika oder auch Glucocorticoide.

📖 ZENKER, W.: *H. verstehen u. richtig behandeln. Düsseldorf 1995.*

Heuschrecken (Springschrecken, Schrecken, Saltatoria), mit über 15 000 Arten weltweit verbreitete Ordnung etwa 0,2–25 cm langer Insekten (davon über 80 Arten in Mitteleuropa); meist Pflanzen fressende Tiere mit beißenden Mundwerkzeugen, borsten- bis fadenförmigen Fühlern und häutigen Flügeln; Hinterbeine meist zu Sprungbeinen umgebildet. H. erzeugen zum Auffinden des Geschlechtspartners mithilfe von Schrillleisten an den Beinen oder Flügeln Zirplaute, die von besonderen Hörorganen wahrgenommen werden. Man unterscheidet zwei Unterordnungen: die **Kurzfühlerschrecken** (Caelifera), u. a. mit der Familie Feld-H. (mit den →Wanderheuschrecken), sowie die **Langfühlerschrecken** (Ensifera), u. a. mit den →Grillen und →Laubheuschrecken.

Heusenstamm, Stadt im Landkreis Offenbach, Hessen, in der Untermainebene, im Rodgau, 18 400 Ew.; Lederwaren-, Kunststoffindustrie. – Im Ortskern die Wasserburg (12.–16. Jh., neugotisch verändert), Schönbornsches Schloss (1663–68), Pfarrkirche (1739–44) nach Plänen von B. Neumann. – Seit 1959 Stadt.

Heusinger, Adolf, General, *Holzminden 4. 8. 1897, †Köln 30. 11. 1982; 1937–44 im Generalstab des Heeres, nach dem Attentat auf Hitler am 20. 7. 1944 vorübergehend in Haft; 1957–61 Generalinspekteur der Bundeswehr und 1961–64 Vors. im Ständigen Militärausschuss der NATO.

Heusler, Andreas, schweizer. Germanist, *Basel 10. 8. 1865, †Arlesheim (bei Basel) 28. 2. 1940; Arbeiten über Verskunst, Lied und Epos (»Nibelungensage und Nibelungenlied«, 1921).

Heusler-Legierungen [nach dem Metallurgen F. Heusler, *1866, †1947], ferromagnet. Legierungen aus Kupfer, 9–27 % Mangan und 9–10 % Aluminium (oder Zinn) zur Herstellung von Dauermagneten.

Heuss, Theodor, Politiker und Schriftsteller, *Brackenheim (Kr. Heilbronn) 31. 1. 1884, †Stuttgart 12. 12. 1963; Journalist, schloss sich dem Kreis um F. Naumann an und leitete 1905–12 die Ztschr.

»Hilfe«. Ab 1910 Mitgl. der Fortschrittl. Volkspartei, trat nach Ausbruch der Novemberrevolution (1918) der Dt. Demokrat. Partei (ab 1930 Dt. Staatspartei) bei. 1920–33 Dozent an der Hochschule für Politik in Berlin, 1924–28 und 1930–33 MdR. 1933–45 politisch ausgeschaltet, betätigte sich H. publizistisch (u.a. »Friedrich Naumann«, 1937; »Hans Poelzig, Bauten und Entwürfe«, 1939; »Justus von Liebig«, 1942). Nach dem dt. Zusammenbruch (Mai 1945) war er 1945–46 Kultusmin. von Württemberg-Baden, 1946–47 Prof. für Geschichte an der TH Stuttgart (u.a. »Schattenbeschwörung«, 1947). 1948–49 Vors. der FDP. Im Parlamentar. Rat (1948–49) wirkte er führend an der Ausarbeitung des GG mit. Als erster Bundespräs. der Bundesrep. Dtl. (1949–59) prägte H. stark die Konturen dieses Amts. Mit seinen Beiträgen zu Fragen der Emigration und des Widerstandes gegen den Nationalsozialismus bemühte er sich um den Ausgleich innenpolit. Kontroversen. 1959 erhielt H. den Friedenspreis des dt. Buchhandels.

Weitere Werke: 1848. Werk und Erbe (1948), Erinnerungen 1905–1933 (1963).

📖 *T. H. Eine Bildbiographie. Beiträge von* H. HAMM-BRÜCHER *u.* H. RUDOLPH. *Stuttgart 1983.*

Heuss-Knapp, Elly, *Straßburg 25. 1. 1881, †Bonn 19. 7. 1952; Tochter des Nationalökonomen Georg Friedrich Knapp (*1842, †1926), ⚭ mit T. Heuss; gründete 1950 das →Müttergenesungswerk.

Heuwurm, Raupe der →Traubenwickler.

Hevelius, Johannes, eigtl. Hevel oder Hewel(c)ke, Astronom, *Danzig 28. 1. 1611, †ebd. 28. 1. 1687; einer der führenden beobachtenden Astronomen seiner Zeit; schuf mit seinem Hauptwerk »Selenographia« (1647) die erste und lange Zeit gültige Mondtopographie.

Heveller (Stoderani), Stamm der elbslaw. Liutizen an der Havel; 928/29 von König Heinrich I., im 12. Jh. durch Albrecht den Bären unterworfen; Zentralort war die Brandenburg (Brendanburg).

Hever ['he:vər] *die,* größter und stärkster Tidestrom des nordfries. Wattenmeers zw. der Halbinsel Eiderstedt und der Hallig Süderoog.

Hevesy ['hɛvɛʃi], Georg Karl von, eigtl. György Hevesi, ungar. Physikochemiker, *Budapest 1. 8. 1885, †Freiburg im Breisgau 5. 7. 1966; Prof. in Budapest, Freiburg im Breisgau, Kopenhagen und Stockholm; entdeckte mit D. Coster das Hafnium und erhielt für die mit F. Paneth entwickelte Indikatorenmethode zur Bestimmung geringer Mengen radioaktiver Nuklide (**H.-Paneth-Analyse,** →Radiochemie) sowie für Verfahren zur Untersuchung des Ablaufs chem. Reaktionen mit →Isotopenindikatoren 1943 den Nobelpreis für Chemie.

Hewish ['hju:ɪʃ], Antony, brit. Astronom, *Fowey (Cty. Cornwall) 11. 5. 1924; seit 1971 Prof. in Cambridge; untersuchte die Szintillationen von astronom. Radioquellen, was 1967 zur Entdeckung der Pulsare führte. Dafür erhielt er 1974 zus. mit Sir M. Ryle den Nobelpreis für Physik.

Hewlett-Packard Company ['hju:lɪt 'pækɑ:d 'kʌmpənɪ], amerikan. Konzern der elektron. Ind.; gegr. 1939, Company seit 1947. H.-P. produziert u.a. Drucker und Computer (Workstations und Mehrplatzsysteme); Sitz: Palo Alto (Calif.).

hex..., hexa... [grch.], sechs...

Hexachloräthan (Perchloräthan), $Cl_3C{-}CCl_3$, farbloser, kristalliner, kampferartig riechender Chlorkohlenwasserstoff; Bestandteil von Insektiziden und Weichmachern.

Hexachlorbenzol, Abk. **HCB,** durch vollständige Chlorierung von Benzol gewonnener Chlorkohlenwasserstoff. Die Verwendung als Fungizid ist in Dtl. seit 1977 verboten.

Hexachlorcyclohexan, Abk. **HCH,** in acht stereoisomeren Formen auftretender Chlorkohlenwasserstoff der Summenformel $C_6H_6Cl_6$; wirkt als Atmungs-, Fraß- und Kontaktgift tödlich auf die meisten Insektenarten. Das γ-Isomer (γ-Hexachlorcyclohexan) wird unter der Bez. **Lindan (Gammexan)** als Insektizid verwendet. Bes. toxisch ist das β-Isomer.

Hexachord [zu grch. hexákordos »sechssaitig«] *der* oder *das, Musik:* diaton. Reihe von sechs aufeinander folgenden Tönen der Grundskala (c d e f g a: **Hexachordum naturale;** g a h c d e: **Hexachordum durum;** f g a b c d: **Hexachordum molle**); wesentl. Strukturfaktor der Musik des MA. (→Solmisation).

Hexadezimalsystem (Sedezimalsystem), ein Zahlensystem zur Basis 16, gebildet aus den Ziffern 0 bis 9 und weiter folgend den Buchstaben A bis F; häufig in der Datenverarbeitung angewandt.

Hexaeder [grch. »Sechsflächner«] *das,* ein von sechs Vierecken begrenztes Polyeder; im Spezialfall von sechs kongruenten Quadraten (ein Würfel, **regelmäßiges Hexaeder**).

Hexagon [grch.] *das,* →Sechseck.

hexagonales System, →Kristallsysteme.

Hexagramm [grch.] *das,* Sechsstern (→Davidstern).

Hexameter [grch.] *der,* altgrch. Vers ohne Endreim aus sechs daktyl. Versfüßen (–∪∪), deren letzter unvollständig ist. In jedem Daktylus können die beiden kurzen Silben (∪∪) durch eine lange Silbe (–) ersetzt werden mit Ausnahme der beiden Kürzen im 5. Fuß. Der H. ist das Versmaß der Epen Homers; er findet sich auch als 1. Zeile des →Distichons. Unter den Römern ist Ovid der hervorragendste Techniker des Hexameters. In den H. der mittelalterl. lat. Dichtung reimen oft

Elly Heuss-Knapp

Georg Karl von Hevesy

Antony Hewish

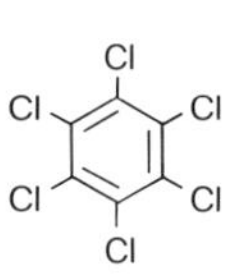

Hexachlorbenzol

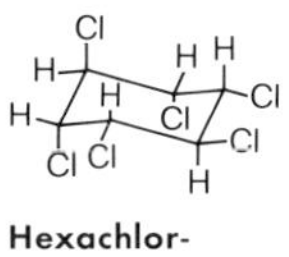

Hexachlorcyclohexan: γ-Hexachlorcyclohexan (Lindan)

Hexe: Darstellung aus der Radier- und Aquatintafolge »Los Caprichos« (1797–98) von Francisco José de Goya y Lucientes, Blatt Nr. 68

Versschluss und Zäsur **(leoninische H.).** In Dtl. versuchten Dichter des 16. Jh., lat. H. im Deutschen nachzubilden. Danach verwendeten ihn, angeregt durch F. G. Klopstocks »Messias«, J. H. Voß, Goethe, Schiller, C. F. Hebbel u. a. (→ Metrik)

Hexamethylentetramin *das,* → Urotropin.

Hexane [grch.], zu den Alkanen gehörende gesättigte Kohlenwasserstoffe von der Zusammensetzung C_6H_{14}, die in fünf isomeren Formen existieren; wesentl. Bestandteile des Leichtbenzins.

Hexapoda [grch. »Sechsfüßer«], → Insekten.

Hexateuch [grch. »sechsteilig(es Buch)«] *der,* Bez. für die fünf Bücher Mose (Pentateuch) und das Buch Josua.

Hexe [ahd. hagzissa, eigtl. »Zaunreiterin«] *die,* dem Volksglauben nach eine zauberkundige Frau mit magisch-schädigenden (»okkulten«) Kräften. Sie erscheint in Märchen und Sagen als Schreckgestalt von abstoßendem Äußeren; der Hexenbegriff des MA. entstand aus ursprünglich nicht zusammengehörenden Elementen des Aberglaubens (z. B. Luftflug, Schadenzauber), der christl. Dämonologie (Lehre vom Dämonenpakt) und Straftatbeständen der Inquisition. Der ausgesprochene **Hexenwahn** vom 14. bis zum 17. Jh. ist ein sozialpsych. Phänomen des Spät-MA. Der Umbruch der geistigen, religiösen und polit. Verhältnisse brachte Unsicherheiten aller Art mit sich, und die Menschen, bes. Mitteleuropas, sahen die Teufelsherrschaft der erwarteten Endzeit anbrechen. Für die Ausbreitung und die Exzesse der **Hexenverfolgungen,** bes. von sozial unangepassten Frauen, hatte die Schrift »Der Hexenhammer« (lat. Malleus maleficarum, Straßburg 1487) der beiden Dominikaner H. Institoris und J. Sprenger entscheidende Wirkung; sie wurde zum Strafkodex der Gerichtspraxis in Mitteleuropa bis ins 17. Jh. und führte die Denunziation anstelle der Anklage und die Anwendung der Folter und Hexenprobe ein. Die **Hexenprozesse** (Höhepunkt zw. 1590 und 1630) wurden zu Strafverfahren »gemischter« Zuständigkeit kirchl. und weltl. Gewalten. Die letzten Hinrichtungen von H. (meist Verbrennung bei lebendigem Leib) fanden in Glarus (1782) und Posen (1793) statt. Seit Mitte des 16. Jh. nahmen Männer verschiedener Glaubensrichtungen den Kampf gegen Hexenwahn und Hexenverfolgungen auf, insbes. F. von Spee und C. Thomasius. Der Hexenglaube ist jedoch bis in die Gegenwart nicht ausgestorben. – Eine moderne, magisch-okkultist. **Hexenbewegung** ist seit Mitte der 1930er-Jahre in England und später auch in Kalifornien stark verbreitet (sog. **Wiccakult**). – Seit den 1980er-Jahren Wiederbelebung okkulter Praktiken als Modephänomen; in der »Neuen Frauenbewegung« bewusster Bezug auf H. als Symbole für Unterdrückung und Widerstand von Frauen.

📖 HANSEN, J.: *Zauberwahn, Inquisition u. Hexenprozeß im Mittelalter. Neudr. Aalen 1983.* – HEINSOHN, G. u. STEIGER, O.: *Die Vernichtung der Weisen Frauen. München 1987.* – *H.n u. Hexenprozesse in Deutschland, hg. v.* W. BEHRINGER. *München 1988.* – DINZELBACHER, P.: *Heilige oder Hexen? München u. a. 1995.* – LEVACK, B. P.: *Hexenjagd. Die Geschichte der Hexenverfolgungen in Europa. München 1995.*

Hexe: Stich aus dem 19. Jh. mit dem Titel »Du sollst so dünn gefoltert werden, daß die Sonne durch dich scheint«

Hexenbesen (Donnerbesen), besen- oder vogelnestartige Verzweigung von Ästen bei versch. Baumarten mit abweichend geformten Blättern; ohne Blütenbildung. H. entstehen durch Massenaustreiben »schlafender« Augen, hervorgerufen meist durch pflanzl. oder tier. Parasiten.

Hexenei, Jugendstadium der Stinkmorchel.

Hexenmilch, vorübergehende Absonderung aus den Brustdrüsen Neugeborener; verursacht durch die Nachwirkung mütterl. Hormone.

Hexenring (Feenring), Kreis von Hutpilzen auf Wiesen- oder Waldboden, verursacht durch konzentr. Vordringen des Pilzmyzels von einem Punkt aus. Der Ring erweitert sich von Jahr zu Jahr.

Hexenröhrling (Hexenpilz), Bez. für mehrere Arten der Pilzfamilie Röhrlinge; häufig kommen vor: **Flockenstieliger H. (Schusterpilz, Donnerschwamm,** Boletus erythropus) mit 15–20 cm breitem, dunkelbraunem Hut, geschupptem Stiel und grüngelben bis rotgelben Röhren; **Netzstieliger H.** (Boletus luridus) mit 10–13 cm breitem, olivgelbem bis bräunl. Hut, gelben bis gelbgrünen Röhren und rötl. Stiel, der mit einem roten Adernetz gezeichnet ist. Beide sind roh giftig.

Hexenschuss (Lumbago), meist plötzlich auftretender heftiger Kreuz- oder Lendenschmerz mit nachfolgender Bewegungseinschränkung, Zwangshaltung, Muskelverhärtung, auch Empfindungsstörungen. Ursachen sind häufig Bandscheibenschäden bzw. krankhafte Veränderung der Lendenwirbelsäule. *Behandlung:* durchblutungsfördernde Maßnahmen, krampflösende und schmerzstillende Arzneimittel.

Hexentanzplatz, Granitfelsen über dem Tal der Bode, bei Thale, kurz vor deren Austritt aus dem Harz in sein nördl. Vorland. – Im Volksglauben neben dem Brocken bes. als Versammlungsstätte der Hexen zum Hexensabbat (v.a. in der Walpurgisnacht) bekannt (→Blocksberg).

Hexenverfolgung

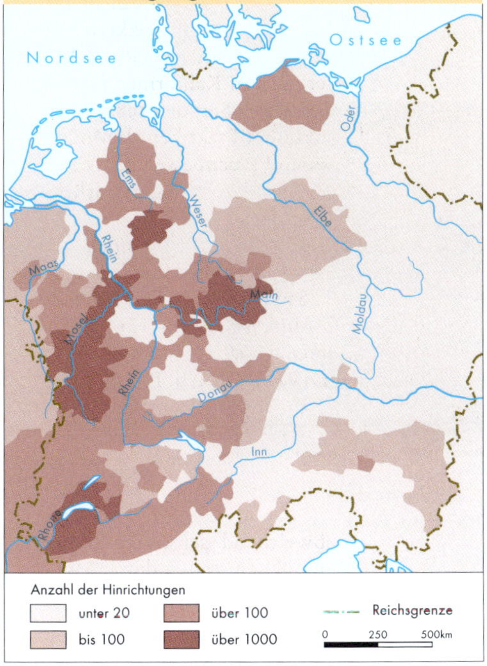

Hexenring

Hexite, sechswertige Alkohole (Zuckeralkohole), die durch Reduktion von Hexosen entstehen; allg. Formel: $HOH_2C–(CHOH)_4–CH_2OH$. H. sind süß schmeckende sog. Zuckeraustauschstoffe, z.B. Sorbit und Mannit.

Hexogen [grch.] *das* (Hexahydro-1,3,5-trinitro-1,3,5-triazin), wichtiger hochbrisanter Explosivstoff, der durch Nitrierung von Hexamethylentetramin hergestellt werden kann.

Hexosane, →Hemicellulosen.

Hexosen, einfache Zuckerarten (Monosaccharide) mit sechs Kohlenstoffatomen, Summenformel $C_6H_{12}O_6$; die wichtigsten sind Glucose, Mannose und Galaktose.

Heydebreck (Oberschlesi|en), Stadt in Polen, heute Teil von →Kędzierzyn-Koźle.

Heyden ['hεjdə], Jan van der, niederländ. Maler, *Gorinchem (Prov. Südholland) 5. 3. 1637, †Amsterdam 28. 3. 1712; Ansichten von Städten, bes. Amsterdam, die sich durch minutiöse Detailbehandlung und ausgewogene Licht- und Schattenwerte auszeichnen. BILD S. 226

Heydrich, Reinhard, Politiker (NSDAP), *Halle (Saale) 7. 3. 1904, †(Attentat) Prag 4. 6. 1942; baute als engster Mitarbeiter H. Himmlers den Sicherheitsdienst des Reichsführers SS (SD) auf und formte ihn zu einem umfassenden Nachrichtendienst. Seit 1933 Leiter des SD, beteiligte sich H. als einer der treibenden Kräfte maßgeblich am Aufbau des terrorist. Herrschaftsapparates im nat.-soz. Deutschland. 1934 wurde er Chef des Preuß. Geheimen Staatspolizeiamtes (Abk. Gestapa), 1936 der Sicherheitspolizei (SIPO; Zusammenfassung der →Geheimen Staatspolizei, Abk. Gestapo, und der Kriminalpolizei) und 1939 des →Reichssicherheitshauptamtes (Abk. RSHA). Im 2. Weltkrieg leitete H. 1941 in den eroberten sowjet. Gebieten die Massentötung von Juden durch die →Einsatz-

Hexenröhrling: Das gelbliche Fleisch des Netzstieligen Hexenröhrlings färbt sich rasch dunkelblau, wenn er angeschnitten oder abgebrochen wird

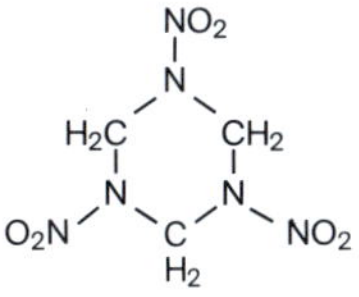

Hexogen

Reinhard Heydrich

Jan van der Heyden: »Straßenszene mit Architekturstaffage« (um 1665–70; London, National Gallery)

gruppen der SIPO und des SD. Von H. Göring 1941 mit der Vorbereitung der »Endlösung der Judenfrage« (Vernichtung der europ. Juden) beauftragt, leitete H. im Jan. 1942 die →Wannseekonferenz. Ab 1941 war H. »Stellvertretender Reichsprotektor« in Böhmen und Mähren. Seine Ermordung durch tschechische Widerstandskämpfer führte zu grausamen Vergeltungsaktionen (→Lidice).

🕮 CALIC, E.: *R. H. Schlüsselfigur des Dritten Reiches. Düsseldorf 1982.* – WYKES, A.: *R. H. A.d. Amerikan. Rastatt 1982.*

Thor Heyerdahl

Heyerdahl ['hɛjɔrdɑ:l], Thor, norweg. Zoologe und Ethnologe, *Larvik 6. 10. 1914; versuchte, durch Expeditionen die Möglichkeit früher transozean. Kontakte zu beweisen: mit dem Balsafloß »Kon-Tiki« (1947) von der Pazifikküste Südamerikas nach Polynesien (Tahiti), mit dem Papyrusboot »Ra« (1969/70) von Marokko nach Mittelamerika (Barbados), mit dem Schilfboot »Tigris« (1978) von Basra nach Afrika (Dschibuti). 1955/56 erforschte H. die Kultur der Osterinsel, 1983 entdeckte er Reste einer Hochkultur auf den Malediven.

Werke: Kon-Tiki (1948); Expedition Ra (1970); Tigris (1979); Wege übers Meer. Völkerwanderungen in der Frühzeit (1979); Fua Mulaku (1986).

Georg Heym

Heym, 1) Georg, Lyriker, *Hirschberg im Riesengebirge (heute Jelenia Góra) 30. 10. 1887, †(ertrunken beim Eislaufen) Berlin 16. 1. 1912; bed. Vertreter des Expressionismus; gestaltete in seinen Gedichten (u.a. »Umbra vitae«, 1912, BILD Expressionismus) dämonisch-apokalypt. Visionen der kommenden Kulturkatastrophen; auch Dramatiker und Erzähler.

Stefan Heym

2) Stefan, eigtl. Helmut Flieg, Schriftsteller, *Chemnitz 10. 4. 1913; emigrierte 1933 in die Tschechoslowakei, dann in die USA, ging 1952 nach Berlin (Ost); 1979 Ausschluss aus dem Schriftstellerverband der DDR (1989 rehabilitiert); seit 1990 Ehren-Vors. des Schriftstellerverbandes; schrieb Kriegs-, sozialkrit. Zeit- und histor. Romane: »Der bittere Lorbeer« (1950), »Lassalle« (1969), »Der König-David-Bericht« (1972), »Fünf Tage im Juni« (1974; Darstellung der Ereignisse des 17. Juni 1953), »Ahasver« (1981), »Schwarzenberg« (1984); verfasste auch Lyrik, Schauspiele, Essays und die Autobiographie »Nachruf« (1988) sowie die Kurzgeschichten »Auf Sand gebaut« (1990).

Heymans ['hɛjmans], Cornelius (Corneille), belg. Physiologe, *Gent 28. 3. 1892, †Knokke (heute zu Knokke-Heist) 18. 7. 1968; entdeckte die Funktion des Karotissinusreflexes zur Stabilisierung des Blutdrucks; erhielt dafür 1938 den Nobelpreis für Physiologie oder Medizin.

Heymel, Alfred Walter von (seit 1907), Schriftsteller, Verleger, *Dresden 6. 3. 1878, †Berlin 26. 11. 1914; gründete 1898 in München die Monatsschrift »Die Insel«, förderte 1903–09 als Mitbesitzer des Insel-Verlags in Bremen die dt. Buchkunst der Jugendstilzeit und die moderne Literatur.

Heyrovský ['hɛjrɔfski], Jaroslav, tschech. Physikochemiker, *Prag 20. 12. 1890, †ebd. 27. 3. 1967; Prof. in Prag, erfand 1925 die →Polarographie, erhielt 1959 den Nobelpreis für Chemie.

Heyse, Paul von (seit 1910), Schriftsteller, *Berlin 15. 3. 1830, †München 2. 4. 1914; Mittelpunkt des Münchner Dichterkreises (E. Geibel u.a.), war befreundet mit G. Keller; bedeutsam für ihn war die klassisch-romant. Bildungsüberlieferung; Theoretiker der Novelle (Falkentheorie von 1871: »Falke« steht für symbolhaftes Leitmotiv); verfasste zahlr. Novellen (»Novellen«, darin »L'Arrabbiata«, 1855; Nobelpreis für Literatur 1910.

Hibernakel: Nachdem die rundlichen Hibernakeln von der Mutterpflanze (hier Gemeiner Wasserschlauch) abgefallen sind, stirbt diese ab

Heywood ['heɪwʊd], **1)** John, engl. Dichter, *London (?) um 1497, †Mecheln (Niederlande) um 1580; als Katholik unter Elisabeth I. im niederländ. Exil; seine Interludien, meist Debattierstücke, gelten als Vorläufer der elisabethan. Komödie.

2) Thomas, engl. Dramatiker, *in Lincolnshire um 1573, begraben Clerkenwell (heute zu London)

16. 8. 1641; schrieb über 200 Bühnenstücke, darunter die ersten bürgerl. Trauerspiele.

Hf, chem. Symbol für → Hafnium.

HF, Abk. für → **H**och**f**requenz.

Hg, chem. Symbol für → Quecksilber.

HGB, Abk. für **H**andels**g**esetz**b**uch.

Hiatus [lat. »Kluft«] *der,* **1)** *Anatomie:* Spalt, Öffnung, z. B. im Zwerchfell für den Durchtritt von u. a. Aorta und Speiseröhre.

2) *Geologie:* eine Schichtlücke, die durch zeitweiliges Aussetzen der Ablagerung entstand.

3) *Sprache:* Zusammentreffen zweier (getrennt gesprochener) Vokale, z. B. The-ater, ja aber.

Hiatushernie, häufigste Form der Zwerchfellbrüche, Verlagerung von Magenteilen in den Brustkorbraum durch die am Speiseröhrendurchtritt bestehende Zwerchfelllücke.

Hibernakel [lat. »Winterquartier«] *das,* der ungeschlechtl. Fortpflanzung dienende Überwinterungsknospe der Wasserpflanzen, die i. d. R. im Winter zu Boden sinkt, im Frühjahr wieder an die Wasseroberfläche steigt.

Hibernation, künstliche [lat.] *die,* medikamentöse Senkung der Körpertemperatur (→ Hypothermie).

Hibernia [lat.], antiker Name für Irland.

Hibiscus [lat.] *der,* Pflanzengattung, → Eibisch.

Hickorybaum [engl.] (Hickorynussbaum, Carya), Gattung der Walnussgewächse mit rd. 25 Arten im östl. Nordamerika und in China; meist 20–30 m hohe Bäume mit glattschaligen Nüssen. Alle Arten liefern ein wertvolles, hartes, elast. Holz **(Hickory).** Einige Arten haben auch wegen der essbaren Nüsse Bedeutung, v. a. der **Pekannussbaum** und der **Schuppenrindenhickory.** Bild S. 228

Hicks, 1) Edward, amerikan. Maler, * Attleborough (heute Langhorn, Pa.) 4. 4. 1780, † Newton (Pa.) 23. 8. 1849; Wanderprediger der Quäker; schuf als Autodidakt Bilder in naiv originellem Stil; bekannt wurden seine als Paradiesbilder zu verstehenden Tierbilder.

2) Sir (seit 1964) John Richard, brit. Volkswirtschaftler, * Warwick 8. 4. 1904, † Blockley (Cty. Gloucestershire) 20. 5. 1989; einer der Hauptvertreter des Keynesianismus; erhielt 1972 mit K. J. Arrow für Arbeiten zur allg. Theorie des ökonom. Gleichgewichts und zur Wohlfahrtstheorie den Nobelpreis für Wirtschaftswissenschaften.

Hidalgo [iˈðalɣo, span.] *der* (portugies. Fidalgo), in Spanien und Portugal Standesbezeichnung des niederen Adels.

Hidalgo [iˈðalɣo], Staat in → Mexiko.

Hiddenit *der,* ein Mineral, smaragdgrüne oder gelbe Abart des Spodumens von Edelsteinqualität.

Hidden Peak [-ˈpiːk], Berg im Karakorum, → Gasherbrum-Gruppe.

Hiddensee, lang gestreckte Ostseeinsel vor der W-Küste von Rügen, Meckl.-Vorp., 18,6 km², 1 300 Ew.; mit steilufrigem Moränenkern (bis 72 m ü. M.) und langem Sandstrand; Naturschutzgebiet, Vogelwarte; Seebäder sind Kloster (Gerhart-Hauptmann-Gedenkstätte und Grab), Vitte und Neuendorf. – H. wurde 1308 durch eine Sturmflut von Rügen abgetrennt. Auf H. wurde 1872 ein reicher Goldschmuck der Wikingerzeit (um 1000 n. Chr.) gefunden.

Hideyoshi [-jɔʃi], japan. Feldherr, → Toyotomi Hideyoshi.

Hidjas [-dʒ-] (Hijaz, Hedschas, Al-H.), die Landschaften am Westrand der Arab. Halbinsel zw. dem Golf von Akaba und dem Hochland von Asir; mit den Pilgerstädten Mekka und Medina. Das Küstengebiet ist heiß, wüstenhaft (Tihamaebene) und hafenarm, das innere Hochland hat Steppencharakter. – Im 7./8. Jh. Zentrum des ersten arab.-islam. Reiches; seit 1926 Teil Saudi-Arabiens (→ Arabische Halbinsel, Geschichte).

Hidjasbahn [-dʒ-] (Hedschasbahn), Schmalspurbahn, gebaut 1901–08 unter dem dt. Ingenieur H. A. Meissner, von Damaskus über Deraa (Syrien), Amman und Maan (Jordanien) nach Medina, 1 302 km lang. Im 1. Weltkrieg ab Maan nach S zerstört; in Jordanien z. T. wieder aufgebaut mit Anschlussstrecke nach Akaba.

Hidjra [-dʒ-; arab. »Ausreise«] *die* (Hidschra, Hedjra, Hedschra), die Auswanderung Mohammeds von Mekka nach Medina, wohl Ende Sept. 622; Beginn der islam. Zeitrechnung (Anfangsdatum: 15./16. 7. 622).

Hien, Albert, Plastiker, * München 29. 4. 1956; Vertreter einer postmodernen Skulptur. In den Plastiken werden sowohl traditionalist., als auch

Cornelius Heymans

Jaroslav Heyrovský

Paul Heyse

Edward Hicks: »Das Königreich des Friedens« (um 1833; New York, Museum of Modern Art)

avantgardist. Gestaltungsregeln (z.B. serielle Reihungen) ironisch hinterfragt.

Hierapolis [grch. »heilige Stadt«], antike Stadt in W-Anatolien, Türkei, nördlich von Denizli, auf einem Travertinplateau. Ein viel besuchtes Touristenziel sind die weißen Kalksinterterrassen **Pamukkale** (türk. »Baumwollschloss«), die sich durch Ausscheidung von Kalkstein aus dem kalk- und kohlensäurereichen, 35°C warmen Quellwasser gebildet haben. H. wurde unter Eumenes II. von Pergamon um 190 v.Chr. gegründet; seit 133 Teil der röm. Provinz Asia. 1334 n.Chr. aufgegeben. Baureste (u.a. Thermen, Theater, Nekropole) aus der Blütezeit der Stadt im 2./3. Jh. n.Chr. (UNESCO-Weltkulturerbe).

Hierapolis: Römisches Theater (um 200 n. Chr.)

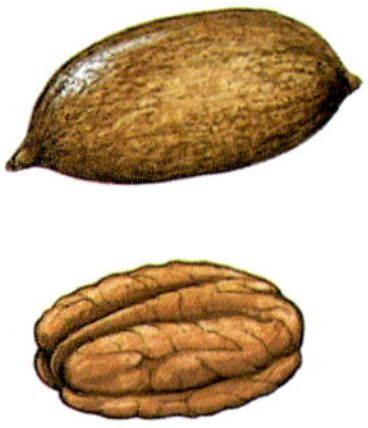

Hickorybaum: Kern des Pekannussbaums mit und ohne Schale

Hierarchie [grch. »heilige Herrschaft«] *die,* **1)** *Kirchenrecht:* in der kath. Kirche die Gesamtheit des →Klerus und dessen Rangordnung. Das kath. Kirchenrecht unterscheidet zw. der **Weihe-H.** der geistl. Ämter (Bischofs-, Priester-, Diakonenamt), die zur Verw. der Sakramente berechtigen, und der **Jurisdiktions-H.** der Leitungsvollmachten (Papst, Bischöfe). Die orth. Kirchen kennen nur die Weihe-H. und leiten aus dem Bischofsamt die Funktionen zur Leitung der Gesamtkirche ab (Metropolit, Patriarch); die evang. Kirchen halten an dem einen geistl. Amt und der neutestamentl. Identität von Pfarr- und Bischofsamt fest und kennen nur eine H. des Dienstes.

2) *Soziologie:* Gliederung sozialer Organisationen durch ein eindeutig festgelegtes System der Unter- und Überordnung in überwiegend vertikaler Rangfolge der Mitgl., deren Weisungs- und Entscheidungsbefugnis bei abnehmender Zahl von unten nach oben zunimmt (pyramidenförmiger Aufbau).

hieratische Schrift [grch.], Hieroglyphenschrift (→ägyptische Schrift).

hiero... [grch.], heilig...

Hierodulen [grch.], im Altertum die männl. oder weibl. Tempelsklaven; galten als Eigentum der Götter; durch geschlechtl. Verbindung mit ihnen sollte der Mensch der göttl. Macht teilhaftig werden.

Hieroglyphen [grch. »heilige Bildzeichen«], die ägyptische Bilderschrift (→ägyptische Schrift), auch Bilderschrift überhaupt, z.B. die ägäischen, hethitischen Hieroglyphen.

Hierokratie [grch. »Priesterherrschaft«] *die,* ein Herrschaftssystem, in dem die staatl. Funktionen von religiösen Amtsträgern ausgeübt oder entscheidend beeinflusst werden. Ideolog. Grundlage der H. ist die Vorstellung vom Gottesstaat.

Hieron, Herrscher von Syrakus: **1) H. I.,** Tyrann (seit 478), †467/466 v. Chr.; zunächst Statthalter seines Bruders Gelon in Gela. H. schlug in der Seeschlacht bei Cumae 474 die Etrusker und dehnte seine Macht auf Unteritalien aus; zog Aischylos, Pindar, Bakchylides u.a. an seinen Hof.

2) H. II., Tyrann, später König (seit 275/269 v.Chr.), *um 306, †215 v.Chr.; wurde 275 vom Heer zum Feldherrn gewählt und 269 nach seinem Sieg über die Mamertiner zum König ausgerufen; verbündete sich 264 v.Chr. mit den Karthagern, 263 mit Rom. H. schuf eine vorbildl. Finanzverwaltung (Grundsteuer) und eine ertragreiche Landwirtschaft (Getreide).

Hieronymus, Sophronius Eusebius, lat. Kirchenvater und -lehrer, *Stridon (Dalmatien) um 347, †Bethlehem 30. 9. 419 oder 420; nach Studium und Taufe in Rom 375–78 Einsiedler in Syrien. Sein Hauptwerk ist die Neubearbeitung des lat. Bibeltextes (→Vulgata); verfasste zahlreiche theolog. und histor. Werke; zählt zu den bed. Gelehrten seiner Zeit; Heiliger, Tag: 30. 9.

Hieronymus von Prag (Jeronym), tschech. Laientheologe, *Prag 1360, †(verbrannt) Konstanz 30. 5. 1416; mit J. Hus Vermittler der Lehre J. Wyclifs in Böhmen; auf dem Konstanzer Konzil zum Feuertod verurteilt.

Hierro ['jɛrrɔ] (früher Ferro), die westlichste der Kanarischen Inseln, 278 km², 6400 Ew.; im Zentrum ein Hochplateau mit rd. 1500 Aschen-

Hieroglyphen: hethitische Hieroglypheninschrift aus Karkemisch (etwa 9. Jh. v. Chr.)

kegeln, überragt vom 1501 m hohen Malpaso; Hauptort ist Valverde (3500 Ew.) mit Hafen und Flughafen. Die Bewohner betreiben Fischerei, Wein- und Obstbau. – Durch einen Vorsprung an der W-Küste von H., das schon in der Antike (Ptolemäus) als westlichster Punkt der Alten Welt galt, wurde 1634 der Nullmeridian gelegt (1884 vom Nullmeridian von Greenwich abgelöst).

hieven [von engl. to heave »hochheben«], *seemännisch:* Lasten mittels Hebezeug anheben; eine Leine oder Kette mittels Winde einholen.

Hi-Fi [ˈhaɪfiː, ˈhaɪˈfaɪ, engl.], Abk. für **Highfi**delity, Qualitätsbez. für elektroakust. Geräte, die bestimmten objektiv messbaren techn. Mindestanforderungen (nach DIN) genügen müssen und so eine größtmögl. Wiedergabetreue der Schallereignisse gewährleisten. H.-F.-Kriterien sind v.a.: großer Frequenzbereich mit proportionalem Frequenzgang, großer Geräuschspannungsabstand, niedriger Klirrfaktor, physiolog. Lautstärkekorrektur.

Sophronius Eusebius Hieronymus: »Hieronymus im Gehäus«, Kupferstich von Albrecht Dürer (1514)

Hifo-Methode [Abk. engl. für **h**ighest **in**, **f**irst **o**ut »als Teuerstes herein, als Erstes hinaus«], Verfahren zur Bewertung des Vorratsvermögens in der Bilanz. Man unterstellt, dass die Güter mit den höchsten Anschaffungskosten zuerst verbraucht werden, und bewertet den Endbestand daher zu den niedrigsten Preisen der Rechnungsperiode.

Hifthorn [wohl zu ahd. hiufan »klagen«], mittelalterl. Signalhorn, das meist an einem Gürtel um die Hüfte getragen wurde.

Higgins, Billy, amerikan. Jazzmusiker (Schlagzeuger), *Los Angeles 11. 10. 1936; verbindet in seiner Spielweise die Beat-Bezogenheit des Modernjazz mit der Expressivität des Freejazz.

Higgs-Teilchen [nach dem brit. Physiker Ware Higgs, *1929] (Higgs-Boson, kurz H-Boson), hypothet. Teilchen ohne Spin, das im Rahmen der →Weinberg-Salam-Theorie für die von null versch. Ruhemasse der Leptonen, Quarks und intermediären Bosonen verantwortlich ist.

high [haɪ; engl. »hoch«], *Jargon:* euphorischer Zustand (nach dem Genuss von Rauschmitteln).

High Church [ˈhaɪ ˈtʃəːtʃ; engl. »hohe Kirche«], hochkirchl. Bewegung innerhalb der Kirche von England, die kath. Tradition bewahren und erneuern will.

High-Com [ˈhaɪkɔm, engl.], Abk. für **High**-Fidelity-**Com**pander, elektron. Rauschunterdrückungsverfahren v.a. für Kassettenrekorder. H.-C. arbeitet mit einem einkanaligen Breitbandkompander (→Kompander), während **High-Com-II** einen Zweiwegkompander verwendet, bei dem das zu übertragende Frequenzband in zwei Bereiche geteilt wird, die getrennt bearbeitet werden.

High Court [ˈhaɪ ˈkɔːt] (H. C. of Justice), Berufungsinstanzgericht in Ländern mit angelsächs. Rechtstradition. (→Supreme Court)

Highland [ˈhaɪlənd], Verwaltungseinheit (Local Authority) in N-Schottland, 25784 km², (1995) 206900 Ew.; Verw.sitz Inverness.

Highlands [ˈhaɪləndz] *Pl.,* das schott. Hochland; durch die Verwerfung des Glen More gegliedert in die Grampian Mountains im S und in die North West Highlands im N. Die Niederschlagsmengen betragen z.T. bis 5000 mm bei 250–270 Regentagen im Jahr.

Highlife [ˈhaɪlaɪf, engl.] *das,* Leben der vornehmen Gesellschaftskreise; aufwendige Lebensführung.

Highlight [ˈhaɪlaɪt, engl.] *das,* Glanzpunkt eines Ablaufs, eines (kulturellen) Ereignisses.

Highness [ˈhaɪnɪs; engl. »Hoheit«], bis zu Heinrich VIII. Titel der engl. Könige. **Royal H.,** Titel der königl. Prinzen und Prinzessinnen in Großbritannien.

Highschool [ˈhaɪskuːl, engl.] *die,* in den USA die an die Elementarschule (Elementary School) anschließende, weiterführende allgemein bildende Schule, die nach drei Jahren (Junior H.) zu einem mittleren Abschluss und nach sechs Jahren zur Hochschulreife führt.

Patricia Highsmith

Highsmith [ˈhaɪsmɪθ], Patricia, amerikanische Schriftstellerin, *Fort Worth (Tex.) 19. 1. 1921, †Locarno 4. 2. 1995; Verfasserin aktionsarmer, psycholog. Kriminalromane, in denen sie das Ab- und Hintergründige der (bürgerl.) Existenz offen legt; bed. v.a. die »Ripley«-Romane.

Highsociety [haɪsə'saɪətɪ; engl. »hohe Gesellschaft«] *die,* durch Einkommen, Vermögen, sozialen Status, kulturellen, polit. Einfluss gekennzeichnete Oberschicht einer Gesellschaft.

Hightech ['haɪtek, engl.] *das,* Kw. aus engl. **high tech**nology (Hochtechnologie), zusammenfassender Begriff für Wissenschafts- und Technikbereiche, von denen man einen entscheidenden Beitrag für die Zukunft der Industriegesellschaften erwartet. Zu H. rechnet man die Mikro- und →Optoelektronik, die Automatisierungstechnik (Robotertechnik), die Bio- und →Gentechnologie, die Satelliten- und Weltraumtechnik sowie die →Kryotechnik (Tieftemperaturtechnik).

Highway ['haɪweɪ, engl.] *der,* engl. Bez. für Haupt- oder Landstraßen, amerikan. Bez. für Autobahn.

High Wycombe ['haɪ 'wɪkəm], Stadt in der Cty. Buckinghamshire, S-England, in den Chiltern Hills, im engen Wyetal, 60 500 Ew.; Papier- und Möbelherstellung, Präzisionsgerätebau, Druckereien. – Little Market Hall und Guildhall (18. Jh.).

Hiiumaa (dt. und schwed. Dagö, früher dt. Dagden, russ. Chiuma), Ostseeinsel vor der W-Küste Estlands, 965 km², etwa 10 000 Ew.; flache Kalksteintafel, Erhebungen (bis 63 m ü. M.) nur auf der W-Halbinsel Dagerort; Fischfang, Viehzucht; Hauptort Kärdla. – H., seit 1237 im Besitz des Dt. Ordens, wurde 1560 dänisch, 1582 schwedisch, 1721 russisch. 1918 kam es zur Rep. Estland.

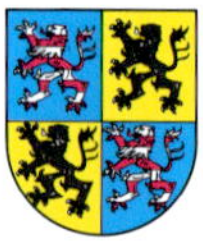

Hildburghausen 2)
Stadtwappen

Hijacker ['haɪdʒækə; amerikan., Herkunft unklar] *der,* Flugzeugentführer, (Luft-)Pirat.

Hikmet, Nazim, türk. Schriftsteller, →Nazim Hikmet.

Hilarius, Kirchenlehrer, * Poitiers um 315, † ebd. 367; Bischof von Poitiers; verteidigte entschieden das Nicän. Glaubensbekenntnis; Gegner der Arianer; sein Hauptwerk sind die 12 Bücher »Über die Dreieinigkeit«; Heiliger, Tag: 13. 1.

Hilberseimer, Ludwig, amerikan. Architekt dt. Herkunft, * Karlsruhe 14. 9. 1885, † Chicago (Ill.) 6. 5. 1967; 1929–33 Lehrer am Bauhaus; seit 1938 in den USA; lehrte Stadt- und Regionalplanung am Illinois Institute of Technology in Chicago.

David Hilbert

Hilbert, David, Mathematiker, * Königsberg (Pr) 23. 1. 1862, † Göttingen 14. 2. 1943; ab 1892 Prof. in Königsberg (Pr) und 1895–1930 in Göttingen; legte als einer der bedeutendsten Mathematiker auf zahlr. mathemat. Gebieten grundlegende neue Resultate vor. H. arbeitete zur Invarianten- und zur Zahlentheorie. In seinem Werk »Grundlagen der Geometrie« (1899) stellte er erstmals ein vollständiges Axiomensystem der euklid. Geometrie vor und befasste sich mit wissenschaftstheoretischen Fragen wie der Unabhängigkeit und Widerspruchsfreiheit von Axiomen. Sein Programm einer Axiomatisierung der gesamten Mathematik mit dem Ziel einer metamathemat. Beweistheorie regte fruchtbare Untersuchungen an, erwies sich nach den Arbeiten von K. Gödel aber als nicht durchführbar. Weitere Untersuchungen betreffen die Variationsrechnung, die Theorie der Integralgleichungen, die zum Begriff des →Hilbert-Raums führte, Algebra und Relativitätstheorie.

Weitere Werke: Gesammelte Abhandlungen, 3 Bde. (1932–35); Grundlagen der Mathematik, 2 Bde. (1934–39, mit P. Bernays).

Hilbert-Raum [nach D. Hilbert], vollständiger, linearer, normierter Vektorraum mit einem Skalarprodukt. Er stellt eine Verallgemeinerung des n-dimensionalen euklid. Raums auf einen Raum unendl. Dimension dar und spielt u. a. in der Quantenmechanik eine grundlegende Rolle.

Hilbig, Wolfgang, Schriftsteller, * Meuselwitz 31. 8. 1941; arbeitete u. a. als Schlosser und Heizer; lebt seit Mitte der 80er-Jahre in Nürnberg. Seine Gedichte und Erzählungen sind geprägt von Reflexionen über die eigene proletar. Herkunft; »Unterm Neumond« (Erz.n, 1982), »Alte Abdeckerei« (Erz., 1991), »Grünes grünes Grab« (Erz.n, 1993).

Hilchenbach, Stadt im Kr. Siegen-Wittgenstein, NRW, 15 600 Ew.; Luftkurort im Rothaargebirge; Bergwerksmuseum und Schaubergwerk; Motorenbau, Leder-, Pelz-, Eisen- und Kunststoffverarbeitung. – Erhielt 1824 Stadtrecht. Von 1313 bis 1931 wurde Eisenerz abgebaut.

Hildburghausen, 1) Landkreis in Thür., 937 km² und (1996) 75 000 Einwohner.

2) Krst. von 1) in Thür., an der oberen Werra, am S-Fuß des Thüringer Waldes. 12 600 Ew.; Stadtmuseum; Holzwaren-, Metall-, Bekleidungsindustrie. – Rathaus (1395, 1572 verändert), Ballhaus

Adolf von Hildebrand: Europa auf dem Stier, Detail des Wittelsbacher Brunnens in München (1890–95)

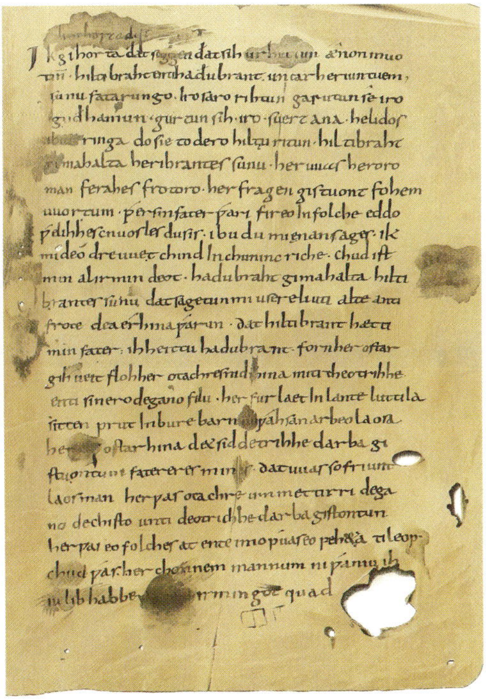

Hildebrandslied: Die Verse des althochdeutschen Heldenliedes sind Anfang des 9. Jh. von zwei Benediktinermönchen aus Fulda auf der ersten und letzten Seite einer theologischen Sammelhandschrift aufgezeichnet worden (heute Kassel, Landesbibliothek); die abgebildete erste Seite beginnt mit den Zeilen »Ik gihorta dat seggen | dat sih urhettun xnon muotin | hiltibrant entu hadubrant | untar heriun tuem« (Ich hörte das sagen | dass sich Herausforderer einzeln trafen | Hildebrand und Hadubrand | zwischen zwei Heeren)

(1721), Stadtkirche (1781–85), Neustädter Kirche (1755–75); ehem. Schloss (1685 ff.; 1945 schwer beschädigt, danach abgerissen). – Fränk. Siedlung des 9. Jh.; 1324 Stadtrecht, kam 1374 von Henneberg an Thüringen, 1680–1826 Hptst. des Herzogtums Sachsen-H., 1826 an Sachsen-Meiningen, 1920 an Thüringen.

Hildebrand, 1) Adolf von (seit 1904), Bildhauer, *Marburg 6. 10. 1847, †München 18. 1. 1921; tätig u. a. in Florenz und München, lebte 1872–97 meist in Florenz; schuf Bildwerke von ruhiger, klar überschaubarer Form; führend v. a. auf den Gebieten der Brunnen- und Denkmalskunst. Seine Theorie der Plastik (»Das Problem der Form in der bildenden Kunst«, 1893) hat bes. die Kunstwiss. beeinflusst.

2) Rudolf, Germanist, *Leipzig 13. 3. 1824, †ebd. 28. 10. 1894; Mitarbeiter und zeitweise Leiter des »Dt. Wörterbuchs« der Brüder Grimm; richtungweisend für die Erneuerung des Deutschunterrichts mit »Vom dt. Sprachunterricht in der Schule« (1867), gilt als eigentl. Begründer der Wortkunde.

Hildebrandslied, einziges ahd. Beispiel eines german. Heldenliedes; erhalten sind 68 nicht immer regelmäßig gebaute stabgereimte Langzeilen in einer ahd.-altsächs. Mischsprache; der Schlussteil fehlt. Die trag. Begegnung des aus der Verbannung heimkehrenden Hildebrand mit seinem ihn nicht erkennenden Sohn Hadubrand spielt vor dem geschichtl. Hintergrund der Ostgotenherrschaft in Italien. Das H. wurde Anfang des 9. Jh. in der Benediktinerabtei in Fulda von zwei Mönchen auf der ersten und letzten Seite einer theolog. Sammelhandschrift eingetragen. Die überlieferte Fassung geht auf eine bair. Bearbeitung eines langobard. Urliedes zurück. Die Handschrift befindet sich heute in der Landesbibliothek Kassel.

Hildebrandt, 1) Dieter, Kabarettist, *Bunzlau 23. 5. 1927; war 1956 Mitbegründer der Münchener »Lach- und Schießgesellschaft«; bes. im Fernsehen tätig (»Scheibenwischer«, seit 1980); Autobiographien »Was bleibt mir übrig« (1986), »Denkzettel« (1992).

Dieter Hildebrandt

2) Johann Lukas von (seit 1720), österr. Baumeister, *Genua 14. 11. 1668, †Wien 16. 11. 1745; neben Fischer von Erlach der bedeutendste Baumeister des österr. Barock, schuf lebhaft gegliederte, durch Ornament und Plastik bereicherte Bauten. Sein Hauptwerk ist das 1721–23 für Prinz Eugen erbaute →Belvedere in Wien. BILD Barock

Hildegard von Bingen, Mystikerin, Benediktinerin, *bei Alzey 1098, †in dem von ihr zw. 1147 und 1150 gegr. Kloster Rupertsberg bei Bingen 17. 9. 1179; wurde berühmt durch ihre Visionen, die sie ab 1141 in lat. Sprache niederschrieb; neben diesen myst. Schriften (»Liber Scivias, dt. 1928 u. d. T. »Wisse die Wege«) verfasste sie homiletisch-exeget., histor. und naturkundl. Abhandlungen sowie geistl. Lieder. H. betont die Gleichrangigkeit von weibl. und männl. Gottebenbildlichkeit; im Gegensatz zum Neuplatonismus schätzt sie die Materie hoch ein. Heilige, Tag: 17. 9. BILD S. 232

📖 FELDMANN, C.: *H. von B. Nonne u. Genie. Neuausg. Freiburg u. a. 1995.* – SCHÄFER, T.: *Visionen. Leben, Werk u. Musik der H. von B. München 1996.*

Hilden, Stadt im Kr. Mettmann, NRW, am W-Rand des Berg. Landes, 55 000 Ew.; Metall- und Textilverarbeitung, Herstellung von Lacken und

Hildebrandslied

Im Unterschied zum »Hildebrandslied« ist das »Jüngere Hildebrandslied« aus dem 15. Jahrhundert eine Ballade in volksliedhaftem Stil, welche die Vater-Sohn-Begegnung ohne Bezug auf einen historischen Hintergrund mit humoristisch-burlesken Zügen schildert. Das Aufeinandertreffen von Vater und Sohn endet hier versöhnlich, der Schluss des »Hildebrandslieds« aus dem 9. Jahrhundert ist nicht erhalten.

Kunststoffen, Schirmen und Kleinmöbeln. – H. wurde 1861 Stadt.

Hildesheim, **1)** Landkreis im RegBez. Hannover, Ndsachs., 1205 km², (1996) 292600 Einwohner.

2) Kreisstadt von 1) in Ndsachs., an der Innerste, 106100 Ew.; kath. Bischofssitz; Sitz des Landesrechnungshofes von Ndsachs.; Hochschule für Erziehungs-, Sprach- und Kulturwissenschaften, FH (u.a. Verwaltungs-FH), Roemer- und Pelizaeus-Museum; Elektrogeräte, Rundfunk- und Fernsehgerätebau, Maschinen-, Apparatebau, Druck- und Verlagswesen, Metallgießerei, Gummiverarbeitung, Anlagenbau, Fleischverarbeitung. Binnenhafen mit Verbindung zum Mittellandkanal.

Hildesheim 2) Stadtwappen

Stadtbild: Der Dom wurde nach dem 2. Weltkrieg in der Form des Hezilo-Domes (1054–79) wieder aufgebaut, besitzt bed. Kunstwerke (u.a. die Bronzetüren des Bischofs Bernward, 1015; die Bernwardssäule, um 1200; in der Krypta der Godehardschrein, 1131/32). Die Kirche Sankt Michael wurde in der Form des otton. Bernwardbaues (um 1010–33) wieder errichtet. Die UNESCO erklärte den Dom und Sankt Michael zum Weltkulturerbe. Weitere roman. Kirchen sind Sankt Godehard (1172 geweiht), Sankt Mauritius (11. Jh.), Heilig Kreuz (11. Jh.); spätgotisch ist die Andreaskirche (1389 ff., wieder aufgebaut). Wieder aufgebaut wurden das Knochenhaueramtshaus (1529), das Rathaus (im Kern 13. Jh.) und die got. Fassade des Tempelhauses.

Geschichte: Der im 8. Jh. entstandene Fernhandelswik H. erhielt um 1000 Marktrecht; 1217 erstmals Stadt; 1367 Mitgl. der Hanse; das 815 gegr. Fürstbistum (Höhepunkt unter Bischof Bernward) kam nach der **Hildesheimer Stiftsfehde** (1519–23) zum größten Teil an Braunschweig-Wolfenbüttel (1643 zurück an H.), das Hochstift 1803 an Preußen, 1807 zum Königreich Westfalen, 1813 zu Hannover (seit 1866 zu Preußen). Die Altstadt wurde 1945 weitgehend zerstört.

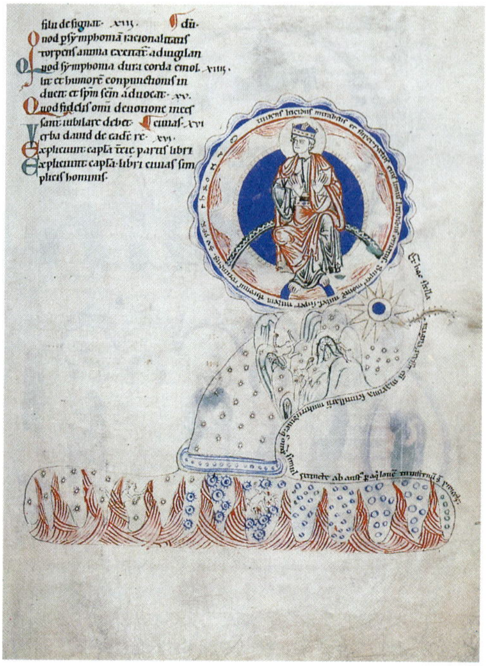

Hildegard von Bingen: Ausschnitt aus einer Seite des »Liber Scivias« in einer um 1200 aufgezeichneten Handschrift (Heidelberg, Universitätsbibliothek)

Hildesheim 2): Die Kirche Sankt Michael (1010–33) gilt als bedeutendster Bau der ottonischen Zeit; das südwestlich gelegene Querhaus mit Treppenturm (links) wurde 1910, der 1945 zerstörte Ostteil (rechts) im Jahr 1957 rekonstruiert

3) Bistum, 815 von Ludwig dem Frommen gegr., gehört zur Kirchenprovinz Mainz; 1802 säkularisiert, 1824 neu errichtet und in seinen Grenzen erheblich vergrößert (ebenfalls 1834 und 1929); seit 1929 Suffragan von Paderborn; umfasst Teile der Länder Bremen, Hamburg, Niedersachsen und Sachsen-Anhalt.

Hildesheimer, Wolfgang, Schriftsteller, * Hamburg 9. 12. 1916, † Poschiavo (Graubünden) 21. 8. 1991; emigrierte 1933 und war während des Krieges als brit. Offizier in Jerusalem. H. gehörte zur Gruppe 47 und veröffentlichte zunächst Kurzprosa (»Lieblose Legenden«, 1952, erweitert 1962) und den Roman (»Paradies der falschen Vögel«, 1953) sowie zahlreiche Hörspiele und Bühnenstücke. Seine Dramen (»Die Eroberung der Prinzessin Turandot«, 1960, u.a.) zählen z.T. zum absurden Theater; Romane (»Tynset«, 1965; »Masante«, 1973) zum Thema der Existenzproblematik; intensiv beschäftigte H. sich mit Mozart, eine Annäherung versuchte er in einer großen Biographie (1977); es folgte der Roman »Marbot. Eine Biographie« (1981). Die »Mitteilungen an Max über den Stand der Dinge ...« (1983) gehören zu seinen letzten literar. Werken; danach Arbeit an Grafiken und Collagen.

Hildesheimer Silberfund, der reichste Fund röm. Tafelsilbers (69 Stücke), 1868 bei Hildesheim entdeckt, heute in Berlin-Charlottenburg. Der H. S. enthält einige der schönsten Arbeiten der frühen röm. Kaiserzeit.

Hilfeleistung, die gesetzl. Pflicht zur Hilfe bei Unglücksfällen, gemeiner Gefahr oder Not. Wer ihr nicht nachkommt **(unterlassene H.),** obwohl Hilfe erforderlich und dem Einzelnen zumutbar ist, wird mit Freiheits- oder Geldstrafe bestraft (§ 323 c StGB). Die Pflicht zur H. entfällt, wenn auf andere Weise Hilfe geleistet wird. – Eine entsprechende Regelung enthält § 95 des *österr.* StGB. In der *Schweiz* ist das Unterlassen der H. nach Art. 128 StGB nicht generell strafbar, sondern nur für den, der den Unglücksfall selbst verursacht hat. Weiter gehende Pflichten zur H. bestehen nach dem Straßenverkehrs-Ges. (Art. 51) und kantonalem Recht.

Hilferding, Rudolf, österr.-dt. Sozialwissenschaftler, Politiker (SPD) und Publizist, *Wien 10. 8. 1877, †(in Gestapohaft) Paris 11. 2. 1941; Arzt, 1904–23 Mitherausgeber der »Marx-Studien«, 1907–16 Redakteur am »Vorwärts«; war 1923 und 1928–29 Reichsfinanzminister. Nach seiner Emigration (1933) zunächst in die Schweiz, dann nach Frankreich, arbeitete H. im Exilvorstand der SPD. H. ist ein bed. Theoretiker des →Austromarxismus.

Hilfe zur Überwindung besonderer sozialer Schwierigkeiten (früher Gefährdetenhilfe), Art der Sozialhilfe (§ 72 Bundessozialhilfe-Ges.) für Personen, bei denen soziale Schwierigkeiten der Teilnahme am Leben in der Gemeinschaft entgegenstehen, bes. für Strafentlassene, Alkoholiker, Obdachlose, Drogen- und Rauschmittelabhängige. Maßnahmen: Beratung, persönl. Betreuung, Geld- und Sachleistungen von den öffentl. Trägern der Sozialhilfe und der Freien Wohlfahrtspflege.

Hildesheimer Silberfund: Schale aus der frühen römischen Kaiserzeit mit Darstellung der Athene, teilvergoldet (Berlin, Staatliche Museen)

Gary Hill: »Withershins«, interaktive Klanginstallation mit Videoprojektion (1995; Privatbesitz)

Hilfsbeamte der Staatsanwaltschaft, strafprozessuale Bez. für eine Gruppe von Polizeibeamten, denen für Eilfälle gesetzlich Ermittlungsbefugnisse verliehen worden sind, die sonst nur Richtern oder Staatsanwälten zustehen (z. B. Anordnung von körperl. Untersuchungen [Blutproben], Beschlagnahme, Durchsuchung). Sie unterstehen der Sachweisungsbefugnis der Staatsanwaltschaft ihres Bezirks (§ 152 GVG).

Hilfsschule, →Sonderschule.

Hilfssprachen, →Welthilfssprachen.

Hilfsstimmen (Aliquotstimmen), *Musik:* Orgelregister, die anstelle des angeschlagenen Tones einen seiner Obertöne (z. B. Terz oder Quinte) erklingen lassen.

Hilfsverben (Hilfszeitwörter, lat. Verba auxiliaria), Verben, deren urspr. Bedeutung verblasst ist und die zur Bildung zusammengesetzter Zeitformen dienen *(haben, sein).*

Hilfswerk der Evangelischen Kirche in Deutschland, 1945 gegr., 1957 mit dem Zentralausschuss für die Innere Mission zum →Diakonischen Werk der Evangelischen Kirche in Deutschland e. V. zusammengeschlossen.

Hilfswissenschaft, Wiss., deren Ergebnisse oder Methoden für eine andere notwendig sind, z. B. die →historischen Hilfswissenschaften.

Hill, 1) Archibald Vivian, brit. Physiologe, *Bristol 26. 9. 1886, †Cambridge 3. 6. 1977; erhielt für Untersuchungen der energet. Vorgänge bei der Muskelzusammenziehung 1922 mit O. F. Meyerhof den Nobelpreis für Physiologie oder Medizin.

2) Gary, amerikan. Videokünstler, *Santa Monica (Calif.) 4. 4. 1951; arbeitet seit den 1970er-Jahren mit komplexen Installationen, in denen Bild und Sprache, Körper und Schrift im Zusammenhang mit gesellschaftl. Determinationen unter-

Wolfgang Hildesheimer

Rudolf Hilferding

Archibald Vivian Hill

sucht werden; befasst sich mit Identifikationsproblemen und Fragen der modernen Zivilisation.

3) George William, amerikan. Astronom und Mathematiker, *New York 3. 3. 1838, †West Nyack (N. Y.) 16. 4. 1914; verfasste bed. Arbeiten zur Himmelsmechanik, bes. zur Mondtheorie.

4) Susan (Elisabeth), engl. Schriftstellerin, *Scarborough (Cty. North Yorkshire) 5. 2. 1942; schrieb gefühlsintensive Geschichten über Kommunikationsverlust und Selbstentfremdung des Menschen, u. a. »Wie viele Schritte gibst du mir?« (R., 1970), »Seltsame Begegnung« (R., 1971), »Frühling« (R., 1974), »Nur ein böser Traum« (R., 1984).

5) Terence, eigtl. Mario Girotti, italien. Filmschauspieler, *Venedig 29. 3. 1940; Held des Italowestern, häufig mit Bud Spencer, u. a. in »Mein Name ist Nobody« (1973), »Keiner haut wie Don Camillo« (1983; auch Regie), »Die Troublemaker« (1994; auch Regie).

Edmund Percival Hillary

Hilla (Hilleh, Al-H.), Hptst. der Prov. Babylon, Irak, am Euphrat, südlich von Bagdad, 215 200 Ew.; Marktort eines reichen agrar. Umlands; Verarbeitung landwirtsch. Erzeugnisse, Zementwerk. – Nahebei die Ruinen von Babylon.

Hillary ['hɪlərɪ], Sir (seit 1953) Edmund Percival, neuseeländ. Alpinist und Forscher, *Auckland 20. 7. 1919; Erstbesteiger des Mount Everest zus. mit dem Sherpa Tenzing Norgay am 29. 5. 1953; leitete 1957 eine Antarktisexpedition, 1960/61, 1963 und 1964 Himalajaexpeditionen, 1977 eine Ganges-Expedition. H. initiierte ein privates Entwicklungsprogramm für die Angehörigen des Sherpa-Stamms in Nepal; er ist UNICEF-Sonderbeauftragter für die Himalajastaaten.

Karl Hillebrand

Hillbillymusic [-'mju:zɪk], die volkstüml., ländl. Musik im Mittelwesten der USA.

Hillebrand, Karl, Historiker und Publizist, *Gießen 17. 9. 1829, †Florenz 19. 10. 1884; lebte nach Teilnahme am Bad. Aufstand 1849 in Paris (Sekretär H. Heines), seit 1871 in Florenz; bed. dt. Essayist: »Zeiten, Völker und Menschen«, 7 Bde. (1873–85).

Kurt Hiller

Hiller, 1) Ferdinand von (seit 1875), Dirigent und Komponist, *Frankfurt am Main 24. 10. 1811, †Köln 11. 5. 1885; wirkte als Dirigent in Frankfurt am Main, Leipzig, Dresden, Düsseldorf und Köln; komponierte in überwiegend klassizistisch-romant. Stil Opern, Oratorien (u. a. »Die Zerstörung Jerusalems«, 1846), Kammer- und Klaviermusik.

2) Johann Adam, Komponist, *Wendisch Ossig (heute Osiek Łużycki bei Görlitz) 25. 12. 1728, †Leipzig 16. 6. 1804; war ebd. 1763–81 erster Dirigent der von ihm aus den Abonnementskonzerten entwickelten Gewandhauskonzerte, 1789–1801 Thomaskantor in Leipzig. Seine Singspiele bildeten die Vorstufe der dt. Spieloper.

3) Kurt, Schriftsteller, *Berlin 17. 8. 1885, †Hamburg 1. 10. 1972; gab 1912 die expressionistische Anthologie »Kondor«, 1916–24 »Das Ziel« (Jb. für geistige Politik) heraus; 1926–33 Präs. der Gruppe revolutionärer Pazifisten, warb für eine Vernunftherrschaft (»Der Aufbruch zum Paradies«, 1922); 1934–55 in der Emigration. Autobiographisches: »Leben gegen die Zeit« (2 Bde., 1969–73).

4) Lejaren, amerikan. Komponist, *New York 23. 2. 1924, †Buffalo (N. Y.) 26. 1. 1994; befasste sich v. a. mit Computermusik; komponierte u. a. Klaviersonaten, Streichquartette und Sinfonien, »HPSCHD« für 1–7 Cembali und 1–51 Tonbänder (1967–69 mit J. Cage), »3 Compositions« für Tonband (1983), »Expo '85« für Synthesizer und Tonband (1986).

Hillerød ['hilərø:ð], Hptst. des Amtes Frederiksborg, N-Seeland, Dänemark, 34 800 Ew.; Maschinenbau, Nahrungsmittel-, Holzind.; Anziehungspunkt des Fremdenverkehrs ist das Renaissanceschloss → Frederiksborg.

Hillery ['hɪlərɪ], Patrick John, ir. Politiker (Fianna Fáil), *Milltown Malbay (Cty. Clare) 2. 5. 1923; 1969–72 Außenmin., 1973–76 Vizepräs. der EG-Kommission, 1976–90 Staatspräsident.

Hillgruber, Andreas, Historiker, *Angerburg (heute Węgorzewo) 18. 1. 1925, †Köln 8. 5. 1989; war 1968–72 Prof. in Freiburg im Breisgau, ab 1972 in Köln, forschte v. a. zur weltpolit. Rolle Dtl.s und zur nat.-soz. Diktatur (u. a. »Hitlers Strategie«, 1965; »Der zweite Weltkrieg 1939–1945«, 1982; »Die Zerstörung Europas«, 1988).

Hilpert, Heinz, Regisseur und Theaterleiter, *Berlin 1. 3. 1890, †Göttingen 25. 11. 1967; war 1934–45 Direktor des Berliner Dt. Theaters, 1938–45 auch des Wiener Theaters in der Josefstadt, 1947/48 Intendant in Frankfurt am Main, 1948–50 in Konstanz, 1950–65 in Göttingen (inszenierte hier v. a. Shakespeare-Komödien und Werke von H. von Hofmannsthal); schrieb: »Das Theater – ein Leben« (1961), »Liebe zum Theater« (1963).

Hilpoltstein, Stadt im Landkreis Roth, Bayern, im Vorland der südl. Fränk. Alb, 12 100 Ew.; feinmechan. Ind., Papierwaren-, Pumpenfabrik. – Teile der mittelalterl. Ummauerung sind erhalten; zahlreiche spätmittelalterl. Bürgerhäuser; spätgot. Stadtpfarrkirche St. Johann Baptist (1732/33 barock umgestaltet). – H. erhielt im 13. Jh. Stadtrecht.

Hils *der,* bewaldeter Höhenzug aus Kreidesandstein (Hilssandstein) westlich der Leine, in der Bloßen Zelle 477 m ü. M.

Hilsenrath, Edgar, Schriftsteller, *Leipzig 2. 8. 1926; lebte als Kind in Rumänien im Getto und im KZ, 1951–74 in den USA; behandelt in seinen Werken jüd. Schicksale während des Krieges und in der Nachkriegszeit; bekannt v. a. die Romane »Nacht«

(1964); »Der Nazi und der Friseur« (1977); »Bronskys Geständnis« (1980).

Hilton ['hɪltn], James, engl. Schriftsteller, * Leigh (Cty. Lancashire) 9. 9. 1900, † Los Angeles 20. 12. 1954; schrieb spannende Unterhaltungsromane vor einem metaphys. Hintergrund: »Irgendwo in Tibet« (1933), »Leb wohl, Mister Chips« (1934), »Jahr um Jahr« (1953).

Hilus [lat.] *der,* Ein- und Austrittsstelle von Gefäßen und Nerven in Organe, z. B. Lungenhilus.

Hilversum [-sym], Stadt in der Prov. Nordholland, Niederlande, im Gooi, 84500 Ew.; Wohnvorort für Amsterdam. Kulturzentrum De Vaart, Sitz von Hörfunk- und Fernsehgesellschaften; Teppich-, elektrotechn., pharmazeut. u. a. Industrie.

Hima (Bahima, Wahima, in Ruanda und Burundi: Tutsi, Batutsi, Tussi, Watussi), äthiopide Bev.schicht im Zwischenseengebiet O-Afrikas, in Burundi etwa 12 %, in Ruanda etwa 9 % der Bev. (Veränderungen durch Bürgerkriege), in Uganda eine soziale Schicht der Nkole bildend; wanderten vermutlich bis ins 16. Jh. in ihre heutigen Wohngebiete; waren urspr. halbnomad. Großviehzüchter. Sie überlagerten die Bantu-Bev. (Ackerbauern) und übernahmen Bantu-Sprachen von den Unterworfenen; sie gründeten u. a. die Staaten Buganda, Bunyoro, Burundi und Ruanda **(Himastaaten)** und bildeten dort die Oberschicht. Die Konflikte zw. Oberschicht und Bauern (bes. Hutu) führten 1961 zum Aufstand in Ruanda, wo die Hutu die meisten H. vertrieben oder töteten. Auch in Burundi kam es (1972) aus ähnl. Gründen zu blutigen Unruhen, wobei jedoch die H. die Oberhand behielten. 1988 richteten in Burundi die H. ein Massaker unter den Hutu an (zw. 5000 und 50000 Tote). Die letzten schweren Konflikte ereigneten sich 1994 wiederum in Ruanda; in bürgerkriegsähnl. Unruhen wurden zw. 500000 und 1 Mio. H., auch oppositionelle Hutu, ermordet. Rd. 3 Mio. Menschen flohen in die Nachbarstaaten.

Himachal Pradesh [-tʃal pra'deʃ], Bundesstaat im westl. Himalaja, Indien, 55673 km², (1991) 5,17 Mio. Ew., Hptst. ist Simla. Die dicht bewaldeten Gebiete liefern Nadelhölzer; in den Tälern Anbau von Obst (Äpfel, Birnen, Aprikosen), Getreide, Tee, Saatkartoffeln; Salzgewinnung. – 1971 wurde das ehem. Unionsterritorium H. P. in einen Bundesstaat umgewandelt.

Himalaja [hi'ma:laja, hima'la:ja; Sanskrit »Schneewohnung«] *der* (Himalaya), mächtigstes und höchstes Gebirgssystem der Erde, begrenzt den ind. Subkontinent gegen das Hochland von Tibet und Zentralasien. Politisch gehört der H. zu Indien, Pakistan, Nepal, Bhutan und China (Tibet). In einem nach NO offenen, rd. 2500 km langen Bogen erstreckt er sich vom Durchbruchstal des Indus im W zum Durchbruchstal des Brahmaputra im O; zw. 280 (im NW) und 150 km (im O) breit. Von zehn Achttausendern ist der Mount Everest mit 8846 m ü. M. (Neuvermessung 1992) zugleich der höchste Berg der Erde (BILD Everest, Mount). Geologisch wird der H. zu den jungen alpid. Faltengebirgen der Erde gerechnet und ist nach der Theorie der Plattentektonik das Ergebnis der Kollision der Ind. mit der Euras. Platte. An den 50 km breiten, vorwiegend aus Granit und Gneis bestehenden **Hohen H.,** die Hauptkette, mit den höchsten Gipfeln Mount Everest, Kangchendzönga (8586 m), Lhotse (8516 m), Makalu (8463 m), Dhaulagiri (8167 m), Nanga Parbat (8126 m), schließt sich südlich der **Vorder-H.** an und an diesen die **Siwalikketten,** die Vorberge. Vor den Siwalikketten liegt der Regenwaldgürtel des Tarai. In Tibet folgt nördlich des Hohen H., getrennt durch eine vom Tsangpo und oberen Indus durchflossene Längstalfurche, der **Transhimalaja.**

Klimatisch und landschaftlich bildet der H. die Scheide zw. den Monsungebieten Indiens und den trockenen Hochländern Innerasiens. Der SW-Monsun (Mai bis Okt.) lädt seine ganze Feuchtigkeit auf dem steilen S-Hang ab, sodass die kürzere und flachere N-Abdachung nur noch geringe Niederschläge erhält. Die Schneegrenze liegt auf der S-Seite bei 4800–5200 m ü. M., auf der N-Seite bei rd. 5500–6000 m ü. M. Die Vergletscherung ist beträchtlich; die Waldgrenze liegt bei rd. 4000 m ü. M. Vegetation und Landnutzung sind vertikal gestuft. An der S-Flanke herrschen üppige Berg- und Nebelwälder vor, an der N-Flanke wintertrockene alpine Steppen. Am dichtesten besiedelt sind die fruchtbaren Täler zw. 1500 und 2500 m Höhe. Haupterwerbszweige sind Ackerbau und Viehzucht (Yak, Schafe, Ziegen), aber nur von örtl. Bedeutung. Der Verkehr ist fast nur auf Saumwegen möglich. Verstärkte Abholzungen (jährl. Entwaldungsrate im ind. H. 5 %) der letzten Jahre

Himalaja: Landschaft südlich des Mount Everest, in der in 4000 m Höhe Ackerbau betrieben wird

Heinz Hilpert

Edgar Hilsenrath

führten zu einer schnelleren Entwässerung der Bergregionen und zu einer fortschreitenden Bodenerosion (erhöhte Schlammführung der Flüsse), Mitverursacher der z.T. katastrophalen Überschwemmungen in den Tiefländern am Gebirgsfuß.

📖 *Himalaya, bearb. v.* B. C. OLSCHAK *u.a. Köln* *²1991.* – UHLIG, H.: *Himalaya. Neuausg. Bergisch-Gladbach 1992.*

Himalia, ein Mond des Planeten Jupiter.

Himation *das,* altgrch. wollener Mantel von rechteckigem Schnitt; über dem Chiton getragen.

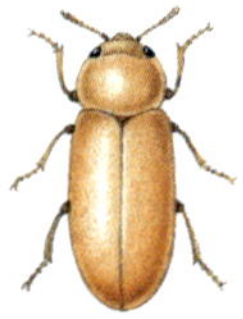

Himbeerkäfer: Byturus tomentosus (Länge 4–5 mm)

Himbeere (Himbeerstrauch, Rubus idaeus), Art der Rosengewächse, Halbstrauch in den Wäldern der nördl. gemäßigten Zone; die Triebe verholzen im 2. Jahr; Blüten klein, weiß in Blütenständen; Sammelfrucht mit steinfruchtartigen Einzelfrüchten. Durch Kreuzung von H. mit Brombeere entstand u.a. die **Loganbeere.**

Himbeerkäfer (Byturidae), Käferfamilie; die Larve des 4–5 mm langen **H.** (Byturus tomentosus) lebt in Himbeerfrüchten (Himbeer-»Made«).

Himeji [-dʒ-] (Himedschi), Stadt im W von Honshū, Japan, 463 200 Ew.; Eisen-, Stahl-, petrolchem., elektrotechn. Ind.; Hafen Hirohata an der Ijimündung. – H. besitzt die größte und imposanteste Burganlage Japans (14. Jh., im 16. Jh. erweitert), auch »Schloss des weißen Reihers« genannt.

Chester Himes

Himera, grch. Kolonie an der N-Küste Siziliens; bei H. siegten die Griechen 480 v. Chr. über die Karthager (dor. Siegestempel ausgegraben). 409 v. Chr. wurde H. von den Karthagern zerstört.

Himes [haımz], Chester, afroamerikan. Schriftsteller, *Jefferson City (Mo.) 29. 7. 1909, †Moraira (Prov. Alicante, Spanien) 12. 11. 1984; schrieb vielschichtige Kriminalromane mit z.T. bitteren Anklagen gegen die Rassendiskriminierung (»Blind mit einer Pistole«, 1969, u.a.).

Himjar (Himjaren), seit dem 1. Jh. n. Chr. bezeugte südarab. Völkerschaft, die im 3. Jh. ein

Himeji: Die im 14. Jh. erbaute und im 16. Jh. erweiterte Burganlage wird auch »Schloss des weißen Reihers« genannt

Großreich mit der Hauptstadt Zafar begründete und ihre Herrschaft auf das Reich Saba ausdehnte. H. erreichte im 5. Jh. seine größte Ausdehnung.

Himmel (Himmelsgewölbe, Firmament), das scheinbare Gewölbe, das sich über der Ebene des Horizonts in Form eines halben Rotationsellipsoids oder flachen Kegelsegments aufspannt. In der *Astronomie* wird es durch eine Halbkugel angenähert, die gedanklich zu einer Kugel, der **H.-Kugel (H.-Sphäre, Sphäre),** ergänzt wird, an die – vom Beobachter gesehen – alle H.-Körper projiziert erscheinen.

Der Punkt des H. senkrecht über dem Beobachter heißt **Scheitelpunkt** oder **Zenit,** der entgegengesetzte Punkt **Fußpunkt** oder **Nadir.** Infolge der Erdrotation scheint sich der H. in 24 Stunden einmal um die verlängert gedachte Erdachse, die **H.-Achse,** zu drehen, wobei die Gestirne am O-Horizont aufgehen und am W-Horizont untergehen. Zw. Auf- und Untergangspunkt beschreiben diese am H. oberhalb des Horizontes den **Tagbogen** und unter dem Horizont den **Nachtbogen.** Die H.-Achse durchstößt die H.-Kugel in den **H.-Polen.** Der nördl. H.-Pol, der in der Verlängerung Erdmittelpunkt–Erdnordpol liegt, befindet sich zurzeit in der Nähe des Polarsterns. Sterne, die in geringem Abstand zu den H.-Polen stehen, bleiben immer über dem Horizont (→Zirkumpolarsterne). Die Projektion des Erdäquators auf die H.-Sphäre ist der **H.-Äquator** (→Äquator). Die astronom. Örter der Gestirne am H. werden durch die →astronomischen Koordinaten festgelegt.

In den meisten *Religionen* und *Mythen* ist der H., den man sich als über die Erde gespanntes Zelt dachte, der Sitz der Götter. H.-Gottheiten nahmen in den altoriental. und altamerikan. Religionen den wichtigsten Platz ein. In den monotheist. Religionen ist der H. Ort bzw. Zustand des Transzendenten schlechthin (Jenseits), Ort der Seligkeit

Himmelfahrt Christi

Das Fest »Himmelfahrt« entstand im 4. Jahrhundert. Im hohen Mittelalter noch vereinzelt, sehr häufig jedoch seit dem Ende des 16. Jahrhunderts ist besonders für den »Auffahrtstag« der katholischen Alpenländer der Brauch bezeugt, eine Statue des triumphierenden Christus in der Kirche emporzuziehen und in einer Öffnung im Dachgeschoss verschwinden zu lassen, wobei einige geschnitzte Engel an Seilen auf und nieder »tanzten«. Oft wurden danach Oblaten, Rosinen und Mandeln auf die Kirchgänger hinabgeschüttet. Gelegentlich stürzte man zusammen mit brennenden Strohbüscheln eine als Teufel kostümierte Puppe herunter, die dann von den Jugendlichen in Fetzen gerissen wurde. Nach der Feier pflegten sich die Kirchenbesucher der Kränze und Blumen zu bemächtigen, mit denen die Altäre geschmückt waren, um sie in Haus und Stall aufzuhängen.

nach dem Tod (Paradies) und damit Ggs. zum Ort der Verdammnis (Hölle); im A.T. Wohnort und Machtbereich Gottes, im N.T. als »Reich der H.« Bez. des Reiches Gottes (z.B. Mt. 13, 24ff. Himmelreichsgleichnisse); Aufenthaltsort der Engel.

📖 LANG, B. *u.* MCDANNELL, C.: *Der H. Eine Kulturgeschichte des ewigen Lebens. A.d. Engl. Neuausg. Frankfurt am Main u.a. 1996.*

Himmelfahrt Christi, Erhöhung des auferstandenen Jesus zur Teilhabe an der Existenzweise Gottes (Lk. 24, 51; Apg. 1, 9–11); Bestandteil des christl. Glaubensbekenntnisses; seit dem 4. Jh. als Fest **Christi Himmelfahrt** am 40. Tag nach Ostern gefeiert.

Bildende Kunst: Eine frühe Darstellung der H. C. findet sich auf einem um 400 geschaffenen Elfenbeinrelief (München, Bayer. Nationalmuseum): Christus wird von der Hand Gottes in den Himmel gehoben. Neben diesem Darstellungstypus, der noch in der karoling. Buchmalerei erscheint, setzte sich immer mehr der von der byzantin. Kunst herkommende Typus der Darstellung der H. C. in zwei Zonen durch: Christus in einer Gloriole wird von zwei Engeln begleitet, die Jünger und Maria schauen zu ihm auf. Seit dem 11. Jh. etwa kam eine neue Form auf, die wohl zuerst in der engl. Buchmalerei erschien: Von dem auffahrenden Christus ist nur der Rocksaum oder der Fußabdruck im Felsen zu sehen. Der Typus des auf Wolken schwebenden, aus eigener Kraft emporfahrenden Christus ist seit dem 13. Jh. nachweisbar.

Himmelfahrt Christi (von oben): Fresko von Giotto di Bondone (1305/06; Padua, Arenakapelle); Gemälde von Peter Paul Rubens (um 1610; Düsseldorf, Kunstmuseum)

Himmelfahrt Mariä (lat. Assumptio Beatae Mariae Virginis), leibl. Aufnahme Marias in den Himmel nach ihrem Tod; wurde 1950 durch Papst Pius XII. zum Dogma erhoben. Fest: 15. 8. – *Bildende Kunst:* Seit dem MA. oft mit den gleichen Bildmotiven wie die Himmelfahrt Christi in Malerei und Plastik dargestellt.

Himmelfahrtsinsel, →Ascension.

Himmelsäquator, →Äquator, →Himmel.

Himmelsblau (Azur), die blaue Farbe des Himmels, die durch Streuung des Sonnenlichts in den oberen Schichten der Erdatmosphäre hervorgerufen wird.

Himmelschlüssel, Arten der →Schlüsselblume.

Himmelsglobus, verzerrungsfreie, spiegelbildl. kartograph. Darstellung des Sternhimmels und seines Koordinatensystems auf der Oberfläche einer Kugel (BILD Globus).

Himmelskarten, die →Sternkarten.

Himmelskunde, die →Astronomie.

Himmelsleiter, 1) *Bibelwissenschaft:* die →Jakobsleiter.

2) *Botanik:* (Jakobsleiter, Sperrkraut, Polemonium), Gattung der Sperrkrautgewächse; die **Blaue H.** (Polemonium caeruleum) ist eine Staude mit schlankem, hohlem Stängel, baldrianähnl. Blättern und himmelblauen Blüten; auch Gartenpflanze.

Himmelsleiter 2): Blaue Himmelsleiter (Höhe 30–80 cm)

Himmelslicht, →Himmelsstrahlung.

Himmelsmechanik, Teilgebiet der Astronomie, das die Bewegungen der Himmelskörper unter dem Einfluss der →Gravitation behandelt. Die H. umfasst u.a. die Theorie der Bahnen von Planeten, Kometen, Raumsonden u.a., die Bahnbestimmung aus beobachtbaren Örtern sowie die Theorie der Änderung astronom. Koordinatensysteme infolge →Nutation und →Präzession. Mathematisch streng und allgemein lösbar ist die Bewegung zweier Himmelskörper, das sog. **Zweikörperproblem,** das auf die →keplerschen Gesetze führt. **Drei-** und **Mehrkörperprobleme** werden durch Näherungsverfahren mithilfe der Störungstheorie behandelt.

Paul Hindemith: Anfang des ersten Satzes »Musica Instrumentalis« aus der Sinfonie »Die Harmonie der Welt« (1951), Autograph

Paul Hindemith

Himmelsrichtungen, die durch die →astronomischen Koordinaten gegebene Einteilung des Horizonts. Haupt-H. sind **Norden (N)** und **Süden (S),** die durch die Schnittpunkte (Nord- bzw. Südpunkt) des Meridians mit dem Horizont definiert sind, sowie **Osten (O)** und **Westen (W),** festgelegt durch den Schnittpunkt (Ost- bzw. Westpunkt) des gegen den Meridian um 90° gedrehten Kreises (erster Vertikal) mit dem Horizont. Zur Bestimmung der H. benutzt man einen →Kompass.

Himmelsstrahlung, die vom Himmel einfallende elektromagnet. Strahlung ohne die direkte Sonnenstrahlung. Die **kurzwellige H.** (mit Wellenlängen $\lambda<3$ µm) wird am Tage von in der Atmosphäre gestreutem Sonnenlicht gebildet (ihr sichtbarer Anteil wird auch als **Himmelslicht** bezeichnet) und setzt sich in der Nacht aus Sternlicht, Polar- und Zodiakallicht sowie künstl. Streulicht zusammen. Bei der **langwelligen H.** mit $\lambda>3$ µm handelt es sich v.a. um die Infrarotstrahlung der absorbierenden atmosphär. Bestandteile.

Die H. des wolkenlosen Himmels ist teilweise polarisiert (→Polarisation). Auf dem durch Sonne und Zenit gehenden Großkreis lassen sich drei neutrale Punkte finden, die Gebiete unterschiedl. Polarisationsrichtung (parallel oder senkrecht zu der durch Beobachter, anvisiertem Himmelspunkt und Sonne gegebenen Ebene) trennen und selbst unpolarisiertes Licht ausstrahlen: zw. Sonne und Horizont der **Brewster-Punkt,** zw. Sonne und Zenit der **Babinet-Punkt** und, auf der sonnenabgewandten Seite, zw. Zenit und Horizont, der **Arago-Punkt.**

Himmler, Heinrich, Politiker (NSDAP), *München 7. 10. 1900, † (Selbstmord) bei Lüneburg 23. 5. 1945; Diplomlandwirt, nahm 1923 am Hitlerputsch teil und trat 1925 der NSDAP bei. Nach seiner Ernennung zum »Reichsführer SS« (1929) baute er die SS planmäßig zu einer starken parteiinternen Polizeiorganisation mit einem rassistisch bestimmten hierarchisch-elitären Selbstverständnis auf. Er suchte ihr den Charakter eines »Ordens« zu geben.

Nach der nat.-soz. Machtergreifung 1933 organisierte er als Polizeipräs. von München, unterstützt von R. Heydrich, die polit. Polizei in allen dt. Ländern. Im April 1934 ernannte ihn H. Göring als MinPräs. von Preußen zum stellv. Leiter und Inspekteur der preuß. Geheimen Staatspolizei (Gestapo). Am 30. 6./1. 7. 1934 beteiligte sich H. maßgeblich an der Ausschaltung der SA-Führung (»Röhm-Putsch«). Die Herauslösung der SS als Sonderorganisation der NSDAP aus der SA stärkte innerhalb der nat.-soz. Hierarchie erneut H.s Machtstellung. Mit seiner Ernennung zum »Reichsführer SS und Chef der dt. Polizei« erreichte er 1936 im Range eines Staatssekretärs im Reichsinnenministerium die enge Verschmelzung von SS und Polizei. Von Hitler gestützt, baute H. den staatl. Sicherheitsapparat zu einem weit verzweigten Kontroll- und Überwachungssystem und zu einem staatl. Terrorinstrument aus. Der unmittelbare Herrschaftsbereich H.s umfasste neben der Polizei v.a. das von ihm und R. Heydrich seit 1933 aufgebaute Konzentrationslagersystem.

Die in seinem Auftrag im 2. Weltkrieg gebildete Waffen-SS entwickelte sich neben der Wehrmacht zum selbstständigen Truppenkörper. Als Reichskommissar für die Festigung dt. Volkstums leitete H. seit Okt. 1939 die Umsiedlungs- und Zwangsgermanisierungspolitik im O und SO Europas. Nach dem dt. Angriff auf die UdSSR (22. 6. 1941) wurde H. gemeinsam mit Heydrich zum entscheidenden Organisator der sog. »Endlösung der Judenfrage« (Holocaust). Ab 1943 war H. Reichsinnenmin., nach dem 20. 7. 1944 auch Oberbefehlshaber des Ersatzheers. Sein Kapitulationsangebot an die Westmächte (23./24. 4. 1945) veranlasste Hitler, ihn am 28. 4. 1945 seiner sämtl. Ämter zu entheben. Im Mai 1945 geriet H. in brit. Gefangenschaft.

📖 Wykes, A.: *Reichsführer SS H. A. d. Engl. Rastatt 1981.* – Breitman, R.: *Architekt der »Endlösung«. H. u. die Vernichtung der europ. Juden. A. d. Engl. Paderborn u. a. 1996.*

Hinajana [Sanskrit »kleines Fahrzeug«], →Buddhismus.

Hindelang, Marktgemeinde im Landkreis Oberallgäu, Bayern, im Ostrachtal der Allgäuer Alpen, 850 m ü. M., 4900 Ew.; heilklimat. Kneippkurort und Schwefelmoorbad (im Ortsteil Bad

Oberdorf), Wintersportplatz; Keramikwerk. – Kirche mit Madonnenbildnis von H. Holbein d. Ä. und Schnitzaltar von J. Lederer (1515–19).

Hindemith, Paul, Komponist, *Hanau 16. 11. 1895, †Frankfurt am Main 28. 12. 1963; wurde 1915 erster Konzertmeister in Frankfurt, lehrte 1927–37 an der Musikhochschule Berlin, 1940–53 an der Yale University in New Haven (Conn.), 1951–57 an der Univ. Zürich. H., Mitbegründer und Haupt der Donaueschinger Kammermusikfeste (1921–26), galt schon seit den frühen 1920er-Jahren als einer der Bahnbrecher der Moderne. Seine Neuordnung des Tonmaterials, bei der jedoch die Tonalität stets gewahrt blieb, hatte eine Neuartigkeit der Melodiebildung zur Folge.

Werke: Opern: u. a. Cardillac (1926, Neufassung 1952); Mathis der Maler (1938); Die Harmonie der Welt (1957); Das lange Weihnachtsmahl (1961). Chorwerke: u. a. Das Unaufhörliche (Oratorium, 1931); Apparebit repentina dies (1947); Messe (1963). Orchesterwerke: Philharmon. Konzert (1932); Sinfonie Mathis der Maler (1934); Sinfonie in Es (1940); Sinfon. Metamorphosen (1943); Sinfonia serena (1946); Sinfonie Die Harmonie der Welt (1951); Pittsburgh Symphony (1958). Instrumentalkonzerte (z. B. Bratschenkonzert »Der Schwanendreher«, 1935); Kammermusik (6 Streichquartette), Klaviermusik (u. a. Ludus tonalis, 1942), Lieder (»Das Marienleben«, 1923, Neufassung 1936–48), Sing- und Spielmusik.

Schriften: Unterweisung im Tonsatz, 3 Bde. (1937–70); Johann Sebastian Bach (1950); Komponist in seiner Welt (1952).

📖 BRINER, A. *u. a.: P. H. Leben u. Werk in Bild u. Text. Zürich 1988.* – SCHUBERT, G.: *P. H. mit Selbstzeugnissen u. Bilddokumenten. Reinbek 17.–18. Tsd., ⁴1995.*

Hindenburg, Paul von Beneckendorff und von H., *Posen 2. 10. 1847, †Gut Neudeck bei Freystadt in Westpreußen (heute Kisielice, Wwschaft Elbląg) 2. 8. 1934; Offizier, war 1903–11 kommandierender General. Am 22. 8. 1914 wurde H. Oberbefehlshaber der 8. Armee (Generalstabschef: E. Ludendorff), mit der er die Russen bei →Tannenberg und an den Masur. Seen entscheidend schlug. Seit dem 1. 11. 1914 war er Oberbefehlshaber Ost, seit 27. 11. Generalfeldmarschall. Am 29. 8. 1916 übernahm er als Chef des Generalstabs des Feldheers mit Ludendorff als erstem Generalquartiermeister die 3. Oberste Heeresleitung, die in der Folgezeit fast uneingeschränkt die strateg. Leitung des Krieges innehatte, weitgehend die Kriegsziele bestimmte und 1917 entscheidend zum Sturz des Reichskanzlers T. v. Bethmann-Hollweg beitrug. Militärisch gesehen, führte er erfolgreich die Feldzüge gegen Rumänien (1916), Italien (1917) und Russland (1917). Seine entscheidungsuchenden Operationen im W im Frühjahr und Sommer 1918 scheiterten jedoch. Um die Monarchie zu retten, befürwortete H. den Thronverzicht des Kaisers. Nach dem Waffenstillstand leitete er den Rückmarsch des Heeres. Am 3. 7. 1919 legte H. den Oberbefehl nieder und ging in Ruhestand.

Am 26. 4. 1925 wurde H. als Kandidat der Rechtsparteien zum Reichspräs. gewählt (Wiederwahl am 10. 4. 1932 mit Unterstützung von SPD und Zentrum gegen Hitler). Persönlich der Monarchie zuneigend, stand er dem republikan. Staat und seinem parlamentarisch-demokrat. System von Anfang an misstrauisch gegenüber. Nach dem Sturz der »großen Koalition« am 27. 3. 1930 berief er am 28. 3. 1930 H. Brüning zum Reichskanzler und vollzog damit den Übergang zu einem Präsidialregime. Beeinflusst durch General K. von Schleicher und großagrarisch-konservativen Kreisen, entließ er Brüning, da dieser zunehmend mithilfe der SPD seine Politik durchzusetzen versuchte. Mit den Kabinetten unter F. von Papen (Juli–Nov. 1932) und Schleicher (Nov. 1932–Jan. 1933) setzte er rechts gerichtete Regierungen ein. Nach anfängl. Zögern ernannte H. am 30. 1. 1933 Hitler zum Reichskanzler.

Mit der Unterzeichnung bes. der »Verordnung zum Schutz von Volk und Staat« vom 28. 2. 1933 und des Ermächtigungsgesetzes vom 24. 3. 1933 gab H. den Weg frei zum Aufbau der nat.-soz. Diktatur. Am »Tag von Potsdam« (21. 3. 1933) wirkte er bei dem von Hitler inszenierten Schauspiel einer Versöhnung von nat.-soz. Bewegung und preuß. Tradition mit.

📖 MASER, W.: *H. Eine polit. Biographie. Neuausg. Frankfurt am Main u. a. 1992.*

Hindenburgdamm, Eisenbahndamm zw. der W-Küste Schlesw.-Holst. und der Insel Sylt (11 km lang), 1927 eingleisig fertig gestellt, seit 1972 zweigleisig.

Hindenburg (Oberschlesien), 1915–45 Name der Stadt →Zabrze, Polen.

Hindernislauf, *Leichtathletik:* Laufwettbewerb über (internat.) 3 000 m, wobei insgesamt 28 feste Hürden von 91,4 cm Höhe und siebenmal ein Wassergraben (3,66 m lang und breit) zu überwinden sind. Auf die Hürden dürfen Hände und Füße aufgesetzt werden.

Hindernisrennen, *Pferdesport:* Art des Galopprennens über Hindernisse; als Hürden- oder als Jagdrennen ausgetragen. **Hürdenrennen** führen in Dtl. über eine Flachstrecke von 2 800–6 150 m, über mindestens 75 cm hohe, transportable Hürden in Abständen von etwa 300 m. **Jagdrennen** (Steeplechase) führen in Dtl. über 3 000–6 800 m, über feste Hindernisse wie Gräben, Wälle mit Hecken, Mauern mit Höhen von mindestens 1,30 m;

Heinrich Himmler

Paul von Beneckendorff und von Hindenburg

bes. hierfür geeignete Pferde heißen Steepler. Als schwerstes H. gilt die Grand National Steeplechase, die in Aintree bei Liverpool über 7200 m gelaufen wird.

Hinduismus
Symbol

Hindi, indoar. Sprache, seit 1965 offizielle Landessprache Indiens mit etwa 150 Mio. Sprechern. Das in Devanagari-Schrift geschriebene H. ist stark vom Sanskrit beeinflusst. H. ist Sammelname für die Dialekte Bradj Bhasha, Bundeli, Kanauji, Avadhi, Bagheli, Chattisgarhi. Seit Ende des 19. Jh. wird die Bez. H. speziell für das aus dem Dialekt von Delhi entwickelte Idiom verwendet. – Literatur des H. → indische Literaturen.

Hinduismus

Die wichtigsten religiösen Feste:

Januar: Shivaratri (Shiva und Parvati), Vasant Panchami (Sarasvati)
Februar/März: Holi (Krishna)
Juli/August: Naga Panchami (Schlangenfest)
August/September: Janma Ashtami (Krishna), Ganesh Chaturthi (Ganesha)
September/Oktober: Dusshera oder Durgapuja (Sieg des Guten über das Böse), Divali (Lichterfest zu Ehren Lakshmis)
November/Dezember: Govardhanapuja (Fest zu Ehren der Kuh)

Hindu, Anhänger des Hinduismus; urspr. mittelalterlich-pers. Bez. für die Bewohner Indiens, abgeleitet aus der iran. Namensform des Flusses Indus. Rd. 82% der Bev. Indiens sind H., die hinduist. Sondergemeinschaften eingeschlossen; starke H.-Gruppen gibt es in Nepal, Pakistan, Sri Lanka, Birma, Malaysia, Süd- und Ostafrika, auf den Fidschiinseln und auf Trinidad.

Hinduismus *der,* Religion, der heute etwa 650 Mio. Menschen (überwiegend in Indien) angehören. – Der H. ist keine Stifterreligion, sondern stellt eine Synthese aus den Traditionen des Brahmanismus und volkstüml. Kulten dar. Der H. kennt keine allgemein verbindl. Dogmatik. Seine religionsphilosoph. Grundlage bilden neben den über Jh. nur mündlich tradierten vier Samml. der Veden, auf deren Grundlage die ved. Priester (Brahmanen) seit ca. 800 v. Chr. die ved. Philosophie entwickelt haben, vor allem die »Bhagavadgita«, ein religiös-philosoph. Lehrgedicht aus dem Epos »Mahabharata«. Religiöse Grundelemente des H. sind die Lehre vom → Karma und von der Wiedergeburt. Jedes Wesen (einschl. der Götter) durchwandert in ewigem Kreislauf die Welt, je nach seinen guten bzw. bösen Taten als Gott, Mensch, Tier oder in der Hölle. Der endlosen Kette der Wiedergeburten, dem **Samsara,** zu entrinnen, ist Ziel der Erlösung (Moksha), zu der zahlr. Wege führen, z. B. Askese, Yoga, Gottesliebe (Bhakti) oder mag. Praktiken. Der H. kennt eine Vielzahl von (lokal und regional verehrten) Gottheiten (rd. 33 000), aus der Brahma (der Schöpfer der Welt), Vishnu (der Erhalter) und Shiva (der Zerstörer) als gesamtindisch verehrte Hauptgötter herausragen; sie können menschl. Gestalt annehmen; bekannteste Inkarnationen Vishnus sind Rama und Krishna. Alles Geschehen realisiert sich in einem ewigen Ablauf endlicher, sich wiederholender Weltperioden, die in der Erschaffung durch Brahma ihren Anfang nehmen und in der Zerstörung durch Shiva ihren Abschluss finden. – Seinen soziostrukturellen Ausdruck findet der H. in der Gliederung der Gesellschaft in vier Haupt- und zahlr. Nebenkasten. Obwohl durch den Staat gesetzlich aufgehoben, prägt die Kastenordnung nach wie vor v. a. das gesellschaftl. Leben in den ländl. Regionen Indiens. Je höher der Hindu in der durch das Kastensystem vorgegebenen sozialen Rangordnung steht, desto strenger sind die für ihn geltenden Vorschriften, geregelt in den Dharma-Büchern, deren bekanntestes das Gesetzbuch des Manu ist. Zugrunde liegendes Prinzip der hinduist. Ethik für alle Kasten ist die Übereinstimmung der individuellen Handlungen des gesamten Lebens- und Glaubensvollzugs mit dem ewigen Weltgesetz (Dharma), das den Kosmos ordnet und trägt. Über Indien hinaus bekannt sind v. a. die jährl. großen Wallfahrten nach → Varanasi mit dem Ziel eines rituellen Reinigungsbades im hl. Fluss Ganges. – In jüngster Zeit wurde auch ein fundamentalistischer H., **Hindutra,** aktiv. (→ indische Philosophie und Religion)

Hinduistische Götter (Auswahl)

Name	*myth. Bedeutung*	*Attribut*
Götter		
Brahma	Schöpfer und Lenker der Welt, Gott der Weisheit, Oberster der Götter	die vier Veden, Gefäß mit Gangeswasser, Rosenkranz
Ganesha	Gott der Weisheit, der Schrift und der Schule, der für die Beseitigung aller Arten von Hindernissen angerufen wird	Rosenkranz, abgebrochener Stoßzahn, Schüssel mit Reiskuchen
Krishna	eine Erscheinungsform des Vishnu	
Rama	eine Erscheinungsform des Vishnu	
Shiva	das schöpferische und zerstörerische Prinzip des Alls	Dreizack, Trommel, Streitaxt, Antilope (Gazelle)
Vishnu	das erhaltende und bewahrende Prinzip des Alls	Keule, Muschel, Wurfscheibe, Lotos
Göttinnen		
Durga (Parvati)	Göttin der zerstörenden und Leben spendenden Kräfte der Natur, der weibliche Urgrund des Seins	
Kali	die »Schwarze Göttin«, auch »göttliche Mutter« und Emanation der Göttin Durga und des Gottes Shiva	
Lakshmi	Glücksgöttin und Göttin der Schönheit	
Sarasvati	Göttin der Beredsamkeit und der Weisheit	

Hinduismus (von links): Darstellung des tanzenden Shiva, Bronze (10.–13. Jh.; Zürich, Museum Rietberg, Sammlung von der Heydt) und Darstellung Vishnus, Detail an der Fassade eines Tempels in Zentralindien (um 500 n. Chr.)

📖 SCHNEIDER, U.: *Einführung in den H.* Darmstadt [2]*1993*. – HASENFRATZ, H. P.: *Der ind. Weg. Die Spiritualität eines Kontinents entdecken. Freiburg im Breisgau 1994*. – PÖHLMANN, H. G.: *Begegnungen mit dem H. Frankfurt am Main 1995*. – MEISIG, K.: *Shivas Tanz. Der H. Freiburg im Breisgau 1996*.

Hindukusch [pers. hindukuh »ind. Gebirge«] *der,* Hochgebirge in Asien, Hauptteil in Afghanistan, außerdem in Pakistan und in Kaschmir; grenzt im O an Karakorum und Pamir, im W fächert es sich in zahlr. Ketten auf; mit stark vergletschertem Hauptkamm (im Tirich Mir 7690 m ü. M.). Über den Salangpass führt eine asphaltierte Straße (mit 6 km langem Tunnel) von Kabul in den N und NW Afghanistans; die Schneegrenze liegt bei 5200 m. Der westl. und nördl. H. ist trocken, der SO reich bewaldet. Im H. werden Kohle, Eisenerz und Lapislazuli abgebaut.

Hindustan (pers. Hindostan) [»Land der Hindus«], (veraltete) Bez. für Britisch-Indien.

Hindustani *das,* dem Urdu und Hindi eng verwandte Umgangssprache Nordindiens mit starken persischen Einflüssen im nominalen Wortschatz. H. besitzt keine eigene Literatur.

Hinggan Ling [tʃ-], Name zweier Gebirgszüge in China, →Chingan.

Hinkelstein, Bez. für einzelne oder in Gruppen aufgestellte Steine, meist aus prähistor. Zeit (→Menhir). – Nach dem H. von Monsheim (Gräberfeld bei Monsheim, Kr. Alzey-Worms), wurde die **H.-Gruppe** benannt, eine bes. in Rheinhessen und am unteren Neckar verbreitete Kulturgruppe der älteren Jungsteinzeit.

Hinken, Störung des normalen Ganges in versch. Formen, meist verursacht durch Schmerzen, Versteifung, Lähmung oder Verkürzung eines Beines. Das **intermittierende H.** ist eine Form des H., das, begleitet von Schmerzen im Bein, nach einer bestimmten Gehstrecke auftritt und nach kurzem Stehen wieder verschwindet. Ursache ist eine arterielle Durchblutungsstörung infolge Arteriosklerose.

Hinnøy ['hinœj], die größte norweg. Insel, 2198 km², gehört zu den Vesterålinseln (→Lofotinseln); gebirgig (bis 1266 m ü. M.); 28000 Ew.; Hauptort ist Harstad.

hinreichend, *Logik:* →Bedingung.

Hinshelwood ['hɪnʃlwʊd], Sir (seit 1948) Cyril Norman, brit. Chemiker, *London 19. 6. 1897, †ebd. 9. 10. 1967; war 1955–60 Präs. der Royal Society; untersuchte u. a. den Einfluss von Chemikalien auf das Bakterienwachstum; erhielt 1956 mit N. N. Semjonow für seine Arbeiten zur Reaktionskinetik und die Aufklärung von Kettenreaktionen den Nobelpreis für Chemie.

Cyril Norman Hinshelwood

Hinterbänkler, scherzhafte Bez. für einen Abg. auf den hinteren Bänken im Plenum, der als Debattenredner selten hervortritt.

Hinterbliebenenrente, die im Rahmen der Rentenversicherungen der Arbeiter und Angestellten, der Unfall- und knappschaftl. Versicherung, der Alterssicherung für Landwirte, ferner in der Kriegsopferversorgung Hinterbliebenen (Witwen, Witwer, Waisen, bestimmte sonstige Verwandte, auch geschiedene Ehefrauen) und Hinterbliebenen der Opfer von Gewalttaten gewährte Rente. In der Privatversicherung kann im Rahmen

Hinterglasmalerei aus Oberösterreich: »Sündenfall« (Anfang 19. Jh.; Wien, Österreichisches Museum für Volkskunde)

der Lebensversicherung auch die Zahlung einer H. vereinbart werden. In der gesetzl. Rentenversicherung erhält der Hinterbliebene im Falle der so genannten großen Witwen- oder Witwerrente 60% der Rente des Ehegatten (im Falle der so genannten kleinen Witwen- oder Witwerrente 25%; §§46 und 67 SGB VI).

Hintereinanderschaltung, *Elektrotechnik:* →Reihenschaltung.

Hinterglasmalerei, seitenverkehrte Malerei in Leinölfarben mit Sikkativ oder in ölreichen Temperafarben auf einer Glasscheibe. Diese vertritt die schützende Schlussfirnisschicht und ist zugleich Bildträger. Techn. Variationsmöglichkeiten werden ermöglicht durch Positiv- und Negativradierung, Hinterglasstich, Gold- und Spiegelschliff, Ruß- und Spiegelbild sowie Ätzmattierung. In der Form der Goldgrundmalerei lässt sich die H. bis in frühchristl. Zeit zurückverfolgen. Die Gattung »Hinterglasbild« als gerahmtes Einzelgemälde gehört ausschließlich dem 18. und 19. Jh. an. Die seit der Entdeckung durch den »Blauen Reiter« für »Bauernmalerei« gehaltenen Stücke werden heute eingeteilt nach kunstgewerbl., malerhandwerkl. und hüttengewerbl. Herkunft.

🕮 Klatt, U. K.: *H. München u. a. 1986.*

Hintergrundstrahlung, →kosmische Hintergrundstrahlung.

Hinterhand, 1) *Biologie:* (Nachhand) bei Haussäugetieren Bez. für die hinteren Gliedmaßen mit Kruppe und Schwanzansatz.

2) *Kartenspiel:* Spieler, der die letzte Karte erhält und zuletzt ausspielt.

Hinterhauptbein (Okzipitale), Schädelknochen, verbindet den Kopf gelenkig mit dem ersten Halswirbel (Atlas).

Hinterindien, große Halbinsel SO-Asiens, umfasst Birma, Thailand, Kambodscha, Laos, Vietnam und die Malaiische Halbinsel. Ihr Rückgrat bilden drei an die Himalajaketten anschließende Gebirgszüge, die vom östl. Tibet nach S laufen. Über den westl. Gebirgszug verläuft im N-Teil die Grenze zw. Birma und Assam (Indien), der mittlere zieht in die Malaiische Halbinsel, der östl. Zug bildet das Gebirgsland von Vietnam. Zw. den Gebirgsketten öffnen sich im S die weiten Stromebenen von Mekong, Salween, Irawadi und Menam. H. hat Monsunklima; die Regenmengen nehmen von den Küsten her ab. Die Pflanzenwelt wechselt von dichtem trop. Regenwald bis zu Feucht- und Trockensavanne im Inneren.

Hinterkiemer (Opisthobranchia), →Schnecken.

Hinterlader, Feuerwaffe, die vom hinteren Teil des Rohres her geladen wird; löste im 19. Jh. den Vorderlader ab.

Hinterlegung, die Übergabe hinterlegungsfähiger Sachen (Geld, Wertpapiere u. a. Urkunden, Kostbarkeiten) an die zuständige öffentl. Verwahrungsstelle zur Erfüllung einer Verbindlichkeit (wenn der Gläubiger sich im Annahmeverzug befindet oder Ungewissheit über die Person des Gläubigers besteht; §372 BGB). **Hinterlegungsstellen** sind die Amtsgerichte; Verfahrensregeln enthält die Hinterlegungsordnung vom 10. 3. 1937. Die rechtl. Wirkung der H. hängt davon ab, ob der hinterlegende Schuldner die Rücknahme ausgeschlossen hat oder nicht; ist sie ausgeschlossen, wird der Schuldner in gleicher Weise von seiner Leistungspflicht frei, als hätte er direkt an den Gläubiger geleistet. Der Gläubiger erwirbt das Eigentum an der hinterlegten Sache durch Annahmeerklärung. Bei nichthinterlegungsfähigen Sachen tritt an die Stelle der H. der Selbsthilfever-

Hinterglasmalerei aus der Mittelslowakei: »Jánošíks Rebellengruppe« (um 1850; Martin, Slowakisches Nationalmuseum)

kauf und die H. des Erlöses. Im Prozessrecht ist H. die normale Form der Sicherheitsleistung (§ 108 ZPO). – In *Österreich* ist die H. in § 1425 ABGB geregelt. In der *Schweiz* gelten ähnl. Grundsätze (Art. 92, 96 OR).

Hinterpommern, seit den dynast. Teilungen Pommerns im 15. Jh. Bez. für das Gebiet östlich von Köslin, seit Ende des 16. Jh. für das Herzogtum Stettin, nach 1817 für das Gebiet Pommerns östlich der Oder (das seit 1945 zu Polen gehört).

Hinterradantrieb, *Kraftfahrzeugtechnik:* konventionelle Antriebsanordnung, bei der die Motortriebkraft vom vorn liegenden Motor mit Kupplung und Schaltgetriebe über die im Kardantunnel verlaufende Kardanwelle auf die Hinterräder übertragen wird. Bei Heckmotor bildet der H. eine kompakte Baueinheit (→ Heckantrieb).

Hinterrhein, Quellfluss des Rheins, in Graubünden, Schweiz; entspringt am Rheinwaldhorn, durchfließt die Talschaften Rheinwald, Schams und Domleschg (zw. Ersteren die Roflaschlucht, zw. Letzteren die Via Mala), vereinigt sich bei Reichenau mit dem Vorderrhein; 57 km lang.

Hintersasse, vom MA. bis ins 19. Jh. Bauer, der als Freier oder Halbfreier dingl. abhängig von einem Grundherrn war.

Hintertreppenroman, um 1880 gebildete Bez. für Trivialromane, die über die Hintertreppe, d. h. an Dienstboten, verkauft wurden.

Hinterzarten, Gemeinde im Kr. Breisgau-Hochschwarzwald, Bad.-Württ., 885 m ü. M., 2 500 Ew.; heilklimat. Kurort und Wintersportplatz im Schwarzwald; Wallfahrtskirche »Maria in der Zarten« (seit 1416 bezeugt).

Hintze, Otto, Historiker, * Pyritz (heute Przyce) 27. 8. 1861, † Berlin 25. 4. 1940; war 1899–1920 Prof. in Berlin; ein bed. Vertreter der vergleichenden Verfassungs- und Verwaltungsgeschichte, die er in den Zusammenhang sozialgeschichtl. Forschung stellte.

Hinz, Werner, Schauspieler, * Berlin 18. 1. 1903, † Hamburg 10. 2. 1985; wiederholt am Dt. Schauspielhaus in Hamburg, gestaltete v. a. klass. Rollen (Gyges, Mephisto, Tellheim).

Hiob (in der Vulgata Job), zentrale (wohl nicht histor.) Gestalt der Rahmenerz. des alttestamentl. Buches H. Dessen Thema ist die Bewährung des Gerechten in der Anfechtung; es zählt zu den bed. Werken der Weltliteratur; Ursprung des Ausdrucks **Hiobsbotschaft** für eine Unglücks- bzw. Schreckensnachricht.

Hipler, Wendel, Bauernführer, * Neuenstein (Hohenlohekreis) um 1465, † Heidelberg 1526 (in pfälz. Haft); berief im Mai 1525 ein Bauernparlament nach Heilbronn ein, dem er seine Reformvorstellungen vorlegte. H. war eine der bedeutendsten polit. Persönlichkeiten der Bauernbewegung. Er wurde nach der Schlacht bei Königshofen (2. 6. 1525) gefangen gesetzt.

Hipparcos: Modell des Astrometriesatelliten

Hipparch (grch. Hipparchos), **1)** Tyrann von Athen (seit 527 v. Chr.), † 514 v. Chr.; Sohn und Nachfolger des Peisistratos von Athen, teilte mit seinem Bruder Hippias die Herrschaft; von Harmodios und Aristogeiton aus persönl. Gründen ermordet.

2) H. von Nikaia, grch. Astronom und Geograph, Begründer der wiss. Astronomie, nachweisbar zw. 161 und 127 v. Chr.; lehrte bes. auf Rhodos; bestimmte sehr genau die Länge des Sonnenjahres, legte einen Fixsternkatalog an; Schöpfer der Trigonometrie.

Werner Hinz

Hipparcos [Kw. für engl. **hi**gh **p**recision **par**allaxe **co**llecting **s**atellite »Parallaxen mit hoher Genauigkeit sammelnder Satellit«], Astrometriesatellit der Europ. Weltraumorganisation (ESA), gestartet am 9. 8. 1989; geriet wegen eines techn. Defektes auf eine stark exzentr., durch die → Van-Allen-Gürtel verlaufende Umlaufbahn, konnte aber außergewöhnl. Messdaten zur Erde übermitteln (bis 24. 6. 1993, Ende der Funkverbindung am 15. 8. 1993): Rd. 100 000 ausgewählte Sterne versch. Regionen des Milchstraßensystems wurden 10- bis 100-mal genauer vermessen als von der Erde aus

Hiob

Im ersten Kapitel des alttestamentlichen Buches Hiob bringen Diener ihrem reichen Herrn eine Unglücksmeldung nach der anderen: Seine Esel und Rinder haben Räuber aus Saba gestohlen, seine Kamele wurden von Chaldäern geraubt, seine Hirten und Wächter wurden umgebracht, Hiobs Schafherde wurde samt Schäfer vom Blitz erschlagen, und dann kam da noch ein Wüstenwind daher, der das Haus seiner Kinder umwarf und alle Söhne und Töchter darin begrub.

Viele Leute haben schon aus geringerem Anlass zum Strick gegriffen; nicht so Hiob. Laut Buch Hiob, Kapitel 1, Vers 21 sprach er:
»Der Herr hat's gegeben,
der Herr hat's genommen,
gelobt sei der Name des Herrn.«

Theodor Gottlieb von Hippel (Stich des zeitgenössischen Kupferstechers Johann Friedrich Bolt, 1802)

Hippokrates (römische Marmorkopie einer griechischen Herme, 4. Jh. v. Chr.; Ostia Antica, Museo Ostiense)

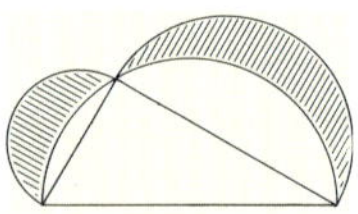

Hippokrates von Chios: hippokratische Möndchen

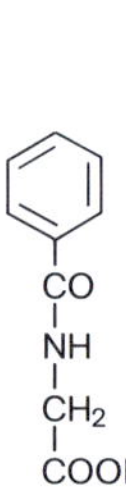

Hippursäure

möglich. Die Position, Entfernung und Eigenbewegung dieser Sterne konnte bis auf 1 bis 2 tausendstel Bogensekunden und die Geschwindigkeit bis auf einige 100 m/s bestimmt werden. Darüber hinaus wurden 5 000 Doppelsterne und zwischen 10 000 und 20 000 veränderliche Sterne entdeckt.

Hippe, Gärtner- und Winzermesser mit gebogener Klinge.

Hippel, Theodor Gottlieb von, Staatsmann und Schriftsteller, *Gerdauen (heute Schelesnodoroschny, Gebiet Kaliningrad) 31. 1. 1741, †Königsberg (Pr) 23. 4. 1796; seit 1780 Bürgermeister von Königsberg; schrieb empfindsame Romane in der Art L. Sternes sowie geistreiche Traktate über die Frauenfrage.

Hippias, 1) Tyrann von Athen (seit 528/527 v. Chr.), †um 490 v. Chr.; herrschte zunächst mit seinem Bruder Hipparch; wurde 510 von den Spartanern vertrieben.

2) H. von Elis, grch. Philosoph und Mathematiker Ende des 5. Jh.; Sophist, von Platon in den gleichnamigen Dialogen geschildert; philosophisch bed. ist seine Unterscheidung von Naturrecht und menschl. Gesetz.

Hippies [wohl von amerikan. hip »eingeweiht«], Angehörige einer in der 2. Hälfte der 1960er-Jahre in den USA entstandenen Protestbewegung, in der Jugendliche v. a. der Mittel- und Oberschicht in friedlich-passiver Weise gegen die Wohlstands- und Leistungsgesellschaft rebellierten. Grundanliegen waren die Verwirklichung einer humaneren Welt sowie die Beseitigung bürgerl. Tabus in einer freien, friedvollen, naturbezogenen, auf ekstat. Glückserleben in Liebe, Musik und Rauschmittelgenuss gerichteten Gemeinschaft (»Blumenkinder«). Die H.-Bewegung war von der Beatgeneration inspiriert.

Hippius (Gippius), Sinaida Nikolajewna, russ. Schriftstellerin, *Below (bei Tula) 20. 11. 1869, †Paris 9. 9. 1945; seit 1889 ⚭ mit D. S. Mereschkowski, mit dem sie dem Symbolismus in Russland zum Durchbruch verhalf; schrieb Gedankenlyrik, Novellen, Romane; emigrierte 1919 nach Paris.

hipp(o)... [grch.], Pferd...

Hippodamos, grch. Architekt des 5. Jh. v. Chr. aus Milet; entwickelte die Stadtplanung mit gleichförmigen Baublöcken zw. rechtwinklig sich kreuzenden Straßen in seinen Entwürfen für Piräus, Thurioi und Rhodos. Nach dem **hippodamischen System** wurden u. a. Milet nach der Zerstörung von 497 v. Chr. wieder aufgebaut und Priene neu gegründet.

Hippodrom [grch. »Pferderennbahn«] *der* oder *das,* im antiken Griechenland eine Rennbahn in Form eines langen schmalen Rechtecks für Wagen- und Pferderennen, die mehrmals zu absolvieren war. In der Neuzeit ein Gebäude oder Zelt, in dem zu Musik geritten wird oder zirkusähnl. Vorführungen stattfinden.

Hippokrates, 1) grch. Arzt, *auf Kos um 460 v. Chr., †Larissa um 370 v. Chr.; gilt aufgrund seiner genauen Beobachtung und Beschreibung der Krankheitssymptome sowie einer krit., spekulationslosen Diagnostik als Begründer der wiss. Medizin der Antike. Der **hippokrat. Eid** ist Vorbild des Ärztegelöbnisses.

2) H. von Chios, grch. Mathematiker der 2. Hälfte des 5. Jh. v. Chr. in Athen; beschäftigte sich mit dem geometr. Problem der Würfelverdoppelung. Die Quadratur des Kreises suchte er zu lösen mittels der **hippokrat. Möndchen,** sichelförmigen Flächen, die über den Katheten eines rechtwinkligen Dreiecks entstehen, wenn die über ihnen geschlagenen Halbkreise von einem Halbkreis über der Hypotenuse geschnitten werden. Die Summe der Flächen beider Mondsicheln ist gleich der Dreiecksfläche (Beweis durch den erweiterten →pythagoreischen Lehrsatz).

Hippologie [grch.] *die,* wiss. Pferdekunde.

Hippolytos, *grch. Mythos:* Sohn des Theseus und der Amazone Antiope oder Hippolyte. Als seine (von ihm verschmähte) Stiefmutter Phädra ihn bei Theseus verleumdete, schickte Poseidon auf dessen Bitten einen Stier aus dem Meer, sodass die Pferde des H. scheuten und ihn zu Tode schleiften. Von Asklepios wieder zum Leben erweckt, wurde H. Symbol der Auferstehung; auf Grabmälern als Sinnbild verwendet.

Hippolyt von Rom (grch. Hippolytos), röm. Kirchenschriftsteller und Gegenpapst (seit 217), *2. Hälfte des 2. Jh., †auf Sardinien um 235; Schüler des Irenäus von Lyon; Verfasser exeget., dogmat., apologet., histor. und kirchenrechtl. Schriften sowie einer Weltchronik; Heiliger, Tag: 13. 8. (in den Ostkirchen: 30. 1.).

Hippo Regius, antike Hafenstadt beim heutigen Annaba in Algerien, phönik. Gründung, Bischofssitz des Augustinus.

Hippursäure (Benzoylglycin), organ. Säure, die im lebenden Organismus in der Niere aus Benzoesäure und der Aminosäure Glycin gebildet wird; im Harn des Menschen und der Fleischfresser in Spuren, reichlich im Harn der Pflanzenfresser enthalten.

Hiragana *das* oder *die,* japan. Silbenschrift (→japanische Schrift).

Hirakuddamm, Staudamm in der →Mahanadi.

Hirn, →Gehirn.

Hirnanhangdrüse, die →Hypophyse.

Hirndruck (Gehirndruck), im Schädelinneren des Menschen herrschender Überdruck (normal 1–2 mbar über dem äußeren Luftdruck). Eine Steigerung des H. tritt z. B. bei Hirnödem und Raum fordernden Prozessen (Hirntumor u. a.) auf. Symp-

Hiroshima: Die Ruine des alten Gebäudes der Handelskammer (links), ein Mahnmal an die Atombombenexplosion von 1945, dahinter das neue Gebäude der Handelskammer; rechts daneben die zerstörte Stadt wenige Tage nach dem Abwurf der ersten Atombombe im Jahr 1945

tome sind Kopfschmerzen, Erbrechen, Bewusstseinsstörungen, Hirnnervenstörungen; bedarf sofortiger Behandlung.

Hirnhautentzündung, die →Gehirnhautentzündung.

Hirntod, →Tod.

Hirntumor (Gehirntumor, Gehirngeschwulst), gutartige oder bösartige Gewebeneubildung des Gehirns, seiner Häute oder der Hirnanhangdrüse. H. erzeugen Allgemeinsymptome, die häufig Folge ihres Raum fordernden Wachstums in der Schädelhöhle sind, und Lokalsymptome, die mit ihrem nicht selten typ. Sitz zusammenhängen. Zu den Allgemeinsymptomen gehören Kopfschmerzen, deren Heftigkeit im Verlauf einer Krankheit ständig zunimmt, ferner geistig-seel. Veränderungen (Reizbarkeit, leichte Ermüdbarkeit, Gedächtnisschwäche) und epilept. Anfälle.

Hirohito, Kaiser von Japan (1926–89), *Tokio 29. 4. 1901, †ebd. 7. 1. 1989; ab 1921 Regent für seinen Vater Yoshihito, wurde am 25. 12. 1926 zum 124. Tenno gekrönt. Seine Rolle in der Expansionspolitik Japans (1931–45) ist umstritten. Am 14. 8. 1945 verkündete er die Kapitulation seines Landes im 2. Weltkrieg. Die Verf. von 1947 beschränkte seine Aufgaben auf rein repräsentative Funktionen.

Hirohito, Kaiser von Japan

Hirosaki, Stadt auf Honshū, Japan, in der Tsugaruebene, 175 400 Ew.; Univ.; Herstellung von Farben und Lackwaren; Mittelpunkt des wichtigsten japan. Obstbaugebietes. – Reste der ehem. Burgstadt, Samuraihäuser.

Hiroshige [-ʃ-], Andō, japan. Maler und Meister des Farbholzschnitts, *Edo (heute Tokio) 1797, †ebd. 12. 10. 1858; schuf Folgen von Landschaftsholzschnitten und die z.T. nach der Natur gezeichnete Farbholzschnittfolge »53 Stationen des Tōkaidō« (1833–34). Seine »100 Ansichten von Edo« (1856–58) übten starken Einfluss auf die frz. Impressionisten aus.

Andō Hiroshige: »Heftiger Schauer über der Ohashi-Brücke«, Farbholzschnitt aus der Folge »100 Ansichten von Edo« (1856–58; Köln, Museum für Ostasiatische Kunst)

Hiroshima [-ʃ-] (Hiroschima), Hafenstadt auf Honshū, Japan, an der Inlandsee, 1,10 Mio. Ew.; Univ., Musik- und andere Hochschulen; meteorolog. Observatorium; Textil-, chem., Maschinen-, Autoind., Schiffbau; Export- und Fischereihafen, Flughafen. – Eines der wenigen größeren, nicht zerstörten Gebäude ist das Rathaus (1928, restauriert). Wiederhergestellt wurden der Wehrturm (jetzt Museum) der ehem. Burg (16. Jh.) und der Shukkeien-Landschaftsgarten (1. Hälfte 17. Jh.). Kenzō Tange schuf das »Friedenszentrum« (1949–56), Murano & Mori errichteten 1953 die »Friedenskathedrale«. – Der Abwurf einer US-amerikan. Atombombe auf H. am 6. 8. 1945 (erster Kernwaffeneinsatz) forderte etwa 200 000 Tote (viele Opfer durch Spätfolgen) und zerstörte die Stadt zu 80 %; ab 1949 Wiederaufbau.

Hirsau, seit 1975 Ortsteil von Calw. – Das Benediktinerkloster war ein Zentrum der Reformbewegung von Cluny in Dtl. und Ausgangspunkt der auf ihr beruhenden **Hirsauer Reform** innerhalb des Benediktinerordens. – Von der ehem. Klosterkirche St. Peter und Paul (1082–91), an deren Bauschema die Hirsauer Bauschule anknüpfte, sind nur noch Teile erhalten.

Hirsche: Rothirsch (Kopf-Rumpf-Länge 1,8–2,5 m)

Hirsauer Bauschule, Bez. für die Architektur der Kirchenbauten der von Hirsau aus reformierten Klöster. Sie bilden innerhalb der roman. Architektur eine Sondergruppe, die an die Kirche St. Peter und Paul in Hirsau (1082–91) anknüpft und eine den besonderen liturg. Bedürfnissen des Reformordens entsprechende Raumordnung von Cluny II übernimmt: flach gedeckte Säulenbasilika, Dreizellenchor, westl. Vorkirche mit Türmen, Verzicht auf die Krypta, Abtrennung der Vierung als Chorus maior (Aufenthaltsort der Mönche bei der Messe) und des ersten Langhausjoches als Chorus minor (Aufenthaltsort für Laienbrüder, alte und kranke Mönche). Diese Merkmale wurden örtlich abgewandelt. Erhaltene Bauten der H. B. sind das Münster in Schaffhausen (1103 geweiht) und die Klosterkirche in Alpirsbach (1125 vollendet).

Ludwig Hirsch

Magnus Hirschfeld

Hirsch, männl. Elch-, Rot-, Damwild (→Hirsche).

Hirsch, 1) Hugo, Komponist, *Birnbaum (heute Międzychód, Wwschaft Gorzów Wielkopolski) 12. 3. 1884, †Berlin 16. 8. 1961; lebte 1933–50 in der Emigration (London, Paris); schrieb Operetten (»Die tolle Lola«, 1923; »Charleys Tante«, 1926; u.a.), Schlager und Revuen.

2) Ludwig, österr. Liedermacher und Schauspieler, *Weinberg (Steiermark) 28. 2. 1946; setzt sich in seinen bissig-iron. Liedern kritisch mit der Tradition des »typ. Wiener Volks- und Straßenliedes« auseinander.

3) Max, Politiker, *Halberstadt 30. 12. 1832, †Bad Homburg v.d. Höhe 26. 6. 1905; Verlagsbuchhändler, später Kaufmann, gründete mit F. C. Duncker und H. Schulze-Delitzsch die **Hirsch-Dunckerschen Gewerkvereine** (→Gewerkschaften); Mitgl. des Reichstags 1869–93.

Hirschantilope, →Riedböcke.

Hirschberg im Riesengebirge, Stadt in Polen, →Jelenia Góra.

Hirschbrunst, die →Hirschtrüffel.

Hirsche (Cervidae), Familie der Paarhufer mit rd. 40 Arten, die in den Unterfamilien Moschustiere, Wasserrehe, Muntjak-, Neuwelt-H., Rehe und Echt-H. zusammengefasst werden. H. sind etwa 0,8–3 m körperlang, männl. Tiere sind etwas größer als weibliche. Sie leben meist gesellig, außerhalb der Paarungszeit (Brunftzeit) nach Geschlechtern getrennt und während der Paarungszeit oft in polygamen Rudeln, in denen es unter den Männchen häufig zu heftigen Kämpfen um die Weibchen kommt. Typ. Merkmal der H. ist das Geweih, das mit Ausnahme der Rentiere nur bei männl. Tieren vorhanden ist, bei Moschustieren und Wasserrehen aber ganz fehlt. Alle H. sind wiederkäuende Pflanzenfresser. – Zur Unterfamilie **Echt-H.** (Cervinae) gehören etwa zehn Arten, die urspr. im subtropisch-trop. Bereich Asiens beheimatet sind. Hierzu zählt u.a. der **Rot-H.** (**Edel-H.,** Cervus elaphus), der in Europa eines der größten frei lebenden Säugetiere ist und als jagdbares Wild auch in Australien und Südamerika eingebürgert wurde. Zur selben, über die gemäßigten Breiten der nördl. Halbkugel verbreiteten Art gehören u.a. die nordamerikan. Wapitis. Ein beliebtes Park- und Gatterwild sind die aus Kleinasien stammenden Damhirsche. Auch die Axis-H. Vorderindiens und Ceylons wurden erfolgreich in versch. Gegenden Europas eingebürgert. Weitere Vertreter der Echt-H. sind u.a. Davids-H., Sika-H., Sambar-H. und Zacken-H. – H. sind bereits in altsteinzeitl. Höhlen S-Frankreichs und N-Spaniens dargestellt, ebenso auf mittel- bis jungsteinzeitl. Felsbildern Norwegens und Sibiriens. Das lässt vermuten, dass H. in den Jahrhunderten v. Chr. im N sogar als Haustiere gehalten wurden.

Hirscheber, zu den →Schweinen gehörende Paarhufer.

Hirschfänger, Seitenwaffe des Jägers, mit dem angeschossenes Wild getötet wird; heute eher Schmuckwaffe.

Hirschfeld, 1) Kurt, Regisseur, *Lehrte 10. 3. 1902, †Tegernsee 8. 11. 1964; seit 1933 Dramaturg und Regisseur in Zürich, 1961 Direktor des Schauspielhauses ebd.; inszenierte u.a. die Uraufführung von »Herr Puntila und sein Knecht Matti« (B. Brecht, 1948) und »Andorra« (M. Frisch, 1961).

2) Magnus, Nervenarzt, *Kolberg (heute Kołobrzeg) 14. 5. 1868, †Nizza 15. 5. 1935; beschäftigte sich mit der Erforschung der Sexualität des

Menschen; befürwortete eine Geburtenkontrolle und wandte sich gegen die strafrechtl. Verfolgung der Homosexualität.

Hirschferkel, Zwergmoschustier (→Zwergböckchen).

Hirschhorn, Knochenmasse der Hirschgeweihe, wird zu Knöpfen, Griffen u. Ä. verarbeitet.

Hirschhorn (Neckar), Stadt und Luftkurort im Kr. Bergstraße, Hessen, im südöstl. Odenwald, am Neckar, 3800 Ew.; Maschinen-, Apparatebau. – Über H. eine um 1200 gegr. Burg mit Pallas (nach Brand im Renaissancestil neu errichtet) und Kapelle; durch vollständig erhaltene Mauern mit der Stadt verbunden. – H. erhielt 1391 Stadtrecht.

Hirschhornsalz, umgangssprachlich für →Ammoniumcarbonat.

Hirschkäfer (Schröter, Lucanidae), artenreiche Familie der Blatthornkäfer, bes. im indomalaiischen Raum; meist große bis sehr große, braune oder gelbe Käfer; Männchen häufig mit stark entwickeltem Oberkiefer (»Geweih«). Der mitteleurop., bis 8 cm lange **H.** (**Feuerschröter,** Lucanus cervus) steht unter Naturschutz.

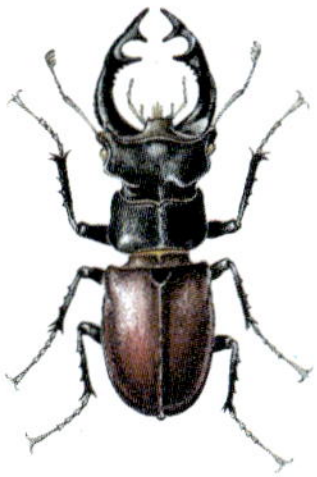

Hirschkäfer: Feuerschröter (Gesamtlänge bis 8 cm)

Morris Hirshfield: »Unzertrennliche Freunde« (1941; New York, Museum of Modern Art)

Hirschkuh, weibl. Hirsch.

Hirschtrüffel (Hirschbrunst, Elaphomyces cervinus), kugelige, unterird. Fruchtkörper bildender Pilz aus der Verwandtschaft der niederen Schlauchpilze. Die H. ist ungenießbar; sie wurde früher als Brunstmittel für Rinder und Schweine verwendet.

Hirschzunge (Phyllitis scolopendrium), geschützte Farnart aus der Familie der Streifenfarngewächse mit ungeteilten, lederigen Blättern; an schattigen Felsen.

Hirse, Bez. für versch. Gräser, die als Getreide kultiviert werden; anspruchslose Pflanzen der wärmeren Gebiete. Die H. ist in vielen Gebieten Asiens, Afrikas, Nord- und Südamerikas wichtigstes Nahrungsmittel und Futterpflanze. Die **Rispen-H.** oder **Echte H.** (Panicum miliaceum) ist in Zentralasien die meistkultivierte H., die **Kutki-H.** (Panicum sumatrense) bes. in Indien und auf Ceylon. Die **Schama-H.** (Echinochloa colonum) wird in wärmeren Gebieten als Futter- und Körnerfrucht, die **Japan-H.** (Echinochloa frumentacea) bes. in O-Asien als Getreide- oder Futtergras angebaut. Die **Kolben-H.** (**Vogel-H., Fennich,** Setaria italica) dient als Nahrung und in O-Europa als Viehfutter. In Nordamerika wird bes. **Blut-H.** (Digitaria sanguinalis), in Kalifornien die **Grannen-H.** (Oryzopsis miliacea) als Futtergras genutzt. Wichtige Nahrungsmittel in Afrika sind **Mohren-H.** (**Kaffernkorn, Durra,** Sorghum bicolor), in Äthiopien der **Teff** (Eragrostis tef).

Hirshfield [ˈhəːʃfiːld], Morris, amerikan. Maler poln. Herkunft, *in Russisch-Polen 1872, †New York 26. 7. 1946; gehört mit seinen dekorativen Kompositionen mit ornamental stilisierten Tieren, Bäumen und Frauen zu den bed. Vertretern der naiven Malerei.

Hirsutismus [zu lat. hirsutus »struppig«] *der,* vermehrte Genital-, Körper- und Gesichtsbehaarung bei Frauen; ausgelöst durch erhöhte Bildung von Testosteron u. a. Androgenen aus Eierstöcken und Nebennierenrinde infolge angeborener Enzymstörung oder aufgrund von Tumoren (z. B. der Nebenniere). Zur Behandlung dienen Antiandrogenpräparate.

Hirt, Hüter von Haustieren beim Weidegang; neuzeitl. Form in Nordmerika der Cowboy, in Südamerika der Gaucho. – In der Bibel vielfach gebrauchtes Bild für Gott und für Jesus Christus als den »Guten Hirten«.

Hirt, Hermann, Sprachwissenschaftler, *Magdeburg 19. 12. 1865, †Gießen 12. 9. 1936; ab 1896 Prof. in Leipzig, ab 1912 in Gießen; wurde v. a. mit Arbeiten zur Indogermanistik bekannt (»Die Indogermanen«, 2 Bde., 1905–07; »Indogerman. Grammatik«, 7 Bde., 1921–37).

Hirtenamt, die kirchl. Seelsorge, i. e. S. das kirchl. Lehramt.

Hirtenbrief, *kath. Kirche:* ein zur Verlesung bestimmtes Rundschreiben des Bischofs an Mitglieder seiner Diözese zu lehramtl., seelsorgl. oder aktuellen kirchenpolit. und Zeitfragen.

Hirse (von oben): Echte Hirse (Höhe bis 1 m) und Kolbenhirse (Höhe bis 2 m)

Hirtentäschel (Höhe 20–40 cm)

Hirtendichtung, die →Schäferdichtung.

Hirtentäschel (Hirtentäschelkraut, Capsella bursa-pastoris), Kreuzblütler mit weißen Blüten und dreieckigen Schötchen; häufiges Unkraut der Äcker und Gärten.

Hirtenvölker, Volksstämme, die von der Herdenviehzucht leben (z. B. Massai in O-Afrika). Ihre nomad. Lebensform ist den Lebensgewohnheiten und Bedürfnissen der Tiere angepasst.

Hirth, 1) Hellmuth, Ingenieur und Flugpionier, *Heilbronn 24. 4. 1886, †Karlsbad 1. 7. 1938, Bruder von 2); stellte 1911 einen Höhenweltrekord auf und führte den ersten größeren Fernflug durch (Berlin–Wien). Die von ihm 1931 gegr. **Hirth Motoren GmbH,** Stuttgart (1941 von der Ernst Heinkel AG übernommen), baute v. a. Motoren für Sportflugzeuge.

2) Kurt Erhard Wolfram, gen. Wolf H., Segelflieger und Flugzeugbauer, *Stuttgart 28. 2. 1900, †(abgestürzt) bei Dettingen unter Teck 25. 7. 1959, Bruder von 1); entdeckte die Technik des Thermikflugs; stellte 1934 einen Weltrekord im Streckenflug auf; entwickelte und baute bekannt gewordene Segelflugzeuge; verfasste das richtungweisende »Hb. des Segelfliegens« (1938).

Hirudin [lat.] *das,* in der Speicheldrüse der Blutegel gebildetes Protein, hemmt die Blutgerinnung.

His, *Musik:* das um einen Halbton erhöhte H.

Wilhelm His

His, Wilhelm, schweizerisch-dt. Anatom, *Basel 9. 7. 1831, †Leipzig 1. 5. 1904; trat mit histolog. und embryolog. Forschungen zur Entwicklungsgeschichte (bes. des Zentralnervensystems) hervor. Sein Sohn Wilhelm H. (*1863, †1934) entdeckte das **hissche Bündel** im Erregungsleitungssystem des Herzens.

Hiskia (lat. Ezechias), König von Juda 727–698 v. Chr.; kämpfte gegen den Assyrerkönig Sanherib.

Hispania [lat.], in röm. Zeit Name der Iberischen Halbinsel.

Hispaniola (früher Haiti, auch Santo Domingo), die zweitgrößte der Westind. Inseln, 76 192 km², rd. 13 Mio. Ew.; politisch aufgeteilt in die →Dominikanische Republik und →Haiti. Mehrere parallele, meist bewaldete Gebirgsketten (bis 3 175 m), die durch teils fruchtbare, teils verkarstete Senken voneinander getrennt sind, durchziehen die Insel von W nach O. An den stärker gegliederten Küsten zeigen zahlr. Terrassen (bis 600 m Höhe) eine junge Hebung der Insel an. Das Klima ist randtropisch mit häufigen Wirbelstürmen.

Hissarlik (türk. Hisarlık [»Schlossberg«]), Ruinenhügel im NW Kleinasiens, die Stätte des alten →Troja.

Histadrut [hebr. »Zusammenschluss«], mitgliederstärkste israel. Gewerkschaft mit Sitz in Tel Aviv, gegr. 1920 in Haifa, befasst sich neben den traditionellen gewerkschaftl. Aufgaben u. a. mit dem Krankenkassen- und Pensionswesen, betreibt gemeinwirtschaftl. Unternehmen (z. B. im Bank- und Bauwesen) sowie Kaufhäuser und Verlage und organisiert landwirtschaftl. Genossenschaften (bes. die Kibbuzim). (→Israel, Geschichte)

Histamin [grch.] *das,* aus Histidin entstehendes biogenes Amin, zu den Gewebshormonen gerechnet; im Organismus weit verbreitet, hat es starke physiolog. Wirkung: Senkung des Blutdrucks, Erweiterung der Kapillaren, Kontraktion von Teilen der glatten Muskulatur u. a. H. spielt eine wesentl. Rolle bei allerg. Reaktionen. Seine Wirkung lässt sich durch Antihistaminika hemmen.

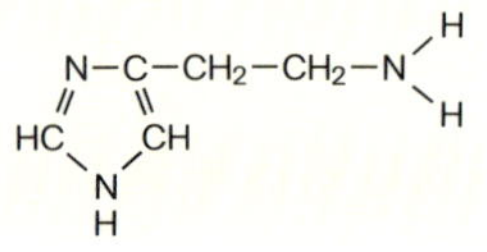

Histamin

Histidin [grch.-lat.] *das,* Abk. **His,** essenzielle Aminosäure, bes. häufig in Proteinen vorkommend; geht im Organismus in Histamin über.

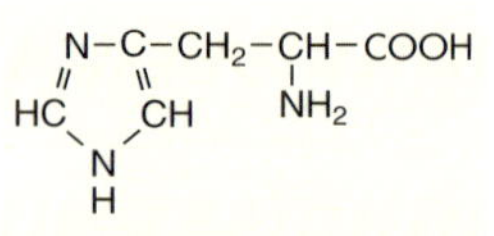

Histidin

Histiozyten [grch.] (Wanderzellen, Plasmatozyten), Zellen des lockeren Bindegewebes bei Wirbeltieren und beim Menschen. Durch Phagozytose (Aufnahme von Fremdkörpern, Bakterien u. a.) sind sie an Abwehrvorgängen beteiligt.

Histochemie [grch.], Lehre vom chem. Aufbau der Gewebe und Zellen von Organismen; Teilgebiet der Histologie.

Histologie [grch.] *die* (Gewebelehre), Lehre von den menschl., tier. und pflanzl. Geweben, deren Struktur und besonderen Leistungen.

Histone [grch.], Gruppe einfacher Proteine, die bas. Aminosäuren enthalten und im Zellkern mit den Nucleinsäuren verbunden sind.

Historie [grch.-lat. historia, eigtl. »Wissen«, »Kunde«] *die,* die Geschichte (als das Geschehene).

Historienmalerei, Gattung der Malerei, die geschichtl. Ereignisse, i. w. S. auch bibl. Szenen sowie Erzählstoffe aus Legende, Sage und Dichtung, zum Inhalt hat. – Darstellungen geschichtl. Geschehnisse finden sich schon in den frühen Hochkulturen, z. B. in der ägypt. Kunst Schlachtendarstellungen in den Tempeln Sethos' I. und Ramses' II. und aus der Zeit Ramses' III. Von dokumentar. Wert ist die H. der Assyrer unter Assurnasirpal II. bis zu Assurbanipal. Bei den Griechen ist die Darstellung geschichtl. Ereignisse mit mytholog. Vorstellungen verquickt (→Alexanderschlacht). Die Römer kannten diese H. in Form von Reliefs, bes. häufig in der Kaiserzeit an Triumphbögen und Triumphsäulen (Trajan und Mark Aurel).

Im MA. spielten Darstellungen von Heiligenlegenden und Szenen aus den Kreuzzügen eine große Rolle. Die Wiederentdeckung der Antike durch die Renaissance führte dazu, dass von der Mitte des 15. Jh. an die antiken Heldengeschichten zum Bildthema der H. wurden. Es entstanden drei Epoche machende Schlachtenbilder: Leonardo da Vincis »Schlacht von Anghiari« (Karton von 1503–05; verschollen), Michelangelos »Überfall bei den Cascine« (Karton verschollen, Federzeichnung von 1505 erhalten) und Tizians »Schlacht bei Cadore« (1538 vollendet, nicht erhalten). Das bedeutendste Werk jener Zeit nördlich der Alpen schuf A. Altdorfer mit der »Alexanderschlacht« (1529). Die H. des Barock erreichte mit Rubens' Medicizyklus (1621–25) und Velázquez' »Schlüsselübergabe von Breda« (1635) ihren Höhepunkt. Neuen Aufschwung nahm die H. mit Erstarken des Bürgertums (J.-L. David, »Schwur der Horatier«, 1784/85). Die H. des 19. Jh. wandte sich der (nat.) Geschichte zu; E. Delacroix, T. Géricault, P. Delaroche, É. Manet in Frankreich, P. Cornelius, A. Rethel, K. F. Lessing, W. von Kaulbach, K. von Piloty, A. von Menzel in Dtl., E. Stückelberg und F. Hodler in der Schweiz. In Süd- und Osteuropa fand v. a. in der H. die Auflehnung gegen Fremdherrschaft und Unterdrückung ihren Ausdruck (u. a. J. Čermák und M. Aleš in Böhmen, T. Aman und N. Grigorescu in Rumänien, J. Kossak, A. Grottger und J. Matejko in Polen sowie I. Repin, W. W. Wereschtschagin und W. M. Wasnezow in Russland). Bittere Anklagen gegen den Krieg erhoben u. a. Goya (»Desastres de la guerra«, 1810–14), Picasso (»Guernica«, 1937). Während in der westl. modernen Kunst die H. in der Folgezeit an Bedeutung verlor, erhielt sie in Osteuropa eine zeitweilige Belebung. Idealisierende Tendenzen zeigten sich bes. in der sowjet. H., in der der Personenkult um Lenin und Stalin mit- oder nachwirkte, aber auch – neben gleichnishaften Darstellungen sowie krit. Auseinandersetzungen mit aktuellen Ereignissen – in der H. der DDR. Eine große Bedeutung erlangte die H. innerhalb der mexikan. revolutionären Wandmalerei (→ Muralismo).

📖 *H. in Europa, hg. v.* E. Mai, *unter Mitarb. v.* A. Repp-Eckert. *Mainz 1990. – H., hg. v.* T. W. Gaehtgens *u.* U. Fleckner. *Berlin 1996.*

Historikerstreit, Kontroverse unter einigen dt. Historikern, Philosophen und Journalisten über die Einordnung und Bewertung des Nationalsozialismus und insbesondere der verbrecher. Behandlung der Juden (Holocaust); ausgelöst durch den Vorwurf von J. Habermas (»Die Zeit«, 11. 7. 1986) gegen eine Gruppe von Historikern (bes. E. Nolte), das nat.-soz. Regime und seine Verbrechen zu relativieren. Die polemisch ausgetragene Diskussion galt auch der Bestimmung des zeitgenöss. Geschichtsbewusstseins wie den Aufgaben der Geschichtswiss. und Geschichtsschreibung.

Historienmalerei: Ilja Repin, »Die Saporoger Kosaken schreiben einen Brief an den türkischen Sultan«, Ausschnitt (1878–91; Moskau, Tretjakow-Galerie)

📖 *Ist der Nationalsozialismus Geschichte? Zu Historisierung u. H., hg. v.* D. Diner. *Frankfurt am Main 13.–14. Tsd. 1993. – »H.«. Die Dokumentation der Kontroverse um die Einzigartigkeit der nat.-soz. Judenvernichtung. Beiträge v.* R. Augstein *u. a. München u. a. [9]1995.*

Historiographie [grch.] *die,* → Geschichtsschreibung.

historische Buchten, *Völkerrecht:* Meeresbuchten (Bai, Fjord, Meerbusen, Golf), die aufgrund ihrer Beschaffenheit nach allgemeinen völkerrechtl. Grundsätzen nicht zu den Territorialgewässern (Eigengewässern) eines Staates gehören würden, jedoch gewohnheitsrechtlich als Eigengewässer eines Staates betrachtet werden (z. B. Hudsonbai, Weißes Meer).

historische Geographie, Teilbereich der Geographie; ihre Hauptaufgabe ist es, räuml. Zustände, Strukturen und Beziehungen der einzelnen histor. Epochen zu erforschen. Hilfsmittel sind v. a. die Feldforschung (z. B. Erforschung von Siedlungs- und Flurformen, auch durch Luftbildauswertung) für urgeschichtl. wie geschichtl. Perioden und die Auslegung literar. Quellen und Karten. Ziel der h. G. ist die Erstellung von historisch-geograph. Karten, histor. Landeskunden und Kulturlandschaftsgeschichten.

historische Hilfswissenschaften, die Wissensgebiete, die sich mit der vorbereitenden Kritik

Alfred Hitchcock: Szene aus »Die Vögel« (1963)

der Geschichtsquellen befassen, u.a. Paläographie, Inschriftenkunde, Urkundenlehre (Diplomatik), Aktenkunde, Genealogie, Heraldik, Chronologie, Numismatik. (→ Geschichtswissenschaft)

historische Methode, Bez. für das allg. Erkenntnisprinzip v.a. in den Geisteswiss., die in krit. Auseinandersetzung mit dem Quellenbefund ermittelten histor. Fakten und Geschichtsabläufe in ihrer Genese, ihren Bedingungszusammenhängen und Wirkungen verstehen zu wollen; seit L. von Ranke prinzipiell unbestritten, heute relativiert. (→ Geschichtsschreibung)

historischer Materialismus, → Marxismus.

historische Schule, 1) h. S. der Nationalökonomie, Bez. für eine v.a. in Dtl. Mitte des 19. Jh. entstandene und bis ins 20. Jh. wirksame Forschungsrichtung mit der Grundthese, dass alle wirtsch. Erscheinungen raum- und zeitabhängig sind und demzufolge keine allgemein gültigen Theorien aufgestellt werden können. Man unterscheidet die **ältere h. S.,** begründet u.a. von W. Roscher, Bruno Hildebrand (*1812, †1878) und Karl Gustav Adolf Knies (*1821, †1898), die **jüngere h. S.** (G. Schmoller, K. Bücher, L.J. Brentano) und eine sog. **dritte h. S.,** die sich bes. mit sozialpolit. Problemen beschäftigte (M. Weber, W. Sombart, A. Spiethoff). Die Vertreter der h. S. betonten die histor. Einmaligkeit wirtsch. Phänomene und bemühten sich um Zeit- und Wirklichkeitsnähe; ihr (nicht erreichtes) Ziel war es, durch statistisch-empir. Forschung die Besonderheiten der → Wirtschaftsstufen zu erfassen und theoret. Aussagen induktiv aus Beobachtungen abzuleiten.

📖 *Geschichte der Nationalökonomie, hg. v.* O. Issing. *München ^{3}1994.*

2) historische Rechtsschule, um 1800 von F. K. von Savigny begründete rechtswiss. Lehre über das Entstehen von Recht. Das Recht sei, gebunden an histor. Voraussetzungen, ein aus dem innersten Wesen der Nation und ihrer Geschichte entstandener Teil ihrer Kultur. Die Gesetzgebung hat danach keine eigene schöpfer. Kraft. Die h. S. verzweigte sich im 19. Jh. in → Germanisten und Romanisten. (→ Rechtswissenschaft)

Historismus *der,* **1)** *Geisteswissenschaften:* geschichtsbezogenes Denken, insbesondere die Auffassung, die von der Geschichte als umfassendem Zusammenhang geistigen Lebens, von der Einzigartigkeit der geschichtl. Erscheinungen und von dem unaufhörlichen, unbegrenzbaren und gesetzlosen Fließen des Geschichtlichen ausgeht. Der eigentl. Begriff H. entstammt der 2. Hälfte des 19. Jh. Seine größte prakt. Bedeutung für Geschichts- und Gegenwartsbewusstsein erreichte er in der Zeit der dt. Reichsgründung als grundlegende quellenbezogene Position auch der Sprachwiss., histor. Rechtsschule und histor. Schule der Nationalökonomie, die gleich der Geschichtswiss. in der Individualität die schlechthin bestimmende Kategorie histor. Erkenntnis sahen. Die Krise des H. fiel mit dem in Dtl. auch als Orientierungskrise erlebten Ende des 1. Weltkriegs zusammen, da die Absolutsetzung dieses method. Prinzips, das die Unvergleichbarkeit histor. Prozesse und Strukturen behauptet, in Wertrelativismus zu münden droht. Dies führte zur methodolog. Neuorientierung der modernen Geschichtswiss., die gleichwohl aus dem H. starke Antriebe für Forschung und Deutung der Gegenwart gezogen hat. – Als **Historizismus** kritisierte K. R. Popper sozialwiss. Theorien (bes. Marxismus), die den Geschichtsverlauf »objektiven« Gesetzen unterwerfen und behaupten, histor. Entwicklungen voraussagen zu können.

📖 Oexle, O. G.: *Geschichtswissenschaft im Zeichen des H. Göttingen 1996*

2) *Kunstgeschichte:* im 19. Jh. Ausdruck einer in histor. Anleihen das eigene Selbstverständnis suchenden Stilhaltung (Neugotik, Neurenaissance, Neubarock); bis in die 1960er-Jahre weitgehend negativ beurteilt, sieht die Forschung heute im Stilpluralismus des H. den Versuch, im Zeitalter des Positivismus Geschichte zu bewahren.

📖 Jaeger, F. *u.* Rüsen, J.: *Geschichte des H. Eine Einführung. München 1992.*

Histrione [lat.] *der,* altröm. Schauspieler.

Hit [engl. »Treffer«] *der,* bes. erfolgreiches Musikstück, Spitzenschlager; übertragen: etwas, was beliebt ist, von vielen gekauft wird.

Hita ['ita], **1)** Arcipreste de, span. Dichter, → Ruiz, Juan.

2) Ginés Pérez de, span. Schriftsteller, → Pérez de Hita, Ginés.

Hitachi Ltd. [-tʃi 'lɪmɪtɪd], bed. japan. Elektro- und Elektronikkonzern, Sitz: Tokio; gegr. 1910.

Das Produktionsprogramm umfasst Haushaltsgeräte und Unterhaltungselektronik, Nachrichten- und Kommunikationssysteme, Kabel, Metalle, chem. Produkte, Konsumgüter, Ind.anlagen und -ausrüstungen.

Hitchcock ['hɪtʃkɔk], Alfred, brit. Filmregisseur, *London 13. 8. 1899, † Los Angeles 29. 4. 1980; drehte spannungsreiche Kriminalfilme (Thriller), u. a. »Der Mann, der zuviel wußte« (1934, 2. Fass. 1956), »39 Stufen« (1935), »Rebecca« (1940), »Bei Anruf Mord« (1954), »Das Fenster zum Hof« (1954), »Über den Dächern von Nizza« (1955), »Immer Ärger mit Harry« (1955), »Psycho« (1960), »Die Vögel« (1963), »Marnie« (1964), »Topas« (1969), »Frenzy« (1971), »Familiengrab« (1975).

Alfred Hitchcock

📖 SPOTO, D.: *A. H. A.d. Amerikan. Neuausg. München 1993.* – TRUFFAUT, F.: *Mr. H., wie haben Sie das gemacht? A. d. Frz. Neuausg. München* [18]*1995.*

Hitchings ['hɪtʃɪŋs], George Herbert, amerikan. Pharmakologe und Biochemiker, *Hoquiam (Wash.) 18. 4. 1905, † Chapel Hill (N. C.) 27. 2. 1998; betrieb Forschungen zu Medikamenten, die die Nucleinsäuresynthese von Krebszellen und schädl. Organismen blockieren, ohne die normalen Zellen zu schädigen; erhielt 1988 mit G. B. Elion und J. W. Black den Nobelpreis für Medizin.

George H. Hitchings

Hitler, Adolf, *Braunau am Inn (OÖ) 20. 4. 1889, † (Selbstmord) Berlin 30. 4. 1945; Sohn des österr. Zollbeamten Alois H. (*1837, †1903; bis 1877 A. Schicklgruber nach seiner Mutter), dt. Staatsangehöriger seit 1932; wollte Künstler werden, scheiterte in Wien bei der Ausbildung, ging 1913 nach München. Im 1. Weltkrieg war H. Soldat im dt. Heer. 1919 kam er mit der Dt. Arbeiterpartei (seit Febr. 1920 Nat.-Soz. Dt. Arbeiterpartei, NSDAP) in Berührung, die er bald zu seiner Partei machte. 1922/23 wurde H. zur politisch wirksamsten Figur der in Bayern konzentrierten nationalist. Gruppen und Wehrverbände. Der Versuch, die bayer. Regierung zum Staatsstreich gegen die Reichsreg. zu bewegen, misslang am 9. 11. 1923 (→ Hitlerputsch). Die NSDAP wurde aufgelöst. H. wurde zu fünf Jahren Festungshaft verurteilt, aber schon im Dez. 1924 aus Landsberg, wo er den ersten Band seines Programmbuchs »Mein Kampf« geschrieben hatte, entlassen. In dieser Schrift waren bereits seine Ziele (z. B. die Rassenpolitik und außenpolit. Expansion) vorgezeichnet.

Mit der Neugründung der NSDAP 1925 unternahm H. den Versuch, mithilfe einer Legalitätsstrategie (Wahl- und Parlamentsbeteiligung) die verfassungsmäßige Ordnung der Weimarer Republik zu bekämpfen und die Macht zu erringen. Auf der Grundlage des Führerprinzips schuf er sich in der NSDAP ein ihm ergebenes Instrument, in SA und SS eine innenpolit. Kampftruppe. Die Krisensituation gegen Ende der Weimarer Republik, bes. nach der Wirtschaftskrise 1930, agitatorisch ausnutzend, gelang es ihm, durch Rednergabe und straffe Organisation zunehmend größere Erfolge für seine Partei bei den Wahlen zu erringen. Am 30. 1. 1933 als Führer der stärksten Partei (in Koalition mit der Deutschnationalen Volkspartei) zum Reichskanzler ernannt, schaltete er zuerst durch Notverordnungen, dann aufgrund des → Ermächtigungsgesetzes seine polit. Gegner aus. In der blutigen Gewaltaktion gegen den so genannten »Röhm-Putsch« (30. 6./1. 7. 1934) beseitigte er die Sonderstellung der SA.

Nach dem Tode Hindenburgs (2. 8. 1934) machte er sich als »Führer und Reichskanzler« zum Staatsoberhaupt und vereinigte damit die Ämter des Partei-, Regierungs- und Staatschefs. Er errichtete einen auf ihn zugeschnittenen »Führerstaat«, ein auf Rassen- und Machtideologie fußendes terrorist. Herrschaftssystem (→ deutsche Geschichte). Es setzte eine ständig sich steigernde Judenverfolgung (Holocaust) ein (→ Kristallnacht). Alle polit. Gegner wurden (bes. mithilfe der → Geheimen Staatspolizei) verfolgt und in → Konzentrationslager verschleppt, Parlamentarismus und Humanität unterdrückt; der soziale Friede wurde durch Machtspruch hergestellt, durch Staatsaufträge und Aufrüstung die Arbeitslosigkeit beseitigt und ein wirtsch. Aufschwung herbeigeführt. Die Freiheits- und Menschenrechte hob H. auf; Kultur, Wiss. und Kunst ebenso wie Staat, Wirtschaft und Wehrmacht (Febr. 1938 Schaffung des OKW unter Führung H.) wurden »gleichgeschaltet«, straff zentral gelenkt und durch einen feinmaschigen Polizeiapparat überwacht, Kirche und Christentum immer offener bekämpft (→ Kirchenkampf).

Außenpolitisch verfolgte H. ein aggressives Expansionsprogramm (Eroberung neuen dt. »Lebensraums« im östl. Mitteleuropa), das auch den Krieg nicht ausschloss (»Hoßbach-Niederschrift«, 5. 11. 1937). Der Öffentlichkeit hingegen stellte er die Revision des Versailler Vertrags und Gleichberechtigung Dtl.s als Hauptziele seiner Außenpolitik dar (→ Nationalsozialismus). Mit dem »Anschluss« Österreichs (März 1938) und der Sudetengebiete (Okt. 1938, → Münchener Abkommen) setzte er unter Anwendung stärksten Drucks eine große Ausdehnung des dt. Staatsgebiets durch. Mit der Zerschlagung der Tschechoslowakei (Errichtung des »Reichsprotektorats Böhmen und Mähren«, 15. 3. 1939) beschritt H. endgültig den Weg zur Unterwerfung Europas und zur Errichtung einer weltweiten dt. Vorherrschaft.

Adolf Hitler

Nach dem Abschluss des Dt.-Sowjet. Nichtangriffspaktes (»H.-Stalin-Pakt«) löste er mit dem Angriff auf Polen den 2. Weltkrieg aus. Die militär. Blitzkriegserfolge bestärkten H. im Glauben an seine militär. Führungsfähigkeiten (19. 12. 1941 direkte Übernahme des militär. Oberbefehls). Nach dem dt. Angriff auf die UdSSR (22. 6. 1941) forderte H. die Beherrschung und Ausbeutung des eroberten Gebietes. Nach der Wendung des militär. Geschehens 1941/42 zuungunsten Dtl.s trat eine Steigerung der Gewalt- und Vernichtungspolitik (→Wannseekonferenz zur so genannten »Endlösung der Judenfrage«; »Euthanasie-Programm«) ein. Daneben standen andere, ebenfalls auf H. persönlich zurückgehende Geheimbefehle (u. a. Kommissarbefehl, Aufstellung von →Einsatzgruppen), das Anwachsen der Zahl der Vernichtungs- und Konzentrationslager (v. a. für europ. Juden, Sinti und Roma), die abschreckenden Repressalien nach dem misslungenen Attentat am 20. 7. 1944 (→Zwanzigster Juli 1944). H.s Befehlsgebung in der Isolation des »Führerhauptquartiers« (»Wolfsschanze«) wurde zunehmend wirklichkeitsfremd und führte zur Entstehung von rivalisierenden Machtapparaten. – Kurz vor der Einnahme Berlins durch sowjet. Truppen nahm sich H. zus. mit seiner Geliebten Eva Braun (⚭ 29. 4. 1945) im Bunker der Reichskanzlei das Leben.

Johann Wilhelm Hittorf

🕮 JÄCKEL, E.: *H.s Herrschaft. Vollzug einer Weltanschauung. Stuttgart ^{3}1991.* – BULLOCK, A.: *H. u. Stalin. Parallele Leben. A. d. Engl. Tb.-Ausg. München 1993.* – PÄTZOLD, K. *u.* WEISSBECKER, M.: *A. H. Leipzig 1995.* – FEST, J. C.: *H. Neuausg. Frankfurt am Main u. a. ^{6}1996.* – HAFFNER, S.: *Anmerkungen zu H. Tb.-Ausg. Frankfurt am Main 273.–280. Tsd. 1996.* – HAMANN, B.: *H.s Wien. Lehrjahre eines Diktators. München 1996.*

Jakob Ignaz Hittorf: Gare du Nord in Paris (1861-65)

Hitler-Jugend, Abk. **HJ,** Jugendorganisation der NSDAP, gegr. 1926, unterstand ab 1931 einem Reichsjugendführer. Die große Zahl der dt. Jugendverbände musste nach 1933 der HJ weichen, die 1936 zur Staatsjugend erhoben wurde. Ab 1939 war die Mitgliedschaft für alle Jugendlichen vom 10. bis 18. Lebensjahr Pflicht; Gliederungen: **Deutsches Jungvolk** (DJ; Jungen von 10 bis 14 Jahren), **Deutsche Jungmädel** (DJM; Mädchen von 10 bis 14 Jahren), die eigentl. **HJ** (Jungen von 14 bis 18 Jahren), **Bund Deutscher Mädel** (BDM; Mädchen von 14 bis 18 Jahren).

🕮 KLAUS, M.: *Mädchen im Dritten Reich. Der Bund Deutscher Mädel (BDM). Köln ^{2}1985.* – REINECKE, A.: *Jugend zw. Kreuz u. Hakenkreuz. Paderborn ^{2}1987.* – KLÖNNE, A.: *Jugend im Dritten Reich. Neuausg. München u. a. 1995.*

Hitlerputsch, Putschversuch Hitlers und des ihm nahe stehenden Generals E. Ludendorff. Am 8./9. 11. 1923 versuchte Hitler von München aus, begünstigt durch den schweren Konflikt der bayer. Regierung unter G. Ritter von Kahr mit dem Reich, die Reichsregierung in Berlin gewaltsam zu stürzen und eine Diktatur zu errichten. Kahr, der zum Schein auf die Pläne Hitlers einging, schlug den Putsch am 9. 11. mithilfe von Reichswehr und Polizei nieder.

Hitler-Stalin-Pakt, →Deutsch-Sowjetischer Nichtangriffspakt.

Hittorf, 1) Jakob Ignaz (frz. Jacques-Ignace), frz. Architekt und Archäologe dt. Herkunft, *Köln 20. 8. 1792, †Paris 25. 3. 1867; erbaute in Paris die Kirche Saint-Vincent-de-Paul (1842–44) gemeinsam mit seinem Schwiegervater Jean-Baptiste Lepère (*1761, †1844) und gestaltete 1833 ff. die Place de la Concorde, die Champs-Élysées, die Place de l'Étoile (1857 vollendet, jetzt Place Charles-de-Gaulle). Er gilt als einer der Pioniere der Eisenkonstruktion (Gare du Nord, 1861–65). – Aufgrund seiner archäolog. Studien in Italien und auf Sizilien konnte er die Polychromie in der grch. Baukunst nachweisen.

2) Johann Wilhelm, Chemiker und Physiker, *Bonn 27. 3. 1824, †Münster 28. 11. 1914; untersuchte die Beweglichkeit von Ionen bei der Elektrolyse sowie die Physik der Gasentladungen; entdeckte die geradlinige Ausbreitung und magnet. Ablenkbarkeit der Kathodenstrahlen.

Hitzacker (Elbe), Stadt im Kreis Lüchow-Dannenberg, an der Mündung der Jeetzel in die Elbe, 5 100 Ew.; Luftkurort; jährlich Sommerl. Musiktage. – Zahlr. Fachwerkhäuser. – Seit 1258 Stadt.

Hitzdrahtmesswerk (Hitzdrahtinstrument), *Messtechnik:* veraltetes Messinstrument, bei dem die Längenänderung eines dünnen, stromdurchflossenen Metalldrahtes zur Messung der Stromstärke genutzt wird. Die Längenänderung beruht auf der von der Widerstandserwärmung bewirkten Ausdehnung des Drahtes und ist damit dem Quadrat der Stromstärke proportional. Das H. wird gegenwärtig nur noch in einigen Spezialgebieten eingesetzt.

Hitze, 1) *allg.:* starke Wärme, die als unangenehm empfunden wird; hohe Lufttemperatur.

2) *Jägersprache:* Läufigkeit bei Hunden, Füchsen.

Hitzebeständigkeit, *Werkstoffkunde:* Widerstandsfähigkeit bes. metall. Werkstoffe gegen hohe Temperaturen. Die H. wird v.a. durch Zusatz der Legierungselemente Chrom, Silicium, Aluminium und Nickel erreicht.

Hitzemauer (Wärmemauer, Hitzeschwelle), Bez. für den Geschwindigkeitsbereich des Über- und Hyperschallfluges, in dem eine starke Erwärmung des Flugzeugs bzw. Flugkörpers durch Aufstau und Reibung der umgebenden Luft auftritt und der deshalb nicht für längere Zeit überschritten werden darf. Die H. ist von der Flughöhe, der therm. Belastungsfähigkeit der Werkstoffe und von der Konstruktion abhängig.

Hitzeresistenz, die Widerstandsfähigkeit von Lebewesen gegenüber hohen Temperaturen.

Hitzeschild, *Raumfahrt:* Schutzfläche an Raumflugkörpern zur Aufnahme oder Ableitung der Reibungswärme, die bei ihrem Eintritt in die Erdatmosphäre oder in die Atmosphäre eines anderen Himmelskörpers entsteht. Das H. schützt auch vor Triebwerksstrahlung oder Sonneneinflüssen.

Hitzewallung (sog. fliegende Hitze), mit einer Erweiterung der Hautgefäße verbundener, plötzlich auftretender Blutandrang zum Kopf; v.a. bei Frauen in den Wechseljahren durch hormonale Umstellungen.

Hitzschlag, lebensbedrohl., akute Überhitzung des Körpers, mit Hirnschädigung, infolge körperl. Überanstrengung bei feuchter Hitze. Symptome sind hohes Fieber, Krämpfe, fehlende Schweißabsonderung und Bewusstseinstrübung.

HIV [Abk. für engl. **h**uman **i**mmunodeficiency **v**irus] (humane Immunschwächeviren), zu den lymphotropen Viren zählende Retroviren, deren bislang entdeckte Vertreter als HIV-1 und HIV-2 bezeichnet werden. HIV-1 ist nach derzeitigem Kenntnisstand der maßgebl. Erreger der Immunschwächekrankheit →Aids.

Hjälmarsee ['jɛl-] (schwed. Hjälmaren), See in der mittelschwed. Senke, 484 km², 17 m tief, entwässert zum Mälarsee. Am W-Ende liegt Örebro.

Hjortspring ['jordsbreŋ; dän. »Hirschsprung«], Landgut auf der dän. Insel Alsen, bei dem 1921 im Moor ein 11 m langes Ruderboot (3.–2. Jh. v. Chr.) aus Lindenholzplanken und Waffen für eine 20- bis 24-köpfige Mannschaft gefunden wurden.

HK, Einheitenzeichen für Hefner-Kerze (→Hefner-Alteneck).

hl, Einheitenzeichen für Hektoliter, 1 hl = 100 l.

HL, Bildschnitzer, →Meister HL.

Hl., hl., Abk. für **heil**ig.

Hłasko ['xu̯askɔ], Marek, poln. Schriftsteller, *Warschau 14. 1. 1934, †(Selbstmord) Wiesbaden 14. 6. 1969; verließ 1958 Polen; schrieb stilistisch von E. Hemingway beeinflusste, krass-realist. Romane und Erzählungen: »Der achte Tag der Woche« (1956), »Peitsche deines Zorns« (1963), »Folge ihm durchs Tal« (1968).

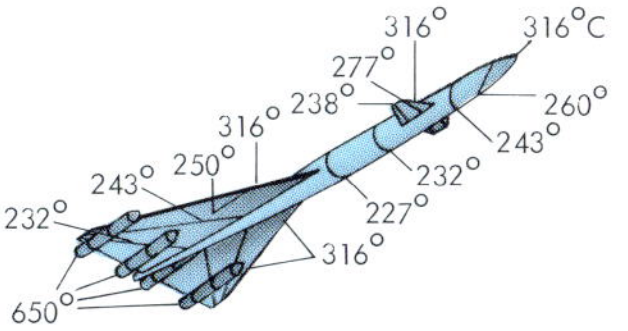

Hitzemauer: Temperaturen (in Grad Celsius) an einem mit Machzahl 3 in 21 000 m Höhe fliegenden Überschallverkehrsflugzeug

HLA-System [HLA = Abk. für engl. **h**uman **l**eucocyte **a**ntigen] (Histokompatibilitätsantigen-System), Bez. für ein System von Oberflächenantigenen, die auf den Zellen fast aller Gewebe vorkommen und sich bes. gut auf Leukozyten nachweisen lassen. Die HLA-Antigene werden beim Menschen genetisch durch multiple Allele an vier eng benachbarten Genorten auf Chromosom 6 gesteuert. Das HLA-System bedingt die immunolog. Selbstdefinition des Organismus, d.h., die HLA-Antigene zeigen an, wogegen das Immunsystem nicht reagieren soll. Die Tolerierung bzw. Abstoßung von Organtransplantaten wird auf die Funktion des HLA-Systems zurückgeführt. Eine möglichst weitgehende Übereinstimmung der Erbmerkmale im HLA-System ist daher zw. Spender und Empfänger bei Organtransplantationen (Niere, Herz, Leber, Knochenmark) wie auch bei Leukozyten- und Thrombozytentransfusionen von entscheidender Bedeutung.

Hlebine, Schule von, unter der Führung von Krsto Hegedušić (*1901, †1975), I. Generalić, Franjo Mraz (*1910) und Mirko Virius (*1889, †1943) ab 1931 in dem kroat. Dorf Hlebine gebildete Gruppe naiver Maler. Sie pflegte v.a. die Hinterglasmalerei. (→kroatische Kunst)

Hlinka, Andrej, slowak. Politiker, *Černová (heute zu Ružomberok) 27. 9. 1864, †Rosenberg (heute Ružomberok) 16. 8. 1938; kath. Geistlicher, Mitbegründer (1905) und seit 1918 Vors. der »Slowak. Volkspartei«, erstrebte die Autonomie der Slowakei.

Hlučín ['hlutʃi:n], tschech. Name von →Hultschin.

H. M. S. ['eɪtʃ'em'es], Abk. für **H**is (**H**er) **M**ajesty's **S**hip, Seiner (Ihrer) Majestät Schiff; Zusatz zum Namen brit. Kriegsschiffe.

Ho, chem. Symbol für →Holmium.

HO, Abk. für **H**andels**o**rganisation, 1948–90 bestehendes staatl. Einzelhandelsunternehmen in der DDR.

Hoabinhien [hwabi'ɲẽ; nach der Fundstelle in NO-Vietnam] *das* (Hoa-binh-Kultur), steinzeitl. Kulturgruppe (etwa ab 10 000 v. Chr.) im östl. Hinterindien und im N Sumatras. Die in der Höhle

Meindert Hobbema: »Allee von Middelharnis« (1689; London, National Gallery)

Spirit Cave (NO-Thailand) gefundenen pflanzl. Überreste (u.a. Hülsenfrüchte, Kürbis, Gurke, Pfeffer, chines. Wassernuss; um 9000 v.Chr.) lassen auf Sammeln, eventuell auch Anbau von Nahrungspflanzen schließen (ab etwa 7000 v.Chr. gesichert).

Hoangho, Fluss in China, →Hwangho.

Hoatzin (Größe etwa 60 cm)

Hoatzin [indian.] *der* (Zigeunerhuhn, Opisthocomus hoatzin), großer hühnerartiger Baumvogel der trop. Überschwemmungswälder Südamerikas; fliegt schlecht.

Hobart ['həʊbɑ:t], Hptst. des Bundesstaates Tasmanien, Australien, an der Mündung des Derwent, am Fuß des Mount Wellington; 193 200 Ew.; Kultur-, Wirtschafts- und Verkehrszentrum; Sitz eines anglikan. und eines kath. Bischofs; Univ., Museen, Theater, botan. Garten; Spielkasino; Holzverarbeitung, Nahrungsmittel-, Textilind.; Zinkerzverhüttung bei Risdon; Naturhafen. – H. ist die zweitälteste Stadt Australiens (1804 gegr.).

Hobbema, Meindert, niederländ. Maler, getauft Amsterdam 31. 10. 1638, † ebd. 7. 12. 1709; malte stimmungsvolle Landschaften; berühmt wurde v.a. seine »Allee von Middelharnis« (1689; London, National Gallery).

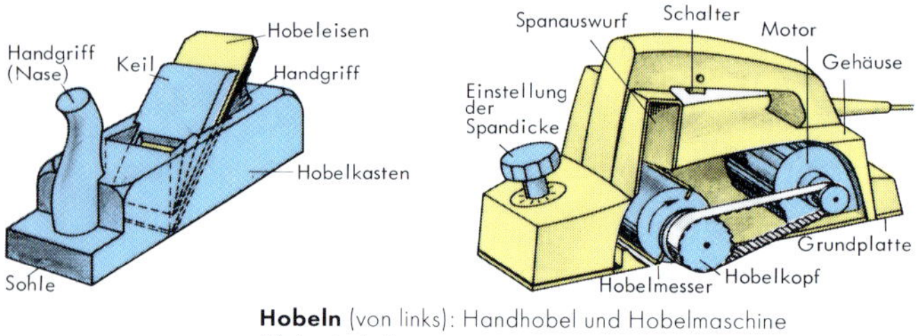

Hobeln (von links): Handhobel und Hobelmaschine (Elektrohobel)

Hobbes [hɔbz], Thomas, engl. Philosoph, * Westport (heute zu Malmesbury, Cty. Wiltshire) 5. 4. 1588, † Hardwick Hall (Cty. Derbyshire) 4. 12. 1679; lehnte die Metaphysik ab: Philosophie sei nichts als die rationale Erkenntnis empir. Kausalzusammenhänge. Erkennen basiere allein auf den Empfindungen (Sensualismus), Begriffe seien lediglich Namen (Nominalismus), Denken nichts als Rechnen mit Namen. Das Wollen ist streng determiniert. Von entscheidender Wirkung war seine Staatslehre: Danach werden die Menschen im Naturzustand durch den Trieb zur Selbsterhaltung und durch Machtgier bestimmt; der Kampf aller gegen alle wird nur vermieden durch Verzicht auf das individuelle Machtstreben und Machtübertragung auf einen mit Staatsmacht ausgestatteten Souverän. Erst durch die so vollzogene Begründung des Staats (Staatsvertrag) kann der innere Friede gesichert werden.

Werke: Über den Bürger (1642); Leviathan (1651); Lehre vom Körper (1655); Über den Menschen (1658).

📖 WEISS, U.: *Das philosoph. System von T. H. Stuttgart 1980.* – SCHELSKY, H.: *T. H. – eine polit. Lehre. Leipzig u.a. 1981.* – MÜNKLER, H.: *T. H. Frankfurt am Main u.a. 1993.*

Hobeln, Verfahren der spanenden Formgebung zur Herstellung von meist ebenen Flächen und Profilen an Werkstücken v.a. aus Holz und Metall. – In der Holzbearbeitung erfolgt das H. handwerklich oder maschinell. Die **Hobelbank** dient dabei zum Einspannen der Werkstücke. Der Handhobel **(Hobel)** besteht aus dem Hobelkasten (meist aus Holz), in dem das Hobeleisen, eine geschliffene Stahlklinge, mit einem Holzkeil befestigt ist; beim **Doppel-** oder **Putzhobel** ist auf dem eigentl. Hobeleisen die **Hobeleisenklappe** montiert, die mit ihrer unteren rechtwinkligen Kante den Hobelspan kurz abbricht und so ein Einreißen der Holzoberfläche verhindert. **Hobelmaschinen** haben umlaufende Messerwellen mit bis zu acht auswechselbaren Streifenmessern. Bei **Abrichthobelmaschinen** wird das Holz an den Maschinentisch angedrückt und über die rotierende Messerwelle, die aus einem Schlitz in der waagrechten Fläche des Arbeitstisches verstellbar herausragt, geschoben. Die **Dickenhobelmaschine** stellt planparallele Flächen her, wobei das Holz an der Unterseite der rotierenden Messerwelle geführt wird. – Bei Metallen erfolgt das H. ausschließlich maschinell. Der in eine Hobelmaschine eingespannte **Hobelmeißel,** oft in der Form des zu erzeugenden Profils **(Form-H.),** nimmt vom Werkstück Späne ab. Beim **Nachform-H. (Kopier-H.)** wird der Hobelmeißel durch ein Modell (Schablone) gesteuert. Die Hobelmaschine erzeugt die Relativbewegungen in Schnitt- und Vorschubrichtung zw. Werkstück und Werkzeug. Im betriebl. Sprachgebrauch wird dabei zw. H. und Stoßen unterschieden. Bewegt wird entweder das Werkstück (**Tisch-** oder **Langhobelmaschine**) oder ein gleitender Stößel mit dem Werkzeug (**Stoßmaschine, Kurzhobler, Shapingmaschine**).

Hoboken ['ho:bo:kə], Industrievorstadt von Antwerpen, an der Schelde, 35 000 Ew.; Werften, Erdölraffinerie, Nichteisenmetallverhüttung.

Hoboken ['ho:bo:kə], Anthony van, niederländ. Musikforscher, *Rotterdam 23. 3. 1887, †Zürich 2. 11. 1983; legte 1925 an der Wiener Nationalbibliothek das Archiv für Photogramme musikal. Meisterhandschriften an; veröffentlichte »Joseph Haydn. Thematisch-bibliograph. Werkverzeichnis« (3 Bde., 1957–78), das **H.-Verzeichnis** (Abk. Hob.).

Hoch, *Meteorologie:* das →Hochdruckgebiet.

Höch, Hannah, Malerin und Grafikerin, *Gotha 1. 11. 1889, †Berlin (West) 31. 5. 1978; gehörte zu den Pionieren der Fotomontage. Sie schuf ferner Materialcollagen, groteske Puppen, Gemälde von teils bizarrem, teils lyr. Charakter und Illustrationen.

Hannah Höch: »Figurinen mit Ei« (1943; Privatbesitz)

Hochaltar, mittelalterl., noch heute gebräuchl. Bez. für den Hauptaltar einer kath. Kirche.

Hochamt, feierl. Form der kath. →Messe. (→Pontifikalamt)

Hochauftriebsmittel, *Flugzeugtechnik:* aerodynam. Hilfsmittel zur Vergrößerung des Auftriebs von Flugzeugtragflügeln. H. erlauben eine Verkürzung der Start- und Landestrecke sowie die Verringerung der Landeanfluggeschwindigkeit und verbessern den Steigwinkel. Die wölbungs- und flächenvergrößernden Hinterkanten- und Nasenklappen werden bei Start, Landung und bestimmten Flugmanövern teilweise oder ganz ausgefahren (Landeklappen). Durch feste oder ausfahrbare Hilfsflügel an der Flügelvorderkante (→Vorflügel) oder durch →Grenzschichtbeeinflussung tritt das auftriebmindernde Abreißen der Strömung erst bei größeren →Anstellwinkeln ein.

Hochbahn, zur Entlastung des Straßenverkehrs auf Brückenkonstruktionen über der Straßenebene geführte Eisenbahn oder Straßenbahn.

Hochbau, das Errichten von Gebäuden, deren Hauptnutzungszonen über dem Erdboden liegen. Es wird zw. dem von Architekten entworfenen, durch das Baugewerbe auszuführenden **einfachen H.** und dem von Ingenieuren konstruierten und durch die Bauind. auszuführenden **Ingenieur-H.** unterschieden. Arten der Ausführung sind u. a. Backsteinbau, Betonbau, Fertigbauweise, Glasbau, Großtafelbau, Holzbau, Lehmbau, Leimbau, Nagelbau, Skelettbauweise, Stahlbau, Steinbau.

Hochblätter, Umbildungsformen der Laubblätter im oberen Sprossbereich.

Hochdeutsch, die allg. verbindliche →deutsche Sprache.

hochdeutsche Lautverschiebung, die zweite, althochdt. →Lautverschiebung, durch die sich die hochdt. Mundarten (und das Langobardische) von den übrigen german. Sprachen unterscheiden.

Hochdruck, 1) *Drucktechnik:* Druckverfahren, bei dem die druckenden Teile der Druckform erhaben sind, z. B. beim Buchdruck und Flexodruck.

2) *Medizin:* →Hochdruckkrankheit.

3) *Physik, Technik:* Bez. für Drücke meist oberhalb von 10 MPa (100 bar); über 100 MPa (1 kbar) auch als **Höchstdruck** bezeichnet.

Hochdruckapparate, Reaktionsgefäße, in denen unter hohen Drücken chem. Reaktionen, meist unter Verwendung von Katalysatoren, durchgeführt werden, sowie Geräte für Untersuchungen der Hochdruckphysik. Die in der Verfahrenstechnik gebräuchl. H. werden **Hochdruckreaktoren** gen., H. für den diskontinuierl. Betrieb **Autoklaven.** Die erforderliche Wanddicke eines zylindrischen H. ist dem Innendruck und dem Durchmesser proportional.

Hochdruckätzung, *Drucktechnik:* die Herstellung von Druckplatten für den →Hochdruck durch Ätzen (Strichätzung, Rasterätzung) derart, dass die Druckfläche erhaben über den übrigen Plattenteilen liegt.

Hochdruckchemie, Gebiet der Chemie, das sich mit chem. Reaktionen und dem chem. Verhalten von Stoffen bei höheren Drücken befasst. Hohe Drücke begünstigen Reaktionen, die unter Volumenminderung ablaufen. Bei höchsten Drücken verschwinden die Unterschiede zw. den Aggregatzuständen, zwischenmolekulare Kräfte gehen in homöopolare und schließlich in metall. Bindekräfte über, und die physikal. Eigenschaften (wie Dichte, Härte, Elastizität, Ionisation, elektr. Leitfähigkeit) ändern sich.

Thomas Hobbes (Kupferstich von Wenzel Hollar, um 1660)

Anthony van Hoboken

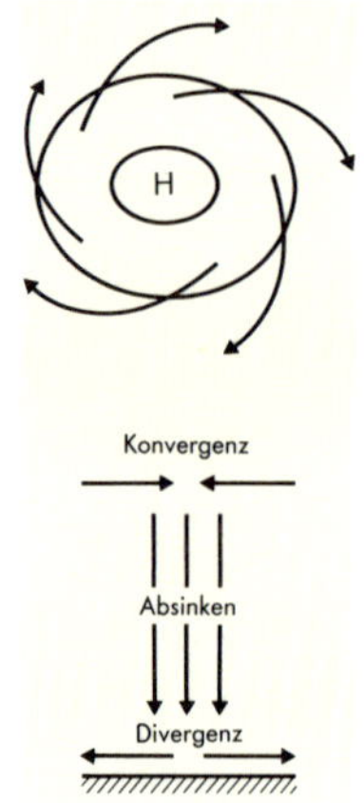

Hochdruckgebiet: Luftströmungen in einem Hochdruckgebiet, antizyklonale Bodenströmung (oben) und vertikale Zirkulation

Hochdruckgebiet (Hoch, Antizyklone), eine Luftmasse mit hohem Druck im Vergleich zu benachbarten, anders beschaffenen Luftmassen. Die Luftströmung innerhalb eines H.s ist nach unten gerichtet, in den unteren Schichten fließt die Luft dann nach außen ab und wird auf der Nordhalbkugel infolge der Kraft der Erdrotation im Uhrzeigersinn abgelenkt (antizyklonale Bodenströmung), auf der Südhalbkugel wird sie in entgegengesetzter Richtung abgelenkt. Als Folge dieses Auseinanderströmens der Luft aus dem Kern des H.s **(Divergenz),** sinken Luftmassen aus der Höhe ab, wobei sich Wolken auflösen, was zu heiterem und trockenem Wetter führt. Oft setzen sich die Absinkbewegungen aber nicht bis zum Boden durch, sondern enden in einiger Höhe: eine →Inversion bildet sich aus. An dieser Grenzfläche zwischen tiefer liegender kälterer und darüber liegender wärmerer Luft können sich Staub und Verunreinigungen sammeln, sodass eine Dunstschicht entsteht. An ihr kommt es bes. im Winter zu Hochnebelbildung. Über der Inversion herrscht dagegen wolkenloser Himmel. Im Sommer ist es tagsüber in einem H. meist wolkenlos, es bilden sich allenfalls Cumuluswolken, die sich gegen Abend wieder auflösen.

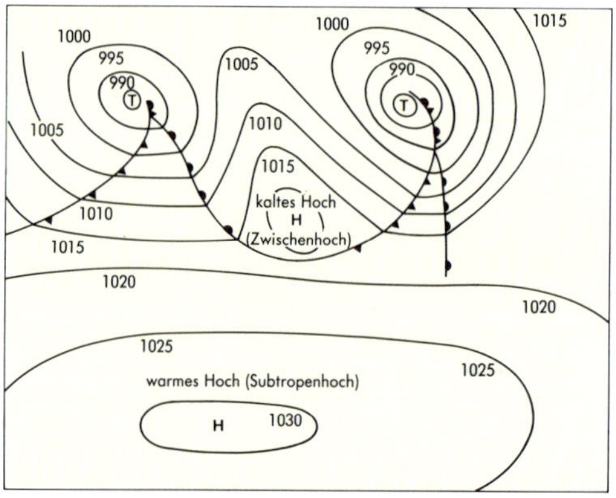

Hochdruckgebiet: Kaltes (Kältehoch) und warmes Hochdruckgebiet (Wärmehoch)

Das **Kältehoch** besteht in allen Höhen aus Kaltluftmassen, ist jedoch nur von relativ geringer vertikaler Mächtigkeit; in der oberen Troposphäre wird es von einem Tiefdruckgebiet oder einer Höhenströmung überlagert. Das **Wärmehoch** ist v.a. in den Subtropen zu finden. Über einer relativ kalten Grundschicht sind diese Hochs bis in große Höhen warm, und zwar durch Zufuhr von Warmluft aus südlicheren Breiten und Erwärmung durch Absinken, und bleiben oft längere Zeit nahezu an der gleichen Stelle.

Hochdruckkrankheit (Bluthochdruck, Hypertonie), durch erhöhten arteriellen Blutdruck gekennzeichnete Krankheit des Kreislaufsystems. Die Weltgesundheitsorganisation definiert, dass H. dann vorliegt, wenn die Blutdruckwerte 160 mg Quecksilbersäule systolisch und 95 mm Quecksilbersäule diastolisch dauernd erreichen und überschreiten. In etwa 70–80% der Fälle lässt sich für die H. keine Ursache nachweisen. Sie werden als **primäre essenzielle H.** bezeichnet. Die übrigen Fälle von H. **(sekundäre symptomat. H.)** gehen auf zahlr. Nierenerkrankungen, endokrine Störungen (z.B. Schilddrüsenüberfunktion, Cushing-Syndrom) sowie kardiovaskuläre Erkrankungen (z.B. Aortenklappeninsuffizienz) zurück. Die H. muss behandelt werden, da sie unbehandelt zu zahlr. Spätschäden wie Herzinfarkt, Herzinsuffizienz, Hirnblutung, Augen- und Nierenschäden führen kann. Die *Behandlung* erfolgt medikamentös (blutdrucksenkende Mittel) und ist begleitet von Allgemeinmaßnahmen wie Reduzierung des Kochsalzverbrauchs (<5 g je Tag) und des Übergewichts, Meidung von Nikotin und Alkohol sowie der Ausschaltung sog. Stressfaktoren und körperl. Betätigung in Ausdauersportarten (Radfahren, Schwimmen u.a.).

Hochdruckmodifikationen, Modifikationen von chem. Elementen, Verbindungen oder Mineralen, die unter extremen Temperatur-Druck-Bedingungen im Laboratorium oder in der Natur gebildet werden. So geht z.B. graues (halbmetall.) Zinn bei hohen Drücken in weißes (metall.) Zinn über. Durch →Stoßwellenmetamorphose entstehen Hochdruckminerale wie Coesit und Stishovit.

Hochdruckphysik, Spezialgebiet der angewandten Physik, das sich mit der Erzeugung und Messung hoher und höchster Drücke sowie mit deren Anwendung bei der Untersuchung von Materialeigenschaften (z.B. elektr. und therm. Leitfähigkeit, Viskosität, Plastizität) und zu Materialumwandlungen beschäftigt.

Hochenergiephysik (Elementarteilchenphysik), Teilgebiet der Physik, das die Erzeugung und Umwandlung von Elementarteilchen bei extrem hohen Energien (oberhalb etwa 150 MeV) sowie ihre Struktur und Wechselwirkungen untersucht. Derartige Energien, deren untere Grenze durch die zur Energie äquivalenten Ruhemasse der Teilchen bestimmt wird, kommen in der kosm. Strahlung vor (bis 10^{11} GeV) oder werden in großen Teilchenbeschleunigern über Stoßprozesse (hauptsächlich von Protonen und Elektronen) künstlich erzeugt. Die wichtigsten Beschleuniger der H. in Europa stehen in Hamburg (→Deutsches Elektronen-Synchrotron) und bei Genf (→CERN). Die Experimente der H. haben zur Entdeckung sehr vieler instabiler Elementarteilchen und kurzlebiger Resonanzen und zu wesentl. Erkenntnissen in der Theorie der Elementarteilchen geführt.

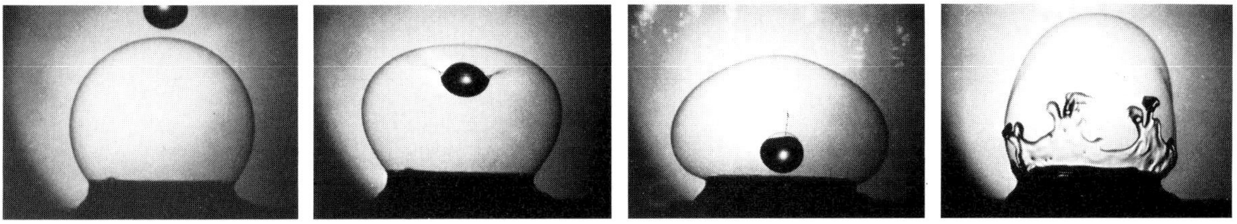

Hochgeschwindigkeitsfotografie: Ein Tropfen fällt in eine Seifenblase, Ausschnitt aus einem mit 1000 Bildern pro Sekunde belichteten Film

Höcherl, Hermann, Politiker (CSU), *Brennberg (bei Regensburg) 31. 3. 1912, †Regensburg 18. 5. 1989; Jurist, 1953–76 MdB, 1957–61 Vors. der Landesgruppe der CSU im Bundestag, war 1961–65 Bundesmin. des Innern und 1965–69 Landwirtschaftsminister.

Hochfeiler *der,* höchster Gipfel der Zillertaler Alpen, 3509 m ü. M.; über ihn verläuft die Grenze zw. Österreich (Tirol) und Italien (Südtirol).

Hochfläche, hoch gelegenes ebenes **(Hochplateau)** bis flachwelliges Landstück, oft mit deutl. Stufe von der Umgebung abgesetzt. H. wurden meist durch geologisch junge Hebungen in ihre heutige Höhenlage gebracht.

Hochfrequenz, Abk. **HF,** elektromagnet. Schwingungen mit Frequenzen zw. 10 kHz und 300 MHz bzw. Wellenlängen zw. 30000 m und 1 m. H. finden in der Nachrichtentechnik, der Medizin, zur Wärmeerzeugung sowie in der Mess-, Ordnungs- und Rechentechnik Anwendung.

Hochfrequenzkinematografie, →Hochgeschwindigkeitsfotografie.

Hochfrequenzspektroskopie, Untersuchung von Quantenübergängen durch spektroskop. Methoden der Atom- und Kernphysik mithilfe hochfrequenter elektromagnet. Wellen. Die H. wird bei atomaren Systemen angewandt, deren Energieniveaus sich so wenig unterscheiden, dass Strahlungsübergänge zw. ihnen mithilfe der opt. Spektroskopie nicht mehr erfassbar sind. Die H. erlaubt u. a. Präzisionsbestimmungen von magnet. Kernmomenten und dient der Strukturaufklärung. Spezielle Methoden sind u. a. die Atomstrahlresonanzmethode, die →Elektronenspinresonanzspektroskopie und die →NMR-Spektroskopie. Nach den Frequenzbereichen wird sie in die Radiofrequenz- ($f < 3 \cdot 10^9$ Hz), die Mikrowellen- ($f < 3 \cdot 10^{11}$ Hz) und die Submillimeterspektroskopie ($f < 10^{13}$ Hz) eingeteilt.

Hochfrequenztechnik (Kurzbez. HF-Technik), Teilgebiet der Elektrotechnik (i. e. S. Nachrichtentechnik und Elektronik), das die Techniken (einschließlich der Geräte) umfasst, die die Erzeugung, Fortleitung und techn. Anwendung von elektr. Wechselströmen, elektromagnet. Feldern und Wellen aus dem Hochfrequenzbereich ermöglichen. Hauptanwendungsgebiete der H. sind die Funk- und Nachrichtentechnik, die Hochfrequenzspektroskopie, die physikal. Messtechnik und der Betrieb von Teilchenbeschleunigern.

Hochfrequenzverstärker, Gerät bzw. Schaltung zur Verstärkung hochfrequenter Schwingungen kleiner Amplitude, entweder selektiv, nur für eine Frequenz, oder für ein breites Frequenzband. In Empfängern werden **selektive Verstärker** v. a. als Vorverstärker vor Mischstufen und als **Zwischenfrequenzverstärker (ZF-Verstärker)** vor Demodulatoren eingesetzt. **Breitband-H.** finden in der Messtechnik und als Antennenverstärker für Gemeinschaftsanlagen Verwendung. Als Verstärkerelemente sind Elektronenröhren, Transistoren, Tunneldioden und Maser gebräuchlich.

Hochgebirge, hohe, v. a. aber die über die Baum- und Schneegrenze aufragende Gebirge. Unter den H. sind die jungen Faltengebirge bes. eindrucksvoll, so die Ketten an der Ost- und Westküste des Pazif. Ozeans (Amerikan. Kordilleren, ostasiat. Gebirge), und das sich quer durch die alte Welt ziehende alpine System mit Atlasgebirge, Pyrenäen, Alpen, Balkan, Kaukasus, Pamir, Himalaja und den tibet. Ketten. Die H. besitzen (differenziert nach Höhe und Breitenlage) ein dem polaren und subpolaren ähnl. Klima mit kräftiger Luftbewegung, intensiver Sonnenstrahlung und starkem Temperaturwechsel zw. Tag und Nacht. H. sind oft Kulturscheiden; ihre höheren Regionen sind menschenleer. Im Kaukasus liegt die Siedlungsgrenze bei 2500 m, in Äthiopien bei 3900 m, in Tibet und Bolivien bei 5000 m ü. M.

Hochgericht, rechtshistorisch das →Halsgericht.

Hochgeschwindigkeitsfotografie (Highspeedfotografie), Verfahren zur fotograf. Aufnahme extrem kurzzeitiger Vorgänge oder von Bewegungsabläufen hoher Geschwindigkeit mit Belichtungszeiten von 10^{-6} bis 10^{-9} Sekunden bzw. mit außerordentl. hoher Bildfrequenz, z. T. bis 2 Billionen Bilder pro Sekunde **(Hochfrequenzkinematografie).** Die H. liefert u. a. Aufschlüsse über das Materialverhalten bei hohen Geschwindigkeiten und Beschleunigungen sowie bei Beanspruchung durch hochfrequente Schwingungsbelastungen. (→Zeitdehner)

Hochhaus: Das 1994–97 von dem britischen Architekten Norman Foster erbaute Hochhaus der Commerzbank-Zentrale in Frankfurt am Main ist mit 258 m Höhe das derzeit höchste Bürohochhaus Europas

Hochgeschwindigkeitsumformung (Hochenergieumformung, Hochdruckumformung), *Fertigungstechnik:* Umformverfahren, bei denen sehr hohe Kräfte bzw. Drücke kurzzeitig auf ein Werkstück einwirken, z. B. bei der →Explosionsumformung, der Unterwasserfunkenentladung (hydroelektr. Umformung), bei der die in Stoßgeneratoren gespeicherte elektr. Energie zw. zwei Elektroden unter Wasser entladen wird und die Umformung des Werkstücks durch die entstehende Druckwelle stattfindet, sowie der Umformung durch direkte Einwirkung elektromagnet. Kräfte (Magnetumformung).

Rolf Hochhuth

Hochgeschwindigkeitszüge, Bez. für Züge, die mit Geschwindigkeiten von mehr als 240 km/h fahren, →ICE, →TGV, →Shinkansen, →Eurostar, →Thalys.

Hochgolling *der,* höchster Gipfel der Niederen Tauern, Österreich, in den Schladminger Tauern, 2863 m ü. M., über ihn verläuft die Grenze zw. Salzburg und Steiermark.

Hochhaus

Welches ist das höchste Haus der Welt?

Ab 1973 war der Sears Tower in Chicago mit 443 m das höchste Gebäude der Welt. Seit 1995 ist er es nicht mehr. Der Petronas-Bau im malaysischen Kuala Lumpur überragt ihn nun um 9 Meter. Er besteht aus zwei Türmen, die in der 44. Etage durch eine Brücke verbunden sind. – Der Rekord wird allerdings nicht lange Bestand haben, denn in China entstehen noch höhere Giganten. Das Babylon des nächsten Jahrtausends soll allerdings in Japan stehen. Baupläne für zwei Kilometer hohe Gebäude liegen bereits in der Schublade!

Hochhaus, Gebäude mit mindestens zwölf Stockwerken oder 30 m Höhe. Die Errichtung von H.-Bauten wurde durch die Entwicklung des Stahlskelett- und Stahlbetonbaus, von Aufzügen und techn. Installationen ermöglicht. Die frühesten H. entstanden in Chicago seit 1880, v. a. Verwaltungsbauten (Home Insurance Building, 1883–85 von W. Le Baron Jenney). Mit den Entwürfen der Architekten der Chicagoer Schule (W. Le Baron Jenney, L. H. Sullivan, D. Adler, D. H. Burnham, J. W. Root, W. Holabird, M. Roche), später durch die Verwendung von Vorhangfassaden (→Curtainwall-Konstruktion) gewann der Bautyp des H. auch formal einen besonderen Charakter. Nach Verbesserungen der Materialeigenschaften und Konstruktionsmethoden wurden in den folgenden Jahrzehnten »Wolkenkratzer« errichtet (Empire State Building in New York von W. F. Lamb, 1931, 381 m Höhe; World Trade Center ebd. von Minoru Yamasaki, 1960–76, 412 m; Sears Tower in Chicago von L. Skidmore, N. A. Owings and J. O. Merrill, 1969–74, 443 m). Der Bau von H. blieb auch in den späten 70er- und frühen 80er-Jahren von Bedeutung (Verwaltungsbau Pennzoil Place in Houston, Tex., 1970–76; American Telephone & Telegraph Company Building in New York, 1978–80; beide von P. C. Johnson und J. Burgee). – Repräsentative H. entstanden in Dtl. v. a. in Frankfurt am Main, so der Messeturm von H. Jahn (1990; 254 m Höhe) und der Bau der Commerzbank-Zentrale von N. Foster (1997; 258 m Höhe ohne Antenne), das derzeit höchste Büro-H. Europas.

📖 Schmidt, Johann N.: *Wolkenkratzer. Ästhetik u. Konstruktion. Köln 1991.*

Hochheim am Main, Stadt im Main-Taunus-Kreis, Hessen, am unteren Main, 16 100 Ew.; Weinbau, -handel, Sekterzeugung; Herstellung von Verpackungsmaterial und -maschinen. – Kath. Pfarrkirche St. Peter und Paul (1730–32), Domherrenhof (1764–71). – H. am M., 754 erstmals erwähnt, wird seit 1820 als Stadt geführt.

Hochhuth, Rolf, Schriftsteller, *Eschwege 1. 4. 1931; war 1953–63 Verlagslektor; einer der erfolgreichsten und umstrittensten Autoren des deutschsprachigen Theaters; schrieb sozialkrit. Zeit- und Dokumentarstücke wie »Der Stellvertreter« (1963), »Soldaten. Nekrolog auf Genf« (1967), »Guerillas« (1970), »Die Hebamme« (1971), »Lysistrate und die NATO« (1973), »Tod eines Jägers« (1976), »Juristen« (1979), »Judith« (1984), »Wessis in Weimar« (1993), die Erz.en »Eine Liebe in Deutschland« (1978), »Atlantik-Novelle« (1985) und Essays, u. a. »Täter und Denker« (1987).

Ho Chi Minh [-tʃi-, »der weise Gewordene«] (eigtl. Nguyen That Thanh, auch Nguyen Ai Quoc gen.), vietnames. Politiker, *Kim Lien (Mittelvietnam) 19. 5. 1890, † Hanoi 3. 9. 1969; lebte 1917–23 in Frankreich, wo er 1920 an der Gründung der frz. KP teilnahm. 1923 ging er nach Moskau, war ab 1924 Kominternfunktionär (u. a. in China und Thailand). 1930 beteiligte er sich in Hongkong maßgeblich an der Gründung der KP Indochinas. 1940 kehrte H. nach Vietnam zurück, schuf 1941 die →Vietminh und führte fortan an deren Spitze den Kampf um die Unabhängigkeit Indochinas. Nach Ausrufung der »Demokrat. Rep. Vietnam« im Sept. 1945 wurde er deren Präs. (bis 1955 zugleich MinPräs.). Im Indochinakrieg (1946–54) führte er erfolgreich den Widerstand gegen die frz. Besatzungsmacht. Nach der Teilung Vietnams (1954) blieb seine Amtsgewalt auf Nordvietnam beschränkt. 1951–69 war er Vors. (1956–60 zugleich Gen.-Sekr. des ZK) der kommunist. Lao-Dong-Partei (Arbeiterpartei). H. C. M., der in den 1960er-Jahren zur Symbolfigur des vietnames. Kampfes gegen die militär. Intervention der USA in Vietnam wurde, erreichte nach dem →Vietnamkrieg die Wiedervereinigung Vietnams unter kommunist. Herrschaft.

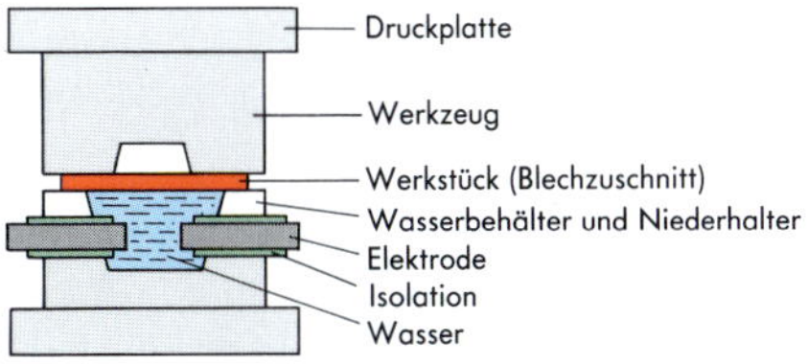

Hochgeschwindigkeitsumformung: schematische Darstellung einer hydroelektrischen Hochgeschwindigkeitsumformung

Ho-Chi-Minh-Pfad [-tʃi-], durch den O von S-Laos führendes Wegesystem mit zahlreichen Abzweigungen; verbindet das nördl. mit dem südl. Vietnam, z. T. über den NO Kambodschas (hier **Sihanoukpfad** gen.). Von den nordvietnames. Truppen nach 1956 angelegt, diente er diesen v. a. während des Vietnamkrieges als Nachschubweg.

Ho-Chi-Minh-Stadt [-tʃi-] (vietnames. Thanh Pho Ho Chi Minh, bis 1976 Saigon), vietnames. Stadt mit Provinzstatus (2090 km^2) am N-Rand des Mekongdeltas, 4,15 Mio. Ew.; Sitz des buddhist. Oberhauptes von Vietnam und eines kath. Erzbischofs, zwei Univ., landwirtsch. Hochschule, Technikum, Kunstakademie, Forschungsinstitute, botan. Garten; wichtigstes Ind.zentrum S-Vietnams; für Seeschiffe erreichbarer Hafen (mit dem Mekongdelta verbunden), Flughafen. – Im frz. Kolonialstil mit Schachbrettgrundriss aufgebaut; ein eigener Stadtbezirk ist die im 18. Jh. gegründete frühere Stadt **Cholon** (Chinesenviertel). 1954–76 Hptst. von Südvietnam.

Hochkirch (sorb. Bukecy), Gemeinde im Landkreis Bautzen, Sachsen, 2700 Ew. Bei H. siegten am 14. 10. 1758 die Österreicher im Siebenjährigen Krieg über die Preußen.

Hochkirche, die →High Church.

Hochkommissar (Hoher Kommissar, engl. High Commissioner, frz. Haut Commissaire), **1)** Vertreter der Kolonialmacht in einem politisch abhängigen (völkerrechtlich häufig unabhängigen) Gebiet (z. B. Protektorat).

2) Leiter der diplomat. Vertretung zw. Ländern des Commonwealth.

3) Mitgl. der →Alliierten Hohen Kommission in der Bundesrep. Dtl.

4) Organ des Völkerbundes (in →Danzig) und der UNO (→Hoher Flüchtlingskommissar der Vereinten Nationen).

Hochkönig, Berggruppe in den Salzburger Kalkalpen, Österreich, 2941 m ü. M., mit kleinem Plateaugletscher **(Übergossene Alm).**

Hochkulturen, Kulturkreise versch. histor. Epochen, die einen hohen Entwicklungsstand erreicht haben. Kennzeichnend sind die hierarchisch geschichtete Sozialverf., spezialisierte Berufsgruppen, Urbanität, marktorientierte Wirtschaftsweise, ein Tribut- oder Steuersystem, die Existenz einer Verwaltungsbürokratie, das Vorhandensein einer Schrift oder schriftanaloger Bedeutungsträger, Monumentalbauten u. a. entwickelte künstler. Ausdrucksformen; heute spricht man auch von »komplexen Gesellschaften«.

Hochlautung, die festgelegte Aussprache der →Standardsprache ohne mundartl. und umgangssprachl. Anklänge.

Hochmeister, das Oberhaupt des →Deutschen Ordens.

Hochofen, Schachtofen zur Gewinnung von →Eisen.

Ho-Chi-Minh-Stadt: Das im französischen Kolonialstil erbaute Rathaus

Ho Chi Minh

Hochosterwitz: Die auf einem 175 m hohen Kalkfelsen gelegene Burganlage (1570–86)

Hochofenschlacke, Nebenerzeugnis der Roheisengewinnung im Hochofen, eine kalk-, tonerde- und silikathaltige Gesteinsschmelze; wird als Stückschlacke zu Straßenbaustoffen und Betonzuschlag, als glasiger Hüttensand zu Bindemitteln (→Zement) und Mauersteinen (Hüttensteine), geschäumt als poriger Leichtzuschlag (Hüttenbims) verarbeitet.

Hochosterwitz, Burg in der Gemeinde Sankt Georgen am Längsee, Kärnten, Österreich, auf einem 175 m hohen Kalkfelsen, 675 m ü.M.; der heutige Bau (1570–86) wurde mit 14 Torbauten befestigt.

Hochpass, *Elektrotechnik/Elektronik:* elektron. Schaltung (→Filter), die nur für Schwingungen oberhalb einer bestimmten Grenzfrequenz durchlässig ist; Ggs.: →Tiefpass.

Hochplateau [-to], →Hochfläche.

Hochpolymere, →Makromoleküle.

Hochrechnung, in der beschreibenden Statistik der Schluss von der Stichprobe auf die Grundgesamtheit, u.a. zur Schätzung des vorläufigen Ergebnisses von Wahlen.

Hochreligionen, nicht eindeutig festgelegte Bez. für die Religionen der Hochkulturen; i.e.S. für die Weltreligionen.

Hochsauerlandkreis, Kreis im RegBez. Arnsberg, NRW, 1959 km², (1990) 284300 Ew.; Verw.sitz ist Meschede.

Hochschule für Jüdische Studien, 1979 in Trägerschaft des Zentralrats der Juden in Deutschland gegr. Hochschule in Heidelberg zur Pflege und Entwicklung der Geisteswiss. des traditionellen Judentums sowie zur Ausbildung von jüd. Religionslehrern und Kantoren in Deutschland.

Hochschulen, Einrichtungen im Bereich des Bildungswesens, die Aufgaben in Lehre und Forschung wahrnehmen und auf akadem. und künstler. Berufe vorbereiten. Dazu gehören Univ., techn. H. (TH) bzw. Univ. (TU), Univ.-Gesamt-H. (U-GH), pädagog. H. (PH), H. für Medizin, Tiermedizin, Sport, Wirtschaft oder Handel, Kunst-H. (H. für bildende Kunst, darstellende Kunst und Musik), kirchl. H. (theolog. oder philosoph.-theolog. H.) sowie Fach-H. Unter wiss. H. i.e.S. werden Univ., TU, TH, U-GH, Bundeswehruniv. sowie H., die nur eine wiss. Disziplin (auf Universitätsebene) anbieten, verstanden. Wiss. H. sind berechtigt, akadem. Grade zu verleihen. Voraussetzung für die Zulassung zum Studium an einer H. ist die →Hochschulreife.

H. in Dtl. sind mit wenigen Ausnahmen Körperschaften des öffentl. Rechts und zugleich staatl. Einrichtungen in der Trägerschaft der einzelnen Bundesländer. Im Rahmen der entsprechenden gesetzl. Bestimmungen und rechtl. Verordnungen haben H. das Recht zur Selbstverw. und eigenverantwortl. Gestaltung ihrer Grundordnungen, an der heute alle Gruppen (Professoren, Hochschulassistenten, wiss. Mitarbeiter wie Lehrbeauftragte und Tutoren, Studenten, techn. und Verwaltungspersonal) mit deutlich unterschiedl. Stimmenanteil beteiligt sind. Mit dem Hochschulrahmen-Ges. von 1976 (inzwischen mehrfach geändert) existiert eine bundesrechtl. Grundlage für das Hochschulwesen, die u.a. versch. Rahmenbedingungen, Entscheidungsbefugnisse, Regelstudienzeiten und Vergabekriterien für Studienplätze in Numerus-clausus-Fächern festlegt.

Das heutige Hochschulwesen fußt auf den im MA. entstandenen Univ., die aus privaten Gelehrtenschulen, bes. Rechts- und Medizinschulen, und/oder deren Studentenschaften, Kloster- und Domschulen hervorgingen. Anfang des 13. Jh. erhielten die ersten Einrichtungen vorwiegend dank städt. oder fürstl. Initiative kaiserl. und päpstl. Privilegien wie Satzungsautonomie, Lehrfreiheit und eigene Gerichtsbarkeit verliehen; den Anfang machte Bologna um 1200 (gegr. 1119 als Rechtsschule), es folgten im frühen 13. Jh. Salerno (gegr. um 1050 als Medizinschule), Montpellier (im 12. Jh. gegr. als Rechtsschule), Oxford (Zusammenschluss von Magistern und Scholaren; seit dem 12. Jh. mehrere Klosterschulen), Cambridge (durch Abwanderung aus Oxford 1209), Salamanca (vor 1218; gegr. als Domschule), Padua (durch Abwanderung aus Bologna 1222), Paris (gegr. 1257 als Domschule mit Internat, klösterl. Schulbetrieb seit um 1150). Eine neue mittelalter. Gründungswelle folgte Mitte des 14 Jh.: Prag (1348), Wien (1365), Heidelberg (1386), Köln (1388), Erfurt (1392 Eröffnung) sowie Leipzig (1409) u.a. Eine bis heute nachwirkende Neuorientierung brachte der Neuhumanismus: Die Humboldt-Universität zu Berlin (1810) wurde zum Modell einer auf der Einheit von Forschung und Lehre beruhenden Reform der Univ. Im 19. Jh. entstanden techn. Spezialschulen, die gegen Ende des Jh. den Stand techn. H. erreicht hatten und um die Jh.wende den Univ. gleichgestellt wurden. Die seit 1926 gegründeten pädagog. Akademien zur Lehrerausbildung sind heute meist in Univ. integriert, in einigen Bundesländern bestehen sie noch als selbstständige Einrichtungen (Pädagog. Hochschulen). Seit den 1960er-Jahren erfolgte ein verstärkter Ausbau der H. (einschl. neuer Formen wie Gesamt-H., Fach-H.), und es wurde eine umfassende **Hochschulreform** in Angriff genommen. Die Reformbestrebungen richteten sich 1. organisatorisch auf Veränderungen in den Entscheidungsstrukturen an wiss. H. durch Umorganisation der Hochschulleitung, Repräsentation und Mitbestimmung aller Gruppen, öffentl.

Wissenschaftliche Hochschulen in Deutschland (Auswahl[1]; Stand 1997)

Ort	Gründung[2]	Studierende 1995/96
Universitäten, techn. Hochschulen, techn. Universitäten u. a. Hochschulen mit Fächerspektrum		
Aachen, TH	1870	33518
Augsburg	1970	14392
Bamberg	(1647) 1972	8053
Bayreuth	1975	8158
Berlin (Humboldt-Univ.)	1809	29081
Berlin (Freie Univ.)	1948	49534
Berlin, TU	(1799) 1946	36029
Bielefeld	1967	19536
Bochum	1961	36634
Bonn	(1777) 1818	35668
Braunschweig, TU	(1745) 1835	15268
Bremen	1971	17180
Chemnitz-Zwickau, TU	1953	45445
Clausthal, TU	1775	3202
Cottbus, TU	(1969) 1991	2754
Darmstadt, TU	1836	16095
Dortmund	1966	25233
Dresden, TU	1828	20105
Düsseldorf	1965	20437
Eichstätt, kath. Univ.	1972	3723
Erfurt	(1379) 1994	–
Erlangen-Nürnberg	1743	3723
Flensburg (Hochschule)	(1975) 1994	1838
Frankfurt am Main	1914	35914
Frankfurt/Oder[3]	(1506) 1991	1810
Freiburg im Breisgau	1457	23189
Gießen	1607	35914
Göttingen	1734	28479
Greifswald	1456	4904
Halle-Wittenberg	1694	11784
Hamburg	1919	49357
Hamburg-Harburg, TU	1979	41389
Hannover	1831	31541
Heidelberg	1386	28269
Hildesheim	1978	3716
Ilmenau, TU	(1953) 1992	2766
Jena	1548	10741
Kaiserslautern	1970	8434
Karlsruhe	1825	18748
Kiel	1665	22630
Koblenz-Landau	(1969) 1990	7919
Köln	1388	57464
Konstanz	1966	9027
Leipzig	1409	18387
Lüneburg	(1946) 1978	6258
Magdeburg	1953	5510
Mainz	(1477) 1946	28284
Mannheim	(1907) 1967	11724
Marburg	1527	21426
München	1472	24926
München, TU	1868	58504
Münster	1780	44227
Oldenburg	1973	12626
Osnabrück	1973	12525
Passau	1973	8279
Potsdam	1969	8509
Regensburg	1962	16378
Rostock	1419	8491
Saarbrücken	1948	19254
Stuttgart	(1829) 1876	20596
Stuttgart, TU	(1817) 1847	5128
Trier	1970	11159
Tübingen	1477	24503
Ulm	1967	5790
Vechta (Hochschule)	1995	1734
Weimar, Bauhaus-Univ.	(1954) 1996	3626
Würzburg	1582	19923
Universitäten – Gesamthochschulen (mit Promotionsrecht)		
Duisburg	1972	14408
Essen	1972	23757
Hagen (Fernuniv.)	1974	42572
Kassel	1970	18019
Paderborn	1972	16579
Siegen	1972	12511
Wuppertal	1972	17913
Universitäten der Bundeswehr		
Hamburg	1973	1837
München	1973	2390
Hochschulen oder Universitäten einer speziellen Fachrichtung (mit Promotionsrecht)		
Freiberg, Bergakademie (TU)	1765	1989
Hannover, Medizin. Hochschule	1965	3348
Hannover, Tierärztl. Hochschule	1778	1869
Köln, Dt. Sporthochschule	(1920) 1947	5968
Lübeck, Medizin. Univ.	1964	22630
Speyer, Hochschule für Verwaltungswiss	1947	456
Wirtschaftshochschulen		
Hamburg, Hochschule für Wirtschaft und Politik	(1920) 1949	2706
München, Hochschule für Politik	1950	677
Private Hochschulen		
Berlin, Europ. Wirtschaftshochschule	1973	126
Koblenz (Vallendar), Wiss. Hochschule für Unternehmensführung	1984	242
Leipzig, Handelshochschule	1994	–
Oestrich-Winkel, European Business School	1988	706
Weilheim, Gustav-Siewerth-Akademie	(1971) 1993	26
Witten-Herdecke, Privatuniv.	1983	674

[1] ohne Musik-, Kunst-, kirchl. (»theolog. Fakultäten«) und pädagog. Hochschulen (ausschließlich Lehrerbildung). – [2] z. T. Angabe des Status als Hochschule und zusätzlich der Gründung der Vorläufereinrichtung. – [3] Europa-Universität.

Ausschreiben von Lehrstühlen u.a. (»Demokratisierung der H.«); 2. materiell auf Verbesserungen der sozialen Sicherung von Studenten (Ausbildungsförderung, Wohnheimbau) wie der Stellung der wiss. Mitarbeiter und den weiteren Ausbau der H.; 3. strukturell auf Erweiterung des Lehrpersonals um den sog. wiss. Mittelbau und im Sinne einer stärkeren Durchsichtigkeit auf Neugliederung des Hochschul- und Studiengangsystems; 4. inhaltlich auf Maßnahmen der Studienreform wie z.B. Orientierung der wiss. Ausbildung an Berufspraxis, Zwischenprüfungen, Neuerstellen von Studien- und Prüfungsordnungen.

In *Österreich* bestehen fünf Univ. (Wien, Graz, Linz, Innsbruck, Salzburg), zwei TU (Wien, Graz), eine Montanuniv. (Leoben), die Univ. für Bodenkultur (Wien), die Veterinärmedizin. Univ. (Wien), die Wirtschaftsuniv. (Wien) und die Univ. für Bildungswiss. (Klagenfurt).

In der *Schweiz* gibt es sieben Univ. (Basel, Bern, Freiburg, Genf, Lausanne, Neuenburg, Zürich), zwei techn. H. (ETH Zürich, EPF Lausanne) und die H. für Wirtschafts- und Sozialwiss. (St. Gallen).

Höchst: Peter Behrens, Treppenhaus des Technischen Verwaltungsgebäudes der Hoechst AG (1920–24)

Hochschulen der Bundeswehr, → Universitäten der Bundeswehr.

Hochschulen für Politik, in den 1920er-Jahren neben den Univ. entstandene Einrichtungen für Forschung und Lehre im Bereich der polit. Wiss.; führen zum Abschluss als Diplom-Sozialwirt, Diplom-Volkswirt oder Diplom-Betriebswirt.

Hochschulrahmengesetz, → Hochschulen.

Hochschulreife, der allg. Befähigungsnachweis für den Besuch wiss. Hochschulen und Univ. (→ Abitur). Über Sonderprüfungen und bestimmte Schularten erreicht man die fachgebundene Hochschulreife.

Hochschulrektorenkonferenz, Abk. **HRK,** die institutionelle Vereinigung der durch die Leitung (Rektoren, Präs.) vertretenen wiss. Hochschulen in Dtl., Sitz: Bonn-Bad Godesberg; gegr. 1949 als Westdt. Rektorenkonferenz. Zweck ist die Beratung und Wahrnehmung gemeinsamer Aufgaben der Hochschulen unter Berücksichtigung hochschulpolit. Entwicklungen; die Beschlüsse ergehen in Form von Empfehlungen.

Hochschulverband, Deutscher, Standes- und Berufsorganisation der Hochschullehrer, gegr. 1950, setzt die Tradition des **Verbandes Dt. Hochschulen** (1920–35/36) fort; Sitz: Bonn.

Hochsee *die,* das offene, küstenferne → Meer.

Hochspannung, elektr. → Nennspannung mit einem Effektivwert von über 1 kV; H. i.e.S. über 30 kV, gelegentlich erst über 110 kV. H. dienen v.a. der verlustarmen Übertragung elektr. Energie. Übertragungsanlagen arbeiten mit Spannungen von 220 bis 750 kV je nach Entfernung und Leistung, am Einsatz von Spannungen über 1 MV wird gearbeitet. Zur Fortleitung großer elektr. Leistungen wird die Generatorspannung auf die Netzspannung erhöht. Im Allg. wird Wechselstrom übertragen; zur Überbrückung von sehr großen Entfernungen ist man aus Wirtschaftlichkeits- und Stabilitätsgründen teilweise zur H.-Gleichstromübertragung (HGÜ) bis über 1000 kV übergegangen. Zur Umwandlung des Gleichstroms in Drehstrom und umgekehrt werden Stromrichter eingesetzt. Außer zur Energieübertragung wird H. bei Röntgenanlagen, Senderöhren, Fernsehbildröhren, bei Elektronenmikroskopen, Teilchenbeschleunigern, Elektrofiltern u.a. eingesetzt.

Hochsprache, → Standardsprache.

Hochsprung, *Leichtathletik:* Sprungdisziplin, bei der eine Latte auf Ständern in möglichst großer Höhe nach Anlauf zu überwinden ist. Der Absprung muss mit einem Bein erfolgen, wer die Latte dreimal hintereinander reißt (oder unterquert), scheidet aus dem Wettkampf aus.

Höchst, seit 1928 Stadtteil von Frankfurt am Main, Sitz der Hoechst AG. – Karolingisch-spätgot. Pfarrkirche St. Justinus, Bolongaro-Palast (1772–75). Das Treppenhaus im Techn. Verwaltungsgebäude der Hoechst AG (1920–24 von P. Behrens) gilt als ein Hauptwerk expressionist. Architektur. – **Höchster Porzellan** wurde 1746–96 in der Manufaktur H. hergestellt (Hauptmeister: J. P. Melchior); 1947 erfolgte eine erste Neugründung der Porzellanfabrik, 1966 eine zweite.

Höchst:
Höchster Porzellan von Johann Peter Melchior, »Venus und Cupido«, Höhe etwa 18 cm (um 1770; Köln, Kunstgewerbemuseum)

Höchstadt a. d. Aisch, Stadt im Landkreis Erlangen-Höchstadt, Bayern, 13 000 Ew.; Maschinenbau, Schuhfabrik; Karpfenzucht im Aischgrund. – Got. Pfarrkirche mit barocker Westfassade; Schloss, 1713 barock umgestaltet. – 1348 als Stadt bezeichnet.

Höchstädt a. d. Donau, Stadt im Landkreis Dillingen, Bayern, am N-Ufer der Donau, 6 200 Ew.; Apparatebau, Spielwarenfabrik. – 1081 erstmals erwähnt. Im Span. Erbfolgekrieg besiegten hier am 20. 9. 1703 bayer. Truppen das kaiserl. Heer; am 13. 8. 1704 erlitten die Bayern und Franzosen eine entscheidende Niederlage gegen die Kaiserlichen unter Prinz Eugen und die Engländer unter dem Herzog von Marlborough (in die engl. Geschichte als **Schlacht von Blenheim** [nach dem nahe gelegenen Ort Blindheim] eingegangen).

Hochstapler [Gaunersprache, von Stap(p)ler »Bettler«], jemand, der Vermögen und gehobene Stellung vortäuscht; meist, um Betrügereien auszuüben.

Höchstdruck, → Hochdruck.

Höchstfrequenz, elektromagnet. Schwingungen mit Frequenzen zw. 300 und 300 000 MHz bzw. Wellenlängen zw. 1 m und 1 mm (Dezimeter-, Zentimeter- und Millimeterwellen).

Höchstfrequenztechnik, die → Mikrowellentechnik.

Hochstift, 1) im Hl. Röm. Reich (bis 1803) die Zentralverwaltung eines Bistums; bei geistl. Fürsten der reichsunmittelbare Territorialbesitz.

2) → Freies Deutsches Hochstift – Frankfurter Goethe-Museum.

Höchstmengenverordnungen, zum Schutz des Verbrauchers vor tox. Stoffen und vor Zusatzstoffen in Lebensmitteln erlassene Rechtsverordnungen, in denen Höchstmengen (Toleranzwerte) von Pflanzenschutzmitteln- und Pestizidwirkstoffen, Wachstumsreglern und Schwermetallen festgelegt sind, die in Lebensmitteln vorhanden sein dürfen. Die zulässigen Höchstmengen (in mg Stoff pro kg Nahrung) orientieren sich an den toxikolog. duldbaren Rückstandsmengen, wurden aber vielfach deutlich unter diesen Werten festgelegt. Die chem. Untersuchungsämter kontrollieren, ob die H. eingehalten werden.

Hochstraße, brückenartiges, in Hochlage errichtetes Verkehrsbauwerk.

Höchstspannung, elektrische Spannung über 500 kV.

Hochstuhl (slowen. Veliki Stol), höchster Gipfel der Karawanken, westlich des Loiblpasses, an der österr.-slowen. Grenze, 2238 m ü. M.

Hochtaunuskreis, Landkreis im RegBez. Darmstadt, Hessen, 482 km^2, (1996) 220 000 Ew.; Krst. ist Bad Homburg v. d. Höhe.

Hochtemperaturchemie, Teilgebiet der Chemie, das sich mit chem. Reaktionen befasst, die oberhalb 1 000 °C ablaufen, z. B. bei metallurg. Prozessen und bei der Herstellung von Silikaten.

Hochtemperaturreaktor, Abk. **HTR,** ein → Kernreaktor mit bes. hohen Kühlmitteltemperaturen (bis 1200 °C).

Hochtemperatur-Supraleitung, → Supraleitung.

Hochtemperaturwerkstoffe, thermisch bes. stark belastbare Werkstoffe, die v. a. in der Luft- und Raumfahrt verwendet werden. H. werden unterteilt in **warmfeste,** d. h. sowohl für thermische als auch für hohe mechan. Belastungen geeignete, und **hitzebeständige** Werkstoffe. Bis 1 000 °C werden Metalle und Legierungen verwendet, über 1 000 °C → Cermets, Oxide, Carbide u. a., über 1500 °C Oxidkeramiken und Verbundwerkstoffe und bis 2 000 °C Ablationswerkstoffe (→ Ablationskühlung).

Hochtief AG (vorm. Gebr. Helfmann), Bauunternehmen, Sitz: Essen, gegr. 1875; Großaktionär: RWE AG (56,1 %).

Hoch- und Deutschmeister, 1) → Deutschmeister.

2) ehem., 1696 gegr. Wiener Infanterie-Regiment, 1769–1918 und 1920–38 **Hochmeister Nr. 4** (volkstümlich **Deutschmeister**) genannt.

Hochvakuumröhre, Elektronenröhren, die auf einen Restgasdruck von etwa 10^{-6} Pa evakuiert worden sind. Um das in Glaskolben eingeschmolzene Röhrensystem zu evakuieren, werden Pumpautomaten eingesetzt. Zu den H. gehören u. a. Verstärker-, Sende-, Bild-, Oszillographen-, Empfänger-, Röntgenröhren und Vakuumphotozellen.

Hochverrat, Straftat, die begeht, wer es (auch versuchsweise) unternimmt, mit Gewalt oder unter Drohung mit Gewalt den Bestand der Bundesrep. Dtl. zu beeinträchtigen (**Bestands-H.,** z. B. durch Aufhebung ihrer Souveränität oder durch Gebietsabtrennung) oder die auf dem GG beruhende verfassungsmäßige Ordnung zu ändern (**Verfassungs-H.**). Der H. wird mit lebenslanger Freiheitsstrafe oder mit Freiheitsstrafe nicht unter 10 Jahren, in minder schweren Fällen mit Freiheitsstrafe von 1–10 Jahren geahndet (§ 81 StGB). Strafbar sind auch der H. gegen ein Bundesland (§ 82 StGB) und die Vorbereitung eines hochverräter. Unternehmens (§ 83 StGB).

Ähnl. Strafvorschriften kennen (für ihren Bereich) *Österreich* (§§ 242 ff. StGB) und die *Schweiz* (Art. 265 StGB).

Fritz Hochwälder

Hochvolttherapie (Supervolttherapie, Megavolttherapie, Hochenergiestrahlentherapie), Verfahren zur Strahlenbehandlung bösartiger Tumoren mit Energien von mehr als 1 MeV.

Hochwälder, Fritz, österr. Schriftsteller, * Wien 28. 5. 1911, † Zürich 20. 10. 1986; emigrierte 1938 in die Schweiz; schrieb Stücke mit histor. und weltanschaul. Thematik und aktualisierender Tendenz: »Das heilige Experiment« (1947), »Donadieu« (1953), »Der öffentl. Ankläger« (1954), »Der Befehl« (1967), »Lazaretti …« (1975).

Hochwasser, 1) das erhebl. Ansteigen des natürl. Abflusses oder des Wasserstandes eines Gewässers, oft mit Überschwemmungen; kann durch starke Regenfälle, Schneeschmelze, Eisstau, Rückstau (eines Nebenflusses durch den Hauptfluss), Windstau, Bruch von Stauanlagen entstehen.

2) (Tidehochwasser) der durchschnittlich höchste Stand der tägl. → Gezeiten.

Hochwasserschutz, Maßnahmen zur Verhütung von Hochwasserschäden: Vergrößerung des Abflussquerschnitts, Beseitigung von Abflusshindernissen und Bau von Deichen und Sperrwerken sowie Vorlandgewinnung vor den Deichen; Zurückhaltung von Abflüssen in den Stauräumen von Talsperren und Hochwasserrückhaltebecken; Entlastung durch zusätzl. Gerinne u. a.

Hochwild, das zur hohen → Jagd gehörige Wild.

Hochwuchs, abnormes Längenwachstum, dessen Ausmaße bei normaler Proportion unterhalb des → Riesenwuchses liegen.

Hochwürden (Reverendus), heute seltene Anrede für kath. Priester.

Hochzahl, *Mathematik:* der Exponent bei Potenzen oder Wurzeln.

Hochzeit [mhd. hochgezit »Festzeit«], das Fest der Eheschließung (**grüne H.**). – Zahlr. **H.-Bräuche** haben sich erhalten: Polterabend als Vorfeier am Abend vor der H., das Tragen von Brautkleid, -strauß und -schleier (→ Braut), der Ringwechsel, das festl. Essen (H.-Mahl), gegen Mitternacht die Haubung der Braut (Aufsetzen einer Haube). – Als Erinnerungen an die Wiederkehr des H.-Tags werden gefeiert die **silberne H.** nach 25, die **goldene H.** nach 50, die **diamantene H.** nach 60, die

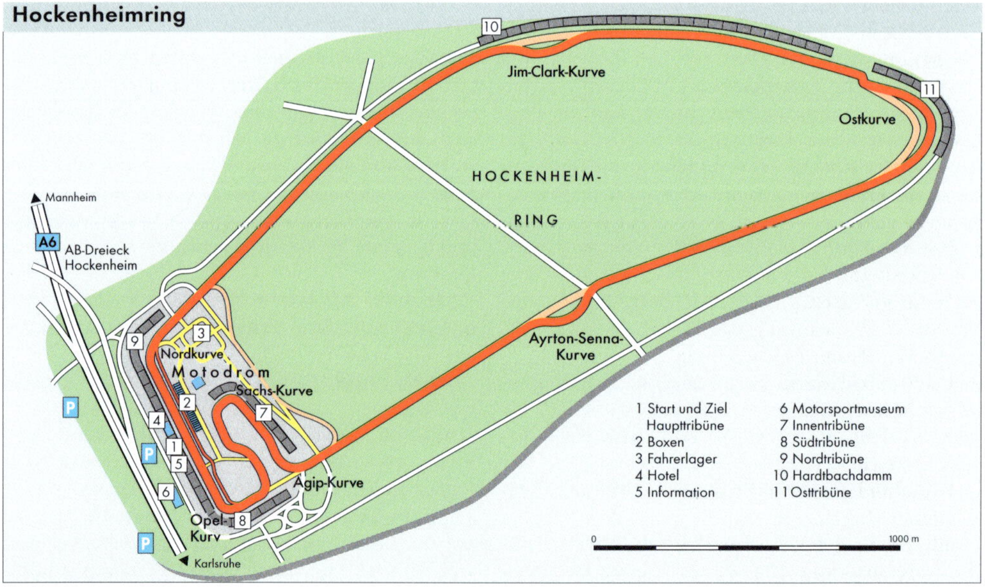

Hockenheim: Hockenheimring

eiserne H. nach 65, die **Gnaden-H.** nach 70, die **Kronjuwelen-H.** nach 75 Jahren.

Hochzeitsflug, das Ausfliegen der geflügelten Königin und der Männchen bei Termiten, Bienen und Ameisen zur Begattung.

Hochzeitskleid, bei vielen Tierarten z.T. farbenprächtige Bildungen der Haut oder des Gefieders, v.a. beim männl. Geschlecht, zur Paarungszeit.

Hochzucht, fortgesetzte Individualauslese mit Nachkommenschaftsprüfung in der Tier- und Pflanzenzüchtung zur Gewinnung neuer hochwertiger Rassen.

Hocke, 1) *Gewichtheben:* Körperposition des Hebers, um bei unveränderter Fußstellung in die Kniebeuge zu kommen und den Körper unter die Last zu bringen.

2) *Skisport:* Körperstellung, bei der die Kniegelenke tief nach vorn gebeugt sind, ohne dass dabei das Gesäß nach hinten gesenkt wird.

3) *Turnen:* Körperhaltung und -bewegung, bei der die Beine (geschlossen) stark angebeugt werden und der Rücken leicht nach vorn gekrümmt ist (Knie an die Brust). In dieser Körperhaltung gibt es viele Übungen an Reck, Stufenbarren, beim Pferdsprung und im Bodenturnen.

Hockenheim, Stadt im Rhein-Neckar-Kreis, Bad.-Württ., in der Oberrheinebene, 18 800 Ew.; Spargel-, Tabakanbau; Nahrungsmittel-, Metall-, feinmechan. Ind.; 769 erstmals erwähnt; seit 1895 Stadt. – Der **H.-Ring** ist eine Rennstrecke für Auto- und Motorradrennen (Grand-Prix-Rennen; 7,58 km Länge); 1932 angelegt.

Höcker, *Anatomie:* eine kegel- oder buckelartige Erhebung am Körper bzw. an Körperteilen (z.B. bei Kamelen), an Organen oder Knochen.

Hockergrab, vorgeschichtl. Bestattungsform, bei der der Tote mit angewinkelten Beinen auf der Seite liegend (selten sitzend) beigesetzt wurde. H. sind seit der Altsteinzeit bekannt, typisch sind sie für die späte Jungsteinzeit und die frühe Bronzezeit. – Als **Hockergrabkultur** bezeichnet man die durch H. gekennzeichnete spätkupferzeitl. Kulturgruppe zw. Karpaten, N-Kaukasus und Ural.

Höckerkelch, *Botanik:* die Gattung → Cuphea.

Hockey ['hɔke:, 'hɔkɪ, engl.; wohl von altfrz. hoquet »Schäferstock«] *das,* meist als **Feld-H. (Land-H., Rasen-H.)** gewöhnlich auf einem Rasenplatz mit H.-Schlägern betriebenes Torspiel zweier Mannschaften von je elf Spielern (ein Torwart und zehn Feldspieler) und drei, lediglich einmal ein- (und aus)zutauschenden Wechselspielern. Das Spielfeld ist 91,40 m lang und 55 m breit. Die Spielfeldhälften werden noch durch Viertellinien geteilt, Abstand 22,90 m parallel zu den Torlinien. Die Tore sind 3,66 m breit und 2,14 m hoch. Der Schusskreis hat einen Radius von 14,63 m. 6,40 m vor der Tormitte ist der sog. 7-m-Punkt. Der 156–163 g schwere Vollball von 22,4 bis 23,5 cm Umfang besteht aus Leder oder Kunststoff und soll möglichst oft mit 340–794 g schweren **H.-Stöcken (H.-Schlägern)** ins gegner. Tor geschlagen werden. Die Spielzeit beträgt 2 × 35 Minuten (Erwachsene). Der Ball darf nur mit der flachen Seite des Stocks gespielt werden, der Torschuss nur in dem vor dem Tor markierten Schusskreis erfolgen. Körperspiel ist nicht gestattet. – **Hallen-H.** wird auf einem 40 m × 20 m großen, mit Bande eingefassten Spielfeld von Mannschaften mit sechs Spielern und bis zu sechs Auswechselspielern betrieben. Die Spielzeit beträgt 2 × 20 Minuten. Der Ball darf nur geschoben werden.

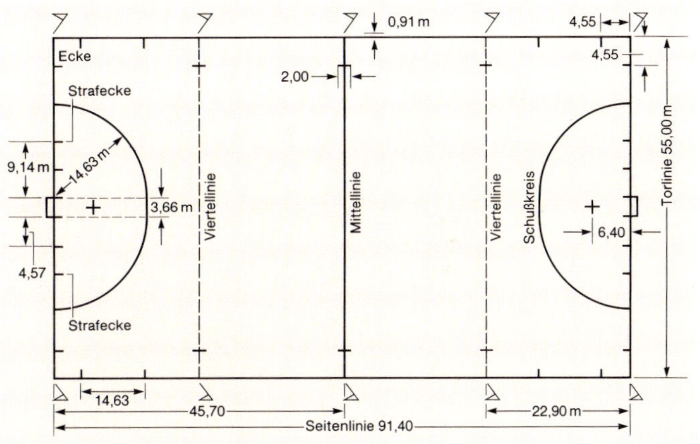

Hockey: Spielfeld im Feldhockey

Hockney ['hɔknɪ], David, engl. Maler und Grafiker, *Bradford 9. 7. 1937; Vertreter der Pop-Art. Seine Bilder vereinen plakative und ornamentale Elemente mit Detailrealismus; schuf auch Zeichnungen, Radierungen, Bühnenbilder.

Hoddis, Jakob van, eigtl. Hans Davidsohn, Lyriker, *Berlin 16. 5. 1887, †(während der Deportation) 30. 4. 1942; gründete 1909 mit K. Hiller den frühexpressionist. »Neuen Club« (seit 1910 »Neopathetisches Cabaret«); führte ein gehetztes Wanderleben, mit Aufenthalten in Sanatorien; schrieb schwermütige, oft iron. Gedichte voller prophetisch-visionärer Bilder; bes. bekannt wurde das expressionist. Gedicht »Weltende« (1911, als Gedichtband 1918).

Hodeida [-'deɪda] (Hudaydah, Al-H.), Hafenstadt in Jemen, am Roten Meer, 155 100 Ew.; Baumwollentkernung, Getränke- und Textilienherstellung; Handelszentrum; Tiefwasserhafen **Al-Ahmadi,** Erdölpipeline von Marib. – Die Altstadt von H. (heute stark verfallen) ist durch den reichen Ornamentschmuck ihrer vielstöckigen Häuser bekannt.

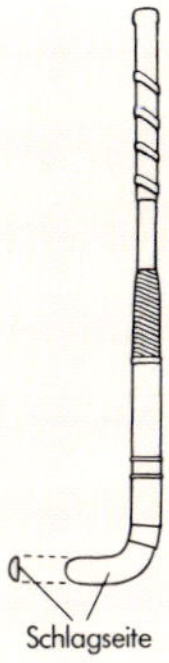

Hockey: Hockeyschläger

Alan Lloyd Hodgkin

Hoden (Testis, Orchis), männl. Keimdrüse (Geschlechtsdrüsen) bei Tieren und beim Menschen, die die männl. Geschlechtszellen (Spermien) produziert und Bildungsort von Geschlechtshormonen ist. Während bei den einfacheren Organismen die H. in Lage, Zahl und Form stark variieren, sind sie von den Gliedertieren an i. Allg. paarig ausgebildet. Bei den Wirbeltieren entsteht der H. in einer Falte des Bauchfells neben der Urnierenanlage. Mit Ausnahme der meisten Knochenfische bildet sich eine Verbindung mit der Urniere oder dem Urnierengang. Die in der H.-Anlage entstehenden Keimstränge formen sich bei den höheren Wirbeltieren (einschl. Mensch) zu gewundenen **Samenkanälchen (H.-Kanälchen)** um, deren Wand außer den Samenbildungszellen noch Nährzellen **(Sertoli-Zellen)** enthält. Im Bindegewebe des H. zw. den Kanälchen sind die **Leydig-Zwischenzellen** eingelagert, die v. a. Testosteron produzieren.

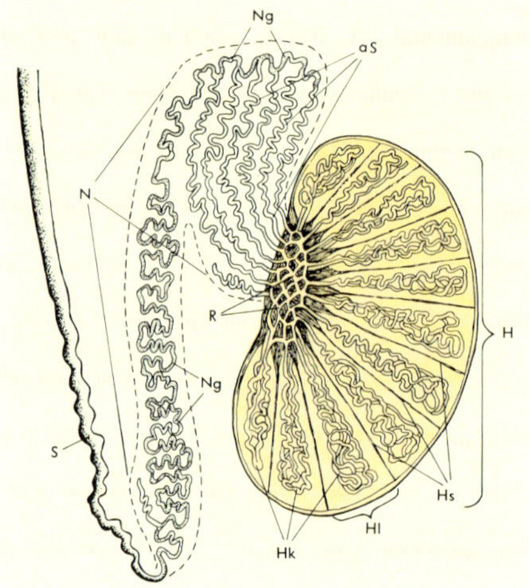

Hoden: schematische Darstellung von Hoden und Nebenhoden des Menschen; aS ausführende Samenkanälchen; H Hoden; Hk Hodenkanälchen; Hl Hodenläppchen; Hs Hodensepten; N Nebenhoden; Ng Nebenhodengang; R Rete testis; S Samenleiter

Beim Menschen wird durch starke Aufwindung der Samenkanälchen eine enorme Oberflächenvergrößerung erreicht, wodurch erst die tägl. Produktion von etwa 100 Mio. Spermien ermöglicht wird. Die Kanälchen münden in das H.-Netz (Rete testis), das sich in 8–15 Ausführkanälen fortsetzt, die den Kopf des dem H. hinten anliegenden **Neben-H. (Epididymis)** bilden; aus ihnen geht der gemeinsame Nebenhodengang hervor, der durch mäanderartige Aufwindung den Neben-H. bildet und an dessen Ende in den Samenleiter übergeht. Im Neben-H. machen die Spermien einen Reifungsprozess durch und erlangen ihre Beweglichkeit. Der untere Teil dient auch als Samenspeicher. H. und Neben-H. sind von mehreren Gewebshüllen umschlossen. Der H. verbleibt bei den meisten Wirbeltieren in der Bauchhöhle, lediglich bei der überwiegenden Zahl der Säugetiere (mit Ausnahme z. B. der Elefanten, Seekühe, Wale) wandert er aus der Leibeshöhle in den **H.-Sack (Scrotum;** beutelartige Hauttasche, die H. und Neben-H. enthält), wo er entweder dauernd verbleibt (z. B. beim Menschen, bei Beuteltieren, Wiederkäuern, Pferden, vielen Raubtieren und den Primaten) oder aus dem er zw. den Fortpflanzungsperioden wieder in die Bauchhöhle zurückgezogen wird (z. B. bei vielen Nagern und Flattertieren). In diesen Fällen ist wahrscheinlich die im Vergleich zur Bauchhöhle niedrigere Temperatur im H.-Sack (beim Menschen 2–4 Celsiusgrade niedriger) unerlässlich für die Samenbildung.

Dorothy Crowfoot Hodgkin

Hodenbruch (Skrotalhernie), Form des →Leistenbruchs.

Hodenentzündung (Orchitis), bakterielle Hodeninfektion auf dem Blutweg; meist von einer eitrigen Neben-H. auf den Hoden übergreifend.

Hodenhochstand, der →Kryptorchismus.

Hodensack, →Hoden.

Hodentorsion, durch Drehung des Gefäßstiels des Hodens akut einsetzende Durchblutungsstörung des Hodens. H. kommt meistens bei Kindern und Jugendlichen vor und erfordert eine sofortige operative Behandlung.

Hodgkin ['hɔdʒkɪn], **1)** Sir (seit 1972) Alan Lloyd, brit. Physiologe, *Banbury (Cty. Oxfordshire) 5. 11. 1914, †Cambridge 20. 12. 1998; arbeitete hauptsächlich auf dem Gebiet der Reizübermittlung des Nervensystems; erhielt 1963 mit A. F. Huxley und J. C. Eccles den Nobelpreis für Medizin.

2) Dorothy, geb. Crowfoot, brit. Chemikerin, *Kairo 12. 5. 1910, †Shipston-on-Stour (Cty. Warwickshire) 29. 7. 1994; seit 1956 Prof. in Oxford; ermittelte die Molekülstruktur u. a. von Penicillinen und Vitaminen durch Röntgenstrukturanalyse. 1964 erhielt sie für die Strukturaufklärung des Vitamins B_{12} den Nobelpreis für Chemie.

3) Howard, brit. Maler und Grafiker, *London 6. 8. 1932; gestaltet abstrakte Bilder von kolorist. Reichtum, schuf auch malerisch aufgefasste Radierungen, Aquatinten und Lithographien.

Hödicke, Horst, Maler, *Nürnberg 21. 2. 1938; wirkte mit seinen neoexpressionist. Bildern anregend auf die →Neuen Wilden; schuf auch Zeichnungen, Objekte, Skulpturen, Experimentalfilme.

Hodjak, Franz, rumäniendt. Schriftsteller, *Hermannstadt 27. 9. 1944; lebte ab 1970 als Verlagslektor in Klausenburg; siedelte 1992 nach Dtl. über; in seinem Roman »Grenzsteine« (1995) entwirft er in satir. Überzeichnung ein düsteres Bild der kulturellen Verheerungen im östl. Europa.

Hodler, Ferdinand, schweizer. Maler, *Bern 14. 3. 1853, †Genf 19. 5. 1918; überwand den Naturalismus und entwickelte im Ggs. zum Impressionismus einen Stil mit klaren Formen und Farben, in dem er v.a. symbolhaft gestaltete Figuren und geschichtl. Ereignisse malte (»Die Nacht«, 1890; Bern, Kunstmuseum). Die Eigenart seiner Kompositionen beruht auf der dekorativen Verteilung der Massen, dem ausdrucksvollen Fluss der Linien und dem Parallelismus sich wiederholender Formen. Seine auf monumentale Wirkungen ausgehende Kunst entfaltete sich v.a. in Wandgemälden.

MÜHLESTEIN, H. *u.* SCHMIDT, GEORG: *F.H. Neuausg. Zürich 1983.*

Hódmezővásárhely ['ho:dmɛzø:va:ʃa:rhɛj], Stadt in SO-Ungarn, an der unteren Theiß, 54000 Ew.; Lebensmittel-, Maschinen-, Textilind., Fayencenherstellung.

Hödr (Hod, neuisländ. Hödur), german. Gott, Bruder und blinder Mörder des →Baldr.

Hodscha, Enver, →Hoxha, Enver.

Hoechst AG [hø̧çst-], führender dt. Chemiekonzern, Sitz: Frankfurt am Main; gegr. 1863, seit 1880 AG, 1925–45 der →I. G. Farbenindustrie AG eingegliedert; 1951 neu gegr. als Farbwerke Hoechst AG, vormals Meister Lucius und Brüning, jetziger Name seit 1974. Weltruf erlangte die H. AG v.a. durch die Entwicklung von Arzneimitteln. Sie besitzt Beteiligungen u.a. an SGL Carbon, Messer Griesheim, Beringwerke, Roussel-Uclaf.

Høeg [hø:g], Peter, dän. Schriftsteller, *Kopenhagen 17. 5. 1957; kritisiert u.a. die »Macht der Diskurse«, die eurozentrist. Unterdrückung anderer Kulturen; bes. Erfolg hatte er mit dem Roman »Fräulein Smillas Gespür für Schnee« (1992; verfilmt).

Hoegner ['hø:-], Wilhelm, Politiker (SPD), *München 23. 9. 1887, †ebd. 5. 3. 1980; Staatsanwalt, 1933–45 in der Emigration, war in Bayern 1945–46 MinPräs.; 1946–47 Landesvors. der SPD, 1948–50 Generalstaatsanwalt am Bayer. Oberlandesgericht, 1950–54 stellv. MinPräs. sowie 1954–57 erneut Ministerpräsident.

Hoehme ['hø:-], Gerhard, Maler, *Greppin (Kr. Bitterfeld) 5.2.1920, †Neuss 29.6.1989; gehörte in den 50er-Jahren zu den wichtigsten Vertretern der dt. informellen Malerei und schuf später neben Gemälden auch Arbeiten in der Form des Combinepaintings sowie Objekte.

Hoek van Holland [hu:k van-], Vorhafen von Rotterdam, Niederlande; Nordseebad; Fährverbindungen mit England.

Hoelscher ['hœ-], **1)** Ludwig, Violoncellist, *Solingen 23.8.1907, †Tutzing 8.5.1996; 1954–75 Prof. an der Musikhochschule Stuttgart; bed. Interpret v.a. J. S. Bachs und zeitgenöss. Musik; oft Partner E. Neys und W. Giesekings.

Ferdinand Hodler: »Auszug der Jenenser Studenten in den Freiheitskrieg 1813«, Freskenmalerei (1908/09; Jena, Universität)

2) Ulf, Violinist, *Kitzingen 17. 1. 1942; wurde 1981 Prof. an der Musikhochschule Karlsruhe, 1987 an der Musikhochschule Berlin; Interpret klass. und zeitgenöss. Musik.

Hoelz ['hœ-] (Hölz), Max, Politiker, *Moritz (heute zu Röderau-Bobersen, bei Riesa) 14. 10. 1889, †(ertrunken) bei Gorki (heute Nischni Nowgorod) 15. 9. 1933; wurde 1918 Mitgl. der USPD, 1919 der KPD; Führer bewaffneter Arbeiterabteilungen im Vogtland (März 1920) und im Mansfelder Gebiet (März 1921); 1921 zu lebenslängl. Gefängnisstrafe verurteilt, 1928 freigelassen. 1929 siedelte H. in die UdSSR über; die Umstände seines Todes sind ungeklärt.

Peter Høeg

Hoelzel ['hœ-], Adolf, Maler, *Olmütz 13. 5. 1853, †Stuttgart 17. 10. 1934; gehörte seit 1888 zur Dachauer Malerkolonie. Seine Theorien, die an Goethes Farbenlehre anknüpfen, führten ihn um 1905 zur abstrakten Kunst, zu deren Begründern er zählt; schuf auch Pastelle, Glasfenster.

Adolf Hoelzel: Komposition (um 1930/32; Köln, Museum Ludwig)

Hoesch AG [hœʃ-], Stahlkonzern, Sitz: Dortmund, gegr. 1871, neu gegr. 1952, seit 1992 mit der Fried. Krupp AG fusioniert (→Krupp AG Hoesch-Krupp, Fried.).

Karl Hofer: »Maskerade« (1922; Köln, Museum Ludwig)

Hof, 1) *allg.:* unmittelbar zum Haus gehöriger Platz, auch als Innen-H. (→Atrium).

2) *atmosphär. Optik:* →Aureole.

3) *Geschichte:* (Curia) Haushalt und Residenz eines Fürsten. Der H., zu dem in der Frühzeit die Gefolgschaft gehörte, wanderte zunächst mit dem Herrscher von Ort zu Ort, bis er vom Spät-MA. an mit einem festen Reg.- und Wohnsitz verbunden blieb. Neben den alten Hofämtern entwickelten sich weitere; es entstand ein um den Fürsten zentrierter Verw.- und Machtapparat, aus dem schließlich auch eigene Zentralbehörden (H.-Kammer, H.-Kanzlei) hervorgingen. Die Gesamtheit der im H.-Dienst Stehenden bildete den H.-Staat. Das H.-Leben wurde zum gesellschaftl. Mittelpunkt für die adlige Oberschicht, der H. häufig zum Zentrum der Kultur (Aufenthaltsort zahlr. Künstler und Wissenschaftler). Zeremonielle Vorbilder waren im 16. Jh. der span. und im 17. Jh. der frz. Hof.

Andreas Hofer

Hof, 1) Landkreis im RegBez. Oberfranken, Bayern, 892 km², (1996) 110 600 Ew.

2) kreisfreie Stadt und Verw.sitz des Landkreises H., Bayern, an der oberen Saale, zw. Fichtelgebirge und Frankenwald, 52 300 Ew.; Beamtenfachhochschule; Textilind., Pumpenfabriken, Baustoffind., Schuhfabrik, Brauereien. – 1214 erstmals erwähnt, kam 1373 an die Burggrafen von Nürnberg, 1792 mit Ansbach-Bayreuth an Preußen, 1810 an Bayern.

Hof 2)
Stadtwappen

Hofämter, Ämter am fürstl. Hof, v. a. die schon z. Z. der fränk. Könige bestehenden: Hausmeier (Seneschall, 751 aufgehoben), Truchsess, Marschall, Kämmerer und Mundschenk. Die vier Letzteren wurden im Hl. Röm. Reich seit dem 12. Jh. von den höchsten Reichsfürsten ausgeübt; später wurden sie erblich (Erzämter).

Hofbauer (Hoffbauer), Klemens Maria, eigtl. Johannes H., österr. Redemptorist (seit 1784), *Taßwitz (heute Tasovice, bei Znaim) 26. 12. 1751, †Wien 15. 3. 1820; war als Prediger und Seelsorger von großem Einfluss, v. a. auf viele Konvertiten der Romantik (F. Schlegel, A. H. Müller, Z. Werner); Heiliger, Tag: 15. 3.

Hofburg, das frühere kaiserl. Schloss in Wien, jetzt Sitz des Bundespräsidenten und hoher Ämter sowie von Sammlungen. BILD Wien

Hofei, Stadt in China, →Hefei.

Hofer, 1) Andreas, Tiroler Freiheitskämpfer, *Sankt Leonhard in Passeier 22. 11. 1767, †(erschossen) Mantua 20. 2. 1810; Gastwirt (»Sandwirt von Passeier«), führte mit J. Haspinger, P. Mayr und J. Speckbacher den Tiroler Aufstand 1809. Nach Siegen am Berg Isel über Bayern (25. und 29. 5.) und Franzosen (13. 8. 1809) und dem Sieg der Tiroler Schützen über ein sächsisch-thüring. Regiment (4./5. 8.) im Eisacktal (»Sachsenklemme«) wurde H. Regent von Tirol. Als Österreich im Frieden von Schönbrunn (14. 10.) erneut auf Tirol verzichtete, setzte H. den Kampf fort, wurde aber an die Franzosen verraten und auf Befehl Napoleons I. hingerichtet. – H.s Schicksal bot den Stoff für unzählige Dramen und Erzählungen. Eindrucksvolle Gedichte verfassten J. von Eichendorff (1810), T. Körner (1813) und J. Mosen (1831), dessen Gedicht zum Volkslied wurde.

2) Karl, Maler, *Karlsruhe 11. 10. 1878, †Berlin 3. 4. 1955; 1919–36 Prof. an der Berliner Kunstakademie, deren Direktor er 1945 wurde; beeinflusst von H. von Marées und P. Cézanne; schuf stark konturierte Figurenbilder, Stillleben und Landschaften (des Tessin).

Höferecht, landwirtsch. Sonderrecht, das der Zerstückelung von Bauerngütern im Rahmen der Erbfolge entgegenwirken soll. Nach den in Dtl. geltenden Landes-Ges. **(Höfeordnung)** gilt Einzelerbfolge, Miterben sind auf einen geldwerten Abfindungsanspruch beschränkt. Zentraler Begriff der H. ist der Hof, auf den bei einem Wirtschaftswert von 20 000 DM (ausnahmsweise ab 10 000 DM) das H. angewandt werden kann. Beim Erbfall wird derjenige Hoferbe, den der Erblasser dazu bestimmt hat. Innerhalb der gesetzl. Ordnung kann nach versch. Kriterien über den Hoferben entschieden werden (z. B. Ältestenrecht, Jüngstenrecht, vorrangig ist jedoch die Bewirtschaftungsfähigkeit). Stand der Hof in gemeinsamem Eigentum der Ehegatten (Ehegattenhof), ist der überlebende Ehegatte Hoferbe. Wenn nicht anders bestimmt oder vereinbart (z. B. durch lebzeitigen Übergabevertrag), bemisst sich der Abfindungsanspruch der Miterben (sog. »weichende Erben«)

E. T. A. Hoffmann: Selbstbildnis (um 1810; Berlin, Nationalgalerie); darunter »Der wahnsinnige Kreisler«, Zeichnung E. T. A. Hoffmanns (undatiert) und sein Autogramm

nach dem Ertragswert, ggf. noch gemindert durch Umstände des Einzelfalles (z.B. durch Belastungen, die auf dem Hof ruhen). Diese die Miterben im Vergleich zum normalen bürgerl. Erbrecht stark benachteiligende Regelung ist vom Bundesverfassungsgericht als verfassungskonform beurteilt worden. Das H. entwickelte sich aus dem Anerbenrecht.

Ein dem dt. H. entsprechendes Recht existiert durch das Anerbengesetz von 1958 auch in *Österreich,* das den Ländern Kärnten, Tirol und Vorarlberg eigene Regelungen gestattet. Ähnl. Ziele verfolgt auch das *schweizer.* Bundesgesetz über die Erhaltung bäuerl. Grundbesitzes von 1951.

Jacobus Henricus van't Hoff

Hoff, Jacobus Henricus van't, niederländ. Physikochemiker, *Rotterdam 30. 8. 1852, †Berlin 1. 3. 1911; begründete unabhängig von J. A. Le Bel (*1847, †1930) die Stereochemie (1874), arbeitete über chem. Gleichgewichte und Reaktionen und führte neue Methoden zur Bestimmung des Molekulargewichtes ein. Für Untersuchungen über die elektrolyt. Dissoziation und die Entdeckung des Gesetzes des osmot. Druckes bei verdünnten Lösungen erhielt er 1901 den ersten Nobelpreis für Chemie.

Hoffer, Klaus, österr. Schriftsteller, *Graz 27. 12. 1942; bekannt durch den Roman »Bei den Bieresch« (2 Tle., 1979, 1983), in dem er die Suche nach einer Identität in einer sprachlich und geistig verkümmerten Welt schildert; außerdem: »Am Magnetberg« (1982); »Pusztavolk« (1991).

höffig, *Bergbau:* Abbauwürdigkeit versprechend.

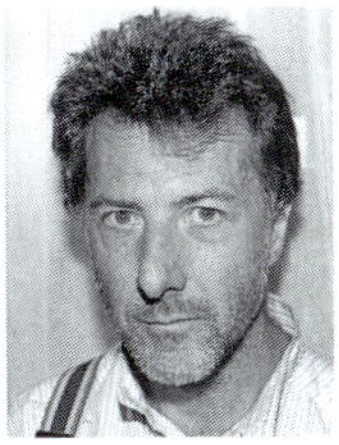

Dustin Hoffman

Hoffman ['hɔfmæn], **1)** Dustin, amerikan. Schauspieler, *Los Angeles (Calif.) 8. 8. 1937; gestaltete seit 1967 v.a. Filmrollen: »Kramer gegen Kramer« (1979), »Tootsie« (1982), »Rain Man« (1988), »Hook« (1991), »Ein ganz normaler Held« (1992), »American Buffalo« (1996).

2) Grace, amerikan. Sängerin (Alt), *Cleveland (Oh.) 14. 1. 1925; v.a. Wagner-Sängerin.

Hoffmann, 1) August Heinrich, →Hoffmann von Fallersleben, August Heinrich.

2) E. T. A. (Ernst Theodor Amadeus), eigtl. E. T. Wilhelm H., Schriftsteller, Komponist, Zeichner, *Königsberg (Pr) 24. 1. 1776, †Berlin 25. 6. 1822; Jurist, seit 1800 im preuß. Staatsdienst in Posen. Seine schonungslosen Karikaturen der kleinstädt. Philisterwelt führten zur Strafversetzung nach Płock; 1804–06 Regierungsrat in Warschau; danach stellungslos; ging 1808 nach Bamberg, wo er Musikdirektor, Komponist, Regisseur, Bühnenmaler war. 1813/14 wirkte er abwechselnd in Leipzig und Dresden als Kapellmeister; ab 1814 wieder im Staatsdienst (ab 1816 Kammergerichtsrat). – Realist. Alltagswelt und spukhafte Geisterwelt stehen in seinen Novellen, Erzählungen und Märchen nebeneinander und gehen unvermittelt ineinander über. Bewusstseinsspaltung und Doppelgängertum spielen in seinen Werken eine bed. Rolle, wie etwa in dem Roman »Die Elixiere des Teufels« (2 Bde., 1815/1816). In den »Lebens-Ansichten des Katers Murr ...« (Romanfragment, 2 Bde., 1819–21) überschneiden sich zwei grundversch. Handlungsabläufe: Die Memoiren des Kapellmeisters Johannes Kreisler und die Betrachtung seines schreibkundigen Katers, eine humorist. Relativierung von bürgerl. und romant. Künstlerwelt. Sein exempla-

Heinrich Hoffmann: »Der Struwwelpeter«, kolorierte Lithographie aus dem gleichnamigen Kinderbuch in einer Ausgabe aus dem Jahr 1847

rischer fantast. Realismus hatte großen Einfluss auf die europ. Literatur, u. a. auf Balzac, Dickens, Baudelaire, Poe, Kafka. Außerdem veröffentlichte H. »Nachtstücke« (Erz., 2 Bde., 1816–17), »Seltsame Leiden eines Theaterdirektors« (Erz., 1819), »Die Serapionsbrüder« (Erz., 4 Bde., 1819–21), »Meister Floh« (1822). Als Komponist (Instrumentalmusik; Oper »Undine«, Urauff. 1816) gehörte H. zu den Vorläufern der musikal. Romantik.

Reinhild Hoffmann

📖 Feldges, B. *u.* Stadler, U.: *E. T. A. H. Epoche – Werk – Wirkung. München 1986.* – Kaiser, G. R.: *E. T. A. H. Stuttgart 1988.* – Kremer, D.: *Romant. Metamorphosen. E. T. A. H.s Erzählungen. Stuttgart u. a. 1993.*

3) Heinrich, Psychiater, *Frankfurt am Main 13. 6. 1809, †ebd. 20. 9. 1894; war 1851–88 Direktor der städt. Nervenheilanstalt in Frankfurt am Main, wo er fortschrittl. Behandlungsmethoden einführte; erster Vertreter der Jugendpsychiatrie; wurde bekannt durch seine von ihm selbst mit Bildern ausgestatteten Kinderbücher, weltweit mit dem »Struwwelpeter« (1845).

August Heinrich Hoffmann von Fallersleben (zeitgenössischer Stich)

4) Johannes, Politiker, *Landsweiler (heute zu Schiffweiler, Kr. Neunkirchen) 23. 12. 1890, †Völklingen 21. 9. 1967; gründete 1945 im Saargebiet die Christl. Volkspartei (CVP), war dort 1947–55 Min.Präs.; trat für die polit. Autonomie und den wirtsch. Anschluss des Saargebietes an Frankreich ein.

5) Josef, österr. Architekt, *Pirnitz (heute Brtnice, bei Iglau) 15. 12. 1870, †Wien 7. 5. 1956; war maßgeblich beteiligt an der vom Jugendstil ausgehenden Erneuerung von Kunsthandwerk (Gründung der »Wiener Werkstätte« 1903) und Architektur (Sanatorium Purkersdorf bei Wien, 1903–06; Palais Stoclet, Brüssel, 1911).

6) Kurt, Filmregisseur, *Freiburg im Breisgau 12. 11. 1910; drehte v. a. Unterhaltungsfilme, u. a »Quax der Bruchpilot« (1941), »Das fliegende Klassenzimmer« (1954), »Bekenntnisse des Hochstaplers Felix Krull« (1957), »Das Wirtshaus im Spessart« (1957), »Wir Wunderkinder« (1958), »Die Ehe des Herrn Mississippi« (1961).

7) Ludwig, Architekt, *Darmstadt 30. 7. 1852, †Berlin 11. 11. 1932; Vertreter des Historismus; baute in Leipzig das Reichsgericht (1887–95), in Berlin das Rudolf-Virchow-Krankenhaus (1899 bis 1906) und das Märk. Museum (1901–07).

8) Reinhild, Tänzerin, Choreographin und Ballettdirektorin, *Sorau (Nd. Lausitz; heute Żary) 1. 11. 1943; leitete seit 1978 mit G. Bohner (bis 1981) das Bremer Ballett; 1986–95 am Schauspielhaus Bochum.

9) [ˈhɔfmæn], Roald, amerikan. Chemiker poln. Herkunft, *Złoczew (Wwschaft Sieradz) 18. 7. 1937. Ergebnis seiner praxisorientierten Arbeiten sind u. a. die mit R. B. Woodward aufgestellten Woodward-Hoffmann-Regeln von der »Erhaltung der Orbitalsymmetrie«, die für die vorausberechenbare Synthese komplexer chem. Verbindungen wichtig sind. H. erhielt mit K. Fukui für die (unabhängig voneinander) erstellten Theorien über den Verlauf chem. Reaktionen 1981 den Nobelpreis für Chemie.

Hoffmann-La Roche & Co. AG [-laˈrɔʃ-], → Roche Holding AG.

Hoffmannstropfen [nach dem Arzt und Chemiker F. Hoffmann, *1660, †1742], Gemisch aus einem Teil Äther und drei Teilen Alkohol; hat belebende Wirkung.

Hoffmann von Fallersleben, August Heinrich, eigtl. A. H. Hoffmann, Schriftsteller, *Fallersleben (heute zu Wolfsburg) 2. 4. 1798, †Schloss Corvey (heute zu Höxter) 19. 1. 1874; seit 1830 Prof. für dt. Sprache und Literatur in Breslau; wegen seiner nationalliberalen Haltung, die in den »Unpolit. Liedern« (2 Bde., 1840–41) bezeugt ist, 1842 seines Amtes enthoben und des Landes verwiesen; 1848 rehabilitiert; ab 1860 Bibliothekar des Herzogs von Ratibor in Corvey; dichtete 1841 auf Helgoland »Das Lied der Deutschen« (das Deutschlandlied); schrieb polit. Lyrik, Kinderlieder (»Alle Vögel sind schon da« u. a.), entdeckte die Fragmente von Otfrieds Evangelienbuch und das »Ludwigslied«.

📖 Borchert, J.: *H. v. F. Ein dt. Dichterschicksal. Berlin 1991.*

Hoffmeister, Cuno Friedrich Ludwig, Astronom, *Sonneberg 2. 2. 1892, †ebd. 2. 1. 1968; Begründer (1925) und Leiter der Sternwarte Sonneberg, die er zu einem Zentrum für die Erforschung der veränderlichen Sterne ausbaute; entdeckte den Prototyp der → Blasare.

Höffner, Joseph, kath. Theologe und Sozialwissenschaftler, *Horhausen (Westerwald) 24. 12. 1906, †Köln 16. 10. 1987; seit 1969 Erzbischof von Köln und Kardinal, seit 1976 Vors. der Dt. Bischofskonferenz.

Hoffnung, 1) *Philosophie:* die der Angst und Verzweiflung entgegengesetzte Grundempfindung des Menschen.

2) *Theologie:* neben Glaube und Liebe eine der drei Kardinaltugenden; begründet im Heilswerk Gottes in Jesus Christus und in der Erwartung von dessen Wiederkunft.

Hoffnungslauf (Hoffnungsrunde), in bestimmten Sportarten übl. Zwischenkampf, bei dem eigentlich schon Ausgeschiedene durch Sieg und/oder Platz im Wettbewerb verbleiben.

Hofgeismar, Stadt im Landkr. Kassel, Hessen, 16 600 Ew.; Evang. Akademie im Schloss Schönburg; Museen; vielseitige Ind. – 1082 erstmals erwähnt, erhielt um 1220 Stadtrecht.

Hofgeismar Stadtwappen

Hofgericht, rechtsgeschichtl. Bez. für 1) das Gericht eines Grundherrn über die von ihm abhängigen Bauern; 2) das oberste Gericht des Reiches (königl. H., Reichs-H., 1235 bis 1450), zuständig u. a. für die Reichsacht; es hatte keinen festen Sitz; 3) territoriale H., die sich z. T. zu erstinstanzl. Gerichten für bestimmte Prozessparteien, z. T. zu Appellationsgerichten, entwickelten. 4) Das H. Rottweil war ein territorial beschränktes, von den dt. Königen mit besonderer Rechtstellung versehenes Reichsgericht.

Hofhaimer, Paul von (seit 1515), österr. Organist und Komponist, *Radstadt 25. 1. 1459, †Salzburg 1537; Domorganist in Salzburg, Hauptmeister des mehrstimmigen dt. Lieds.

Hofheim am Taunus, Krst. des Main-Taunus-Kreises, Hessen, am S-Rand des Taunus, 36 400 Ew.; Wohngemeinde für Frankfurt am Main; Stadtmuseum; Maschinenbau, Glas- und Holzverarbeitung. – Kath. Pfarrkirche mit spätgot. W-Turm und Chor, Fachwerkhäuser (17./18. Jh.).; im Ortsteil Langenhain Tempel der Bahai. – Im 1. Jh. n. Chr. wichtiger röm. Stützpunkt; 1263 Ersterwähnung, seit 1352 Stadtrecht.

höfische Dichtung, Dichtung, die v. a. im 12./13. Jh. an Fürstenhöfen entstand oder an der höfisch-ritterl. Kultur orientierte. Hauptformen sind → Minnesang und höf. → Epos.

Hoflehner, Rudolf, österr. Bildhauer und Maler, *Linz 8. 8. 1916, †Collalto (zu Colle di Val d'Elsa, Prov. Siena) 3. 9. 1995; entwickelte stelenartige, aggressiv hochgereckte Körperzeichen, später v. a. stark farbige Bilder, die den Menschen als gemarterte Kreatur zeigen.

Hofmann, 1) August Wilhelm von (seit 1888), Chemiker, *Gießen 8. 4. 1818, †Berlin 5. 5. 1892. Seine Anilin-Untersuchungen führten zu den ersten Synthesen von Anilinfarbstoffen und begründeten die Teerfarbenchemie; grundlegende Arbeiten über organ. Stickstoffverbindungen.

2) Fritz, Chemiker, *Kölleda (Kr. Sömmerda) 2. 11. 1866, †Hannover 29. 10. 1956. Ihm gelang 1909 die therm. Polymerisation des Isoprens zum ersten Synthesekautschuk, 1916 die Herstellung des »Methylkautschuks« aus Dimethylbutadien.

3) ['hɔfmən], Hans, amerikan. Maler und Kunstpädagoge dt. Herkunft, *Weißenburg i. Bay. 21. 3. 1880, †New York 18. 2. 1966; seit etwa 1935 bed. Vertreter des abstrakten Expressionismus.

4) Peter, Sänger (Tenor), *Marienbad 22. 8. 1944; wurde 1975 Mitgl. der Württemberg. Staatsoper Stuttgart, 1977 auch der Wiener Staatsoper; erfolgreich v. a. im Wagner-Fach (Parsifal, Lohengrin), auch als Rocksänger.

Hofmannsthal, Hugo von, österr. Dichter, *Wien 1. 2. 1874, †Rodaun (heute zu Wien) 15. 7. 1929; zählt als Lyriker und Dramatiker zu den bed. Vertretern des österr. Impressionismus und Symbolismus; schuf zunächst im schwermütig-skept. Geist des Fin de Siècle Dichtungen von Empfindung, Musikalität und Todesmystik (»Der Thor und der Tod«, Dr. 1894), wandte sich nach innerer Krise (»Chandos-Brief«, 1902) mit dem Drama »Elektra« (1904) einer mit den Augen Nietzsches und der modernen Psychologie (S. Freud) gesehenen Antike zu. Mit »Jedermann« (1911), einer Wiederbelebung des mittelalterl. Mysterienspiels, stellte er sich in die abendländisch-christl. Tradition, mit dem »Salzburger großen Welttheater« (1922, nach Calderón) setzte er die Überlieferung des österr. Barocktheaters fort. In der problemtiefen Komödie fand er die ihm wesensgemäße Form (»Cristinas Heimreise«, 1910; »Der Schwierige«, 1921). Für R. Strauss schrieb H. mehrere literarisch eigenständige Libretti (»Elektra«, 1909; »Der Rosenkavalier«, 1911). Tief getroffen von der Chaotik der Kriegs- und Nachkriegszeit, entwickelte H. Ideen eines geistigen Konservativismus. Um die Probleme Geist und Macht geht es auch in der Staatstragödie »Der Turm« (2 Fassungen, 1925–27).

Hugo von Hofmannsthal

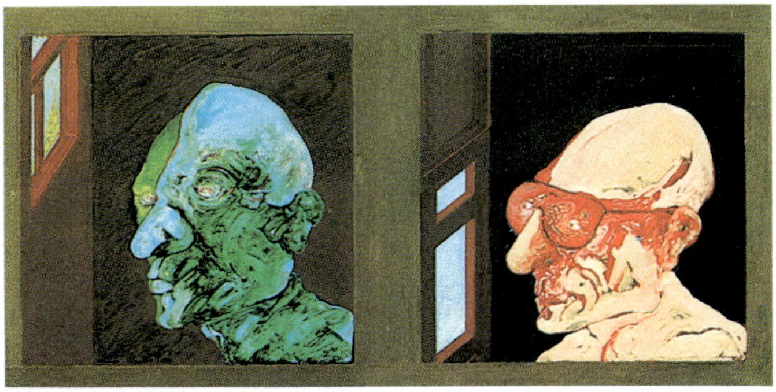

Rudolf Hoflehner: Doppel-Selbstporträt (1976; Privatbesitz)

Mit seinem Romanfragment »Andreas oder Die Vereinigten« (entstanden 1907–13, gedruckt 1932), seinen Essays und Briefen gehört H. zu den Meistern der dt. Prosa.

Ⓛ MAYER, M: *H. v. H. Stuttgart u. a. 1993.* – VOLKE, W.: *H. v. H. mit Selbstzeugnissen u. Bilddokumenten. Reinbek 64.–66. Tsd., [15]1994.*

Christian Hofmann von Hofmannswaldau (Ausschnitt eines Kupferstichs, 1688)

Hofmann von Hofmannswaldau, Christian, Dichter, *Breslau 25. 12. 1617, †ebd. 18. 4. 1679; bereiste England, Frankreich und Italien; Ratsherr in Breslau, 1677 Präs. des Ratskollegiums; schrieb v. a. weltl. und geistl. Lieder, Oden, Heldenbriefe (nach dem Vorbild Ovids) und galante Lieder; Wegbereiter des spätbarocken →Marinismus in Deutschland.

Hofmarschall (Oberhofmarschall), oberer Beamter für das Hauswesen eines Fürstenhofes mit urspr. militär. Aufgabe; löste den →Hofmeister ab.

Hofmeister, 1) (mlat. Magister curiae) in den dt. Territorien des MA. der Leiter der fürstl. Hofhaltung; vertrat den Fürsten seit dem 15. Jh. auch vor Gericht.

2) im 16. und 17. Jh. »Zeremonienmeister« und Erzieher an fürstl. Höfen, ab dem 18. Jh. allg. Hauslehrer in begüterten Familien.

Hofnarr, seit dem hohen MA. bis ins 17. Jh. (Frankreich) und 18. Jh. (Dtl.) Spaßmacher und Unterhalter an Fürstenhöfen. Zu seiner Rolle gehörten Narrenkappe mit Eselsohren oder Hahnenkamm, Narrenzepter, Narrenschellen und Halskrause. Beliebt als H. waren v. a. Zwerge, z. B. K. Perkeo (am Heidelberger Hof), und Krüppel.

Hofrat, 1) Bez. für →Geheimer Rat.

2) ehem. Titel für Beamte und verdiente Männer, in Österreich noch üblich.

Hofrecht, im dt. Recht des MA. die Rechtssätze, die das Verhältnis zw. Grundherrn und abhängigen Bauern regelten.

Hofschule (Palastschule, lat. Schola palatina), die seit dem 6. Jh. am Hof der Merowinger nach röm. Vorbild bestehende Schule, in der v. a. die Söhne des Königs und des hohen Adels in den freien Künsten und in lat. Sprache unterrichtet wurden.

Hofstaat, →Hof.

Robert Hofstadter

Hofstadter ['hɔfstetə], Robert, amerikan. Physiker, *New York 5. 2. 1915, †Palo Alto (Calif.) 17. 11. 1990 ; seit 1950 Prof. an der Stanford University (Calif.), führte ab 1953 am dortigen Linearbeschleuniger Untersuchungen zur Streuung hochenerget. Elektronen **(H.-Versuche)** durch, mit denen er u. a. die endl. Ausdehnung und innere Struktur von Proton und Neutron nachwies und die Ladungsverteilung der Atomkerne ermittelte; erhielt dafür 1961 den Nobelpreis für Physik (zus. mit R. Mößbauer).

Hofstätter, Peter Robert, österr. Psychologe, *Wien 20. 10. 1913, †Buxtehude 13. 6. 1994; seit 1960 Prof. in Hamburg; forschte empirisch-experimentell v. a. im sozialpsycholog. Bereich.

Werke: Sozialpsychologie (1956); Gruppendynamik (1957); Differentielle Psychologie (1971); Psychologie zw. Kenntnis und Kult (1984).

Hofstede de Groot [-xro:t], Cornelis, niederländ. Kunsthistoriker, *Dwingeloo (bei Assen) 9. 11. 1863, †Den Haag 14. 4. 1930; Direktor am Mauritshuis in Den Haag und am Amsterdamer Kupferstichkabinett, seit 1923 Leiter der Niederländ. Staatl. Kommission für Denkmalpflege und Inventarisation. Er veröffentlichte u. a.: »Rembrandt« (mit W. von Bode, 8 Bde., 1897–1905); »Beschreibendes und krit. Verzeichnis der Werke der hervorragendsten holländ. Maler des 17. Jh.« (10 Bde., 1907–28).

Hofuf (Hufuf, Al-H.), Hauptort der Oase Hasa im O Saudi-Arabiens, 101 000 Ew.; Forschungsstation für Hydrologie und Bewässerungswirtschaft; Marktzentrum; Feldbau.

Hofnarr: »Hofnarr vor Kaiser und Papst«, Seite aus der Erstausgabe (1494) der Moralsatire »Das Narrenschiff« von Sebastian Brant

Hogarth ['həʊgɑ:θ], William, engl. Maler und Kupferstecher, *London 10. 11. 1697, †ebd. 25. 10. 1764; versuchte mit seinen Sittenbildern (»moral subjects«), die eine Fülle realistisch geschilderter und zu kom. Wirkung gesteigerter Einzelheiten enthalten, erzieherisch auf seine Zeitgenossen einzuwirken. Er gilt als Begründer der engl. Karikatur. In Stichen verbreitete Bilderfolgen sind u. a. »Das Leben einer Dirne« (1730–32); »Marriage-à-la-mode« (1742–44); »Die Wahlen« (um 1754).

Hoger, Hannelore, Schauspielerin, *Hamburg 20. 8. 1941; seit 1961 an großen dt. Theatern, überzeugte auch in Film- (ab 1967; bes. bei A. Kluge und P. Zadek) und Fernsehproduktionen.

Höger, Fritz, Architekt, *Bekenreihe (heute zu Kiebitzreihe, Kr. Steinburg) 12. 6. 1877, † Bad Segeberg 21. 6. 1949; seit 1905 in Hamburg tätig, erneuerte den norddt. Backsteinbau unter expressionist. Einfluss (Chilehaus, Hamburg, 1922–23; Sprinkenhof, ebd., 1930–32; Rathaus, Wilhelmshaven, 1928/29).

Hoggar, Gebirge und Volksstamm in der algerischen Sahara, → Ahaggar.

Höhe, 1) *Astronomie:* (Elevation) eine der Koordinaten des Horizontalsystems (→ astronomische Koordinaten), der Winkel zw. den Richtungen zu einem Gestirn und zum Horizont.

2) *Geodäsie:* der senkrechte Abstand eines Punktes von einer Bezugsfläche. Die **absolute H.** ist der Abstand vom mittleren Meeresspiegel (Meereshöhe), die **relative H.** die Erhebung eines Berggipfels über seine Umgebung.

3) *Mathematik:* senkrechter Abstand eines Punktes von einer Grundlinie oder -fläche.

Hohe Acht, der höchste Berg der Eifel, 747 m ü. M.; Aussichtsturm.

Hoheit, Titel fürstl. Personen; für Prinzen eines Königshauses und Großherzöge **Königl. H.,** für den dt. Kronprinz und die österr. Erzherzöge **Kaiserl. Hoheit.**

Hoheitsgewässer, → Küstengewässer.

Hoheitsrechte, die dem Staat zustehenden Befugnisse zur Ausübung der Staats- oder Hoheitsgewalt (Gesetzgebung, Vollzug der Gesetze, Rechtsprechung). Die H. bemessen sich anderen Staaten gegenüber nach dem Völkerrecht, innerstaatlich werden sie durch die Verf. und die Gesetze begrenzt. Im demokrat. Rechtsstaat wird die Ausübung der H. durch das Prinzip der Gewaltentrennung und durch die Grundrechte eingeschränkt. Im Bundesstaat stehen neben dem Bund auch den Ländern H. zu. Gemäß Art. 24 GG kann der Bund durch Gesetze einzelne H. auf zwischenstaatl. Einrichtungen übertragen, z. B. auf Organe der EG.

Hoheitszeichen, Gegenstände, die als Mittel der staatl. Selbstdarstellung oder nat. Identifikation den Staat symbolisieren, z. B. Flaggen, Wappen, Staatssiegel, auch die Nationalhymne. In Dtl. wird mit Freiheitsstrafe bis zu drei Jahren oder Geldstrafe bestraft, wer H. verunglimpft oder ein öffentlich angebrachtes H. des Bundes oder eines Bundeslandes entfernt, zerstört, beschädigt, unkenntlich macht oder beschimpfenden Unfug daran verübt (§ 90a StGB). Ähnliches gilt für ausländ. H. (§ 104 StGB). Entsprechende Regelungen gelten für *Österreich* (§§ 248, 317 StGB) und die *Schweiz* (Art. 270, 298 StGB).

Hohelied (Hoheslied, Lied der Lieder, lat. Canticum canticorum), Buch des A. T.; israelit. Liebes- und Hochzeitslieder; in der traditionellen jüd. Theologie allegorisch auf die Liebe Gottes zu Israel, in der christl. Theologie des MA. zur Kirche bzw. der gläubigen Seele als seiner Braut gedeutet.

William Hogarth: »Kurz nach der Hochzeit«, Gemälde aus der Serie »Marriage-à-la-mode« (1742–44; London, National Gallery)

Hohenasperg, ehem. Festung (16. Jh.) auf einem 356 m hohen Keuperberg bei Asperg, Bad.-Württ., im 18. und 19. Jh. württemberg. Staatsgefängnis, in dem u. a. J. Süß-Oppenheimer, C. F. D. Schubart, F. List, K. A. von Hase gefangen gehalten wurden; seit 1948 Landesstrafanstalt (Zentralkrankenhaus). BILD S. 274

Hohenberg, Herzogin von, → Chotek.

Hohenelbe, Stadt in der Tschech. Republik, → Vrchlabí.

Fritz Höger: Das Chilehaus in Hamburg; 1922–23

Hohenasperg: Die Festung aus dem 16. Jh. ist zum großen Teil so erhalten, wie sie Herzog Ulrich von Württemberg erbauen ließ

Chlodwig Fürst zu Hohenlohe-Schillingsfürst

Hohenems, Stadt in Vorarlberg, Österreich, am Rande des Bregenzer Waldes und der Rheinebene, 433 m ü. M., 13 500 Ew.; Textil-, Metallind., Skifabrik. – Gräfl. Palast (1562–67), in dessen Bibliothek 1755 und 1779 zwei Handschriften des Nibelungenliedes gefunden wurden. Über H. erheben sich Burg Glopper (**Neu-Ems,** 1343) und die Ruine **Alt-Ems** (12. Jh.). – Seit 1983 Stadt.

Höhenformel (barometrische Höhenformel), Gleichung, die die Änderung des Luftdrucks (p, p_0) in verschiedenen Höhen (h, h_0) der Atmosphäre beschreibt: $p = p_0 \exp [-(h-h_0)/RT]$; hierbei ist R die molare Gaskonstante und T die (als konstant angenommene) absolute Temperatur. Die H. wird in der barometrischen Höhenmessung ausgenützt.

Hohenfriedeberg, Ort in Polen, →Dobromierz.

Höhengürtel (Höhenstufen), Gebiete, in die sich Gebirge aufgrund von Klima, Flora und Fauna sowie landwirtsch. Nutzung gliedern lassen (in den trop. Gebirgen Lateinamerikas →Tierra).

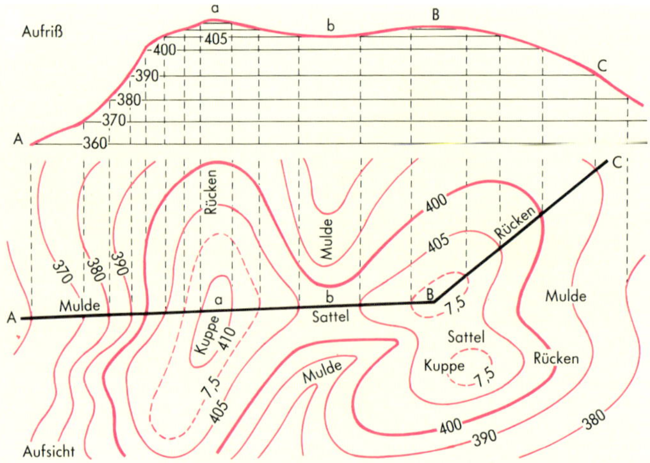

Höhenlinien: Darstellung eines Berggeländes im Querschnitt, mit Höhenlinien; bei sehr flachem Gelände werden Hilfslinien (hier punktiert 7,5) eingeschaltet

Hohenheim, Stadtbezirk (seit 1942) von →Stuttgart, mit der Univ. Hohenheim.

Höhenkrankheit (Bergkrankheit, Ballonfahrerkrankheit, Fliegerkrankheit), bei untrainierten, nicht akklimatisierten sowie bei herz- und kreislauflabilen Menschen in Höhen über 3000 m auftretende Erkrankung infolge verminderter Sauerstoffsättigung des Blutes und der Gewebe durch Abnahme des Sauerstoffpartialdrucks. Symptome: Nachlassen der körperl. und geistigen Leistungsfähigkeit, verbunden mit einem dem Alkoholrausch ähnl. Zustand (**Höheneuphorie, Höhenrausch**), später Atemnot, Bewusstseinsstörungen.

Höhenkreis, der →Vertikalkreis.

Hohenlimburg, seit 1975 Stadtteil von Hagen, NRW, Stahlind. (Bandstahl) und Kalksteinbrüche; mit Burg Limburg (1230).

Höhenlinien (Höhenschichtlinien, Isohypsen), auf Landkarten die Linien, die Punkte gleicher Höhen verbinden.

Hohenlohe, fränk. Fürstengeschlecht, urspr. Herren von Weikersheim, seit 1178 H. nach der Burg Hohenloch bei Uffezheim. Ihr Territorium kam 1806 zum größeren Teil unter württemberg., zum kleineren Teil unter bayer. Landeshoheit. Die beiden Hauptlinien, **H.-Neuenstein** (prot., seit 1764 reichsfürstlich) und **H.-Waldenburg** (kath., seit 1744 reichsfürstlich), haben sich in die Zweige H.-Langenburg, H.-Öhringen (seit 1861 Herzöge von Ujest), H.-Ingelfingen sowie H.-Bartenstein, H.-Jagstberg, H.-Waldenburg-Schillingsfürst und H.-Schillingsfürst (seit 1840 Herzöge von Ratibor und Fürsten von Corvey) geteilt. – Bedeutender Vertreter: Chlodwig, 6. Fürst zu **H.-Schillingsfürst,** Prinz von Ratibor und Corvey (seit 1840), *Rotenburg a. d. Fulda 31. 3. 1819, †Bad Ragaz 6. 7. 1901; liberal und kleindt. gesinnt, 1866–70 bayer. MinPräs.; setzte die Zolleinigung der süddt. Staaten mit Preußen durch. 1874 wurde er dt. Botschafter in Paris, 1885 Statthalter von Elsass Lothringen, 1894–1900 Reichskanzler und preuß. MinPräs.

Hohenlohekreis, Landkr. im RegBez. Stuttgart, Bad.-Württ., 777 km², (1996) 104 300 Ew. Krst. ist Künzelsau.

Hohenloher Ebene, flachwelliges Hügelland (Gäulandschaft), das sich halbkreisförmig am Fuß des Schwäbisch-Fränk. Waldlandes vom Neckar zur Tauber erstreckt, bis 500 m ü. M.; fruchtbare Lösslehmböden werden ackerbaulich genutzt.

Höhenmesser, Gerät zur Anzeige der Flughöhe in Luftfahrzeugen. Der **barometr. H.,** ein Luftdruckmessgerät nach Art des Aneroidbarometers (→Barometer) mit Skaleneichung, gibt die absolute Höhe über dem Meeresspiegel an. Die Höhendifferenz zum Boden (relative Höhe) wird nur erkennbar, wenn das Gerät durch eine Skalenjustierung auf den herrschenden Bodenluftdruck justiert wird. Die relative Höhe über Grund kann vom **Funk-H.** aus der Laufzeit von zur Erdoberfläche gesendeten und dort reflektierten elektromagnet. Wellen bestimmt werden. Der Funk-H. wird meist bei der Landung (bes. mit automat. Landeführungssystemen) eingesetzt.

Höhenmessung, *Vermessungstechnik:* 1) die Ermittlung des Höhenunterschieds zw. zwei oder mehr Punkten durch →Nivellement (in flachem Gelände), durch **trigonometr. H.** (in gebirgigem Gelände und bei großen Höhenunterschieden) oder durch **barometr. H.** (→Höhenformel). Das Nivellement ist das genaueste (mm- bis cm-Genauigkeit), die barometr. H. das am wenigsten genaue Verfahren (m-Genauigkeit); 2) die Bestimmung von Punkthöhen mithilfe von Tachymetrie (→Theodolit) und Photogrammmetrie zur Darstellung des Geländes durch ein digitales Geländemodell oder Höhenlinien.

Hohenmölsen, Stadt im Landkreis Weißenfels, Sa.-Anh., 8500 Ew.; Pendlerwohnstadt; um H. Braunkohlentagebau, Paraffinwerk (in Webau) und Kohleveredlung (in Deuben). – Got. Stadtkirche. – 1080 erstmals erwähnt, seit 1236 als Stadt; bis 1994 Kreisstadt.

Hohenneuffen, Randberg der Schwäb. Alb, bei →Neuffen.

Höhenrauch (Heiderauch), Staubteilchen, die trocken und so klein sind, dass sie weder gefühlt noch mit dem bloßen Auge entdeckt werden können; sie geben der Luft ein charakterist. (diesiges oder opaleszierendes) Aussehen. Ursachen sind Brände und Ind.-Verunreinigungen.

Hohenrechberg, Burg (12. Jh., 1865 durch Blitzschlag zerstört) bei Schwäbisch Gmünd, Bad.-Württ., auf dem 707 m hohen Rechberg; Wallfahrtskirche (1686–88).

Hohensalza, Stadt in Polen, →Inowrocław.

Höhensatz, Lehrsatz der Geometrie: Im rechtwinkligen Dreieck ist das Quadrat der Höhe h gleich dem Produkt aus den Hypotenusenabschnitten p und q.

Höhenschichten, in der Kartographie Bez. für die durch versch. Farbtöne herausgehobenen Flächen zw. zwei Höhenlinien.

Hohenschwangau, Schloss bei Füssen, 800 m ü. M., urspr. welfisch, kam 1567 an Bayern; nach Zerstörung eines Vorgängenbaus 1833–37 von Maximilian II. neu aufgebaut (Fresken aus der dt. Sage u. a. von M. von Schwind).

Hohenstaufen *der* (Hoher Staufen), Randberg (Zeugenberg) der Schwäb. Alb nordöstlich von Göppingen, 684 m ü. M., mit den Resten der Ende des 11. Jh. erbauten und im Bauernkrieg 1525 zerstörten Stammburg der Staufer.

Hohenstein-Ernstthal, Stadt im Landkreis Chemnitzer Land, Sachsen, im Erzgebirg. Becken, 15100 Ew.; Karl-May-Museum im Geburtshaus von Karl May, Textil- und Metallwarenind.; nahebei die Rennstrecke Sachsenring. – Hohenstein wurde 1513–17 als Bergleutesiedlung gegründet, die 1521 Stadtrecht erhielt. 1698 wurde Ernstthal als Weberstadt gegründet; beide 1898 zu H.-E. vereinigt; bis 1994 Kreisstadt.

Hohenstein-Ernstthal
Stadtwappen

Höhenstrahlung, die →kosmische Strahlung.

Höhenstufen, →Höhengürtel.

Hohensyburg [-'zü-], Ruine einer Burganlage (um 1100, Ende des 13. Jh. zerstört) auf dem Ardey im Stadtgebiet Dortmund; urspr. altsächs. Volksburg (Sigiburg); von Karl d. Gr. 775 zerstört.

Hohentauern, Fremdenverkehrsort am Pass **Hohentauern,** Österreich, in den →Rottenmanner Tauern; Abbau von Magnesit.

Höhentrog, äquatorwärts gerichtete Ausbuchtung des bes. im Bereich der Tropopause (6–10 km Höhe) ausgeprägten polaren Tiefs.

Hohentwiel *der,* Phonolithkegel im Hegau, bei Singen (Hohentwiel), 686 m ü. M.; auf ihm befand sich im 10. und 11. Jh. der Sitz der schwäb. Herzöge (u. a. Wohnsitz der Herzogin Hadwig), der im 17./18. Jh. zur Festung ausgebaut wurde.

Höhenwetterkarte, Wetterkarte der höheren Luftschichten.

Höhenwind, horizontale Luftbewegung in der freien Atmosphäre (ohne Einfluss der Bodenreibung).

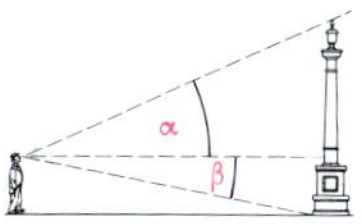

Höhenwinkel
(α Höhen- und β Tiefenwinkel)

Höhenwinkel, *Geophysik:* der Winkel, den der Zielstrahl zu einem hoch gelegenen Zielpunkt mit seiner Projektion in der Horizontalebene bildet. Liegt der Zielpunkt unter der Horizontalen, so spricht man von **Tiefenwinkel.** Mit einem Theodolit wird i. Allg. der **Zenitwinkel** (Zenitdistanz) als Winkel zw. der Richtung zum Zenit und der Richtung zum Zielpunkt gemessen.

Hohenzollern, Burg auf dem gleichnamigen Berg (auch Zollerberg, 855 m ü. M.) am Rand der Schwäb. Alb, südlich von Hechingen; Stammburg des Geschlechts der Hohenzollern; im 11. Jh. angelegt, 1423 zerstört, 1454–61 wieder aufgebaut und vor dem Dreißigjährigen Krieg zur Festung ausgebaut; nach 1771 verfallen; unter Friedrich Wilhelm IV. 1850–67 von F. A. Stüler neugotisch wieder aufgebaut. 1952–91 Grabstätte Friedrich Wilhelms I. und Friedrichs d. Gr. (H.-Museum). BILD S. 278

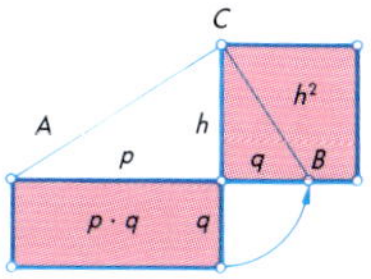

Höhensatz:
$h^2 = p \cdot q$

Hohenzollern, dt. Dynastie, erstmals 1061 in Schwaben erwähnt. Graf Friedrich III. († 1201) erhielt 1191 die Burggrafschaft Nürnberg (als Burggraf Friedrich I.). Durch Teilung (um 1214) entstanden die fränk. (seit der Reformation evang.) und schwäb. (kath.) Linie. – Die **fränk. Linie** baute bis Ende des 14. Jh. Bayreuth und Ansbach zur bedeutenden Territorialherrschaft aus, wurde

Hohenzollern, Stammtafel (Auswahl)

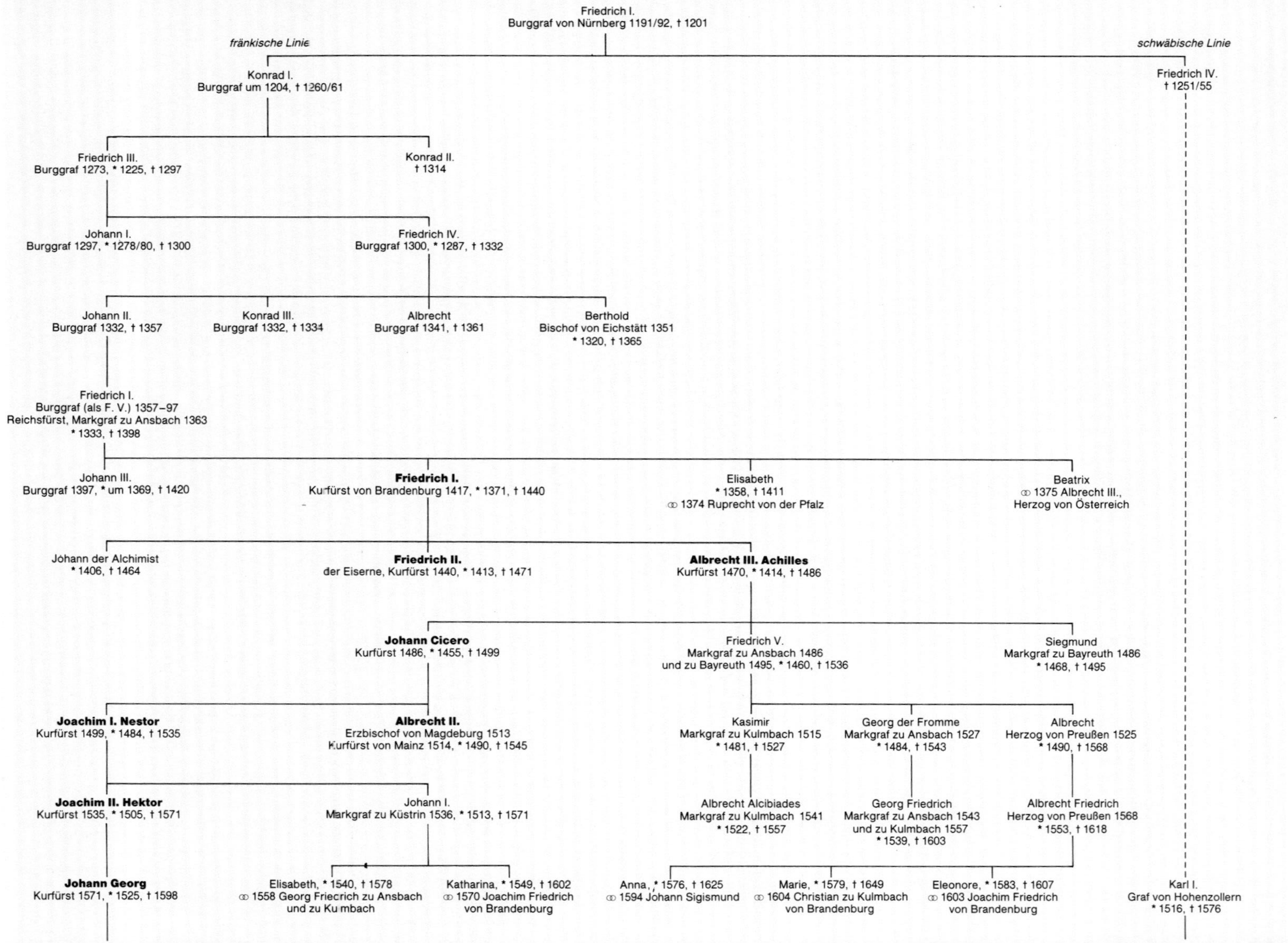

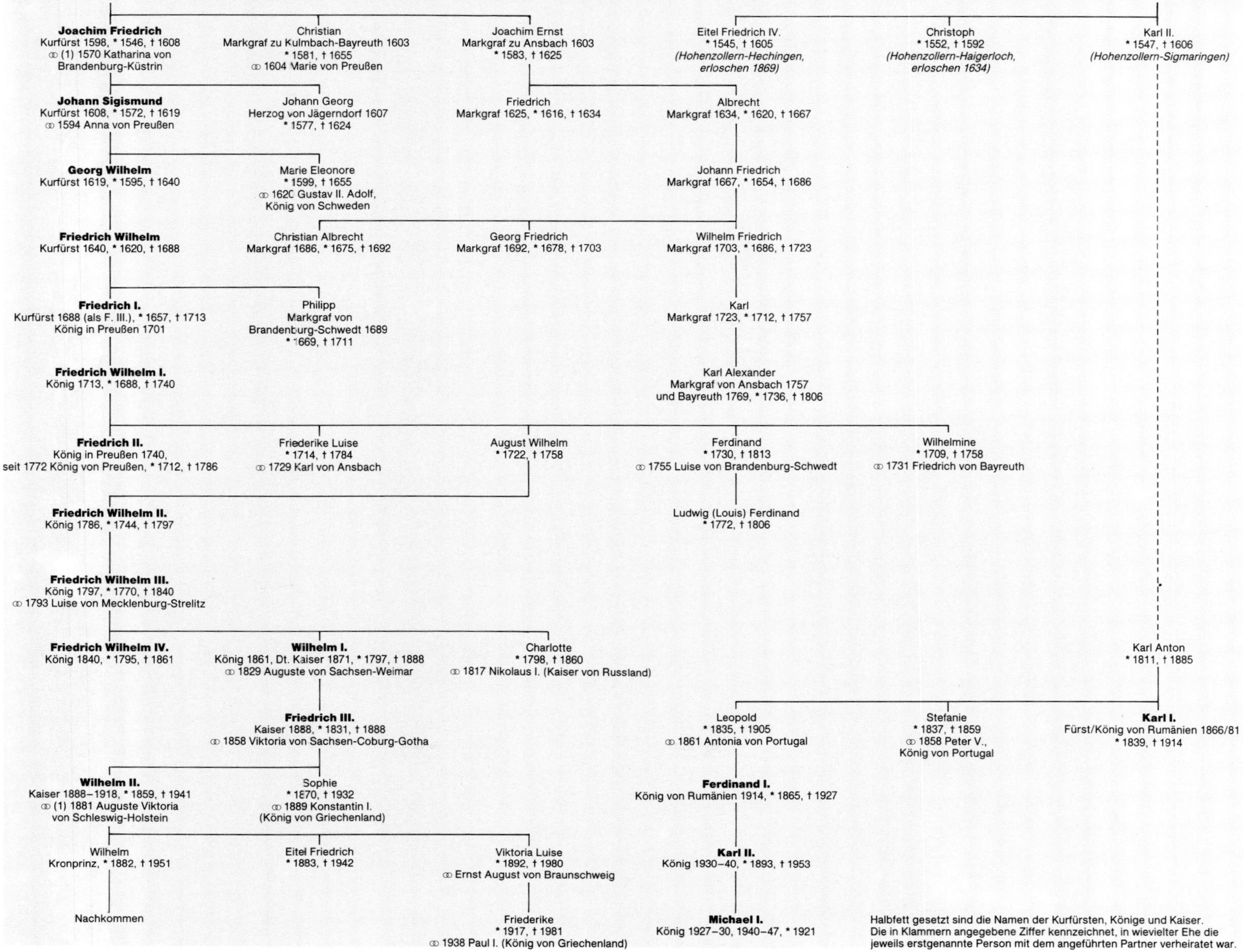

Halbfett gesetzt sind die Namen der Kurfürsten, Könige und Kaiser. Die in Klammern angegebene Ziffer kennzeichnet, in wievielter Ehe die jeweils erstgenannte Person mit dem angeführten Partner verheiratet war.

Hohenzollern: Die im 11. Jh. angelegte Stammburg der Hohenzollern-Dynastie liegt auf dem Zollerberg bei Hechingen vor dem Nordrand der Schwäbischen Alb; nach Zerstörung und Ausbau zur Festung im 15. Jh. wurde die im 18. Jh. verfallene Burg in ihrer heutigen Gestalt von Friedrich August Stüler 1850–67 im neugotischen Stil wieder aufgebaut

1363 in den Reichsfürstenstand erhoben und erhielt 1415/17 die brandenburg. Kurwürde. Kurfürst Albrecht III. Achilles (†1486) machte 1473 die fränk. Fürstentümer zu einer Sekundogenitur des Kurhauses Brandenburg. In Ansbach und Bayreuth regierte 1486–1603 die **ältere fränk.,** 1603–1791 (Abtretung an Preußen) die **jüngere brandenburg. Linie** (1806 erloschen). Die brandenburg. H. **(Kurlinie)** erreichten 1701 unter Friedrich III. (I.) die Erhebung zu Königen »in« (seit 1772 »von«) Preußen; v. a. Friedrich Wilhelm, der Große Kurfürst (1640–88), und Friedrich II., der Gr. (1740–86), machten Brandenburg-Preußen zur europ. Großmacht. 1871–1918 waren die preuß. Könige auch Dt. Kaiser. – Die schwäb. Linie teilte sich 1576 in die Zweige **H.-Hechingen** (die eigentl. Grafschaft H. mit der Stammburg) und **H.-Sigmaringen** (Sigmaringen, Veringen und Haigerloch); beide wurden 1623 in den Reichsfürstenstand erhoben. 1803/06 entgingen sie der Mediatisierung und konnten ihr Territorium vergrößern. Nach der Abdankung der Fürsten beider Linien zugunsten des Königs von Preußen (7. 12. 1849) kamen die Fürstentümer an Preußen (»Hohenzollernsche Lande«) und bildeten 1850–1945 den preuß. RegBez. Sigmaringen. 1945 kamen sie an das Land Württemberg-H., 1951 an das neu gebildete Land Bad.-Württ. Die Linie H.-Hechingen starb 1869 aus. Seitdem nannte sich die Linie H.-Sigmaringen Fürsten von H.; 1866/69 gelang ihr die Einflechtung in die europ. Politik (1866/81–1947 Fürsten, später Könige von Rumänien; 1870 Hohenzollernsche Thronkandidatur).

📖 MAST, P.: *Die H. in Lebensbildern. Graz 1988.* – STAMM-KUHLMANN, T.: *Die H. Berlin 1995.*

Hohenzollernsche Thronkandidatur. Nach der Vertreibung der Königin Isabella von Spanien (1868) bot der span. MinPräs. J. Prim y Prats im Febr. 1870 dem Erbprinzen Leopold von Hohenzollern-Sigmaringen die span. Krone an, der, von Bismarck gedrängt, zustimmte. Die sich daraus ergebenden diplomat. Verwicklungen zwischen Preußen und Frankreich, das sich durch die H. T. bedroht fühlte, führten trotz Leopolds Rücktritt von der Kandidatur (12. 7. 1870) zur →Emser Depesche und zum →Deutsch-Französischen Krieg 1870/71.

Hohe Pforte (kurz Pforte), urspr. (nach der Eingangspforte) Bez. für den Sultanspalast in Konstantinopel, 1718–1922 Bez. für den Sitz des Großwesirs bzw. für die türk. Reg. (bes. für das Außenministerium).

Hohepriester (Hoherpriester), Oberhaupt der Priesterschaft des Jerusalemer Tempels; zunächst als ausschl. religiöses Amt auf den Tempel beschränkt, gewann es nach dem babylon. Exil auch eine große polit. Bedeutung. Die H. standen an der Spitze des jüd. Volkes und regelten die innere Verwaltung. Zur Zeit Jesu war der H. Vors. des Hohen Rates (Synedrion). Mit der Zerstörung des Tempels (70 n. Chr.) erlosch das Amt des H. Als erster H. gilt in der jüd. Tradition Aaron.

höhere Gewalt (lat. Vis maior), von außen her einwirkendes, außergewöhnl., nicht vorhersehbares, durch äußerste zumutbare Sorgfalt nicht abwendbares Ereignis, z. B. Sturm. H. G. kann ein Grund sein, für übernommene Haftungsrisiken nicht einstehen zu müssen (u. a. § 701 BGB).

höhere Schulen, traditionelle Bez. für weiterführende Schulen, die mit der Hoch- oder Fachschulreife abschließen.

Hoher Flüchtlingskommissar der Vereinten Nationen (engl. United Nations High Commissioner for Refugees, Abk. UNHCR), 1951 errichtete UN-Hilfsorganisation zum Schutz der Flüchtlinge und Staatenlosen mit Sitz in Genf. Grundlage und Rahmen der Arbeit des UNHCR ist bes. das Genfer Flüchtlingsabkommen vom 28. 7. 1951 (→Genfer Vereinbarungen). – Vorläufer waren das vom Völkerbund errichtete Amt eines Hohen Kommissars für Flüchtlinge sowie die von den UN geschaffene Internationale Flüchtlingsorganisation (1946–51). – 1954 und 1981 erhielt der UNHCR den Friedensnobelpreis.

Hoher Göll, Berg in den Salzburger Kalkalpen, südöstl. von Berchtesgaden, 2523 m ü. M., über ihn verläuft die bayerisch-österr. Grenze.

Hoher Ifen (Hochifen), Kalkberg im Bregenzer Wald, an der Grenze zw. Vorarlberg (u.a. Kleinwalsertal) und Bayern, 2232 m ü.M.; nördlich des H. I. liegt das verkarstete **Gottesackerplateau.**

Hoher Kommissar, →Hochkommissar.

Hoher Meißner, →Meißner.

Hoher Peißenberg (Hohenpeißenberg), Aussichtsberg im Alpenvorland, zw. Peiting und Peißenberg, Oberbayern, 988 m ü.M.; meteorologisches Observatorium (seit 1781, ältestes der Erde).

Hoher Rat, höchste jüdische Staatsbehörde, →Synedrion.

Höherversicherung, die Entrichtung zusätzl. Beiträge in der gesetzl. Rentenversicherung bis 31.12.1991 (neben Pflicht- und freiwilligen Beiträgen) zum Zweck einer finanziell besseren Absicherung. Versicherte, die vor dem 1.1.1992 Beiträge zur H. geleistet haben, können das weiterhin tun. Vor dem 1.1.1942 geborene Versicherte können sich auch ohne Vorversicherung höher versichern (§234 SGB VI).

hohe Schule, *Pferdesport:* klass. Reitkunst, höchste Stufe des Dressurreitens. Zur h.S. gehören →Piaffe, →Passage und fliegende Galoppwechsel. Zu den Sprüngen, die unter dem Reiter oder an der Hand des Reiters gezeigt werden, zählen u.a. →Kruppade, →Lançade →Courbette, →Kapriole, →Pirouette, →Levade.

Hohes Gesenke, das →Altvatergebirge.

Hohes Lied, *A. T.:* das →Hohelied.

Hohes Venn (frz. Hautes Fagnes), höchster Teil der Ardennen, reicht im O bis nach Dtl. hinein (Eifel), in der **Botrange,** auf belg. Gebiet, 694 m ü.M.; Teil des Dt.-Belg. Naturparks.

Hohe Tatra, Teil der Karpaten, →Tatra.

Hohe Tauern, →Tauern.

Hohhot (Huhehot, Huhehaote, bis 1954 Guisui, Kueisui), Hptst. der Autonomen Region Innere Mongolei, China, an einem Nebenfluss des Hwangho, 652500 Ew.; Univ., PH, Fachschulen, mongol. Nationalmuseum; Leder-, Woll-, chem. Ind., Bau von Dieselmotoren, Walzwerk; Flughafen. – Ältestes Bauwerk der Stadt ist die siebenstöckige Pagode (um 1000). – H. entstand aus der im 16. Jh. gegr. mongol. Siedlung **Köke-khota** (Kukukhoto, von den Chinesen später Kueihua gen.) und dem nahebei im 18. Jh. angelegten chines. Verw.zentrum **Suiyuan.**

Hohkönigsburg (frz. Haut-Koenigsbourg), Burg im Unterelsass (Dép. Bas-Rhin), Frankreich, westlich von Schlettstadt, auf einem 755 m hohen Bergkegel der Vogesen; um 1147 als stauf. Besitz erwähnt, 1462 und 1633 zerstört; im Auftrag Kaiser Wilhelms II. 1901–08 wiederhergestellt.

Hohl, Ludwig, schweizer. Schriftsteller, *Netstal (Kt. Glarus) 9.4.1904, †Genf 3.11.1980; schrieb melancholisch-resignative Prosa, Aphorismen und Essays.

Höhle: Teilansicht der Rieseneishöhle im Dachsteingebirge in Österreich

Hohlbaum, Robert, österr. Schriftsteller, *Jägerndorf (heute Krnov) 28.8.1886, †Graz 4.2.1955; schrieb histor. und zeitgeschichtl. Romane und Novellen, Gedichte, Dramen und Künstlerromane (über Bruckner, Goethe).

Hohlblocksteine, Mauersteine mit eingearbeiteten Hohlräumen zur Masseverminderung und besseren Temperaturdämmung.

Höhle, großer Hohlraum im anstehenden Gestein. – Die natürl. H. sind entweder mit dem Gestein zugleich entstanden (primäre H.), z.B. in vul-

Die längsten Höhlen der Erde

Name	Lage	Länge
Mammoth Cave System	Kentucky, USA	560 km
Optimistitscheskaja peschtschera	Ukraine	183 km
Jewel Cave	South Dakota, USA	157 km
Hölloch	Kanton Schwyz, Schweiz	156 km
Siebenhengste-Höhlensystem	Kanton Bern, Schweiz	126 km
Wind Cave	South Dakota, USA	118 km
Fisher Ridge Cave	Kentucky, USA	114 km
Osernaja peschtschera	Ukraine	111 km
Lechuguilla Cave	New Mexico, USA	111 km
Gua Air Jernih (Clearwater Cave)	Malaysia	102 km
Ojo Guareña	Provinz Burgos, Spanien	97 km
Courne d'Hyouernede	Haute-Garonne, Frankreich	95 km
Soluschka	Moldawien	86 km
Sistema Ejido Jacinto Pat	Yucatań, Mexiko	80 km
Sistema Purificación	Oaxaca, Mexiko	79 km
Ease Gill Cave System	Westmoreland, Großbritannien	71 km
Raucherkarhöhle	Bundesland Salzburg, Österreich	70 km
Friars Hole Cave	West Virginia, USA	69 km
Hirlatzhöhle	Bundesland Salzburg, Österreich	68 km
Organ Cave	West Virginia, USA	63 km
Toca da Boa Vista	Bahia, Brasilien	62 km
Réseau de l'Alpe	Savoie, Frankreich	60 km
Red del Silencio	Kantabrien, Spanien	60 km

Die tiefsten Höhlen der Erde

Name	Lage	Tiefe
Réseau Jean-Bernard	Haute-Savoie, Frankreich	1 602 m
Gouffre Mirolda	Haute-Savoie, Frankreich	1 520 m
Wjatscheslawa Pantjukina	Kaukasus, Georgien	1 508 m
Lamprechtsofen	Bundesland Salzburg, Österreich	1 483 m
Sistema Huautla	Oaxaca, Mexiko	1 475 m
Sistema de la Trave	Asturien, Spanien	1 444 m
Boj-Bulok	Usbekistan	1 415 m
Illaminako Ateeneko Leizea	Navarra, Spanien	1 408 m
Lukina jama	Kroatien	1 392 m
Sistema Cuicateca	Oaxaca, Mexiko	1 386 m
Sistema Cheve	Oaxaca, Mexiko	1 386 m
Sneschnaja Mesennogo	Kaukasus, Georgien	1 370 m
Ceki 2	Slowenien	1 370 m
Réseau de Pierre Saint-Martin	Pyrenäen, Frankreich/Spanien	1 342 m
Siebenhengste-Höhlensystem	Kanton Bern, Schweiz	1 340 m
Gouffre Berger-Fromagère	Isère, Frankreich	1 278 m
Berger-Cosa-Nostra-System	Bundesland Salzburg, Österreich	1 265 m
Pozo del Madejuno	Navarra, Spanien	1 255 m
Torca de los Rebecos	Kantabrien, Spanien	1 255 m
Abisso Paolo Roversi	Toskana, Italien	1 249 m
Wladimira Iljutschina	Kaukasus, Georgien	1 240 m
Akemati	Puebla, Mexiko	1 226 m
Schwer-Höhlensystem	Bundesland Salzburg, Österreich	1 219 m
Abisso Ulivifer	Toskana, Italien	1 215 m
Kijahe Xontjoa	Oaxaca, Mexiko	1 209 m
Crnelsko Brezno	Slowenien	1 198 m
Çukurpinar düdeni	Taurus, Türkei	1 195 m
Sima Llquerda	Navarra, Spanien	1 192 m
Complesso Figheria-Corchia	Toskana, Italien	1 190 m
Vandima	Slowenien	1 182 m
Dachstein-Mammuthöhle	Bundesland Salzburg, Österreich	1 180 m

Franz Hohler

kan. Gestein (Gasblasen), Kalktuffen, Korallenriffen, oder nachträglich (sekundäre H.), z.B. durch Wassereinwirkung, Auswitterung, Sandschliff, Versturz. **Erosions-H.** entstehen durch die Brandung an Küsten. **Korrosions-H.** finden sich in Gips, Steinsalz, bes. Kalkstein und Dolomit; in diesen H. **(Karst-H.)**, die zunächst nur Klüfte, Bruch- und Schichtfugen waren, löst kohlensäurehaltiges Sickerwasser den massigen Kalk und Dolomit, fließendes und zirkulierendes Wasser führt, oft in Verbindung mit Erosion, zur Zernagung und Aushöhlung. Die Karst-H. bilden z.T. riesige Systeme mit Seen und Flüssen. In **Tropfstein-H.** scheidet Tropfwasser Kalksinter aus, der Stalaktiten und Stalagmiten bilden kann, die sich zu Säulen, Vorhängen, Kaskaden vereinigen können. In **Eis-H.** gefriert das Höhlenwasser; das Eis erhält sich, wo einfallende kalte Winterluft im Sommer nicht abfließen kann. Das Klima in H. ist durch geringe Temperaturschwankungen und hohe relative Luftfeuchtigkeit gekennzeichnet.

Die dauernd im Dunklen lebenden **Höhlentiere** zeigen keine oder nur geringe Pigmentierung sowie oft Augenrückbildung (manche Krebs-, Spinnentiere, Insekten, Höhlenfische, der Grottenolm). – Als **Höhlenpflanzen** können manche Algen, Moose und Farne gelten, ferner lichtunabhängige Pilze und Bakterien.

Kulturgeschichte: Die vom Menschen benutzten H. werden je nach ihrem Verwendungszweck als Flucht-, Schutz-, Wohn-, Depot-, Grab- oder Kult-H. bezeichnet. Die H. als natürl. Obdach wurde bereits von den altsteinzeitl. Menschen genutzt; entsprechende Siedlungsschichten sind in vielen H. enthalten; in kultisch genutzten finden sich oft →Felsbilder. Später ist die Verehrung von H. als Geburtsort oder Aufenthaltsort von Göttern, Helden, Dämonen und Feen bezeugt. In der Jungsteinzeit war die **H.-Bestattung** in vielen Gegenden verbreitet. Dazu wurden nicht nur natürl. H. genutzt, sondern auch künstl. **H.-Gräber** (Felsengräber) angelegt.

📖 *Schauhöhlen in Deutschland, Beiträge v.* H. BINDER *u.a. Ulm 1993.*

Höhlenbär (Ursus spelaeus), ausgestorbene, Höhlen bewohnende Bärenart im oberen und mittleren Pleistozän Europas und NW-Afrikas.

Höhlenfische, etwa 35 Fischarten aus fünf versch. Ordnungen mit rückgebildeten Augen als Folge von dauerndem Leben in lichtlosen Höhlen oder unterird. Gewässern. Das fehlende opt. Orientierungsvermögen wird durch gut entwickelte Geruchs- und Seitenlinienorgane ersetzt.

Höhlenkloster, in vorhandene Höhlen eingebaute Klosteranlage, zu der später oberird. Gebäude hinzutreten können, z.B. in Kleinasien und Russland.

Höhlenkunst, →Felsbilder.

Höhlenlöwe (Panthera leo spelaea), ausgestorbene Unterart des Löwen im Pleistozän Europas, Kleinasiens, Syriens und Algeriens; um etwa ein Drittel größer als der rezente Löwe; kaum Höhlenbewohner.

Höhlentempel (Felsentempel), ein in den Fels gehauener oder in natürl. Höhlen angelegter, auch

Höhlentempel: Caityahalle mit einer Buddhafigur in Ajanta (Datierung unbestimmt)

aus dem Stein herausgeschlagener monolith. Tempel, bes. in Vorderindien (Ajanta, Ellora, Karla), auch in Ägypten (→Abu Simbel).

Hohler, Franz, schweiz. Kabarettist und Schriftsteller, *Biel (BE) 1. 3. 1943; erzählt seine zw. Alltag und Fantastik angesiedelten skurrilen, tragikom. oder grotesken Geschichten mit dem Violoncello als Begleitinstrument; verfasst auch Kurzgeschichten, Kinderbücher und Theaterstücke.

Hohlfuß, →Fußdeformitäten.

Hohlgewebe (Schlauchgewebe), endloses Gewebe mit schlauchförmigem Querschnitt, z. B. für nahtlose Säcke, Schläuche, Dochte; auf Spezialwebmaschinen mit je zwei Kett- und Schussfadensystemen hergestellt.

Hohlkehle, konkaves Zierprofil an Gesimsen, Säulenbasen u. a.

Hohlkreuz, →Lordose.

Hohlladung, Abk. **HL,** Sprengkörper oder Geschoss mit einem gegen das Objekt gerichteten kon., kugelförmigen oder prismat. Hohlraum für größere Spreng- oder Durchschlagswirkung. Im Augenblick der Zündung wird die Detonationsenergie auf einen Punkt konzentriert. Dort bildet sich ein Strahl, dessen Staudruck auch massive Stahlplatten durchbohrt.

Hohlleiter (Hohlraumleiter, Hohlwellenleiter), in der Nachrichtentechnik (Fernsehen, Richtfunk, Radar) verwendete →Wellenleiter mit elektrisch leitenden Innenwänden (ohne Innenleiter, im Ggs. zur →Koaxialleitung). H. dienen der dämpfungsarmen Fortleitung hochfrequenter elektromagnet. Wellen, z. B. zw. Sender und Richtstrahlantenne.

Hohlnadel, →Kanüle.

Hohlpfennig, →Brakteat.

Hohlraumresonator, *Mikrowellentechnik:* metall., abgeschlossener Raum, in dessen Innerem elektromagnet. Schwingungszustände existenzfähig sind. Das Frequenzspektrum dieser Eigenschwingungen ist ein diskretes, i. Allg. nicht harmon. Linienspektrum. Die Energieein- und -auskopplung erfolgt entweder über ein Koaxialkabel induktiv, kapazitiv, durch Leitungskopplung (induktiv und kapazitiv) oder über Löcher und Schlitze in der Metallwand, durch die der H. direkt an einen →Hohlleiter gekoppelt wird.

Hohlraumstrahlung, die Strahlung eines →schwarzen Körpers.

Hohlraumversiegelung, Form des Rostschutzes, bes. bei Pkw. Dabei wird ein äußerst kriechfähiges Korrosionsschutzmittel unter Druck in die Hohlräume der Fahrzeugkarosserie gesprüht, an deren Wänden es einen elast. Film bildet.

Hohlsaum, durchbrochene Ziernaht in Geweben mit Leinwandbindung, entsteht durch Ausziehen von Kett- oder Schussfäden.

Hohlsog, die →Kavitation.

Hohlspiegel, ein gewölbter Spiegel, bei dem die »hohle« (konkave) Fläche dem Licht zugewandt ist. Der H. erzeugt je nach Lage des Objekts zum Brennpunkt reelle, umgekehrte, vergrößerte bzw. verkleinerte Bilder oder aber virtuelle, aufrechte und vergrößerte Bilder (z. B. beim Rasierspiegel).

Hohltaube, →Tauben.

Hohltiere (Coelenterata), Gruppe wasserlebender, meist radiärsymmetr. Vielzeller mit über 10 000 Arten. Die Grundgestalt entspricht der

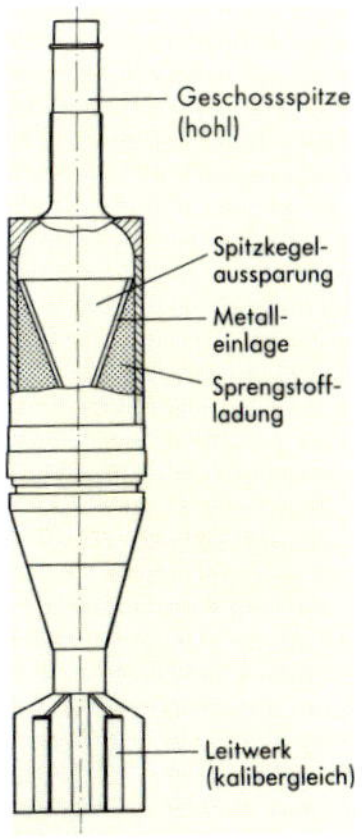

Hohlladung: flügelstabilisiertes HL-Geschoss für Panzerkanonen

Schauhöhlen in Deutschland, Österreich und in der Schweiz (Auswahl)

Name	Lage	bekannte Länge	erschlossene Länge
Attahöhle	Sauerland, bei Attendorn	6 670 m	500 m
Barbarossahöhle	Kyffhäuser	1 100 m	600 m
Bären- und Karlshöhle	Schwäbische Alb, bei Erpfingen	292 m	256 m
Balver Höhle	Sauerland, bei Balve	130 m	130 m
Baumannshöhle	Harz, bei Rübeland	1 200 m	1 000 m
Binghöhle	Fränkische Alb, bei Streitberg	500 m	300 m
Dachstein-Mammuthöhle	Dachstein, bei Hallstatt	40 350 m	1 800 m
Dachstein-Rieseneishöhle	Dachstein, bei Hallstatt	2 000 m	1 000 m
Dechenhöhle	Sauerland, bei Iserlohn-Letmathe	870 m	360 m
Eberstadter Tropfsteinhöhle	Bauland, bei Buchen (Odenwald)	630 m	600 m
Feengrotten	Thüringen, bei Saalfeld	1 000 m	700 m
Heimkehle	Südharz, bei Uftrungen	1 780 m	1 300 m
Hermannshöhle	Harz, bei Rübeland	1 750 m	1 000 m
Hölloch	Muotatal, bei Schwyz	156 000 m	110 m
Iberger Tropfsteinhöhle	Harz, in Bad Grund	123 m	600 m
Kluterthöhle	Sauerland, in Ennepetal	5 443 m	2 000 m
Laichinger Tiefenhöhle	Schwäbische Alb, bei Laichingen	1 253 m	320 m
Marienglashöhle	Thüringen, bei Friedrichroda	300 m	122 m
Nebelhöhle	Schwäbische Alb, bei Reutlingen	810 m	480 m
Schellenberger Eishöhle	Berchtesgadener Alpen	2 815 m	500 m
Segeberger Kalkberghöhle	Schleswig-Holstein, bei Bad Segeberg	1 985 m	600 m
Syrauer Drachenhöhle	Vogtland, bei Plauen	520 m	350 m
Teufelshöhle	Fränkische Alb, bei Pottenstein	1 500 m	800 m
Wiehler Tropfsteinhöhle	Bergisches Land, bei Wiehl	1 600 m	400 m

Gastrula (→Entwicklung); sie wird durch Verdickung der Körperwand, durch taschen- oder kanalartige Fortsätze am Gastralraum und Fangarme um den Mundafter bereichert (→Nesseltiere, →Rippenquallen).

Hohlvenen, Venen, die das verbrauchte (sauerstoffarme, kohlendioxidreiche) Blut zum rechten Herzvorhof führen. Die **obere H.** führt das Blut aus Kopf, Hals, Armen und Brust zum Herzvorhof, die **untere H.** verläuft neben der Bauchaorta zum Herzvorhof.

Hohlzahn: Stechender Hohlzahn (Höhe 20-70 cm)

Hohlzahn (Hanfnessel, Daun, Galeopsis), Lippenblütlergattung., in Dtl. auf Ruderalstellen und in Gebüschen der **Stechende H.** (**Gemeiner H.**, Galeopsis tetrahit) mit purpurfarbigen bis weißen Blüten.

Hohner AG, Matth., Musikinstrumentenfabrik, Sitz: Trossingen, gegr. 1857.

Hohnstein (auch Honstein), ehem. Grafschaft, ben. nach einer um 1120 erbauten Burg H. bei Nordhausen, Thür. (heute Ruine); ihr bald bedeutendes Territorium wurde um 1315 geteilt. Die Linie **Sondershausen** wurde 1356 von den Grafen von Schwarzburg beerbt; die Linie **Klettenberg** starb 1593 aus, ihr Gebiet fiel 1648 an Brandenburg.

Hohnsteiner Puppenspiele, künstler. Handpuppenspiele, 1921 von M. Jacob (*1888, †1967) in Hartenstein (Erzgebirge) gegr., seit 1928 in der Jugendburg Hohnstein (Sächs. Schweiz), seit 1945 in Hamburg und Essen ansässig.

Hohoff, Curt, Schriftsteller, *Emden 18. 3. 1913; setzt sich in betont christl. Haltung mit aktuellen und religiösen Stoffen auseinander. Bekannt wurde v.a. sein russ. Kriegstagebuch »Woina, Woina« (1951); schrieb Romane (»Die Nachtigall«, 1977; »Venus im September«, 1984) und Essays.

Höhr-Grenzhausen, Stadt im Westerwaldkreis, Rheinl.-Pf., Mittelpunkt des Kannenbäckerlandes, 10 100 Ew.; Fachrichtung Keramik der FH des Landes Rheinl.-Pf.; Keramikmuseum, histor. Töpferofen; keram., Glas-, Kunststoffindustrie. – Seit 1936 Stadt.

Ludvig von Holberg (Ausschnitt aus einem Gemälde von Alexander Roslin)

Hoka-Sioux [-ˈziːʊks, engl. ˈhəʊka ˈsuː] (korrekt Hokan-Siouan), Sprachfamilie in Nordamerika; zu ihr gehören neben den Siouan-(Sioux-)Sprachen (u.a. Dakota) und den Hokansprachen auch die Irokesen- sowie die Caddosprachen.

Hokkaidō (bis 1869 Yezo, Ezo), Nordinsel Japans, 77 900 km² (mit Nebeninseln 83 451 km²), (1995) 5,69 Mio. Ew.; Hptst. Sapporo; überwiegend gebirgig, mit aktiven Vulkanen (im Asahi bis 2290 m); vom außertrop. Monsun beeinflusstes gemäßigtes Klima; im N überwiegend Nadel-, im S Laubwald; Steinkohle-, Eisen-, Zink- und Bleierzabbau; mit Honshu durch Fähren und den Seikantunnel verbunden.

Hokkohühner (Hokkos, Cracidae), Familie der Hühnervögel mit Federhaube, Baumtiere; mit 46 Arten in den Wäldern Süd- und Mittelamerikas, darunter die H. der Gatt. **Crax** mit kurzem, hohem Schnabel und die **Schakuhühner** (Gatt. **Penelope**) mit längerem, schmächtigerem Schnabel.

Hokusai [hoksai], Katsushika, japan. Maler und Meister des Farbholzschnitts, *Edo (heute Tokio) 21. 10. 1760, †ebd. 10. 5. 1849; einer der vielseitigsten Künstler des →Ukiyo-e; schuf meisterhafte Buchillustrationen und Farbholzschnittfolgen mit Darstellungen von Landschaften, Vögeln und Blumen.

Hokuspokus [wohl aus einer pseudolat. Zauberformel des 16. Jh.: Hax pax max Deus adimax], beschwörende Formel der Gaukler; auch die Gaukelei selbst.

Hohnsteiner Puppenspiele: Kasperlfigur

Holbach [frz. ɔlˈbak], Paul Henri Thiry d', eigtl. Paul Heinrich Dietrich Baron von, frz. Philosoph dt. Abstammung, *Edesheim (bei Landau in der Pfalz) 8. 12. 1723, †Paris 21. 1. 1789; gehörte zum Kreis der Enzyklopädisten; war mit seinem Werk »System der Natur« (1770) von entscheidendem Einfluss auf den Materialismus der frz. Aufklärung.

Holbein, Künstlerfamilie aus Augsburg: **1)** Hans, d. Ä., Maler und Zeichner, *Augsburg um 1465, †am Oberrhein (Basel oder Isenheim, Elsass) 1524, Vater von 2); Schöpfer großer Altarwerke (Hochaltar für die Frankfurter Dominikanerkirche, 1501, Tafeln heute in Frankfurt am Main, Hamburg und Basel); trotz seiner Auseinandersetzung mit der niederländ. Malerei und der italien. Renaissance (Sebastiansaltar, 1516, München; Lebensbrunnen, 1519, Lissabon) blieb er ein Meister der dt. Spätgotik, der um die eingehende Darstellung der Details bemüht war (Kaisheimer Altar, 1502, München; Graue Passion, um 1498, Donaueschingen). Seine Werke zeichnen sich durch eine differenzierte Abstufung warmer, z. T. expressiver Farben aus. In der Verbindung von realist. Darstellung und idealem Ausdruck bereitete er die Porträtkunst seines Sohnes vor.

📖 BUSHART, B.: *H. H. d. Ä. Augsburg 1987.*

2) Hans, d. J., Maler und Zeichner, *Augsburg 1497, begraben London 29. 11. 1543, Sohn von 1); gehört zu den bedeutendsten Vertretern der dt. Renaissance; lernte wie sein Bruder Ambrosius H. (*1494, †1519 oder 1520) bei seinem Vater und ging 1515 nach Basel, von wo aus er Frankreich und 1526–28 England besuchte. 1532 ließ er sich endgültig in London nieder. 1536 wurde er Hofmaler Heinrichs VIII. – In Basel entstanden außer Fresken, die zugrunde gegangen, aber durch Entwurfzeichnungen bekannt sind (Wandbilder im Baseler Rathaussaal, einige Bruchstücke erhalten), Altarbilder, graf. Arbeiten (bes. für Bücher: 58 Holzschnitte »Totentanz«; 1523–26, 1538 veröffentlicht) sowie 91 zum A. T. (vor 1531, 1538 veröffentlicht), Zeichnungen für Glasmalereien und v. a. Porträts. In London malte er Wandbilder für die dt. Kaufleute im Stalhof und für Heinrich VIII. in Whitehall, die nicht erhalten sind, und seine reifsten Bildnisse. Auch wenn er den Auftraggeber im Prunkgewand und mit reichem Beiwerk malte, blieb ihm das Wichtigste die Darstellung des Menschen. H. mied alle Raumandeutungen und malte die Figur vor neutralem Grund. Zu seinen Meisterwerken zählen das »Doppelporträt des Basler Bürgermeisters Jacob Meyer zum Hasen und seiner Frau Dorothea« (1516, Basel), »Die Gesandten« (1533, London) und die in Basel hängenden Bilder

Hans Holbein d. Ä.: »Darbringung im Tempel«, Tafel vom linken Innenflügel des Hochaltars für die Dominikanerkirche in Frankfurt am Main (1501; Hamburg, Kunsthalle)

Hans Holbein d. J.: Bildnis des Kaufmanns Georg Gisze (1532; Berlin, Staatliche Museen)

»Adam und Eva« (1517), »Bildnis des Bonifacius Amerbach« (1519), »Der tote Christus im Grabe« (um 1521/22). Meisterl. Darstellungen sind auch die Bildnisse des Erasmus von Rotterdam (1523, Longford Castle, Basel, Paris), die »Madonna des Basler Bürgermeisters Jacob Meyer zum Hasen« (1526–30, Darmstadt), das Porträt seiner Frau mit den beiden älteren Kindern (1528, Basel), das »Bildnis des Kaufmanns Georg Gisze« (1532, Berlin) sowie die Porträts von Angehörigen der engl. Königsfamilie und des Hofes (»Jane Seymour«, 1536, Wien; »Anna von Cleve«, 1539–40, Paris; »Sieur de Morette«, 1534/35, Dresden; »Heinrich VIII.«, 1537, Madrid; »Christine von Dänemark«, 1538, London). Weiteres BILD Humanismus

📖 *H., bearb. v.* J. ROBERTS *u. a., Ausst.-Kat. Hamburger Kunsthalle. A. d. Engl. New York 1988.*

Hans Holbein d. Ä. (Selbstbildnis, Silberstiftzeichnung; Chantilly, Musée Condé)

Holberg [-bɛr], Ludvig Baron von (seit 1747), dän. Dichter und Historiker, *Bergen (Norwegen) 3. 12. 1684, †Kopenhagen 28. 1. 1754; seit 1717 Prof. der Metaphysik, später der lat. Rhetorik und Geschichte in Kopenhagen; der beherrschende Aufklärer in Dänemark und Norwegen, der auf fast allen Gebieten eine Nationalliteratur in dän. Sprache schuf. Für das neue dän. Theater in Kopenhagen schrieb er zahlr. derb-realist. Komödien (»Der polit. Kannegießer«, »Erasmus Montanus«, beide 1722/23). H. wurde neben Molière der wirkungsvollste Vertreter der nachbarocken klassizist. Komödie; er schrieb außerdem das kom. Epos »Peter Paars« (4 Bde., 1719/20) sowie den utop. Reiseroman »Nicolai Klims unterird. Reise« (1741).

Hans Holbein d. J. (Selbstbildnis, um 1543; Florenz, Uffizien)

Holcus, die Gattung → Honiggras.

Hölderlin, Johann Christian Friedrich, Dichter, *Lauffen am Neckar 20. 3. 1770, †Tübingen 7. 6.

Friedrich Hölderlin: Ausschnitt aus einem Gemälde des zeitgenössischen Malers und Schriftstellers Franz Carl Hiemer (1792; Marbach am Neckar, Schiller-Nationalmuseum) und Autogramm

1843; war seit 1788 Student im Tübinger Stift (Freundschaft mit C. W. F. Hegel und F. W. J. von Schelling), 1793/94 Hofmeister bei Charlotte von Kalb, 1796 bei dem Bankier J. F. Gontard in Frankfurt am Main, dessen Gattin Susette (*1769, †1802), von ihm als »Diotima« gefeiert, ihn zu schwärmer. Liebe begeisterte. Nachdem es 1798 zum Bruch mit der Familie Gontard gekommen war, ging H. für anderthalb Jahre nach Homburg (heute Bad Homburg v. d. Höhe), wo sein Freund Isaak von Sinclair im Dienste des Landgrafen stand. 1802 kehrte er von Bordeaux, wo er wieder Hofmeister war, mit den ersten Anzeichen geistiger Erkrankung in die Heimat zurück; 1806 in eine Heilanstalt gebracht und 1807 als unheilbar entlassen, verbrachte H. den Rest seines Lebens in der Obhut der Tübinger Schreinerfamilie Zimmer, die ihn in einem am Neckar gelegenen Turm (heute »Hölderlinturm«) betreute.

H. war vor allem Lyriker; auch sein Briefroman »Hyperion« (2 Bde., 1797–99) ist getragen vom Wohllaut einer rhythmisch-musikal. Sprache. Das trotz immer neuer Bearbeitung Bruchstück gebliebene Drama »Der Tod des Empedokles« (1798 bis 1800, gedruckt 1826) verwandelt die Sage vom Tod des Philosophen im Ätna in ein religiöses Mysterium. In der Lyrik gelangte H. von persönlich-stimmungshaften Natur- und Liebesgedichten in Versmaßen der antiken Ode zu den großen Elegien (»Menons Klagen um Diotima«, »Brot und Wein«), in denen er in Distichen abendländ. Geschichte und Landschaft lyrisch erhöht; sie sind Steigerungen des bereits in »Empedokles« angelegten Bildes von Erlösung und Versöhnung. Schließlich zu freien Rhythmen übergehend, ringt H. in gedrängter, mythisch-dunkler Bildersprache um die Bestimmung der Völker und Menschen und das Wesen der göttl. Mächte (»Patmos«). Gleichzeitig entstanden die eigenwilligen Übersetzungen von Pindar sowie des »Ödipus« und der »Antigone« des Sophokles.

🕮 Bertaux, P.: *F. H. Frankfurt am Main* ^{6}*1994.* – Häussermann, U.: *F. H. mit Selbstzeugnissen u. Bilddokumenten. Reinbek 98.–100. Tsd.,* ^{21}*1995.* – Wackwitz, S.: *F. H. Stuttgart* ^{2}*1997.*

Holdinggesellschaft ['həʊldɪŋ-; von engl. to hold »halten«] (Beteiligungsgesellschaft), i. w. S. eine Ges., die Anteile an anderen Ges. als Vermögensanlage erwirbt und verwaltet, i. e. S. eine Ges., die darüber hinaus auch die wirtsch. Beeinflussung oder Beherrschung der anderen Ges. bezweckt. Solche H. dienen häufig als Dachgesellschaften von Konzernen, die selbst keine Produktions- oder Handelsfunktionen ausüben und somit eine rechtl. Verselbstständigung der Konzernhauptverwaltung darstellen.

Họlger Dạnske, → Ogier der Däne.

Holguín [ɔl'ɣin], Stadt in NO-Kuba, 242 100 Ew.; Bischofssitz; Zentrum eines Tabakbaugebietes; Maschinenbau.

Holiday ['hɔlɪdeɪ], Billie, eigtl. Eleonora Fagan, amerikan. Jazzsängerin, *Baltimore (Md.) 7. 4. 1915, †New York 17. 7. 1959; wurde mit ihrem expressiven Gesangsstil Vorbild vieler Jazzvokalisten.

Holinshed ['hɔlɪnʃəd], Raphael, engl. Geschichtsschreiber, †Bramcote (bei Nuneaton) um 1580. Sein Hauptwerk »Chronicles of England,

Friedrich Hölderlin

bleierne Zeit

In seinem Gedicht »Der Gang aufs Land« fordert Hölderlin zu einem Ausflug in die Umgebung Stuttgarts auf, obgleich der Himmel noch bedeckt ist:
»Trüb ists heut,
es schlummern die Gäng und
die Gassen und fast will
Mir es scheinen, es sei,
als in der bleiernen Zeit.«
Im Folgenden wird der Hoffnung auf spätere Besserung der Verhältnisse Ausdruck gegeben; man soll also ein Vorhaben auch dann beginnen, wenn die Umstände zunächst dagegen zu sprechen scheinen. – Die Regisseurin Margarethe von Trotta drehte 1981 einen Film mit dem Titel »Die bleierne Zeit« und zeigte darin die Möglichkeiten des politischen Widerstands in unserer Zeit am Beispiel zweier Schwestern, von denen eine in das Umfeld des Terrorismus gerät. – Das Zitat wird allgemein in Bezug auf trostlose gesellschaftliche oder individuelle Lebensumstände gebraucht, in denen man nur mit Mühe die Hoffnung auf Besserung bewahren kann.

Scotland and Ireland« (1577) war eine wichtige Quelle für Shakespeare.

Holismus [von grch. hólos »ganz«] *der,* Bez. für das method. Vorgehen, die Wirklichkeit unter dem Aspekt der →Ganzheit zu deuten, bes. in der Biologie (J. C. Smuts, J. S. Haldane, A. Meyer-Abich), Wiss.theorie (P. Duhem, W. V. O. Quine u. a.) und Quantenphysik (D. Bohm, F. Capra).

Holitscher, Arthur, österr. Schriftsteller, *Budapest 22. 8. 1869, †Genf 14. 10. 1941; schrieb psycholog. Romane, Novellen im Stil der frz. Symbolisten, Dramen, literatur- und kunstwiss. Schriften sowie populäre Reisebücher.

Holl, Elias, Baumeister, *Augsburg 28. 2. 1573, †ebd. 6. 1. 1646; bed. Meister des dt. Frühbarock; wurde 1602 Stadtbaumeister von Augsburg, baute dort 1602–07 das Zeughaus und 1615–20 das Rathaus. Nach dem Restitutionsedikt von 1629 verlor H. als Protestant sein Amt.

Hollabrunn, Bezirks-Hptst. in NÖ, zentraler Ort des westl. Weinviertels, 10 500 Ew.; Nahrungsmittel-, Handelsakademie; Museum; Nahrungsmittelind., Wäschefabrik. – Pestsäule (1723), Pranger (17. Jh.). – Stadt seit 1908.

Hollaender, Friedrich, Komponist und Kabarettautor, *London 18. 10. 1896, †München 18. 1. 1976; gründete 1919 mit M. Reinhardt das Berliner Kabarett »Schall und Rauch«; komponierte v. a. Filmmusiken (u. a. zu »Der blaue Engel«, 1930), daneben Chansons, Musicals und Revuemusiken.

Holland [von Holtland, eigtl. »Baumland«], **1)** der W-Teil der Niederlande, umfasst die Provinz Nord- und Südholland, die etwa der mittelalterl. Grafschaft H. entsprechen. – Diese entstand seit dem 10. Jh. im Gebiet der Maasmündungen um Dordrecht. Das 1299 erloschene Geschlecht der Grafen von H. wurde durch das Haus Hennegau beerbt. H. kam 1345 unter die Herrschaft der Wittelsbacher, fiel 1433 an Burgund und 1477 an die Habsburger (1555 an deren span. Linie); wurde unter dem Statthalter Wilhelm von Oranien zum Zentrum des Widerstandes gegen die span. Krone und teilte seit 1579 die Geschichte der entstehenden Rep. der Vereinigten Niederlande; seit 1840 untergliedert in die heutigen Provinzen.

2) 1806–10 Name des aus der Batav. Republik gebildeten Königreichs unter Ludwig, einem Bruder Napoleons I.

3) gebräuchl., aber unzutreffende Bez. für die Niederlande.

Holländer, *Papierherstellung:* wannenförmiger, mit Messerwalzen bestückter Trog, in dem die Faserstoffe gemahlen sowie Zusatz- und Hilfsstoffe zugemischt werden. Der H. ist heute weitgehend durch kontinuierl. arbeitende Mahlwerke ersetzt.

Holländern, *Buchbinderei:* das provisor. maschinelle Heften von Broschüren und Buchblöcken.

Hollandia, früherer niederländ. Name von →Jayapura, Indonesien.

Elias Holl: Vorderfront des 1615–20 erbauten Augsburger Rathauses

Holländischer Katechismus, →Niederländischer Katechismus.

Holländischer Krieg, vom frz. König Ludwig XIV. 1672–78/79 geführter Eroberungskrieg gegen die Rep. der Vereinigten Niederlande (Generalstaaten). Ludwig, seit 1670 mit England verbündet, drang 1672 in Holland ein, das sich jedoch durch die Erhebung Wilhelms III. von Oranien zum Generalstatthalter und die Bildung einer antifrz. Koalition (Beitritt Kaiser Leopolds I., Brandenburgs und Spaniens) behaupten konnte. Hauptkriegsschauplätze seit 1674 waren die Franche-Comté, das Oberrhein- und Moselgebiet, die Span. Niederlande und Spanien. Aufgrund der Friedensschlüsse von Nimwegen (1678/79) räumte Frankreich die Generalstaaten, erhielt aber eine Reihe neuer Territorien, bes. die Franche-Comté.

holländische Soße, im heißen Wasserbad cremig gerührte Tunke aus Weißwein, Eigelb und zerlassener Butter, mit Zitrone, Salz, Pfeffer gewürzt.

Hollar, Wenzel (Wenceslaus), böhm. Radierer und Zeichner, *Prag 13. 7. 1607, †London 25. 3. 1677; Schüler von M. Merian, tätig in Frankfurt am Main., Straßburg, Köln, dann in London; schuf etwa 3000 Radierungen, v. a. topographisch genaue Veduten, Frauentrachten, Buchillustrationen (zu Homer, Vergil) sowie Porträts.

Billie Holiday

Friedrich Hollaender

Hans Hollein: Museum für Moderne Kunst in Frankfurt am Main (1983–91)

Hölle [zu altnord. →Hel], Bez. für die in vielen Religionen vorhandenen Vorstellungen der Unterwelt als Reich des Todes, Wohnort der Verstorbenen und Herrschaftsbereich der Totengottheiten und Dämonen (z.B. jüd.: Scheol; grch.: Hades; röm.: Orkus); im A.T. Ort der Gottesferne; im N.T. Strafort der Verdammten nach dem Jüngsten Gericht. Die kath. Theologie lehrt seit dem MA. die H.-Strafen für die vom Glauben Abgefallenen als ewig und sofort nach dem Tod eintretend (in der Volksfrömmigkeit v.a. mit der Vorstellung des ewig brennenden Höllenfeuers verbunden); die evang. Theologie interpretiert H. seit der Aufklärung als Zustand der Gottesferne und -verlassenheit.

Walter Höllerer

In der *Kunst* wurde die H. im Zusammenhang mit Darstellungen des Jüngsten Gerichts und der Höllenfahrt Christi geschildert. Die abendländ. Kunst kennt spätestens im 8. Jh. den **H.-Rachen,** der die Sünder verschlingt, hat aber auch Vorstellungen von einer der Himmelsstadt entgegengesetzten **H.-Stadt,** in der Leviathan haust (S. Lochner, Köln), auch die Vorstellung des **H.-Berges** (Fresken von Giotto in Padua, Weltgerichtsaltar H. Memlings in Danzig). Unübertroffen an Einfallsreichtum sind die H.-Szenen bei H. Bosch; später griffen u.a. P. P. Rubens (»Höllensturz der Verdammten«, München) und A. Rodin (»Höllentor«, 1880 begonnen, unvollendet; Paris) das Motiv auf.

Robert W. Holley

📖 VORGRIMLER, H.: *Geschichte der H. München ^{2}1994.* – MINOIS, G.: *Die H. Zur Geschichte einer Fiktion. A. d. Frz. Tb.-Ausg. München 1996.*

Holledau, →Hallertau.

Hollein, Hans, österr. Architekt und Designer, *Wien 30. 3. 1934; Vertreter der postmodernen Architektur; trat zunächst mit eigenwilligen Fassadengestaltungen und Inneneinrichtungen hervor, dann v.a. mit Museumsarchitektur: u.a. Museum Abteiberg in Mönchengladbach (1972–82), Haas-Haus in Wien (1986–90), Museum für Moderne Kunst in Frankfurt am Main (1983–91).

📖 *Architekten – H. H., bearb. v.* H. FRITSCH. *Stuttgart ^{4}1995.*

Höllenfahrt Christi, Abstieg Jesu Christi in das Reich des Todes zur Erlösung der Gerechten des Alten Bundes (1. Petr. 3,18 ff.; 4,6). Ihre religionsgeschichtl. Wurzeln hat die Höllenfahrtvorstellung in altoriental., altägypt. und hellenist. Mythen. – Seit dem 5. Jh. wird die H. C. bes. in der byzantin. Kunst dargestellt. Die abendländ. Kunst zeigt seit dem 10. Jh. Abwandlungen des Motivs.

Höllengebirge, verkarsteter Gebirgsstock zwischen dem Atter- und dem Traunsee in Oberösterreich, im Großen Höllkogel 1862 m ü. M.

Höllensteinstift, in Stangenform gegossenes Silbernitrat; dient zur Verätzung von wucherndem Gewebe.

Höllental, 1) Tal des Hammerbaches im Wettersteingebirge, bei Garmisch-Partenkirchen, Bayern, mit der **H.-Klamm.**

2) Teil eines Quellbachs der oberen Dreisam im S-Schwarzwald, Bad.-Württ., 9 km lang, mit der **H.-Bahn** (1887 eröffnet).

3) das enge Durchbruchstal der Schwarza zw. den Gebirgsstöcken Rax und Schneeberg in den Steirisch-Niederösterr. Kalkalpen.

Holler *der,* →Holunder.

Höllerer, Walter, Schriftsteller, *Sulzbach-Rosenberg 19. 12. 1922; gehörte zur Gruppe 47; wirkte bes. als literar. Organisator und Hg.; schrieb Gedichte, Essays, Prosa (»Die Elephantenuhr«, R.,

Höllenfahrt Christi: Detail einer Miniatur im Liutpold-evangeliar aus dem Kloster Mondsee (um 1185; Wien, Österreichische Nationalbibliothek)

1973), Theaterstücke (»Alle Vögel alle«, Kom., 1978); Hg. der Ztschr. »Sprache im techn. Zeitalter« (1961ff.).

Hollerith [engl. 'hɔlərɪθ], Hermann, amerikan. Ingenieur und Unternehmer dt. Abstammung, *Buffalo (N. Y.) 29. 2. 1860, †Washington (D. C.) 17. 11. 1929; entwickelte das H.-Lochkartenverfahren, bei dem gelochte Karten (als Informationsträger) durch Abtastfedern entsprechend der Lochung automatisch sortiert werden (→Lochkarte). H. gründete 1896 die Tabulating Machine Co. in New York, die später in International Business Machines (IBM) umbenannt wurde.

Holley ['hɔlɪ], Robert William, amerikan. Biochemiker, *Urbana (Ill.) 28. 1. 1922, †Los Gatos (Calif.) 11. 2. 1993; untersuchte die molekularbiolog. Grundlagen der Zellteilung und die Biosynthese der Proteine und Nucleinsäuren. Für seinen Beitrag zur Aufklärung des genet. Codes erhielt er 1968 mit M. W. Nirenberg und H. G. Khorana den Nobelpreis für Physiologie oder Medizin

Holliger, Heinz, schweizer. Komponist und Oboist, *Langenthal (Kt. Bern) 21. 5. 1939; entwickelte neue blastechn. Möglichkeiten für sein Instrument; schrieb u.a. vokal-instrumental gemischte Kammermusik, die Kurzoper »Kommen und Gehen« (nach S. Beckett, 1978) und einen Scardanelli-Zyklus (1975–91; für Flöte, Chor, Orchester und Tonband).

Hollywood [-wʊd], nordwestl. Stadtteil von Los Angeles (Calif.), USA; Zentrum der amerikan. Filmind., die sich seit 1908 entwickelte.

Holm [mhd. helm »Stiel«], **1)** *Bautechnik:* quer liegender, mit den Stützen verzapfter Balken, Kappbaum.

2) *Flugzeugbau:* in Längsrichtung liegender Hauptträger von Flugzeugbaugruppen (z.B. bei Trag-, Leitwerk, Rumpf).

3) *Sport:* Griffstange am Barren.

Holm, 1) Hanya, dt.-amerikan. Tänzerin, Tanzpädagogin und Choreographin, *Worms 3. 3. 1893, †New York 3. 11. 1992; studierte u.a. bei M. Wigman in Dresden und wurde dort eine ihrer engsten Mitarbeiterinnen. 1931 eröffnete sie in New York die M. Wigman School (1936 in H. H. Studio umbenannt), die zu einer der wichtigsten Ausbildungsstätten des Modern Dance wurde. Für ihre Truppe schuf sie zeitkrit. Tanzstücke (»Trend«, 1937; »Tragic Exodus«, 1939); später wandte sie sich der Musicalchoreographie zu (u.a. »Kiss me Kate«, 1948; »My fair lady«, 1956).

2) Renate, Sängerin (Sopran), *Berlin 10. 8. 1931; wurde 1964 Mitgl. der Wiener Staatsoper; v.a. Mozart-, Verdi-, Puccini- und R.-Strauss-Interpretin; sang daneben klass. Operettenpartien.

3) Richard, Sänger (Tenor), *Stuttgart 3. 8. 1912, †München 20. 7. 1988; wurde 1948 Mitgl. der Bayer. Staatsoper München, sang an bed. Opernhäusern der Welt sowie bei Festspielen (Salzburg, Glyndebourne); bes. als Mozart-Interpret bekannt.

Holmenkollen *der,* Höhe nördlich von Oslo, Norwegen, 371 m ü.M., Skigebiet, Skisprungschanze. In der **H.-Woche** finden seit 1883 jährlich internat. Wettkämpfe in den nord. Skidisziplinen statt.

Holmes [həʊmz], Oliver Wendell, amerikan. Arzt und Schriftsteller, *Cambridge (Mass.) 29. 8. 1809, †Boston (Mass.) 7. 10. 1894; 1847–82 Prof. für Anatomie an der Harvard University; schrieb »Der Tisch-Despot« (1857), eine Mischung von Gedichten, Essays und Plaudereien, und programmat. Romane (u.a. »Elsie Venner«, 2 Bde., 1861) sowie zahlr. medizin. Fachbücher.

Holmium [nach Holmia, dem latinisierten Namen von Stockholm] *das,* **Ho,** seltenes metall. Reinelement (natürlich kommt nur das Isotop ^{165}Ho vor) aus der Reihe der Lanthanoide, Ordnungszahl 67, relative Atommasse 164,9304, Dichte 8,795 g/cm³, Schmelzpunkt 1474 °C, Siedepunkt 2700 °C. – Das silbergraue H. ist an trockener Luft stabil; es kommt stets zus. mit anderen Seltenerdmetallen vor, z.B. im Gadolinit. Verwendet wird H. in Form von Cermischmetall sowie als Dotiermaterial für bestimmte Infrarotlaser.

holo... [grch.], ganz..., voll...

Heinz Holliger

Hanya Holm

Holocaust

Am 22. 4. 1993, in der Woche des 50. Jahrestags des Ausbruchs des Warschauer Gettoaufstands, wurde das United States Holocaust Memorial Museum in Washington eingeweiht. Ausschließlich finanziert durch private Spenden, errichteten hier v. a. jüdische Überlebende des Nationalsozialismus ein Haus der Erinnerung und Geschichte, das den Nachgeborenen die furchtbaren Erfahrungen der Betroffenen vermitteln will.

Die ständige Ausstellung zeigt anhand von Dokumenten, Gegenständen, Fotografien und Filmen die grauenvolle Chronik vom Aufstieg der Nazis bis zur »Endlösung der Judenfrage«. Fast alle Zeugnisse des Genozids sind authentisch. Das Gebäude als Ganzes, entworfen von dem in Essen geborenen New Yorker Architekten James Ingo Freed, dessen Familie 1938 die Flucht in die USA gelang, ist bis ins Detail ein Symbol, ein Monument der Erinnerung. Der mächtige Ziegel- und Kalksteinkomplex ist durch »Wachtürme«, die mit gläsernen Brücken verbunden sind, gegliedert. Die große, fabrikähnliche Halle symbolisiert die Vernichtungsmaschinerie, Ziegelwände die Verbrennungsöfen; Treppen wie Eisenbahngleise lassen an Entladerampen denken.

Holocaust [engl. 'hɔləkɔːst; »Massenvernichtung«, zu grch. holókaustos »völlig verbrannt«] *der* (hebräisch Schoah), Bez. für die Vernichtung der europ. Juden während der nat.-soz. Herrschaft (→Judenverfolgungen, →Yad Vashem); auch allg. für Massenvernichtung menschl. Lebens.

Holofernes, nach dem A. T. assyr. Feldherr, der von →Judith ermordet wurde; Personifikation der Gottesfeindschaft.

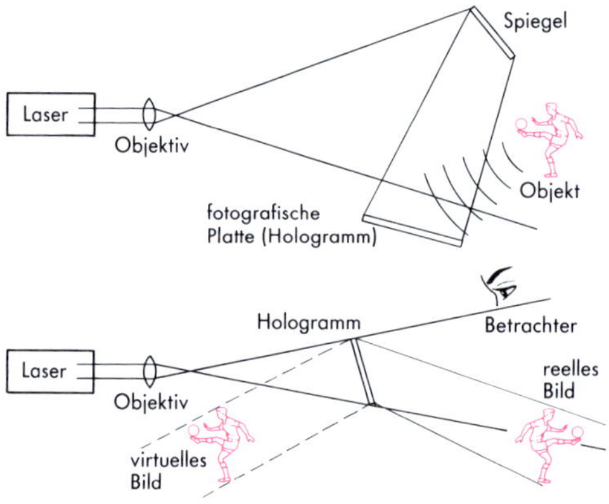

Holographie: schematische Darstellung der Aufnahme und Wiedergabe eines Hologramms

Holographie [grch.] *die,* von D. Gabor 1948 entwickeltes Verfahren der Bildaufzeichnung und -wiedergabe mit kohärentem Licht, das die Speicherung und Reproduktion von Bildern mit dreidimensionaler Struktur ermöglicht. Das Objekt wird mit Licht einer monochromatisch kohärenten Lichtquelle (→Laser) beleuchtet, das reflektierte Licht **(Objektwelle)** mit einer kohärenten Vergleichswelle **(Referenzwelle)** überlagert. Das entstehende Interferenzwellenfeld (→Interferenz) wird als Intensitätsbild mit einer Fotoplatte aufgezeichnet **(Hologramm).** Während beim normalen fotograf. Verfahren nur die Intensitätsverteilung des vom Objekt ausgehenden Lichts am Ort der Fotoplatte registriert wird, enthält das Hologramm durch die Überlagerung der Objektwelle mit der kohärenten Referenzwelle Informationen über Intensität und Phasenlage des vom Objekt kommenden Lichtes. – Zur Wiedergabe wird das Hologramm mit monochromatisch kohärentem Licht aus der gleichen Richtung beleuchtet, aus der bei der Aufnahme die Referenzwelle einfiel. Durch Beugung entstehen zu beiden Seiten des direkten Lichtbündels hinter dem Hologramm im Wesentlichen zwei Lichtbündel erster Ordnung, von denen das eine ein virtuelles Bild dort liefert, wo sich bei der Aufnahme das Objekt befand; das andere Lichtbündel erzeugt ein reelles Bild hinter dem Hologramm. Das virtuelle Bild kann mit dem Auge in begrenztem Raumwinkel von versch. Seiten aus betrachtet werden; das reelle Bild lässt sich ohne Linsen direkt fotografieren oder auf einem Schirm auffangen. Beide Bilder liefern eine räuml. Rekonstruktion des Objektes. – Sollen Hologramme mit natürl., inkohärentem Licht betrachtet werden, sind spezielle Aufnahmeanordnungen nötig, um zu erreichen, dass das Hologramm bei der Bildrekonstruktion nur eine Wellenlänge des weißen Lichts auswählt. Dafür werden in einer dicken Fotoschicht stehende Wellen erzeugt. Diese **Weißlichthologramme** erscheinen nur bei horizontal verschobenen Blickrichtungen plastisch; verändert man die Höhe, schimmern sie regenbogenfarbig.

Anwendung: Momentaufnahmen schnell veränderl. Vorgänge zur räuml. Vermessung; Nachweis geringfügiger Verformungen und kleinster Bewegungen (holograph. Interferometrie); holograph. →Gitter; holograph. Mikroskopie; holograph. Speicher; Zeichenerkennung durch Datenverarbeitungsanlagen. – Außer mit Licht werden Hologramme auch mit Mikro- sowie Schallwellen **(akust. H.)** hergestellt.

📖 Ostrowski, J. I.: *Holografie – Grundlagen, Experimente u. Anwendungen. A. d. Russ. Thun u. a.* *[3]1989.* – Eichler, J. *u.* Ackermann, G.: *H. Berlin 1993.*

holographischer Speicher, opt. Speicher, der Daten in Form von Hologrammen (→Holographie) speichert. Dabei wird jedes Bit durch ein von zwei Lichtquellen erzeugtes Interferenzmuster dargestellt. Die wesentl. Komponenten des h. S. sind ein Laser, eine elektroopt. oder akustoopt. Ablenkstufe für den Laserstrahl, ein Dateneingabewandler, ein Speichermedium sowie ein Detektor, auf dem die ursprüngl. Information mithilfe eines Referenzstrahls aus dem Hologramm rekonstruiert werden kann. Die Zugriffszeiten sind mit 10^{-11} s denen der →Halbleiterspeicher vergleichbar. H. S. haben den Vorteil, dass auch Verschmutzungen oder lokale Fehler nicht zu Informationsverlusten führen, weil die Interferenzmuster auf der gesamten Hologrammfläche abgebildet werden. Die h. S. stellen gegenwärtig keine Konkurrenz zu magnetischen, magnetooptischen und optischen Datenspeichern dar.

Holozän [grch.] *das* (Nacheiszeit, Postglazial, früher Alluvium), der letzte Abschnitt des →Quartärs, der vom Ende des pleistozänen Eiszeitalters bis zur Gegenwart reicht. Bildungen des H. sind bes. Fluss- und Seeablagerungen, Marschen, Dünen, Torf, Kalktuffe, Gehängeschutt; die Tier- und Pflanzenwelt entspricht i. Allg. der heutigen.

Holschuld, Schuld, die bei Fälligkeit beim Schuldner abzuholen ist. Gemäß §269 BGB sind grundsätzlich alle Schulden H.; Ggs.: Bringschuld.

Holst, 1) Erich Walther von, Verhaltensphysiologe, *Riga 28. 11. 1908, †Herrsching a. Ammersee 26. 5. 1962; stellte (mit H. Mittelstaedt) das →Reafferenzprinzip auf; entdeckte, dass das Verhalten auch durch selbsttätige Impulse des Zentralnervensystems gesteuert wird.

2) Gustav, brit. Komponist schwed. Herkunft, *Cheltenham 21. 9. 1874, †London 25. 5. 1934; ließ sich in seinen Werken u. a. von engl. Volksgesang sowie von Gregorianik inspirieren; schrieb Orchestermusik (Suite »The Planets«, 1914–16), Chorwerke (»The Hymn of Jesus«, 1917) und Opern (»Savitri«, 1916).

Họlstein, ehem. Herzogtum, der südl. Teil des Landes Schleswig-H., durch Eider und Nord-Ostsee-Kanal von Schleswig getrennt. – Um 800 war H. der Nordteil des sächs. Stammesgebiets (Herzogtum Sachsen). Es setzte sich zusammen aus Dithmarschen im W, Stormarn im S, dem eigentl. H. (Gau der Holsten oder Holsaten [»Waldsassen«]) im N und Wagrien im O. Karl d. Gr. unterwarf H. 804 mithilfe der slaw. Abodriten, denen er dafür Wagrien überließ; →Dithmarschen nahm zunächst eine eigene Entwicklung. Die Grafen von Schauenburg (Schaumburg), seit 1111 Grafen von H., eroberten Wagrien, das christianisiert und germanisiert wurde, und wiesen die dän. Eingriffe unter Waldemar II. 1227 bei Bornhöved ab. Graf Gerhard d. Gr. (1304–40) dehnte seinen Machtbereich auf Dänemark aus, seine Söhne erwarben 1375/86 das Herzogtum Schleswig als dän. Lehen. Kaiser Friedrich III. erhob H. 1474 zum Herzogtum. (→Schleswig-Holstein, Geschichte)

Họlstein, Friedrich von, Diplomat, *Schwedt/Oder 24. 4. 1837, †Berlin 8. 5. 1909; seit 1876 im Auswärtigen Amt, seit 1885 Gegner der russlandfreundl. Politik O. von Bismarcks; nach dessen Entlassung außenpolit. Ratgeber der Kanzler G. L. von Caprivi und C. Hohenlohe-Schillingsfürst. H., der zu Unrecht als »Graue Eminenz« galt, war trotz seiner Gegnerschaft zu Kaiser Wilhelm II. bis 1906 Zentralfigur der dt. Außenpolitik (illusionäre Politik der »freien Hand« für das Dt. Reich).

Friedrich von Holstein

Họlsteinische Euterseuche (Weide-Euterseuche, Pyogenesmastitis), durch das Corynebacterium pyogenes hervorgerufene Euterentzündung bei Färsen und Kühen; in Weidegebieten seuchenhaft, bei Stalltieren sporadisch auftretend. Aus dem Euter wird eitriges, mitunter blutiges Sekret abgesondert; Behandlung mit Antibiotika.

Họlsteinische Schweiz (Holsteinische Seenplatte), wald- und seenreiche Landschaft um Eutin in Schlesw.-Holst., Teil des Balt. Landrückens, mit Großem Plöner, Selenter, Keller- und vielen weiteren Seen, im Bungsberg 168 m ü. M.; Fremdenverkehr; im W Erdölgewinnung.

Họlstentor, zweitürmiges Stadttor in Lübeck, von Ratbaumeister Hinrich Helmstede nach dem Vorbild flandrischer Brückentore erbaut und 1478 vollendet. BILD S. 290

Hölszky, Adriana, Komponistin, *Bukarest 30. 6. 1953; lebt seit 1976 in der Bundesrep. Dtl.; charakteristisch für ihre Kompositionsweise sind Klangfelder und die Einbeziehung des Raumes; u. a. Orchesterwerke, Kammer-, Vokalmusik, Oper »Bremer Freiheit« (1988), »Schweigeton

	Jahre	Zeitabschnitt	vorherrschende Vegetation	Klimacharakter	Stadien der Ostsee	Nordsee
Postglazial	heute	Subatlantikum II (Jüngere Nachwärmezeit)	(land- und forstwirtschaftl. Nutzung)	kühler und feuchter	Myameer	Dünkirchener Transgression
	600 n. Chr.	Subatlantikum I (Ältere Nachwärmezeit)	Buchenwald und buchenreicher Mischwald		Limneameer	
	800 v. Chr.	Subboreal (Späte Wärmezeit)	Eichenmischwald Auftreten von Buche und Tanne	noch warm, etwas feuchter		Regression bzw. Stillstand
	2500	Atlantikum (Mittlere Wärmezeit)	Eichenmischwald	warm, mäßig feucht (Klimaoptimum)	Litorinameer	Flandrische Transgression
	5500	Boreal (Frühe Wärmezeit)	haselreicher Kiefern- und Eichenmischwald	warm, trocken	Ancylussee	
	6800	Präboreal (Vorwärmezeit)	Birken- und Kiefernwald	Erwärmung kühler	Yoldiameer	
Spätglazial (Spät-Würm)	8150	Jüngere Tundrenzeit (Jüngere Dryaszeit)	Tundra mit Kiefern und Birken (»Parktundra«)	kalt	Baltischer Eisstausee	Eisbedeckung (z. T.)
	8800	Allerödzeit (Mittlere subarkt. Zeit)	lichter Birken- und Kiefernwald	geringe Erwärmung (Interstadial)		
	9800	Ältere Tundrenzeit (Ältere Dryaszeit)	Tundra	kalt		
	10500	Böllingzeit	lichter Birken- und Kiefernwald	geringe Erwärmung (Interstadial)		
	11500	Älteste Tundrenzeit (Älteste Dryaszeit)	Tundra	kalt	Eisbedeckung	

Holozän: Gliederung des Spätglazials und Holozäns in Mitteleuropa

zwei« (1990, Projekt für Tänzerinnen und Schauspielerinnen), »Message für 3 Stimmen und Tonband« (1991), »Miserere für Akkordeon« (1992), »Die Wände« (1995).

Holthausen, Ferdinand, Anglist, *Soest 9. 9. 1860, †Wiesbaden 19. 9. 1956; Prof. in Gießen, Göteborg und Kiel; Forschungen zur altisländ. sowie altengl. Sprache (»Altengl. etymolog. Wörterbuch«, 1934), edierte altengl. Texte (u.a. »Beowulf«) und verfasste ein »Etymolog. Wörterbuch der engl. Sprache« (1917).

Ludwig Hölty (zeitgenössischer Kupferstich)

Holthusen, Hans Egon, Schriftsteller, *Rendsburg 15. 4. 1913, †München 21. 1. 1997; Vertreter eines christl. Existenzialismus; verfasste den literaturkrit. Essayband »Der unbehauste Mensch« (1951), ferner Lyrik und Erzählungen.

Hölty, Ludwig Christoph Heinrich, Dichter, *Mariensee (heute zu Neustadt am Rübenberge) 21. 12. 1748, †Hannover 1. 9. 1776; Mitgl. des →Göttinger Hains; schrieb stimmungsvolle, schwermütige Gedichte, u.a. »Üb immer Treu und Redlichkeit«; gilt als Begründer der neueren dt. Balladendichtung.

Thomas Holtzmann

Holtzbrinck-Gruppe (Verlagsgruppe Georg von Holtzbrinck GmbH), Medienunternehmen, das aus einer von Georg von Holtzbrinck (*1909, †1983) erworbenen Buchgemeinschaft (dem heute zu Bertelsmann gehörenden »Dt. Bücherbund«) entstanden ist. Zur H.-G. gehören Buch-, Zeitungs- und Zeitschriftenverlage (u.a. Diesterweg, Droemersche, Farrar, Straus & Gironx, S. Fischer, Fischer Taschenbuch, Henry Holt, Kindler, Knaur, Macmillan [zu 70%], Metzler, Rowohlt, Rowohlt Taschenbuch, Schäffer-Poeschel, Scherz, Schroedel, Spektrum; Handelsblatt, Saarbrücker Zeitung [zu 52%], Südkurier, Tagesspiegel [zu 51%], Die Zeit; DM, Spektrum der Wiss., Wirtschaftswoche), Großdruckereien und -buchbindereien (Clausen & Bosse, Franz Spiegel), Fernseh- und Hörfunkbeteiligungen (SAT.1 zu 15%, n-tv unter 20%) und sonstige Gesellschaften (Wirtschaftsdatenbank Genios, Prognos AG).

Holtzmann, Thomas, Schauspieler, *München 1. 4. 1927; bed. Charakterdarsteller, spielte in Berlin, Wien und Hamburg; kam 1966 an die Münchner Kammerspiele.

Holub, Miroslav, tschech. Schriftsteller und Arzt, *Pilsen 13. 9. 1923, †Prag 14. 7. 1998; schuf von skept. Illusionslosigkeit bestimmte intellektuelle Lyrik über Menschen in der modernen Zivilisation, entwarf einfühlsame poet. Bilder von Wiss. und Technik (»Engel auf Rädern«, 1963; »Naopak«, 1982; »Vom Ursprung der Dinge«, dt. Auswahl 1991); auch Reportagen.

Holunder: blühender Zweig (oben) und Fruchtstand des Schwarzen Holunders (Höhe bis über 6 m)

Holunder (Sambucus), Gattung der Geißblattgewächse; Holzpflanzen mit gegenständigen, unpaarig gefiederten Blättern und Trugdolden oder

Holstentor in Lübeck (1478)

Rispen strahliger Blüten, die zu rundl. Steinbeeren werden. Der **Schwarze H. (Holderbaum, Holderbusch, Holler, Flieder, Schibicke,** Sambucus nigra), Strauch oder Baum mit gelblich weißen, stark duftenden Blüten in flachen Trugdolden und violettschwarzen Früchten, ist fast überall in Europa, Kleinasien und Westsibirien verbreitet. Seine Blüten werden in der Volksmedizin als schweißtreibendes Mittel (H.-, Fliedertee) verwendet sowie regional in Fett ausgebacken gegessen. In Europa wachsen ferner: **Trauben-H. (Roter H., Berg-, Hirschholder,** Sambucus racemosa) mit roten Früchten und **Zwerg-H. (Acker-, Feld-, Krautholder, Attich,** Sambucus ebulus) mit schwarzen Früchten.

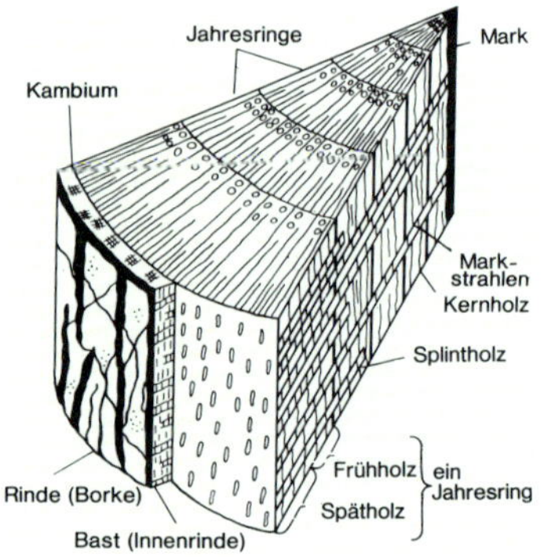

Holz: Stammquerschnitt

Holz, umgangssprachl. Bez. für die Hauptsubstanz der Stämme, Äste und Wurzeln der Holzgewächse; in der Pflanzenanatomie Bez. für das vom →Kambium nach innen abgegebene Dauergewebe, dessen Zellwände meist durch Lignineinlagerungen (zur Erhöhung der mechan. Festigkeit) verdickt sind.

Ohne Hilfsmittel kann man an einem Stammausschnitt folgende Einzelheiten erkennen: Im Zentrum liegt das **Mark,** das von einem breiten **H.-Körper** umschlossen wird. Dieser setzt sich bei den meisten H.-Arten aus dem sich durch Wechsel in Struktur und Färbung voneinander abhebenden →Jahresringen zusammen. Das Kambium umschließt als dünner Mantel den gesamten H.-Körper. Die hellere äußere Zone besteht aus den lebenden jüngsten Jahresringen und wird als **Splint-H.** (Weich-H.) bezeichnet. Der dunkel gefärbte Kern ist das sog. **Kern-H.,** das aus abgestorbenen Zellen besteht und nur noch mechan. Funktionen hat. Da es durch die Einlagerung bestimmter Stoffe (Oxidationsprodukte von Gerbstoffen) geschützt wird, ist es wirtschaftlich wertvoller. An den letzten Jahresring schließt sich nach außen zu der Bast an. Vom Bast in den H.-Körper hinein verlaufen zahlr. Markstrahlen. Den Abschluss des Stammes nach außen bildet die Borke aus toten Korkzellen und abgestorbenem Bast. Man unterscheidet folgende Zelltypen: 1. **Gefäße,** sie leiten das Bodenwasser mit den darin gelösten Nährsalzen zu den Blättern; 2. **H.-Fasern,** sie sind das Stützgewebe des H.-Körpers; auf ihnen beruht die Trag-, Bruch- und Biegefestigkeit der Hölzer; 3. **H.-Parenchym,** die lebenden Bestandteile des H.-Körpers; sie übernehmen die Speicherung der organ. Substanzen; 4. **Markstrahlparenchym,** das aus lebenden Zellen besteht und der Stoffspeicherung und -leitung dient. – *Eigenschaften:* Die Dichte (Rohdichte zw. 0,1 g/cm^3 [Balsa] und 1,2 g/cm^3 [Pock-H.]) des H. hängt von der H.-Art ab, ist aber auch innerhalb des gleichen Baumes unterschiedlich (Splint-H. ist leichter als Kern-H.). Bei weniger als 30% Wassergehalt schwindet H. beim Trocknen und wird fester, es quillt bei Wasseraufnahme. Die H.-Trocknung erfolgt als Kammertrocknung in belüfteten Räumen bei 60–80 °C, als Hochtemperaturtrocknung mit feuchter Luft bei 100–140 °C (für Furniere bis 260 °C in v. a. düsenbelüfteten Furniertrocknern). Die akust. Dämmeigenschaften von H. sind sehr gut. In trockenem Zustand ist H. ein elektr. Isolator. Es ist leicht bearbeitbar, kommt in vielen Farben vor und erhält durch Anschnitt von Jahresringen, Markstrahlen und Gefäßen oft eine schöne Textur (Maserung, Zeichnung). Der Heizwert trockenen H. beträgt zw. 15 und 20 MJ/kg.

Kulturgeschichte: Die Verwendung des H. zum Feuermachen gilt als Beginn menschl. Kulturtätigkeit. Neben Knochen und Stein war H. schon in der Altsteinzeit ein wichtiger Werkstoff, der u. a. zur Fertigung von Waffen (hölzerne Lanzen) und Geräten genutzt wurde. Von der Mittelsteinzeit an sind Schlitten nachgewiesen, seit der Jungsteinzeit Pflug, Wagen, Einbaum, Hausrat aus H. Das Haus wurde in Mittel-, Nord- und Osteuropa bis in die geschichtl. Zeit fast nur aus H. gebaut (→Pfahlbauten). Durch die →Dendrochronologie und das Radiocarbonverfahren ist H. zu einem der wichtigsten Datierungsmittel der Vorgeschichtsforschung geworden.

Holz

Ein charakteristisches Merkmal der Bäume in unseren Breiten sind die Jahresringe: Im Frühjahr bilden sich unter der Rinde helle, große Zellen, die viel Saft enthalten. Sie bauen jene Schichten auf, die wir Frühholz nennen. Das Spätholz dagegen setzt sich aus kleineren, dunklen Zellen zusammen. Der Unterschied ist also jahreszeitlich bedingt, und die Trennungslinie zwischen dem Spätholz des einen und dem Frühholz des folgenden Jahres ist besonders scharf ausgebildet. Die deutlich sichtbaren Ringe (im Querschnitt als konzentrische Kreise, im Längsschnitt als Maserung sichtbar) variieren in ihrer Breite je nach Baumart, Alter, Standort und klimatischen Bedingungen des jeweiligen Jahres. Sie ermöglichen der Forschung daher vielfältige Rückschlüsse, so auf das Alter des Baumes und die Klimaentwicklung am Standort.
Da es in den Tropen keinen Wechsel von kalten und warmen Jahreszeiten gibt, bilden die Bäume dort auch keine Jahresringe aus.

📖 *Das große Buch vom H., bearb. v.* J. SCHWAB. *A. d. Engl. Neuausg. Luzern 1987.* – *H.-Lexikon, bearb. v.* R. MOMBÄCHER, *2 Bde. Stuttgart [3]1988, Nachdr. ebd. 1993.* – STEUER, W.: *Vom Baum zum H. Stuttgart [2]1990.* – LOHMANN, U.: *H.-Handbuch. Beiträge v.* T. ANNIES *u. a. Leinfelden-Echterdingen [4]1991, Nachdr. ebd. 1993.*

Arno Holz

Holz, Arno, Schriftsteller, *Rastenburg (heute Kętrzyn) 26. 4. 1863, †Berlin 26. 10. 1929; mit J. Schlaf Begründer des konsequenten Naturalismus in theoret. Schriften (»Die Kunst, ihr Wesen und ihre Gesetze«, 2 Bde., 1891/92) und gemeinsam verfassten Musterbeispielen naturalist. Dichtung unter dem Pseud. Bjarne Peter Holmsen (»Papa Hamlet«, Novellen, 1889; »Die Familie Selicke«, Dr., 1890). In seinem Bemühen um neue Ausdrucksmöglichkeiten bezog H. Umgangssprache und neue Themen (soziale Tendenz, sozialrevolutionäre Bekenntnisse, Großstadtbilder) in die Lit. ein (»Traumulus«, Kom., mit O. Jerschke, 1904; »Sonnenfinsternis«, Dr., 1908; »Ignorabimus«, Dr., 1913). Unter Verzicht auf Reim und alle Formregeln ist seine z. T. sprachlich virtuose Lyrik allein vom »inneren Rhythmus« her bestimmt (»Phantasus«, 2 Tle., 1898/99; »Dafnis«, 1904, parodist. Nachahmungen barocker Lyrik). Erinnerungen »Kindheitsparadiese«, 1924).

Hölz, Max, Politiker, →Hoelz, Max.

Holzapfel, unveredelter, gerbstoffreicher Wildapfel.

Wilhelm Holzbauer: Das 1978–87 erbaute »Stopera«-Gebäude in Amsterdam ist eine Kombination von Rathaus und Oper

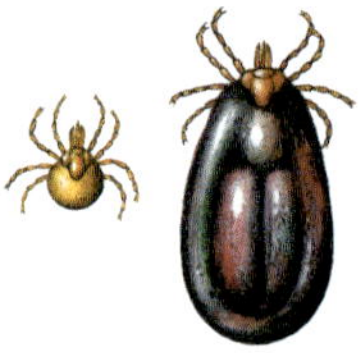

Holzbock: Weibchen (rechts vollgesogen)

Holzbau, Oberbegriff für den Holzhausbau und alle zimmereimäßig hergestellten Konstruktionen. Die früheste europ. Form ist der **Pfostenbau** aus eingerammten dünnen Rundhölzern mit lehmumhülltem Flechtwerk aus Zweigen und Ruten als Wandfüllung; er ist als Vorstufe des Fachwerks anzusehen. Ihm folgen (seit der jüngeren Steinzeit) der **Bohlenbau** aus senkrecht stehenden halbierten Stämmen, später aus bearbeiteten dicken Brettern, und der (seit der Jungsteinzeit) **Blockbau** aus waagerecht aufeinander gelegten Rundhölzern. Größte Bedeutung und Verbreitung hat der →Fachwerkbau gewonnen; im 20. Jh. wurde der H. wichtig als Ausgangspunkt für den Fertigbau. Neuen Aufschwung nimmt der H. heute mit dem Leimbau und Nagelbau.

Holzbildhauerei

Zur Herstellung von Holzbildwerken verwendete man in Süddeutschland vorwiegend das weiche, leicht zu bearbeitende Lindenholz; in Norddeutschland war vor allem Eichenholz gebräuchlich. In der Regel griff man auf frisch geschlagenes Holz zurück. Die skulpturale Form wurde aus dem liegend in eine Werkbank eingespannten Baumstamm herausgearbeitet. Um die Spannung innerhalb des Holzes beim Trocknungsprozess und die Bildung von Rissen zu verringern, entfernte man den Kern des Stamms, indem man die Rückseite der Figuren aushöhlte. Der Arbeit des Schnitzers folgte die farbige Gestaltung der Oberfläche, das Bildwerk erhielt eine Fassung durch den Maler. Die Grundierung wurde über eine Leimschicht, zuweilen auch einer Leinwandabklebung, mit deren Hilfe sich Astansätze und schadhafte Stellen kaschieren ließen, aufgetragen. Blattgold- und Blattsilberauflagen zeigen bisweilen eine das kostbare Aussehen steigernde Lüsterung, eine transparente Lasur in Rot oder Grün. Verzierungstechniken reichen von Gravierungen, Punzierungen (mit Stiften und Stempeln eingeschlagene Muster) bis zur Einbettung von Fremdmaterialien wie Schnüren oder Glaspasten: Beim »Pressbrokat« wurden Kreide oder Wachsmasse in ein Model gegossen und auf die Oberfläche appliziert.

Holzbauer, Wilhelm, österr. Architekt, *Salzburg 3. 9. 1930; seit 1977 Prof. an der Hochschule für angewandte Künste in Wien. Seine Entwürfe basieren auf geometr. Grundformen, die spielerisch variiert und nach Kriterien der Form und Funktion kombiniert werden; u. a. U-Bahn-Stationen in Wien (1971–82); Landtagsgebäude in Bregenz (1975–80); »Stopera« in Amsterdam (Rathaus und Oper, 1978–87); Biozentrum der Univ. in Frankfurt am Main (1988–93).

📖 *W. H. Buildings and projects. Bauten und Projekte, Essay v.* F. Achleitner. *Stuttgart 1995.*

Holzbienen (Xylocopa), hummelähnl. Bienengattung, deren Weibchen Röhren in Holz mit Zellen für die Brut anlegen. In Mitteleuropa verbreitet ist die **Blaue H.** (Körperlänge 18–28 mm).

Holzbildhauerei (Holzschnitzerei), Herstellung plast. Bildwerke, Reliefs, Verzierungen durch Bearbeitung eines Holzblocks mit Meißel, Klöppel, Flach- und Hohleisen. Die geschnitzte Figur kann eine auf Kreide oder Gips aufgetragene Bemalung und Vergoldung (»Fassung«) erhalten (sie ist dann »gefasst«). In Europa entstanden im MA. und Barock eine große Zahl bed. Werke der H: Marienstatuen, Kruzifixe, Kultgeräte, Chorgestühle (J. Syrlin d. Ä., Ulmer Münster, 1469–74) sowie Vesper-, Erbärmdebilder u. a. Figurengruppen, Altäre und Kanzeln. Ein Höhepunkt der H. sind die spätgot. Schnitzaltäre. Das Auftreten ungefasster Werke (T. Riemenschneider, Creglinger Altar, 1502–05) ist im Zusammenhang mit der Neigung spätgot. Malerei zur Einfarbigkeit zu sehen. Mit dem Beginn der Renaissance zieht sich die H. größtenteils auf die Kleinplastik zurück (bes. Holzschnitzereien an Truhen). – Bed. Werke der H. finden sich auch in den außereurop. Kulturen.

📖 *Holzschnitzen u. Holzbildhauen. Bern u. a.* [6]*1992.*

Holzblasinstrumente, Blasinstrumente, bes. Flöten, Klarinetten, Oboen, Fagotte, aber auch die aus Metall hergestellte Querflöte und das Saxophon, die sich von den Blechblasinstrumenten durch die Art der Tonerzeugung (mittels schwingendem Luftstrom oder Rohrblatt; bei Blechblasinstrumenten unmittelbar durch die Lippen) und die Spielweise unterscheiden.

Holzblock, Schlaginstrument aus Hartholz in Form eines längl., rechteckigen Blocks mit schlitzartiger Aushöhlung an beiden Längsseiten, wird mit Schlegeln angeschlagen. Der H. findet in der Tanz- und Unterhaltungsmusik sowie im modernen Orchester Verwendung.

Holzbock (Waldzecke, Ixodes ricinus), Art der →Zecken. Die H. klettern an Pflanzen empor und lassen sich auf Tiere oder Menschen fallen, um Blut zu saugen; Männchen 2,5 mm, Weibchen 4 mm lang (vollgesogen bis 11 mm); Überträger u.a. der Zeckenenzephalitis und der Lyme-Borreliose.

Holzbohrkäfer (Bohrkäfer, Bostrychidae), artenreiche Familie meist dunkler Käfer mit kapuzenartig gewölbtem, den Kopf verdeckendem Halsschild. H. und ihre Larven bohren meist Gänge in abgestorbenem Holz, einige Arten sind Vorratsschädlinge.

Holzbrandtechnik (Brandmalerei), das Einbrennen von Ornamenten, Schrift und bildl. Darstellungen in Holz durch ein Gerät mit elektr. beheizter Metallspitze.

Holzdestillation, die →Holzverkohlung.

Holzeinschlag (Einschlag), in der Forstwirtschaft Bez. für alle mit der Holzfällung verbundenen Vorgänge (z.B. Fällung, Aufarbeitung, Transport) sowie für die jährlich gefällte Holzmasse.

Hollzer, Jenny, amerikan. Medienkünstlerin, *Gallipolis (Oh.) 29. 7. 1950; nutzt die Mittel der Massenkommunikation und konfrontiert das Publikum im öffentl. Raum und in Ausstellungen mit elektron. Schriftbändern auf Wänden. Die provokativen Sinnsprüche sollen das Bewusstsein gegen allg. Missstände und eigene Vorurteile schärfen. BILD S. 294

Holzessig, durch Holzverkohlung gewonnene Essigsäure. Roh-H. ist eine wässrige Lösung mit etwa 12 % Essigsäure, 3 % Holzgeist und 10 % gelöstem Teer.

Holzfaserplatten, plattenförmiger Holzwerkstoff, hergestellt aus verholzten Fasern (aus geringwertigem Holz, Holzabfällen oder anderen Faserstoffen) unter Zusatz von Kunstharzen als Bindemittel. Poröse **Holzfaserisolier-** und **-dämmplatten** werden zur Wärme- und Schalldämmung verwendet, die unter Druck stark verdichteten **Hartfaserplatten** finden im Möbel- und Innenausbau Anwendung. H. können für besondere Anwendungsbereiche auch mit Kunststoffen beschichtet werden. Durch ein Wärmevergütungsverfahren **(Tempern)** können Oberflächenhärte, Festigkeitseigenschaften und Feuchtigkeitsresistenz verbessert werden.

Holzfäule, Holzzersetzung durch versch. Pilze.

Holzgas, Nebenprodukt der Holzverkohlung, enthält etwa 55 % Kohlendioxid, 32 % Kohlenoxid, 8 % Methan, wenig Wasserstoff und Äthylen; meist zur Heizung der Verkohlungsretorten verwendet, früher als Kraftstoff für Verbrennungsmotoren.

Holzgeist, ein Destillationsprodukt des rohen Holzessigs, enthält etwa 45 % Methanol, 7 % Aceton und 5 % Methylacetat; dient zum Vergällen von Äthanol und als Lösungsmittel.

Holzblasinstrumente (von links): Fagott und Klarinette

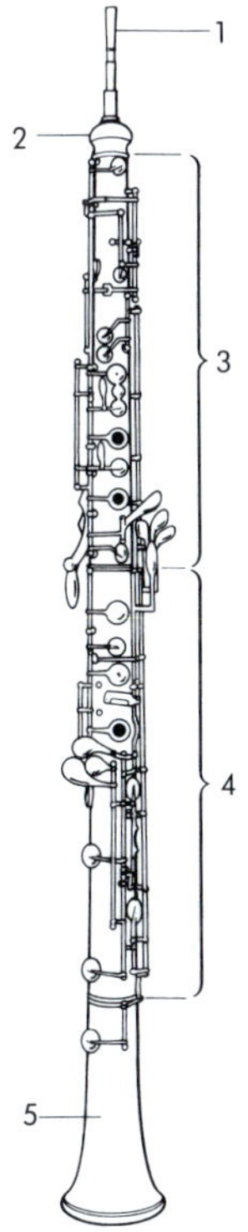

Holzblasinstrumente: Bauteile einer Oboe,
1 Doppelrohrblatt,
2 Kopfstück,
3 Oberstück,
4 Unterstück,
5 Schallstück

Holzbildhauerei: »Hirtenverkündigung«, Relief an der Tür von Sankt Maria im Kapitol in Köln (um 1049)

Guido Holzknecht

Holzgummi, das →Xylan.

Holzkitt, knetbarer Kitt aus Leinöl und Harzseifen, denen Kreide, Kalk oder Ton beigemischt sind; dient zum Ausfüllen von Rissen im Holz bei der Oberflächenbehandlung. Ähnl. Zwecken dient der aus Holzmehl und Celluloseestern als Bindemittel zusammengesetzte, pastenartige **Holzzement (plast. Holz, flüssiges Holz),** der nach dem Aufspachteln rasch trocknet.

Holzknecht, Guido, österr. Röntgenologe, *Wien 3. 12. 1872, † (an den Folgen von Röntgenschädigungen) ebd. 30. 10. 1931; beteiligte sich maßgebend am Ausbau der Röntgendiagnostik und -therapie, konstruierte (mit I. Robinsohn) einen Durchleuchtungstisch sowie Dosier- und Messinstrumente, gab eine Röntgenstrahleinheit **(H.-Einheit)** an.

Holzkohle, das Hauptprodukt der Holzverkohlung, enthält zw. 80 und 90% Kohlenstoff, 1–3% Asche, Sauerstoff, Stickstoff und Wasserstoff (Heizwert 29 bis 33 MJ/kg), wird zur Herstellung von Aktivkohle und Schwefelkohlenstoff, als Grillkohle sowie in der Pyrotechnik und Metallurgie verwendet.

Holzminden 2) Stadtwappen

Holzmann AG, Philipp, Bauunternehmen, Sitz: Frankfurt am Main; gegr. 1849, seit 1917 AG; verfügt über zahlr. Tochterges. im In- und Ausland; Großaktionär ist die Dt. Bank AG (über 25%).

Holzmeister, Clemens, österr. Architekt, *Fulpmes (im Stubaital) 27. 3. 1886, †Hallein 5. 6. 1983; baute zunächst in Wien in gemäßigt modernem Stil Kirchen, Schulen, Wohnsiedlungen; lehrte 1939–48 an der TH in Istanbul (Bau des Parlamentsgebäudes in Ankara, 1938); Umbau des Salzburger Festspielhauses (1960).

Holzminden, **1)** Landkr. im RegBez. Hannover, Ndsachs., 692 km², (1996) 83 400 Einwohner.

2) Krst. von 1) in Ndsachs., am W-Rand des Sollings, an der Weser, 22 100 Ew.; Bauingenieurschule (gegr. 1831, älteste Dtl.s; jetzt FH Hildesheim/H.); elektrotechn., Geschmack- und Duftstoff-, Glasind., Maschinen- und Werkzeugbau. Der Stadtteil Neuhaus ist heilklimat. Kurort. – Fachwerkhäuser (17.–18. Jh.). – Seit 1245 Stadt.

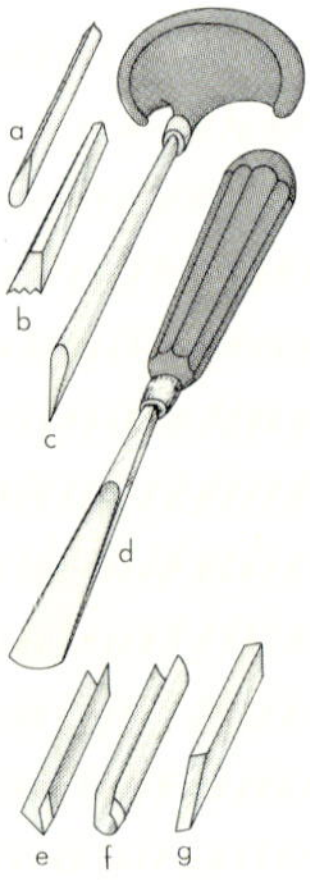

Holzschnitt: Werkzeuge; a–c verschiedene Stichel für den Holzstich; d Rundeisen, e Geißfuß, f Hohleisen, g Flacheisen für Holzschnitt und Holzbildhauerei

Holzöl (Tungöl), fettes Öl aus den Samen des Tungbaums; zur Herstellung von Farbe, Firnis, Wachstuch, Linoleum und Ölpapier verwendet.

Holzpilze, Sammelbez. für Holz zerstörende Pilze, z.B. Hausschwamm, Hallimasch, Feuerschwamm.

Holzschliff (Holzstoff), *Papierherstellung:* aus Schwachhölzern durch mechan. Zerkleinerung gewonnenes Fasermaterial zur Herstellung von holzhaltigen Papieren und Kartons. Beim klassischen Steinschliff **(Weißschliff)** werden entrindete, unbehandelte Hölzer unter Druck und Wasserzugabe gegen einen aufgerauten, rotierenden Stein gepresst. **Braunschliff** entsteht durch Dämpfen des Holzes vor dem Schleifen; die aus derartig vorbehandeltem Holz gewonnenen Fasern sind länger und geschmeidiger; sie werden für Lederpappen und Packpapier verwendet.

Jenny Holzer: Installation aus »The Survival Series« (1987; San Francisco, Calif.)

Holzschnitt, graf. Technik, bei der eine Zeichnung erhaben aus einer Holzplatte (Holzstock) herausgeschnitten und nach Einfärben gedruckt wird, sowie der von dieser Platte auf Papier abgezogene Druck. Auf der geglätteten, meist mit einer dünnen Kreideschicht überzogenen Oberfläche eines etwa 2 cm dicken Holzstocks wird das Bild des Künstlers (im MA. des »Reißers«) zuerst vorgezeichnet (seitenvertauscht im Verhältnis zum späteren Abzug), dann wird von dem Formschneider (der auch der entwerfende Künstler selbst sein kann) mit dem Messer, später auch Stichel, so viel Holz ausgehoben, dass die übrig bleibenden Stege oder Flächen das vorgezeichnete Bild abdrucken können. Abgedruckt wird mit der Hand oder mit der Druckerpresse. Als Holzstöcke dienten bis zum 18. Jh. in der Längsrichtung des Stammes geschnittene und mit dem Schneidemesser bearbeitete Langholzplatten aus Birn- oder Nussbaum. Für den im 19. Jh. bevorzugten **Holzstich** wird Hirnholz (meist Buchsbaum) verwendet, in das feine Linien mit dem Holzstichel gestochen werden. Aus dem Holzstich entwickelte sich der Tonstich, der Halbtöne wiedergibt. Von zwei oder mehr Platten gedruckt werden der **Helldunkelschnitt** (Clair-obscur-Schnitt) und der **Farb-H.** Beim **Weißschnitt** erscheinen in das Holz geritzte Linien weiß auf schwarzem Grund.

Geschichte: Die ältesten H. entstanden in China (Funde aus dem 7. Jh.) und in Japan (8. Jh.). In

China sind Farb-H. aus der Zeit um 1600 erhalten. Bekannt sind v.a. die H. der vielbändigen Mallehrbücher »Zehnbambushalle« (1643 ff.) und »Senfkorngarten« (1679 ff.). In Japan begann im 17. Jh. die Blütezeit des H. als Gattung des →Ukiyo-e. Im 18. Jh. kamen der Vielfarbendruck und die Blindpressung auf (→Harunobu). Stilprägend wurden Moronobu mit klarer Linienzeichnung, expressiv →Sharaku, psychologisierend Utamaro; für den europ. H. erlangten v.a. →Hokusai und →Hiroshige Bedeutung. In Europa, wo der H. in der zweiten Hälfte des 14. Jh. aufkam, verwendete man ihn für Einblattdrucke, Blockbücher, dann Illustrationen. Die frühen, auf Umrisse beschränkten H. wurden farbig ausgemalt (handkolorierte H.). Um 1450 begann man auch die Binnenform mit Linienwerk zu füllen und auf Farben zu verzichten. 1498 erschien die Apokalypse, die erste der graf. Folgen A. Dürers. Die neben den Werken Dürers hervorragendsten H. der Zeit schufen L. Cranach d.Ä., H. Baldung, A. Altdorfer, H. Burgkmair und H. Holbein d.J. Nach Dürer verlor der H. an Bedeutung. Im 17. und 18. Jh. wurde er durch den Kupferstich verdrängt. Im 19. Jh. verbreitete sich der von T. Bewick erfundene Holzstich bes. in Frankreich (G. Doré u.a.). Dt. Künstler, bes. A. Rethel, hielten zunächst noch an der alten Technik fest. Die Zeichnungen A. Menzels zur Gesch. Friedrichs d. Gr. (1840) wurden dagegen von Holzstechern übertragen. Eine Wiederbelebung ging gegen Ende des 19. Jh. von England aus (Höhepunkt mit den Jugendstil-H. A. Beardsleys). Neue Ausdruckswirkungen fanden der Norweger E. Munch und die dt. Expressionisten (E. Nolde, F. Marc, M. Beckmann), weitergeführt von F. Masereel, C. Felixmüller und HAP Grieshaber. Buch-H. schuf vor allem A. Maillol.

📖 MICHENER, J. A.: *Japanische H.e von den frühen Meistern bis zur Neuzeit. München 1961.* – HANSEN, H. W.: *Dt. Holzschnittmeister des 20. Jh. Toppenstedt ^{2}1979.* – AMANN, P.: *Der H. Sonderausg. Kirchdorf a. Inn 1988.* – *Der dt. H. im 20. Jh., hg. v.* G. THIEM, *Ausst.-Kat. Institut für Auslandsbeziehungen, Stuttgart. Berlin ^{2}1988.*

Holzschnitzerei, i.e.S. dekorative Schnitzerei an Möbeln (Chorgestühl, Truhen, Schränke) u.a. Gegenständen; i.w.S. svw. →Holzbildhauerei.

Holzschutz (Holzkonservierung), Maßnahmen bautechn., chem. und physikal. Art zur Erhöhung der Haltbarkeit von Hölzern mithilfe von Schutzmitteln und -verfahren v.a. gegen Holzschädlinge, Witterungseinflüsse und Feuer. In Dtl. ist die Behandlung von tragenden und aussteifenden Holzbauteilen im Hochbau mit H.-Mitteln vorgeschrieben. Wichtige Wirkstoffe sind synthet. Pyrethroide. Die Herstellung und Verwendung von PCP (Pentachlorphenol) sind seit Ende 1989 untersagt.

Holzschnitt (von oben): Lucas Cranach d. Ä., »Christophorus« (1509); Edvard Munch, »Mondschein« (1896)

Holzspanplatten, aus Holzspänen und anderen verholzten Fasermaterialien unter Druck und Wärme mit oder ohne Bindemittel gepresste Platten; sie finden Verwendung im Möbelbau, für Wand- und Deckenverkleidungen im Innenausbau und als Unterlage für Fußböden.

Holzstich, →Holzschnitt.

Holzteer, Nebenprodukt der Holzverkohlung, ein stark riechendes Gemisch von Phenolen, Kresolen, Phenoläther, Guajakol, Fettsäuren und hochsiedenden Kohlenwasserstoffen.

Holzverbindung, die Zusammenfügung von Hölzern im Zimmermannsbau, Ingenieurholzbau, in der Tischlerei durch Formung der Berührungsflächen oder besondere Befestigungsmittel (Nägel, Dübel, Schrauben) oder durch beides. Im Zimmermannsbau werden ausgeführt: Verbindungen sich kreuzender Hölzer **(Winkelverbände)** als Überblattungen, Verzapfungen, Verkämmungen, Verdübelungen, Verklauungen; Verbindungen zur Verlängerung von Hölzern **(Längsverbände);** Holzverstärkungen **(Querschnittverbände);** Verbindungen zur Herstellung größerer Flächen **(Breitenverbände).** Beim Ingenieurholzbau werden H. durch Dübel, Bolzen, Nagelung hergestellt.

Homer
(römische Kopie, zw. 460 und 450 v. Chr.; München, Glyptothek)

Holzverkohlung (Holzdestillation), therm. Zersetzung von Holz unter Luftabschluss zur Gewinnung von Holzkohle; früher im Meiler, heute großtechn. in eisernen Retorten und Rohröfen. Anfallende Produkte sind etwa 30 % Holzkohle, 15–19 % Holzgas, 46–54 % Holzessig sowie bei weiterer Aufarbeitung 2 % Holzgeist und 13 % Holzteer. (→ Köhlerei)

Holzverzuckerung, Verfahren zum hydrolyt. Abbau der Polysaccharide des Holzes (Cellulose, Hemicellulosen) zu einfachen Zuckern (Glucose, Xylose u. a.) mithilfe von Säuren oder Enzymen. Die H. wurde im 2. Weltkrieg in Dtl. technisch genutzt, erregt in neuerer Zeit verstärktes Interesse zur Treibstoffgewinnung aus cellulosehaltigen Abfällen (»Biomasse«).

Holzwespen:
Riesenholzwespe (Länge 1,5–4 cm)

Holzwespen (Siricidae), Familie der Pflanzenwespen mit Legebohrer. Ihre Larven sind Holzschädlinge. In M-Europa kommt u. a. die **Riesen-H.** vor (Länge 1,5–4 cm).

Holzwirtschaft (Holzindustrie), Wirtschaftszweig, der als Untergruppen umfasst: 1) Holzbearbeitung (Säge-, Furnier-, Sperrholz-, Holzfaserplatten- und Holzspanplattenerzeugung), 2) Holzverarbeitung (Holzschliff-, Möbelind. u. a.), 3) Holzhandwerk (Tischler- und Zimmererhandwerk), 4) Holzhandel und 5) Zellstoff-, Holzstoff-, Papier- und Pappeerzeugung. Der Selbstversorgungsgrad Dtl.s mit Holz betrug 1994 rd. 70 %. Nadelschnittholz kommt v. a. aus Finnland, Schweden, den GUS-Staaten und Österreich. Laubrundholz wird v. a. aus trop. Ländern SO-Asiens, Afrikas und Lateinamerikas eingeführt, nichttrop. Rundholz v. a. aus Nordamerika und Frankreich.

Homburg 1)
Stadtwappen

Holzwolle, gekräuselte Holzspäne, die auf der H.-Hobelmaschine von einem Holzstück abgespant werden; Verwendung als Verpackungsmittel und zur Herstellung von → Leichtbauplatten.

Holzwürmer, volkstüml. Bez. für in Holz lebende Tiere, meist Käfer oder deren Larven, v. a. Klopfkäfer und Bockkäfer.

Holzzucker, 1) *Chemie:* die → Xylose.

2) *Technik:* Produkt der → Holzverzuckerung.

Homann, Johann Baptist, Kupferstecher, Kartograph und Verleger, * Oberkammlach (heute zu Kammlach, Kr. Unterallgäu) 20. 3. 1663, † Nürnberg 1. 7. 1724; gründete 1702 in Nürnberg einen Landkartenverlag, gab neben Globen rd. 200 Karten heraus.

Homberg (Efze), Kreisstadt des Schwalm-Eder-Kr., RegBez. Kassel, Hessen, nördlich des Knüll, 15 300 Ew.; Museum; Elektromotorenbau, Gießerei, Armaturenfabrik, Schuhind.; Basaltwerke. – Maler. Stadtbild, spätgot. Marienkirche. – Stadtrecht vor 1231.

Homberg (Niederrhein), ehem. Stadt in NRW, seit 1975 nach Duisburg eingemeindet.

Homberg (Ohm), Stadt im Vogelsbergkreis, Hessen, 8 100 Ew.; Erholungsort im Ohmtal; Metall verarbeitende Ind., Palettenfabrik. – Spätromanische evang. Pfarrkirche, Fachwerkhäuser (15.–19. Jh.). – 1243 als Stadt erwähnt.

Homburg, Prinz von, → Friedrich, Herrscher, Hessen-Homburg.

Homburg, 1) Kreisstadt des Saar-Pfalz-Kreises, Saarland, 45 700 Ew.; medizinische Fakultät der Univ. Saarbrücken; Römermuseum (im Stadtteil Schwarzenacker); Metallverarbeitung, Reifen-, keram., chem. Ind., Fahrzeugbau, Brauerei; Schlossberghöhlen (größte Buntsandsteinhöhle Europas). – Residenzschloss (1778–85; Ruine). – 1330 Stadtrecht; 1778/85–93 Residenzstadt von Pfalz-Zweibrücken.

2) → Bad Homburg v. d. Höhe.

Homecomputer [ˈhəʊmkɔmpjuːtər, engl.], → Heimcomputer.

Homel [x-], Stadt in Weißrussland, → Gomel.

Homelands [ˈhəʊmlændz, engl. »Heimatländer«] (früher Bantu H.), nach ethn. Gesichtspunkten eingerichtete frühere Territorien in der Rep. Südafrika, denen entsprechend den Passgesetzen des Systems der → Apartheid alle Schwarzen, auch die in den → Townships arbeitenden, angehörten. Das Gebiet eines H. war meist in zahlreiche geographisch nicht zusammenhängende Landstücke zersplittert und wirtschaftlich kaum lebensfähig.

Die Parlamente der H. setzten sich aus gewählten und ernannten Vertretern zusammen; bei der Verwaltung des Gebietes spielten v. a. die »Chiefs« als traditionelle Autoritäten eine maßgebl. Rolle. Nach der offiziellen Entlassung von Transkei (1976), Bophutha Tswana (1977), Venda (1979) und Ciskei (1981) in die Unabhängigkeit, die von keinem Staat außer der Rep. Südafrika anerkannt wurde, verblieben sechs H.: Gazankulu, KaNgwane, KwaNdebele, KwaZulu, Lebowa und Qwaqwa. Mit dem Ende des Apartheidsystems (1994) wurden die für unabhängig erklärten vier Territorien und die bestehenden H. in das Gesamtterritorium der Rep. Südafrika zurückgegliedert und auf die neu geschaffenen Provinzen aufgeteilt.

Home Office [ˈhəʊm ˈɔfɪs], das brit. Innenministerium.

Homer (grch. Homeros), grch. Dichter, lebte im 8. Jh. v. Chr. im ion. Kleinasien. Als Legendenzug erscheint die Blindheit des Dichters. Unter seinem Namen werden die Epen »Ilias« und »Odyssee« tradiert. Die moderne Philologie nimmt jedoch im Allg. an, dass beide Werke nicht vom gleichen Verfasser stammen; ihr zeitl. Abstand dürfte etwa eine Generation betragen. Die **»Ilias«,** als deren Verfasser H. heute gilt, ist das älteste erhaltene Großepos der europ. Literatur (etwa 16 000 Verse); es behandelt die entscheidenden 51 Tage der zehnjährigen Belagerung Trojas. Die Geschehnisse sind unter die leitende Idee des Achilleuszornes gestellt. Zahlr. Episoden unterbrechen den Gang der Handlung, wobei in wechselnder Folge grch. und trojan. Helden als Protagonisten hervortreten. Parallel zum menschl. Geschehen läuft eine Götterhandlung; die Götter suchen den Gang der Ereignisse nach ihrem Willen zu lenken. Ob hinter dem Epos ein konkretes myken. Unternehmen gegen Troja steht, ist umstritten. Als Versmaß verwandte H. den Hexameter, der bei ihm bereits seine klass. Gestalt gefunden hat. Seine Sprache ist eine typ. Kunstsprache mit ionisch-äol. Elementen. Die ep. Technik charakterisieren stehende Beiwörter (Epitheta) und Verswiederholungen, formelhafte Verse und typ. Szenen. Die **»Odyssee«** (etwa 12 000 Verse) ist der Bericht von den zehnjährigen Irrfahrten des Odysseus, die sich an die Eroberung Trojas anschließen, und dessen Heimkehr nach Ithaka. Einen eigenen Handlungszug bildet die **»Telemachie«:** Telemach, der Sohn des Odysseus, ist ein junger Mensch, der sich zum ersten selbstständigen Handeln entschließt, indem er sich aufmacht, um nach dem Schicksal des Vaters zu forschen. In Dtl. entstanden im 18. Jh. die H.-Übersetzungen von A. Bürger, C. und F. Grafen zu Stolberg und bes. von J. H. Voss (»Odyssee«, 1781; »Ilias«, 1793), weitere von R. A. Schröder (»Odyssee«, 1929; »Ilias«, 1943), T. von Scheffer, W. Schadewaldt, H. Rupé, A. Weiher. Die homer. Frage der Neuzeit, inwieweit H. Verfasser der Epen ist, wird heute dahingehend beantwortet, dass eine jahrhundertelange Tradition mündl. Heldendichtung den homer. Epen vorausging; das eigtl. »Homerische« sucht man heute in der dichter. Umgestaltung dieser Tradition zu der die Schriftlichkeit voraussetzenden kunstvollen Komposition von Ilias und Odyssee zu erfassen.

📖 LATACZ, J.: *H. Der erste Dichter des Abendlandes. München u. a.* [2]*1989. – H. Die Dichtung u. ihre Deutung, hg. v.* J. LATACZ. *Darmstadt 1991.* – BANNERT, H.: *H. mit Selbstzeugnissen u. Bilddokumenten. Reinbek 23.–25. Tsd.,* [5]*1992.*

Homer ['həʊmə], Winslow, amerikan. Maler, *Boston (Mass.) 24. 2. 1836, †Prout's Neck (Me.) 29. 9. 1910; anfänglich Zeitschriftenillustrator, nach Teilnahme am Bürgerkrieg schuf er in naturalist. Manier Küstenlandschaften und Meeresbilder, auch Genrebilder sowie zahlreiche Aquarelle.

homerische Hymnen, Sammlung von 33 Gedichten in daktyl. Hexametern, die Homer zugeschrieben werden; entstanden zw. dem 7. und 5. Jh. v. Chr.; sprachlich und stofflich zur rhapsod. Tradition gehörend. Sie rufen jeweils eine einzelne Gottheit an, z. B. Apoll, Demeter, Hermes.

homerisches Gelächter, lautes Gelächter (nach Homer, der von »unauslöschl. Gelächter« der seligen Götter spricht).

Homer

Die »Odyssee«: Irrfahrt und Heimkehr des Odysseus

Die »Odyssee« erzählt die Irrfahrten des Griechen Odysseus nach der Eroberung Trojas durch die Griechen. Thematisch wird das Werk zusammengehalten von der Bewährung des Odysseus in den Nöten dieser Irrfahrten durch seine Listen, seine Tapferkeit sowie die Treue zu seiner Frau Penelope und zu seiner Heimat. Zu den vielfältigen Abenteuern des Odysseus gehören etwa der Aufenthalt bei der Zauberin Kirke, die alle seine Gefährten in Schweine verwandelt, bei der Nymphe Kalypso, die Odysseus für den Fall seines Bleibens Unsterblichkeit verspricht, die Auseinandersetzung mit dem Riesen Polyphem, ferner die Gefährdungen durch die Sirenen, deren betörendem Gesang er entrinnt, indem er seinen Begleitern die Ohren mit Wachs verstopft und sich selbst an den Mast seines Schiffes festbinden lässt, sowie das Durchfahren der Meerenge zwischen den Seeungeheuern Skylla und Charybdis. Nach zwanzig Jahren Abwesenheit betritt er schließlich sein Haus auf der Insel Ithaka, wo er die Freier der Penelope tötet, die ihnen auferlegte Probe für den Gewinn des Königtums besteht und sich dann seiner Frau zu erkennen gibt.

Homer

Die »Ilias« und der »Trojanische Krieg«

Anlass zum »Trojanischen Krieg« war der Raub der Helena, der Gemahlin des Griechen Menelaos, durch Paris, den Sohn des trojanischen Königs Priamos. Im zehnten Kriegsjahr setzt die Handlung der »Ilias« ein. Inhaltlich zusammengehalten wird das Epos durch das Motiv vom Groll des Achill: Agamemnon, der Führer der Griechen gegen Troja, hat Achill das diesem als Beute zugesprochene Mädchen Briseis weggenommen (wodurch Achill sich in seiner Ehre gekränkt sieht), und Achill enthält sich daraufhin des Kampfes, was die Griechen an den Rand einer Niederlage bringt. Als er daraufhin seinen Freund Patroklos in seinen Waffen in die Schlacht schickt, wird dieser von dem Trojer Hektor erschlagen. Achills Zorn wandelt sich daraufhin zum Streben nach Rache, was schließlich zum Tod Hektors durch seine Hand führt. Endgültig löst sich Achills Zorn, als er zusammen mit dem greisen König Priamos, der die Leiche seines Sohnes Hektor ausgelöst hat, über das eigene und das Los der Menschen im Allgemeinen klagt.

Homerule ['həʊmru:l; engl. »Selbstregierung«] *die,* Schlagwort für die von der Irischen Nationalpartei seit den 1870er-Jahren auf parlamentar. Wege – dies im Unterschied zu den revolutionären Feniern – erstrebte nat. Selbstständigkeit Irlands im Rahmen des brit. Reiches. Die H.-Bewegung verlor seit 1916/17 an Bedeutung, als es der Sinn Féin gelang, die Unterstützung weiter Kreise der Bevölkerung zu gewinnen; letztere erreichte mit der Unabhängigkeit Irlands 1922 mehr als die H.-Bewegung jemals gefordert hatte. (→Irland)

Homespun ['həʊmspʌn; engl. »Heimgesponnenes«] *das,* grobfädiger, mit farbigen Noppen und Knötchen durchsetzter Streichgarnstoff mit Handwebcharakter in Leinwand- oder Köperbindung (→Köper); Verwendung v. a. für Mäntel und Sportkleidung.

Homiletik [grch.] *die,* in der prakt. Theologie die wiss. begründete Lehre von der christl. Predigt und ihrer Geschichte.

Homiliar [grch.-mlat.] *das,* im MA. Samml. von Homilien, geordnet nach der Perikopenordnung des Kirchenjahres.

Homilie [grch. »Gespräch«, »Versammlung«] *die,* Predigt, die einen Bibeltext Vers für Vers, auch Wort für Wort, auslegt.

Hominiden [zu lat. homo, hominis »Mensch«], Ordnung der Primaten, in der der heutige Mensch das einzige rezente Mitgl. ist. Die **H.-Evolution** oder stammesgeschichtl. Menschwerdung **(Hominisation)** ist ein Entwicklungsprozess, der von subhumanen zu humanen H. führt und neben der stammesgeschichtl. Veränderung von Körpermerkmalen auch die Entfaltung der geistigen Leistungsfähigkeit und damit die Entwicklung von Technik, Kultur und Sozialem umfasst. Endprodukt der H.-Evolution ist der heutige Mensch.

Hommage [ɔ'ma:ʒ; frz., zu homme »Mensch«] *die, -/-n, bildungssprachlich* für: Veranstaltung, Darbietung oder Werk als Huldigung für einen Menschen, bes. für einen Künstler.

Homme de Lettres [ɔmdə'lɛtr, frz.] *der,* Literat, Schriftsteller.

Homo [lat.] *der,* einzige Gattung der Hominiden mit den beiden Arten **H. erectus** und **H. sapiens.** (→Mensch)

homo... [grch.], gleich...

Homoerotik, auf gleichgeschlechtl. Partner gerichtete erot. Regungen.

Homo faber [lat. »der Mensch als Verfertiger«], typolog. Charakterisierung des Menschen durch die philosoph. Anthropologie; hebt den Umstand hervor, dass der Mensch seine Existenz nur in aktiver Auseinandersetzung mit der Natur sichern kann. Organisch und instinktmäßig nicht zur Lebensbewältigung in einer bestimmten Umwelt ausgerüstet, muss der Mensch die ihn umgebende Natur durch Werkzeuge und unter Nutzung seiner technisch-prakt. Intelligenz gestalten.

homogen [grch.], **1)** *allg.:* gleichartig, einheitlich; Ggs.: heterogen.

2) *Physik* und *Chemie:* an jeder Stelle die gleichen makroskop. Eigenschaften aufweisend, z. B. **homogener Körper;** nur aus einer Phase bestehend oder nur Bestandteile in einem Aggregatzustand enthaltend, z. B. **homogenes System.**

Homogenisation *die* (Homogenisierung), **1)** *chem. Technik:* die Herstellung einer beständigen Emulsion aus nicht mischbaren Flüssigkeiten versch. Dichte. **Homogenisierte Milch** wird nicht nur durch die feine Zerteilung von Fetttröpfchen, sondern auch durch die Bildung von Fett-Casein-Komplexen vor dem Aufrahmen geschützt.

2) *Metallurgie:* Wärmebehandlung von metall. Werkstoffen zur Herstellung eines gleichmäßigen Gefüges.

Homo habilis [lat. »geschickter Mensch«], Form der Hominiden aus Olduvai; durch zahlr. ostafrikan. Funde belegt. Wegen seiner größeren Hirnschädelkapazität, des mehr gerundeten Hirnschädels, der stärker gewölbten Stirn sowie der etwas größeren Front- und weniger entwickelten Seitenzähne wird H. h. von vielen Wissenschaftlern von den →Australophithecinen abgetrennt und der Gattung Homo als deren ältester Vertreter zugeordnet.

homolog [grch.], **1)** *allg.:* gleich lautend, gleich liegend, entsprechend.

2) *Biologie:* (homologe Organe) Organe, die hinsichtlich der Lage und Herkunft übereinstimmen, nicht jedoch in Bau und Funktion, z. B. Flügel der Vögel und Vorderflosse der Wale.

3) *Chemie:* (homologe Elemente) Elemente mit ähnl. chem. Eigenschaften, die im Periodensystem übereinander stehen, z. B. Alkalimetalle, Halogene oder Edelgase. **Homologe Reihen,** Stoffe, die sich bei grundsätzlich gleicher Struktur und daher ähnl. Eigenschaften nur durch den Mehrgehalt bestimmter Molekülgruppen, meist der Gruppe CH_2, unterscheiden, z. B. die Alkane.

4) *Geometrie:* gleich liegende, sich entsprechende, z. B. **homologe Stücke** in kongruenten oder ähnl. Figuren.

Homolyse [grch.] *die, Chemie:* Spaltung einer homöopolaren Verbindung derart, dass jeder Spaltpartner anteilmäßig sein Bindungselektron behält, wobei reaktionsfähige Radikale entstehen: $X{-}Y \rightarrow X\cdot + Y\cdot$.

Homomorphismus [grch.] *der,* Bez. für eine Abbildung f **(homomorphe Abbildung)** von einer Gruppe A mit der Verknüpfung $\circ$ in eine Gruppe B mit der Verknüpfung $*$, sodass das Bild des Verknüpfungsergebnisses das Verknüpfungsergebnis der Bilder ist: $f(a \circ b) = f(a) * f(b)$.

Homonyme [grch.], *Sprachwissenschaft:* in diachron. (histor.) Sicht Wörter, die in Schreibweise und Aussprache übereinstimmen, also **Homonymie** aufweisen, aber versch. Ursprungs sind, z. B. *kosten* »schmecken« (aus ahd. *kostōn*) und *kosten* »wert sein« (aus altfrz. *coster*), oder in synchron. (auf einen bestimmten Sprachzustand bezogener) Sicht Wörter mit gleichem Wortkörper, aber stark voneinander abweichender Bedeutung, z. B. *Flügel* »Körperteil des Vogels« und *Flügel* »Klavierart«.

homöo... [grch.], ähnlich..., gleich...

Homöopathie [grch.] *die,* von S. Hahnemann 1796 begründetes (seit 1807 H. gen.) Heilverfahren (im Ggs. zur →Allopathie). Zur Behandlung der versch. Erkrankungen dürfen nur solche Medikamente in bestimmten (niedrigen) Dosen gegeben werden, die in höheren Dosen beim Gesunden ein ähnl. Krankheitsbild hervorrufen. Die Wirkstoffe werden in sehr starken Verdünnungen gegeben (sog. **Potenzen,** die mit D [Dezimalpotenz] bezeichnet werden: D_1 = Verdünnung 1:10, D_2 = 1:100 usw.).

homöopolare Bindung, Art der →chemischen Bindung.

Homöostase [grch.] *die,* Fähigkeit lebender Organismen zur Konstanthaltung bestimmter physiolog. Parameter, wie Blutdruck, Körpertemperatur, Wasser-, Elektrolythaushalt u. a., gegenüber Störeinflüssen.

Homophilie [grch.] *die,* die →Homosexualität.

Homophonie [grch.] *die, Musik:* Satzweise, in der alle Stimmen rhythmisch weitgehend gleich verlaufen bzw. die Melodiestimme gleichrhythmisch mit Akkorden begleiten; Ggs.: Polyphonie.

Homopolymere, →Polymere.

Homo sapiens, →Mensch.

Homosexualität [grch.-lat.] (Homophilie, Sexualinversion), sexuelles Verlangen nach geschlechtl. Befriedigung durch gleichgeschlechtl. Partner. H. bei Frauen wird auch **lesb. Liebe, Sapphismus, Tribadismus** oder **Tribadie** genannt, bei Männern auch **Uranismus** (Sonderform **Päderastie**). Nach der Theorie der Psychoanalyse wird die Disposition zur H. während der frühesten Phasen der Mutter-Kind-Beziehung und durch eine besondere Ausprägung dieser Beziehung gelegt. – Die moderne Sexualwissenschaft befürwortet eine neutrale Bewertung der H., die bes. den Verzicht auf sexuelle Umorientierung zu heterosexuellem Verhalten einschließt. Im Unterschied zur traditionellen Auffassung von dem polaren Gegensatz zw. H. und Heterosexualität hat sich in neuerer Zeit verstärkt die Ansicht durchgesetzt, dass alle Menschen mit einem offenen sexuellen Potenzial ausgestattet sind, das hetero- wie homosexuelle Orientierungen einschließt (Bisexualität). – *Strafrecht:* Die besondere Strafbarkeit der H. (§ 175 StGB alter Fassung) ist 1994 aufgehoben worden. Jugendliche beiderlei Geschlechts unter 16 Jahren sind strafrechtlich durch § 182 StGB gegen sexuellen Missbrauch geschützt. Das *österr.* StGB kennt nur noch den Tatbestand der gleichgeschlechtl. Unzucht mit männl. Personen unter 18 Jahren (§ 209; Freiheitsstrafe zw. sechs Monaten und fünf Jahren). In der *Schweiz* ist die H. nicht mehr gesondert strafbar. Durch Art. 187 StGB sind Kinder unter 16 Jahren in ihrer sexuellen Integrität geschützt.

📖 CALIFIA, P.: *Sapphistrie. Das Buch der lesb. Sexualität. A. d. Amerikan. Berlin ³1989.* – SOMMER, V.: *Wider die Natur? H. u. Evolution. München 1990.* – FEUSTEL, G.: *Die andere Liebe. Eine illustrierte Geschichte der H. Leipzig 1995.* – *Grenzen lesb. Identitäten. Aufsätze, hg. v.* S. HARK. *Berlin 1996.* – RAUCHFLEISCH, U.: *Schwule, Lesben, Bisexuelle. Göttingen u. a. ²1996.*

Homosphäre [grch.] *die,* Teil der →Atmosphäre.

homozygot [grch.] reinerbig, mit gleichartiger Erbanlage, bezogen auf das Vorhandensein gleicher Allele eines Gens; Ggs.: heterozygot.

Homs, Provinz-Hptst. in W-Syrien, am Orontes, 537 000 Ew.; kath. Erzbischofssitz; Univ. (gegr. 1979); Zuckerfabrik, chem. Ind., Textilgewerbe, Erdölraffinerie; Reste der mittelalterl. Stadtbefestigung. – H., das antike **Emesa,** stand seit 636 unter arab. Herrschaft, 1516–1918 zum Osman. Reich

Homunkulus [lat. »Menschlein«] *der,* in Goethes »Faust II« ein vom Famulus Wagner nach der von Paracelsus gegebenen Anleitung in der Retorte erzeugter Mensch.

Honan, chines. Provinz, →Henan.

Honanseide (Honan) [nach der chines. Provinz Honan], naturfarbenes Gewebe in Tuchbindung mit ungleichmäßig verdickter Tussahseide (→Seide) im Schuss.

Honda Motor Co. Ltd., [-ˈməʊtə kɔːpəˈreɪʃn ˈlɪmɪtɪd], weltgrößter Motorradhersteller, Sitz: Tokio; gegr. 1948 von Soichiro Honda (* 1906, † 1991). Seit 1963 werden auch Kfz hergestellt.

Hondō, japan. Insel, →Honshū.

Honduras (amtlich span. República de H.; dt. Rep. H.), Staat in Zentralamerika, zw. Karib. Meer, Nicaragua, Pazifik, El Salvador und Guatemala.

Staat und Recht: Nach der Verf. von 1982 ist H. eine präsidiale Republik. Staatsoberhaupt und Reg.chef ist der auf vier Jahre direkt gewählte Präs. (Wiederwahl nicht möglich). Die Legislative liegt beim Nationalkongress (128 Abg., für vier Jahre gewählt). Einflussreichste Parteien: Nat. Partei (PN, »Partido Nacional«), Liberale Partei (PLH, »Partido Liberal de H.«) und, mit weitem Abstand,

Honduras

Fläche: 112 088 km²
Einwohner: (1995) 5,65 Mio.
Hauptstadt: Tegucigalpa
Verwaltungsgliederung: 1 Bundesdistrikt und 18 Departamentos
Amtssprache: Spanisch
Nationalfeiertag: 15. 9.
Währung: 1 Lempira (L) = 100 Centavos (cts.)
Zeitzone: MEZ –7 Std.

Staatswappen

HN

Internationales Kfz-Kennzeichen

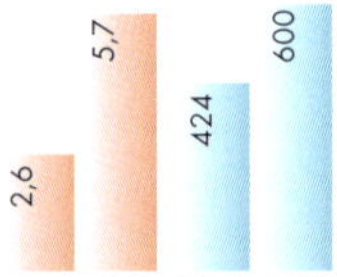

Bevölkerung (in Mio.)
Bruttosozialprodukt je Ew. (in US-$)

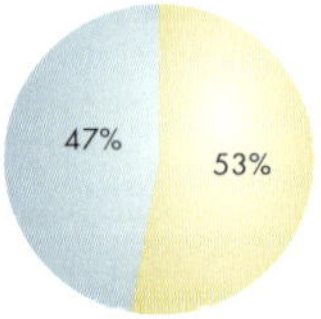

Stadt
Land

Bevölkerungsverteilung 1994

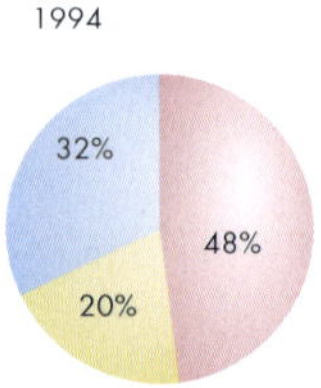

Industrie
Landwirtschaft
Dienstleistung

Bruttoinlandsprodukt 1994

die Partei für Erneuerung und Einheit (PINU, »Partido de Innovación y Unidad«).

Landesnatur: Mit der Fonsecabucht im S hat H. Anteil an der Pazifikküste (80 km). Den NO (Mosquitia) nimmt eine breite Küstenebene mit großen Lagunen ein. Abgesehen von einigen Flusstälern, bes. des Río Ulúa im NW, ist H. Gebirgsland (Cerro Las Minas in der Montaña de Celaque im W 2 849 m ü. M.); dazwischen Talbecken und Hochebenen (900–1 400 m ü. M.) mit fruchtbaren Böden auf vulkan. Gestein. Das trop. Klima steht unter dem ständigen Einfluss des Nordostpassats, im Tiefland feuchtheiß, in den Höhen gemäßigte Temperaturen; im Sommer häufig Hurrikane. Der trop. Tieflandsregenwald geht mit der Höhe in Berg- und Nebelwald über; in trockeneren Gebieten Trockenwald und -busch; in der Mosquitia Kiefern und Sumpfpalmen.

Bevölkerung: Die Bevölkerung nimmt jährlich um 3,6 % zu. Rd. 90 % sind Mischlinge, im Tiefland vorwiegend Mulatten und Zambos, im Bergland Mestizen (über 80 % der Gesamtbev.); Indianer (5 %, größtenteils Maya) bes. im südl. Grenzgebiet nach Guatemala; Schwarze (5 %) an der Karibikküste, z. T. mit Indianern vermischt (Garífuna, Morenos, Black Caribs; sprechen vielfach englisch). Größte Städte sind Tegucigalpa und San Pedro Sula. Rd. 60 % der Bev. leben in Städten. – 3- bis 6-jährige Primarschule, 3- bis 5-jährige Sekundarschule; eine staatl. und eine private Univ., mehrere Hochschulen. Analphabetenquote rd. 25 % (auf dem Land über 50 %). – Etwa 85 % der Bev. sind Katholiken; das Christentum ist jedoch stark mit altindian. Glaubensgut vermischt. Prot. Gemeinschaften breiten sich zunehmend aus (bereits über 10 % der Bev.).

Wirtschaft, Verkehr: Gemessen am Bruttosozialprodukt zählt H. zu den ärmsten Ländern Lateinamerikas mit einer nur schwach entwickelten Ind.produktion. Etwa 45 % der Erwerbstätigen arbeiten in der Landwirtschaft, die einen Anteil von mehr als 65 % vom Ausfuhrwert erbringt. Angebaut werden auf den fruchtbaren Böden des vulkanisch geprägten Hochlandes u. a. das Hauptnahrungsmittel Mais sowie die Exportgüter Kaffee und Tabak, in den Ebenen des N Bananen sowie, zur Eigenversorgung, Reis. Die Bananenplantagen an der Karibikküste befinden sich größtenteils im Besitz amerikan. Konzerne. Die Grundnahrungsmittel (Mais, Bohnen, Hirse, Reis) werden überwiegend in intensiv bewirtschafteten Kleinbetrieben erzeugt. H. verfügt noch über reiche Waldbestände (u. a. Mahagoni, Zeder, Kiefern) auf fast 30 % der Gesamtfläche. Wirtschaftl. Bedeutung hat aber nur die Pitchpinekiefer in der Mosquitia. Wenig genutzt werden die Bodenschätze (Gold, Silber, Zink, Antimon, Kupfer, Eisen). Die Ind. verarbeitet u. a. in kleinen Betrieben Erzeugnisse der heim. Land- und Forstwirtschaft. Wichtigste Handelspartner sind die USA, Dtl., Japan. – Das Verkehrsnetz ist nur unzureichend entwickelt. Eisenbahnen gibt es nur im N, überwiegend für den Bananentransport. Die Hptst. ist ohne Bahnanschluss. Von rd. 14 000 km Straßen entfallen 240 km auf die Carretera Interamericana im äußersten S. Weite Gebiete im NO sind verkehrsmäßig noch nicht erschlossen. Internat. Flughäfen: Tegucigalpa, San Pedro Sula und La Ceiba. Hauptseehäfen: Puerto Cortés an der Karibik- und San Lorenzo an der Pazifikküste.

Geschichte: Die Küste von H., das urspr. zum Siedlungsgebiet der →Maya gehörte, wurde 1502 von Kolumbus entdeckt, das Land seit 1523 für Spanien erobert. H. war dann Teil des Generalkapitanats →Guatemala, seit 1824 Mitgl. der Zentralamerikan. Konföderation. 1839 wurde es eine selbstständige Rep., deren Entwicklung durch innere Unruhen und Kriege mit den Nachbarn bestimmt war. Im 20. Jh. geriet es in wirtsch. Abhängigkeit von den USA, die mehrfach bewaffnet intervenierten. Machtkämpfe, Bürgerkrieg und Konflikte mit den Nachbarstaaten (z. B. der sog. Fußballkrieg mit El Salvador 1969/70) ließen H. zum ärmsten und unruhigsten Land Zentralamerikas werden. 1972–81 herrschten die Militärs (Putsche 1972, 1975, 1978). Mit der Wahl von Präs. Suazo Córdova

(PLH) kehrte H. 1981 zum parlamentar. System zurück. Ab 1982 verstärkten die USA, für die H. der wichtigste zentralamerikan. Verbündete ist, ihre militär. Präsenz und bildeten die Gegner (Contras) der sandinist. Reg. in Nicaragua hier aus. Unter der Präsidentschaft von Azcona Hoyo (1985–90; PLN) stellten die USA ihre Militärhilfe ein (ab 1988), in Gipfeltreffen zentralamerikan. Staatschefs wurde ab 1989 eine Lösung der Konflikte versucht. Der Abzug der Contras aus H. begann jedoch erst nach der Wahlniederlage der Sandinisten im Febr. 1990. Präs. Callejas Romero (PN), im Amt seit Jan. 1990, suchte die wirtsch. und soziale Lage zu verbessern. Durch die Einstellung des bewaffneten Kampfes einer großen Guerillagruppe zeichnet sich gleichfalls eine innenpolit. Entspannung ab. Der seit 1969 schwelende Grenzstreit mit El Salvador wurde 1992 beigelegt. Im Nov. 1993 wählte die Bev. C. R. Reina (PL) zum neuen Staatspräs. (Amtsantritt: Jan. 1994).

📖 Morazán Irías, J. P.: *Ursachen für das Anwachsen der Armut in H. Die Zusammenhänge zw. Armut, sozialer Differenzierung, Migration u. abhängiger Industrialisierung. Münster 1992.* – Carney, G.: *H. Memoiren eines Priesters. A. d. Span. Hamburg 1994.* – Spelleken, H.-G.: *H.-Hb. Der komplette Reiseführer für individuelles Reisen u. Entdecken. Bielefeld 1996.*

Honecker, Erich, Politiker (SED), *Neunkirchen (Saarland) 25. 8. 1912, †Santiago de Chile 29. 5. 1994; Dachdecker; ab 1929 Mitgl. der KPD, leitete seit Errichtung der nat.-soz. Diktatur (1933) die Untergrundaktivitäten seiner Partei im südl. Dtl.; 1935 verhaftet, war er 1937–45 im Zuchthaus Brandenburg inhaftiert.

Ab Mai 1945 baute H. als Jugendsekretär beim ZK der KPD die »antifaschist. Jugendausschüsse« auf, aus denen 1946 die FDJ hervorging, deren Vors. er 1946–55 war. 1946 wurde er Mitgl. der SED und ihres Vorstandes (seit 1950 ZK). Als Mitgl. des Politbüros der SED (seit 1958) und Sekretär des ZK (1958–71, zuständig für Sicherheitsfragen) gewann H. eine einflussreiche Stellung im Partei- und Staatsapparat. Er leitete 1961 die geheimen Vorbereitungen für den Bau der Berliner Mauer. 1971 löste er W. Ulbricht als 1. Sekretär des ZK der SED ab (seit 1976 Gen.-Sekr. des ZK). Seit 1976 Vors. des Staatsrates, war er in dieser Funktion faktisch auch Staatsoberhaupt der DDR.

H. trug in allen seinen Funktionen hohe Verantwortung für den Ausbau der SED-Herrschaft. Gegenüber anders Denkenden veranlasste er bes. seit Mitte der 70er-Jahre einen repressiven Kurs (z. B. die Ausbürgerung W. Biermanns), auch im Ggs. zu einer nach außen hin den KSZE-Prozess mittragenden Politik. Gegenüber der Bundesrep. Dtl. leitete H. eine Politik der Abgrenzung ein, die 1976 in der Proklamation einer eigenständigen »sozialist. Nation« in der DDR mündete. In der Phase verschärfter Ost-West-Spannungen versuchte er andererseits die Gesprächsbereitschaft zw. den Regierungen beider dt. Staaten zu erhalten (Staatsbesuch 1987 in der Bundesrep. Dtl.). Die Reformversuche und Reformideen, v. a. im Gefolge der sowjet. Politik der Perestroika, lehnte er hartnäckig ab. Am 18. 10. 1989 sah er sich gezwungen, von allen Ämtern zurückzutreten. Am 3. 12. 1989 wurde er aus der SED ausgeschlossen.

Ein Anfang Dez. 1989 eingeleitetes Ermittlungsverfahren v. a. wegen Machtmissbrauchs, Korruption und persönl. Bereicherung wurde 1990 unter dem Aspekt der Verantwortung H.s für den Schießbefehl und die Selbstschussanlagen an der innerdt. Grenze sowie deren Opfer auf Anstiftung zum Mord erweitert. Der am 30. 11. 1990 erlassene Haftbefehl konnte nicht vollstreckt werden. H. befand sich seit April 1990 in einem Hospital der Sowjetarmee in Beelitz; am 13. 3. 1991 wurde er von dort heimlich nach Moskau gebracht. Nach einem Ausweisungsbeschluss der russ. Regierung floh H. in die chilen. Botschaft in Moskau (11. 12. 1991). Im Juni 1992 wurde ein zweiter Haftbefehl wegen des Verdachts des Vertrauensmissbrauchs und der gemeinschaftl. Untreue ausgestellt (aufgehoben am 13. 1. 1993). Nach seiner Rückkehr nach Dtl. (29. 7. 1992) wurde H. in Berlin-Moabit inhaftiert und unter Anklage (Totschlag und versuchter Totschlag) gestellt. Am 12. 11. 1992 begann der Prozess unter einer inzwischen erweiterten Anklage. Wegen seiner Krebserkrankung wurde der Prozess jedoch am 12. 1. 1993 eingestellt, endgültig am 14. 4. 1993. Nach seiner Freilassung (13. 1. 1993) übersiedelte H. nach Chile.

Erich Honecker

Honegger, Arthur, frz. Komponist schweizer. Herkunft, *Le Havre 10. 3. 1892, †Paris 27. 11. 1955; gehörte der →Groupe des Six an, einer der Hauptschöpfer der neuen Musik, verband Stilelemente von der barocken bis zur Jazzmusik, komponierte Oratorien (»König David«, 1921; »Johanna auf dem Scheiterhaufen«, 1938, nach P. Claudel; »Der Totentanz«, 1940), Opern (u. a. »Antigone«, 1927, nach J. Cocteau), Operetten, Ballett-, Filmmusiken, Sinfonien, Orchesterwerke, Kammermusik, Klavier- und Orgelwerke, Lieder.

📖 Fischer, K. von: *A. H. Zürich 1978.*

Arthur Honegger

Honen [engl. to hone »abziehen«] *das* (Ziehschleifen), *Fertigungstechnik:* Verfahren der spanenden Formgebung zur Feinbearbeitung von Metalloberflächen mithilfe feinkörniger Schleifkörper **(Honsteine);** dadurch werden auch Maß- und Formgenauigkeit verbessert. In der Honmaschine findet zw. Werkstück und Werkzeug eine oszillierende und gleichzeitig eine Drehbewegung statt, sodass eine Art Kreuzschliff auf der Werkstückoberfläche entsteht. Das **Langhub-H.** wird vorwiegend zur Bearbeitung zylindr. Bohrungen eingesetzt, während das **Kurzhub-H.** (Schwing- oder Feinziehschleifen, Superfinish) zur Außenbearbeitung zylindr. Flächen verwendet wird. H. wird v.a. im Maschinenbau zur Bearbeitung von Verbrennungsmotoren, Wälzlagern u.a. eingesetzt.

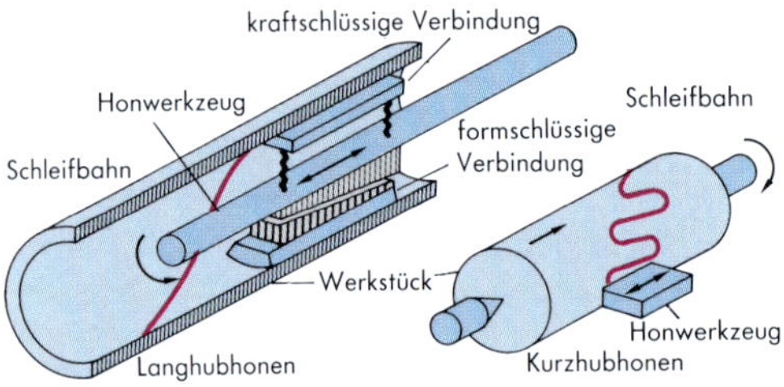

Honen (von links): schematische Darstellung eines Lang- und Kurzhubhonen

Honfleur [ɔ̃'flœ:r], Hafenstadt in der Normandie, Dép. Calvados, Frankreich, an der Seinemündung, 8300 Ew.; Werft- und chem. Ind.; Fremdenverkehr. – Maler. altes Stadtbild, spätgot. Holzkirche. – Im 16. und 17. Jh. Ausgangspunkt für viele Seefahrer nach Amerika und Asien.

Hongkong Flagge

Hongkong Wappen

Hongkong (Hong Kong, chines. Xianggang, Hsiangkang), ehem. brit. Kronkolonie an der südchines. Küste, 1075 km², (1995) 6,19 Mio. Ew., umfasst die durch Straßentunnel mit dem Festland verbundene **Insel H.** (79,99 km²), die Halbinsel **Kowloon** und die **New Territories** mit dem Hinterland von Kowloon sowie rd. 240 größtenteils unbewohnte Inseln. Amtssprachen: Chinesisch und Englisch. Währungseinheit: 1 H.-Dollar (HK-$) = 100 Cents (c). Zeitzone: MEZ + 6 Std.

Landesnatur: H. ist vorwiegend gebirgig (in den New Territories bis 958 m, auf der Insel H. bis 551 m hoch); felsige Küsten. Die urspr. bewaldeten Berge sind jetzt v.a. Gras- und Ödland. Der Sommer ist tropisch-schwül, der Winter sonnig und mild, das Frühjahr meist feucht-neblig; Taifune.

Hongkong: Blick von Victoria auf Kowloon

Bevölkerung: 98% der Bev. sind Chinesen, v.a. aus der VR China, ferner aus Taiwan und Macau. Zw. 1945 und 1950 war der Flüchtlingsstrom bes. groß. Die illegale Einwanderung hielt auch später an. 1980 wurden wirksame Maßnahmen eingeleitet, um die Einreise in das übervölkerte H. einzudämmen, die vietnames. Flüchtlinge sind jetzt bis auf 7600 nach Vietnam zurückgeschickt worden. Die durchschnittl. Bev.-Dichte von über 5758 Ew. je km² wird z.T. wesentlich überschritten, da große Teile H.s unbewohnbar sind. Hauptumgangssprache ist der kantones. Dialekt. Buddhismus und Daoismus sind die Hauptreligionen, außerdem sind Christentum, Islam und Hinduismus vertreten. Zwei Univ. (gegr. 1911 bzw. 1963), zwei polytechn. Hochschulen (gegr. 1972 bzw. 1984). – Die beiden größten Städte sind die Hptst. **Victoria** an der N-Küste der Insel H., Sitz der Verw., in erster Linie Finanz- und Handelszentrum von H., und jenseits, auf dem Festland, **Kowloon,** Verkehrsknotenpunkt und tourist. Zentrum Hongkongs.

Wirtschaft und Verkehr: H. entwickelte sich nach dem 2. Weltkrieg zu einem der weltweit größten Handelszentren und ist führendes Finanzzentrum im südostasiat. Raum. Das jährl. Pro-Kopf-Einkommen von 21658 US-$ (1994) zählt nach Japan und Singapur zu den höchsten Asiens. Es entwickelte sich exportorientierte verarbeitende Ind. mit der Textil- und Bekleidungsbranche, gefolgt von der expandierenden Elektronikind., der Metall-, Kunststoffverarbeitung, der Herstellung von wiss. und opt. Geräten sowie von Spielzeug. Drittgrößte Devisenquelle H.s ist der Fremdenverkehr. Nach der Öffnung des chines. Marktes wurde China vor den USA, Japan und Dtl. wichtigster Handelspartner. Aus und über H. flossen hohe Auslandsinvestitionen nach S-China, und der größte Teil der Ind. wurde auf das Festland verlagert. Gleichzeitig stieg China zum größten Investor in H. auf. Nach Schätzungen ist H.s Bruttoinlandsprodukt zu 70% vom Festland abhängig. – Wegen der beengten Raumverhältnisse gibt es große verkehrstechn. Probleme. Der Personenverkehr wird v.a. durch Busse, Straßen-, U- (43 km) und Eisenbahn (34 km) bewältigt. Im Containerseefrachtverkehr nimmt H. seit 1992 vor Singapur und Rotterdam weltweit den ersten Platz ein. Zusätzlich zu dem ins Meer hinausgebauten internat. Flughafen Kai Tak wurde vor der Insel Lantou, rd. 25 km von Kowloon entfernt, auf einer 1248 ha großen Plattform der neue Großflughafen Chek Lap Kok angelegt (Eröffnung 1997).

Geschichte: Nach dem Opiumkrieg (1840–42) ließ sich Großbritannien im Vertrag von Nanking

(1842) von China die bereits 1842 besetzten Inseln übereignen. Die 1843 **Victoria** (nach dem Verw.zentrum) benannte brit. Kronkolonie entwickelte sich zu einem der wichtigsten Handelsplätze in O- und SO-Asien; 1860 um den von China abgetretenen Teil der Halbinsel Kowloon und 1898 (durch Pachtvertrag auf 99 Jahre) um die New Territories sowie zahlr. kleine Inseln erweitert; 1941–45 von japan. Truppen besetzt. – Gemäß eines 1984 unterzeichneten britisch-chines. Abkommens gab Großbritannien H. zum 1. 7. 1997 an China zurück. Unter der Devise »ein Land, zwei Systeme« verpflichtete sich dieses, H. als »Sonderverwaltungszone« (SVZ) zu behandeln und ihr innere Autonomie zu gewähren und das in H. bestehende Wirtschafts-, Gesellschafts- und Rechtssystem für die Dauer von 50 Jahren nicht fundamental zu verändern. An die Spitze der Verwaltung trat mit Wirkung vom 1. 7. 1997 Dong Jianhua.

📖 MORRIS, J.: *H. Geschichte u. Zukunft der letzten brit. Kronkolonie. Bergisch Gladbach 1991.* – VAHLEFELD, H. W.: *H. Von der Kronkolonie zum chines. Wirtschaftswunder. Neuausg. München 1996.*

Honig, von Honigbienen bereitetes, hochwertiges Nahrungsmittel mit hohem Zuckergehalt, das in frischem Zustand klebrig-flüssig ist, jedoch bei Lagerung dicker wird und schließlich durch kristallisierende Glucose eine feste Konsistenz erhält; zur Wiederverflüssigung darf man H. nicht über 50 °C erhitzen, um die Wirkstoffe nicht zu zerstören. Je nach Herkunft (Linden, Obstblüten, Heide) können Farbe (von hellgelb bis grünschwarz), Zusammensetzung und dementsprechend Geruch und Geschmack stark variieren. H. enthält durchschnittlich 70–80 % Zucker, davon ungefähr zu gleichen Teilen Fructose und Glucose sowie geringere Mengen Saccharose und Dextrine, rd. 20 % Wasser und kleine Mengen organ. Säuren, auch Aminosäuren, Eiweiße, insbesondere Enzyme, sowie Spuren von Mineralstoffen und Vitaminen. Die Gewinnung aus der Wabe ist beim Korbimker ein Auslaufenlassen oder Auspressen, auch unter Erwärmen **(Seim-, Tropf-, Press-, Stampf-H.),** bei den mit bewegl. Rähmchen arbeitenden Imkern das Ausschleudern aus vorher entdeckelten Zellen in einer Zentrifuge **(Schleuder-H.).** Der reinste H. ist der **Scheiben-** oder **Waben-H.,** der in unbebrüteten Waben verkauft wird.

📖 LERNER, F.: *Blüten, Nektar, Bienenfleiß. Die Geschichte. des H. München Neuausg. 1984.* – SEELEY, T. D.: *Honigbienen. Im Mikrokosmos des Bienenstocks. A. d. Amerikan. Basel u. a. 1997.*

Honigameisen, Arbeiterinnen von Ameisenarten in wüsten- oder steppenartigen Gebieten. Ihr Kropf (»Honigtopf«) wird mit zuckerhaltiger Nahrung gefüllt, die bei Nahrungsmangel durch den Mund an andere Nestameisen abgegeben wird.

Honiganzeiger (Indicatoridae), Familie der Spechtvögel in Asien und Afrika; ernähren sich von Wachs. Einige H. weisen durch Rufe Honig fressende Säugetiere auf Bienenstöcke hin.

Honigbiene, → Biene.

Honigblatt, Nektar produzierendes, nicht mehr zur Pollenbildung befähigtes, umgebildetes Staubblatt (z. B. bei versch. Hahnenfußarten).

Honigdachse (Mellivorinae), Unterfamilie der Marder mit nur einer Art, dem **H.** oder **Ratel** (Mellivora capensis); 60–70 cm Körperlänge, mit schwarzem Fell, auf dem Rücken hellgrau; er lebt in Afrika und Asien in selbst gegrabenen Bauten.

Honigfresser (Meliphagidae), austral. Familie schmalschnäbliger Singvögel, die mit pinselartiger Zunge Blütennektar und kleine Insekten aufnehmen und Pollen übertragen.

Honiggras (Holcus), Gattung der Süßgräser mit lockerer Rispe, in N-Afrika und in gemäßigten Zonen Asiens; in Mitteleuropa bes. das bis 1 m hohe, blaugrüne **Wollige H.** (Holcus lanatus), mit dicht behaarten Blattscheiden, und das **Weiche H.** (Holcus mollis) mit geringer Behaarung.

Honiggras: Wolliges Honiggras

Honigklee (Steinklee, Melilotus), Gattung der Schmetterlingsblütler. In Dtl. kommt u. a. der gelb blühende Echte H. (Melilotus officinalis) vor; Blätter und Blüten enthalten Cumarin.

Honigmann, Barbara, Schriftstellerin, Malerin, *Berlin (Ost) 12. 2. 1949; zunächst Dramaturgin und Regisseurin, seit 1975 auch als Malerin tätig; nach der Übersiedelung nach Straßburg (1984) v. a. Prosa in poetisch-lakon. Sprachduktus (»Roman von einem Kind«, Erz., 1986; »Eine Liebe aus nichts«, R., 1991; »Soharas Reise«, R., 1996).

Honigpalme (Jubaea chilensis), dickstämmige Fiederpalme Chiles mit kokosnussähnl. Früchten, deren Steinkerne (Coquito) essbar sind. Aus dem zuckerhaltigen Saft des Stammes werden Palmhonig und Palmwein hergestellt.

Gerard van Honthorst: »Fröhliche Gesellschaft«, auch unter dem Titel »Der verlorene Sohn« (1622; München, Alte Pinakothek)

Honigstein, Mineral, →Mellit.

Honigtau, 1) pflanzlicher H., zuckerhaltige Ausscheidung bei Getreideblüten, die von Claviceps purpurea (→Mutterkorn) befallen sind.

2) tierischer H., zuckerhaltige Ausscheidungen von Blatt- und Schildläusen sowie Blattflöhen.

Honi soit qui mal y pense [ɔ'ni'swa kimali'pãs; frz. »verachtet sei, wer Arges dabei denkt«], Wahlspruch des →Hosenbandordens, der seine Stiftung durch Eduard III. angeblich einem galanten Zwischenfall verdankt, bei dem der König das einer Gräfin entfallene Strumpfband aufhob.

Honnef, Bad, →Bad Honnef.

Honneurs [ɔ'nœ:rs, frz.], Ehrenbezeigungen; **die H. machen,** (Gäste) empfangen und vorstellen, bewillkommnen.

Hönningen, Bad, →Bad Hönningen.

Honolulu, Hptst. des Bundesstaates Hawaii, USA, 365 300 Ew. ; kath. Bischofssitz; zwei Univ., ethnolog. Museum u. a. Museen; Haupthafen der Hawaii-Inseln auf der Insel Oahu; vielfältige Ind.; Luftverkehrs- und Schifffahrtsknotenpunkt; westlich des Handelshafens der Flottenstützpunkt **Pearl Harbor,** südöstlich der Badestrand **Waikiki.** – Seit 1850 Hptst. des Königreichs Hawaii.

Honorar [lat. »Ehrensold«] *das,* Vergütung für Leistungen in freien Berufen, z. B. für Ärzte, Rechtsanwälte, Architekten, Ingenieure, Künstler, Schriftsteller. Die Höhe des H. ergibt sich aus Gebührenordnungen oder wird frei vereinbart; im Zweifel gelten Angemessenheit und Üblichkeit (§ 612 BGB, § 22 Verlags-Ges.); das **Autorenhonorar** kann als einmalige Pauschalzahlung oder als laufende Gewinnbeteiligung (Absatz-H.) vereinbart werden.

Honorarprofessor [lat.], →Professor.

Honoratioren [lat.], Bürger (v. a. in kleinen Städten), die aufgrund ihres sozialen Status besonderes Ansehen genießen.

honoris causa [lat.], Abk. **h. c.,** ehrenhalber. (→Doktor)

Honorius, eigtl. Flavius H., weström. Kaiser (seit 395), *Konstantinopel 9. 9. 384, †Ravenna 15. 8. 423; jüngerer Sohn Theodosius' I., 393 zum Augustus ernannt, nach dem Tode seines Vaters erster Kaiser des Weström. Reiches, das bis 408 von →Stilicho regiert wurde; sein Bruder Arkadios erhielt Ostrom.

Honorius I., Papst (625–638), †Rom 12. 10. 638; 681 als Häretiker verurteilt (→Monotheleten).

Honourable, The [ðɪ 'ɔnərəbl; engl. »Der Ehrenwerte«], Abk. **The Hon.,** Höflichkeitstitel für Angehörige des brit. Hochadels und höchste brit. Richter und Beamte; er wird dem Namen vorangestellt.

Honshū [-ʃ-; japan. »Hauptland«] (Honschu, früher Hondō), die größte der vier Hauptinseln Japans; umfasst mit Nebeninseln 231 090 km², (1993) 101,58 Mio. Ew. (rd. 80 % der Ew. Japans auf 62 % der Gesamtfläche); Hauptort ist Tokio.

Honthorst, Gerard van, niederländ. Maler, *Utrecht 4. 11. 1592, †ebd. 27. 4. 1656; 1610–20 in Italien, wo er sich Caravaggios Helldunkelmalerei aneignete, bes. für nächtl. Szenen mit künstl. Licht (daher auch Gherardo **della Notte** gen.); malte religiöse Bilder, Genrestücke sowie Porträts.

Hontschar (Gontschar), Oles (Olexander), ukrain. Schriftsteller, *Sucha (Gebiet Poltawa) 3. 4. 1918, †Kiew im Juli 1995; schrieb eine von starkem Naturgefühl getragene lyrisch-expressive Prosa (»Die Bannerträger«, 1946–48, Romantrilogie über den Bürgerkrieg; »Morgenröte«, R., 1980).

Honvéd ['honve:d; ungar. »Vaterlandsverteidiger«] *die,* in Ungarn (zuerst 1848) befristet angeworbene Freiwillige; nach 1867 Bez. für die ungar. Landwehr, 1919–45 für alle ungar. Streitkräfte.

Hooch [ho:x] (Hoogh), Pieter de, niederländ. Maler, getauft Rotterdam 20. 12. 1629, †Amsterdam nach 1683; tätig seit 1654 bis um 1660 in Delft, später in Amsterdam; stimmungsvolle Bilder in warmem Kolorit zeigen den Einfluss Vermeer van Delfts. Bevorzugtes Motiv sind v.a. Durchblicke in von Sonnenlicht durchflutete Innenräume.

Hood [hʊd], Robin, →Robin Hood.

Hoofden [niederländ. »Häupter«], südlichster Teil der Nordsee, vor der Straße von Dover.

Hooft, Pieter Cornelisz., niederländ. Dichter, *Amsterdam 16. 3. 1581, †Den Haag 21. 5. 1647; Hauptvertreter der niederländ. Renaissancedichtung; bed. Geschichtsschreiber des 17. Jahrhunderts.

Hooge, 569 ha große Hallig, zugleich Gemeinde im Kreis Nordfriesland, Schlesw.-Holst., 110 Ew.; Fremdenverkehr, Landwirtschaft; neun Warften, Sommerdeich.

Hoogstraten ['ho:xstra:tə], Samuel van, niederländ. Maler, Radierer und Kunstschriftsteller, *Dordrecht 2. 8. 1627, †ebd. 19. 10. 1678; Schüler Rembrandts (1640–42); schuf Genre- und Landschaftsbilder, Porträts und Stillleben, später häufig perspektivisch konstruierte Bilder (z.B. Guckkastenbild mit dem Innern eines niederländ. Hauses).

Hooke [hʊk], Robert, engl. Naturforscher, *Freshwater (Isle of Wight) 18. 7. 1635, †London 3. 3. 1703; verbesserte zahlr. physikal. Geräte (Uhren, Luftpumpe, Mikroskop) und entdeckte 1678 das nach ihm benannte **hookesche Gesetz** (→Elastizität). H. führte den Namen Cellula (»Zelle«) in die Wiss. ein.

Hoorn (Horne), Philipp II. von Montmorency-Nivelle, Graf von, niederländ. Staatsmann und Admiral (seit 1559), *Nevele (bei Gent) 1524, †(hingerichtet) Brüssel 5. 6. 1568; wurde 1559 Statthalter von Geldern, 1561 Mitgl. des niederländ. Staatsrats; führte mit Graf Egmont und Wilhelm von Oranien die Adelsopposition gegen die span. Herrschaft. Herzog von Alba ließ ihn als Hochverräter enthaupten.

Hoorn, Kap (span. Cabo de Hornos), die S-Spitze Südamerikas (55° 59' s. Br.), auf einer Insel des chilen. Feuerlands; 1616 von dem Niederländer W. C. Schouten entdeckt und nach seiner Vaterstadt Hoorn benannt.

Hoover ['hu:və], **1)** Herbert Clark, 31. Präs. der USA (1929–33), *West Branch (Ia.) 10. 8. 1874, †New York 20. 10. 1964; Bergbauingenieur; organisierte nach Eintritt der USA in den 1. Weltkrieg 1917–19 die amerikan. Lebensmittelversorgung und ab 1919 ein Hilfswerk für Europa (Quäker- oder H.-Speisungen). Als Handelsmin. (1921–28) förderte er die Expansion des amerikan. Außenhandels. Als Republikaner 1928 zum Präs. gewählt, scheiterte er in seiner Amtszeit innenpolitisch an den Problemen der Weltwirtschaftskrise. Außenpolitisch leitete er die »Politik der guten Nachbarschaft« gegenüber Lateinamerika ein und verkündete 1931 das **Hoover-Moratorium** (Stundung aller Kriegsschulden und Reparationen für ein Jahr). Bei den Präsidentschaftswahlen 1932 unterlag er F. D. Roosevelt, dessen Politik des New Deal er scharf ablehnte. 1947–49 und 1953–55 war er Vors. einer Kommission zur Reorganisation der Bundesverwaltung.

2) John Edgar, amerikan. Kriminalist, *Washington (D. C.) 1. 1. 1895, †ebd. 2. 5. 1972; ab 1924 Direktor des FBI; führte 1925 die zentralisierte Fingerabdruckkartei ein; war über mehrere Jahrzehnte die prägende Figur der amerikan. Verbrechensbekämpfung.

Hoover Dam ['hu:və 'dæm; nach Präs. H. C. Hoover] (bis 1947 Boulder Dam), 1931–36 erbauter Staudamm (221 m hoch, 379 m lang) in einer

Pieter de Hooch: »Mutter an der Wiege« (um 1664; Berlin, Gemäldegalerie)

Herbert C. Hoover

Hoover Dam: Der 1931–36 in einer Schlucht des Colorado River erbaute Staudamm (vorn rechts) ist 221 m hoch und 379 m lang; der Stausee Lake Mead hat eine Fläche von 593 km²

Edward Hopper: »Automat« (1927; Des Moines, Ia., Des Moines Art Center)

Schlucht des Colorado River, an der Grenze zw. Arizona und Nevada, USA, dient der Hochwasserkontrolle, Elektrizitätserzeugung (installierte Leistung: 1345 MW) und Bewässerung. Der Stausee, **Lake Mead,** 593 km², hat 38547 Mio. m³ Fassungsvermögen.

Marianne Hoppe

Hoover-Moratorium ['hu:vɔ-], →Hoover, Herbert Clark.

Hopeh (Hopei), chines. Provinz, →Hebei.

Hopfe, die Vogelfamilie →Wiedehopf.

Hopfen (Humulus lupulus), Kletterstaude der Familie Hanfgewächse in Auengebüschen der nördl. gemäßigten Zone; eine 4–8 m hohe, rechtswindende, zweihäusige Schlingpflanze. Der Stängel ist mit Klimmhaaren besetzt. Die männl. Blütenstände bilden rispenartige Trugdolden mit weißlich grünen Blüten. Kultiviert werden nur weibl. Pflanzen, deren »Fruchtzapfen« **(H.-Dolden)** dicht mit drüsigen Schuppen besetzt sind, die abgeschüttelt das **Lupulin (H.-Mehl)** ergeben; es enthält v.a. Bitterstoffe (Humulon, Lupulon), die dem Bier Haltbarkeit, Schäumvermögen und Bittergeschmack verleihen. H.-Tee wirkt durch seinen Gehalt an Methylbutenol beruhigend. H. bevorzugt mildlehmigen, kalk- und humushaltigen, warmen Boden. Zur Anlage von H.-Gärten benutzt man **Fechser,** aus 3- bis 5-jährigen Wurzelstöcken geschnittene Stecklinge. Von den 8–10 wachsenden Trieben (Reben) werden 2–3 angebunden, die anderen entfernt und z.T. wie Spargel genutzt (H.-Spargel). – Bereits Griechen und Römer kannten H. als Gemüse und Heilmittel.

Hopfen

Schon Griechen und Römer kannten den Hopfen, verwendeten ihn aber als Gemüse und v.a. als Heilmittel. Der Zusatz von Hopfen zu Bier, um dieses würziger, heilkräftiger und haltbarer zu machen, geht wohl auf Finnen, Letten und Esten zurück. Vom Ostseeraum aus scheint der Hopfengebrauch zwischen dem 5. und 7. Jahrhundert nach Westen vorgedrungen zu sein, seit der Karolingerzeit ist die Hopfenkultur auch in Mitteleuropa nachweisbar: Erstmals erwähnt wird der Hopfen 737 im bayrischen Geisenfeld. Hopfen wurde wegen des strengen Flurzwangs der Dreifelderwirtschaft zunächst nur in Klostergärten gezogen, seit dem 14. Jahrhundert baute man ihn dann in größeren Kulturen an. Vom 16. bis 18. Jahrhundert wurden Blüten und Wurzel als Arznei verwendet, auch heute noch dienen die Bitterstoffe des Hopfens als Beruhigungsmittel. Die Hallertau zwischen Ingolstadt und München ist das größte zusammenhängende Hopfenanbaugebiet der Erde.

Hopfenbuche (Ostrya), hainbuchenartiges Birkengewächs S-Europas und des Orients, mit hopfenähnl. weibl. Blütenkätzchen.

Hopkins ['hɔpkɪnz], **1)** Sir (seit 1993) Anthony, brit. Filmschauspieler, *Port Talbot 31. 12. 1937; spielte u.a. in »Das Schweigen der Lämmer« (1991), »Was vom Tage übrig blieb« (1994), »Nixon« (1995), »Mein Mann Picasso« (1996).

2) Sir (seit 1925) Frederick Gowland, brit. Biochemiker, *Eastbourne 20. 6. 1861, †Cambridge 16. 5. 1947; entdeckte die wachstumsfördernden Vitamine und erhielt hierfür 1929 mit C. Eijkman den Nobelpreis für Physiologie oder Medizin.

3) Gerard Manley, engl. Dichter, *Stratford (Cty. Essex) 28. 7. 1844, †Dublin 8. 6. 1889; Jesuit, verwendete den aus der german. Stabreimdichtung entwickelten »sprung rhythm«, der stark auf die moderne Lyrik wirkte.

4) Harry Lloyd, amerikan. Politiker, *Sioux City (Ia.) 17. 8. 1890, †New York 29. 1. 1946; leitete unter F. D. Roosevelt Arbeitsbeschaffungsprogramme und regte bed. Sozialgesetze an; 1938–40 Handelsmin.; als persönl. Berater Präs. F. D. Roosevelts nahm er u.a. an den Konferenzen von Casablanca (1943) und Jalta (1945) teil. 1945 erreichte H. eine Einigung mit Stalin über die Vetofrage in der UNO.

Hopliten [grch.], nach ihrem großen Schild (Hoplon) benannte schwer bewaffnete Fußtruppen im altgrch. Bürgerheer, die in der geschlossenen Phalanx kämpften.

Hoppe, 1) Marianne, Schauspielerin, *Rostock 26. 4. 1911; 1936–46 ⚭ mit G. Gründgens; spielte u.a. in München, Berlin, außerdem in den Filmen »Eine Frau ohne Bedeutung« (1936), »Romanze in Moll« (1943), im TV-Film »Bei Thea« (1988).

2) Rolf, Schauspieler, *Ellrich 6. 12. 1930; feinfühliger Charakterdarsteller; 1961–70 und ab 1975 am Staatstheater Dresden; seit Anfang der 70er-Jahre Film- und Fernsehrollen, u.a. »Jörg Ratgeb – Maler« (1978), »Mephisto« (1981), »Frühlingssinfonie« (1983), »Der Bruch« (1989), »Bronsteins Kinder« (1991), »Im Rausch der Liebe« (1996).

Hoppegarten, Galopprennbahn in Dahlwitz-H., östlich von Berlin; 1868 eröffnet.

Hopper ['hɔpə], Edward, amerikan. Maler, *Nyack (N. Y.) 22. 7. 1882, †New York 15. 5. 1967; malte typ. amerikan. Landschaften und Städte sowie Interieurs in einem subtilen, zur Stilisierung neigenden Realismus, der in den 1960er-Jahren die Fotorealisten beeinflusste.

Höppner, Reinhard, Politiker (SPD), *Haldensleben 2. 12. 1948; Diplommathematiker, bis 1989 Fachlektor, 1980–94 Präses der Synode der Evang. Kirche (Kirchenprovinz Sachsen), 1990 Vizepräs. der Volkskammer der DDR, 1990–94 Vors. der Landtagsfraktion der SPD in Sachsen-Anhalt, wurde dort 1994 Ministerpräsident.

Horatiler, altröm. Patriziergeschlecht, das gegen Ende des 5. Jh. v. Chr. ausstarb. Nach der Sage sollen drei H., Drillingsbrüder, durch ihren Sieg über die Curiatier, auch Drillinge, Rom die Herrschaft über Alba Longa gebracht haben.

Horaz (lat. Quintus Horatius Flaccus), röm. Dichter, *Venusia (heute Venosa) in Apulien 8. 12. 65 v. Chr., †27. 11. 8 v. Chr.; Sohn eines Freigelassenen; schloss sich Brutus an und wurde in dessen Heer Militärtribun, danach Schreiber in Rom. 38 von Maecenas in dessen Dichterkreis aufgenommen und 35 mit dem Landgut »Sabinum« beschenkt. Sein in neun Büchern vorliegendes Gesamtwerk (entstanden zw. 41 und 13) ist vollständig erhalten. Zu seinem Frühwerk zählen die »Satiren« (etwa 35 und 30 v. Chr.), poet. »Plaudereien« (»Sermones«) in Hexametern von stark persönl. Färbung, und die »Epoden« (etwa 30 v. Chr.), »Schmähgedichte« (»Iambi«) mit aktuell-röm. Inhalt. Während der mittleren Schaffensperiode (30–23 v. Chr.) schrieb H. sein Meisterwerk, die

Horaz: Darstellung auf einer zeitgenössischen römischen Münze

ersten drei Bücher der Oden (»Carmina«), im Rückgriff auf die äol. Lyrik der Sappho und des Alkaios. In den »Episteln« (20 und 13 v. Chr. vollendet) werden philosoph. und poetolog. Fragen erörtert; das 2. Buch bildet mit dem als »Ars poetica« (»Dichtkunst«) bekannten Brief den Höhepunkt seiner Literaturkritik.

Horaz

Horaz' »Satiren« (1,5) enthalten das Tagebuch einer im Frühjahr des Jahres 37 v. Chr. unternommenen Reise von Rom nach Brindisi, für deren knapp 500 km der Dichter und seine Begleiter (unter ihnen sein Gönner Maecenas und Vergil) gut zwei Wochen benötigten, in denen sie Schnaken und Sumpffröschen, Regen und Hitze, Schlaglöchern und der Beutelschneiderei in den Gasthäusern am Wegesrand ausgesetzt waren:

»Von dannen zogen wir gradeswegs gen Benevent, wo der diensteifrige Wirt beinahe abbrannte, als er die magern Drosseln überm Feuer drehte. Denn spielend hatte sich Vulkan der Fessel entrafft, und züngelnd leckte schon die Flamme bis an der alten Küche Dach. Es war ein rührendes Schauspiel, wie die Gäste in hungriger Hast und die Diener voll Angst das Essen retteten und alle sich beeiferten zu löschen.«

📖 KYTZLER, B.: *H. Zürich 1985.* – LEFÈVRE, E.: *H. Dichter im augusteischen Rom. München 1993.*

Horb am Neckar, Große Kreisstadt im Landkr. Freudenstadt, Bad.-Württ., im Oberen Gäu, 24 900 Ew.; Fachschulen, Museen; Metall verarbeitende, Textil-, Holzind. – Got. Spitalkirche, kath. Pfarrkirche (1387, ehem. Stiftskirche, nach Brand 1725 barockisiert), Rathaus (1765). – Erhielt im 13. Jh. Stadtrecht; kam 1381 zum habsburg. Vorderösterreich und 1805 an Württemberg.

Hörbereich, derjenige Frequenzbereich, in dem ein Ton vom menschl. oder tier. Gehörorgan wahrgenommen wird. Der H. des Menschen erstreckt sich von 16 Hz (untere Hörgrenze) bis zu 20 000 Hz (obere Hörgrenze; für 60-Jährige 5 000 Hz); er umfasst also etwa 10 Oktaven.

Attila Hörbiger

Hörbiger, 1) Attila, österr. Schauspieler, *Budapest 21. 4. 1896, †Wien 27. 4. 1987; Bruder von 3), Vater von 2); ⚭ mit Paula Wessely; 1928–50 am Theater in der Josefstadt in Wien, ab 1950 am Wiener Burgtheater; bed. Charakterdarsteller.

Christiane Hörbiger

2) Christiane, österr.-schweizer. Schauspielerin, *Wien 13. 10. 1938; Tochter von 1) und Paula Wessely; 1959 und 1961–66 am Wiener Burgtheater, seit 1967 am Schauspielhaus Zürich; übernahm auch Film- und Fernsehrollen.

Paul Hörbiger

3) Paul, österr. Schauspieler, *Budapest 29. 4. 1894, †Wien 5. 3. 1981; Bruder von 1); 1926–40 an Berliner Theatern, 1940–46 und seit 1963 am Wiener Burgtheater; Bühnenerfolge v. a. mit Raimund- und Nestroyrollen; populärer Filmschauspieler (z. B. »Der liebe Augustin«, 1940).

Horch, August, Automobilkonstrukteur und Unternehmer, *Winningen (Kr. Mayen-Koblenz) 12. 10. 1868, †Münchberg 3. 2. 1951; zunächst Mit-

August Horch

arbeiter von C. Benz; gründete 1899 in Köln-Ehrenfeld die Firma A. H. & Cie. (seit 1904 in Zwickau) und 1910 in Zwickau die Audi-Werke AG, die 1932 in der Auto Union GmbH aufgingen (→Audi AG). H. führte den Kardanantrieb und die Reibungskupplung im Automobilbau ein (1901), baute den ersten dt. Vierzylinder- (1903) und den Sechszylindermotor (1907) und führte die Linkssteuerung für Kraftwagen ein (1923).

Horde [von türk. ordu »Heerlager«], seit dem 16. Jh. Bez. für umherschweifende Scharen (z. B. die Goldene Horde), später auch allg. für: Bande, wilder Haufen. – *Völkerkunde:* kleine Gruppe gemeinsam umherschweifender Wildbeuter.

Hordeolum [lat.] *das,* das →Gerstenkorn.

Hordelum [lat.], die Grasgattung →Gerste.

Horeb, im A. T. Berg der Gesetzgebung, →Sinai.

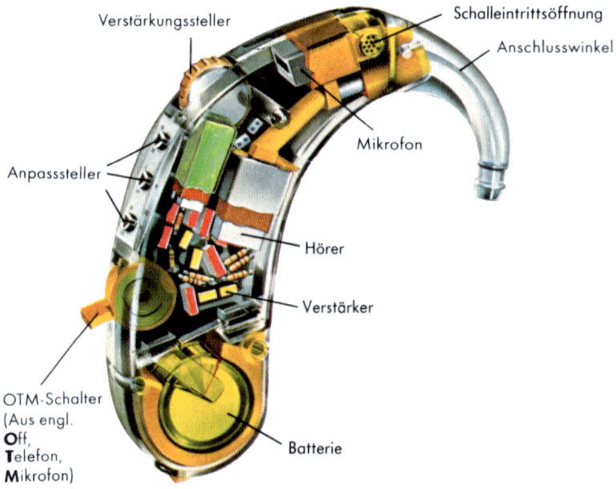

Hörgeräte: Schnittbild eines Hinter-dem-Ohr-Hörgeräts

Horen [lat.], die acht Gebetszeiten (»Stunden«) des →Stundengebets.

Horen, die grch. Göttinnen der Jahreszeiten, des Blühens und Reifens; bei Hesiod verschob sich ihre Bedeutung vom Naturhaften ins Sittliche; sie hießen jetzt: Eunomia (»Gesetzlichkeit«), Dike (»Gerechtigkeit«) und Eirene (»Frieden«).

Hören, →Gehör.

Horen, Die [nach den grch. Göttinnen], Titel einer von Schiller 1795–97 herausgegebenen und von Cotta in Tübingen verlegten, programmat. Literaturzeitschrift der dt. Klassik; Vorbild für alle späteren literar. Zeitschriften.

Hörfunk (Hörrundfunk, Radio), Rundfunkdienst, der ausschl. akust. Signale überträgt, im Ggs. zum Fernsehrundfunk. (→Rundfunk)

Horgen, Bezirks-Hptst. im Kt. Zürich, Schweiz, am SW-Ufer des Zürichsees, 16 000 Ew.; Braunkohlenbergbaumuseum; Textilmaschinenbau und elektron. Industrie. – Nach Funden bei H. wurde die jungsteinzeitl. **Horgener Kultur** (3400–2700 v. Chr.) benannt.

Hörgeräte (Hörhilfen), elektroakust. Verstärker zum Ausgleich verminderten Hörvermögens. H. bestehen aus Batterie, Mikrofon, Verstärker und Hörer (Miniaturlautsprecher). Zur Anpassung an den Hörschaden sind die H. auf das →Audiogramm des Patienten abgestimmt und mit mehreren Einstellmöglichkeiten versehen. Bei fast allen H. wird der vom Hörer abgegebene Schall dem Trommelfell durch die Luft zugeführt. Nur in besonderen Fällen wird ein spezieller Hörer verwendet, der den Schädelknochen zu Schwingungen anregt und den Schall so dem Innenohr direkt zuleitet. **Taschen-H.** werden in der Oberbekleidung getragen; der Hörer ist über ein Kabel mit dem Gerät verbunden und wird von einem in den äußeren Gehörgang eingeführten Ohrstück gehalten. **Kopf-H.** werden hinter dem Ohr getragen (**Hinter-dem-Ohr-H., HdO-Geräte,** bananenförmig mit Schallschlauch zum individuell geformten Ohrpassstück) oder in der Ohrmuschel und dem äußeren Gehörgang **(In-dem-Ohr-H., IdO-Geräte).** Bei **Mini-im-Ohr-Geräten** befinden sich die kompletten H. in einem individuell hergestellten, dem Gehörgang angepassten Ohrpassstück. Bei **Hörbrillen** ist das H. komplett im Brillenbügel untergebracht; ein Schallschlauch führt zum Ohreinsatz.

Hörgeschädigtenpädagogik, Unterweisung Hörgeschädigter und Gehörloser, die auf möglichst weit gehende soziale Integration ausgerichtet ist. In den Sonderkindergärten und -schulen für Gehörlose lernen die Kinder die Lautsprache sprechen und vom Mund ablesen (Absehunterricht), um sich mündlich verständigen zu können; miteinander unterhalten sie sich meist mithilfe der Gebärdensprache. Die ersten Taubstummenanstalten gründete in Frankreich der Abbé de l'Epée in Paris 1770, in Dtl. S. Heinicke 1778 in Leipzig.

Hörhaare, bei Spinnen und Insekten vorkommende Sinneshaare (Haarsensillen, Trichobothrien), die Schallwellen empfangen. Die dünnen, langen, kutikularen Haare sind leicht beweglich und an exponierten Körperstellen in einen festen Balg eingespannt.

Höriger (Grundhold), seit dem späten MA. von einer Grundherrschaft dinglich Abhängiger. Die an die Scholle gebundenen H. (Halbfreien) galten als Zubehör des Bauernguts. Eine noch stärkere Abhängigkeit war die Erbuntertänigkeit.

Hörigkeit, 1) *Geschichte:* dingl. und persönl. Abhängigkeit von einer Grund- oder Gutsherrschaft (→Höriger). Die H. wurde endgültig im 19. Jh. mit der Bauernbefreiung beseitigt.

2) *Psychologie:* die innere Gebundenheit eines Menschen an einen andern, die bis zur Aufgabe der persönl. Würde geht, bes. als sexuelle Hörigkeit.

Horizont [grch.] *der,* **1)** *allg.:* (Gesichtskreis) die durch örtl. Gegebenheiten (Berge, Gebäude) sichtbare Linie, an der Himmel und Erde zusammenzustoßen scheinen (**natürl. H.,** auf See **»Kimm«**).

2) *Astronomie:* Der **scheinbare H.** ist die Schnittlinie der Himmelskugel mit einer Ebene **(H.-Ebene),** die senkrecht zum Lot durch den Beobachtungsort geht. Der **wahre H.** ist die Ebene, die parallel zum scheinbaren H. durch den Erdmittelpunkt geht.

3) *Bodenkunde:* Schicht des Bodenprofils.

4) *Geologie:* die kleinste geolog. Einheit, räumlich (Schichteinheit) wie zeitlich, durch einheitl. Fossilgehalt (Fossil-H.) oder Gesteine bestimmt.

horizontal, waagerecht; Ggs.: vertikal.

Horizontalpendel, Pendel, das in einer nahezu waagerechten Ebene um eine gegen die Senkrechte nur wenig geneigte Drehachse schwingt, dient zur Messung geringer Neigungen des Erdbodens, Beobachtung von Lotabweichungen, als Seismograph.

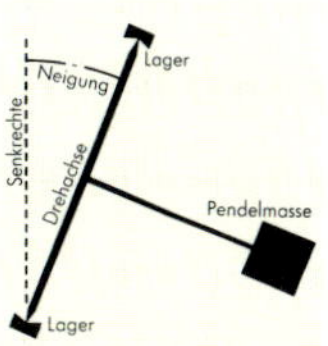

Horizontalpendel

Horizontalsystem, →astronomische Koordinaten.

Horizontalverschiebung, →Verwerfung.

Horkheimer, Max, Philosoph und Soziologe, *Stuttgart 14. 2. 1895, †Nürnberg 7. 7. 1973; wurde 1930 Prof. in Frankfurt am Main und Leiter des »Inst. für Sozialforschung«; 1933 emigriert; 1949–63 wieder Prof. in Frankfurt, seit 1950 Leiter des wieder errichteten »Inst. für Sozialforschung«. H. war Initiator der →Frankfurter Schule und entwickelte, ausgehend von Hegel und Marx, die →kritische Theorie; seine Kritik an spätkapitalist. Herrschaftsstrukturen gewann maßgebl. Einfluss auf die Studentenbewegung der 1960er-Jahre; Herausgeber der »Ztschr. für Sozialforschung«.

Max Horkheimer

Werke: Zur Kritik der instrumentellen Vernunft (1947); Dialektik der Aufklärung (1947, mit T. W. Adorno); Krit. Theorie, 2 Bde. (1968).

📖 GUMNIOR, H. *u.* RINGGUTH, R.: *M. H. Reinbek 20.–22. Tsd. 1983. – M. H. heute: Werk u. Wirkung, hg. v.* ALFRED SCHMIDT. *Frankfurt am Main 1986.* – DUBIEL, H.: *Krit. Theorie der Gesellschaft. Eine einführende Rekonstruktion von den Anfängen im H.-Kreis bis Habermas. Weinheim u. a.* ^{2}*1992.*

Horliwka [-liʊ-], Stadt in der Ukraine, →Gorlowka.

Hormone [zu grch. hormãn »in Bewegung setzen«, »antreiben«], vom menschl. und tier. Organismus, meist von besonderen Hormondrüsen, auch besonderen Zellarten oder Geweben gebildete und ins Blut abgegebene körpereigene Wirkstoffe, die zus. mit dem Nervensystem die Vorgänge des Stoffwechsels, des Wachstums, die Entwicklung und den emotionalen Bereich eines Individuums steuern. Die H. lassen sich einteilen nach ihrer chem. Struktur (Steroide, Aminosäuren und Peptide) oder nach den produzierenden Organen bzw. Hormondrüsen (z. B. Schilddrüsen-H., Nebennierenrinden-H.) oder nach dem Wirkungsbereich (z. B. Geschlechts-H.).

Die Steuerungsfunktion der bereits in kleinsten Mengen wirksamen H. ist sehr differenziert und erstreckt sich auf die Hormonproduktion selbst. Die H. wirken immer nur auf bestimmte Organe (Ziel- oder Erfolgsorgane). Diese haben spezif. Bindungsstellen (Rezeptoren; häufig in den Zellmembranen und Zellkernen), mit denen die entsprechenden Hormonmoleküle gebunden und die biochem. Reaktionen ausgelöst werden. – Zw. Hormonproduktion, Ausschüttung und Wirkung bestehen vielseitige Wechselbeziehungen. Die Ausschüttung wird durch das eigene Hormon bei einer bestimmten Konzentration im Blut gehemmt. Hypophyse bzw. die Hypophysenhormone kontrollieren als übergeordnetes System die Hormonausschüttung anderer Hormondrüsen, und zwar ebenfalls nach dem Prinzip eines Regelkreises. – Über hormonähnl. Substanzen bei Pflanzen →Pflanzenhormone. ÜBERSICHT S. 310

📖 CRAPO, L.: *H. Die chem. Boten des Körpers. A. d. Amerikan. Heidelberg* ^{3}*1988.* – HALL, R. *u.* EVERED, D. C: *Endokrinologie. A. d. Engl. Berlin 1994.* – FABER, H. VON *u.* HAID, H.: *Endokrinologie. Einführung in die Molekularbiologie u. Physiologie der Hormone. Stuttgart* ^{4}*1995.*

Hormonpräparate, Arzneimittel mit hormonartiger Wirkung, die entweder aus getrockneten, pulverisierten Drüsen oder Drüsenextrakten von Menschen und Tieren oder aus extrahierten, gereinigten natürl. Wirkstoffen gewonnen werden, in zunehmendem Maße aber aus synthet. Stoffen von gleicher, nicht selten auch abgewandelter chem. Struktur wie die körpereigenen Hormone hergestellt werden. Alle H., die nicht aus chemisch reinen Hormonen bestehen, werden im Tierversuch standardisiert, um eine möglichst gleich bleibende Wirksamkeit zu garantieren; der Wirkungsgrad wird gewöhnlich in Internat. Einheiten angegeben. Die Anwendung von H. **(Hormonbehandlung, Hormontherapie)** erfolgt v. a. bei zu geringer körpereigener Produktion des betreffenden Hormons oder zur unterstützenden Behandlung anderer Erkrankungen, z. B. Glucocorticoide bei Überempfindlichkeitsreaktionen.

Hormus (Hormoz, Ormuz), iran. Insel im Pers. Golf, an der **Straße von H.** (60–100 km breit), die den Pers. Golf mit dem Ind. Ozean verbindet. Die ehem. Hafenstadt H. am N-Ufer der Insel war vom 14. bis 16. Jh. bed. Handelszentrum, 1515–1622 unter portugies. Oberherrschaft; Reste der mächtigen, von Portugiesen errichteten Festung.

Rebecca Horn: Motorisiertes Pfauenrad (1980; Privatbesitz)

Horn, 1) *Biologie:* aus Keratinen bestehende Bildungen der Epidermis der Wirbeltierhaut für besondere mechan. Beanspruchung (z. B. Schnabel, Hörner, Nägel, Krallen, Hufe).

2) *Musik:* (Waldhorn, italien. Corno) Blechblasinstrument aus einer mehrfach kreisförmig gewundenen Messingröhre mit Kesselmundstück, ausladendem Schalltrichter, seit 1830 als **Ventil-H.** mit drei Ventilen. Der Ton entsteht dadurch, dass der Luftstrom durch die als Membran wirkenden Lippen in schneller, regelmäßiger Folge unterbrochen wird.

Horn, 1) Gyula, ungar. Politiker, *Budapest 5. 7. 1932; Wirtschaftsfachmann; schon früh in der kommunist. Bewegung tätig, nach der Niederschlagung des ungar. Volksaufstands (1956) in den Milizen des Innenministeriums aktiv. 1985–89 Mitgl. des ZK der KP und Staats-Sekr. im Außenministerium. Als Außen-Min. (1989–90) durchtrennte er am 27. 6. 1989 persönlich den Stacheldraht an der Grenze zw. Österreich und Ungarn, am 10./11. 9. ermöglichte er DDR-Bürgern die Ausreise in die BRD. 1990 wurde H. Vors. der neu gegr. ungar. Sozialdemokrat. Partei, 1994 MinPräs. – H. erhielt 1990 den Internat. Karlspreis zu Aachen.

2) Rebecca, Künstlerin, *Michelstadt 24. 3. 1944; lebt in Berlin und New York. Ritualisierte Aktionen mit dem eigenen Körper werden oft Ausgangspunkt ihrer Performances, Schmalfilme, Videobänder, Rauminstallationen und Zeichnungen. 1981 drehte sie den Spielfilm »La Ferdinanda – Sonate für eine Medici-Villa«.

Hormone des Menschen und der Wirbeltiere (Auswahl)

Name	*chem. Konstitution*	*Bildungsort*	*Wirkung*
Adrenalin	Tyrosinderivat	Nebennierenmark	Pulsfrequenz-, Blutzuckererhöhung (Stresshormon)
Aldosteron	Steroid	Nebennierenrinde	Regulierung des Natrium-Kalium-Gleichgewichts
Calcitonin	Protein	Schilddrüse	Senkung des Calciumspiegels
follikelstimulierendes Hormon (FSH)	Glykoproteid	Hypophysen-vorderlappen	Reifung der männl. und weibl. Geschlechtszellen
Glukagon	Protein	Langerhans-Inseln	Erhöhung des Blutzuckerspiegels
Insulin	Protein	Langerhans-Inseln	Senkung des Blutzuckerspiegels
Corticosteron und Hydrocortison (Cortisol)	Steroid	Nebennierenrinde	Erhöhung des Blutzuckerspiegels, Unterdrückung allerg. und entzündl. Reaktionen
luteinisierendes Hormon (LH)	Glykoproteid	Hypophysen-vorderlappen	Auslösung der Ovulation, Gelbkörperbildung
luteotropes Hormon (Prolactin, LTH)	Protein	Hypophysen-vorderlappen	Förderung der Milchbildung
Melatonin	Tryptophanderivat	Zirbeldrüse	Hemmung der Schilddrüsenfunktion, Beeinflussung der Geschlechtsdrüsen
Noradrenalin	Tyrosinderivat	Nebennierenmark	Blutdrucksteigerung
Östradiol	Steroid	Eierstock	Ausprägung weibl. sekundärer Geschlechtsmerkmale, Wachstum der Gebärmutterschleimhaut
Oxytocin	Oligopeptid aus 8 Aminosäuren	Hypothalamus	Gebärmutterkontraktion
Parathormon	Protein	Nebenschilddrüse	Erhöhung des Calciumspiegels
Progesteron	Steroid	Gelbkörper, Plazenta	Sekretionsphase der Gebärmutterschleimhaut, Erhaltung der Schwangerschaft
Somatotropin (Wachstumshormon)	Protein	Hypophysen-vorderlappen	Förderung des Körperwachstums
Testosteron	Steroid	Hoden	Ausprägung männl. sekundärer Geschlechtsmerkmale
Thyroxin	Derivat der Aminosäure Tyrosin	Schilddrüse	Steigerung des Grundumsatzes, des Eiweiß-, Kohlenhydrat-, Fett- und Mineralstoffwechsels, der Atmung, des Kreislaufs; bei Lurchen Auslösung der Metamorphose
Vasopressin (Adiuretin)	Oligopeptid aus 8 Aminosäuren	Hypothalamus	Wasserresorption in der Niere, Blutdruckerhöhung

Horn-Bad Meinberg, Stadt im Kr. Lippe, NRW, zw. Teutoburger Wald und Lipper Bergland, 18 700 Ew.; Holzind., Maschinenbau. Im Ortsteil **Bad Meinberg** werden Calciumsulfatwässer, Kohlensäuerlinge und Schwefelmoor gegen Rheuma, Herz- und Kreislauferkrankungen, Nerven- und Frauenleiden angewendet. – Stadtrecht seit 1248; wurde 1970 mit Bad Meinberg (Kurort seit 1767) und umliegenden Gemeinden zusammengeschlossen. – Nahebei die →Externsteine.

Hornberg, Stadt im Ortenaukreis, Bad.-Württ., Luftkurort im Gutachtal des Schwarzwalds, 361 m ü. M., 4 800 Ew.; Werke für Sanitärkeramik und Ind.elektronik. – Burgruine (um 1100) auf dem Schlossberg. – 1275 Ersterwähnung; kam 1448 an Württemberg, 1810 an Baden; Stadtrecht 1949. – Das zur Redensart gewordene **Hornberger Schießen** (svw. endet ergebnislos) gründet sich wohl auf den misslungenen Empfang eines Herzogs, den die Bürger von H. mit Schüssen begrüßen wollten, dabei aber vorzeitig ihr Pulver verschossen hatten (16. Jh.?).

Hornblatt (Hornkraut, Ceratophyllum), einzige Gattung der **Hornblattgewächse** (Familie **Ceratophyllaceae**); untergetaucht lebende Süßwasserpflanzen mit gabelig verzweigten Sprossen, die mit Quirlen zerschlitzter Blätter besetzt sind; Aquarienpflanzen.

Hornblende, Mineral aus der Gruppe der →Amphibole.

Hörnchen (Sciuridae), artenreiche Nagetierfamilie mit den **Baum-H.** (z. B. das Eichhörnchen), **Erd-H.** (z. B. das Murmeltier) und **Flug-H.** (z. B. Taguan).

Horne, Graf von, →Hoorn.

Hörner (Gehörn), Stirnwaffe bei einigen Säugetieren, z. B. Antilopen, Rindern, Schafen, Ziegen, meist bei beiden Geschlechtern auftretend. Die H. bilden sich auf zwei von ernährenden Hautschichten überzogenen Knochenzapfen des Stirnbeins als bleibende, feste Hornscheiden, die im Unterschied zum →Geweih zeitlebens nicht abgeworfen werden. Die Anzahl der **Hornringe** (Wachstumsringe) kann zur Altersbestimmung dienen.

Hörnerhaube, Frauenhaube des späten 14. und 15. Jh., zwei hörnerartige Wülste, zw. denen ein Schleier auf den Rücken hinabhängt.

Hör|nerv, →Ohr.

Horney, 1) Brigitte, Bühnen- und Filmschauspielerin, *Berlin 29. 3. 1911, †Hamburg 27. 7. 1988; Tochter von 2); Star des dt. Films der 1930er-Jahre; nach dem Krieg auch Fernsehrollen.

2) ['hɔːnɪ], Karen, amerikan. Psychoanalytikerin dt. Herkunft, *Hamburg 16. 9. 1885, †New York 4. 12. 1952; Mutter von 1); lehrte 1932–41 in Chicago, dann in New York; betonte bes. die sozialen und kulturellen Bedürfnisse des Menschen.

Hornfels, durch Kontaktmetamorphose entstandenes dichtes, muschelig-splittrig brechendes Gestein mit typ. Mineralen (Cordierit, Andalusit, Grossular, Wollastonit).

Hornberg

Das Hornberger Schießen

Wenn etwas, um das viel Aufhebens gemacht wird, im Endeffekt ergebnislos endet, so sagt man, es sei ausgegangen wie das »Hornberger Schießen«. Die Herkunft dieser Redensart bleibt im Dunkeln. Eine mögliche Erklärung, die häufig genannt wird, ist die Sage, dass die Bürger von Hornberg im Schwarzwald zur Begrüßung eines Fürsten so oft die Salutschüsse übten, dass schließlich bei seiner Ankunft kein Pulver mehr vorhanden war. Um den Landesherrn nicht ohne Begrüßungssalut einziehen zu lassen, sollen einige Hornberger versucht haben, die Böllerschüsse durch lautes Brüllen nachzuahmen.

Hornfrösche (Ceratophrys), Gattung bunter südamerikan. Frösche mit meist zipfelförmig ausgezogenen Oberlidern. Einige Arten sind beliebte Terrarientiere z. B. der **Schmuckhornfrosch.** BILD S. 312

Hornhausen, Reiterstein von, Bildsteinfragment des 7./8. Jh., gefunden in Hornhausen (Bördekreis, Sa.-Anh.), heute im Landesmuseum für Vorgeschichte in Halle (Saale); seltener Fund german. Kunst; möglicherweise Chorschrankenplatten einer frühen Kirche.

Hornhaut, 1) oberer Teil der →Haut.

2) vorderer, durchsichtiger Teil des Augapfels (→Auge).

Hornhautentzündung (Keratitis), häufigste Erkrankung der Hornhaut des Auges; verursacht durch Infektion, Verletzung, allerg. Prozesse oder Strahlenschäden (z. B. Ultraviolettlicht). Kennzeichen sind Hornhauttrübung, Augenrötung, Tränenfluss, Lichtscheu und Schmerzen.

Brigitte Horney

Reiterstein von Hornhausen: Das Bildsteinfragment aus Sandstein hat eine Höhe von 78 cm (7. Jh.; Halle/Saale, Landesmuseum für Vorgeschichte)

Hornhauttransplantation (Keratoplastik), operatives Einsetzen einer gesunden (klaren) Hornhaut des Auges (Spenderhornhaut) mit dem Ziel, eine bestehende Hornhauttrübung zu beseitigen und das Sehvermögen wieder herzustellen.

Hornfrösche: Schmuckhornfrosch

Hornhechte (Trughechte, Belonidae), Familie räuber. Knochenfische mit schnabelartig verlängerten Kiefern mit vielen spitzen Zähnen. Im O-Atlantik, in der Nord- und Ostsee sowie im Mittelmeer lebt der bis 1 m lange **Europ. H.** oder **Hornfisch** (Belone belone), wegen seines grünen Skeletts auch **Grünknochen** genannt.

Hornhechte: Europäischer Hornhecht (Länge bis 1 m)

Hornisgrinde *die,* höchste Erhebung des nördl. Schwarzwaldes, 1164 m ü. M.; an der SO-Flanke der → Mummelsee.

Hornisse (Vespa crabro), größte einheim. Art der sozialen Faltenwespen, braungelb gefärbt, die in hohlen Bäumen oder Gebäudenischen ihr Nest baut. Der Stich ist sehr schmerzhaft.

Hornisse: (Größe 23–35 mm)

Hornissenschwärmer (Aegeria apiformis), ein Schmetterling aus der Familie der Glasflügler mit hornissenähnl. Aussehen.

Hornklee (Lotus), Gattung der Schmetterlingsblütler. Die gelb bis rötlich gelb blühende Art **Gemeiner H.** (Lotus corniculatus) ist Futterpflanze.

Hornkraut (Cerastium), Gattung weiß blühender Nelkengewächse mit hornförmigen Fruchtkapseln. Das **Acker-H.** (Cerastium arvense) wächst auf trockenem Grasland.

Hornmohn (Glaucium), Mohngewächsgattung, graugrüne Kräuter mit gelben oder rotgelben Blüten; Gartenblumen aus den Mittelmeerländern.

Hornpipe ['hɔːnpaɪp; engl. »Hornpfeife«] *die,* **1)** (walis. Pibgorn), volkstüml. Blasinstrument mit einfachem Rohrblatt, sechs Grifflöchern sowie Schallstück und Windbehälter aus Tierhorn.

2) altengl. Volkstanz schott. Abkunft im 3/2- oder 4/4-Takt.

Hornsilber (Chlorargyrit, Kerargyrit), AgCl, kub. Mineral, farblos, wird im Licht grau bis schwarz; wichtiges Silbererz, häufig in der Oxidationszone von silberhaltigen Erzlagerstätten.

Hornstein (engl. Chert), dichtes Kieselgestein, undurchsichtig; unreine Abart des → Jaspis; eine bes. Form des H. ist der → Feuerstein.

Hornstrahler, *Mikrowellentechnik:* eine → Antenne.

Hornstrauch, → Hartriegel.

Horntiere (Hornträger, Bovidae), Familie der wiederkäuenden Paarhufer mit den Rindern, den Duckern, Böckchen, Waldböcken, Kuh-, Pferdeantilopen, Gazellen, Ziegenartigen; meist tragen beide Geschlechter Hörner.

Hornung *der,* alter Monatsname für → Februar.

Hornußen *das,* schweizer. Volksspiel zw. zwei Mannschaften. Der **Hornuß,** eine Holz- oder Kunststoffscheibe, wird mit einem 2,2–2,5 m langen biegsamen Stecken in das Spielfeld (Ries) geschleudert. Die Gegenpartei versucht, ihn mit den **Schindeln** (**Schaufeln,** Holzbretter mit Stiel) abzufangen.

Hornvipern (Cerastes), Gattung giftiger Vipern mit sägeförmigen Seitenschuppen in den Wüsten N-Afrikas. Die Art **H.** (Cerastes cerastes) trägt häufig dornartig vergrößerte Überaugenschuppen (Name!).

Höroldt (Herold), Johann Gregor, Porzellanmaler, *Jena 6. 8. 1696, † Meißen 26. 1. 1775; ab 1723 Hofmaler; entwickelte als Vorsteher der Porzellanmanufaktur Meißen (bis 1765) u. a. das Chinoiseriendekor.

Horologion [grch.] *das,* liturg. Buch der Ostkirche.

Horologium [lat.] (Pendeluhr), Abk. **Hor,** Sternbild am Südhimmel.

Hornkraut: Das Ackerhornkraut wird bis 30 cm hoch und trägt in den Monaten April bis Juli etwa 2 cm große trichterförmige Blüten

Horoskop [grch.] *das, Astrologie:* die auf Ort, Tag und Stunde eines Ereignisses, bes. einer Geburt, berechnete Stellung der Gestirne; auch das Gerät zu dieser Berechnung. In einen aus den zwölf Tierkreiszeichen bestehenden Kreis werden Sonne, Mond, Planeten, → Aspekt und »Häuser« eingetragen. Das individuelle H. wird in der Astrologie als Grundlage für Charakter- und Schicksalsdeutungen benutzt.

Horowitz, Vladimir, amerikan. Pianist ukrain. Herkunft, *Berditschew (heute Berdytschiw, Ukraine) 1. 10. 1903, † New York 5. 11. 1989; wurde bes. als Interpret der Werke von R. Schumann, F. Liszt, P. Tschaikowski, S. Rachmaninow und F. Chopin bekannt.

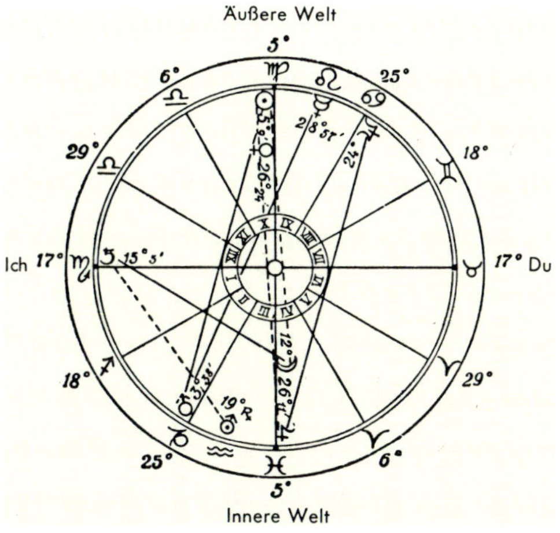

Horoskop Goethes

Horoztepe ['hɔrɔztɛpɛ], Ruinenhügel bei Tokat, Türkei; hier wurden außerhalb einer befestigten Siedlung reich ausgestattete Gräber aus der frühen Bronzezeit (3. Jt. v. Chr.) gefunden. Die Grabbeigaben (Bronzegeräte und -figuren, Waffen) weisen auf den Reichtum der nordanatol. Metalllager und den hohen Stand der Metallbearbeitung hin; ihre Formsprache bildet die Grundlage der hethit. Kunst.

Hörpartitur (Lesepartitur), in der elektron. Musik Aufzeichnung von Musik durch graf. Zeichen und Farben statt der übl. Notation. Mit der H. soll dem Hörer das Musikwerk auf visuellem Weg leichter verständlich gemacht werden.

Hörrohr, das →Stethoskop.

Horrorfilm, Filmgenre, in dem mittels Darstellung fantast., makabrer, dämon. und lebensbedrohl. Ereignisse oder Phänomene eine Atmosphäre der Angst und des Entsetzens erzeugt wird. Nach Anfängen Ende des 19. Jh. und dem expressionist. H. setzt mit dem Tonfilm der eigentl. H. und in den 1930er-Jahren dessen Blütezeit ein. Zu den populärsten Ungeheuern gehörten Vampire, Monster, Phantome und Sciencefictionmotive. Das Genre wurde mit dem »Tanz der Vampire« (1967) von R. Polanski parodiert.

Horrorliteratur, literar. Werke aller Gattungen, die Unheimliches, Verbrechen und andere Entsetzen oder Abscheu erregende Gräueltaten und Zustände gestalten. Motive und Requisiten der H. besitzen eine lange Tradition, die bis auf die Gothic Novel, die Gespenstergeschichte und den Schauerroman zurückreicht. (→Trivialliteratur)

Horror Vacui [lat. »Furcht vor der Leere«], nach einer scholast. Vorstellung die Scheu der Natur vor leeren Räumen.

Horsa, sagenhafter Führer der Angelsachsen, →Hengist und Horsa.

Hörschwelle, derjenige Schalldruck, bei dem gerade eine Hörempfindung im menschl. Gehörorgan hervorgerufen wird. Die H. ist stark frequenzabhängig; das Maximum der Empfindlichkeit liegt zw. 1 000 und 2 000 Hz.

Horsd'œuvre [ɔr'dœ:vr, frz.] *das,* appetitanregende Vorspeise, die kalt vor und heiß nach der Suppe gereicht wird.

Hörsel *die,* rechter Nebenfluss der Werra, in Thür., 60 km lang, entspringt im Thüringer Wald, fließt am S-Fuß der **Hörselberge** (höhlenreicher Muschelkalkrücken, bis 484 m hoch) entlang, mündet unterhalb von Eisenach.

Horsens, Hafenstadt in Ostjütland, Dänemark, 55 300 Ew.; Museum; Nahrungsmittel-, Tabak-, Textil-, Elektroindustrie.

Horsepower ['hɔ:spaʊə; engl. »Pferdestärke«] *die,* Einheitenzeichen **hp,** in Großbritannien und den USA gebräuchliche Einheit der Leistung; 1 hp = 1,0139 PS = 745,7 W.

Hörsinn, das →Gehör.

Hörspiel, für den Rundfunk produzierte literar. Gattung, deren wesentlichstes Merkmal die akust. Unmittelbarkeit ist. Heute unterscheidet man begrifflich das aus dem Bühnenschauspiel entstandene traditionelle oder literar. H. vom experimentellen H., in dem Sprache, Musik, Geräusche als Material für Kompositionen dienen, die nicht mehr figuren- und handlungsbezogen sind, sondern die Sprache und ihre Verwendungsweisen, z. T. das akust. Material insgesamt zum Thema haben. Dem H. verwandt sind die Funkerzählung und das Feature.

Die *Geschichte* des H. beginnt mit Bearbeitungen v. a. von Theaterstücken (»Radiodrama« gen.). Als erstes Original-H. gilt »Danger« von R. A. W.

Vladimir Horowitz

Horror Vacui

In der scholastischen Philosophie blieb bis zur Entdeckung des Luftdrucks in der Physik durch Evangelista Torricelli (1643/1644) die Vorstellung beherrschend, dass die Natur vor einem leeren Raum einen Abscheu habe und diesen mit allen Mitteln auszufüllen suche. Diesen Gedanken formulierte der französische Dichter François Rabelais in seinem fünfbändigen Romanzyklus »Gargantua und Pantagruel« in der lateinischen Form »Natura abhorret vacuum«. (»Die Natur schreckt das Leere ab«). Darauf geht der Ausdruck Horror Vacui, das Grauen vor dem Leeren, dem Nichts zurück. Man bezieht ihn heute ganz allgemein auf Situationen, in denen jemand befürchtet, dass plötzlich alles bisher Tragende und Sinngebende nicht mehr vorhanden sein wird, also ein politisches oder kulturelles Vakuum droht.

Miklós Horthy

Hughes (1924). Einen großen Aufschwung nahm das H. nach dem 2. Weltkrieg in Dtl. u.a. durch W. Borchert, G. Eich, I. Aichinger, I. Bachmann, F. von Hoerschelmann, A. Andersch, M. Frisch, H. Böll, P. Hirche, W. Weyrauch, M.-L. Kaschnitz, W. Hildesheimer; später traten D. Wellershoff, G. Wohmann, E. Jandl, L. Harig, F. Mon u.a. hervor, mit **Originalton-H.** (Collage aus direkt aufgenommenem akust. Material) F. Kriwet, P. Wühr, J. Alberts, V. Friesel, R. Hey. Durch Stereophonie und Kunstkopftechnik ergaben sich neue dramaturg. Bedingungen für einen perfekten Illusionismus und die Schaffung völlig abstrakter Sprachgewebe, die ausschl. musikal. Gesetzen folgen (J. Cage: »Roaratorio«, 1979). – Wichtigster H.-Preis ist der → Hörspielpreis der Kriegsblinden; für das experimentelle H. seit 1970 der Karl-Scuka-Preis.

📖 *Grundzüge der Geschichte des europ. H., hg. v.* C. W. THOMSEN *u.* I. SCHNEIDER. *Darmstadt 1985.* – DÖHL, R.: *Das neue H. Darmstadt* ²*1992.*

Hörspielpreis der Kriegsblinden, ein 1951 vom Bund der Kriegsblinden Deutschlands e.V. gestifteter Ehrenpreis; wird jährlich von einer Jury an den Autor des bedeutendsten Originalhörspiels in dt. Sprache, das im vorangegangenen Jahr von einer Rundfunkanstalt der ARD als Uraufführung gesendet wurde, vergeben.

Horst, 1) *Geologie:* gehobener oder infolge Absinkens der Umgebung stehen gebliebener, meist von parallelen Verwerfungen begrenzter Teil der Erdkruste; oft auch oberflächlich als Erhebung ausgebildet. (→ Graben)

Horus

Die Geschichte von Isis, Osiris und Horus ist die am reichsten ausgestaltete Geschichte des ägyptischen Mythos. Osiris, der als König über Ägypten herrschte, wird von seinem Bruder Seth (dem Gott der Wildnis und der Gewalt) erschlagen, der die Teile des zerstückelten Leichnams über Ägypten verstreut. Isis, die Schwester und Gemahlin des Osiris, durchstreift das Land, findet die Glieder, setzt den Leichnam wieder zusammen und vermag mit ihrer Schwester Nephtys den Tod soweit zu überwinden, dass sie von dem vorübergehend Wiederbelebten ein Kind, Horus, empfangen kann. Aus Furcht vor Seth bringt Isis das Kind an verborgenem Ort zur Welt und zieht es auf. Der Kampf zwischen Horus und Seth ist der Gründungsmythos des pharaonischen Staates. Der Konflikt wird als Rechtsstreit ausgetragen. In einem ersten Urteil erhält Horus Unterägypten und Seth Oberägypten; das endgültige Urteil spricht Horus ganz Ägypten zu und findet Seth mit der Herrschaft über die Wüste ab. Schließlich setzt Isis Horus auf den Thron des Osiris, wodurch Horus das seinem Vater angetane Unrecht wieder gutmacht. In diesen Mythos sind unter anderem Aspekte von Totenglauben und Jenseitshoffnung, Herrschaft, Gewalt und Gerechtigkeit sowie die Auffassung vom Staat als einer göttlichen Institution eingegangen.

2) *Zoologie:* Nest von Greifvögeln, Eulen und größeren Rabenvögeln.

Hörstel, Stadt im Kr. Steinfurt, NRW, am Mittellandkanal, 17600 Ew.; Maschinenbau, Textil-, Teppichind., Ziegelei. – Entstand um ein Zisterzienserinnenkloster (1256–1808).

Hörstummheit, Stummheit bei intaktem Gehör (und richtigem Verständnis der Sprachlaute).

Hörsturz, plötzlich, meist einseitig auftretende Hörverschlechterung (Innenohrschwerhörigkeit), die v.a. mittlere und hohe Frequenzen betrifft und bis zur akuten Ertaubung führen kann. Überwiegende Ursache ist eine akute Durchblutungsstörung im Innenohr (u.a. bei Blutdruckschwankungen, Infektionen).

Hort, 1) *dichterisch:* Schatz, z.B. der H. der → Nibelungen.

2) Tagesstätte für schulpflichtige Kinder.

Horta ['ɔrta], Hafenstadt auf der Azoreninsel Faial, Portugal, 6900 Ew.; Kabel- und Funkstation, Flugplatz.

Horten (Hortung), Anhäufung von Gütern aus spekulativen Gründen; auch dauerhafter oder zeitweiliger Entzug von Geld aus dem Geldkreislauf.

Hortense [ɔr'tãs], Königin von Holland (1806–10), * Paris 10. 4. 1783, † Schloss Arenenberg (Thurgau) 5. 10. 1837; Tochter des Generals → Beauharnais und der späteren Kaiserin → Joséphine, heiratete 1802 Napoleons I. Bruder Louis Bonaparte; Mutter Napoleons III.

Hortensie [lat.] *die* (Hydrangea), strauchartige Gattung der Steinbrechgewächse in Amerika, O-Indien und O-Asien, mit gegenständigen Blättern und Scheindolden mit kronblattfarbigen Kelchblättern; beliebte Zierpflanze (z.B. **Gartenhortensie**).

Hortfunde, → Depotfunde.

Horthy, Miklós, auch Nikolaus H. von Nagybánya, ungar. Admiral (1918) und Politiker, * Kenderes (Bez. Jász-Nagykun-Szolnok) 18. 6. 1868, † Estoril (bei Lissabon) 9. 2. 1957; wurde 1918 als Vizeadmiral letzter Oberbefehlshaber der österr.-ungar. Flotte, organisierte als Kriegs-Min. der gegenrevolutionären Reg. von Szeged 1919 den Kampf gegen die ungar. Räterepublik. Am 1. 3. 1920 wurde er von der Nationalversammlung (unter Druck) zum Reichsverweser gewählt. In der Folgezeit verhinderte er die Versuche König Karls IV., den ungar. Thron wieder zu besteigen. Seine Außenpolitik war stark auf die Revision des Vertrages von Trianon (1920) gerichtet, seine Innenpolitik von antisemit. Vorstellungen bestimmt. In den 30er-Jahren schloss er Ungarn an die Achse Berlin–Rom an, erreichte 1938 und 1940 in den Wiener Schiedssprüchen Gebietserweiterungen seines Landes und führte am 28. 6. 1941 Ungarn auf der Seite der Achsenmächte in den Krieg gegen die UdSSR. Der

Versuch von H., mit den Westalliierten Kontakt aufzunehmen, führte im März 1944 zur Besetzung seines Landes durch dt. Truppen und im Okt. desselben Jahres zu seinem Sturz. Nach Internierung in Bayern ging H. 1948 in die Schweiz, später nach Portugal ins Exil. – Autobiographie »Ein Leben für Ungarn« (1953).

Horus, ägypt. Gott, dargestellt als Falke oder als Kind; Sohn der Isis, die ihn von →Osiris nach dessen Ermordung empfing; H. offenbarte sich in der Person des jeweiligen Pharao. Er galt als Himmels- und Lichtgott, Sonne und Mond waren seine Augen. In grch.-röm. Zeit v.a. als Kind **(Harpokrates)** und Urbild aller Schutzbedürftigen verehrt; auch mit Apoll identifiziert.

Horváth, Ödön von, österr. Schriftsteller, *Fiume (heute Rijeka) 9. 12. 1901, †(Unfall) Paris 1. 6. 1938; emigrierte 1938; schrieb ironisch-satir. Volksstücke, scharfe Analysen der kleinbürgerl. Gesellschaft und ihrer untergründigen Bösartigkeit (»Geschichten aus dem Wiener Wald«, 1931; »Glaube, Liebe, Hoffnung«, entstanden 1932, gedruckt 1936; »Figaro läßt sich scheiden«, 1937; »Der jüngste Tag«, 1937); auch Romane (»Der ewige Spießer«, 1930; »Ein Kind unserer Zeit«, 1938).

📖 HILDEBRANDT, D.: *Ö. v. H. mit Selbstzeugnissen u. Bilddokumenten. Reinbek 35.–37. Tsd., [8]1995.*

hörverbessernde Operation (Tympanoplastik), mikrochirurg. Maßnahmen am Trommelfell (Trommelfellersatz) und im Mittelohr (Ersatz oder Wiederaufbau der Gehörknöchelchenkette) bei chron. Entzündung und Verletzung.

Horwitz, Kurt Thomas, Schauspieler und Regisseur, *Neuruppin 21. 12. 1897, †München 14. 2. 1974; seit 1933 in der Schweiz; leitete 1946–50 das Stadttheater Basel, 1953–58 das Bayer. Staatsschauspiel.

Hōryūji [ho:rju:dʒi, japan.], ältester erhaltener buddhist. Tempel Japans, südwestlich von Nara, 607 vollendet, 670 niedergebrannt, zw. 670 und 714 wieder aufgebaut. Einzige erhaltene Anlage dieser Epoche in Ostasien (UNESCO-Weltkulturerbe). In den Schatzhäusern (Museum) befinden sich u.a. bed. Kunstwerke des 7. Jh. (Tamamushi-Schrein). Der örtl. Tempelbereich wurde 739 errichtet. Im Zentrum die achteckige »Traumhalle«.

Höslchen, Blütenstaubpäckchen an den Hinterbeinen von Bienen und Hummeln.

Hose, Kleidungsstück, als Ober- und Unterkleidung getragen; nachweisbar bereits im 1. Jt. v. Chr. bei den Skythen, Ostgermanen und Kelten. Im europ. Raum wurde die H. bis ins 20. Jh. v.a. von Männern getragen, bei den Polarvölkern, Chinesen, Mongolen, Arabern, Persern und Türken auch von Frauen.

Hōryūji: Die achteckige, 739 erbaute »Traumhalle« befindet sich im östlichen Tempelbezirk und wird nur einmal im Jahr geöffnet

Hosea [hebr. »(Gott) hat geholfen«], im N-Reich Israel wirkender Prophet des 8. Jh. v. Chr.; Hauptthemen des Buches H. sind die Liebe Gottes zu seinem Volk trotz dessen Abfalls zum kanaanäischen Baalskult, Strafreden gegen die Verehrung fremder Götter durch Israel und die Politik seiner Könige.

Hosenbandorden (Hochedler Orden vom Hosenbande, engl. The Most Noble Order of the Garter), höchster brit. Orden, gestiftet 1348 von Eduard III.; die Zahl der Ritter wird seit 1831 auf 26 (einschl. des Königs als Ordenssouverän) beschränkt und kann u.U. durch »Extra Knights«, z.B. Ausländer, überschritten werden. Das namengebende blaue, goldgesäumte Samtband (Inschrift: →Honi soit qui mal y pense) wird von Herren unter dem linken Knie, von Damen am linken Oberarm getragen.

Ödön von Horváth

Hosenrolle, männl. Bühnenrolle, die von einer Frau gespielt wird (z.B. Cherubin in Mozarts »Hochzeit des Figaro«), oder weibl. Rolle in Männerkleidung (Leonore in Beethovens »Fidelio«).

Hosenbandorden

»Honi soit qui mal y pense«

Das Zitat – auch in der deutschen Form: »Ein Schuft, wer Böses dabei denkt« – wird heute verwendet, wenn man in einer Situation sagen will: Nur ein Mensch, der immer gleich Schlechtes denkt, wird hierbei etwas Anstößiges finden. Wörtlich lautet die Übersetzung: »Verachtet sei, wer Arges dabei denkt«. »Honi soit qui mal y pense« ist der Wahlspruch des höchsten englischen Ordens, des so genannten Hosenbandordens (The Most Noble Order of the Garter). Seine Stiftung durch König Eduard III. 1348 wird nach Polydor Vergils »Englischer Geschichte« von 1570 auf einen galanten Zwischenfall zurückgeführt, als Eduard auf einem Ball das Strumpfband seiner Gemahlin oder seiner Geliebten, der Gräfin Salisbury, aufgehoben haben soll. Nach den 1841 von G. F. Beltz herausgegebenen »Memorials of the Order of the Garter« soll dagegen Eduard 1346 in der siegreichen Schlacht bei Crécy sein Strumpfband als Fahnenband benutzt und zur Erinnerung daran den Hosenbandorden gestiftet haben.

Hosios Lukas: Mosaik aus dem 11. Jh. in der Apsis der Hauptkirche

Hosianna [hebr. »hilf doch!«] (Vulgata: Hosanna), im A. T. (meist an Gott gerichteter) Bittruf; später Jubel- und Huldigungsruf.

Hosios Lukas [neugrch. ˈɔsjɔz luˈkas], orth. Kloster in Mittelgriechenland, südwestlich von Levadia, ben. nach seinem Gründer Lukas von Stiris (†um 951). An die Mönchskirche (10. Jh.) wurde gegen 1030 die Hauptkirche angefügt, beide Kreuzkuppelbauten mit Mosaikschmuck, Marmorinkrustation und Intarsien; in der Krypta Fresken. Wie die Klöster Daphni und Nea Moni auf Chios von der UNESCO zum Weltkulturerbe erklärt.

Stanislaus Hosius (zeitgenössischer Holzschnitt)

Hosius, Stanislaus (poln. Stanisław Hozjusz), poln. Humanist, *Krakau 5. 5. 1504, †Capranica Prenestina (Prov. Rom) 5. 8. 1579; seit 1561 Kardinal; päpstl. Legat auf dem Konzil von Trient; setzte seit 1564 mithilfe der Jesuiten die Konzilsbeschlüsse in Polen durch.

Hospital [zu lat. hospitalis »gastlich«] *das,* Bez. für Krankenhaus, veraltet für Pflegeheim, Altersheim.

Hospitalet [ɔspitaˈlɛt] (katalan. l'H. de Llobregat), Stadt in der span. Provinz Barcelona, 272 600 Ew.; Textil-, Chemie-, Stahl-, Papier-, Holzindustrie.

Hospitalismus *der,* **1)** *Medizin:* (infektiöser H.) Sammel-Bez. für Infektionskrankheiten, die in Kliniken, Pflegeheimen u.a. teilweise durch antibiotikaresistente Erreger hervorgerufen werden, die durch Luft, Staub, Gebrauchsgegenstände, Essen oder das Krankenhauspersonal übertragen werden. Zu diesen »Hospitalkeimen« gehören z. B. Staphylokokken, gramnegative Enterobakterien und Pseudomonas. Gefährdet sind bes. Patienten mit schweren Allgemeinkrankheiten und auf Intensivstationen, Immunschwache und frisch Operierte. Wichtigste vorbeugende Maßnahme ist die strenge Einhaltung der Hygienevorschriften.

2) *Psychologie:* seel. Folgen längeren Krankenhaus- oder Heimaufenthalts bes. bei Kindern: häufig Entwicklungsstörungen und psych. Schäden, die auf mangelnde emotionale Zuwendung und Anregung zurückzuführen sind.

Hospitaliter, kath. Ordensgemeinschaften, die sich seit dem frühen MA. v.a. der Krankenpflege in Hospitälern widmen (z. B. der Dt. Orden, die Orden der Johanniter und Antoniter und die →Barmherzigen Brüder); heute z. B. der weibl. Orden der Zellitinnen.

Hospitant [lat.] *der,* Gasthörer (Unterricht, Parlament).

Hospiz [von lat. hospitium »Herberge«] *das,* Unterkunftsstätte für Reisende, v.a. Pilger, in oder bei einem Kloster; Beherbergungsbetrieb (Hotel, Pension) mit christl. Hausordnung.

Hospodar [slaw. »Herr«] *der,* seit dem 14. Jh. Titel der Fürsten der Moldau und Walachei, die im 17.–19. Jh. von der Hohen Pforte ernannt wurden.

Hosta (Funkie), ostasiat. Gattung der Liliengewächse mit weißen, blauen oder violetten Blütentrauben; Zierpflanze.

Hostess [engl. »Gastgeberin«] *die,* Angestellte bei Reise-, Flug-, Schifffahrtsges., Verbänden, Hotels u. a. zur Betreuung der Gäste.

Hostie [lat. hostia »Opfer«] *die,* die in der kath. Eucharistie- und luth. Abendmahlsfeier verwendete scheibenförmige Oblate aus ungesäuertem Weizenbrot. (→Leib Christi)

Hotan [x-] (Khotan, Chotan, Hetian), Oase und alte Handelsstadt am S-Rand des Tarimbeckens, im S der Autonomen Region Sinkiang, China, 1400 m ü. M., am H.-Fluss, etwa 3600 km², 121 000 Ew.; Seidenind., Teppichproduktion, Jadeverarbeitung; Flughafen. – Durch H. verlief ein Zweig der Seidenstraße. Im 1. Jt. n. Chr. war H. eine bed. Karawanenstadt und ein Zentrum des Buddhismus.

Hot-dry-rock-Verfahren [hɔt draɪ ˈrɔk-, engl.], Verfahren zur Nutzung →geothermischer Energie.

Hotel [frz.] *das,* Beherbergungs- und Verpflegungsbetrieb, nach Service, Ausstattung und Qualität in versch. Kategorien eingeteilt. Kleine H. ohne Verpflegungsbetrieb (nur Frühstück) werden **H. garni** genannt. Das in der Bundesrep. Dtl. bis in die 1980er-Jahre vorwiegend mittelständisch geprägte H.-Gewerbe unterliegt einem starken Konzentrationsprozess, der durch die Expansion großer H.-Ketten gekennzeichnet ist. Die H. in Dtl. sind im »Dt. Hotel- und Gaststättenverband e. V.«, Bonn, zusammengeschlossen.

Hôtel [o'tɛl, frz.], in Frankreich palastartiges Stadtgebäude als Wohnsitz des Adels (bes. im 17. und 18. Jh.). **H. de ville,** in frz. Städten das Rathaus.

Hotjazz [-dʒæz], Bez. für die älteren Stilbereiche des Jazz (z.B. New-Orleans-Jazz, Dixielandjazz).

Hotmelts ['hɔtmelts, engl.], Sammelbez. für Werkstoffe und Klebstoffe auf der Grundlage von Paraffinen, Wachsen, Harzen, Elastomeren und Thermoplasten, die bei normaler Temperatur fest sind, beim Erwärmen einen thermoplast. Bereich durchlaufen und in flüssige Schmelzen übergehen.

Hot Money ['hɔt 'mʌnɪ, engl.] *das,* → heißes Geld.

Hot Spot ['hɔt spɔt; engl. »heißer Punkt«] *der,* **1)** *Genetik:* bes. häufig mutierende Stelle eines Gens.

2) *Geologie:* (heißer Fleck) ortsfester Aufschmelzungsbereich im Erdmantel unterhalb der Lithosphäre, von dem heißes, geschmolzenes und daher spezifisch leichteres Gestein zylindrisch-schlotartig zur Erdoberfläche aufdringt. Die dadurch bewirkten vulkan. Erscheinungen (z.B. Island) führen bei gleichgerichteter ständiger Plattenbewegung (Sea-Floor-Spreading) zur Entstehung von Inselketten. Beispiele sind die Hawaii-Inseln und der zum selben System gehörende untermeer. Imperatorrücken.

Hot Springs ['hɔt 'sprɪŋz; engl. »heiße Quellen«], Thermalbad (Stadt) in Arkansas, USA, 32 500 Ew.; in der Umgebung der **H. S. National Park** (2 363 ha; gegr. 1921, mit 47 heißen Quellen).

Hottentotten (Eigenbez. Khoikhoin), Völkerfamilie in S- und SW-Afrika, möglicherweise durch eine frühe Verbindung von Buschmännern und hamit. Hirtenvölkern in O-Afrika entstanden; einst Nomaden und Wildbeuter mit Rinder-, Schaf- und Ziegenhaltung. Im 17. Jh. wurden die H. von den Buren versklavt oder vertrieben, in der folgenden Zeit sind sie durch Kriege oder Infektionskrankheiten stark dezimiert worden; viele haben sich mit Weißen oder Bantu vermischt. Als einzige ethn. Gruppe haben sich die → Nama in Namibia erhalten. Ihre Sprache gehört zur Gruppe der Khoisansprachen (→ Khoisan).

Hötzendorf, → Conrad von Hötzendorf.

Hotzenwald, Hochfläche des südl. Schwarzwalds, zw. Wehra, Schlücht/Schwarza und Hochrhein, um 600–700 m ü. M.

Houdar de La Motte [u'dar dəla'mɔt], Antoine, frz. Schriftsteller, *Paris 17. (18.?) 1. 1672, † ebd. 26. 12. 1731; Anreger der »Modernen« im großen Literaturstreit (»Querelle des anciens et des modernes«) der Frühaufklärung, forderte die Ablösung des Verses durch die Prosa in allen Gattungen.

Houdon [u'dɔ̃], Jean-Antoine, frz. Bildhauer, *Versailles 20. 3. 1741, † Paris 15. 7. 1828; schuf Bildwerke im Stil des ausgehenden Barock sowie klassizistisch beeinflusste Werke; v.a. Porträtbüsten (Diderot, Katharina II., Voltaire).

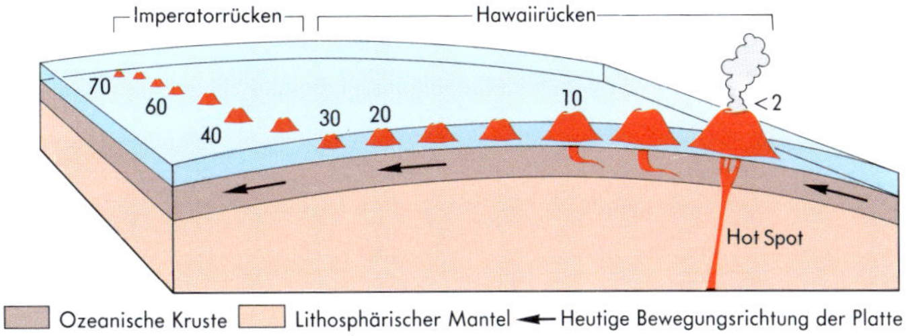

Hot Spot 2): Die Bildung ozeanischer Vulkaninseln (Hawaiirücken) und untermeerischer Vulkanketten (Imperatorrücken) über einem »Hot Spot« erfolgt, wenn die ozeanische Kruste über einen aus großer Tiefe des lithosphärischen Mantels aufsteigenden heißen säulenförmigen Konvektionsstrom hinweggleitet; die Zahlen geben die fortschreitende zeitliche Aufeinanderfolge in Millionen Jahren wieder

Hounsfield ['haʊnzfi:ld], Godfrey Newbold, brit. Elektroingenieur, *Newark (Nottinghamshire) 28. 8. 1919; seit 1951 Mitarbeiter des brit. Elektronikkonzerns EMI (heute Thorn EMI). H. schuf die Grundlagen der → Computertomographie, entwickelte den EMI-Scanner; erhielt 1979 (mit A. M. Cormack) den Nobelpreis für Physiologie oder Medizin.

Godfrey Hounsfield

Houphouët-Boigny [ufwɛbwa'ɲi], Félix, Politiker der Elfenbeinküste, *Yamoussoukro 18. 10. 1905, † ebd. 7. 12. 1993; stammt aus einer Adelsfamilie der Baule; Arzt; Gründer (1945) und Vors. des »Parti Démocratique de la Côte d'Ivoire« (PDCI), 1945–59 Abg. in der frz. Nationalversammlung und 1956–59 Minister verschiedener frz. Regierungen; 1946 führend an der Gründung des → Rassemblement Démocratique Africain beteiligt (1946–59 dessen Präsident). Seit 1959 Premiermin. der Rep. Elfenbeinküste, erklärte er am 7. 8. 1960 die staatl. Unabhängigkeit seines Landes. Im Nov. desselben Jahres zum Staatspräs. gewählt, musste er 1990 unter dem Druck sozialer Unruhen die Einleitung polit. Reformen zugestehen.

Félix Houphouët-Boigny

Hourdissteine [ur'di-, frz.] (Hourdisplatten), Tonhohlplatten für den Einschub zw. Deckenträger **(Hourdisdecke).**

Houssay [u'sai], Bernardo Alberto, argentin. Physiologe, *Buenos Aires 10. 4. 1887, † ebd. 21. 9. 1971; ermittelte die Bedeutung des Hypophysenvorderlappens für den Zuckerstoffwechsel und erhielt hierfür 1947 (mit C. F. und G. T. Cori) den Nobelpreis für Physiologie oder Medizin.

Bernardo Houssay

Houston ['hju:stən], Stadt in Texas, USA, 1,7 Mio. Ew., als Metropolitan Area 3,54 Mio. Ew.; die bedeutendste Hafen-, Industrie- und Handelsstadt an der amerikan. Golfküste; mehrere Univ., Texas Medical Center; Museen und Theater, Opern-

Houston: Kontrollzentrum für bemannte Weltraumflüge im Lyndon B. Johnson Space Center der NASA

haus; chem. Großind., Stahl verarbeitende Ind., Elektronikind.; durch einen 80 km langen Kanal mit dem Golf und dem Intracoastal Waterway verbunden; internat. Flughafen. – Bei H. liegt das Lyndon B. Johnson Space Center, das Raumfahrtzentrum der NASA.

Hove [hoʊv], Stadt und Seebad in der engl. Cty. East Sussex, am Ärmelkanal, 66 600 Ew.; Werkzeug-, elektrotechn., Bekleidungsind., Maschinenbau; mit Brighton zusammengewachsen.

Hovercraft ['hɔvəkrɑ:ft, engl.] *das,* →Luftkissenfahrzeug.

Howard ['haʊəd], engl. Adelsgeschlecht, aus dem seit 1483 die Herzöge von →Norfolk stammen, ferner →Katharina H., die fünfte Frau Heinrichs VIII. von England.

Howrah ['haʊrə], Stadt in Indien, →Haora.

Hoxha ['hɔdʒa] (Hodscha), Enver, alban. Politiker, *Gjirokastër 16. 10. 1908, †Tirana 11. 4. 1985; ab 1943 Gen.-Sekr. der KP Albaniens, ab 1954 Erster Sekretär des ZK der »Partei der Arbeit« und 1944–54 MinPräs., leitete die Umwandlung Albaniens in einen Staat nach marxistisch-leninist. Muster und errichtete ein diktator. Reg.system.

Höxter 2) Stadtwappen

Hö̩xter, 1) Kreis im RegBez. Detmold, NRW, 1200 km², (1996) 154 700 Einwohner.

2) Krst. von 1) in NRW, an der Oberweser, 33 500 Ew.; Abteilung der Gesamthochschule Paderborn; vielseitige Industrie. – Kilianskirche (11.–16. Jh.) mit roman. Westbau, frühgot. Marienkirche (13. Jh.), Rathaus (1610–13, Weserrenaissance), Fachwerkhäuser. Bei H. liegt Kloster →Corvey. – Um 822 erstmals erwähnt, um 1235 Stadtrecht.

Hoyerswerda Stadtwappen

Hoyer, Dore, Tänzerin und Choreographin, *Dresden 12. 12. 1911, †(Selbstmord) Berlin (West) 30. 12. 1967; leitete 1945–47 in Dresden die ehem. Wigman-Schule, 1949–51 Ballettmeisterin an der Hamburger Staatsoper; bed. Vertreterin des Ausdruckstanzes.

Hoyerswẹrda (sorb. Wojerecy), kreisfreie Stadt im RegBez. Dresden, Sachsen, an der Schwarzen Elster, 59 200 Ew.; Wohnstadt für die 12 km entfernten Energiewerke →Schwarze Pumpe; Elektronik- u.a. Industrie. – Spätgot. Pfarrkirche, Renaissancerathaus und -schloss. – H. erhielt 1371 Markt-, 1423 Stadtrecht.

hp, Einheitenzeichen für →Horsepower.

hPa, Einheitenzeichen für Hektopascal, 1 hPa = 100 Pa = 1 mbar.

Hrạbal, Bohumil, tschechischer Schriftsteller, *Brünn 28. 3. 1914, †Prag 3. 2. 1997; Jurist; zeitweise Publikationsverbot; schrieb Erzählungen in der Art J. Hašeks, z. B. »Das Perlchen am Grunde« (Erz.n, 1963), »Ich habe den engl. König bedient« (R., Untergrundausgabe 1982), »Das Städtchen, in dem die Zeit stehenblieb« (R., entstanden 1963, gedruckt 1982); sein Werk wurde zum großen Teil dramatisiert und verfilmt.

Hrabanus Maurus (Rhabanus Maurus), Kirchenschriftsteller und Universalgelehrter, *Mainz um 780, †ebd. 4. 2. 856; Schüler Alkuins in Tours; seit 804 Vorsteher der Klosterschule, 822–842 Abt des Klosters Fulda, seit 847 Erzbischof von Mainz; Vermittler des geistigen Erbes von Antike und Kirchenvätern; galt als einer der bedeutendsten Gelehrten im karoling. Reich; auch umfangreiche schriftstellerische Tätigkeit, u.a. ein Zyklus von 28 Figurengedichten »De laudibus sanctae Crucis« (um 810).

Weiteres Werk: De rerum naturis (22 Bde.).

Hrabanus Maurus: Papst Gregor IV. nimmt von Hrabanus Maurus (rechts) ein Buch entgegen, Ausschnitt aus einer Miniatur in einer Papst Gregor IV. gewidmeten Handschrift der Figurengedichte (844; Wien, Österreichische Nationalbibliothek)

📖 *H. M. Lehrer, Abt u. Bischof, hg. v.* R. Kottje *u.* H. Zimmermann. *Mainz 1982.*

Hradec Králové ['hradεts 'kraːlɔvεː], tschech. Name von →Königgrätz.

Hradschin *der,* Burgviertel und Stadtteil von →Prag.

Hrdlicka ['hɪrdlɪtska], Alfred, österr. Bildhauer, Grafiker und Maler, *Wien 27. 2. 1928; studierte 1952–57 bei F. Wotruba. Sein Werk umfasst expressiv-realistische Steinskulpturen, Zyklen von Zeichnungen und Radierungen (»Plötzenseer Totentanz«, 1970–72, Gemälde und Fresken, die Themen wie Bedrohung, Tod, Gewalt, Sexualität sowie psych. Grenzsituationen behandeln; bed. Plastiken, u.a. Monument für Friedrich Engels in Wuppertal (1978–81); Gegendenkmal zu einem Kriegerdenkmal in Hamburg (4 Tle., 1982 ff., 2 Tle. 1986 und 1987 errichtet); Mahnmal gegen Krieg und Faschismus in Wien (1988 errichtet).

Alfred Hrdlicka

Hrodna, Stadt in Weißrussland, →Grodno.

Hrolf Krake, historisch nicht gesicherter König der dän. Frühzeit. Wichtige Quellen sind die altisländ. »Bjarkamál« (etwa 12. Jh.), ein lat. Gedicht des Saxo Grammaticus sowie die spätaltisländ. »Hrólfs saga kraka« (14. Jh.).

Hromádka ['hrɔmaːtka], Joseph, tschech. ref. Theologe, *Hodslavice (bei Jičín) 8. 6. 1889, †Prag 26. 12. 1969; führend im ökumen. Rat der Kirchen tätig; 1958 Gründer und bis 1968 Präs. der Christl. Friedenskonferenz; bemühte sich um den Dialog zw. Christen und Marxisten.

Hrotsvith von Gandersheim (Roswitha von Gandersheim), mittellat. Dichterin aus sächs. Adel, *um 935, †Gandersheim nach 973 (?); sie trat jung in das Kloster Gandersheim ein, wo sie ihre theolog. und literar. Bildung erwarb. Sie verfasste zunächst Heiligenlegenden (»Pelagius« u.a.) in Distichen und leonisch gereimten Hexametern. Bedeutender sind ihre sechs Dramen, die ein christl. Gegenstück zu den Komödien des Terenz bilden sollten und mit lebendigem Dialog und wirkungsvoller Szenenfolge als Versuche christl. Schauspiels im MA. einzig dastehen; sie sind nicht für die Bühne gedacht. Ihre histor. Dichtungen in Hexametern feiern Otto I., d. Gr., und beschreiben die Anfänge (bis 919) des Klosters Gandersheim.

📖 Kronenberg, K.: *Roswitha von Gandersheim u. ihre Zeit. Bad Gandersheim* [4]*1978.*

Hrozný ['hrɔzniː], Friedrich (Bedřich), tschech. Keilschriftforscher, *Lysá nad Laben (Mittelböhm. Gebiet) 6. 5. 1879, †Prag 12. 12. 1952; erkannte den indogerman. Charakter des Hethitischen, war 1924/25 an den Ausgrabungen am Kültepe beteiligt und wirkte u.a. an der Entzifferung der hethitischen Hieroglyphen mit.

Hrvatska ['hrvaːtskaː], kroatischer Name von →Kroatien.

Hrywnja ['hre-] (Griwna), Abk. **UAH,** die ukrain. Währungseinheit: 1 UAH = 100 Kopijki (Kopeken); →Währung, Übersicht.

HSBC Holdings [eɪtʃesbi'siː 'həʊldɪŋz], London, 1992 durch Fusion von Midland Bank (gegr. 1836) und Hongkong and Shanghai Banking Corp. (gegr. 1865) entstandene brit. Bankengruppe mit Geschäftsschwerpunkt in der asiatisch-pazif. Region. Zum Konzern gehören u.a. auch die Hang Seng Bank und in Dtl. die Trinkaus & Burkhardt KGaA. (→Banken, Übersicht)

Hsiamen, Hafenstadt in China, →Xiamen.

Hsian, chines. Stadt, →Xi'an.

Hsienyang, chines. Stadt, →Xianyang.

Hsinchiang, Autonomes Gebiet in China, →Sinkiang.

Hsinchu [-dʒu] (Hsintschu), Stadt im NW von Taiwan, 338 000 Ew.; Univ., Fachhochschule für Elektrotechnik; chem. Ind., Maschinenbau.

Hrotsvith von Gandersheim: Die Dichterin überreicht Kaiser Otto I. (rechts) und dem Erzbischof von Mainz ihr Werk, Holzschnitt von Albrecht Dürer (1501)

Hsin Hua [»Neues China«], →Xinhua.

HTML, Abk. für engl. **H**yper**t**ext **M**arkup **L**anguage, Computersprache, die die formalen Kriterien für das Aussehen von Dokumenten im World Wide Web (→WWW) festlegt. Mithilfe von Kürzeln **(Tags, Markups)** werden die einzelnen Elemente eines Dokumentes definiert (z.B.

Überschriften, Listen, Bilder). Die Darstellung des Textes wird dem →Browser überlassen, sodass ein HTML-Dokument bei verschiedenen Browsern unterschiedlich aussehen kann; die logische Struktur muss dabei jedoch immer gleich bleiben. Durch **Hyperlinks** können Verweise auf andere Teile des gleichen Dokuments, auf andere Dokumente desselben →Servers oder aber auf Dokumente anderer Server im WWW eingefügt werden. Für das Erstellen und Bearbeiten von HTML-Dokumenten gibt es spezielle **HTML-Editoren.** HTML wird durch die Defintion neuer Tags ständig weiterentwickelt. (→Hypertext)

HTTP, Abk. für engl. **H**yper**t**ext **T**ransmission **P**rotocol, Protokoll (Sammlung von Regeln), das die Datenformate und die Art der Übermittlung von HTML-Seiten (→HTML) im World Wide Web (→WWW) festlegt. HTTP arbeitet nach dem **Client-Server-Prinzip** ohne ständige Verbindungen, d.h. für jede Anfrage (vom Client) wird eine Verbindung eröffnet, auf die Antwort (vom →Server) gewartet und die Verbindung dann wieder abgebrochen; dadurch werden die Kommunikationskanäle **(Ports)** des Servers nicht belegt. (→Hypertext)

Hua Guofeng

Hua Guofeng, chines. Politiker, *Jiaocheng (Prov. Shanxi) 1920; war 1976–80 MinPräs. und als Nachfolger Mao Zedongs 1976–81 Vors. des ZK der KPCh.

Huai He *der* (Huaiho, Hwaiho), Fluss in der Großen Ebene N-Chinas, 1078 km lang, endet in den Seen Hongze Hu und Gaoyou Hu, von dort Abfluss zum Jangtsekiang.

Huainan (Hwainan), Stadt in der Prov. Anhui, China, am Huai He, 1,2 Mio. Ew.; Steinkohlenbergbau, Düngemittelind., Maschinenbau.

Huaining, chines. Stadt, →Anqing.

Huambo ['u̯ambu] (1928–75 Nova Lisboa), Provinz-Hptst. in Angola, 400 000 Ew.; kath. Bischofssitz; Zentrum eines Agrargebietes; Flughafen.

Huancavelica [u̯aŋkaβe'lika], Hptst. des Dep. H., Peru, 3798 m ü.M., 30 700 Ew.; Bergbauzentrum (Quecksilber, Silber). – Gegr. 1572.

Huancayo [u̯aŋ'kajo], Hptst. des Dep. Junín, Peru, in den Anden, 3260 m ü.M.; 256 700 Ew.; Erzbischofssitz; Univ.; Handelsplatz; Sonntagsmarkt. – Gegr. im 16. Jahrhundert.

Huang Hua

Huangdi (Huang-ti) [»Gelber Kaiser«], legendärer erster Kaiser Chinas; lebte nach der Überlieferung gegen Ende des 3. Jt. v. Chr., gilt als Ahnherr der chines. Zivilisation.

Huanghe (Huangho), Fluss in China, →Hwangho.

Huang Hua (früher Wang Rumei), chines. Diplomat und Politiker, *in der Prov. Hebei 1913; 1971–76 ständiger Vertreter Chinas bei den UN, ab 1973 Mitgl. des ZK der KPCh, entwickelte als Außenmin. (1976–83) die Kontakte Chinas zu den westl. Industriestaaten; 1986–88 amtierender Vorsitzender des Nat. Volkskongresses.

Huánuco ['u̯a-], Hptst. des Dep. H., Peru, am Río Huallaga, in der Zentralkordillere, 1893 m ü.M.; 117 300 Ew.; Bischofssitz; Handelszentrum. – Gegr. 1539.

Huangdi: Der Gelbe Kaiser in einer Steinreliefdarstellung aus einer um 150 n. Chr. gebauten Grabanlage

Huaraz [u̯a'ras] (Huarás), Hptst. des Dep. Ancash, Peru, am Río Santa, 3063 m ü.M.; 66 300 Ew.; Bischofssitz; Silbererzbergbau.

Huascarán, Nevado de [ne'baðo ðe u̯aska'ran], vergletscherter Doppelgipfel in den peruan. Anden, in der Cordillera Blanca, 6768 und 6655 m.

Huaxteken [uaʃ'te:kən], Indianerstamm der Maya-Sprachgruppe in der Golfzone NO-Mexikos, etwa 75 000. Schon von den übrigen Maya vor Entwicklung der Hochkultur getrennt, besaßen sie Keramik und Tempel auf Plattformen.

Hub, bei →Hubkolbenmaschinen der Weg, den der Kolben zw. dem oberen und unteren Totpunkt zurücklegt. Das Produkt aus H. und Kolbenfläche ergibt das Zylinderhubvolumen (Hubraum eines Zylinders).

Hubble [hʌbl], Edwin Powell, amerikan. Astronom, *Marshfield (Mo.) 20. 11. 1889, †San Marino (Calif.) 28. 9. 1953; seit 1919 am Mount-Wilson-Observatorium in Pasadena; arbeitete über kosm. Nebel und Sternsysteme, entwickelte eine Klassifizierung der Galaxien und die Theorie von der Expansion des Universums (→Hubble-Effekt).

📖 SAROV, A. S. *u.* NOVIKOV, I. D.: *E. H. Der Mann, der den Urknall entdeckte. A. d. Engl. Basel u. a. 1994.*

Hubble-Effekt ['hʌbl-], die von E. P. Hubble 1929 entdeckte →Rotverschiebung der Spektrallinien weit entfernter Galaxien in Abhängigkeit von ihrer Entfernung. Man deutet den H.-E. als Doppler-Effekt, nach dem die Galaxien eine radial gerichtete Fluchtbewegung (Expansion des Universums) ausführen. Zw. der Fluchtgeschwindigkeit υ und der Entfernung r eines Sternsystems besteht der lineare Zusammenhang $\upsilon = H \cdot r$, d.h., die Sternsysteme bewegen sich vom Milchstraßensystem um so schneller fort, je weiter sie von diesem entfernt sind. Der Wert für die **Hubble-Konstante** *H* liegt je nach Bestimmungsmethode zw. 50 und 80 km/s je Megaparsec. Der Kehrwert der Hubble-Konstanten, die **Hubble-Zeit,** ist eine obere Grenze für das Alter der Welt.

Hubble-Weltraumteleskop ['hʌbl-; nach E. P. Hubble], das größte opt. und Ultraviolett-Observatorium im Weltraum, das 1990 als gemeinsames Projekt von NASA und ESA gestartet wurde, um außerhalb der störenden Atmosphäre Beobachtungen lichtschwacher galakt. Objekte mit bisher unerreichter Leistungsfähigkeit durchzuführen. Die Abbildungsfehler aufgrund des falsch geschliffenen 2,4-m-Hauptspiegels ließen sich großenteils mit Bildverarbeitungsverfahren korrigieren, dennoch wurde das H.-W. 1993 in der Umlaufbahn repariert und mit zusätzl. Messgeräten ausgerüstet.

📖 *Hubble, ein neues Fenster zum All, bearb. v.* D. Fischer *u.* H. Duerbeck. *Basel u.a. 1995.*

Hubbuch, Karl, Grafiker und Maler, *Karlsruhe 21. 11. 1891, †ebd. 26. 12. 1979; lehrte 1925–33 und 1948–57 an der Akademie in Karlsruhe; schuf Grafiken und Gemälde in einem sozialkritisch engagierten Verismus.

Hubei (Hupeh, Hupei), Provinz im zentralen China, 185 900 km², (1994) 57,19 Mio. Ew.; Hptst.: Wuhan. Kernraum ist die seenreiche Flussniederung am Jangtsekiang und am Han Shui; wichtiges Reisanbaugebiet, bed. Tungölgewinnung, Süßwasserfischerei; Abbau von Gips und Erzen.

Hubel ['hju:bəl], David Hunter, amerikan. Neurophysiologe, *Windsor (Prov. Ontario) 27. 2. 1926; erforschte die Mechanismen bei der Informationsverarbeitung opt. Reize durch das Gehirn; erhielt hierfür 1981 (mit R. W. Sperry und T. N. Wiesel) den Nobelpreis für Physiologie oder Medizin.

Huber, 1) Ernst Rudolf, Staatsrechtslehrer, *Oberstein (heute zu Idar-Oberstein) 8. 6. 1903, †Freiburg im Breisgau 28. 10. 1990; befasste sich mit Staatskirchenrecht, Wirtschaftsverwaltungsrecht und nach 1933 Verfassungsfragen des Dritten Reiches; später bestimmte die Verf.geschichte sein Werk (»Dt. Verfassungsgesch. seit 1789«, 8 Bde.; 1957–91).

2) Eugen, schweizer. Jurist, *Stammheim (Kt. Zürich) 13. 7. 1849, †Bern 23. 4. 1923. Das Schweizer. Zivilgesetzbuch ist im Wesentlichen seine Schöpfung; verfasste »System und Geschichte des schweizer. Privatrechts«, 4 Bde. (1886–93).

Edwin P. Hubble

3) Hans, schweizer. Jurist, *St. Gallen 24. 5. 1901, †Muri (bei Bern) 13. 11. 1987; arbeitete auf den Gebieten des Staats-, Verwaltungs- und Völkerrechts; war maßgeblich an der Vorbereitung einer Totalrevision der Bundesverfassung beteiligt.

4) Klaus, schweizer. Komponist, *Bern 30. 11. 1924; schrieb, kompositionstechnisch an A. Webern anknüpfend, ausdrucksvolle religiöse Werke; u.a. Kammermusik, Vokalwerke (u.a. »Erniedrigt–geknechtet–verlassen–verachtet«, 1983; Texte von E. Cardenal), Orchesterwerke.

5) Kurt, Musikwissenschaftler, Volksliedforscher, Psychologe und Philosoph, *Chur 24. 10. 1893, †(hingerichtet) München 13. 7. 1943; seit 1926 Prof. in München, seit 1942 geistiger Mittelpunkt der →Weißen Rose, 1943 verhaftet.

6) Nicolaus A., Komponist, *Passau 15. 12. 1939; studierte u.a. am Elektron. Studio bei J. A. Riedl in München und bei L. Nono in Venedig; wurde 1974 Prof. für Komposition an der Folkwang-Musikhochschule in Essen; komponierte Orchesterwerke (u.a. »Harakiri«, 1971; »Go Ahead«, 1988; »Drei Stücke für Orchester, Atmer/Sänger und Klavier«, 1992); Werke für Soloinstrumente, Kammermusik.

Robert Huber

7) Robert, Biochemiker, *München 20. 2. 1937; seit 1972 Leiter der Abteilung Strukturforschung am Max-Planck-Institut in Planegg-Martinsried, seit 1987 dort Direktor. 1988 erhielt er für die

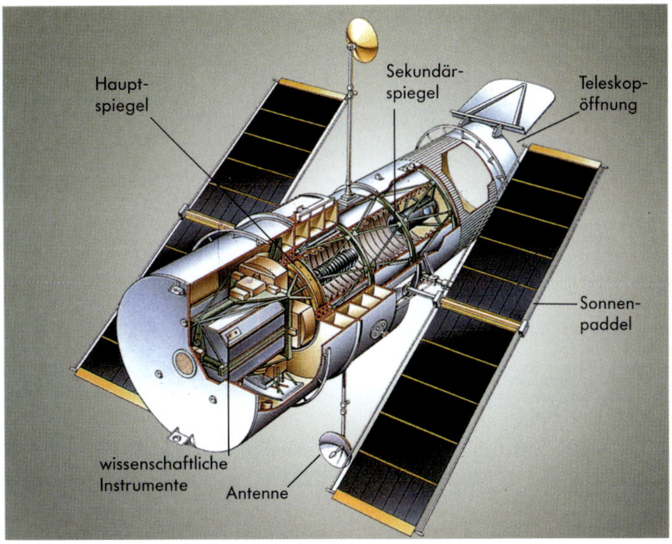

Hubble-Weltraumteleskop: Teilschnittzeichnung des Teleskops (Länge etwa 13 m, Masse über 11 t); die Öffnung für den Lichteinfall liegt hinten, in der Mitte der Sekundärspiegel und davor der Hauptspiegel (Durchmesser 2,4 m); die außen am Teleskop angebrachten Sonnenpaddel dienen zur Stromversorgung, die Antennen für die Funkverbindung mit der Erde

Hubertusburg: Eingangsflügel des 1743–51 von Johann Christoph Knöffel erbauten kurfürstlich sächsischen Jagdschlosses

Bestimmung der dreidimensionalen Struktur des photosynthet. Reaktionszentrums eines Bakteriums den Nobelpreis für Chemie (mit J. Deisenhofer und H. Michel).

8) Wolf, Maler, Baumeister und Zeichner, *Feldkirch (Vorarlberg) um 1485, †Passau 3. 6. 1553; neben A. Altdorfer der bedeutendste Meister der →Donauschule; schuf Altartafeln, Bildnisse und Landschaftszeichnungen: Annenaltar in der Pfarrkirche Sankt Nikolaus zu Feldkirch (1515–21; heute größtenteils Wien, Kunsthistor. Museum); Marienaltar (um 1525–30; Berlin und München); Passionsaltar (um 1530; München und St. Florian bei Linz).

Huberman, Bronisław, polnischer Violinist, *Tschenstochau 19. 12. 1882, †Corsier-sur-Vevey (Kt. Waadt) 16. 6. 1947; geschätzter Beethoven- und Brahms-Interpret.

Hubertus, Bischof von Tongern-Maastricht (später Lüttich), *um 655 (?), †Tervuren 30. 5. 727; nach der Legende während einer Jagd durch die Erscheinung eines Hirsches mit einem Kreuz zw. dem Geweih bekehrt; Schutzpatron der Jagd, Jager und Schützenvereine; Heiliger, Tag: 3. 11. **(H.-Tag,** mit den **H.-Jagden).**

Hubertusburg, ehem. kurfürstl. Jagdschloss, eine barocke Vierflügelanlage, in Wermsdorf bei Oschatz, Sachsen (erbaut 1743–51 durch J. C. Knöffel). – Der **Friede von H.** vom 15. 2. 1763 beendete den →Siebenjährigen Krieg.

Hubinsel (Hubplattform), schwimmfähige Bohrplattform in der →Offshoretechnik; dient z. B. für die Gas- und Erdölbohrung vor der Küste. Die H. besitzt verstellbare Stützen, die beim Bohren auf den Meeresgrund abgesenkt werden.

Hubkolbenmaschine, eine Kolbenmaschine, bei der die Volumenänderung des Arbeitsraumes durch die Hin- und Herbewegung eines Kolbens in einem Zylinder erzeugt wird. Die Bewegung des Kolbens wird meist durch ein →Kurbelgetriebe erreicht. H. eignen sich bes. zur Erzeugung und Verarbeitung hoher Drücke, daher werden sie v. a. als Pumpen **(Hubkolbenpumpen)** und als →Verbrennungsmotoren verwendet. Das Ansaugen und Ausschieben des Fördermediums wird durch Ventile gesteuert, die entweder automat. durch Druckunterschiede zw. Zylinder und Saug- (oder Druck-)Leitung betätigt werden (Pumpen, Kompressoren) oder zwangsweise von →Nocken (Verbrennungsmotoren) gesteuert werden.

Hubli-Dharwad, Stadt in Karnataka, Indien, am W-Rand des Dekhan, 647 600 Ew.; Univ.; Textil-, Papierind. – 1961 Vereinigung der Städte Hubli und Dharwar (heute Dharwad).

Hubraum (Hubvolumen), das vom Kolben einer →Hubkolbenmaschine bei einem Hub verdrängte Volumen. Bei Verbrennungsmotoren wird meist der (Gesamt-)H. aller Zylinder angegeben.

Hubraumleistung (Literleistung), auf den Hubraum aller Zylinder bezogene Leistung eines Verbrennungsmotors; angegeben als Leistung je Liter Hubraum (kW/l). Die H. ist drehzahlabhängig und kann mit dem absoluten Zahlenwert nur bei gleichem Zylindervolumen oder Motoren gleicher Größenordnung als Vergleichszahl verwendet werden.

Wolf Huber: »Beweinung Christi«; Rückseite des Annenaltars in der Pfarrkirche Sankt Nikolaus zu Feldkirch (1515–21)

Hubschrauber: Hughes AH-64 »Apache«, ein amerikanischer zweisitziger Kampfhubschrauber mit seitlich angebrachten Gasturbinen

Hubschrauber (Helikopter), ein Drehflügelflugzeug, das seinen Auf- und Vortrieb durch eine oder mehrere Hubschrauben erhält. Eine Hubschraube (Rotor) hat zwei bis sechs schmale Flügelblätter. Sie läuft um eine senkrechte (oder nahezu senkrechte) Achse mit mäßiger Drehzahl um. Je nach Anstellwinkel der Flügelblätter und Änderung der Achsstellung können H. auf der Stelle schweben, senkrecht steigen oder sinken, waagerecht, seitwärts oder rückwärts fliegen. Die Hubschrauben sind über dem Rumpf angeordnet, zu ihrem Antrieb dienen ein oder zwei im Rumpf untergebrachte Motoren oder Gasturbinen (auch kleine Strahltriebwerke, Raketen oder Druckluftdüsen an den Flügelblattenden sind möglich). Beim **einrotorigen H.** gleicht eine kleine Heckschraube das freie Drehmoment des Rotors aus, das den Rumpf um die Hochachse zu drehen versucht. Beim **mehrrotorigen H.** mit zwei tandemartig hintereinander oder zwei über- oder nebeneinander angeordneten gegenläufigen Hubschrauben entfällt das freie Drehmoment und daher auch die Heckschraube. Bei Triebwerksausfall wird die Eigendrehung des Rotors durch den Fahrtwind ausgenutzt, um im Autorotationsflug gefahrlos zu landen.

H. werden im zivilen und militär. Bereich für besondere Transportaufgaben, für Überwachungs- und Beobachtungsaufgaben sowie für Sonderaufgaben (z.B. im Luftrettungsdienst) eingesetzt. Im militär. Bereich dient der H. auch als **Kampfhubschrauber**. – Je nach Verwendungszweck werden Leicht-H. (Zweimannbesatzung, Rotordurchmesser 10 m) und Schwer-H. (100 t Startmasse, Rotordurchmesser 35 m) unterschieden. – Der erste wirklich flugfähige H. wurde von L. Bréguet und R. Dorand konstruiert (Bréguet-Dorand-Gyroplane; Erstflug 1935), dessen Flugleistung jedoch wenig später durch eine Konstruktion von H. Focke weit übertroffen wurde (Focke-Wulf Fw 61; Erstflug 1936); bereits 1937 Höhenrekord über 2400 m).

📖 *Technik u. Geschichte der H., bearb. v.* R. Besser. *Neuausg. Koblenz 1990. – Enzyklopädie der H. Geschichte, Technik, Marken, hg. v.* G. Apostolo. *A. d. Italien. Augsburg 1995.*

Hub-Schub-Triebwerk, ein →Strahltriebwerk.

Hubstrahler, ein ausschl. durch den Schub von →Strahltriebwerken getragenes und lagestabilisiertes Luftfahrzeug, das somit ohne aerodynam. Auftriebserzeugung auskommt. H. sind →Senkrechtstarter und schwebeflugfähig; bislang nur als Forschungs- und Versuchsgeräte verwendet.

Hubtriebwerk, ein →Strahltriebwerk.

Huch, **1)** Friedrich, Schriftsteller, *Braunschweig 19. 6. 1873, †München 12. 5. 1913, Vetter von 2) und 3); schrieb Satiren und psycholog. feinfühlige Romane wie »Peter Michel« (1901) und »Enzio« (1911).

2) Ricarda, Pseudonym Richard Hugo, Schriftstellerin, *Braunschweig 18. 7. 1864, †Schönberg (heute zu Kronberg im Taunus) 17. 11. 1947, Schwester von 3), Kusine von 1); studierte Geschichte und Philosophie in Zürich, promovierte als eine der ersten dt. Frauen; Arbeit u.a. als Lehrerin; trat 1933 aus Protest gegen den Nationalsozialismus aus der Preuß. Akademie der Künste aus. War für ihr Frühwerk lyr. Subjektivismus prägend, gelangte sie später zur »objektiven« Darstellung

Ricarda Huch: Ausschnitt aus einem zeitgenössischen Gemälde und Autogramm

histor. Gestalten und Ereignisse (»Der große Krieg in Deutschland«, 3 Bde., 1912–14) und zu religiöser Thematik (»Luthers Glaube«, 1916). Eine Sonderstellung nimmt ihr literar- und kulturgeschichtl. Werk »Die Romantik« (2 Bde., 1908) ein, das für die Wiederentdeckung der Romantik und für die Überwindung des Naturalismus von großer Bedeutung war. Ihr Werk über die dt. Widerstandsbewegung (»Der lautlose Aufstand«, von G. Weisenborn bearbeitet und hg. 1953) konnte sie nicht mehr beenden; außerdem »Aus der Triumphgasse« (Skizzen, 1902), »Die Geschichten von Garibaldi« (Bd. 1: »Die Verteidigung Roms«, 1906; Bd. 2: »Der Kampf um Rom«, 1907), »Frühling in der Schweiz« (Erinnerungen, 1938), »Herbstfeuer« (Ged., 1944).

Peter Huchel

📖 VIERECK, S. VON: *So weit wie die Welt geht. Reinbek 1990.* – KOEPCKE, C.: *R. H. Ihr Leben u. ihr Werk. Frankfurt am Main u. a. 1996.*

3) Rudolf, Schriftsteller, *Pôrto Alegre (Brasilien) 28. 2. 1862, †Bad Harzburg 12. 1. 1943, Bruder von 2), Vetter von 1); Rechtsanwalt; schrieb Entwicklungsromane (»Hans der Träumer«, 1902) und satirisch-humorist. Darstellungen des Kleinstadtbürgertums.

Huchel, Peter, Lyriker, *Berlin 3. 4. 1903, †Staufen im Breisgau 30. 4. 1981; war 1948–62 in Berlin (Ost) Chefredakteur der Ztschr. »Sinn und Form«, seit 1972 in der Bundesrep. Dtl.; verfasste zeitbezogene, auch politisch zu lesende Naturgedichte, ferner Hörspiele.

Huchen (Donaulachs, Rotfisch, Hucho hucho), bis 1,20 m langer Lachsfisch der Donau und ihrer Nebenflüsse; vom Aussterben bedroht.

Hückelhoven [-fən], Stadt im Kr. Heinsberg, NRW, 37 000 Ew.; Steinkohlenbergbau, Betonstein-, Stahlbau-, Schuh-, Bekleidungsind., Matratzenherstellung. – H. wurde 1935 mit Ratheim zur Gemeinde H.-Ratheim vereinigt, die 1969 Stadt wurde und seit 1972 H. heißt.

Huckepackverkehr, →kombinierter Verkehr.

Hückeswagen, Stadt im Oberbergischen Kr., NRW, an der oberen Wupper, 16 000 Ew.; Herstellung von Präzisionswerkzeugen und Werkzeugmaschinen; nahebei die **Bevertalsperre** (23,7 Mio. m^3 Fassungsvermögen). – 1085 erstmals erwähnt, Mittelpunkt einer gleichnamigen Grafschaft, seit 1859 Stadt.

Huddersfield ['hʌdəzfi:ld], Ind.stadt in der engl. Metrop. Cty. West Yorkshire, 123 900 Ew.; TH; Zentrum der Wollind. mit Herstellung von Kammgarnen und Stoffen, Kraftfahrzeug- und Maschinenbau, chem., pharmazeut. Industrie.

Christoph Wilhelm von Hufeland

Hudson ['hʌdsn], **1)** Henry, engl. Seefahrer, *um 1550, †1611 (?); unternahm zw. 1607 und 1611 vier Reisen zur Suche einer kürzeren Seeverbindung nach China und Indien durch das Nordpolarmeer; kam 1608 bis Nowaja Semlja; erkundete 1609 an der O-Küste Nordamerikas den nach ihm ben. Fluss (Hudson River); fand auf seiner letzten Reise 1610 nach Durchquerung der Hudsonstraße die →Hudsonbai; wurde im Juni 1611 mit seinem Sohn und weiteren Gefährten von der meuternden Mannschaft ausgesetzt und blieb verschollen.

2) Rock, amerikan. Filmschauspieler, *Winnetka (Ill.) 17. 11. 1925, †Beverly Hills (Calif.) 2. 10. 1985; hatte internationale Erfolge in dramat., melodramat. und kom. Rollen, z. B. »Giganten« (1956), »Duell in den Wolken« (1957), »Bettgeflüster« (1959), »Mord im Spiegel« (1980).

3) Thomas, engl. Maler, *Cty. Devonshire 1701, †Twickenham (heute zu London) 26. 1. 1779; beliebtester Porträtist seiner Zeit (Bildnis G. F. Händels, 1756; London); zu seinen Schülern gehörte J. Reynolds.

Hudsonbai ['hʌdsn-; nach H. Hudson], Binnenmeer in NO-Kanada, ist mit der James Bay im S, dem Foxebecken im N und der zum Atlantik führenden, rd. 800 km langen, 60–240 km breiten **Hudsonstraße** (Mitte Juli bis Okt. eisfrei) im NO ein Teil des Arkt. Mittelmeers; bis 1500 km lang, bis 830 km breit, mittlere Tiefe 128 m, größte Tiefe 259 m, Hauptzufluss: Nelson River. Vereisung: Nov. bis Juni. Kabeljau- und Lachsfang; Hafen Churchill. – 1610 von H. Hudson entdeckt.

Hudson River ['hʌdsn 'rɪvə; nach H. Hudson], Fluss in den USA, 493 km, entsteht aus Binnenseen in den Adirondacks und mündet im Stadtgebiet von New York in den Atlantik; bis Albany für Seeschiffe befahrbar; durch den →New York State Barge Canal mit dem Unterlauf des St.-Lorenz-Stroms und den Großen Seen verbunden.

Hudson's Bay Company ['hʌdsnz beɪ 'kʌmpənɪ], Abk. **HBC,** engl. →Handelskompanie, der der engl. König Karl II. 1670 Handels- und Hoheitsrechte (z. B. Pelzhandelsmonopol) in den Gebieten um die Hudsonbai verlieh; 1821 Vereinigung mit der North West Company. 1870 kaufte ihr Kanada die Hoheitsrechte ab. Sitz der HBC ist Toronto.

Huê, Stadt im mittleren Vietnam, oberhalb der Mündung des Huong Giang ins Südchines. Meer, 211 100 Ew.; Erzbischofssitz; Univ.; Textil-, Holzind., Zementfabrik; Hafen. – Mauerumschlossene Altstadt mit Palästen der Kaiser von Annam. – Alter Name Phu Xuan; wurde 1687 Residenz der Nguyen und 1802 Hptst. des vereinigten Annam; im Vietnamkrieg 1968 stark zerstört.

Huelsenbeck ['hyl-], Richard, Schriftsteller, *Frankenau (Kr. Waldeck-Frankenberg) 23. 4. 1892, †Muralto (bei Locarno) 20. 4. 1974; Arzt, Psychoanalytiker, Mitbegründer des →Dada.

Huelva ['uɛlβa], **1)** span. Provinz in Andalusien, 10 127 km^2, (1991) 443 500 Einwohner.

2) Hptst. und Hafen von 1), am Golf von Cádiz, 141 000 Ew.; Bischofssitz; Erdölraffinerie, Eisen- und Stahl-, chem., Lebensmittel- u. a. Ind.; Ausfuhr von Erzen und landwirtsch. Produkten; Seebad. – Nach Zerstörung durch Erdbeben (1755) wieder aufgebaut; Kirchen des 16. Jh., Kolumbusdenkmal (1929); nahebei Franziskanerkloster La Rábida (14./15. Jh., mit Museum), geistig-religiöses Zentrum der Amerikafahrer. – Phönik. **Onoba,** röm. **Onuba,** arab. **Guelha,** nach der Reconquista (1258) Ausgangspunkt der Entdeckung Amerikas und Zentrum des span. Amerikahandels.

Huerta [ˈu̯ɛrta, span. »Garten«] *die,* in S- und O-Spanien das von Kanälen bewässerte, durch Intensivkulturen genutzte Land in Stadtnähe.

Huesca [ˈu̯eska], **1)** span. Provinz in Aragonien, 15 636 km², (1991) 207 800 Einwohner.

2) Hptst. von 1), am N-Rand des Ebrobeckens, 42 800 Ew.; Bischofssitz; Museen; Landwirtschaftszentrum, Nahrungsmittel- und Textilindustrie. – Mittelalterl. Altstadt; Kathedrale (1273–1515, über der ehem. Moschee). – H., das röm. **Osca,** wurde im 8. Jh. von den Mauren erobert (arab. **Waschka**), 1096–1118 Hptst. des Königreichs Aragonien.

Huf (Ungula), die bei den Unpaarhufern (bei den Paarhufern →Klaue) das Endglied der dritten (mittleren) Zehe als Schutzeinrichtung schuhartig überdeckende Hornmasse **(Hornkapsel, Hornschuh);** i. w. S. auch Bez. für das ganze hornbedeckte Zehenendglied. Die Hornkapsel lässt sich in **Hornwand, Hornsohle** und **Hornstrahl** gliedern (Letztere ist die von der Huflederhaut erzeugte hornige, ins Zentrum der Hornsohle keilartig vorspringende Erhebung).

Hufe (Hube), im MA. die zum Lebensunterhalt einer Familie ausreichende bäuerl. Hofstätte mit Ackerland und Nutzungsrecht an der →Allmende; war bei der Zuweisung von Land die Bemessungseinheit und für die öffentl. (Steuer-H.) oder grundherrl. (Zins- und Dienst-H.) Leistungen die Belastungseinheit. Ihre Größe betrug in Dtl. durchschnittlich 7–10 ha, die Königs-H. (fränk. H.) als ritterl. Stelle etwa 20 ha. Die Inhaber einer H. waren Vollbauern, Vollspänner oder Hubbauern **(Hüfner, Hufner);** neben ihnen entstanden durch Teilung der H. die Halbbauern, Halbspänner oder Halbhüfner.

Hufeisen, Eisen zum Schutz der Hufe; gilt als Glück bringender Talisman.

Hufeisenniere (Verschmelzungsniere), angeborene Nierenmissbildung mit Verwachsung der unteren Pole beider Nieren.

Hu̱feland, Christoph Wilhelm von (seit 1809), Arzt, *Bad Langensalza 12. 8. 1762, †Berlin 25. 8. 1836; ab 1800 an der Berliner Charité, zählte Wieland, Herder, Goethe und Schiller zu seinen Patienten und wurde v. a. durch sein Hauptwerk, »Makrobiotik oder die Kunst, das menschl. Leben zu verlängern« (1796), bekannt.

Huflattich (Tussilago farfara), Korbblütlerstaude mit kriechendem Wurzelstock, verbreitet auf der Nordhalbkugel; treibt im Vorfrühling Stängel mit goldgelben Blütenkörbchen, später die hufsohlenförmigen, unterseits weißfilzigen Blätter; in der Volksmedizin bei Katarrhen der oberen Luftwege angewendet.

Huflattich
(Höhe 5–25 cm)

Hüftbein, aus Darm-, Sitz- und Schambein gebildeter Beckenknochen.

Hüfte (Coxa), bei Säugetieren (einschl. Mensch) die seitl. Körperregion vom Ober- und Vorderrand des Hüftbeins bis zum Oberschenkelansatz.

Hüftgelenk (Koxalgelenk, Articulatio coxae), Nussgelenk (→Gelenk), das sich aus der Gelenkpfanne des Hüftbeins (H.-Pfanne) und dem Kopf des Oberschenkelknochens zusammensetzt und durch starke Bänder einen bes. festen Halt besitzt.

Hüftgelenkentzündung (Coxitis, Koxitis), akute oder chron. Entzündung des Hüftgelenks mit schmerzhafter Bewegungseinschränkung; Erreger gelangen auf dem Blutweg, durch Verletzungen oder bei einer Punktion in das Gelenk.

Hüftgelenkersatz, Austausch eines krankhaft veränderten oder zerstörten Hüftgelenks durch eine Totalendoprothese (Hüftgelenkkopf und -pfanne) aus körperfremdem Material; wird in den Oberschenkelschaft einzementiert.

Hüftgelenkluxation (Hüftgelenkverrenkung), dominant vererbbare oder durch intrauterine Schädigungen hervorgerufene, häufigste Skelettmissbildung, die auf einer mangelhaften Ausbildung der Hüftgelenkpfanne, häufig auch einer Unterentwicklung des Oberschenkelkopfs beruht **(Hüftgelenkdysplasie).** Im Stadium der Dysplasie steht der Oberschenkelkopf noch in der knorpeligen Pfanne, die jedoch klein, steil und abgeflacht ist. Bei der **Subluxation** hat der Oberschenkel das Pfannendach deformiert, die Pfanne jedoch noch nicht verlassen. Bei der kompletten **Luxation** (Verrenkung) infolge Belastung des Hüftgelenks ist der Oberschenkelkopf aus der Pfanne getreten und gleitet auf der Beckenschaufel nach oben und außen ab. Die *Behandlung* von Dysplasie und Subluxation, die möglichst früh einsetzen soll, ist durch breites Wickeln, Tragen einer Spreizhose

Hufeisen

Warum brauchen Pferde Hufeisen?

Daran sind wieder einmal die Römer schuld. Bis diese auf die Idee kamen, Straßen zu pflastern, liefen alle Pferde glücklich barfuß. Ungefähr zur gleichen Zeit wurden die Pferde zum Ziehen schwerer Wagen herangezogen. Damit ihre Hufe auf dem harten Untergrund nicht splitterten und brachen, verpassten ihnen die Römer zunächst Strohschlappen.
Obwohl die Pferde im Zuge der weiteren Entwicklung mürbere Hufe bekommen haben, könnten die meisten von ihnen auch heute abseits geteerter und gepflasterter Straßen und ohne den Stress von Springprüfungen, vom Dressurreiten und von Galopp- und Trabrennen noch sehr gut ohne Hufeisen auskommen.

oder eines Schienenapparates über eine Dauer von sechs Monaten oder länger möglich.

Huftiere (Ungulata), Säugetiere, deren letzte Zehenglieder von einem Huf umhüllt werden, mit den Ordnungen: →Röhrenzähner, →Rüsseltiere, →Klippschliefer, →Seekühe, →Paarhufer und →Unpaarhufer.

Hugenotten

Mit dem Edikt von Nantes (13. April 1598) versuchte König Heinrich IV. einen Modus Vivendi zwischen den Religionsparteien in Frankreich herzustellen: »Wir befehlen, dass die katholische, apostolische, römische Religion an allen Orten und Stellen Unseres Königreichs und Machtgebiets, wo ihre Ausübung unterbrochen worden ist, wieder hergestellt und aufgerichtet wird … Um keinen Anlass zu Unruhen und Streitigkeiten zwischen Unseren Untertanen bestehen zu lassen, haben Wir erlaubt und erlauben Wir den Anhängern der so genannten reformierten Religion, in allen Städten und Ortschaften Unseres Königreichs und Ländern Unseres Machtbereichs zu leben und zu wohnen, ohne dass dort nach ihnen gesucht wird oder sie bedrückt und belästigt und gezwungen werden, etwas gegen ihr Gewissen zu tun …«.

Hüftnerv, der →Ischiasnerv.

Hügelgräber (lat. Tumuli), vor- und frühgeschichtl. Gräber mit einer Erd- oder Steinaufschüttung, verbreitet von der Jungsteinzeit bis zur La-Tène-Zeit, im N z.T. bis in die Wikingerzeit. Die H. enthalten je nach Zeit, Kultur und sozialer Stellung des Bestatteten oft kunstvolle Einbauten und Sargformen. Eindrucksvolles Beispiel der wikingerzeitl. H. stellen die 11 m hohen dän. Königshügel bei Jelling in Ostjütland dar. →etruskische Kunst, →Kurgan

Hügelgräberkultur, Kultur der mittleren Bronzezeit (16.–13. Jh. v. Chr.) im südl. Mitteleuropa, ben. nach den Körperbestattungen in Hügelgräbern. Kennzeichnend für die H. sind eine hoch entwickelte Bronzemetallurgie (Waffen, Schmuck) sowie mit Kerbschnitt verzierte Keramik.

Alfred Hugenberg

Hugenberg, Alfred, Industrieller, Politiker, *Hannover 19. 6. 1865, †Kükenbruch (heute zu Extertal, Kr. Lippe) 12. 3. 1951; war 1909–18 Vors. des Direktoriums der Krupp-Werke, ab 1916 Leiter des **H.-Konzerns,** dessen publizist. Organe H. national-konservative bis reaktionär-antirepublikan. Auffassungen formulierten und ihm großen Einfluss auf die öffentl. Meinung sicherten. Als MdR (Dt.-nat. Volkspartei seit 1920; seit 1928 Parteivors.) bekämpfte er die Außenpolitik der Weimarer Republik. Mit Hitler u.a. bildete er 1931 die →Harzburger Front. Ende Jan. 1933 wurde H. in der von Hitler gebildeten Regierung Wirtschafts- und Ernährungsmin.; trat im Juni 1933 zurück.

Hugenotten [frz. entstellt aus »Eidgenossen«], seit etwa 1560 Bez. für die frz. kalvinist. Protestanten. Trotz Verfolgung gewann der Kalvinismus immer mehr Anhänger; 1559 hielt die ref. Kirche Frankreichs ihre erste Generalsynode in Paris ab. Das Januaredikt von 1562 gewährte den H. freie Religionsausübung außerhalb der Städte. An ihre Spitze traten Admiral G. de →Coligny und Prinz Louis I. von →Condé. Die kath. Partei sammelte sich unter der Führung der →Guise. Mit dem Blutbad von Vassy (Haute-Marne) am 1. 3. 1562 begannen die **Hugenottenkriege.** Trotz Niederlagen behaupteten die H. aber eine polit. Sonderstellung, da ihnen Sicherheitsplätze (Edikt von Amboise, 1563) zugestanden wurden; auch gelang es Coligny, Einfluss auf den jungen König Karl IX. zu gewinnen. Der angestrebte Ausgleich wurde durch das Massaker der →Bartholomäusnacht von 1572 unmöglich gemacht, dem auch Coligny zum Opfer fiel. Als Führer der H. folgte ihm Heinrich von Navarra. Seine Gegner waren die Königinmutter Katharina von Medici und – nach dem Tod Karls IX. (1574) – König Heinrich III., v.a. aber die kath. Liga unter der Führung Heinrichs von Guise. Die weiteren Kriege brachten keine Entscheidung. 1585 widerrief der König alle Rechte der H. und löste damit den 8. H.-Krieg aus. Um sich dem Druck der Liga zu entziehen, ließ Heinrich III. 1588 ihre Führer ermorden und verbündete sich mit Heinrich von Navarra, der nach der Ermordung dieses letzten Valois (1589) als Heinrich IV. König von Frankreich wurde. Um die nat. Einheit und die Integrität Frankreichs zu wahren, trat er 1593 zum Katholizismus über und erließ 1598 das **Edikt von Nantes,** das den H. freie Religionsausübung und polit. Sonderrechte garantierte. Als die H. in den Kriegen von 1621/22 und 1625–29 sich erneut der Krone entgegenstellten, verloren sie durch Richelieu ihre Sicherheitsplätze.

Die offizielle Aufhebung des Edikts von Nantes durch Ludwig XIV. (**Edikt von Fontainebleau,** 1685) nahm den H. die letzten Rechte. Ihre Auswanderung (→Réfugiés) war eine der Ursachen des wirtsch. Niedergangs Frankreichs Ende des 17. Jh. Gegen die Restgemeinde in Frankreich wurde 1702–04 der Cevennenkrieg geführt (→Kamisarden). Eine Anzahl Reformierter behauptete sich aber als »Kirche der Wüste«, bis ihnen 1787 die staatl. Duldung gewährt wurde. Durch die Frz. Revolution erhielten sie die volle Gleichberechtigung. In den Gastländern waren die H. bes. für die wirtsch. Entwicklung von Bedeutung. In Dtl. entstanden H.-Siedlungen v.a. in den ref. Gebieten. In Brandenburg-Preußen förderte der Große Kurfürst ihre Aufnahme durch das **Edikt von Potsdam** (1685); um 1700 war jeder dritte Einwohner Berlins ein Hugenotte.

📖 SCHREIBER, H.: *Auf den Spuren der H.* München 1983. – STEFFE, A. M.: *Die H. Die Macht des Geistes gegen den Geist der Macht.* Gernsbach 1989.

Victor Hugo

Hugenottenstil, Baustil einer Gruppe von Gebäuden in den Niederlanden und im prot. Dtl., die von den Hugenotten nach 1685 in ihrer neuen Heimat errichtet wurden; sie sind durch Strenge und Schmucklosigkeit gekennzeichnet.

Huggins ['hʌgɪnz], **1)** Charles Brenton, amerikan. Arzt, *Halifax (Kanada) 22. 9. 1901, †San Francisco 12. 1. 1997; arbeitete v. a. über Chemotherapie bösartiger Geschwülste. Für seine Entdeckung der Möglichkeit wirksamer Behandlung von Prostatakrebs mit weibl. Geschlechtshormonen erhielt er 1966 (mit F. P. Rous) den Nobelpreis für Physiologie oder Medizin.

2) Sir (seit 1897) William, brit. Astrophysiker, *London 7. 2. 1824, †ebd. 12. 5. 1910; einer der Begründer der Sternspektroskopie, wandte als erster den Doppler-Effekt zur Messung der Radialgeschwindigkeit der Sterne an.

Hughes [hju:z], **1)** David Edward, brit. Ingenieur, *London 16. 5. 1831, †ebd. 22. 1. 1900; erfand 1855 den **H.-Apparat,** einen Drucktelegrafenapparat, der Sende- und Empfangseinrichtung in einem Gerät vereinigt, verbesserte das von J. P. Reis entwickelte Telefon durch die Entwicklung eines empfindl. Kohlemikrofons; erfand die Induktionswaage.

2) Howard Robard, amerikan. Flieger, Filmproduzent und Unternehmer, *Houston 24. 12. 1905, †auf dem Flug von Acapulco nach Houston 5. 4. 1976; stellte 1935–38 versch. Flugweltrekorde auf; produzierte mehrere Filme (u. a. »Hell's angels«); gründete die **H. Aircraft Co.**

3) Langston, amerikan. Schriftsteller, *Joplin (Mo.) 1. 2. 1902, †New York 22. 5. 1967; Vertreter der Harlem-Renaissance. Seine Gedichte sind geprägt von der Sprache der Spirituals; seine Prosa (»Simpel spricht sich aus«, 1950; »Lachen, um nicht zu weinen«, 1952) gestaltet Erfahrungen der Farbigen in den USA.

Victor Hugo: Federzeichnung des Autors auf dem Titelblatt des Romanmanuskripts von »Die Burggrafen« und Autogramm

4) Richard, engl. Schriftsteller, *Weybridge (Cty. Surrey) 19. 4. 1900, †Merionethshire (Wales) 28. 4. 1976; schrieb Gedichte, Hörspiele, Kurzgeschichten sowie psycholog. und zeitgeschichtl. Romane: »Ein Sturmwind auf Jamaika« (1929), »Der Fuchs unterm Dach« (1961) und »The wooden shepherdess« (1973).

Hugin [altnord. »Gedanke«], einer der beiden Raben →Odins; als Aasvogel Attribut Odins in dessen Funktion als Schlachtengott.

Hugli (Hooghly), Mündungsarm des →Ganges.

Hugo [y'go], Victor, frz. Dichter, *Besançon 26. 2. 1802, †Paris 22. 5. 1885; schloss sich dem Julikönigtum an, wurde nach der Errichtung des Zweiten Kaiserreichs erbitterter Gegner Napoleons III. und musste daher 1851–70 in der Verbannung leben (meist auf Guernsey). Durch die Gedichtsammlungen »Oden und Balladen« (1826), »Herbstblätter« (1831) u. a., durch die programmat.

Victor Hugo, *der sich 1862 im Exil auf der Kanalinsel Guernsey befand, wollte von seinem Verleger wissen, wie sich sein neues Werk verkaufe. Er schrieb ihm: »?«. Die Antwort des Verlegers lautete: »!«. Der Roman »Les Misérables« (deutsch: »Die Elenden«) war ein voller Erfolg!*

Hugo von Trimberg: Seite aus seinem Lehrgedicht »Der Renner« in einer Handschrift von 1431 (Heidelberg, Universitätsbibliothek)

Vorrede zum Drama »Cromwell« (1827) und den histor. Roman »Der Glöckner von Notre-Dame« (1831) wurde er zum Führer der frz. Hochromantik. Von seinen Dramen waren nur »Hernani, oder die kastilian. Ehre« (1830) und »Ruy Blas« (1838) erfolgreich. In der Verbannung entstanden neben Gedichten gegen Napoleon III. (»Züchtigungen«, 1853) die reifsten lyr. Werke (»Betrachtungen«, 1856) und der Roman »Die Elenden«, 1862), der – wie das Spätwerk überhaupt – starke sozialkrit. Akzente trägt. In »Die Weltlegende« (4 Bde., 1859–83) verarbeitete er Sagen- und Geschichtsstoffe Europas und des Orients zu lyr. oder ep. Einzelstücken. Als Zeichner neigte H. zum Fantastisch-Visionären. – H., seit 1876 Senator, war schon zu Lebzeiten eine legendäre Gestalt; er wurde im Pantheon beigesetzt. Bis heute ist er einer der populärsten Vertreter der frz. Literatur. – *Weitere Werke:* Aus dem Morgenland (1831); Marion de Lorme (1831); Der König amüsiert sich (1832); Die Burggrafen (1843); Der lachende Mann (4 Bde., 1869); Dreiundneunzig (3 Bde., 1874).

📖 Juin, H.: *V. H., 3 Bde. Paris 1980–86.* – Barrère, J.-B.: *V. H. L'homme et l'oeuvre. Paris 1984.* – Ionesco, E.: *Das groteske u. trag. Leben des V. H. A. d. Frz. München 1985.* – Lücke, T.: *V. H. Roman seines Lebens. Neuausg. Frankfurt am Main 1985.*

Hugo Capet [-ka'pɛ], König von Frankreich (987–996), * um 940, † Paris 24. 10. 996; seit 960 Herzog der Franken, warf die Aufstände der letzten Karolinger in Niederlothringen nieder; Begründer des kapeting. Königshauses.

Hugo von Montfort, mhd. Dichter, * 1357, † 5. 4. 1423; war 1413–16 Landeshauptmann der Steiermark. Seine 28 Gedichte umfassen Reimreden über Liebe und Dichtung unter dem Aspekt der Weltabsage, Morallehre, Sündenbekenntnis und Totenklage.

Hugo von Orléans [-ɔrle'ã], gen. Primas, mittellat. Dichter, * Orléans um 1095, † nach 1150; zuletzt 1144/45 in Beauvais nachgewiesen, 1142 in Paris als Magister bezeugt; schrieb Epigramme und Carmina; galt schon zu Lebzeiten als Dichterfürst der Vagantenlyrik.

Hugo von Sankt Viktor, scholast. Theologe, Philosoph und Mystiker, * bei Blankenburg (Harz) um 1100, † Paris 11. 2. 1141; Lehrer an der Klosterschule St. Viktor bei Paris; suchte antike Philosophie (v. a. Neuplatonismus) mit myst. Frömmigkeit zu verbinden; beeinflusste nachhaltig das geistige Leben des MA.

Hugo von Trimberg, mhd. didakt. Dichter, * Wern(a) (vermutlich Oberwerrn bei Schweinfurt) um 1230, † nach 1313; war über 40 Jahre Rektor am Stift St. Gangolf in der Bamberger Vorstadt Teuerstadt; verfasste neben lat. Unterrichtsschriften das in vielen Handschriften erhaltene Lehrgedicht »Der Renner«.

Huhehot, Stadt in China, → Hohhot.

Huhn, 1) volkstüml. Bez. für das Haushuhn.

2) das Weibchen bei Hühnervögeln.

Hühner (Echte H., Kammhühner, Gallus), südasiat. Gattung der H.-Vögel mit vier Arten, von denen eine, das **Bankivahuhn** (Gallus gallus), zur Stammform des → Haushuhns geworden ist.

Hühnerauge (Leichdorn, Clavus), örtl. Verdickung verhornter Oberhautzellen an den Füßen (bes. an den Zehen) mit zentralem, in die Tiefe vordringendem Zapfen; entsteht als Reaktion auf chron. Druck. Behandlung durch erweichende Salicylsäurepflaster.

Hühnerdarm, *Botanik:* die Vogelmiere (→ Sternmiere).

Hühnervögel (Galliformes, Galli), nahezu weltweit verbreitete Ordnung der Vögel mit über 250 Arten; sieben Familien: Großfuß-, Hokkohühner, Fasanen, Raufuß-, Perl-, Trut- und Schopfhühner.

Hui [hwɛj] (Huei), chines. Muslime (rd. 8,6 Mio.) in NW-China (im Tarimbecken und in der Dsungarei); einige H. leben in Usbekistan und um Alma Ata (dort **Dunganen** gen.). – Die H. versuchten mehrmals vergeblich, die chines. Herrschaft abzuschütteln (1781–84, 1861–78, 1895/96, 1931–34).

Huidobro [u̯i'ðoβro], Vicente, eigtl. Vicente García H. Fernández, chilen. Lyriker, *Santiago de Chile 10. 1. 1893, †ebd. 2. 1. 1948; begründete den avantgardist. »Creacionismo«, nach dem der Dichter nicht die Natur beschreiben, sondern eine neue Wirklichkeit schaffen soll (»Poesie«, span. frz. und dt. Ausw. 1966). Beeinflusste nachhaltig die span. und lateinamerikan. Lyrik.

Huiracocha [u̯ira'kotʃa] (Viracocha), der Weltschöpfer in der Religion der Inka.

Huitzilopochtli [u̯itsilopɔtʃtli], der Sonnen- und Kriegsgott der Azteken, dem Menschenopfer dargebracht wurden.

Huizinga ['hœjziŋxa], Johan, niederländ. Kulturhistoriker, *Groningen 7. 12. 1872, †De Steeg (bei Arnheim) 1. 2. 1945; 1905–15 Prof. in Groningen, danach in Leiden; erforschte v.a. das späte MA. (»Herbst des MA.«, 1919), den Kulturverfall der Gegenwart und die Bedeutung des Spielelements in der Kultur (»Homo ludens«, 1938).

Huka (Hukka) [arab.-hindustan.] *die,* →Wasserpfeife.

HUK-Coburg, Kurzbez. für **H**aftpflicht-**U**nterstützungs-**K**asse kraftfahrender Beamter Deutschlands a.G. in Coburg, Schaden- und Unfallversicherungsunternehmen; gegr. 1933, Sitz: Coburg (früher Erfurt). Die H.-C.-Gruppe besteht aus einem Versicherungsverein auf Gegenseitigkeit (VVaG) als Muttergesellschaft, der sich ausschließlich an Angehörige des öffentl. Dienstes wendet sowie weiteren, allen Personen offen stehenden Tochtergesellschaften.

Hula *die,* auch *der* (fälschlich Hula-Hula), Gemeinschaftstanz der polynes. Bewohner der Hawaii-Inseln; vorwiegend taktmäßige Beugungen des Oberkörpers und der Arme.

Huldigung, *Rechtsgeschichte:* der Treueid der Untertanen. Im Verfassungsstaat des 19. Jh. trat an die Stelle der H. die Vereidigung der Volksvertretung, der Beamten und des Heeres.

Huletal, nördl. Abschnitt des Jordangrabens im N Israels, rd. 85 m ü.M., 25 km lang, 6–8 km breit. Der **Hulesee** und seine Sümpfe wurden 1959 weitgehend trockengelegt, Obstpflanzungen, Baumwollfelder; Hauptort ist Kiryat Schemona.

Hulk [engl. holk, zu grch. holkás »Lastkahn«] *die* oder *der,* **1)** in der Hansezeit gebräuchliches, den →Koggen ähnliches, aber kleineres, einmastiges Frachtschiff; im 15. Jh. Bez. für eine größere, dreimastige Kogge.

2) ausgedientes und abgetakeltes Schiff, das als Wohn- oder Lagerraum dient.

Hull [hʌl], engl. Stadt, →Kingston upon Hull.

Hull [hʌl], **1)** Clark Leonhard, amerikan. Psychologe, *Akron (N.Y.) 24. 5. 1884, †New Haven (Conn.) 10. 5. 1952; ein Hauptvertreter des amerikan. Neobehaviorismus; Beiträge zu Motivationsforschung und Lerntheorie.

2) Cordell, amerikan. Politiker, *Overton County (Tenn.) 2. 10. 1871, †Bethesda (Md.) 23. 7. 1955; Mitgl. der Demokrat. Partei, 1933–44 Außenmin., enger Berater Roosevelts; 1945 Friedensnobelpreis für die Vorbereitung der UNO.

Cordell Hull

Hüllkurve, *Elektroakustik:* eine Kurve, die bei Amplitudenmodulation (→Modulation) entsteht und als Abbild der Modulationsschwingung das Nachrichtensignal widerspiegelt. Ein **H.-Demodulator** ist eine elektron. Schaltung zur Rückgewinnung des Nutzsignals aus dem amplitudenmodulierten Signal.

Johan Huizinga

Hulman [Hindi] *der* (Hanuman, Presbytis entellus), bis 80 cm lange Art der Languren; hl. Affe vishnugläubiger Inder.

Hulme [hju:m], Thomas Ernest, engl. Dichter und Philosoph, *Endon (Cty. Staffordshire) 16. 9. 1883, ⚔ Nieuwpoort (Belgien) 28. 9. 1917; Initiator des antiromant. Imagismus, beeinflusste E. Pound und T. S. Eliot.

Hulock [engl.] *der,* eine Art der →Gibbons.

Hüls AG, Marl, Chemieunternehmen, gegr. 1938, Tochterges. der VEBA AG.

Hulse [hʌls], Russel Alan, amerikan. Astrophysiker, *New York 28. 11. 1950; seit 1984 Prof. in Princeton; entdeckte mit J. H. Taylor 1974 einen Pulsar in einem Doppelsternsystem, an dem sich Vorhersagen der allg. Relativitätstheorie bestätigen lassen; dafür erhielten beide 1993 den Nobelpreis für Physik.

Hülsenfrucht, v.a. bei den Hülsenfrüchtlern vorkommende Fruchtform (sog. **Hülse**); als H. bezeichnet man auch die reifen Samen von Erbse, Bohne, Linse und Sojabohne.

Hülsenfrüchtler (Leguminosen, Fabales, Leguminosae), Ordnung der zweikeimblättrigen Pflanzen, die die Familien Schmetterlingsblütler, Mimosengewächse und Caesalpiniengewächse umfasst (über 14000 Arten in rd. 600 Gattungen); holzige oder krautige Pflanzen mit vielfältig gestalteten Fiederblättern. Die Blüte hat nur ein Fruchtblatt, aus dem meist eine vielsamige Hülse (Hülsenfrucht) hervorgeht. Die meisten H. besitzen an ihren Wurzeln Bakterienknöllchen mit Luftstickstoff bindenden →Knöllchenbakterien.

Hultschin (tschech. Hlučín), Stadt im Nordmähr. Gebiet, Tschech. Rep., 23000 Ew. Hauptort des **Hultschiner Ländchens,** das, seit 1742 preußisch, zum ehem. Kr. Ratibor gehörte und 1920 an die Tschechoslowakei kam; bis 1945 überwiegend dt. Bevölkerung. – H. erhielt 1255 Stadtrecht.

human [lat.], 1) menschlich; (in der Medizin) den Menschen betreffend; 2) menschenwürdig; nachsichtig, zum Menschen gehörend.

Humanae vitae [lat. »(der Auftrag zur Weitergabe) des menschl. Lebens«], Enzyklika Papst Pauls VI. vom 25. 7. 1968 über »die rechte Ordnung der menschl. Fortpflanzung«; lehnt eine unmittelbar angestrebte aktive →Empfängnisverhütung (als gegen die Natur der Ehe gerichtet) ab.

Human Development Index ['hju:mən dı'veləpmənt 'ındeks, engl.], Abk. **HDI** (Index der menschlichen Entwicklung), ein aus versch. Komponenten zusammengesetzter relativer Indikator für den wirtschaftlich-sozialen Fortschritt in einem Land. Die Komponenten sind 1) die Lebensdauer; 2) das Bildungsniveau definiert durch Analphabetismus und Dauer des Schulbesuchs; 3) der Lebensstandard, der durch das reale Bruttosozialprodukt (BSP) je Ew., angepasst an die jeweiligen lokalen Lebenshaltungskosten, gemessen wird. Der HDI wurde vom Weltentwicklungsprogramm (UNDP) der UN entwickelt und wird seit 1990 jährlich im »Bericht über die menschl. Entwicklung« veröffentlicht. Der HDI wird neuerdings durch den →Human Poverty Index ergänzt.

Human Engineering ['hju:mən endʒı'nıərıŋ, engl.] *das,* engl. Bez. für →Anthropotechnik.

Humangenetik (Anthropogenetik), Wiss., die sich mit den Vererbungserscheinungen beim Menschen befasst, ein Teilgebiet der Anthropologie und der Genetik. Ihr Ziel ist die kausale Erklärung der phys. und psych. Variabilität des Menschen sowohl im normalen als auch im patholog. Bereich und in neuerer Zeit (im Rahmen der Gentherapie) auch die kausale Therapie von bestimmten Erbkrankheiten. Die Zahl der anwendbaren klass. Methoden der Genetik ist im Vergleich zu Tieren oder Pflanzen eingeschränkt, da sich viele Experimente aus eth. Gründen verbieten. Beim Menschen ist der Genetiker v.a. darauf angewiesen, anhand vieler Fallstudien Rückschlüsse auf die Vererbung bestimmter Merkmale, die grundsätzlich nach den gleichen Gesetzmäßigkeiten vererbt werden wie bei Tieren und Pflanzen, zu ziehen. Für die Aufklärung der Erbstrukturen ganzer Bevölkerungen werden im Rahmen der →Populationsgenetik v.a. statist. Verfahren angewendet. In der pränatalen Diagnostik und genet. Beratung, bei Vaterschaftsgutachten, Eineiigkeitsdiagnose von Zwillingen, in der Erbpathologie, die sich mit der Ursache, Diagnose und Therapie genetisch fixierter Krankheiten beschäftigt, spielen gentechnolog. Methoden zunehmend eine Rolle.

📖 CAVALLI-SFORZA, L. *u.* CAVALLI-SFORZA, F.: *Verschieden u. doch gleich. Ein Genetiker entzieht dem Rassismus die Grundlage. A. d. Italien. Tb.-Ausg. München 1996.*

Humani generis [lat. »des Menschengeschlechtes (Uneinigkeit)«], Enzyklika Papst Pius' XII. vom 12. 8. 1950; gegen die als »Nouvelle Théologie« bezeichneten Positionen frz. Theologen gerichtet, denen Existenzialismus und Relativierung von Dogma, bibl. und lehramtl. Aussagen vorgeworfen wurde.

Humanismus [nlat.] *der,* i.w.S. eine sich auf →Humanität richtende geistige Haltung.

In der europ. Geistesgeschichte ist der H. eine geistige Bewegung, die im Zeitalter der →Renaissance aus der Bildung an dem neu entdeckten geistigen Gut der Antike ein neues Menschenbild und Selbstverständnis gewann und sich somit gegen die Scholastik des MA. wandte. Dieser **Renaissance-H.** bildete sich seit dem 14. Jh. in Italien. Zunächst griffen v.a. Bürgerliche außerhalb von Wiss. und Univ. auf lat. Schriftsteller, bes. Cicero, zurück, der v.a. von Petrarca als Muster der klass. Sprache, der hohen Rede (eloquentia), gefeiert wurde. Bei diesem Rückgriff auf die Lit. und Kultur des antiken Römertums blieb die mittelalterl. Frömmigkeit im Wesentlichen erhalten. Durch Vermittlung byzantin. Philologen nahm seit dem 15. Jh. auch die Beschäftigung mit dem grch. Schrifttum zu. Der Kreis der bekannten antiken Schriftsteller erweiterte sich bald durch systemat. Sammeln von Handschriften (Bibliotheken). Zugleich wetteiferten die Humanisten mit dem lat. Vorbild in Vers und Prosa; daraus entstand eine neulat. Literatur. Die christl. Lehre versuchte der H. in einer Weise auszulegen, die den sittl. Gehalt der Evangelien mit Platon und der Stoa versöhnen wollte. Nach Anfängen im 14. Jh. am Hof Karls IV. (Johann von Neumarkt) und einigen Univ. war er in Dtl. im 15. Jh. voll entwickelt (R. Agricola, C. Celtis, G. Heimburg, J. Reuchlin u.a.). Die Hochstimmung der Blütezeit des H. in Dtl. zeigen die »Epistolae obscurorum virorum« (→Dunkelmännerbriefe) mit ihrer Satire auf das Mönchs-

Human Development Index (HDI) und Bruttoinlandsprodukt pro Kopf[1]

Staat	HDI	HDI-Rang	Rang nach BIP/Ew.	Rangdifferenz[2]
Kanada	0,951	1	7	6
USA	0,940	2	2	0
Japan	0,938	3	9	6
Niederlande	0,938	4	22	18
Finnland	0,935	6	25	19
Frankreich	0,935	7	14	7
Österreich	0,928	13	15	2
Schweiz	0,926	15	4	−11
Großbritannien	0,924	16	23	7
Deutschland	0,920	18	16	−2
Hongkong	0,909	22	6	−16
Barbados	0,906	25	36	11
Kuwait	0,836	51	5	−46
Russland	0,804	57	64	8
Zaire	0,371	141	174	33
Niger	0,204	174	157	−17

[1] Angaben für 1993. – [2] HDI-Rang minus Rang nach BIP/Ew.: Eine positive (negative) Zahl bedeutet, dass die Rangfolge nach HDI besser (schlechter) ist als nach realem Pro-Kopf-BIP.

latein der Scholastik. Der H. wirkte außer auf Literatur und Philologie auch auf die naturwiss. Forschung (Regiomontanus) und v. a. auf das Schulwesen (J. Wimpfeling u. a.); bes. im 16. Jh. trug er nationale Züge (U. von Hutten). Luthers Reformation erwies sich als stark humanistisch beeinflusst.

Humanismus: Erasmus von Rotterdam am Schreibpult, Gemälde von Hans Holbein d. J. (1523; Basel, Kunstmuseum)

Zu einem eigentl. Bündnis zw. H. und Reformation ist es jedoch nicht gekommen. Bed. Anhänger fand der H. auch in den Niederlanden (Erasmus von Rotterdam, J. Lipsius, Gerardus J. Vossius [*1577, †1649], D. Heinsius, H. Grotius u. a.), in England (T. Morus) und Frankreich (G. Budaeus). Dieser H. wirkte bis in das 20. Jh. fort (→ Neuhumanismus), löste sich andererseits aber seit dem 19. Jh. von seiner ursprüngl. Intention der individuellen Bildung und wurde im Zusammenhang eines die Welt verändernden philosoph. Systems eher zum gesellschaftl. Postulat **(philosophisch-polit. H.).** In Anknüpfung an Hegels Dialektik von Herr und Knecht sah Marx als realen H. die Aufhebung der Selbstentfremdung des Menschen durch den Kommunismus an.

📖 Buck, A.: *H. Seine europ. Entwicklung in Dokumenten u. Darstellungen. Freiburg im Breisgau 1987.* – Heistermann, W.: *Um einen zeitgemäßen H. Rheinfelden 1990.*

Humanistische Union e. V., überparteil. Vereinigung zur Wahrung der freiheitl.-demokrat. Ordnung und zum Schutz der Grundrechte; gegr. 1961; Sitz: München.

humanitäres Völkerrecht, i. w. S. die Rechtsregeln, die dem Schutz des Einzelnen und von Gruppen außerhalb des Schutzbereichs ihres Heimatstaates dienen, i. e. S. die Gesamtheit der Regeln, die diesem Schutz im Kriegsfall dienen. Man unterscheidet das »Haager Recht« (Haager Abkommen, bes. die → Haager Landkriegsordnung) und »Genfer Recht« (→ Genfer Vereinbarungen).

Humanität [lat.] *die,* eine Bildung des Geistes und die Verwirklichung der Menschenrechte vereinigende Gesinnung, die sich bes. in Teilnahme und Hilfsbereitschaft für den Mitmenschen ausdrückt. Der Begriff wurde in der Aufklärung und im → Neuhumanismus zum Bildungsideal; häufig Norm für die Gestaltung der zwischenmenschl. Beziehungen und gesellschaftspolit. Praxis.

Humanitätsverbrechen, → Verbrechen gegen die Menschlichkeit.

Humankapital, die Gesamtheit der i. d. R. wirtschaftlich verwertbaren Fähigkeiten, Kenntnisse und Verhaltensweisen von Personen oder Personengruppen (i. e. S. von Erwerbspersonen).

Humann, Carl, Ingenieur und Archäologe, *Steele (heute zu Essen) 4. 1. 1839, †Smyrna (heute İzmir) 12. 4. 1896; entdeckte den → Pergamonaltar und leitete 1878–86 in Pergamon im Auftrag der Berliner Museen die ersten Ausgrabungen, 1891–94 die Grabungen von Magnesia am Mäander und 1895 in Priene.

Carl Humann (Holzstich, um 1890)

Human Poverty Index ['hju:mən 'pɔvətɪ 'ɪndeks; engl. »Index für menschl. Armut«], Abk. **HPI,** ein Indikator zur Messung von Armut, der von einem mehrdimensionalen Armutsbegriff ausgeht. Anders als viele andere Indikatoren, die i. d. R. eine bestimmte Einkommensgrenze als maßgeblich für Armut ansehen, versteht der HPI Armut als die Entbehrung von Lebensqualität, die sich auf verschiedene Lebensbereiche erstrecken kann. Der HPI misst Entbehrungen in drei Schlüsselbereichen menschl. Lebens: Lebenserwartung (Prozentsatz der Menschen, deren Lebenserwartung 40 Jahre nicht übersteigt), Bildung (Prozentsatz der erwachsenen Analphabeten), angemessener Lebensstandard (Zugang zu Gesundheitsdiensten sowie zu sauberem Wasser und Prozentsatz der unterernährten Kinder unter fünf Jahren). Der HPI ergänzt den → Human Development Index.

Human Relations ['hju:mən rɪ'leɪʃnz; engl. »menschl. Beziehungen«], in den 1930er-Jahren von den USA ausgegangene Richtung betriebl. Personal- und Sozialpolitik. Neben den organisatorisch vorgeschriebenen Beziehungen im Betrieb betont diese Richtung die Bedeutung der sich »informell« und »spontan« bildenden Sozialkontakte als Mittel zur Lösung betriebl. und individueller Konfliktsituationen und zum Abbau von Gefühlen der Unzufriedenheit und damit zur Effizienzsteigerung der menschl. Arbeit. (→ Hawthorne-Studien)

Humber [ˈhʌmbə] *der,* Mündungstrichter der Flusssysteme von Ouse und Trent an der mittleren Ostküste Englands, 60 km lang. Am H. liegen die Häfen Kingston upon Hull und Grimsby.

Humberside [ˈhʌmbəsaɪd], ehem. Cty. in O-England, 3508 km^2, (1993) 884400 Ew.; Verw.sitz war Beverley. H. wurde zum 1. 4. 1997 aufgelöst.

Alexander von Humboldt (Lithographie)

Humboldt, 1) Alexander Freiherr von, Naturforscher und Geograph, *Berlin 14. 9. 1769, †ebd. 6. 5. 1859, Bruder von 2); nach naturwiss. und Bergbaustudien 1792–96 Bergassessor im preuß. Staatsdienst; 1799–1804 forschte er mit dem frz. Botaniker Aimé Bonpland (*1773, †1858) im Gebiet der heutigen Staaten Venezuela, Kuba, Kolumbien, Ecuador, Peru, Mexiko und kehrte über Kuba und die USA nach Europa zurück. Mithilfe exakter Messinstrumente verwirklichte H. erstmals ökolog. Landschaftsforschung, führte u.a. genaue Ortsbestimmungen und Höhenmessungen durch (u.a. Bestimmung des Verlaufs des Río Casiquiare, Besteigung des Chimborazo bis 5400 m ü.M.) und maß die Temperaturen der später nach ihm benannten Meeresströmung (→Humboldtstrom). 1807–27 lebte er meist in Paris, wo er seine Expedition im größten privaten Reisewerk der Geschichte »Voyage aux régions équinoxiales du nouveau continent« (36 Lieferungen, 1805–34) auswertete. In dieser seiner bedeutendsten Leistung begründete er die Pflanzengeographie und, am Beispiel Mexikos, die moderne Landeskunde. Seine Vorlesungen in Berlin 1827/28 eröffneten eine neue Blütezeit der Naturwiss. in Dtl. 1829 reiste er über das Baltikum und Moskau in den Ural und bis zur chines. Grenze (Zusammenarbeit mit C. F. Gauß). Seit 1830 wieder in Berlin, begann H. mit der Darstellung des gesamten Wissens über die Erde (»Kosmos. Entwurf einer phys. Weltbeschreibung«, 1845–62).

Alexander von Humboldt: Autogramm

📖 Schleucher, K.: *A. von H. Darmstadt 1985.* – Rübe, W.: *A. von H. München 1988.*

2) Wilhelm Freiherr von, Gelehrter und Politiker, *Potsdam 22. 6. 1767, †Tegel (heute zu Berlin) 8. 4. 1835, Bruder von 1); verkehrte mit seinem Bruder im Salon der Henriette Herz; war nach dem Studium 1790/91 am Berliner Kammergericht. Danach widmete er sich seinen philosophisch-ästhet. und später sprachwiss. Interessen; mit F. H. Jacobi, F. A. Wolf, Schiller und Goethe befreundet. 1794–97 arbeitete er in Jena an Schillers »Horen«. 1802–08 war er preuß. Ministerresident in Rom. Auf Veranlassung des Freiherrn vom Stein wurde er 1809 als Leiter des Kultur- und Unterrichtswesens in das preuß. Innenministerium berufen. H. konzipierte die Berliner Univ. (→Humboldt-Universität zu Berlin) und das humanist. Gymnasium (→Neuhumanismus). Zum Staatsminister ernannt, ging er 1810 als Gesandter nach Österreich und vertrat Preußen neben Hardenberg 1814/15 auf dem Wiener Kongress. 1816/17 wirkte er als Mitgl. der dt. Territorialkommission in Frankfurt am Main, 1817 ging er als Gesandter nach London. 1819 wurde er Min. für die ständ. und kommunalen Angelegenheiten, doch führten Differenzen mit Hardenberg und seine in Denkschriften geäußerte Ablehnung der Karlsbader Beschlüsse im Dez. 1819 zu seiner Entlassung. Mit H. schied der neben Hardenberg letzte Vorkämpfer einer preuß. Verf. aus der Politik aus.

H. verstand Bildung als universalen, auf die Entfaltung aller Persönlichkeitskräfte gerichteten Prozess. Er lieferte ein Konzept der allgemein bildenden Einheitsschule. Bedeutend für die Entwicklung der Sprachwiss. (N. Chomsky u.a.) war H.s Auffassung, in jeder Sprache sei eine besondere Weltansicht begründet (in der Einleitung zu seinem Werk »Über die Kawi-Sprache auf der Insel Java«, 3 Bde., 1836–40).

Wilhelm von Humboldt: Autogramm

Weitere Werke: Prüfung der Untersuchungen über die Urbewohner Hispaniens vermittelst der vaskischen Sprache (1821); Über die Aufgabe des Geschichtsschreibers (1822).

📖 Menze, C.: *W. von H.s Lehre u. Bild vom Menschen. Ratingen 1965.* – Borsche, T.: *W. von H. München 1990.*

Humboldtgebirge, der westlichste Teil des →Nan-Shan.

Humboldtgletscher, vom Inlandeis ausgehender Gletscher in NW-Grönland; mündet ins Kanebecken (Nordpolarmeer).

Humboldt

Die Brüder Alexander und Wilhelm Humboldt besaßen in Tegel bei Berlin ein Landhaus, in dem sie mehrfach Geistererscheinungen sahen. (100 Jahre später fand man dort ein mindestens 100-jähriges Skelett!)
Schiller schrieb am 17. 9. 1800 an Goethe: »Alexander soll den Geist seiner Mutter nicht loswerden können.« In der Walpurgisnachtszene des »Faust« (1808) nahm Goethe die Meldung auf und lässt Famulus Wagner sagen:
»Verschwindet doch! Wir haben ja aufgeklärt!
Das Teufelspack, es fragt nach keiner Regel,
Wir sind so klug und dennoch spukt's in Tegel.«

Humboldt Range ['hʌmbəʊlt 'reɪndʒ], Bergkette in NW-Nevada, USA, bis 2997 m ü. M., erstreckt sich am O-Ufer des Humboldt-River in N-S-Richtung.

Humboldt River ['hʌmbəʊlt 'rɪvə], Fluss des Großen Beckens in Nevada, USA, 480 km lang, mündet in den Salzsee **Humboldt Sink**.

Hụmboldt-Stiftung (Alexander-von-H.-S.), Bonn-Bad Godesberg, 1925 gegr. zur Förderung ausländischer Nachwuchswissenschaftler für Forschungsvorhaben in Dtl.; 1953 wieder gegründet.

Hụmboldtstrom (Perustrom), kühle, an der W-Küste Südamerikas nach N verlaufende Meeresströmung; von dem kalten antarkt. Wasser des Pazif. Ozeans gespeist; küstenparallele Winde fördern zusätzlich kaltes, nährstoffreiches Wasser aus der Tiefe (→Auftriebswasser); beeinflusst das Küstenklima (Wüste, mit charakterist. Nebelbildung); fischreiche Gewässer. (→Niño, El)

Hụmboldt-Universität zu Berlịn, die nach dem Bildungskonzept W. von Humboldts 1810 gegr. Berliner **Friedrich-Wilhelm-Universität.** 1946 im sowjet. Sektor Berlins wieder eröffnet, seit 1949 H.-U. zu Berlin.

Hume [hju:m], David, engl. Philosoph, *Edinburgh 26. 4. 1711, †ebd. 25. 8. 1776; einer der Hauptvertreter des engl. Empirismus; analysierte im Anschluss an J. Locke das Zustandekommen von Erkenntnis aus der Erfahrung. Seine Ethik (»Untersuchung über die Prinzipien der Moral«, 1751) gründete H. auf das ursprüngl. Gefühl der Sympathie; er wurde ein Wegbereiter des Utilitarismus. Religiös stand er dem Deismus nahe. H. wirkte auf die frz. Aufklärung, beeinflusste I. Kant in seiner Wendung zum Kritizismus und war bestimmend in der Entstehung des krit. Rationalismus.

📖 KOPF, P.: *D. H. Philosoph u. Wirtschaftstheoretiker. Stuttgart 1987.* – STREMINGER, G.: *D. H. Paderborn u. a. ³1995.*

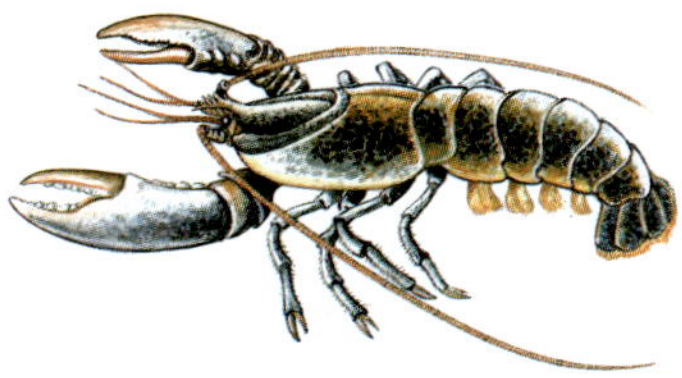

Hummer: Europäischer Hummer

Humerale [lat.] *das,* liturg. Kleidungsstück, →Amikt.

Hume-Rothery-Regel ['hju:m 'rɔðərɪ-], die →Valenzelektronenkonzentrationsregel.

Humestausee ['hju:m-], der östlich von Albury aufgestaute Abschnitt des Murray in Australien, 3084 Mio. m³ Stauinhalt, dient der Bewässerung und Elektrizitätserzeugung (50 MW).

Humidität [lat.] *die,* Feuchtigkeit, als klimat. Maß der Grad des Überwiegens der mittleren Niederschläge über die Verdunstung im Jahr oder in einzelnen Monaten.

Huminstoffe, kolloidale Bestandteile des Humus, die im Boden aus abgestorbenen Pflanzen neu gebildet werden; sie regulieren bes. Wasserbindung, Gefügebildung, Wärmehaushalt und Nährstoffaufnahme des Bodens. Die stickstoffreichen **Huminsäuren** und ihre Calciumverbindungen bilden sich bes. in organismenreichen neutralen Böden. Sie sind Nährstoffträger und -vermittler.

Hụmmel, Johann Nepomuk, österr. Komponist, *Preßburg 14. 11. 1778, †Weimar 17. 10. 1837; Schüler von W. A. Mozart, J. G. Albrechtsberger und A. Salieri; 1804–11 Nachfolger Haydns als Kapellmeister beim Fürsten Esterházy, bed. Klaviervirtuose seiner Zeit; komponierte u. a. Klaviersonaten und -konzerte, Opern, geistl. Musik.

Hummelblumen, Blüten, die den bestäubenden Insekten am Grund der Blumenkronröhre Nektar bieten, der nur mit langem Saugrüssel erreicht werden kann; z. B. viele Schmetterlings-, Lippen-, Rachenblütler.

Hummeln (Bombus), Gattung geschützter plumper, gesellig lebender Bienen mit pelzartigem, oft buntem Haarkleid. Nur die Weibchen stechen, sind aber nicht stechlustig. Die Koloniegründung erfolgt durch ein befruchtetes Weibchen, das überwintert hat. Der Hummelstaat ist einjährig. In Mitteleuropa kommen rd. 300 Arten vor, u. a. die Erdhummel (Bombus terrestris) und die Steinhummel (Bombus lapidarius).

Hummer (Homaridae), marine, meist große bis sehr große nachtaktive Zehnfußkrebse, von der Küstenregion bis in die Tiefsee verbreitet. H. ernähren sich von Weichtieren und Aas. Als Delikatessen haben H. z. T. große wirtsch. Bedeutung. Der **Europäische H.** (Homarus gammarus; 30–50 cm lang; Gewicht bis 4 kg) ist braun bis dunkelblau gefärbt (er wird durch Kochen rot) und lebt auf felsigem Boden; sein erstes Beinpaar hat mächtige, ungleich große Scheren. Seine Bestände vor Helgoland sind stark bedroht und haben keine fischwirtsch. Bedeutung mehr. Wichtig dagegen ist der **Amerikanische H.** (Homarus americanus; bis 60 cm lang), der ebenfalls Felsküsten bevorzugt.

Hümmling *der,* im Windberg bis 73 m ü. M. hohe Grundmoränenlandschaft zw. Hase und Ems, Nds., mit bewaldeten Geestrücken, Sandgebieten und Mooren.

Humor [lat. (h)umor »Flüssigkeit«] *der,* früher allg. Gemütsbeschaffenheit, Stimmung, (gute oder schlechte) Laune; geht auf die aus der Antike stammende Vorstellung zurück, dass die Temperamente auf dem Mischungsverhältnis der Säfte (Sekrete) beruhen; seit dem 18. Jh. verstanden als heiter-gelassene Gemütsverfassung inmitten aller Widerwärtigkeiten und Unzulänglichkeiten des

Wilhelm von Humboldt (Lithographie)

Johann Nepomuk Hummel (Kreidelithographie, um 1820)

Hummeln: Erdhummel (oben) und Steinhummel (Länge jeweils bis etwa 28 mm)

Hubert H. Humphrey

Daseins. In der Lit. begegnet H. im Altertum und MA. selten; bei Shakespeare erscheint er mit dem Tragischen verknüpft; seine eigentl. Ausprägung erfuhr er bei den Schöpfern des humorist. Romans L. Sterne und H. Fielding, dann bei Jean Paul, der auch eine Theorie des H. entwarf. In der Erzählliteratur des 19. Jh. herrscht sowohl ein satirisch-krit. als auch gemütvoll-resignierender H. vor (C. Dickens, G. Keller, F. Reuter, W. Raabe, W. Busch, A. Tschechow); in der neueren Lit. mischt sich H. mit iron., grotesken, auch trag. Elementen (»Schwarzer Humor«). Volkstüml. H. ist bei allen Völkern reich vertreten. H. in der Musik beruht meist auf spieler. oder iron. Imitation außermusikal. Schallereignisse.

humoral [lat.], *Medizin:* die Körperflüssigkeiten betreffend.

Engelbert Humperdinck: Karikatur von Olaf Gulbransson (um 1910)

Humoralpathologie, Lehre, die alle Krankheiten von einer fehlerhaften Beschaffenheit der Körpersäfte, bes. des Blutes, ableitet.

Humoreske *die,* **1)** *Literatur:* kurze humorist. Erzählung.

2) *Musik:* Charakterstück, meist für Klavier.

Humpen *der,* oft außergewöhnlich großes, zylindr. oder bauchiges Trinkgefäß. Der Begriff H. ist seit dem 16. Jh. belegt.

Humperdinck, Engelbert, Komponist, *Siegburg 1. 9. 1854, †Neustrelitz 27. 9. 1921; geschult an Wagner, dessen Musikdramatik er ins Volkstümliche wandelte; schrieb Opern (»Hänsel und Gretel«, 1893; »Die Königskinder«, 1897 und 1910), Orchesterwerke, Vokal- und Schauspielmusiken.

Hunde

Die Feuchtigkeit der Hundenasen entsteht hauptsächlich durch Sekretionen verschiedener Drüsen, aber auch durch Lecken der Nase. Die Sekretionen der Nasendrüsen helfen zunächst einmal in Kombination mit dem Hecheln, die Körpertemperatur zu regulieren, da Hunde nicht wie Menschen schwitzen können. Außerdem produzieren die Nasennebendrüsen geruchsbindende Partikel, die die außergewöhnliche Geruchsempfindlichkeit des Hundes verstärken. Alle Tiere können übrigens besser riechen, wenn der Geruch auf einer feuchten Oberfläche wahrgenommen werden kann.

Humphrey ['hʌmfrɪ], Hubert Horatio, amerikanischer Politiker, *Wallace (S. D.) 27. 5. 1911, †Waverly (Minn.) 13. 1. 1978; hatte 1964 wesentl. Anteil an der Verabschiedung der Bürgerrechtsvorlage Präs. Johnsons. Als Vizepräs. der USA (1965–69) trat er für eine Politik der Abrüstung und Entspannung im Ost-West-Konflikt ein. Er befürwortete die Vietnampolitik Johnsons; unterlag als Präsidentschaftskandidat 1968 R. M. Nixon.

Humus [lat. »Boden«] *der,* Gesamtheit der im Boden befindl. abgestorbenen organ. Substanz, die durch biolog. und chem. Vorgänge einer ständigen Umwandlung unterworfen ist. Bei den biochem. Vorgängen der H.-Bildung **(Humifizierung)** wirken Mikroorganismen und Bodentiere in komplexer Weise. Nach dem Stoffcharakter unterscheidet man **Huminstoffe** und **Nichthuminstoffe. Nähr-H.** (hauptsächlich Nichthuminstoffe) ist biologisch leicht angreifbar. **Dauer-H.** (Huminstoffe) verbessert durch Kopplung mit Tonteilchen (organomineral. Komplexe) die physikal. und chem. Bodeneigenschaften. Außerdem klassifiziert man die H.-Auflage von Waldböden nach H.-Formen in **Roh-H., Moder** und **Mull.** Neben physikalisch-bodenverbessernder Wirkung ist sein Nährstofftransformations- und -speicherungsvermögen (auch für Wasser) von großer Bedeutung.

Hunan, mittelchines. Provinz, südlich des mittleren Jangtsekiang, 210 000 km², (1994) 63,55 Mio. Ew.; Hptst.: Changsha. Im N liegt das Becken des Sees Dongting Hu, den O, W und S nehmen Hügel- und Bergländer ein; eines der chines. Hauptanbaugebiete von Reis und Tee; reiche Vorkommen von Wolfram, Antimon, Quecksilber, Mangan, Blei, Zink.

Hund, 1) *Astronomie:* das Sternbild **Großer H.** (lat. **Canis Maior**) steht etwas südlich vom Äquator, das Sternbild **Kleiner H.** (lat. **Canis Minor**) etwas nördlich von ihm; im Großen H. befindet sich der Fixstern mit der größten scheinbaren Helligkeit, der **Hundsstern** oder →Sirius.

2) *Bergbau:* (Hunt) kastenförmiger Förderwagen.

Hund, Friedrich, Physiker, *Karlsruhe 4. 2. 1896, †Göttingen 31. 3. 1997; bed. Arbeiten zur Theorie der Atom- und Molekülspektren sowie zur Anwendung der Quantenmechanik, bes. zur Theorie des Molekülbaus; entdeckte 1926 den Tunneleffekt; zahlr. Arbeiten zur Geschichte der Physik.

Hunde (Canidae), Familie der Landraubtiere; Wildformen fehlen u. a. in Australien, auf Madagaskar, Neuseeland, Celebes. H. sind Zehengänger mit 4–5 vorderen und vier hinteren stumpf bekrallten Zehen. Der Schädel ist im Schnauzenteil verlängert und hat i. d. R. 42 Zähne. Die geringe

Ausbildung von Hautdrüsen führt zur Wärmeabgabe durch rasches keuchendes Atmen (»Hecheln«). Kleinere Drüsenanhäufungen in der Aftergegend dienen dem gegenseitigen Erkennen. Bes. ausgeprägt sind Geruchssinn und Hörvermögen. Die Milchdrüsen liegen am Bauch, meist in fünf Paaren. Die Jungen werden blind geboren; die Augenlidränder sind verwachsen und öffnen sich erst nach Tagen oder Wochen.

Die heutigen H. sind in der einzigen Unterfamilie **Caninae (Echte H.)** zusammengefasst. Zu den H. zählen die Gattungen: a) **Canis,** mit →Wolf, →Schakalen und dem nordamerikan. →Präriewolf. b) **Alopex,** die arkt. **Eisfüchse** mit kurzen, abgerundeten Ohren und behaarten Sohlen. c) **Vulpes,** →Füchse. d) **Fennecus,** afrikan. und asiat. kleine Füchse mit langen, spitzen Ohren und langem Schwanz, z.B. der **Fennek, Fenek** oder **Wüstenfuchs,** der kleinste aller **Wild-H.** e) **Urocyon,** mit dem amerikan. **Graufuchs.** f) **Nyctereutes,** mit dem ostasiat. **Marder-H., Waschbär(en)-H.** oder **Enok,** etwa fuchsgroß mit kurzem Schwanz und dichtem Fell. g) **Dusicyon,** die südamerikan. →Schakalfüchse. h) **Chrysocyon,** mit dem südamerikan. **Mähnenwolf** oder **Guara,** groß, schlank, mit kurzem Rumpf, hohen Läufen, großen Ohren und aufrichtbarer Mähne. i) **Speothos,** südamerikan. kleine **Wald-H.** mit nur 38 Zähnen. j) **Cuon,** mit dem **Rotwolf** oder **Rot-H.** in rd. 10 Unterarten, darunter der malaiische **Adjag.** k) **Lycaon,** mit dem afrikan. bunten **Hyänen-H.** der Steppen und Savannen südlich der Sahara. l) **Otocyon,** mit dem süd- und ostafrikan. **Löffel-H.** oder **Löffelfuchs,** großohrig, hochbeinig, fuchsähnlich.

Der **Haus-H. (Canis lupus forma familiaris)** gilt als domestizierte Form des Wolfs. Weltweit gibt es gegenwärtig etwa 500 Rassen, die sich nach Größe, Farbe, Behaarung, Körperbau, Körpermasse, Wesen und Gebrauchswert unterscheiden. Zu den **Wach-, Schutz-** und **Gebrauchs-H.** gehören u.a. Dt. Boxer, Dobermann, Riesenschnauzer und Rottweiler, zu den **Wind-H.** u.a. Afghan. Wind-H., Barsoi, Greyhound und Whippet; zu den **Haus-H.** i.e.S. (vorwiegend als Heimtier, Begleit- oder Wach-H. gehalten) u.a. Chow-Chow, Dalmatiner und Schnauzer. Groß ist die Zahl der **Jagd-H.** und der **Terrier.** Haus-H. werden mit 6 bis 9 Monaten geschlechtsreif, die Zuchtreife liegt je nach Rasse bei 15 bis 24 Monaten. Hündinnen werden zweimal im Jahr läufig. Nach einer Tragezeit von durchschnittlich 63 Tagen (58 bis 65) werden (je nach Rasse) bis über 10 Welpen geworfen, die mit 9 bis 14 Lebenstagen die Augen öffnen. Die Lebensdauer der Haus-H. beträgt 12 bis 14 Jahre.

Kulturgeschichte: H.-Knochen sind in Fundstellen der jüngeren Altsteinzeit entdeckt worden. Funde in Oberkassel bei Bonn und Mallaha in Palästina belegen, dass H. vor mehr als 10 000 Jahren zus. mit Menschen bestattet wurden. Für die Bedeutung der H. in der Mittelsteinzeit spricht das Vorkommen von H.-Bestattungen. Die ältesten H. Ägyptens sind auf Felsbildern (um 3000 v. Chr.) zu sehen. Ebenso waren H. in den alten Kulturen Chinas, Indiens, Palästinas, auch in Griechenland und in Rom bekannt.

📖 *Enzyklopädie der Rassehunde, bearb. v.* H. Räber, *2 Bde. Stuttgart 1993–95.* – Lorenz, K.: *So kam der Mensch auf den Hund. Neuausg. München* [32]*1994.* – Baumann, D.: *H. 112 Rassen u. ihre Haltung. Stuttgart* [2]*1995.*

Hundebandwurm, →Echinokokken.

Hundert-Blumen-Bewegung, Kampagne in der VR China, brachte 1956/57 unter der von Mao Zedong geprägten Devise »Lasst hundert Blumen blühen, lasst hundert Schulen miteinander wettstreiten« kurzzeitig eine gewisse Liberalisierung des geistigen Lebens.

hundertjähriger Kalender, unrichtige Bez. für das »Calendarium oeconomicum practicum perpetuum« des Abtes Mauritius Knauer (*1613, †1664), das dessen mit astrolog. Vorstellungen durchsetzte meteorolog. und astronom. Beobachtungen der Jahre 1652–58 enthält. Der Name h. K. geht zurück auf die erste verkürzte Druckausgabe 1700, die unter Umgehung der lokalen Einschränkung und Ausdehnung auf hundert Jahre (1701 bis 1800) erschien.

Hundertjähriger Krieg, der Krieg zw. England und Frankreich 1337/39–1453 (mit großen

Hundertjähriger Krieg: Zeitgenössische Darstellung einer Schlacht im Jahre 1346 bei Crécy-en-Ponthieu, Ausschnitt aus einer Miniatur (Paris, Bibliothèque Nationale)

Unterbrechungen); verursacht v.a. durch den Streit um den engl. Festlandsbesitz in Frankreich. Kriegsanlass war der vom engl. König Eduard III. erhobene Anspruch auf den frz. Thron nach Aussterben der Kapetinger in direkter Linie (1328); dies führte zum Konflikt mit dem frz. König Philipp VI. (1328–50) aus der kapeting. Nebenlinie →Valois. Der H. K. wurde ausschl. auf frz. Boden ausgetragen und führte zeitweilig zum Bürgerkrieg (u.a. Bauernaufstand der Jacquerie 1358) sowie zu Adelsmachtkämpfen. Nach anfängl. engl. Erfolgen (u.a. 1346 Sieg über das frz. Ritterheer bei Crécy-en-Ponthieu, 1347 Eroberung von Calais, 1415 Schlacht bei Azincourt) kam es nach dem Eingreifen von Jeanne d'Arc zur kriegsentscheidenden Wende zugunsten Frankreichs (Aufhebung der Belagerung von Orléans und Krönung Karls VII. in Reims 1429). Bis 1453 mussten die Engländer alle frz. Territorien räumen, mit Ausnahme von Calais (bis 1558 englisch) und der Kanalinseln. Den Titel »König von Frankreich« führten die engl. Herrscher bis 1802.

Hundspetersilie
(Höhe 10–120 cm)

Hundertschaft, 1) *allg.:* Formationseinheit (z.B. bei der Bereitschaftspolizei).

2) (Hundertschar, lat. Centeni) nach Tacitus ausgewählte Schar junger german. Krieger; auch Gruppe von etwa 100 Männern, die den Fürsten zu den Gerichtsversammlungen begleitete.

3) (lat. Centena) im Frankenreich bei Alemannen und Franken ein Unterbezirk der Grafschaft zur Gliederung des Königsgutes für Rechtspflege und Heeresrekrutierung.

Hundert Tage, die letzte Herrschaftszeit Napoleons I. von der Rückkehr von Elba (1. 3. 1815) bis zu seiner Niederlage bei Waterloo (18. 6. 1815).

Friedensreich Hundertwasser

Hundertwasser, Friedensreich, eigtl. Friedrich Stowasser, österr. Maler und Grafiker, *Wien 15. 12. 1928. In seiner stark farbigen Malerei mit ornamental verschlungenen Linienzügen setzt sich die Tradition des österr. Jugendstils fort. Sein graph. Œuvre umfasst v.a. Farbholzschnitte, -radierungen, Litho- und Serigraphien. Zu den Buchgestaltungen gehört der Einband einer limitierten Ausgabe der 19. Aufl. der Brockhaus Enzyklopädie (1989). H. tritt auch mit ökologisch engagierten Manifesten und Aktionen an die Öffentlichkeit. Zu dem von ihm architekton. geprägten Werken zählen u.a. das Haus Hundertwasser, Wien, (1983–85), die Umgestaltung der Pfarrkirche St. Barbara in Bärnbach (Bez. Voitsberg, 1988), die Kindertagesstätte in Frankfurt-Heddernheim (1989–95) und die Anlage von Bad Blumau.

Hundestaupe, →Staupe.

Hundesteuer, den Gemeinden zufließende Steuer auf das Halten von Hunden. Steuerfrei sind u.a. Dienst- und Blindenhunde; eine H.-Ermäßigung kommt für Hunde in Betracht, die aus berufl. Gründen gehalten werden (z.B. Schäfer-, Jagdschutz- sowie Rassehunde von Hundezüchtern).

Hunding, Gestalt der nordgerman. Heldendichtung; von ihm wird berichtet, dass er den Helgi erschlagen hat; in R. Wagners Oper »Die Walküre« Widersacher des Siegmund.

Hundredweight ['hʌndrədweɪt] (Centweight, Einheitenzeichen cwt), anglo-amerikan. Einheit der Masse: In Großbritannien 1 cwt = 112 lb = 50,802 345 kg (in den USA **long hundredweight**); **short hundredweight** (USA): 1 sh cwt = 100 lb = 45,359 237 kg (in Großbritannien Cental).

Hundspetersilie (Gartenschierling, Gleiße, Aethusa cynapium), Doldengewächs in Europa und Sibirien; petersilienähnl., weiß blühendes Unkraut; sehr giftig.

Hundstage, die Tage zw. dem 23. 7. und dem 23. 8., während deren die Sonne in der Nähe des

Friedensreich Hundertwasser:
»Regentag«, Lithographie (1971)

Hunedoara: Die im 15. Jh. zum Schloss umgebaute Burg (14. Jh.) fungiert heute als Museum

Hundssterns (Sirius) steht; in Mitteleuropa oft die heißesten Tage des Jahres.

Hundszahngras (Cynodon), Grasgattung mit der bes. im Süden der USA verbreiteten Futterpflanze **H.** (**Bermudagras,** Cynodon dactylon); in Dtl. stellenweise heimisch geworden.

Hundszunge (Cynoglossum), Gattung der Borretschgewächse. Die staudenartige **Gemeine H.** (Cynoglossum officinale), mit braunen Blüten und hakigen Nüsschenfrüchten, ist auf sonnigem Grasland Eurasiens und Nordamerikas häufig.

Hunedoara (dt. Eisenmarkt), Stadt im Kreis H. in Siebenbürgen, Rumänien, 81 600 Ew.; Eisenhütten-, chem., Nahrungsmittelindustrie. – Schloss Hunyadi (Burg des 14. Jh., im 15. Jh. zum Schloss umgebaut, heute Museum); spätgot. orth. Nikolauskirche.

Hünefeld, Ehrenfried Günther Freiherr von, Luftfahrtpionier und Schriftsteller, *Königsberg (Pr) 1. 5. 1892, †Berlin 5. 2. 1929; überflog mit einer Junkers W 33 im April 1928 zus. mit H. Köhl und J. Fitzmaurice den Atlant. Ozean (erste Ost-West-Überquerung).

Hünengrab, volkstüml. Bez. für ein norddt. →Megalithgrab, auch für ein Hügelgrab.

Hünenstein (Hunnenstein), volkstüml. Bez. für →Menhir.

Hünfeld, Stadt im Landkr. Fulda, Hessen, am W-Rand der Vorderrhön, 15 400 Ew.; Apparatebau, Holz-, Metall-, Textil-, Kosmetikindustrie. – Spätgot. kath. Pfarrkirche. – Stadt seit 1310.

Hungaria, lat. Name für Ungarn.

Hungen, Stadt im Landkr. Gießen, Hessen, in der nördl. Wetterau, 12 800 Ew.; Milchverarbeitung, Textilind., Schraubenwerke. – Schloss (15., 17. Jh.), ev. Pfarrkirche (16./17. Jh.). – Erstmals 782 erwähnt, seit 1361 Stadt.

Hunger, nicht genau lokalisierbare Allgemeinempfindung, die bei leerem Magen auftritt und nach der Nahrungsaufnahme bei gefülltem Magen verschwindet bzw. durch das Sättigungsgefühl verdrängt wird. Als Auslösungsmechanismus des H. werden Mechanorezeptoren in der Magenwand diskutiert, die durch Leerkontraktion des Magens aktiviert werden, ferner Glucorezeptoren in Zwischenhirn, Leber, Magen und Dünndarm, die eine abnehmende Glucoseverfügbarkeit registrieren und hauptsächlich der Langzeitregulierung dienende Liporezeptoren, die Zwischenprodukte des Fettstoffwechsels, v. a. den Anstieg freier Fettsäuren, als H.-Signale registrieren. Durch Nahrungsaufnahme geht das H.-Gefühl über einen »neutralen Zustand« in ein Sättigungsgefühl über, meist bevor es zu einer Resorption der Nahrungsstoffe kommt. Ein normal ernährter Mensch kann 50–70 Tage hungern (d. h. vollständiger Nahrungsentzug), jedoch nur 8–10 Tage ohne Flüssigkeit überleben. – 1996 waren nach Angaben der FAO rd. 840 Mio. Menschen (darunter etwa 200 Mio. Kinder) chronisch unterernährt, d. h. dass die Betroffenen nicht fähig sind, den für leichte Arbeit erforderl. Mindestenergiebedarf zu decken. Afrika ist der am stärksten vom H. betroffene Kontinent (→Hungersnöte).

📖 *Der Kampf um das tägl. Brot, hg. v.* M. GAILUS *u.* H. VOLKMANN. *Opladen 1994.*

Hungerblümchen (Erophila), Kreuzblütlergattung auf kargem Boden, z. B. das weiß blühende **Frühlings-H.** (Erophila verna) mit grundständiger Blattrosette.

Hundszunge: Gemeine Hundszunge (Höhe 20–80 cm)

Hundstage

Die altägyptische Hochkultur verdankt ihre Existenz dem Nil. Seinen Überschwemmungen ist die große Fruchtbarkeit der Flusslandschaft zuzuschreiben. Weil die Landwirtschaft davon abhing, galt diesem Naturereignis große Aufmerksamkeit. So bemerkten die Ägypter schon früh, dass das Wasser alle Jahre etwa zur gleichen Zeit zu steigen begann und mit diesem Anstieg immer auch ein heller Stern am Morgenhimmel auftauchte, kurz vor Sonnenaufgang. Diesen Stern nannten die Ägypter »sopt«, was Hund bedeutet, und sein Erscheinen markierte in ihrem Kalender den Beginn des neuen Jahres.

Bei den Griechen hieß dieser Stern dann »sothis«; dem Sternbild aber, in dem er so hell erstrahlt, gaben sie den Namen Großer Hund; gewohnt, ihre Mythologie auf den Sternenhimmel zu projizieren, erkannten sie darin den Jagdbegleiter des Orion. Die Römer nannten den Stern später »canicula«, also Kleiner Hund, und heute heißt er schließlich Sirius.

In neuerer Zeit begann man jene Tage als Hundstage zu bezeichnen, an denen dieser Stern in der Morgendämmerung erscheint. Weil diese Periode im Juli bei uns häufig mit einer Hitzewelle einhergeht, kam es schließlich zu dem Bedeutungswandel, der sich im heutigen Sprachgebrauch festgesetzt hat.

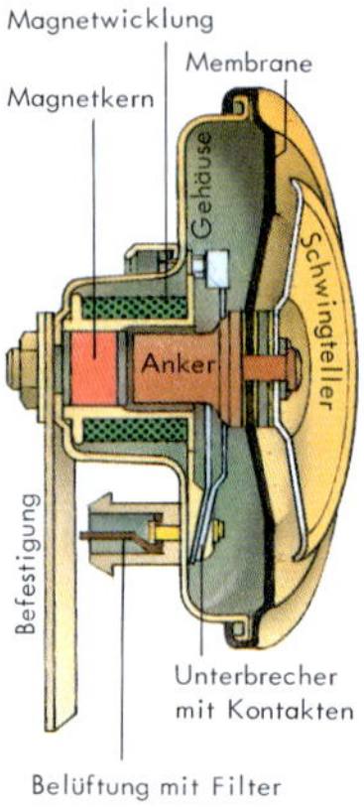

Hupe: Aufschlaghorn

Hungerkrankheiten, durch extreme Unterernährung, bes. infolge ungenügender Zufuhr eiweißhaltiger Nahrungsmittel hervorgerufene Erkrankungen. Der Hungerzustand bewirkt eine charakterist. Veränderung des Stoffwechsels mit Abbau der Energiereserven, Leistungsverminderung, schließlich Auszehrung (Kachexie) und Organschäden mit Todesfolge im Endstadium. Die H. gehören als Folge von Mangel- und Fehlernährung zu den häufigsten Gesundheitsbeeinträchtigungen in den Entwicklungsländern.

Hungersnöte, durch länger anhaltende Verknappung der menschl. Grundnahrungsmittel ausgelöste Katastrophen. Ursachen sind v.a. Missernten, Kriege und Naturkatastrophen. – Die erste schriftl. Nachricht über eine H. stammt aus Ägypten (etwa 2500 v.Chr.). Eine schwere H. in China 1333–37 mag eine der Ursachen für die Ausbreitung der Pest gewesen sein (seit 1347/48 in Europa). In den folgenden Jh. waren u.a. Russland (1650–52) und Indien (1594–98, 1769/70 [3–10 Mio. Opfer]), 1618–48 weite Teile Dtl., 1693 und 1769 auch Frankreich von H. betroffen. Drei Missernten (1845, 1846, 1848) führten 1846–49 zu schweren H. in Irland und SW-Deutschland sowie zu einer starken Auswanderungsbewegung. Die Zahl der Opfer der H. in N-China (1876–79) wird auf 9–13 Mio. Menschen geschätzt; sie galt als die schwerste H. der Menschheit. Die Zahl der während des Bürgerkrieges in der Sowjetunion 1921/22 an Hunger Gestorbenen wird auf 1,5–5 Mio., die der Opfer der durch Zwangskollektivierung verstärkten H. 1932–34 auf 5–6 Mio. geschätzt. Unzureichende wirtsch., soziale und polit. Verhältnisse sind die wesentl. Ursache für H. bei rd. einem Fünftel der Weltbev. und Millionen von Menschen, die daran jährlich sterben (v.a. in Afrika, Asien und in den Nachfolgestaaten der UdSSR und Jugoslawiens). Lösungsmöglichkeiten werden v.a. im Zusammenhang mit dem globalen Problem der →Welternährung diskutiert.

Hungersteppe, Name von Wüsten in Mittelasien: Die **Nördl. H.** (kirgis. Betpak-Dala) erstreckt sich im O Kasachstans westlich des Balchaschsees; 75 000 km²; spärl. Salzsteppenvegetation (Winterweide). Die **Südl. H.** (rd. 10 000 km²) ist der südöstl. Ausläufer der Wüste Kysylkum in Usbekistan zw. Nuratau und Syrdarja-Knie; bei Bewässerung Baumwollanbau.

Hungerstreik, die Verweigerung der Nahrungsaufnahme als Mittel passiven Widerstands zur Durchsetzung v.a. polit. Ziele (z.B. Gandhi); auch als Druckmittel von Inhaftierten gegenüber dem Staat benutzt.

Hungertuch (Fastentuch), Altarverhüllung während der Fastenzeit, meist mit Bildern der Passion Christi.

Hüningen (frz. Huningue), Stadt im frz. Dép. Haut-Rhin (Oberelsass), an der Grenze zur Schweiz, 6 300 Ew.; chem. Ind.; der **H.-Kanal** verbindet den Rhein bei H. mit dem Rhein-Rhone-Kanal bei Mühlhausen. – Die Festung H., 1679 von Vauban erbaut, wurde 1815 geschleift.

Hunnen, aus Zentralasien stammendes Reiter- und Nomadenvolk, das im 4. Jh. n.Chr. nach O-Europa vordrang. Die früher angenommene Abstammung von den in chines. Geschichtswerken seit dem 3. Jh. v.Chr. bezeugten Xiongnu wird von der neueren Forschung infrage gestellt. Wahrscheinlich vertrieben die vom chines. Reich Ende des 2. Jh. v.Chr. nach N und W abgedrängten Xiongnu die benachbarten Völker, darunter auch die Hunnen. Diese stießen seit 375 n.Chr. über die südruss. Steppen nach W vor und lösten nach der Unterwerfung verschiedener german. Stämme in SO-Europa eine Fluchtbewegung (→Völkerwanderung) aus. 375/376 eroberten die H. das Ostgotenreich Ermanarichs und besiegten das westgot. Heer unter Athanarich; Ende des 4. Jh./Anfang des 5. Jh. zogen sie zur unteren Donau sowie ins Oder-Weichsel-Gebiet, 423–425 verlagerte sich das Herrschaftszentrum der H. in die Theißebene. Unter Bleda (434–445) reichte das H.-Reich von Mittelasien und dem Kaukasus bis zur Donau und an den Rhein. Unter →Attila unternahmen die H. Kriegszüge nach Gallien; nach der Niederlage auf den →Katalaunischen Feldern (451) und Attilas Tod (453) zerfiel das Reich rasch. 454/455 von den Gepiden besiegt, zogen sich die H. aus Europa zurück und gingen im 6. Jh. in anderen Völkerschaften auf. Zu den Weißen H. →Hephthaliten.

📖 MÄNCHEN-HELFEN, O.: *Die Welt der H.* *Wien u.a. 1978.*

Hunsrück *der,* der SW-Flügel des Rhein. Schiefergebirges zw. Mosel und Nahe, die linksrhein. Fortsetzung des Taunus bis zur Saar; aus devon. Grauwacken und Schiefern aufgebaut, über deren Rumpffläche sich Quarzitrücken erheben: Schwarzwälder Hochwald (im Erbeskopf 818 m ü.M.), Osburger Hochwald (im Rösterkopf 708 m ü.M.), Idarwald (766 m ü.M.) und Soonwald (658 m ü.M.) nebst Binger Wald (637 m ü.M.). Auf den Höhenrücken Fichten- und Mischwälder, auf den Hochflächen meist landwirtschaftl. Nutzung, in den Randtälern Wein- und Obstbau. Viele Bewohner arbeiten in der Ind. der Randstädte; neben moderner Ind.-Ansiedlung im H. noch traditionelle Dachschiefergewinnung und Edelsteinschleiferei.

Hunsrück-Eifel-Kultur, vorgeschichtl. Kulturgruppe im Mittelrheingebiet (späte Hallstatt- bis frühe La-Tène-Zeit) mit reichen Fürstengräbern (z.B. Waldalgesheim).

Hunter ['hʌntə, engl.] *der,* in Irland und Großbritannien gezüchtete Gebrauchskreuzung aus

Engl. Vollblütern und schweren Wirtschaftspferden, auch allg. Bez. für ein kräftiges Jagdpferd.

Huntsville ['hʌntsvɪl], Stadt in Alabama, USA, auf dem Cumberlandplateau; 159 900 Ew.; Univ.-Zweig, Forschungseinrichtungen der NASA; Raumfahrt- und Raketenmuseum. – Gegr. 1805.

Hunyadi ['hunjɔdi], János (Johann), ungar. Reichsverweser (1446–52) und Feldherr, *in Siebenbürgen um 1408, †Semlin (heute zu Belgrad) 11. 8. 1456, Vater von Matthias I. Corvinus. 1443 drängte er die Türken bis Sofia zurück, erlitt gegen sie aber Niederlagen bei Warna (1544) und auf dem Amselfeld (1448). Durch seinen Sieg über eine Belgrad belagernde türk. Armee verhinderte er ihr Vordringen nach Ungarn (1456).

Hunza [-z-], linker Nebenfluss des Gilgit, im nordwestl. Karakorum, rd. 190 km lang. Durch das H.-Tal (1600–3000 m ü.M.) im unter pakistan. Verw. stehenden Teil Kaschmirs führt die 1978 fertig gestellte Karakorumstraße von Pakistan nach China. Die etwa 30 000 Bewohner **(Hunza)** sind hellhäutig; sie haben eine eigene Sprache (Buruschaski) und unterscheiden sich deutlich durch Bauten und Wohnkultur von den umgebenden Völkern.

Hupe (Horn), für Kraftfahrzeuge vorgeschriebenes akust. Signalgerät. Beim meist verwendeten **Aufschlaghorn (Tellerhorn, Normalhorn)** schlägt der Magnetanker beim Anlegen von Spannung periodisch auf den Magnetkern auf, wodurch die mit dem Anker verbundene Membran einen Schwingteller in kräftige Schwingungen versetzt und zum Abstrahlen von Schallwellen anregt.

Hupeh (Hupei), Provinz in China, →Hubei.

Hüpfmäuse (Zapodidae), Familie der Nagetiere; den Mäusen ähnl. flinke Läufer und Kletterer, deren Hinterbeine etwas länger als die Vorderbeine sind. H. bauen Kugelnester auf dem Boden oder im Gebüsch; heimisch ist nur die **Birkenmaus (Waldbirkenmaus,** Sicista betulina) mit 5–7 cm Körperlänge.

Huppert [y'pɛ:r], Isabelle, frz. Filmschauspielerin, *Paris 16. 3. 1953; v.a. von gest. Ausdruckskraft geprägte Darstellerin; spielte u.a. in »Die Spitzenklöpplerin« (1977), »Malina« (1990), »Madame Bovary« (1991), »Biester« (1995).

Hurd [hɔ:d], Douglas, brit. Politiker, *Marlborough (Cty. Wiltshire) 8. 3. 1930; Konservativer, seit 1974 Mitgl. des Unterhauses, war 1984–85 Nordirland-, 1985–89 Innenmin. und 1989–95 Außenminister.

Hürdenlauf, *Leichtathletik:* Rennen, bei dem zehn in festgelegten Abständen aufgestellte Hürden überquert werden müssen; bei Herren: über 110 m und 400 m, bei Damen: über 100 m und 400 m.

Hürdenrennen, →Hindernisrennen.

Huri [arab. »die Weiße«], Bez. für die im Koran erwähnten Paradiesesjungfrauen.

Huronen (Wyandot), Stammesverband nordamerikan. Indianer, aus der irokes. Sprachfamilie, bes. an der Georgian Bay des Huronsees; sesshafte Bauern, 1648 vom Irokesenbund unterjocht; heute etwa 1 000 H. in Quebec, 900 in Oklahoma.

Huronsee [nach den Huronen] (engl. Lake Huron), einer der fünf Großen Seen Nordamerikas (USA und Kanada), 176 m ü.M., 59 596 km² (davon 23 245 km² in den USA), bis 229 m tief; Zufluss aus dem Michigan- und Oberen See und mehreren Flüssen, Abfluss zum Eriesee; im NO die Georgian Bay (Verbindung zum Ontariosee).

Hurrikan [engl. 'hʌrɪkən; von span. hurakán] *der,* trop. Wirbelsturm im Bereich des Karib. Meeres, der Westind. Inseln und des Golfs von Mexiko. H. entstehen meist aus Störungen der Passatströmung und immer über warmen Meeresgebieten. Der Durchmesser beträgt einige 100 km, die Windgeschwindigkeit bis über 200 km/Std.; typisch ist das **Auge** des H, eine windschwache, niederschlagsfreie und wolkenarme Zone im Zentrum. H. verursachen verheerende Zerstörungen durch Sturm und Überflutungen.

Hurriter (Churriter), altoriental. Volk im 3./2. Jt. in N-Mesopotamien und N-Syrien. Die H. bildeten um 1500 v. Chr. im Euphratbogen das zeitweise mächtige Reich Mitanni (auch »Land Hurri [Churri]« gen.; Hptst. Waschukkanni), das auf seinem Höhepunkt ein vom Mittelmeer bis zum Zagrosgebirge reichendes Gebiet umfasste und um 1335 v. Chr. während innerer Wirren dem Angriff der Hethiter erlag. Die H. übten einen nachhaltigen kulturellen Einfluss insbesondere auf Syrien und Kleinasien aus.

📖 WILHELM, G.: *Grundzüge der Geschichte u. Kultur der H. Darmstadt 1982.*

Hüpfmäuse: Birkenmaus (Kopf-Rumpf-Länge 5–7 cm; Schwanzlänge bis 10 cm)

Isabelle Huppert

Hurrikan »David« an der Ostküste Floridas mit der entgegen dem Uhrzeigersinn um das Auge (im Bild von Wolken überdeckt) rotierenden, rasch nach Nordosten ziehenden Wolkenmasse (Satellitenaufnahme vom 4. 9. 1979)

Husain II., König von Jordanien

Saddam Husain

Jan Hus

Hurtado de Mendoza [ur'taðo ðe men'doθa], Diego, span. Humanist, Dichter und Diplomat, *Granada 1503, †Madrid 14. 8. 1575; entstammte dem Hochadel; Gesandter u.a. in England und Venedig; Verfasser eines umfangreichen lyr. Werks und der »Gesch. der Empörung der Mauren in Granada« (hg. 1627).

Hürth, Stadt im Erftkreis, NRW, am NO-Abhang der Ville, 52 700 Ew.; Biolog. Bundesanstalt, Bundessprachenamt; Braunkohlenbergbau, Elektrizitätserzeugung, chem. Ind., Stahl- und Maschinenbau; Gemüseanbau. – Stadt seit 1978.

Hus, Jan (dt. Johannes Huß), tschech. Theologe und Reformator, *Husinec (bei Prachatice, Südböhm. Gebiet) um 1370, †(verbrannt) Konstanz 6. 7. 1415; Prediger und Univ.lehrer in Prag, 1409/10 Rektor der Prager Univ.; Anhänger der Ideen J. → Wycliffes; 1410 Predigtverbot durch den Prager Erzbischof; 1411 Exkommunikation, 1412 Bann durch den Papst; stellte sich 1414 dem Konstanzer Konzil; wurde trotz Geleitbriefs König Sigismunds verhaftet, wegen der in seinem Buch »De ecclesia« (1413) vertretenen wycliffeschen Auffassungen angeklagt und nach Verweigerung des Widerrufs als Ketzer verbrannt (→ Hussiten). – Die polit. Leistung von H. ist die kirchlich-nat. Verselbstständigung der Tschechen, fundiert durch die Tschechisierung der Prager Univ., Schaffung einer einheitl. tschech. Schriftsprache, Begründung einer tschech. Literatur. Tschech. Nationalheld und Märtyrer.

📖 FRIEDENTHAL, R.: *J. H. Der Ketzer u. das Jh. der Revolutionskriege. Neuausg. München ⁴1987. – J. H. – zwischen Zeiten, Völkern, Konfessionen, hg. v.* F. SEIBT *u.a. München 1996.*

Husain, arab. Herrscher: **1) H.,** Sohn des Kalifen Ali und Enkel Mohammeds, *Medina Jan. 626, ⚔ bei Kerbela 10. 10. 680; von den Schiiten als 3. Imam und Märtyrer verehrt.

2) H. I. Ibn Ali, König des Hidjas (1916–24), *Konstantinopel 1853, †Amman 4. 6. 1931; aus dem Haus der Haschimiten, seit 1908 Emir (Scherif) von Mekka, erklärte sich am 5. 6. 1916 von der türk. Oberhoheit unabhängig und ließ sich Nov. 1916 zum »König von Arabien« erklären, musste 1924 (Verlust Mekkas an Ibn Saud) abdanken.

3) H. II., König von Jordanien (seit 1952), *Amman 14. 11. 1935, †ebd. 7. 2. 1999; aus dem Haus der Haschimiten, behauptete in der Staatskrise von 1956/57 die Monarchie. Nach der arab. Niederlage im Sechstagekrieg (1967) befürwortete er eine polit. Lösung im Nahostkonflikt. 1974 erkannte er die PLO als Vertreterin der palästinens. Araber im Westjordanland an; im zweiten Golfkrieg nahm er eine bedingt irakfreundl. Position ein und suchte zu vermitteln; in den 1990er-Jahren unterstützte er aktiv den Nahostfriedensprozess.

Husain, 1) (Hussein), Saddam, irak. Politiker, *bei Tikrit 28. 4. 1937; war 1968 maßgeblich am Putsch zur Machtübernahme der Baath-Partei beteiligt; seit 1979 Staats- und Reg.chef, Gen.-Sekr. der Partei und Oberbefehlshaber der Streitkräfte, errichtete ein diktator. Regime und verwickelte sein Land durch den irak. Angriff auf Iran in den ersten Golfkrieg (1980–88). Im Aug. 1990 ließ er das Emirat Kuwait besetzen und löste dadurch den zweiten Golfkrieg (Jan.–Febr. 1991) gegen eine multinat. Streitmacht unter amerikan. Oberbefehl aus. Er gab 1991 zwar das Amt des Reg.chefs auf, konnte aber trotz der schweren Kriegsniederlage und Aufständen der Kurden und Schiiten seine Macht behaupten.

2) Taha, ägypt. Schriftsteller und Literaturwissenschaftler, *bei Maghagha (Oberägypten) 14. 11. 1889, ⚔ Kairo 28. 10. 1973; bed. Vertreter des arab. Modernismus; Romane, Essays, Kritiken, Übersetzungen, Forschungen bes. zur altarab. Literatur.

Husaini, Amin al-, Mohammed, arab. Politiker, *Jerusalem 1895, †Beirut 4. 7. 1974; seit 1926 Großmufti von Jerusalem und Vors. des Obersten Islam. Rats, Führer im Kampf gegen die brit. Mandatsherrschaft und die jüd. Einwanderung nach Palästina; 1937 von den Briten ausgewiesen, 1941 Kontaktaufnahme zu Hitler, 1946 Rückkehr nach Ägypten.

Husák ['husa:k], Gustav, tschechoslowak. Politiker, *Dúbravka (bei Preßburg) 10. 1. 1913, †Preßburg 18. 11. 1991; Slowake; seit 1933 Mitgl. der KPČ, führend in der slowak. Widerstandsbewegung, war 1945–51 hoher Reg.funktionär. 1951 zu lebensläng. Haft verurteilt, 1960 begnadigt, 1963 rehabilitiert. 1968 stellv. MinPräs., distanzierte sich aber vom → Prager Frühling. 1969–87 war H. Parteichef. Ab 1975 auch Staatspräs., sah er sich im Zuge der »sanften Revolution« im Spätherbst 1989 zum Rücktritt gezwungen; 1990 Parteiausschluss.

Jan Hus

Über den Bruch des königlichen Geleitsversprechens für Hus berichtet Ägidius Tschudi in seinem »Chronicon Helveticum«:

»Wie nun der römisch künig Sigmund (der noch nit im concilio war) vernam das der Huss gefangen wer, was er nit wol zefriden das durch das collegium imm sin küngklich gleit sölt gebrochen werden, dann er ouch besorgt sins bruoders küng Wentzelaws ze Behem zorn und der Behemern ungunst dero huld er nit gern verlor, dann sin bruoder hat kein kind // und was er des selben richs künfftiger erb, und hieltend imm die behemischen herren ernstlich für er hetti inn gen Costentz gebracht uff zuosagung sins verschribnen gleitz, das sölti er nun an im halten und inn nit uff den fleischbank durch sin gleit bringen. Aber die gelerten vom collegio gesandt kamend zum künig und underrichtetend inn uss den geistlichen rechten das man keinem kätzer gleit ze geben noch ze halten schuldig wer.«

Husaren [ungar.], urspr. Angehörige des ungar. berittenen Aufgebots, seit dem 17. Jh. der leichten ungar. Kavallerie. Im 18. Jh. führten auch andere Staaten die H. bei ihren Streitkräften ein. Die H.-Uniform war charakterisiert durch Pelzmütze (Kalpak) oder Flügelkappe sowie den Dolman als Rock.

Hu Shi [-ʃi] (Hu Shih), chines. Schriftsteller und Gelehrter, *Schanghai 17. 12. 1891, †Taipeh 24. 2. 1962; einer der Führer der Bewegung zur Verwendung der Umgangssprache in der Literatur.

Husky ['hʌskɪ; engl. »stämmig«] *der* (Siberian H.), aus Sibirien stammende, in Nordamerika verbreitete Haushunderasse; lebhafter Schlittenhund mit üppiger Behaarung. Widerristhöhe: 51–60 cm.

Huß, Johannes, →Hus.

Hussein [-'eɪ-], Saddam, →Husain, Saddam.

Husserl, Edmund, Philosoph, *Proßnitz (heute Prostějov, südmähr. Gebiet) 8. 4. 1859, †Freiburg im Breisgau 27. 4. 1938; seit 1901 Prof. in Göttingen, seit 1916 in Freiburg im Breisgau. Er wandte sich gegen Psychologismus, Historismus und Szientismus und schuf eine analyt. und zugleich intuitive Wiss. von dem, was im Bewusstsein an gültigen Strukturen aufweisbar ist (→Phänomenologie). Aus dem »reinen Bewusstsein« lasse sich die objektive Welt ableiten. Zu den »Phänomenen«, der Wesensstruktur des Bewusstseins und zur transzendentalen Sphäre gelangte H. durch eine Folge immer radikalerer (irrationaler, intuitiver) Reduktionsschritte. Seine Lehre war von großem Einfluss auf die Philosophie, auch auf Kunst- und Literaturwissenschaft. – **H.-Archiv** in Löwen.

Werke: Philosophie als strenge Wiss. (1911), Ideen zu einer reinen Phänomenologie ... (1913), Formale und transzendentale Logik (1929).

📖 MARX, W.: *Die Phänomenologie E. H.s. München 1987.*

Hussiten, von J. Hus abgeleiteter Name für mehrere unterschiedl. kirchenreformer. bzw. revolutionäre Bewegungen in Böhmen. Gemeinsames Symbol war der Laienkelch; die beiden wichtigsten Gruppen waren die von Adel und Bürgertum getragenen **Kalixtiner** (zu lat. calix »Kelch«) bzw. **Utraquisten** und die von den Unterschichten getragenen sozialrevolutionär-chiliast. **Taboriten** (nach dem Berg Tabor). Die Kalixtiner forderten in den »vier Prager Artikeln« von 1420 freie Predigt, Laienkelch, Säkularisation des Kirchenguts, Verzicht des Klerus auf Reichtum und polit. Macht und strenge Kirchenzucht; die Taboriten darüber hinaus Gütergemeinschaft, die Abschaffung der kirchl. Einrichtungen und Gebräuche und die Aufrichtung des Reiches Gottes durch Waffengewalt. 1419 begannen die **H.-Kriege,** deren bedeutendster Führer auf der Seite der Taboriten J. →Žižka war. 1433 erkannte das Baseler Konzil in den »Prager Kompaktaten« die Forderungen der »vier Prager Artikel« weitgehend an; die Taboriten wurden 1434 bei Lipan von dem vereinten Heer der Utraquisten und kaiserlich-kath. Truppen geschlagen. Die Tradition der Taboriten lebte in den Böhmischen Brüdern fort.

Husten, der mechan. Säuberung von Luftröhre und Bronchien dienendes willkürl. oder unwillkürl. (reflexhaftes) Ausstoßen der Luft durch plötzl. Öffnen der Stimmritze unter dem Ausatemdruck; eingeatmete Fremdkörper sowie Bronchialschleim werden nach außen befördert.

Hustenmittel, 1) hustenstillende Mittel **(Antitussiva, Hustensedativa),** die den Hustenreiz hemmen, indem sie die Erregbarkeit des Hustenzentrums im Gehirn dämpfen, z. B. Codein.

2) auswurffördernde Mittel (→Expektoranzien).

Huston ['hju:stn], John, amerikan. Filmregisseur, *Nevada (Mo.) 5. 8. 1906, †Newport (Mass.) 28. 8. 1987; Vertreter des film. Realismus; drehte u. a. »Moby Dick« (1956), »Nicht gesellschaftsfähig« (1960) und »The Dead« (1987).

Husum, Krst. des Kr. Nordfriesland, Schlesw.-Holst., Hafen an der W-Küste, am Rande der Geest, 21500 Ew.; kultureller und wirtsch. Mittelpunkt Nordfrieslands; Amt für Land- und Wasserwirtschaft; Nordfries. Museum, Freilichtmuseum; Werft, Fischerei. – Schloss (1577–82), klassizist. Marienkirche. – Ersterwähnung 1252; seit 1603 Stadt.

Hut, 1) *allg.:* Kopfbedeckung für Männer und Frauen, bestehend aus Kopfteil und Krempe.

Geschichte: Aus der europ. Frühzeit um 2000 v. Chr. kennt man durch Moorfunde wollene Kopfbedeckungen. Bei den german. Stämmen war der flache, tellerartige H. mit breiter Krempe Zeichen des vornehmen Mannes. Im MA. entwickelten sich v. a. in Burgund und Italien H. und Hauben, oft mit Pelzwerk, Perlen, Schleifen oder Pfauenfedern geschmückt, bes. bekannt der hohe spitze Hennin der Damen, die Rund-H. der Herren. Eine Sonderform des spitzen H. war der seit dem 12. Jh. auf Bildern nachgewiesene, meist gelbe Judenhut. Im 16. Jh. setzte sich das Barett durch. Um 1650 kam der fast krempenlose span. H. mit hohem,

Edmund Husserl

John Huston

Husum
Stadtwappen

Hut

»Und so kommt zum guten Ende alles unter einen Hut«

Dieser Vers ist der Anfang der ersten von drei Strophen, die Bertolt Brecht 1930 dem Drehbuch für die Filmfassung seiner 1928 uraufgeführten »Dreigroschenoper« hinzufügte. In dem Film erkennen Polizeichef Brown, der Bettlerkönig Peachum und der zum Bankier avancierte Macheath ihren gemeinsamen Feind – die aufgewiegelte Masse, die soziale Gerechtigkeit fordert und damit die einträglichen Geschäfte der drei gefährdet – und kommen schnell unter einen Hut, d. h. zu einer Einigung.

steifem Kopf für beide Geschlechter auf. Die Niederlande kreierten den breitkrempigen weichen Rembrandt- oder Rubenshut. Während die Frau nach der Jh.mitte kaum noch einen Hut trug, bevorzugte der Mann den Dreispitz, der fast das ganze 18. Jh. in Mode blieb. Gegen Ende des 18. Jh. kamen der Zweispitz und der Zylinder auf sowie ein weicher, runder Filzhut (»Werther-H.«). Nach den engl. Damen-H. mit breiter, schwingender Krempe um 1800 brachte das Biedermeier den Schuten-H. hervor. Es folgten geschwungene, breitrandige H. und seit der Jh.-Wende zahlr. andere mod. Formen. Seit dem späten 19. und dem 20. Jh. gehören zur Herrenmode der Bowler (»Melone«), der Homburg und der flachköpfige Filzhut. Seit den 60er-Jahren verloren H. in der mod. Kleidung immer mehr an Bedeutung.

2) *Petrologie:* (eiserner H.) → Oxidationszone.

Hut|affe, → Makaken.

Hutcheson ['hʌtʃɪsn], Francis, engl. Philosoph, * Drumalig (Nordirland) 8. 8. 1694, † Glasgow 1746; Moralist, einer der Gründer der Schottischen Schule (→ englische Philosophie). H. beeinflusste durch seine Ästhetik u.a. Kant, durch seine Ethik A. → Smith. H. prägte den Begriff der allg. Wohlfahrt (→ Utilitarismus).

Hutpilze, volkstüml. Bez. für → Ständerpilze mit meist hutförmigem Fruchtkörper.

Hutschlangen, die → Kobras.

Hütte, 1) *allg.:* einfachste und wenig dauerhafte Behausung aus Holz, Lehm, Flechtwerk. Die H. gehört neben den Höhlenwohnungen zu den ältesten menschl. Wohnstätten und wurde erst in der Jungsteinzeit vom festeren Haus abgelöst; im Gebirge werden als Berg-, Schutz-, Ski-H. kleinere stabile Gebäude mit einfacher Ausstattung und Übernachtungsmöglichkeit bezeichnet.

2) *Industrie:* (Hüttenwerk) industrielle Anlage zur Gewinnung und teilweisen Weiterverarbeitung metall. (z.B. Eisen, Kupfer, Blei) oder nichtmetall. Werkstoffe (Schwefel, Glas, Ziegel) i.d.R. durch Anwendung therm. Verfahren.

3) *Schifffahrt:* (Poop) von Bord zu Bord reichender Aufbau auf dem hinteren Deck.

Hutten, Ulrich von, Reichsritter und Humanist, * Burg Steckelberg (bei Schlüchtern) 21. 4. 1488, † Insel Ufenau im Zürichsee 29. 8. (?) 1523; bis 1505 in der Klosterschule in Fulda erzogen, führte danach ein Vagantenleben an dt. und italien. Universitäten. Gegen Herzog Ulrich von Württemberg veröffentlichte er lat. Anklageschriften und beteiligte sich 1519 an dessen Vertreibung. 1517 wurde H. von Maximilian I. zum Dichter gekrönt. Er stellte seine publizist. Tätigkeit in den Dienst Reuchlins als Mitarbeiter an den → Dunkelmännerbriefen. Leidenschaftl. Kampfansagen gegen das Papsttum verband er mit nat. Forderungen, trat für Luther ein und verband sich mit Franz von Sickingen. Nach der gescheiterten Reichsreform floh er in die Schweiz.

📖 GRÄTER, C.: *U. v. H. Stuttgart 1988.* – RUEB, F.: *Der hinkende Schmiedegott Vulkan. U. v. H. Zürich 1988.*

Ulrich von Hutten
(Holzschnitt, um 1520)

Aldous Huxley

Hüttenbims, → Hochofenschlacke.

Hüttenrauch, Bez. für die mit Flugstaub vermischten Abgase aus metallurg. Öfen, die u.a. Schwefel- und Arsenoxide sowie leichtflüchtige Metalle enthalten. H. ist stark umweltgefährdend und wird daher heute einer Entstaubung und Rauchgasreinigung unterzogen.

Hüttental, ehem. Stadt in NRW, seit 1975 zu → Siegen.

Hüttenwardein, → Wardein.

Hüttenwerk, → Hütte.

Hüttenwolle (früher Schlackenwolle, Schlackenfaser), meist aus → Hochofenschlacken nach dem Düsenblasverfahren erblasene Mineralfasern (Glasfasern); v.a. als Dämmstoff verwendbar.

Hutter, 1) (Huter), Jakob, Täufer, † (verbrannt) Innsbruck 25. 2. 1536; Gründer einer Gruppe der Täufer in Tirol, die sich ab 1528 in Mähren niederließ (→ Habaner).

2) Wolfgang, österr. Maler und Grafiker, * Wien 13. 12. 1928; gehört zur → Wiener Schule des fantastischen Realismus; pflegt eine dekorative, von stilllebenartigen Szenerien bestimmte Malerei.

Hutu (Bahutu), eine Ackerbau treibende Bantugruppe im ostafrikan. Zwischenseengebiet; heute in Ruanda und Burundi führende Bevölkerungsgruppe; Flüchtlinge in den Nachbarländern. Der weit in die Geschichte zurückreichende Konflikt mit den → Hima prägt die gesellschaftl. Entwicklung beider Staaten.

Hutung (Trift), ertragarmes Weideland, meist Schafweide.

Huxley ['hʌkslɪ], **1)** Aldous, engl. Schriftsteller und Kritiker, * Godalming (Cty. Surrey) 26. 7. 1894, † Los Angeles (Calif.) 22. 11. 1963, Bruder von 2) und 3), Enkel von 4); ab 1937 in Kalifornien, beschäftigte sich mit fernöstl. Philosophie; verfasste in äußerst geschliffener präziser Sprache satirisch-realist. Romane, z. B. »Parallelen der Liebe« (1925), »Kontrapunkt des Lebens« (1928), stellte den Fortschrittsglauben mit desillusionierenden Bildern einer zukünftigen automatisierten Welt bloß (»Schöne neue Welt«, 1932; »Affe und Wesen«, R., 1948) und schuf einen Gegenentwurf (»Eiland«, 1962). In den späteren Werken beschäftigte sich H. mit philosoph. Problemen (»Die ewige Philosophie«, 1944). 1958 erschien »Dreißig Jahre danach oder Wiedersehen mit der wahren neuen Welt«.

2) Andrew Fielding, brit. Physiologe, *London 22. 11. 1917, Bruder von 1) und 3), Enkel von 4); erkannte in Zusammenarbeit mit A. L. Hodgkin, dass die Nervenmembranen nur für bestimmte Ionen durchlässig sind. Damit gelang ihnen auch der Nachweis einer Auslösung und Weiterleitung von Aktionspotenzialen durch Ionenverschiebung an den Nervenzellmembranen; erhielt 1963 (mit Hodgkin und J. C. Eccles) den Nobelpreis für Physiologie oder Medizin.

3) Sir (seit 1958) Julian Sorell, engl. Biologe und Schriftsteller, *London 22. 6. 1887, †ebd. 14. 2. 1975, Bruder von 1) und 2), Enkel von 4); 1946–48 Generaldirektor der UNESCO; befasste sich v. a. mit Problemen des Bevölkerungswachstums und der Welternährung.

4) Thomas, engl. Zoologe, *Ealing (heute zu London) 4. 5. 1825, †London 29. 6. 1895, Großvater von 1); bed. Arbeiten zur vergleichenden Anatomie der Wirbellosen und der Wirbeltiere; vertrat die Abstammungslehre Darwins.

Hu Yaobang, chines. Politiker, *Liuyang (Prov. Hunan) 1915, †Peking 15. 4. 1989; ab 1949 enger Mitarbeiter Deng Xiaopings, ab 1956 Mitgl. des ZK der KPCh, im Zuge der »Kulturrevolution« ab 1966 politisch verfolgt, ab 1978 Mitgl. des Politbüros, war 1980–87 Mitgl. des Ständigen Ausschusses des Politbüros der KPCh, 1980–87 Gen.-Sekr. (1981–82 Vors.) des ZK der Partei. Reformpolitisch orientiert; trat nach Studentenunruhen 1987 als Gen.-Sekr. zurück.

Huygens ['hɔjgəns, niederländisch 'hœjxəns], Christiaan, niederländ. Physiker und Mathematiker, *Den Haag 14. 4. 1629, †ebd. 8. 7. 1695; begründete die Wellenlehre des Lichtes und fand mithilfe des nach ihm benannten →huygensschen Prinzips die Erklärung für Reflexion und Brechung. Außerdem berechnete er die Gesetze des elast. Stoßes, des physikal. Pendels, erfand die Pendeluhr sowie die Federuhr mit Unruh, entdeckte die Polarisation des Lichts und gab die Erklärung der Doppelbrechung von Kalkspat, entdeckte die Abplattung des Mars, den Orionnebel, die Gestalt des Saturnrings, einen Saturnmond u. a.

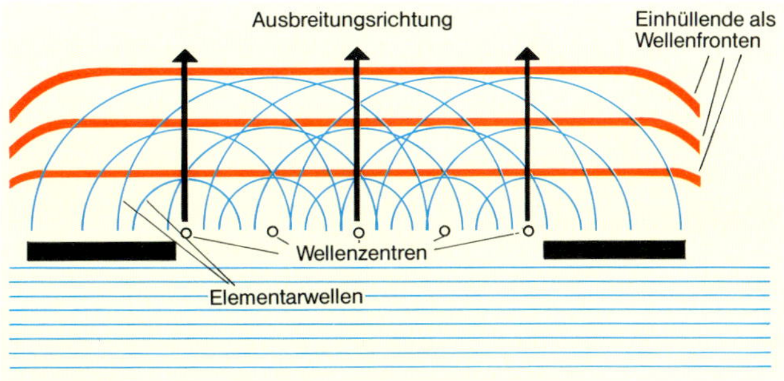

huygenssches Prinzip: Bildung paralleler Wellenfronten an einem breiten Spalt durch Überlagerung der von mehreren Ausgangspunkten (Wellenzentren) ausgehenden Elementarwellen

huygenssches Prinzip ['hɔjgəns-], von C. Huygens 1690 veröffentlichte, auf mechanischer Grundlage beruhende Theorie für die Ausbreitung von (Licht-)Wellen: Jeder in einem isotropen Medium von einer Wellenfront getroffene Punkt kann als Ausgangspunkt einer kugelförmigen Elementarwelle aufgefasst werden, die sich mit der gleichen Geschwindigkeit ausbreitet wie die Primärwelle; die Einhüllende aller Elementarwellen ist die neue Wellenfront. Mit dem h. P. lassen sich Brechung und Beugung von Licht anschaulich deuten. – Unter Einbeziehung der Interferenz erweiterte A. J. Fresnel das h. P. so, dass auch die Huygens noch unbekannten Beugungserscheinungen erklärt werden können **(Huygens-Fresnel-Prinzip).**

Huysmans, 1) ['hœjs-], Camille, belg. Politiker, *Bilzen (Prov. Limburg) 26. 5. 1871, †Antwerpen 25. 2. 1968; war 1905–22 Sekretär des Internat. Sozialist. Büros der II. Internationale, 1946–47 Ministerpräsident.

Hu Yaobang

2) [ɥis'mãs], Joris-Karl, eigtl. Georges Charles H., frz. Schriftsteller, *Paris 5. 2. 1848, †ebd. 12. 5. 1907; bed. Vertreter des Ästhetizismus (»Gegen den Strich«, 1884; »Tief unten«, 1891).

Joris-Karl Huysmans

Huysum ['hœjsəm], Jan van, holländ. Maler, *Amsterdam 15. 4. 1682, †ebd. 8. 2. 1749; schuf v. a. Frucht- und Blumenstücke auf Kupfer- oder Messingtafeln in hervorragender Technik.

Huzulen, ukrain. Volksgruppe (Hirten, Flößer) im südöstl. Teil der Waldkarpaten, bis nach Ungarn und in die Bukowina.

Hvar (italien. Lesina), Insel in der Adria, Kroatien, 300 km²; Oliven, Wein, Feigen, Rosmarin, Lavendel; Fischerei, Fremdenverkehr; Hauptort und Hafen: Hvar (venezianisch geprägte Altstadt).

Hviezdoslav ['hvjɛzdɔlau], eigtl. Pavol Országh, slowak. Dichter, *Vyšný Kubín (bei Dolný Kubín) 2. 2. 1849, †Dolný Kubín (bei Ružomberole) 8. 11. 1921; lyr. Gedichte, Versepen mit bibl. Stoffen und Themen aus dem slowak. Volksleben; Übersetzungen (Goethe, Schiller, Shakespeare).

Hwaiho, Fluss in China, →Huai He.

Hwangho [»gelber Fluss«] *der* (Huangho, Hoangho, Gelber Fluss, chines. Huang He), zweitlängster Strom Chinas (4845 km), entspringt im NO des Hochlandes von Tibet, fließt in großen Windungen am S-Rand der Gobi und um das Ordosplateau herum in die Große Ebene. Von allen Flüssen der Erde hat der H. die höchste Schlammführung. Seine gelbe Farbe rührt von den Sinkstoffen her, die er auf seinem Lauf durch die Lössprovinzen Gansu, Shaanxi und Shanxi aufnimmt (jährlich fast 1 Mrd. m^3) und im Unterlauf in der Großen Ebene ablagert oder ins Meer führt. Dadurch liegt der eingedeichte Fluss stellenweise bis zu 10 m über dem benachbarten Land und hat wiederholt in der chines. Geschichte sein Umland verheerend überschwemmt und seinen Lauf häufig verlegt. Seine Mündung in das Gelbe Meer wechselte zw. nördlich und südlich der Halbinsel Shandong. Zahlr. Staustufen (u.a. Liujiaxia, Sanmen, Longyanxia) wurden im H. und seinen Nebenflüssen gebaut, ausgedehnte Bewässerungssysteme angelegt. Wegen zahlr. Untiefen ist der H. für die Schifffahrt nur bedingt geeignet; über den Kaiserkanal besteht Verbindung mit dem Jangtsekiang.

H. W., Meister, Bildhauer, → Witten, Hans.

HWWA – Institut für Wirtschaftsforschung, unabhängiges Wirtschaftsforschungsinstituts, gegr. 1908 als Zentralstelle des Kolonialinst., 1921 umbenannt in **H**amburgisches **W**elt-**W**irtschafts-**A**rchiv, seit 1970 jetziger Name; Sitz: Hamburg; Schwerpunkte: Konjunkturentwicklung, öffentl. Finanzen, Geld, Wirtschaftsstruktur und internat. Wirtschaftsbeziehungen; umfangreiche Bibliotheks-, Dokumentations- und Archivbestände.

Hyaden [grch.], **1)** *Astronomie:* (Regengestirn) mit bloßem Auge sichtbarer Sternhaufen im Sternbild Stier in der Umgebung des Sternes Aldebaran.

2) *grch. Mythos:* Nymphen, die von Zeus in ein Sternbild verwandelt wurden.

Hyakinthos, *grch. Mythos:* ein schöner Jüngling aus Sparta, den Apoll liebte und durch einen unglückl. (von dem eifersüchtigen Zephir gelenkten) Diskuswurf tötete. Aus seinem Blut entspross die nach ihm benannte Blume »Hyazinthe«.

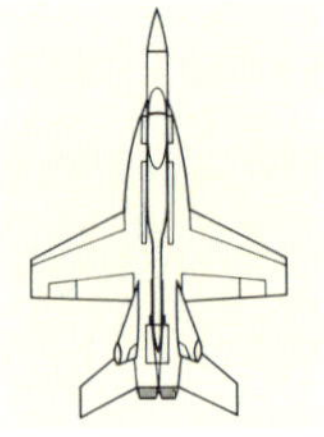

Hybridflügel

hyalin [grch. hýalos »durchsichtiger Stein«], glasartig, durchscheinend.

Hyalit [grch.] *der,* der Glasopal (→ Opal).

Hyaluronsäure, Mucopolysaccharid, das im Bindegewebe vorkommt, dieses verfestigt und in der Gelenkflüssigkeit die Funktion eines Gleitmittels hat. H. reguliert die Zellpermeabilität und verhindert das Eindringen von Mikroorganismen.

Hyänen [zu grch. hŷs »Schwein«] (Hyaenidae), Raubtierfamilie; 1–1,6 m körperlange Tiere mit stark abfallendem Rücken; vorwiegend Aasfresser mit kreischender Stimme und überwiegend nächtl. Lebensweise mit drei Arten: die afrikanisch-südasiat. **Streifenhyäne** (Hyaena hyaena), die süd- und ostafrikan. gefleckte **Tüpfelhyäne** (Crocuta crocuta), die einfarbig braune **Schabrackenhyäne** (**Strandwolf,** Hyaena brunnea) Südafrikas.

Hyänen: Tüpfelhyäne (Körperlänge bis 1,6 m)

Hyazinth [nach Hyakinthos] *der,* gelbroter → Zirkon.

Hyazinthe [nach Hyakinthos] *die* (Hyacinthus), Liliengewächsgattung aus dem Mittelmeergebiet und dem Orient. Die **Orientalische H.** (Hyacinthus orientalis) mit schmalen Blättern und traubig stehenden glockenförmigen, ursprünglich dunkelblauen Blüten ist Stammpflanze der stark duftenden **Garten-H.** mit vielen Sorten.

hybrid [lat.], von zweierlei Herkunft.

Hybridantrieb, Fahrzeugantrieb, bei dem gewöhnlich zwei Antriebsarten im Wechsel wirken. Der **mechanische H.** besteht aus einem Viertaktmotor, der ersten Kupplung, einem Elektromotor (als Schwungrad ausgebildet), der zweiten Kupplung, dem Getriebe und einem Differenzial (→ Ausgleichsgetriebe). Beim **kombinierten H.** wirkt ein herkömml. mechan. Antrieb auf die eine Achse, während die andere Achse von einem Elektromotor angetrieben wird. Umweltbelastung und Kraftstoffverbrauch des H. sind v.a. im Stadtverkehr sehr gering; die Herstellungskosten jedoch vergleichsweise hoch. – In der Raketentechnik findet der **Hybridraketenantrieb (Lithergolantrieb)** Verwendung, der eine Kombination von Flüssigkeits- und Feststoffraketenantrieb darstellt (→ Raketentriebwerk, → Raketentreibstoff).

Hybride *die,* auch *der,* Mischling, → Bastard.

Hybridflügel (Strake-Flügel), bei militärischen Hochleistungsflugzeugen zunehmend verwendete Pfeilflügelform mit in der Nähe des Rumpfs weit zur Rumpfspitze vorgezogenen Flügelvorderkanten (engl. »strakes«). H. verbinden die Vorteile des schwach gepfeilten Flügels im Unterschallbereich mit denen des → Deltaflügels im Überschallbereich.

Hybridisierung, 1) *Genetik:* svw. → Hybridzüchtung, Kreuzung zw. erbungleichen Partnern.

2) *Molekularbiologie:* Bez. für die experimentell herbeigeführte Reaktion zw. zwei komplementären Nucleinsäureeinzelsträngen unter Bildung eines Nucleinsäuredoppelstrangs für den Nachweis verwandter (komplementärer) Nucleinsäuren zur Genlokalisation und zur Identifizierung unbekannter DNS- bzw. RNS-Stücke.

Hybridmotor, Verbrennungsmotor mit charakterist. Merkmalen von Otto- und Dieselmotor. H. haben sich bis heute nicht durchsetzen können.

Hybridomtechnik (Hybridomatechnik), *Molekularbiologie:* spezielle Hybridisierungsmethode zur Herstellung →monoklonaler Antikörper.

Hybridrechner, komplexe Rechenanlage, die die Arbeitsweisen von →Analogrechnern mit Digitalrechnern vereinigt, somit die Vorteile beider Verfahren ausnutzt. H. werden u.a. eingesetzt für Rand- und Eigenwertprobleme, zur Simulation komplexer dynam. Systeme und zur Lösung von partiellen Differenzialgleichungen.

Hybridsaatgut, Saatgut hochleistungsfähiger Sorten, aus jährlich neuer Kreuzung von zwei versch. Elternsorten entstanden.

Hybridschaltung, eine Schaltung, bei der integrierte und diskrete Schaltkreise zu einer Baueinheit zusammengefasst sind; auch Bez. für Schaltungen, die Schaltkreise in Dickschicht- und Dünnschichttechnik in sich vereinen.

Hybridzüchtung (Heterosiszüchtung), in der landwirtsch. Tier- und Pflanzenzüchtung häufig angewandtes Züchtungsverfahren zur Erzielung einer hohen markt- oder betriebsgerechten tier. oder pflanzl. Produktion durch →Heterosis.

Hybris [grch. »Übermut«, »Stolz«; »Frevel«, »Trotz«] *die,* in der antiken Ethik die Selbstüberhebung des Menschen, bes. gegenüber den Göttern; ein Leitmotiv der grch. Tragödie.

Hydantoin *das* (2,4-Dioxoimidazolidin), kristalline heterozykl. Verbindung, wird u.a. zur Synthese von Aminosäuren verwendet. Einige Derivate haben Bedeutung als Antiepileptika.

Hyde [haɪd], Douglas (ir. Dubhglas de h'Ide), ir. Sprachwissenschaftler und Politiker, *Frenchpark (Roscommon) 17. 1. 1860, †Dublin 12. 7. 1949; Mitbegründer und Präs. (1893–1915) der »Gaelic League«; bemühte sich um die Wiederbelebung der ir. Sprache und der alten ir. Kultur; 1938–45 erster Präs. der Rep. Irland.

Hyde Park ['haɪdpɑːk], Parkanlage im Westend von London, zus. mit den westlich anschließenden Kensington Gardens die ausgedehnteste Grünfläche Londons (249 ha); beide Anlagen werden durch einen künstl. See **(The Serpentine)** voneinander getrennt. Berühmt ist **Speaker's Corner** an der NO-Ecke des H. als Ort freier Meinungsäußerung.

Hyderabad ['haɪ-], **1)** (Haiderabad), Hptst. von Andhra Pradesh, Indien, am Musi, einem Nebenfluss des Krishna, 2,96 Mio., als Agglomeration 4,25 Mio.; kath. Erzbischofssitz; kulturelles Zentrum auf dem Dekhan mit zwei Univ., landwirtsch. Univ., TU, mehreren Forschungsinstituten, Goethe-Institut, Museen. – Von einer zwölftorigen Mauer trapezförmig umschlossene Altstadt, mit Torbau Car Minar mit vier Minaretten (1591), Jami Masjid (älteste Moschee der Stadt, 1598), Hauptmoschee Mekka Masjid (1614–92), Chaumallapalast (18. Jh.); charakterist. Windtürme auf den Hausdächern. – Das 1589 gegründete H. gehörte ab 1687 zum Mogulreich, wurde 1724 Hptst. eines von Asaf Jah (†1748) begründeten unabhängigen Staates, den bis 1947/48 ein →Nisam regierte; nach Besetzung durch ind. Truppen 1948 in die Ind. Union eingegliedert und 1956 nach sprachl. Gesichtspunkten auf die Gliedstaaten Andhra Pradesh, Bombay und Madras aufgeteilt.

Hyderabad 1): Der mit vier Minaretten ausgestattete Car Minar wurde 1591 auf den Ecken eines quadratischen Unterbaus errichtet (Höhe 60 m)

2) Stadt in S-Pakistan, am Indus, 752 000 Ew.; landwirtschaftl. Univ.; Textil-, Metall-, Leder- u.a. Industrie.

hydr..., hydro... [grch.], **1)** *allg.:* wasser..., flüssigkeits...

2) *Chemie:* Vorsilbe, die meist die Gegenwart von Wasserstoff ausdrückt, z.B. Hydrochinon.

Hydra (ngrch. Ydra), Insel Griechenlands vor der Ostküste von Argolis, 49,6 km² groß, 2 700 Ew., Hafenstadt H. an der N-Küste.

Hydra [grch.] *die,* **1)** *Astronomie:* das Sternbild der Weibl. →Wasserschlange.

2) *grch. Mythos:* ein neunköpfiges Ungeheuer, das im Sumpf von Lerna bei Argos **(Lernäische Schlange)** lebte; von Herakles getötet.

3) *Zoologie:* Tiergattung, →Süßwasserpolypen.

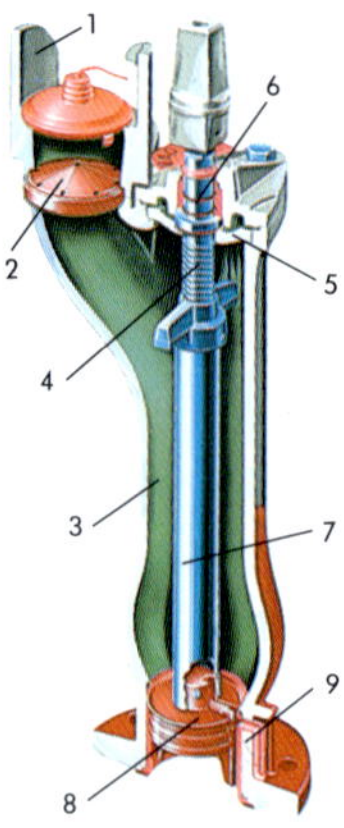

Hydrant: Geschlossener Unterflurhydrant; 1 Schlauchanschluss (Klaue), 2 Mündungsverschluss, 3 Mantelrohr, 4 Spindel, 5 Spindelauflagescheibe, 6 Stopfbuchse, 7 Spindelverlängerung, 8 Absperrventil, 9 Entwässerungsöffnung

Hydrant [grch.] *der,* Stelle zur Wasserentnahme aus dem öffentl. Versorgungsnetz v.a. für Feuerwehr und Straßenreinigung. Anzahl, Beschilderung, Wartung u.a. sind vorgeschrieben.

Hydrargillit [grch.-lat.] *der* (Gibbsit), weißes monoklines Mineral, $Al(OH)_3$, meist radialfaserige und schuppige Aggregate; als Bestandteil der Bauxite und Laterite wichtiger Aluminiumrohstoff.

Hydrat [grch.] *das,* durch Hydratation entstandene Verbindung, in der das Wasser durch elektrostat. Kräfte an Moleküle oder Ionen gebunden oder als →Kristallwasser in einen Festkörper eingebaut ist, z.B. Glaubersalz, $Na_2SO_4 \cdot 10\,H_2O$, im Unterschied zum wasserfreien Natriumsulfat, Na_2SO_4. Die H.-Bildung ist mit Abgabe von **Hydratationswärme** verbunden. – Die sog. **Gashydrate** sind keine H., sondern →Einschlussverbindungen.

Hydratation *die* (Hydration, Hydratisierung), Anlagerung von Wassermolekülen an Ionen, Moleküle oder Kolloidteilchen unter Bildung von **Hydraten;** ein Spezialfall der →Solvatation. Die H. ist u.a. bei der Verwitterung von Gesteinen und beim Abbinden von Zement von Bedeutung.

Hydraulik [grch.] *die,* urspr. Teilgebiet der Strömungslehre; behandelte eindimensionale Strömungen inkompressibler Flüssigkeiten. Heute versteht man unter H. bes. die techn. Verfahren und Anlagen zur Kraftübertragung mittels Flüssigkeiten (Hydrauliköl) in geschlossenen Leitungssystemen, z.B. zum Antrieb von Arbeitsmaschinen.

Hydraulikflüssigkeiten, Flüssigkeiten, die zur hydrostat. Kraftübertragung verwendet werden (→Hydraulik). Außerdem dienen H. zur Kühlung, Schmierung und zum Korrosionsschutz. Die größte Bedeutung haben **Mineralöle,** die durch Additive dem jeweiligen Verwendungszweck angepasst werden. **Bremsflüssigkeiten** für hydraul. Kraftfahrzeugbremsen bestehen i. Allg. aus Glykolen, Glykoläthern oder Polyalkylglykolen.

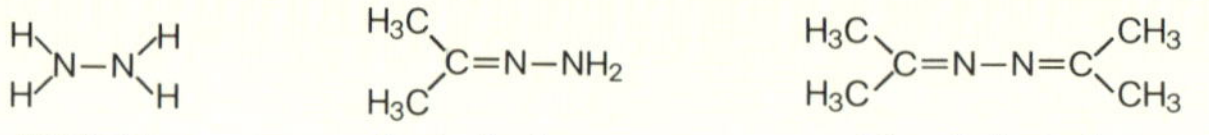

Hydrazin Acetonhydrazon Dimethylketazin

Hydrazin

hydraulischer Widder (Stoßheber), Pumpe zum period. Wassertransport, die die Bewegungsenergie des strömenden Wassers ausnutzt; 1796 von M. J. de Montgolfier erfunden. Eine große Wassermenge strömt durch ein mittels Zusatzgewicht offen gehaltenes Absperrventil, bis dieses vom hindurchströmenden Wasser so plötzlich geschlossen wird, dass durch die rücklaufende Druckwelle Wasser über ein Druckventil in die Steigleitung gedrückt wird. Durch den Druckabfall öffnet das Absperrventil wieder und ein neuer Arbeitszyklus beginnt. Der Windkessel sorgt durch das eingeschlossene Luftpolster für den Ausgleich der pulsierenden Strömung.

Hydrazin [grch.] *das* (Diamid), $H_2N{-}NH_2$, farblose, an der Luft rauchende, mit Wasser mischbare Flüssigkeit, die sich in der Wärme und unter dem Einfluss von Metallkatalysatoren zersetzt. – H. ist ein starkes Reduktionsmittel. Es wurde früher v.a. als Raketentreibstoff genutzt und dient heute meist als Korrosionsschutzmittel für Kesselspeisewasser sowie zur Herstellung von Pharmazeutika, Herbiziden und Treibmitteln. – H. hat sich im Tierversuch als karzinogen erwiesen.

Hydria [grch. »Wasserkrug«] *die,* altgrch. vasenförmiges Wassergefäß mit einem senkrechten und zwei waagerechten Henkeln.

Hydride [grch.], chem. Verbindungen, die Wasserstoff und ein weiteres Element (Metall oder Nichtmetall) enthalten. Je nach Bindungsart unterscheidet man salzartige, kovalente und metall. Hydride.

Hydrierung [grch.] *die,* Anlagerung von Wasserstoff an chem. Verbindungen, die durch hohen Druck und niedrige Temperaturen begünstigt wird. Zur Aktivierung des Wasserstoffs sind Katalysatoren erforderlich. Technisch bed. ist u.a. die H. von Benzol zu Cyclohexan, von Nitrobenzol zu Anilin, von ungesättigten Fettsäuren zu gesättigten Fettsäuren (Fetthärtung).

hydro..., →hydr...

Hydrobiologie, Wiss. von den im Wasser lebenden Organismen, ihren Lebensgemeinschaften und ihren Beziehungen zum Wasser als Umwelt.

Hydrochinon [grch.] *das* (1,4-Dihydroxybenzol), $C_6H_4(OH)_2$, zweiwertiges Phenol, wird in der Fotografie als Entwickler und mit seinen Derivaten als Antioxidans und Polymerisationsinhibitor verwendet.

Hydrocortison, das →Cortisol.

Hydrocracken [-krækən] *das,* Verfahren zur Spaltung von Kohlenwasserstoffen in Gegenwart von Wasserstoff; wird u.a. für die Umwandlung von hochsiedenden Erdölfraktionen in Benzin verwendet, liefert schwefelfreie, gesättigte Produkte.

Hydrodynamik, Teilgebiet der Strömungslehre, das sich mit der Strömung inkompressibler Flüssigkeiten sowie mit Gasströmungen befasst, wenn deren Geschwindigkeit, verglichen mit der Schallgeschwindigkeit, gering ist. Im Grenzfall der Ruhe reduziert sich die H. zur Hydrostatik; Gasströmungen hoher Geschwindigkeit werden in der Aerodynamik behandelt.

hydrodynamischer Wandler, →Druckmittelgetriebe.

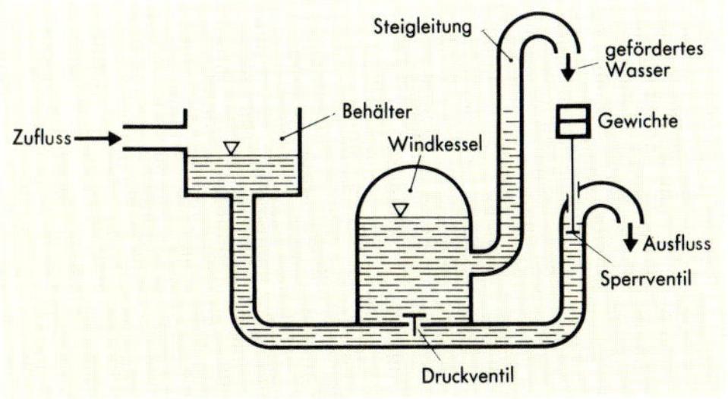

Hydraulischer Widder

hydrodynamisches Paradoxon, die Erscheinung, dass eine bewegl. Platte nicht abgestoßen, sondern angezogen wird, wenn man durch eine in der Mitte durchbohrte parallel befindliche zweite Platte eine Flüssigkeit oder ein Gas einströmen lässt. Das h. P. lässt sich mit dem im Vergleich zum Außendruck geringeren stat. Druck im strömenden Medium erklären.

hydro|elektrisches Bad, ein Voll- oder Teilbad, durch das galvan., farad. oder Wechselstrom geleitet wird; zur Behandlung von rheumat. Erkrankungen, chron. Muskel- und Nervenentzündungen sowie Durchblutungsstörungen.

Hydroformylierung, die →Oxosynthese.

Hydrogen [grch.] *das,* der Wasserstoff.

Hydrogen..., Präfix für die Bez. saurer Salze in der anorgan. Chemie, z.B. Hydrogencarbonate.

Hydrogeologie, Zweig der angewandten Geologie, der sich mit der lagerstättenkundlichen Erforschung des Grundwassers sowie mit dem Grundwasserhaushalt befasst.

Hydrographie [grch.] *die,* beschreibende →Hydrologie.

Hydrokultur (Wasserkultur, Hydroponik), Bez. für Kultivierungsmethoden von Nutz- und Zierpflanzen in Behältern mit Nährstofflösungen anstelle des natürl. Bodens als Nährstoffträger.

Hydrolakkolith *der,* Bodenaufwölbung in Dauerfrostgebieten, z.B. der →Pingo.

Hydrolasen [grch.], Gruppe von →Enzymen.

Hydrologie [grch.] *die,* die Lehre von den Erscheinungsformen des Wassers über, auf und unter der Erdoberfläche; umfasst neben Hydrobiologie u.a. die Hydrographie (Gewässerkunde) mit den Teilgebieten Grundwasser-, Fluss-, Seen- und Gletscherkunde, i.w.S. auch die Meereskunde.

Hydrolyse [grch.] *die,* Spaltung kovalenter Verbindungen (→chemische Bindung) durch Wasser. Die H. spielt bes. in der organ. Chemie eine große Rolle, wo sie durch Säuren, Basen oder Enzyme katalysiert wird. Beispiele sind die H. (Verseifung) von Estern (z.B. Fetten) nach folgendem Schema

$$\underset{\text{Ester}}{RCOOR'} + H_2O \rightleftharpoons \underset{\text{Carbonsäure}}{RCOOH} + \underset{\text{Alkohol}}{R'OH}$$

sowie die H. von Glykosiden (zu Zuckern u.a.) und Eiweißstoffen (zu Aminosäuren). Die sog. Salz-H., d.h. die Spaltung der wässrigen Lösung eines Salzes in eine Säure und eine Base, ist die Umkehrung der Neutralisation.

Hydromechanik, Teilgebiet der Kontinuumsmechanik, umfasst die mathemat. Behandlung der Gleichgewichtszustände (→Hydrostatik) und Strömungsgesetze (→Hydrodynamik) von kontinuierlich verteilten Gasen und Flüssigkeiten.

Hydromeduse, →Hydrozoen.

Hydrometer, →Wassermesser.

Hydromikrobiologie, Teilgebiet der →Hydrobiologie; befasst sich mit der Bedeutung von Bakterien (Hydrobakteriologie), Pilzen und Hefen für den Stoffhaushalt der Gewässer. Viele Bakterien und Pilze betätigen sich als Destruenten, die totes organ. Material abbauen und mineralisieren, und sind daher wichtig für den Stoffumsatz und die Selbstreinigung der Gewässer.

Hydromotor (Hydraulikmotor), Bauelement innerhalb einer hydraul. Anlage, das die hydraul. Energie der Betriebsflüssigkeit in mechan. Energie umsetzt. Je nachdem, ob der H. die stat. Druckenergie oder die kinet. Energie des Druckmittels nutzt, spricht man von **hydrostat.** (z.B. Axialkolbenmotor) oder **hydrodynam. Motor** (z.B. Wasserturbine).

Hydronephrose [grch.] *die,* (Harnstauungsniere, Wassersackniere), sackartige Erweiterung des Nierenbeckenkelchsystems mit Gewebeatrophie infolge einer über längere Zeit bestehenden Abflussbehinderung aus der Niere. Der gesteigerte Harndruck kann zum Nierengewebsschwund führen.

Hydroperoxide, organ. Verbindungen der allg. Formel R–O–OH; die Benennung erfolgt durch das Präfix **Hydroperoxy...**

hydrophil [grch.], *Chemie, Physik:* Wasser anziehend, in Wasser löslich.

hydrophob [grch.], *Chemie, Physik:* Wasser abstoßend, nicht in Wasser löslich.

Hydrophon [grch.] *das,* ein Seismograph für Messungen auf See, schwimmt im Wasser oder wird auf dem Meeresboden deponiert.

Hydrophthalmus [grch.] *der,* →Buphthalmus.

Hydrophyten [grch.], die →Wasserpflanzen.

Hydroponik [grch.] *die,* die →Hydrokultur.

Hydrops [grch.] *der* (Wassersucht), krankhafte Flüssigkeitsansammlung im Gewebe (→Ödem) und in Körperhöhlen; verursacht durch z.B. Herz- und Niereninsuffizienz.

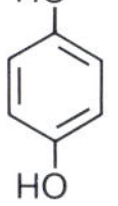

Hydrochinon

Hydrosol, Sol (→Kolloide) mit Wasser als Dispersionsmittel.

Hydrosphäre, die Wasserhülle der Erde: alle sichtbaren Gewässer, das Grundwasser, Gletschereis und der Wasserdampf in der Atmosphäre; durch den Wasserkreislauf verbunden.

Hydrostatik, die Lehre vom Gleichgewicht der Kräfte in ruhenden Flüssigkeiten, ein Teilgebiet der Hydromechanik. Die Grundlage der H. bildet die Erfahrungstatsache, dass der Druck im Innern einer nicht der Schwerkraft unterworfenen Flüssigkeit **(hydrostat. Druck)** an jeder Stelle gleich (isotrop) ist **(Grundgesetz der H., pascalsches Gesetz).** Im Schwerefeld ist der Druck p in einer ruhenden Flüssigkeit **(Schweredruck)** außer von der Dichte der Flüssigkeit ρ und der Fallbeschleunigung des Schwerefelds g nur von der Höhe h der Flüssigkeitssäule über der betrachteten Stelle abhängig, $p = \rho g h$, nicht aber von der Form des Gefäßes oder Flüssigkeitsmenge. Deshalb wirkt auf den Boden versch. geformter Gefäße die gleiche Kraft, wenn sie gleiche Grundflächen besitzen und bis zur gleichen Höhe mit derselben Flüssigkeit gefüllt sind **(hydrostat. Paradoxon).** In →kommunizierenden Röhren stellt sich daher überall dieselbe Flüssigkeitshöhe ein. Ein teilweise oder ganz in eine Flüssigkeit eingetauchter Körper erfährt einen (hydro)stat. →Auftrieb, der die Ursache für das Schweben und Schwimmen ist.

hydrostatischer Druck, →Hydrostatik.

hydrostatisches Paradoxon, →Hydrostatik.

hydrostatische Waage, Waage zur Ermittlung der Dichte fester Körper mithilfe des stat. →Auftriebs.

Hydrotherapie (Hydriatrie, Wasserheilkunde), auf Wasseranwendungen beruhendes Behandlungsverfahren, das über kräftige mechan., therm. und chem. Hautreize anregend auf Kreislauf- und Nervensystem, Stoffwechselvorgänge, Wärmeregulation u.a. wirkt.

hydrothermal [grch.], aus überhitzten wässrigen Lösungen unterhalb etwa 400 °C gebildet (z.B. →Erzlagerstätten).

Hydrotreating ['haɪdrəʊtriːtɪŋ, engl.] *das,* hydrierende Raffination von Erdölfraktionen, v.a. zum Zwecke der Entschwefelung.

Hydrotropie [grch.] *die,* Erscheinung, dass in reinem Wasser schwer- oder unlösl. organ. Verbindungen (z.B. Anilin) sich in konzentrierten Lösungen von Alkalisalzen bestimmter organ. Säuren (aromat. Sulfo- oder Carbonsäuren, höhere Fettsäuren) ohne chem. Reaktion gut lösen. Die Oberflächenspannung des Wassers wird durch die Alkalisalze herabgesetzt, sodass die schwerlösl. Stoffe gelöst, dispergiert oder emulgiert werden (Wasch- und Textilhilfsmittel). Genutzt u.a. zur Herstellung von Azofarbstoffen und Zellstoff.

Hydrotropismus, ein →Tropismus.

Hydroxide [grch.], Verbindungen von Elementen, überwiegend von Metallen, mit Hydroxidionen (OH^-). Die H. der Alkalien und Erdalkalien sind in Wasser löslich, sie zeigen alkal. Reaktion. H. von Metallen mittlerer Wertigkeit (Eisen, Aluminium usw.) sind oft schwer löslich, teils amphoter. Metalle höchster Wertigkeit sowie Nichtmetalle bilden keine H.i.e.S. und reagieren sauer.

Hydroxid|ion *das,* Bez. für das einfach negativ geladene Ion OH^-. Es bildet sich z.B. beim Lösen von Alkalihydroxiden (z.B. NaOH) in Wasser oder bei der Hydrolyse von Salzen schwacher Säuren. Das H. wirkt als starke Base.

Hydroxo..., →Hydroxylgruppe.

Hydroxy..., Bez. für die einbindige funktionelle Gruppe –OH **(Hydroxylgruppe)** in systemat. Namen von organ. Verbindungen; früher meist als **Oxy...** bezeichnet.

Hydroxycarbonsäuren, organ. Säuren, die außer einer oder mehreren Carboxylgruppen eine oder mehrere Hydroxylgruppen enthalten, z.B. Milch-, Wein-, Zitronen- und Salicylsäure.

Hydroxyl..., →Hydroxylgruppe.

Hydroxylamin, $HO{-}NH_2$, farblose, hygroskop., in Wasser lösl. Kristalle. Freies H. ist instabil und kann sich beim Erhitzen explosionsartig zersetzen. Als schwache Base bildet H. mit Säuren relativ beständige Salze. Mit Aldehyden und Ketonen werden Oxime gebildet.

Hydroxylgruppe, Bez. der chem. Nomenklatur für die Gruppe OH. Sie wird bei Vorliegen als einwertige funktionelle Gruppe in kovalenter Bindung (–OH) bei organ. oder anorgan. Verbindungen durch die Vorsätze **Hydroxy...** oder **Hydroxyl...,** bei Vorliegen als Anion (OH^-) als **Hydroxidion** und bei Vorliegen des Anions als Ligand in Koordinationsverbindungen durch den Vorsatz **Hydroxo...** bezeichnet.

Hydrozele [grch.] *die,* der →Wasserbruch.

Hydrozephalus [grch.] *der,* der →Wasserkopf.

Hydrozoen [grch.] (Hydrozoa), Klasse der Hohltiere mit Generationswechsel: der festsitzende **Polyp (Hydropolyp)** als ungeschlechtl. Generation, die sich durch Knospung vermehrt, und die frei schwimmende **Qualle (Meduse, Hydromeduse)** als geschlechtl. Generation, die Geschlechtszellen hervorbringt. Hydropolypen bilden meist fein verzweigte Tierstöcke mit einem gemeinsamen Hohlraum. Die Medusengeneration kann rückgebildet sein, die Polypengeneration kann fehlen. (→Staatsquallen)

Hydrus, das Sternbild der Männl. →Wasserschlange.

Hyères [jɛːr], Stadt im südfrz. Dép. Var, nahe der Mittelmeerküste, 50 100 Ew.; Winterkurort und Badeort: Garten-, Weinbau. Vor H. liegen die **Hyèrischen Inseln (Îles d'Hyères):** Île du Levant, Port-Cros und Porquerolles.

Hygieia, *grch. Mythos:* Göttin der Gesundheit, galt später als Tochter oder Gemahlin des Heilgotts Äskulap.

Hygiene [zu Hygieia] *die* (Gesundheitslehre), Fachgebiet der Medizin; die Lehre von der Gesundheit, einschl. Gesundheitspflege und Gesundheitsfürsorge, die sich mit den Wechselbeziehungen zw. Mensch und seiner belebten und unbelebten Umwelt befasst.

📖 SCHMIDT, JOACHIM *u. a.: Sterilisation, Desinfektion, Konservierung u. Entwesung in der medizin. u. pharmazeut. Praxis. Leipzig ²1990.* – WALLHÄUSSER, K.: *Praxis der Sterilisation, Desinfektion – Konservierung. Stuttgart u. a. ⁵1995.*

hygro... [grch.], feuchtigkeits...

Hygrometer [grch.] *das* (Feuchtigkeitsmesser), Gerät zum Messen der relativen Feuchtigkeit der Luft oder anderer Gase. Beim **Haar-H.** wird eine der Luftfeuchtigkeitsänderung analoge Längenänderung eines entfetteten menschl. Haares übertragen. **Absorptions-H.** messen die von der Luftfeuchtigkeit abhängige Massezunahme hygroskop. Stoffe. **Elektrolyt-H.** beruhen auf der elektr. Leitfähigkeitsänderung eines Messmittels. Bei **Kondensations-(Taupunkt-)H.** wird eine Metallplatte abgekühlt, an der sich Wasserdampf aus der Luft absetzt. Bei **Lithiumchlorid-H.** gleicht der Sättigungsdampfdruck einer Lithiumchloridlösung dem Dampfdruck der Umgebung. Beim **Psychrometer** werden ein trockenes und ein feucht gehaltenes Thermometer eingesetzt. Je trockener die Luft, desto stärker die Verdunstung und damit die Abkühlung am feuchten Thermometer.

Hygrophyten [zu grch. phytón »Pflanze«] (Feuchtpflanzen, Feuchtigkeitspflanzen), Bez. für Landpflanzen, die an Standorten mit ständig hoher Boden- und Luftfeuchtigkeit wachsen.

hygroskopisch [grch.], Feuchtigkeit aufnehmend; hygroskop. Stoffe (z. B. Calciumchlorid, Phosphorpentoxid, Schwefelsäure) nehmen aus Gasen Wasser auf; dienen u. a. als Trockenmittel.

Hyksos [gräzisierte Form des ägypt. Ausdrucks für »Herrscher der Fremdländer«], aus Asien stammende Könige der 15. und 16. ägypt. Dynastie (1650–1550 v. Chr.), die mithilfe von (z. T. ägypt.) Unterkönigen (16. Dynastie) regierten, Residenz war Auaris. Die H. führten u. a. den pferdebespannten Kampfwagen und den zusammengesetzten Bogen in Ägypten ein.

Hylemorphismus [grch.] *der* (Hylomorphismus), auf Aristoteles' Metaphysik zurückgehende Lehre, in der das von Natur aus Seiende als das sich Verändernde erklärt wird: Das, woran eine Veränderung geschieht, ist die Materie, der Stoff (Hyle), das, was in der Veränderung wechselt, die Form (Morphe).

Hylla, Erich, Pädagoge und Psychologe, * Breslau 9. 5. 1887, † Frankfurt am Main 5. 11. 1976; baute 1950–52 die Hochschule für Internat. Pädagog. Forschung in Frankfurt am Main auf. Seine Arbeitsgebiete waren pädagog. Diagnostik, Testentwicklung und erziehungswiss. Forschung.

Hylozoismus [grch.] *der,* philosoph. Lehre, die alle Formen von Materie als belebt ansieht (antike Naturphilosophie u. a.).

Hymen [grch.] *das* (Jungfernhäutchen), sichel- bis ringförmige, dünne Schleimhautfalte zw. Scheidenvorhof und Scheideneingang bei der Frau. Das H. reißt i. Allg. beim ersten Geschlechtsverkehr unter leichter Blutung ein.

Hymenaios [grch.] (Hymenäus) *der,* altgrch. Hochzeitslied, gesungen beim Hochzeitsmahl oder beim Weggang der Braut.

Hymenoptera [grch.] die →Hautflügler.

Hymettos *der* (ngrch. Ymittos), Bergzug östlich von Athen (1028 m ü. M.), war schon im Altertum bekannt durch seinen blaugrauen Marmor.

Hymir, Riese der nord. Mythologie, der am Himmelsrand wohnt und einen mächtigen Metkessel besitzt, den sowohl Donar als auch H.s Sohn →Tyr begehren. Der Kampf um den Kessel wird im »Hymirlied« der älteren Edda beschrieben.

Hymne [grch. »Lied«] *die* (Hymnos, lat. Hymnus), feierl., bes. religiöser Lob- und Preisgesang; in der grch. Antike ein von Musik und Tanz begleiteter Opfer- und Festgesang zu Ehren von Göttern, z. B. Dithyrambos, Paian. Die urspr. epische Anlage der H. wurde später zugunsten der lyr. aufgegeben (Pindar, Kallimachos). – Die lat. Hymnik der Kirche im 4. Jh. wurde von Hilarius von Poitiers und bes. von Ambrosius begründet. Eine frühchristl. Vorstufe war die psalmod. Dichtung, die sich in grch. und syr. Sprache aus dem Psalmengesang des A. T. entwickelte. – In der neueren Literatur gelten als H. Gedichte, in denen erhabene Gedanken und Vorstellungen ausgedrückt werden, z. B. bei F. G. Klopstock. Die H. findet sich bei Goethe, Schiller, J. C. F. Hölderlin; sie wirkte auf den George-Kreis, R. M. Rilke, G. Trakl; ekstatisch-hymn. Dichtungen entstanden auch im Expressionismus (A. Mombert, T. Däubler, J. R. Becher). (→Nationalhymne)

Hyoscyamin [grch.] *das,* Alkaloid aus Nachtschattengewächsen (v. a. aus der Tollkirsche), geht bei der techn. Aufarbeitung z. T. in Atropin über.

Hypatia, neuplaton. Philosophin und Mathematikerin, * Alexandria 370, † (ermordet) ebd. 415; hielt dort als erste Frau Vorlesungen über Philosophie, Mathematik, Mechanik und Astronomie. Genannt, jedoch verloren gegangen sind Werke über Arithmetik, Geometrie, Anleitungen zur Anfertigung eines Astrolabiums und eines Hydroskops. – Im Zusammenhang mit polit. Unruhen wurde H. mit Billigung Kyrills von Alexandrien von christl. Fanatikern ermordet und verbrannt.

Hypazidität (Subazidität), verminderter Gehalt des Magensafts an Salzsäure; Ggs.: Hyperazidität.

hyper... [grch.], über..., zuviel.

Hyperämie [grch.] *die,* vermehrte Blutansammlung in Organen oder Körperabschnitten. Die **aktive** oder **arterielle H. (Blutandrang)** beruht auf einer vermehrten Blutzufuhr durch Weitstellung der Gefäße, z.B. bei Entzündungen, infolge der Temperaturregulation, psych. und vegetativer Ursachen (Erröten) oder hormoneller Regulationsstörungen (Hitzewallungen in den Wechseljahren). Die **passive** oder **venöse H. (Blutstauung)** ist verursacht durch verlangsamte Blutströmung oder Beeinträchtigung des Blutrückstroms (u.a. Symptom bei Kreislaufversagen, Thrombose).

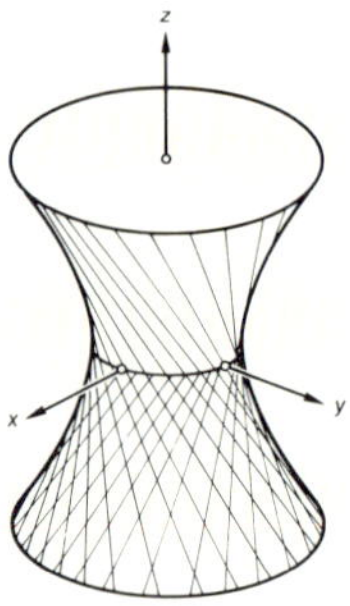

Hyperboloid (einschalig)

Hyperatom, ein →exotisches Atom.

Hyperazidität (Superazidität, Hy-perchlorhydrie), Übersäuerung des Magens durch überstarke Magensaftabsonderung; Ggs.: Hypazidität.

Hyperbel [grch.] *die,* **1)** *Mathematik:* eine ebene Kurve (Kegelschnitt) mit zwei ins Unendliche verlaufenden getrennten Zweigen, deren sämtl. Punkte von zwei festen Punkten, den Brennpunkten, gleiche Differenz der Entfernungen haben:

$$(\overline{PF_2} - \overline{PF_1} = 2a).$$

Beide H.-Zweige liegen zw. ihren Asymptoten, die einander im H.-Mittelpunkt schneiden. Zw. der **linearen Exzentrizität** e und den **Halbachsenlängen** a, b besteht die Beziehung $e^2 = a^2 + b^2$, für die **numer. Exzentrizität** $\varepsilon = e/a$ gilt $\varepsilon > 1$. Ist M der Mittelpunkt eines kartes. Koordinatensystems, gilt die **Mittelpunktsgleichung:**

$$\frac{x^2}{a^2} - \frac{y^2}{b^2} = 1.$$

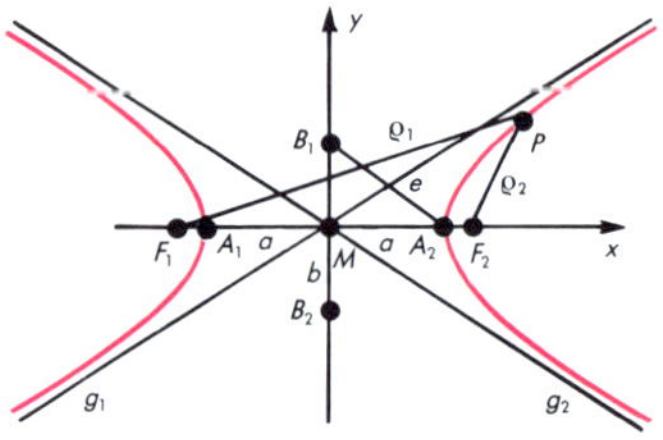

Hyperbel 1): F_1, F_2 Brennpunkte; A_1, A_2 Hauptscheitel; B_1, B_2 Nebenscheitel; g_1 g_2 Asymptoten; $\varrho_1 - \varrho_2 = 2a$; Länge der Strecke $\overline{F_1F_2} = 2e$, $\overline{B_1B_2} = 2b$

2) *Sprache* und *Rhetorik:* Übertreibung des Ausdrucks, z.B. »himmelhoch ragende Häuser«.

Hyperbelfunktionen (hyperbolische Funktionen), Bez. für die mithilfe der Exponentialfunktion eingeführten Funktionen **Hyperbelsinus** (Sinus hyperbolicus) und **Hyperbelkosinus** (Cosinus hyperbolicus, Kettenlinie) mit

$$\sinh x = \frac{1}{2}(e^x - e^{-x}) \text{ und } \cosh x = \frac{1}{2}(e^x + e^{-x}),$$

sowie **Hyperbeltangens** (Tangens hyperbolicus) $\tanh x = \sinh x / \cosh x$ und **Hyperbelkotangens** (Cotangens hyperbolicus) $\coth x = \cosh x / \sinh x$ sowie **Hyperbelsekans** (Secans hyperbolicus) $\operatorname{sech} x = 1/\cosh x$ und **Hyperbelkosekans** (Cosecans hyperbolicus) $\operatorname{cosech} x = 1/\sinh x$. Bei Zulassung komplexer Argumente besteht enger Zusammenhang mit den →Winkelfunktionen: $\sinh z = -i \cdot \sin iz$, $\cosh z = \cos iz$. Die Umkehrfunktionen der H. heißen Areafunktionen.

Hyperbelnavigation, Verfahren der →Funknavigation.

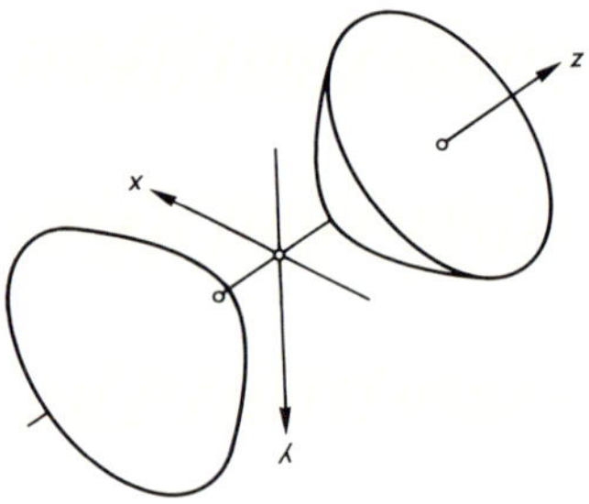

Hyperboloid (zweischalig)

Hyperboloid [grch.] *das,* Fläche 2. Ordnung, auch der von ihr begrenzte Körper; kann durch Ebenen in Hyperbeln und Ellipsen geschnitten werden. **Rotations-H.** kann man sich durch Rotation einer Hyperbel um die die Brennpunkte verbindende Achse **(zweischaliges H.)** oder um die dazu senkrechte Symmetrieachse (**einschaliges H.;** Beispiel: Betonschale eines Kühlturms) entstanden denken.

Hyperboreer [grch. »jenseits des Boreas (Nordwind) Wohnende«], nach den Vorstellungen der alten Griechen ein in ewigem Frieden lebendes Volk, bei dem Apoll im Winter weilte.

Hyperfeinstruktur, zusätzl., über die →Feinstruktur hinausgehende Energieaufspaltung in den Spektrallinien der Atomspektren, die auf der Wechselwirkung der Hüllenelektronen mit höheren Kernmomenten (magnet. Dipol- und elektr. Quadrupolmomente) sowie auf der Isotopie (→Isotope) der Elemente beruht.

Hyperfiltration, →Membranverfahren.

Hyperglykämie [grch.] *die,* Erhöhung des in nüchternem Zustand bestimmten Glucosegehaltes (»Blutzuckerspiegel«) auf Werte über 6,7 mmol/l Blut (über 120 mg je 100 ml); tritt v.a. auf bei Diabetes mellitus, Nebennierenüberfunktion oder Basedow-Krankheit.

Hypergole, →Raketentreibstoff.

Hyperion (Hyperion), **1)** *Astronomie:* Mond des Saturn.

2) *grch. Mythos:* einer der →Titanen, Vater des Helios, der Eos und der Selene; auch Beiname des Helios.

hyperkomplexes System, *Mathematik:* eine Weiterentwicklung der →komplexen Zahlen.

hyperkomplexe Zahlen, die →Quaternionen.

Hyperladung, Formelzeichen *Y,* ladungsartige Quantenzahl zur Beschreibung der Elementarteilchen; Summe aus Baryonenzahl und Strangeness.

Hyperlipidämie [grch.] (Hyperlipoproteinämie), erhöhter Gehalt des Blutes an Fettstoffen (Lipide, Lipoproteine), z.B. Triglyceride **(Hypertriglyceridämie)** und/oder Cholesterin **(Hypercholesterinämie);** häufig verbunden mit Übergewicht, Bluthochdruck, Diabetes, Gicht und Fettleber (»Wohlstandssyndrom«) infolge Fehlernährung bei Bewegungsmangel; Wegbereiter der Arteriosklerose.

Hyperonen [grch.], instabile →Elementarteilchen aus der Gruppe der Baryonen, deren Ruhemasse größer als die der Nukleonen ist. Sie besitzen halbzahligen Spin sowie die Strangeness $S \neq 0$ und zerfallen mit Halbwertszeiten von ca. 10^{-10} s in einem oder mehreren Schritten in Nukleonen.

Hyperoxid, bes. von den Alkalimetallen abgeleitete Verbindung, die das Ion O_2^- **(H.-Ion)** enthält.

Hyperparathyreoidismus [grch.] *der,* auf Überfunktion der Nebenschilddrüsen beruhende Hormonstörung infolge Hyperplasie oder Tumors **(primärer H.)** oder reaktiv bei bestimmten Erkrankungen mit Störungen des Vitamin-D- und Calcium-Phosphat-Stoffwechsels **(sekundärer H.).**

Hyperplasie [grch.] *die,* Vergrößerung eines Organs oder Gewebes durch Zunahme der Zellzahl.

Hyperschall, mechan. Schwingungen mit Frequenzen zw. 10^9 und 10^{12} Hz, zur Untersuchung von Festkörpern angewendet.

Hypersensibilisierung, →Sensibilisierung.

Hypersomnie [grch.] *die,* die →Schlafsucht.

hypersonisch, hoch über dem Schallbereich liegend; in der Aerodynamik beginnt der hyperson. Bereich ab →Machzahl 5.

Hypersthen [grch.] *der,* Mineral, ein →Pyroxen.

Hypertension [grch.-lat.] *die,* 1) erhöhte Spannung der Gefäßwände; 2) Hochdruckkrankheit.

Hypertext, *Datenverarbeitung:* Bez. für eine nichtlineare Strukturierungs- und Präsentationsform textbezogener Daten. H. ermöglicht durch Verweise **(Hyperlinks)** zwischen Schlüsselbegriffen, die sich auch in verschiedenen Dokumenten befinden können, dem Leser die Wahlmöglichkeit, welchen Teil des Textes er als Nächstes lesen will. H. kann daher nur am Computer gelesen werden. Sind in einem Informationssystem neben Text auch multimediale Daten (z.B. Ton, Bild, Film) eingebunden und durch Hyperlinks vernetzt, spricht man allg. von **Hypermedia.** H. wird v.a. in Hilfesystemen komplexer Computerprogramme, elektron. Büchern (Lexika) und im →WWW angewendet.

Hyperthermie [grch.] *die,* Erhöhung der Körpertemperatur infolge ungenügender Wärmeabgabe (Wärmestau); im Unterschied zum Fieber ist der Sollwert des Wärmeregulationszentrums nicht erhöht.

Hyperthyreose [grch.] *die,* Überfunktion der Schilddrüse, z.B. bei der →Basedow-Krankheit.

Hypertonie [grch.] *die,* die →Hochdruckkrankheit.

Hypertrophie [grch. »Überernährtheit«] *die,* **1)** *Botanik:* übermäßige Vergrößerung einzelner Pflanzenteile, meist durch Einwirkung tier. oder pflanzl. Parasiten, z.B. bei vielen pflanzl. →Gallen.

2) *Medizin:* Größen- und Gewichtszunahme eines Gewebes oder Organs infolge Vergrößerung der einzelnen Zellen (im Unterschied zur →Hyperplasie); meist verursacht durch starke Inanspruchnahme der Gewebe, z.B. Arbeits-H. der Muskeln oder des Herzens (Sportherz).

Hyperzyklus, Selbstorganisation und Selbstvermehrung (Autokatalyse) von Makromolekülen (Nucleotide, Proteine). Die H.-Theorie wurde von M. →Eigen entwickelt und trägt wesentlich zum Verständnis der Entstehung des Lebens aus Unbelebtem bei.

Hyphe [grch.] *die,* Zellschlauch der →Pilze.

hypidiomorph, *Kristallographie:* →idiomorph.

Hypnos [grch.] (lat. Somnus), *grch. Mythos:* Gott des Schlafs, Sohn der Nacht, Zwillingsbruder des Todes (Thanatos); dargestellt als Jüngling mit Flügeln an der Stirn, mit Mohnstängel und Füllhorn in den Händen.

Hypnose [zu grch. hýpnos »Schlaf«] *die,* durch Suggestion herbeigeführte, weitgehend auf den sozialen Kontakt mit der Person des Hypnotiseurs verengte Bewusstseinsänderung, die in physiolog. Hinsicht (Gehirnaktivität, Pulsfrequenz, Grundumsatz u.a.) mehr einem partiellen Wachsein als einem Schlafzustand gleicht. Die Hypnotisierbarkeit hängt jeweils weniger vom Hypnotiseur ab als von der Charakterstruktur – speziell der Beeinflussbarkeit (Suggestibilität) – des zu Hypnotisierenden. Medizinisch findet die **H.-Therapie** v.a. als **Auto-H.** (Selbst-H.), bei der die hypnotisierte Person durch Autosuggestion in den hypnot. Zustand versenkt wird, Anwendung.

📖 Jovanovic, U.: *Methodik u. Theorie der H. Stuttgart 1988.* – Haring, C.: *Einführung in die H.-Therapie. Stuttgart 1995.*

Hypnotika [grch.], die →Schlafmittel.

hyp(o)... [grch.], unter...

Hypokaustum: Heizungsanlage eines römischen Bades (Budapest, Historisches Museum)

Hypochlorit [grch.] *das,* stark oxidierend wirkendes Salz der hypochlorigen Säure (HClO); dient zur Desinfektion und als Bleichmittel sowie zur Unterdrückung von Algenwachstum z.B. in Meerwasser-Entsalzungsanlagen.

Hypochondrie [grch.] *die,* zwanghafte Angst vor Erkrankungen oder eingebildetes Kranksein.

Hypoglykämie [grch.] *die,* Verminderung des Blutzuckergehaltes unter 2,8 mmol/l Blut (unter 40 bis 70 mg je 100 ml); meist bedingt durch Insulinüberdosierung bei Diabetikern, gelegentlich durch Geschwülste der Leber und Bauchspeicheldrüse sowie infolge körperl. Überanstrengung oder Hungerzustände. Kennzeichen sind Heißhunger, Kopfschmerzen, Schwitzen, Krämpfe, Bewusstseinstrübung.

Hypokaustum

In der Antike heizte man Räume mithilfe von Hypokausten (griechisch »von unten geheizt«): Auf dem massiven Unterboden des Gebäudes wurden Stützen von 10 bis 20 cm Durchmesser und 50 bis 120 cm Höhe aufgemauert; sie trugen einen zweiten Boden aus Steinplatten, auf den meist ein dicker Betonestrich mit abschließender Gehschicht – oft ein Mosaikboden – aufgelegt wurde. In einem Schürraum wurde ein starkes Holzfeuer unterhalten, die erhitzte Luft strömte durch den Hohlraum zwischen den Böden. Nach Aufheizung des Fußbodens sowie zusätzlicher Erwärmung der Wände, in die oft Tonröhren verlegt waren (durch die die Heißluft ziehen konnte), wurde Frischluft in einem besonderen Luftzuführungskanal durch das Hypokaustum geleitet, erwärmte sich an dem erhitzten Gestein und strömte durch zuvor abgedeckte Öffnungen in den Raum.

In Italien wurden Hypokausten fast nur für Bäder (Thermen) eingesetzt, nördlich der Alpen auch für Wohnräume. Über die Römerzeit hinaus wurden Hypokausten in Klöstern offenbar noch bis ins 11. Jahrhundert verwendet, außerdem finden sie sich im türkischen Bad. Von der modernen Baubiologie werden Hypokausten in Verbindung mit Grundöfen zunehmend wieder entdeckt.

Hypogonadismus [grch.] *der,* Unterfunktion der Gonaden (Hoden oder Eierstöcke), i.e.S. Unterfunktion der Hoden; Ursachen: Organschädigung (z.B. Hodenatrophie nach Mumps), fehlende Stimulierung durch übergeordnete Hormone (Gonadotropine) der Hirnanhangdrüse.

Hypokaustum [grch. »von unten geheizt«] *das,* eine antike, schon in Olympia nachgewiesene Warmluftzentralheizung, seit etwa 100 v.Chr. auch bei den Römern verbreitet. Durch Kanäle im Stein- oder Ziegelfußboden, später auch durch Hohlziegel der Wände wurde die durch ein starkes Holzfeuer erhitzte Luft geleitet.

Hyponastie [grch.] *die,* verstärktes Wachstum der Unterseite von Seitensprossen oder Blattstielen; Ggs.: →Epinastie.

Hypophyse [grch.] *die* (Hirnanhangdrüse, Gehirnanhangdrüse), Hormondrüse der Wirbeltiere, die eine größere Anzahl versch. Hormone mit unterschiedl. Wirkungen produziert. Die H. liegt in der Sattelgrube (Türkensattel) des Keilbeins und ist durch den H.-Stiel mit dem Zwischenhirn verbunden; beim Menschen etwa 0,6 g schwer. Sie besteht aus dem Drüsenteil **(Adeno-H.)** mit Trichter-, Vorder- und Zwischenlappen und dem Hirnteil **(Neuro-H.)** mit Hinterlappen und H.-Stiel. Die H. ist eine übergeordnete Hormondrüse, die eng mit dem Nervensystem verknüpft ist und steuernd auf andere Hormondrüsen und Organe wirkt. Durch die im Vorderlappen produzierten Hormone werden Wachstum (Somatotropin), die Tätigkeit von Schilddrüse (Thyreotropin), Nebennierenrinde (ACTH), Milchdrüse (Prolactin) und Geschlechtsdrüsen (Gonadotropine) sowie der Fettstoffwechsel (Lipotropine) reguliert. Der Hinterlappen erzeugt seine Hormone (Oxytocin, Vasopressin) nicht selbst. Sie entstehen im Hypothalamus (Teil des Zwischenhirns), werden im Hinterlappen gespeichert und bei Bedarf an das Blut abgegeben.

Hypoplasie [grch.] *die,* unvollkommene Größenentwicklung eines Organs.

Hyposensibilisierung, die →Desensibilisierung.

Hypostase [grch. »Grundlage«] *die* (Hypostasis), **1)** *Genetik:* Überdeckung der Wirkung eines Gens durch ein anderes.

2) *Medizin:* schwerebedingte vermehrte Blutfülle in tiefer liegenden Körperteilen.

3) *Philosophie:* Verdinglichung oder Personifizierung von Eigenschaften oder Begriffen.

4) *Religionswissenschaft:* Bez. für die Personifizierung göttl. Qualitäten.

Hypotaxe [grch.] *die,* die Unterordnung von Nebensätzen unter einen Hauptsatz.

Hypotenuse [grch.] *die,* im rechtwinkligen Dreieck die dem rechten Winkel gegenüberliegende Seite.

Hypothalamus [grch.] *der,* Teil des →Zwischenhirns.

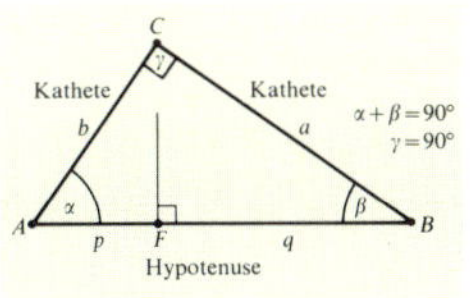

Hypotenuse
mit Hypotenusenabschnitten p und q

Hypothek [grch. »Unterlage«] *die,* zu den Grundpfandrechten zählendes beschränktes dingl. Grundstücksrecht zur Sicherung einer Forderung (§§ 1113 ff. BGB). Ein Grundstück oder Miteigentumsanteil kann mit einer H. belastet werden, sodass an den Berechtigten (H.-Gläubiger) wegen einer ihm zustehenden Forderung bei Eintritt des Sicherungsfalles eine bestimmte Geldsumme aus dem Grundstück zu zahlen ist. Hypothekarisch belastbar ist auch das Erbbaurecht. Die H. gewährt kein Besitzrecht am Grundstück; sie ist streng akzessorisch, d.h., sie setzt stets das Bestehen (Valutierung) der Forderung voraus, zu deren Sicherung sie dienen soll. H.-Schuldner und Schuldner der gesicherten Forderung brauchen nicht identisch zu sein. Die H. entsteht durch Einigung des Gläubigers und des Grundstückseigentümers und Eintragung in das Grundbuch. Die gewöhnl. H., die **Verkehrs-H.,** kann als **Brief-H.** oder als lediglich im Grundbuch eingetragene **Buch-H.** bestellt werden. Das Ges. sieht als Regelfall die Brief-H. vor, bei der über die H. ein **H.-Brief** ausgestellt wird und die H. vom Gläubiger erst durch Aushändigung des Briefes erworben wird. Bei den meisten H. sind Grundstückseigentümer und H.-Gläubiger versch. Personen **(Fremd-H.)**; seltener ist die **Eigentümer-H.,** die dem Grundstückseigentümer als H.-Gläubiger zusteht, bes. dann, wenn die H. eingetragen bleibt, die Forderung aber bereits erloschen ist; eine Eigentümer-H. wandelt sich von Gesetzes wegen stets in eine Eigentümergrundschuld um. Bei der **Sicherungs-H.** ist die Akzessorietät von Forderung und Grundpfandrecht bes. streng. Bei ihr ist das Bestehen einer Forderung nachzuweisen. Sie wird im Grundbuch als solche bezeichnet und kann nur als Buch-H. bestellt werden. Bei der **Höchstbetrags-H.** wird nur der Betrag eingetragen, bis zu dem das Grundstück haften soll, z.B. zur Sicherung laufender Kredite. Der Käufer eines Grundstücks, der nicht die volle Kaufsumme zahlen kann, kann dem Verkäufer eine **Restkaufpreis-H.** bestellen. Die **Gesamt-H.** erstreckt sich auf mehrere Grundstücke. Jedes von ihnen haftet für die ganze Summe. Für **Tilgungs-** und **Amortisations-H.,** bei denen die Hauptforderung durch jährlich gleich bleibende Leistungen getilgt wird, bestehen Sonderbestimmungen. Zur Sicherung eines gerichtlich titulierten Anspruchs kann im Wege der Zwangsvollstreckung ein Grundstück mit einer **Zwangs-H.** belastet werden (§§ 866 f. ZPO).

Die H. teilt das rechtl. Schicksal der Forderung, d.h. insbesondere, dass sie nur gemeinsam mit der Forderung übertragbar ist. Die bei Grundstückskäufen oftmals praktizierte H.-Übernahme unter Kaufpreisanrechnung ist rechtlich eine Schuldübernahme. Für die neuen Bundesländer regelt Art. 233, §§ 3, 6 EGBGB, dass die vor dem Beitritt bestehenden H. mit dem bisherigen Inhalt und Rang fortgelten. – Im *österr.* Recht ist die H. sehr ähnlich verfasst (§§ 448 ff. ABGB). Dem *schweizer.* ZGB ist der Ausdruck H. unbekannt; in der Umgangssprache wird mit H. ein Grundpfandrecht, bes. die Grundpfandverschreibung, bezeichnet.

Hypothekenbank, privatrechtl. Kreditinstitut in Form einer AG oder einer KGaA, das nach dem H.-Ges. i.d.F.v. 19. 12. 1990 der staatl. Genehmigung und Aufsicht (Bundesaufsichtsamt für das Kreditwesen) unterliegt. Es betreibt die hypothekar. Beleihung von Grundstücken **(Hypothekarkredit)** und gibt aufgrund der erworbenen Hypotheken **(Hypothekengeschäft)** Schuldverschreibungen **(Hypothekenpfandbriefe)** aus. Diese müssen durch erststellige Hypotheken gesichert sein. Außerdem können H. an Körperschaften des öffentl. Rechts nichthypothekar. Darlehen gewähren **(Kommunaldarlehensgeschäfte).** Verboten sind Kontokorrent-Kreditgeschäfte, Emissions- und Versicherungsgeschäfte. – Neben den H. stellen die Sparkassen, die öffentlich-rechtl. Grundkreditanstalten, die Landesbanken-Girozentralen Hypothekarkredite bereit.

Hypothekengewinnabgabe, Abk. **HGA,** Abgabe des →Lastenausgleichs (1979 ausgelaufen), die den Schuldnergewinn abschöpfte, der durch Umstellung der durch Grundpfandrechte gesicherten RM-Verbindlichkeiten auf DM entstanden war.

Hypothermie [grch.] *die,* Unterkühlung, erniedrigte Körpertemperatur; sie entsteht durch starke Wärmeverluste, die durch natürl. Wärmeregulation nicht mehr ausgeglichen werden können (Erfrierung), oder bei Störung der Wärmeregulation, z.B. infolge Erschöpfung. Die therapeutisch herbeigeführte H. **(künstl. Hibernation)** dient der Herabsetzung der Stoffwechselvorgänge und Reflexe und ermöglicht eine kurze Unterbrechung der Blutzufuhr zu lebenswichtigen Organen (z.B. in der Herzchirurgie); sie wird durch Abkühlung des Körpers unter medikamentöser Ausschaltung der Wärmeregulation (auch mittels Narkose) erzielt.

Hypothese [grch. »Unterstellung«] *die,* eine wissenschaftlich fundierte Annahme, die so formuliert ist, dass sie durch Erfahrung, Experiment bestätigt (verifiziert) oder widerlegt (falsifiziert) werden kann. H. sind Basis für wiss. Theorien. Als

Arbeits-H. weisen H. der Forschung den Weg. Eine H., die vielen empir. Überprüfungen standgehalten hat, wird bewährt genannt.

Hypothyreose [grch.] *die,* Unterfunktion der Schilddrüse, z.B. beim →Myxödem.

Hypotonie [grch.] *die,* zeitweilige oder ständige Erniedrigung des arteriellen →Blutdrucks (systolisch unter 100–110 mm Hg), z.B. bei zusammenbrechendem Kreislauf (beginnender Schock), bei Nebenniereninsuffizienz, in der Rekonvaleszenz oder bei funktionellen Kreislaufstörungen ohne Krankheitswert. H. ist verbunden mit rascher Ermüdbarkeit, Schwindelgefühl und Ohnmachtsneigung. Die Behandlung umfasst v.a. körperl. Training, blutdruckerhöhende Medikamente, Heilung einer evtl. vorhandenen Grundkrankheit.

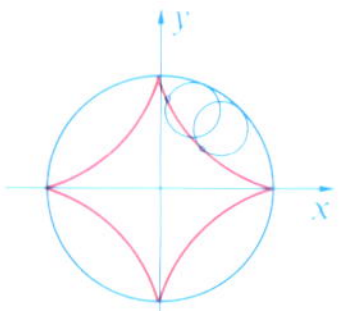

Hypozykloide

Hypoxanthin (Sarkin), Purinbase (6-Hydroxypurin), die im Tier- und Pflanzenreich weit verbreitet ist; entsteht beim Abbau von Adenosin über Inosin. H. ist Wachstumsfaktor für manche Mikroorganismen.

Hypoxie [grch.] *die,* Sauerstoffmangel in den Körpergeweben, zu dem es bes. bei örtl. Durchblutungsstörung (z.B. bei Embolie, Herzinfarkt) oder infolge verminderten Sauerstoffgehalts im Blut **(Hypoxämie)** kommt.

Hypozentrum, Herd eines →Erdbebens.

Hypozykloide [grch.] *die,* eine zykl. Kurve, die von einem Punkt auf einem Kreis beschrieben wird, wenn dieser auf der Innenseite eines festen Kreises gleitfrei abrollt.

hypso... [grch.], höhen...

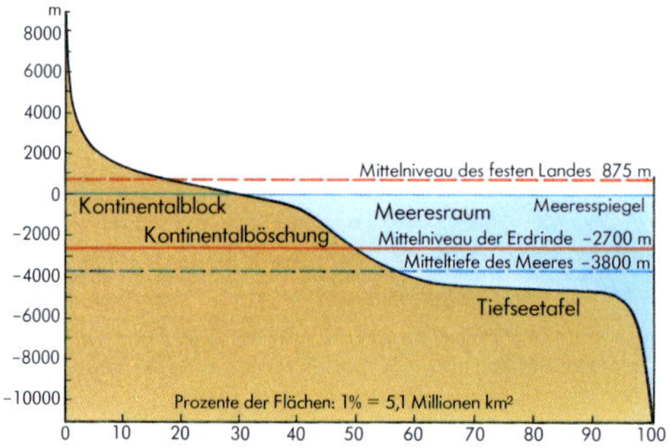

hypsographische Kurve

hypsographische Kurve (hypsometrische Kurve), eine graf. Darstellung, die den Anteil der einzelnen Höhenstufen am Relief der Erde (einschl. der Meeresböden) veranschaulicht. Sie zeigt zwei Hauptniveaus: den Kontinentalblock mit dem Schelf (also bis 200 m u. M.; 35% der Erdkruste) um den Mittelwert +875 m und die Tiefseetafel (abyssische Region, 56%) um den Mittelwert –3800 m; sie sind verbunden durch die Kontinentalböschung (aktische Stufe, 9%). Höhen von über 3500 m und Tiefen von unter 6000 m haben nur geringen Anteil.

Hypsometrie [grch.] *die,* die Höhenmessung.

Hypsothermometer (Hypsometer), das →Siedethermometer.

Hysterektomie [grch.] *die,* operative Entfernung der Gebärmutter, z.B. bei Myomen oder bei Gebärmutterkrebs.

Hysterese [grch.] *die* (Hysteresis), **1)** *Elektronik:* bei elektron. Kippschaltungen Bez. für die Differenz der Ansprechspannungen.

2) *Physik:* Abhängigkeit des physikal. Zustands eines Objektes von vorausgegangenen Zuständen, beruht auf der Restwirkung nach Beseitigung der einwirkenden physikal. Größe. a) **Magnet. H.,** das Zurückbleiben der Magnetisierung $\boldsymbol{M}$ ferromagnet. Stoffe gegenüber der erregenden magnet. Feldstärke $\boldsymbol{H}$. Wird ein bis zur Sättigung magnetisiertes Stück Eisen durch allmähl. Vermindern der Feldstärke entmagnetisiert, so bleibt eine Restmagnetisierung, die **Remanenz** $\boldsymbol{M_r}$, die erst durch ein Gegenfeld von der Größe der **Koerzitivfeldstärke** $\boldsymbol{H_c}$ (ungenau Koerzitivkraft) verschwindet. Bei weiterer Steigerung wächst die Magnetisierung wieder, worauf der Gesamtvorgang umgekehrt wiederholt werden kann. Bei unmagnet. Material wird mit wachsender Feldstärke $\boldsymbol{H}$ zunächst die **Neukurve** bis zur **Sättigungsmagnetisierung,** dem Maximalwert der Magnetisierung, durchlaufen; die gesamte Kurve wird als **H.-Kurve** oder **-Schleife** bezeichnet. b) Weniger leicht zu beobachten ist die **dielektrische H.** von Stoffen mit molekularem Dipolmoment. Die von einem äußeren Feld in einem Dielektrikum erzeugte Polarisation klingt nach Abschalten des Feldes mit einer Exponentialfunktion ab. c) Ähnl. Erscheinungen zeigen sich bei elast. Beanspruchungen **(elast. H., Nachwirkung).** d) In **Gasentladungen** tritt durch Nachwirkung früherer Entladungszustände auf den augenblickl. Zustand ebenfalls eine H. auf.

Hysterie [zu grch. hystéra »Gebärmutter«] *die,* Form der Neurose, überspannte Extraversion; früher (heute auch umgangssprachl.) Sammelbez. für ein Verhalten, das aus Affekten heraus entsteht und mit phys. und psych. Symptomen (Lähmungen, Krampfanfällen, Bewusstseinstrübungen u.a.) verbunden ist, ohne dass entsprechende organische Veränderungen vorliegen.

Hysteron-Proteron [grch. »das Spätere als Früheres«] *das, Logik:* log. Beweisfehler; die Verwendung des zu Beweisenden im Beweis.

Hyvinkää (schwed. Hyvinge), Stadt in S-Finnland, am Salpausselkä, 41000 Ew.; Textil-, bes. Wollind., daneben Lebensmittel-, Schuh- und Gummiind.; Wintersportzentrum.

Hz, Einheitenzeichen für →Hertz.

I

Altsemitisch Altgriechisch Römische Kapitalschrift Unziale und karoling. Minuskel

i, I *das,* **1)** der 9. Buchstabe des dt. und vieler anderer Alphabete; er bezeichnet den hohen, hellen, palatalen Vorderzungenvokal. Der Punkt ist erst im 14. Jh. aus einem Verdeutlichungsakzent entstanden. In versch. Sprachen kann das Schriftzeichen einen Akzent oder ein anderes diakrit. Zeichen erhalten, dann steht kein Punkt. Im Türkischen bezeichnet ı (ohne Punkt) den hohen, dumpfen Hinterzungenselbstlaut.

2) I, in röm. Inschriften Abk. für **I**mperator = Kaiser.

Druckschriftenvarianten des Buchstabens **I**

3) *Chemie:* **I,** Symbol für →Jod.

4) *Formelzeichen:* *I,* für elektr. Stromstärke, Lichtstärke, Isospin.

5) *Mathematik:* **i,** Einheit der imaginären Zahlen:

$$i = \sqrt{-1}$$

(→komplexe Zahl).

6) *Münzwesen:* **I,** Kennbuchstabe auf frz. Münzen 1539–1837 für die Münzstätte Limoges; auf dt. Münzen nach 1873 steht statt I→J.

7) *röm. Zahlzeichen:* **I** = 1.

Ia., Abk. für den Bundesstaat **I**ow**a**, USA.

IAA – Internationạle Automobịl-Ausstellung, vom Verband der Automobilindustrie, VDA, durchgeführte Ausstellung für Pkw (ungerade Jahreszahlen: in Frankfurt am Main) und für Nutzfahrzeuge (gerade Jahreszahlen: in Hannover); erstmals 1897 in Berlin veranstaltet. (→Messe)

Iacopọne da Tọdi (latinisiert Jacobus de Benedictis oder Jacobus Tudertinus), italien. Dichter, *Todi um 1230, †San Lorenzo (bei Collazone, Prov. Perugia) 25. 12. 1306; Franziskaner, schrieb Satiren gegen das weltl. Treiben der Kirche, geistl. Lobgesänge und eine Marienklage in Dialogen.

IAEA [engl.], →Internationale Atomenergie-Behörde.

IAF, Abk. für engl. **I**nternational **A**stronautical **F**ederation, 1951 gegr. Vereinigung nat. astronaut. Gesellschaften u. a. mit dem Ziel der Verbreitung und Förderung der techn. und wissenschaftl. Forschung und des allg. Interesses für die Raumfahrt sowie die Beschränkung der Raumfahrtindustrie auf friedl. und nichtmillitär. Ziele; Sitz: Paris.

Iạmblichos von Chalkis, neuplaton. Philosoph, *Chalkis um 250, †um 330; Begründer der syr. Schule des Neuplatonismus; entwickelte eine Interpretationsmethode für die Schriften Platons und verband die Lehre Plotins mit orientalisch-myst. Elementen.

Iạmbus [grch.] *der, Metrik:* →Jambus.

IAO, Abk. für →**I**nternationale **A**rbeits**o**rganisation.

Iaṣi ['jaʃj] (dt. Jassy), Hptst. des Kr. I. in NO-Rumänien, in einem Nebental des Pruth, 340 000 Ew.; Sitz eines grch.-orth. Metropoliten und eines kath. Bischofs; Univ. (gegr. 1860), TH, zwei Hochschulen, Zweigstelle der Akademie der Wiss., Museen, Staatsarchiv, Nationaltheater; metallurg., pharma-

i, I

Das Tüpfelchen auf dem i verdanken wir vor allem der gotischen Schrift, der Schriftart der gotischen Stilepoche (12.–15. Jahrhundert). In ihr, besonders in der klassischen Ausformung der Textura, war das kleine i durch die Form der Buchstabenschäfte und das Verschmelzen benachbarter Buchstaben gar zu unauffällig. Ein Wort wie »minne« war da nicht leicht zu entziffern. Zum Glück fiel es im 13. Jahrhundert jemandem ein, der Kalamität durch einen Haken auf dem i ein Ende zu setzen. Der verkleinerte sich dann im Laufe der Zeit zum Pünktchen. In vielen Ländern der Erde traut man auch dem großen I nicht ganz und versieht es bei den handgeschriebenen großen Blockbuchstaben ebenfalls mit einem Tupfer.

Juana de Ibarbourou

Dolores Ibárruri Gómez

Iberia

zeut., Textil-, Möbel- u.a. Ind.; Flughafen. – Kirche St. Nikolaus (1494ff.), Kirche der »Drei Hierarchen« (1639), mehrere Klöster (16./17. Jh.) – K. entstand im 7. Jh.; seit 1565 Hptst. des Fürstentums Moldau. – Im **Frieden von I.** (9. 1. 1792) trat die Türkei an Russland das Land zw. Bug und Dnjestr ab.

Iason (Jason), *grch. Mythos:* der Anführer der →Argonauten, gewann mithilfe von →Medea das Goldene Vlies; verstieß sie später, um die korinth. Königstochter Kreusa zu heiraten.

IATA, Abk. für engl. **I**nternational **A**ir **T**ransport **A**ssociation, internat. Organisation von Luftverkehrsgesellschaften; Sitz: Montreal; gegr. 1945; dient der Förderung eines sicheren, regelmäßigen, wirtsch. Luftverkehrs.

Iatrochemie [grch.] (Chemiatrie), die auf Paracelsus zurückgehende Richtung der Chemie, in der die chem. Forschung im Dienste der Heilkunde stand. Die I. führte die Lebensfunktionen auf chem. Vorgänge zurück und versuchte, Krankheiten mit chem. Mitteln zu heilen.

ib. (ibd.), Abk. für **ib**idem [lat.], ebenda.

Ibadan, Hptst. des Bundesstaates Oyo, Nigeria, 1,33 Mio. Ew., zweitgrößte Stadt des Landes; kath. und anglikan. Bischofssitz; Univ., Nigerian. Akademie der Wiss. u.a. Bildungsstätten, Nationalarchiv, Museum (Kunst der Yoruba); Kunsthandwerk; bed. Ind. (Kfz-Montage, Herstellung von Sanitärkeramik, Zigaretten, Obstkonserven, Verarbeitung von Kakao).

Ibagué [iβa'ɣe], Dep.-Hptst. in Kolumbien, am O-Hang der Zentralkordillere, 1250 m ü.M., 338300 Ew.; kath. Erzbischofssitz; Univ.; Handelszentrum (Kaffee, Reis); Flugplatz. – Gegr. 1550.

Ibarbourou [iβar'βuru], Juana de, geb. Fernández Morales, uruguayische Lyrikerin, *Melo 8. 3. 1895, †Montevideo 15. 7. 1979; naturnahe, sinnenfreudige Liebeslyrik, später schwermütige Stimmungslyrik; auch lyr. Prosa.

Ibisse

Den alten Ägyptern war der Ibis heilig. In Hermopolis Magna sind lange Gräbergänge entdeckt worden, in denen ungezählte mumifizierte Ibisse in Tonkrügen beigesetzt waren. Der Ibis war das Symbol des Mondgottes Thot, den die Griechen mit Hermes gleichsetzten; Thot wurde häufig mit einem Ibiskopf dargestellt. In der Spätzeit entstanden auch Bronze- und Holzplastiken von Ibissen. Auch auf Mosaiken und Wandbildern Pompejis ist der Ibis dargestellt.

Ibarra [i'βarra], Provinz-Hptst. in N-Ecuador, 2225 m ü.M. in einem Hochtal der Anden, 81000 Ew.; kath. Bischofssitz; Handelszentrum, Zuckerraffinerie. – Gegr. 1606.

Ibárruri Gómez [-θ], Dolores, gen. La Pasionaria (»Die Leidenschaftliche«), span. Politikerin, *Gallarta (Prov. Vizcaya) 9. 12. 1895, †Madrid 12. 11. 1989; Mitgründerin der span. KP, setzte sich während des Span. Bürgerkriegs (1936–39) in leidenschaftl. Rundfunkreden für die Republik ein. Im Exil (Moskau, 1939–77) war sie 1940–60 Gen.-Sekr., 1960–67 KP-Vorsitzende.

Ibbenbüren, Stadt im Kr. Steinfurt, NRW, am Teutoburger Wald, 47600 Ew.; Steinkohlenbergbau (seit dem 16. Jh.; bis in 1420 m Tiefe), Großkraftwerk, Stahl- und Maschinenbau, Leder-, Textil- und chem. Industrie. – Spätgot. evang. Stadtpfarrkirche. – Seit 1702 Stadt.

Iberer, 1) Volk im vor- und frühgeschichtl. Spanien, das an der Ostküste von den Pyrenäen bis südl. von Valencia wohnte. Ihre Kultur, die wahrscheinlich auf die Almeríakultur zurückgeht, entwickelte sich durch grch. und röm. Einflüsse zu besonderer Höhe. Ihre Sprache ist – trotz der Schriftentzifferung – noch wenig verständlich. (→Keltiberer)

2) im Altertum Volk in Kaukasien, →Iberien.

Iberia (Líneas Aéreas de España), größte span. Luftverkehrsgesellschaft, gegr. 1940, Sitz: Madrid. ÜBERSICHT Luftverkehrsgesellschaften

Iberilen (lat. Iberia), **1)** histor. Landschaft südlich des Kaukasus, am Oberlauf des Kyros (Kura), heute Georgien; im Altertum von den nichtindogerman. **Iberern** bewohnt; Hptst.: Tiphilis (heute Tiflis); stand 117–363 vorwiegend unter röm. Einfluss, danach unter dem der pers. Sassaniden.

2) alter Name zunächst der Gegend um Huelva (Spanien), dann Name der ganzen **Iberischen Halbinsel,** auch **Pyrenäenhalbinsel** genannt. Diese ist die westlichste und mit 585560 km² größte der drei südeurop. Halbinseln, durch die Pyrenäen vom Rumpf Europas getrennt; umfasst Spanien, Portugal, Andorra und Gibraltar.

Iberoamerika, Bez. für →Lateinamerika.

Ibert [i'bɛr], Jacques, frz. Komponist, *Paris 15. 8. 1890, †ebd. 5. 2. 1962; Schüler von G. Fauré, wurde 1955 Direktor der Union des Théâtres Lyriques in Paris; schrieb Opern (u.a. »Angelique«, 1927), Ballett-, Bühnen- und Filmmusiken, Orchesterwerke (»Hommage à Mozart«, 1955), Kammermusik u.a.

IBFG, Abk. für →**I**nternationaler **B**und **F**reier **G**ewerkschaften.

Ibisse [ägypt.] (Threskiornithidae), Familie storchähnl., gesellig lebender und brütender Vögel mit rd. 30 mittelgroßen bis großen Arten, v.a. in den wärmeren Gebieten der Alten und Neuen Welt. Nach der Form des Schnabels unterscheidet man die beiden Unterfamilien →Sichler und →Löffler.

Ibiza [i'βiθa] (katalan. Eivissa), Hauptinsel der zu den Balearen gehörigen Pityusen (Spanien), 568 km², 61000 Ew., besteht aus zwei Bergrücken (bis 475 m ü.M.), hat vorwiegend Steilküsten, im S

Ibiza: Blick auf die Stadt

flaches Schwemmland mit Salzgärten. An der SO-Küste die Stadt I. mit 25 500 Ew.; Befestigungsanlagen (16. Jh.); Bischofssitz; got. Kathedrale; Fremdenverkehr; Flughafen.

IBM [aɪbiːˈem, engl.], Abk. für **I**nternational **B**usiness **M**achines Corporation, Sitz: Armonk (N. Y.), weltgrößter Computerhersteller, gegr. 1911, jetziger Name seit 1952. Bedeutendste und älteste Tochterges. ist die 1910 als Dt. Hollerith Maschinen GmbH gegr. IBM Dtl. GmbH, Stuttgart.

Ibn [arab.], Sohn, oft Teil arab. Personennamen.

Ibn al-Haitham, → Haitham.

Ibn Badjdja [-dʒdʒa] (latinisiert Avempace), arab. Philosoph, Mathematiker und Arzt, *Saragossa Ende 11. Jh., †Fès um 1139; der erste Aristoteliker des islam. Spanien.

Ibn Battuta, Abu Abd Allah Mohammed, der bedeutendste arab. Reisende des MA., *Tanger 24. 2. 1304, †in Marokko 1368/69 oder 1377. Urspr. zu einer Pilgerfahrt nach Mekka aufgebrochen, bereiste er 1325–49 Nord- und O-Afrika, Vorder- und Zentralasien, S-Russland, Indien, China, Sumatra; suchte 1352/53 das Nigergebiet (Timbuktu) auf; verfasste Reisebeschreibungen.

Ibn Chaldun [-xal-], Abd ar-Rahman ibn Mohammed, arab. Geschichtsschreiber, *Tunis 27. 5. 1332, †Kairo 17. 3. 1406; stammte aus einer spanisch-arab. Familie und stand im Dienst nordafrikan. Fürsten. Seine »Weltgeschichte«, mit berühmter geschichtsphilosoph. Einleitung, und seine »Geschichte der Berber« sind bed. Quellen für die Geschichte des Islams in N-Afrika.

Ibn Gabirol (Salomon ben Jehuda, latinisiert Avicebron, Avencebrol), der erste jüd. Philosoph des Abendlandes, *Málaga um 1021, †Valencia um 1070 (?); wirkte im arab. Spanien als Dichter (Lehrgedicht »Keter Malchut« [»Königskrone«] in Reimprosa) und Philosoph: verknüpfte den neuplaton. Emanationsgedanken mit dem Hylemorphismus des Aristoteles und jüd. religiösen Ideen.

Ibn Ruschd (latinisiert Averroes), arab. Philosoph und Arzt, *Córdoba 1126, †Marrakesch 1198; Richter in Sevilla und Córdoba; im MA. der »Kommentator« (des Aristoteles) genannt. Charakteristisch für I. R. ist die Lehre vom anfanglosen Bestehen der Welt, die aber doch von Gott erschaffen sei. Der unsterbl. denkende Geist (der Nus des Aristoteles) ist in allen Menschen nur einer (Monopsychismus), sodass der einzelne Mensch weder eine individuelle Seele besitzt noch persönl. Unsterblichkeit. – Seine Lehren sind Gegenstand der Auseinandersetzung in der christl., islam., v. a. jüd. Philosophie und Theologie des MA. → Averroismus.

Ibn Saud, wahhabit. Dynastie im Nedjd (Mittelarabien), um 1744 von Mohammed ibn Saud begründet (→ Wahhabiten). – Ihr entstammte Abd al-Asis III. Ibn Abd ar-Rahman I. S., König von Saudi-Arabien (1927–53), *Riad 24. 11. 1880, †Taif 9. 11. 1953; eroberte, gestützt auf die Wahhabiten, Riad zurück und wurde zum Herrscher im Nedjd, unterwarf 1921 das Emirat Hail, 1924/25 Mekka und das Königreich Hidjas, nahm am 8. 1. 1926 den Königstitel für Hidjas, 1927 für seinen gesamten Herrschaftsbereich an und annektierte danach schrittweise das Emirat Asir; 1932 gab er seinem Land den Namen → Saudi-Arabien. Seit 1933 zog er aus der Vergabe von Ölkonzessionen hohe Gewinne, die er auch zur Modernisierung seines Landes einsetzte.

Abd al-Asis III. Ibn Abd ar-Rahman Ibn Saud, König von Saudi-Arabien

Ibn Sina (latinisiert Avicenna), pers. Philosoph und Arzt, *Afschana (bei Buchara) 980, †Hamadan (Iran) 1037; verschmolz die aristotel. Philosophie mit neuplaton. Gedanken: Die Materie ist ewig, die Welt ewige Wirkung (Emanation) eines ewigen Gottes. I. S. stand mit seiner rationalist. Philosophie oft im Konflikt mit der islam. Orthodoxie.

Werke: Canon medicinae (arabisch, Rom 1593; lat., Löwen 1658), der jahrhundertelang die medizin. Anschauungen beherrschte; Aristoteleskommentare; Enzyklopädien, bes. das »Buch der Genesung (der Seele)«, das Logik, Physik, Mathematik und Metaphysik umfasst.

Jacques Ibert

Ibo (Igbo), großes Volk in Nigeria, v. a. östlich des unteren Niger, über 18 Mio. Menschen; urspr. meist Waldlandbauern. Früh zum Christentum missioniert, erhielten sie eine überdurchschnittl. Schulbildung und wurden daher in ganz Nigeria als Beamte, Händler, Handwerker, Techniker tä-

Henrik Ibsen

tig. Ihre starke Stellung in Verw. und Wirtschaft der N-Region führte 1953 zu ibofeindl. Unruhen. 1967 unternahmen die I. einen Versuch, polit. Unabhängigkeit von der Zentralreg. Nigerias zu erlangen (→ Biafra). Ihre Sprache, das I. (Igbo), ist eine östl. Kwa-Sprache.

IBRD [engl.], Abk. für **I**nternational **B**ank for **R**econstruction and **D**evelopment, die offizielle Bez. der → Weltbank.

Ibsen, Henrik, norweg. Dichter, *Skien 20. 3. 1828, †Oslo 23. 5. 1906; Apothekerlehre (1884–50) in Grimstad; wurde 1851 Bühnenleiter und Theaterdichter in Bergen, 1857 Theaterleiter in Oslo. 1864–91 lebte er in Rom, Dresden und München. I. begann mit revolutionären Gedichten und dem Drama »Catilina« (1850). Seine frühen Werke gestalten nat.-norweg. Stoffe in spätromant. Weise. Die folgenden Ideendramen »Brand« (1866) und »Peer Gynt« (1867) erlangten Weltgeltung. Nach »Kaiser und Galiläer« (1873) begründete er mit »Stützen der Gesellschaft« (1877) die Gattung des Gesellschaftsstücks, das mit der radikalen Kritik an den gesellschaftl. Verhältnissen am Beginn des modernen Dramas steht. An Stoffen aus dem Alltag enthüllt er die Lebenslüge, d.h. die bisher verdeckte Brüchigkeit zwischenmenschl. Beziehungen (»Nora oder Ein Puppenheim«, 1879; »Gespenster«, 1881; »Ein Volksfeind«, 1882; »Die Wildente«, 1884). In späten symbolist. Dramen nahm er

psycholog. Erkenntnisse vorweg (»Hedda Gabler«, 1890). I.s Werk war für den Naturalismus in Dtl. und Skandinavien bahnbrechend und begründete das Drama des Symbolismus.

🕮 Admoni, V. G.: *H. I. München 1991.* – Rieger, G. E.: *H. I. Reinbek 1993.*

Iburg, Bad, → Bad Iburg.

Ibykos, grch. Lyriker des 6. Jh. v. Chr., aus Rhegion (heute Reggio di Calabria) in Unteritalien, lebte am Hof des Polykrates auf Samos. Die Sage von seiner Ermordung und der Entlarvung der Mörder durch Kraniche gestaltete Schiller in der Ballade »Die Kraniche des Ibykus«.

IC, 1) *Bahntechnik:* Abk. für **I**nter**C**ity, Zuggattung der Dt. Bahn AG für den Städteschnellverkehr, zumeist im Ein-Stunden-Takt. Die IC sind lokbespannte Züge (im Regelfall mit der E-Lok Baureihe 103), bestehend aus Abteil- und/oder Großraumwagen 1. und 2.-Klasse und i. d. R. einem Speisewagen. Die Züge sind mit Kartentelefon ausgerüstet. Die zugelassene Höchstgeschwindigkeit beträgt 200 km/h, zz. erreichen IC Reisegeschwindigkeiten von maximal 156 km/h und durchschnittlich 108 km/h. Zusätzlich zum eigentl. Fahrpreis ist ein sog. IC-Zuschlag zu zahlen. Für

Henrik Ibsen in einer Karikatur aus der »Galerie berühmter Zeitgenossen« von Olav Gulbransson (1905)

im Fernverkehr mit dem Ausland eingesetzte IC wurde die Bez. **EuroCity (EC)** eingeführt. EC können auch aus Wagen anderer europäischer Bahnen (z. B. der Schweizerbundesbahnen SBB) bestehen. Seit 1991 sind für den Städteschnellverkehr auch Hochgeschwindigkeitszüge **(InterCity-Express,** → ICE) im Einsatz. Ab 1998 soll der neue **ICT** folgen, ein moderner Triebwagenzug mit verteilten Fahrmotoren. Der ICT ist für Geschwindigkeiten bis 230 km/h ausgelegt und mit Neigetechnik ausgestattet, was eine schnellere Fahrt auf kurvigen Strecken ermöglicht. Im Erscheinungsbild ähnelt er dem ICE. Mit dem **InterCityNight (ICN)** für den innerdeutschen Verkehr (Bonn–Berlin, München–Berlin, Hamburg–München) und dem **CityNightLine (CNL)** im grenzüberschreitenden Verkehr nach Wien bzw. Zürich stehen für den Nachtverkehr zwei neuartige, komfortable Nachtzüge zur Verfügung.

2) *Elektronik:* Abk. für **I**ntegrated **C**ircuit, → integrierte Schaltung.

ICAO [engl. aɪsieɪˈəʊ], Abk. für **I**nternational **C**ivil **A**viation **O**rganization, Internationale Organisation der Luftfahrt treibenden Staaten, Unterorganisation der Vereinten Nationen, gegr. 1944 in

Chicago (Ill.); Sitz: Montreal; Aufgabe: Schaffung einheitlicher, verbindl. Normen, die die Sicherheit, Regelmäßigkeit und Wirtschaftlichkeit des internat. Luftverkehrs gewährleisten sollen. (→Luftrecht)

ICBM, Abk. für →**I**nter**c**ontinental **B**allistic **M**issile.

ICE, Abk. für **I**nter**C**ity-**E**xpress, Hochgeschwindigkeitszug, der durch einen Triebwagen anstelle einer Lok angetrieben wird, bestehend aus je einem Triebwagen am Zuganfang und -ende sowie 12–14 Mittelwagen. Als Antriebstechnik dient eine Drehstromantriebstechnik mit Asynchronfahrmotoren, die beim Bremsen als Generatoren fungieren und Energie in die Fahrleitung zurückspeisen. Eine zusätzl Sicherheitstechnik ist der im Gleis verlegte Linienleiter, mit dem der ICE-Führer auf zehn Kilometer im Voraus »elektronisch sehen« kann. Die derzeit planmäßige Höchstgeschwindigkeit beträgt 250 km/h. Eine Weiterentwicklung ist der **ICE 2**, der nur einen Triebwagen am Zuganfang und einen Steuerwagen am Zugende hat. Seine Höchstgeschwindigkeit beträgt 280 km/h. Zwei Halbzüge des Typs ICE 2 können zu einem Langzug gekoppelt werden. Zurzeit in der Entwicklung befindet sich der **ICE 2/2** und der **ICE 2/1**. Der ICE 2/2 wird mit Fahrmotoren an jeder zweiten Achse ausgestattet sein. Anfang und Ende des Zuges bildet je ein Steuerwagen z. T. mit mehreren Stromsystemen für den grenzüberschreitenden Verkehr. Seine Höchstgeschwindigkeit soll 330 km/h betragen. (→IC)

ICE – Zug der Zukunft, hg. v. W. O. MARTINSEN *u. a. Darmstadt* [3]*1997.*

Ich *das,* der sich selbst bewusste Ursprung und Träger aller psych. Akte des Individuums, in denen dieses sich als kontinuierlich und von der Umwelt unterschieden erfährt; auch als Gesamtheit aller äußeren Verhaltensweisen des Individuums verstanden. In der Psychoanalyse die seel. Instanz, die die Vermittlung zw. Individuum und Realität sowie zw. den moral. Forderungen des Über-Ich und den Triebregungen des Es und die Konfliktlösung aus diesen Beziehungen leistet.

IC 1): Der im grenzüberschreitenden Verkehr von Deutschland nach Wien und nach Zürich eingesetzte Nachtzug CityNightLine

Ichang [itʃaŋ], Stadt in China, →Yichang.

Ichikawa [-tʃ-] (Itschikawa), Trabantenstadt am O-Rand von Tokio, Japan, auf Honshū, 447 200 Ew.; Metall-, Textil- u. a. Industrie.

Ichthyosaurier: Das etwa 190 Millionen Jahre alte Skelett mit vollständig erhaltener Haut hat eine Länge von 1,2 m (Holzmaden, Museum Hauff)

I-ching [idʒɪŋ], chines. Orakelbuch, →Yijing.

Ichinomiya [-tʃ-] (Itschinomija), Stadt auf Honshū, Japan, östlich von Tokio, 266 600 Ew.; Zentrum der Woll- und Baumwollindustrie.

Ichneumon [grch.] *der* oder *das,* →Schleichkatzen.

Ichneumonidae [grch.], die →Schlupfwespen.

ichthy... [grch.], vor Konsonanten: **ichthyo...,** fisch...

Ichthyologie [grch.] *die,* die Wiss. von den Fischen, Fischkunde.

Ichthyosauri|er [grch.] (Fischsaurier), ausgestorbene, bis 15 m lange Kriechtiere, meist aber wesentlich kleinere Kriechtiere, die die Meere des Jura bewohnten. Der nackthäutige Körper war fischförmig.

Ichthyosis [grch.] *die,* →Fischschuppenkrankheit.

Ichthyotoxin [grch.], Fischgift, →Aale.

Ichthys [grch.], der Fisch als frühchristl. Geheimsymbol für Christus; Abk. der grch. Formel **I**esous, **Ch**ristos, **Th**eou, (H)**Y**ios, **S**oter (»Jesus Christus, Gottes Sohn, Heiland«).

ICOMOS [engl. ˈaɪkɔməs], Abk. für engl. **I**nternational **Co**uncil on **Mo**numents and **S**ites, internat. Interessenorganisation der Denkmalpflege, nachgeordnete Organisation der UNESCO; gegr. 1965, Sitz: Paris. Sie fördert die wiss. Erforschung und Konservierung von bed. Baudenkmälern und Kunststätten.

ICSU, Abk. für →**I**nternational **C**ouncil of **S**cientific **U**nions.

Icterus (Ikterus) [grch.-lat.] *der, Medizin:* die →Gelbsucht.

id., Abk. für →**id**em.

Id., Abk. für den Bundesstaat **Id**aho, USA.

Ida [grch.] *der* (ngrch. (Psiloritis), höchster Gebirgsstock der grch. Insel Kreta, bis 2 456 m ü. M., mit der **Idäischen Grotte,** der Sage nach Geburtsstätte des Zeus.

Ida, Planetoid mit einer Größe von etwa 28 × 58 km; er wird von dem Mond Dactyl umkreist.

IDA [engl.], →Internationale Entwicklungsorganisation.

Idaho ['aɪdəhəʊ], Abk. **Id., ID,** Bundesstaat im NW der USA, in den Rocky Mountains, 216 432 km^2, (1995) 1,16 Mio. Ew., Hptst.: Boise. I. liegt größtenteils auf der W-Abdachung der Rocky Mountains, im W und S bis auf das Columbia Plateau und die Snake River Plain; kontinentales, sommertrockenes Klima; fast 40 % der Fläche sind Nadelwald. Rd. 95 % der Bev. sind Weiße; ferner v. a. Hispanos, wenige Schwarze und Indianer (Shoshone, Nez Percé). Anbau von Futterpflanzen, Kartoffeln, Zuckerrüben und Getreide; Bergbau (Silber, Blei, Zink, Phosphat); Nahrungsmittel-, Elektronikind.; Holzverarbeitung. – 1805 von den Amerikanern W. Clark und M. Lewis erkundet; kam 1846 in den Besitz der USA. Seit 1860 ständig besiedelt, wurde I. 1863 selbstständiges Territorium, 1890 43. Staat der Union.

Idar-Oberstein
Stadtwappen

Idar-Oberstein, Stadt im Landkr. Birkenfeld, Rheinl.-Pf., an der Nahe, 34 400 Ew.; Dt. Edelsteininst., Dt. Gemmolog. Ausbildungszentrum; Fachbereich Edelstein- und Schmuckdesign der FH des Landes Rheinl.-Pf., Fachschule für Edelstein- und Schmuckgestaltung, Dt. Edelsteinmuseum, Stadtmuseum; seit 1974 Diamant- und Edelsteinbörse: Edelstein- und Diamantschleiferei, Schmuckwarenind., Metallverarbeitung, Lederwarenfabrikation. – Spätgot. (15. Jh.) Felsenkirche mit Flügelaltar, Ruinen des Alten und Neuen Schlosses. – Der seit 1454 bezeugte Achatbergbau wurde nach 1800 aufgegeben. I.-O. entstand als Stadt 1933 durch Zusammenschluss von Oberstein, Idar (mit Tiefenstein) und Algenrodt.

Idarwald, Höhenzug des →Hunsrücks.

Ideal [spätlat., zu grch. idéa »Urbild«] *das,* Inbegriff der Vollkommenheit, des Mustergültigen, als höchster Wert angestrebtes Ziel.

Idealismus *der,* versch. philosoph. Grundpositionen: 1) die Lehre, dass es rein geistiges Sein gibt, entweder als das einzig Wirkliche, sodass Stoff und Materie nur abgeleitetes Sein darstellen, oder neben dem Stofflichen, dann aber diesem übergeordnet und es gestaltend. Der Begründer dieses **metaphys. I.** ist Platon; in der Gesch. der Philosophie wurde er in vielen Formen vertreten, bes. ausgeprägt im →deutschen Idealismus; 2) die Lehre, dass die erscheinende Wirklichkeit nicht unabhängig von der geistigen Leistung des erkennenden Subjekts ist oder existiert. Auch dieser **erkenntnistheoret. I.** ist mannigfach aufgetreten, oft verbunden mit dem metaphys. I.; Ggs.: Realismus; 3) als **eth. I.** eine Position, der im Ggs. zum eth. Materialismus nicht die Befriedigung materieller Bedürfnisse, sondern die »geistigen« Werte (»Würde«, »Freiheit«, »Einsicht«) als entscheidend für ein Werturteil gelten.

Idealkonkurrenz (Tateinheit), *Strafrecht:* die Verletzung mehrerer Straftatbestände **(ungleichartige I.)** oder die mehrfache Verletzung derselben Strafnorm **(gleichartige I.)** durch ein und dieselbe Handlung. Nach § 52 StGB ist bei I. nur die Norm anzuwenden, die die schwerste Strafe androht **(Absorptionsprinzip).** Von der I. zu unterscheiden sind die Realkonkurrenz und die Gesetzeskonkurrenz. – Ähnlich in *Österreich* (§ 28 StGB) und der *Schweiz* (Art. 68 StGB), jedoch ist die Strafe der schwersten Tat nach schweizer. Recht angemessen zu erhöhen, aber nicht um mehr als die Hälfte **(Asperationsprinzip).**

Idealkristalle, mathemat., räumlich-period. Abstraktion der →Kristalle, im Unterschied zu den in der Natur auftretenden **Realkristallen.**

Idealtypus, nach Max Weber eine begriffl. Konstruktion, die die wesentl. Züge eines Sozialgebildes hervorhebt, Unwesentliches unbeachtet lässt; method. Hilfsmittel zur Theoriebildung.

Idee [grch.] *die,* **1)** *allg.:* schöpfer. Gedanke, Vorstellung.

2) *Philosophie:* bei Platon die ewig unveränderl., eigentlich seienden Urformen, deren unvollkommenes Abbild die ird. Dinge sind, die insofern ein nur abgeleitetes Sein besitzen; bei Kant die regulativen Vernunftbegriffe (Gott, Freiheit, Unsterblichkeit), denen kein Gegenstand in der Erfahrung entspricht, die der Erfahrung vielmehr eine abschließende Ordnung und Einheit verleihen; bei Hegel der Geist (Logos), der sich in Natur und Geschichte materialisiert und in deren Entwicklungsprozessen seiner selbst bewusst wird.

Ideengeschichte, eine Betrachtungsweise geschichtl. Abläufe, die, ohne deren realen sozialen Gehalt zu leugnen, die Bewegungskräfte des Geschichtlichen primär in den hinter den geschichtl. Ereignissen wirkenden ideellen Kräften sieht, z. B. in der Idee der Freiheit, der Erlösung, der Gerechtigkeit (bes. im 19. Jh. F. Meinecke, E. Troeltsch, W. Dilthey, O. Spengler, K. Breysig). I. und →Sozialgeschichte werden heute als einander ergänzende Auffassungen von Geschichte angesehen.

idem [lat.], Abk. **id.,** derselbe, dasselbe.

Iden *Pl.* (lat. Idus), im röm. Kalender der 13., im März, Mai, Juli, Okt. der 15. Tag des Monats.

Identifizierung *die* (Identifikation), Gleichsetzung; Feststellung der Echtheit, der Identität.

Identität [lat.] *die,* **1)** *allg.:* völlige Übereinstimmung einer Person oder Sache mit dem, was sie ist oder als was sie bezeichnet wird.

2) *Mathematik:* (identische →Gleichung) eine Abbildung, die jedes Element auf sich selbst abbildet (identische Abbildung).

Identitätsphilosophie, die philosoph. Annahme, dass Geist und Materie nur zwei Aspekte ein und derselben Wirklichkeit seien. Sie wurde schon in der Antike, im Neuplatonismus, im 17. Jh. u. a. von Spinoza, bes. im dt. Idealismus (→Schelling), später von G. T. →Fechner vertreten.

Ideogramm [grch.] *das,* Schriftzeichen, das einen ganzen Begriff bildhaft darstellt; u. a. in der Hieroglyphenschrift und der Keilschrift.

Ideographie [grch.] (Pasigraphie) *die,* künstl. Schriftsystem, dessen Elemente nur aus Ideogrammen bestehen; Begriffsschrift.

Ideologie [grch.] *die,* urspr. Begriff der Lehre von →Destutt de Tracy, der zunächst synonym mit Ideenlehre oder System von Ideen gebraucht wurde, schließlich aber Vorstellungen zur Interpretation der Welt in einer von Interessen geleiteten und damit verfälschenden Sichtweise bezeichnet. Im marxist. Verständnis dient I. der Aneignung der Welt, der Vermittlung der herrschenden Weltsicht, kann dabei aber dem Geschichtsverlauf gegenüber einen retardierenden (reaktionären) Charakter (»falsches Bewusstsein«) annehmen. Die rationalist. I.-Kritik nimmt den wiss. Fortschritt zum Maßstab und sieht im bewussten Einsetzen von I. ein Mittel der Herrschaftserhaltung. Der Irrationalismus bewertet die I. z. T. als histor. oder anthropolog. Notwendigkeit. Während diese Richtungen I. für etwas erkennbar von der Wahrheit Verschiedenes halten, befasst sich die →Wissenssoziologie mit der Ideologiehaftigkeit des Denkens überhaupt und mit den prakt. Wechselbeziehungen zw. Realitätsvorstellungen und sozialer Realität.

📖 Lieber, H.-J.: *I. Paderborn u. a. 1985.* – Boudon, R.: *I. A. d. Frz. Reinbek 1988.* – Eagleton, T.: *I. A. d. Engl. Stuttgart u. a. 1993.*

Ideologisierung, die Abkehr von einer um Objektivität und krit. Sachbezogenheit bemühten Denk- und Handlungsweise zugunsten einer als ausschl. Maßstab angenommenen ideolog. Position, v. a. im gesellschaftlich-polit. Feld.

Idfu (Edfu), oberägypt. Stadt am Nil, 28 000 Ew.; Zuckerfabrik, Ferrosiliciumwerk; Nilbrücke. – Gut erhaltener, dem Sonnengott Horus geweihter Tempel aus der Ptolemäerzeit (237–257 v. Chr.) mit zahlreichen Reliefs und Inschriften.

Idi Amin Dada, ugand. Politiker, →Amin Dada, Idi.

idio... [grch.], eigen..., selbst...

idiochromatisch [grch. »eigenfarbig«] heißen homogene farbige Körper, bes. Minerale, deren Farbe auf der Absorption des Lichts durch stoffeigene chem. Bestandteile beruht; durch Beimengungen gefärbte Stoffe heißen **allochromatisch.**

Idiolatrie [grch.] *die,* Selbstvergötterung.

Idiom [grch.] *das, Sprachwissenschaft:* 1) Spracheigentümlichkeit einer Gruppe von Sprechern (z. B. Dialekt); 2) feste Wortverbindung oder syntakt. Fügung, deren Gesamtbedeutung sich nicht aus der Bedeutung ihrer einzelnen Bestandteile ergibt (z. B. »Eulen nach Athen tragen« = »etwas Überflüssiges tun«).

idiomorph [grch.], eigengestaltig. **Idiomorphe Minerale** haben in Gesteinen ihre eigene Kristallform ausgebildet, **hypidiomorphe** nur teilweise, und **allotriomorphe** oder **xenomorphe** Minerale sind fremdgestaltig.

Idiophone [grch. »Selbstklinger«], Musikinstrumente, deren Material ohne Verwendung von Membranen, Saiten, angeblasenen Luftsäulen u. a. in Schwingung versetzt wird. I. sind z. B. Klappern, Rasseln, Xylophone, Glocken, Maultrommeln.

Idiosynkrasie [grch. »eigentüml. Mischung«] *die,* **1)** *Medizin:* anlagebedingte Überempfindlichkeit, eine Form der Allergie.

2) *Psychologie:* hochgradige Abneigung oder Überempfindlichkeit gegenüber Personen, Tieren, Gegenständen, Anschauungen u. a.

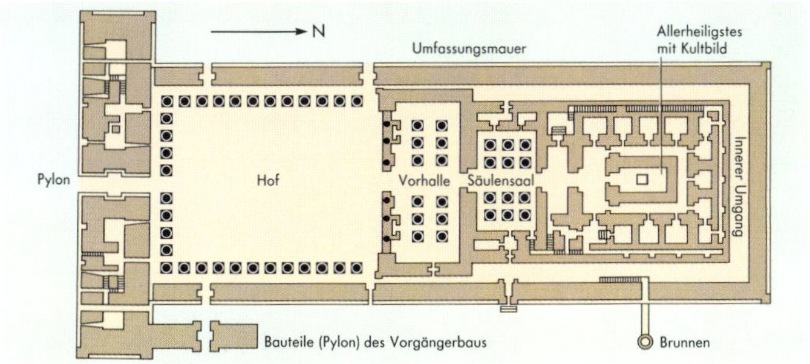

Idfu (von links): Grundriss des 237–257 v. Chr. erbauten ptolemäischen Horustempels; auf der gewaltigen Toranlage (Pylon) des Tempels, dem besterhaltenen ägyptischen Heiligtum, sind zahlreiche Reliefs und Inschriften zu erkennen

Idylle 2): Nicolas Poussin, »Et in Arcadia ego« (nach 1655; Paris, Louvre)

Idiotie [grch.] *die* (Idiotismus), angeborener oder durch frühkindl. Gehirnschädigung erworbener höchster Grad des Schwachsinns. Es besteht Bildungsunfähigkeit.

Idiotismus [grch.] *der,* **1)** *Medizin:* die →Idiotie.

2) *Sprache:* kennzeichnende Eigentümlichkeit eines →Idioms.

Idiotyp [grch.] *der,* Gesamtheit der Erbanlagen eines Individuums.

Ido *das,* eine der →Welthilfssprachen.

Idol [von grch. eídōlon »Bild«] *das,* **1)** *allg.:* Gegenstand schwärmerischer Verehrung.

2) *Philosophie:* Nach F. Bacon sind I. erkenntnishindernde Vorurteile der Menschen, die aus ihrer subjektiven Natur, ihrer Erziehung, der sprachl. Eigenheit und der Überlieferung entstehen.

3) *Religionswissenschaft:* vom christl. und jüd. Standpunkt aus jedes heidn. Kultbild; danach in der Archäologie Bez. für kleine Kultfiguren, meist als Grabbeigaben gefunden.

Idol 3): Kykladenidole aus Marmor mit verschiedenen Saiteninstrumenten (um 2700/2300 v. Chr.; Karlsruhe, Badisches Landesmuseum)

Idomeneus, *grch. Mythos:* König von Kreta, Enkel des Minos, kämpfte gegen Troja.

Idris, Jusuf, ägypt. Schriftsteller, *El-Birum (Distr. Scharkija) 19. 5. 1927, †(Unfall) London 1. 8. 1991; Arzt; war in nationalist. und linksgerichteten Organisationen aktiv; bevorzugte die Kurzgeschichte, gilt auch als Erneuerer des arab. Romans.

Idris as-Senussi, König von Libyen (1950–69), *Djaghbub 12. 3. 1890, †Kairo 25. 5. 1983; seit 1917 Oberhaupt der →Senussi, Emir der Cyrenaica; wurde 1950 König des neu errichteten Königreichs →Libyen; 1969 entthront.

Idrisi, arab. Geograph, *Ceuta 1099 oder 1100, †Palermo (?) 1165 oder 1166; beschrieb für König Roger II. von Sizilien im »Rogerbuch« eine große silberne Erdkarte.

Idrosee (italien. Lago d'Idro, Lago d'Eridio), See in den Brescianer Alpen, westlich des Gardasees, vom Chiese durchflossen, 368 m ü. M., 10,9 km² groß, 122 m tief, als Speichersee ausgebaut.

Idstein, Stadt im Rheingau-Taunus-Kr., Hessen, in der Idsteiner Senke des Taunus, 22200 Ew.; FH Fresenius (Chemie); Herstellung von Heimwerkergeräten und Armaturen, Kunststoff- und Lederverarbeitung. – Schloss der Grafen von Nassau-I. (17. Jh.). – 1287 Stadtrecht.

Iduna [nord.] (Iðunn), altnord. Göttin, die Hüterin der goldenen Äpfel, die den Göttern ewige Jugend verleihen.

Idus [lat.], →Iden.

Idylle [grch. »kleines Bild«] *die,* **1)** *allg.:* (Idyll) friedl., beglückender Anblick in meist ländl. Abgeschiedenheit.

2) *bildende Kunst:* v. a. im 17. und 18. Jh. beliebte idealisierende Schilderung von mytholog. oder bukol. (Hirten)szenen in harmon. Natur.

3) *Literatur:* kleines ep. oder dialog. Gedicht, meist mit lyr. Einlagen, das ländl. Einfachheit, einen idealen unschuldsvollen Zustand (goldenes Zeitalter) beispielhaft vorführt. Die I. wurde in der grch. bukolischen Dichtung (Theokrit) zur eigenen Literaturgattung. An Vergils »Bucolica« knüpft die Renaissance- und Barockzeit mit ihrer →Schäferdichtung an. Die I. von S. Geßner (1756–72) und E. von Kleist hielten an der Vorstellung des goldenen Zeitalters fest. Doch gaben sehr bald J. H. Voß (»Luise«, 1795), Maler Müller (»Die Schafschur«) und J. P. Hebel der I. durch Darstellung des Volkslebens und Verwendung von Mundart ein neues Gepräge. I. schrieben auch Goethe und Mörike. In der Zeit des Realismus und Naturalismus führten die Stoffe der I. in die Dorfgeschichte.

i. e., Abk. für →**i**d **e**st.

I. E., Abk. für →**I**nternationale **E**inheiten.

Iesi (Jesi), Stadt in den Marken, Prov. Ancona, Italien, 40200 Ew.; Bischofssitz; Lebensmittel- u. a. Industrie. – Die Altstadt ist von einer Mauer umgeben; got. Kirche San Marco (13. Jh.), Renaissancerathaus (1486–98), Dom (18. Jh.). – I., das röm. Aesis, fiel 756 an den Papst.

Ieyasu, Tokugawa, japan. Feldherr und Staatsmann, →Tokugawa Ieyasu.

IFC, Abk. für →**I**nternationale **F**inanz-**C**orporation.

Ife, Stadt in SW-Nigeria, 275 400 Ew.; Sitz des Oni (geistl. Oberhaupt der Yoruba) und einer Univ.; Museum, Kunsthandwerk; Kakaoverarbeitung. – Am Hof der Könige von I. wurden vom 10. bis 14. Jh. Meisterwerke der Metallkunst geschaffen. BILD afrikanische Kunst

Iferten, Stadt in der Schweiz, →Yverdon.

Iffezheim, Gemeinde im Landkreis Rastatt, Bad.-Württ., nordwestlich von Baden-Baden, 4 600 Ew.; Pferderennbahn.; im Rhein Staustufe mit Kraftwerk; Brücke.

IFF-Gerät [IFF, Abk. für engl. **i**dentification **f**riend or **f**oe »Freund-Feind-Erkennung«], elektron. Gerät in Militärflugzeugen zur Erkennung eigener oder feindl. Flugzeuge durch kodierte Funkabfragesignale.

Iffland, August Wilhelm, Schauspieler, Theaterdirektor, Dramatiker, *Hannover 19. 4. 1759, †Berlin 22. 9. 1814; führend im Theaterleben der Goethezeit, kam 1779 an das Mannheimer Nationaltheater (Franz Moor in der Uraufführung von Schillers Drama »Die Räuber«); wurde 1796 Direktor des Königl. Nationaltheaters in Berlin, 1811 Generalmusikdirektor der Königl. Schauspiele. Er schrieb über 60 Theaterstücke.

Ifflandring, ein von dem Schauspieler Theodor Döring (*1803, †1878) mit der Legende, der Ring sei von Iffland gestiftet (er trägt nur sein Bild) und an den bedeutendsten deutschsprachigen Schauspieler weiterzureichen, an Friedrich Haase (*1825, †1911) gegebener Fingerring. Von A. Bassermann ging der Ring auf W. Krauss über, 1959–96 trug ihn J. Meinrad, seit 1996 Bruno Ganz.

Igel: Europäischer Igel (Körperlänge bis 30 cm)

Ifni, ehem. span. Überseeprovinz in SW-Marokko, 1500 km², rd. 60 000 Ew.; wurde 1934 von span. Truppen besetzt und der Kolonie Spanisch-Sahara unterstellt; 1969 an Marokko zurückgegeben. Hauptort ist die Hafenstadt **Sidi Ifni.**

IFO-Institut für Wirtschaftsforschung, Sitz: München, gemeinnütziges, unabhängiges Wirtschaftsforschungsinst., gegr. 1949, betreibt bes. Konjunkturforschung. Der **IFO-Konjunkturtest** dient der Konjunkturprognose durch Markt- und Strukturanalysen sowie Befragung von Unternehmern über ihre Einschätzung der künftigen konjunkturellen Entwicklung.

Ife

Ife, wohl eine der ältesten Städte der Yoruba, galt diesen als heilige Stadt und Geburtsplatz der Menschheit. Am Hof der Könige von Ife schufen Handwerker und Künstler im 10.–14. Jahrhundert für den Kult des sakralen Königtums Werke, die einen Höhepunkt der afrikanischen Kunst darstellen. Die Stein-, Terrakotta- und Bronzefiguren von Ife zeichnen sich durch meisterhafte Porträtgestaltung aus; wegen ihres idealisierenden Naturalismus wurden sie von dem Völkerkundler Leo Frobenius, der sie erstmals 1910 in Europa bekannt machte, für griechische Werke gehalten. Die Blütezeit des Gelbgusses (»Bronzeköpfe«) war im 13./14. Jahrhundert; nach seinem Niedergang (wohl aus wirtschaftlichen Gründen) wurde er in Benin fortgesetzt. Besonders berühmt geworden sind die realistischen, z. T. lebensgroßen Terrakottaplastiken; sie fallen durch einen verfeinerten Realismus auf und sind oft geriefelt.

IFR, Abk. für engl. **I**nstrument **F**light **R**ules, →Instrumentenflug.

IG, Abk. für **I**ndustrie**g**ewerkschaft. (→Gewerkschaften)

I. G. Abk. für →**I**nteressen**g**emeinschaft.

Igel (Erinaceidae), Familie 10–45 cm langer, kurzbeiniger, meist nachtaktiver Insektenfresser mit rd. 20 Arten. Die Unterfamilie **Stachel-I.** (**Echte I.,** Erinaceinae) hat rd. 15 Arten in Europa, Afrika und Asien; Haare zu harten Stacheln umgebildet. Eine besondere Rückenmuskulatur ermöglicht ein Zusammenrollen des Körpers und Aufrichten der kräftigen, spitzen Stacheln. Am bekanntesten ist die Gattung **Kleinohr-I.** (Erinaceus) mit dem bis 30 cm langen **Europ. I.** (Erinaceus europaeus); kommt v. a. in buschreichem Gelände und in Gärten vor; nützlich als Schädlingsvertilger. Von Ende Okt. bis Ende März hält der I. Winterschlaf in einem Nest aus Moos und Blättern. Die vier Arten der Unterfamilie **Haar-I.** (**Ratten-I.,** Echinosoricinae) sind schlank, besitzen keine Stacheln, aber einen langen Schwanz.

Igeler Säule, 23 m hohes röm. Pfeilergrabmal aus Sandstein mit Reliefs (um 250 n. Chr.) in Igel bei Trier.

Igelfische (von oben): Igelfisch in normaler Schwimmhaltung und bei Gefahr kugelig mit aufgerichteten Stacheln

Igelfische (Diodontidae), Familie der Knochenfische mit Stacheln, in trop. Meeren in Küstennähe lebend. Bei Gefahr nehmen die I. durch Herunterschlucken von Wasser in den Magensack eine kugelige Form an.

Igelkaktus (Echinocactus), mexikan. Kakteengattung; kugelige oder zylindr., oft meterdicke

Igelkaktus: Goldkugelkaktus (Höhe bis 1,3 m)

Pflanzen mit kräftigen bedornten Längsrippen. Die bekannteste Art ist der i. d. R. kugelige, bis 1,3 m hohe **Goldkugelkaktus (Schwiegermutterstuhl).**

Igelschwamm, ein →Stachelpilz.

Igelwürmer (Echiurida), sackförmige Meereswürmer mit ungegliederter Leibeshöhle, einem rüsselartigen Kopflappen und zwei bauchständigen Hakenborsten. Die I. sind getrenntgeschlechtig.

I. G. Farbenindustrie AG, Frankfurt am Main, bis 1945 der größte dt. Chemiekonzern; gegr. 1925 nach einem stufenweisen Fusionsprozess von Vorläuferges. der heutigen Unternehmen Bayer AG, BASF AG und Hoechst AG. Der Konzern besaß eine dezentrale Organisation mit weitgehender Selbstständigkeit der einzelnen Werke. Die mehr als 700 Beteiligungs- und Tochterges. (davon viele im Ausland) dokumentieren den Einfluss und die Macht der I. G. F. Basis ihres Wachstum war eine intensive Forschung, die C. Bosch und G. Domagk den Nobelpreis für Chemie und dem Konzern 9 000 dt. und etwa 30 000 ausländ. Patente einbrachten. – Die Kooperation der I. G. F. mit der nat.-soz. Diktatur (vereinbart z. B. im Feder-Bosch-Abkommen 1933), von der die I. G. F. durch die Arisierung und Eingliederung von Chemieunternehmen, die Rekrutierung von Zwangs- und Fremdarbeitern, die Ausbeutung von KZ-Häftlingen v. a. im Vernichtungslager Auschwitz III-Monowitz profitierte, wurde 1947/48 vor einem amerikan. Militärtribunal **(I. G. Farben-Prozess)** verhandelt; von den 23 leitenden Vertretern des Konzerns wurden 13 zu Haftstrafen verurteilt.

1945 beschlagnahmten die vier Besatzungsmächte das gesamte Konzernvermögen und enteigneten das Auslandsvermögen. In der SBZ wurden die Werke zur Reparation demontiert oder zunächst in Sowjet. Aktiengesellschaften umgewandelt (z. B. die Leuna-Werke) und schließlich 1952 in Volkseigentum überführt. In den Westzonen verfügte die Alliierte Hohe Kommission die Entflechtung der I. G. F., worauf 1952 zwölf I. G.-Farben-Nachfolgegesellschaften entstanden: u. a. Agfa Camerawerk AG, Bad. Anilin- und Soda-Fabrik AG, Cassella Farbwerke Mainkur AG, Chem. Werke Hüls AG, Farbenfabriken Bayer AG, Farbwerke Hoechst AG, Duisburger Kupferhütte AG, Dynamit Nobel AG.

📖 Borkin, J.: *Die unheilige Allianz der I. G. Farben. A. d. Engl. Neuausg. Frankfurt am Main u. a. 1990.* – Plumpe, G.: *Die I. G. Farbenindustrie AG. Wirtschaft, Technik u. Politik 1904–1945. Berlin 1990.*

IGH, Abk. für →**I**nternationaler **G**erichts**h**of.

I Ging [idʒɪŋ], chines. Orakelbuch, →Yijing.

I. G. J., Abk. für →**I**nternationales **G**eophysikalisches **J**ahr.

Iglu

Iglau (tschech, Jihlava), Stadt im Südmähr. Gebiet, Tschech. Rep., 52 800 Ew.; Museum, Zoo; keram., Auto-, Textil- und Holzindustrie. – Das Stadtbild prägen Teile der mittelalterl. Stadtbefestigung (14./15. Jh.), Bürgerhäuser aus Renaissance und Barock, das urspr. got. Rathaus (im 16. und 18. Jh. umgebaut) sowie zahlreiche Kirchen des 13.–17. Jh. – Anfang 13. Jh. von dt. Bergleuten gegr. (bed. Silberfundstätte); das **Iglauer Bergrecht** wurde Muster für viele Länder (auch in Lateinamerika).

Iglesias, Stadt in der Prov. Cagliari im SW Sardiniens, Italien, 30 100 Ew.; Bischofssitz; Bergbauakademie und -museum; Zentrum eines Blei- und Zinkerzabbaugebietes. – Kathedrale (Ende des 13. Jh.). – I. kam 1478 unter aragones. Herrschaft.

Iglu *der* oder *das,* kreisrunde Schneehütte der Eskimo aus Schnee- oder Firnblöcken.

Ignatius von Antiochia, Kirchenvater und Märtyrer, †Rom (vermutlich im Tierkampf) zw. 110 und 117; seit Ende des 1. Jh. Bischof von Antiochia; seine sieben Briefe an christl. Gemeinden in Kleinasien geben Einblick in das Leben der frühen Kirche. Heiliger, Tag: 17. 10., Ostkirche: 20. 12.

Ignatius von Loyola, eigtl. Íñigo López Oñaz y Loyola, kath. Ordensstifter bask. Herkunft, *Schloss Loyola (bei Azpeitia, Prov. Guipúzcoa) 1491, †Rom 31. 7. 1556; zunächst in höf. und militär.

Ignatius von Loyola

Regeln für die kirchliche Gesinnung aus den »Geistlichen Übungen« des Ignatius von Loyola (1548):

»Indem wir jedes eigene Urteil beiseite setzen, müssen wir unseren Geist bereit und willig halten, in allem der wahren Braut Christi unseres Herrn zu gehorchen, die ist da unsere heilige Mutter, die hierarchische Kirche ... Wir müssen, um in allem sicher zu gehen, stets festhalten: Was meinen Augen weiß erscheint, halte ich für schwarz, wenn die hierarchische Kirche so entscheidet, ... denn durch denselben Geist und unseren Herrn, der die zehn Gebote gab, wird auch unsere heilige Mutter Kirche gelenkt und geleitet.«

Dienst, wandte sich nach Verwundung religiöser Literatur zu und wurde durch myst. Erlebnisse bekehrt; Studium u. a. in Paris; hier Sammlung eines Freundeskreises, der zum Ausgangspunkt der »Gesellschaft Jesu« (→Jesuiten) wurde; seit 1541 deren erster Generaloberer. Seine »Geistl. Übungen« (1548) bilden bis heute die Grundlage der Exerzitien der kath. Kirche. Heiliger, Tag: 31. 7.

📖 Tellechea, I.: *I. v. L. »Allein u. zu Fuß«. Eine Biographie. A. d. Span. Solothurn ²1995.*

Ignimbrit [lat.] *der* (Schmelztuff), kieselsäurereiches vulkan. Gestein, aus einer Grundmasse von verschmolzenen Glaspartikeln mit Kristallbruchstücken und gröberen Fragmenten (Lapilli).

ignoramus et ignorabimus [lat. »wir wissen (es) nicht und werden (es) nicht wissen«], Ausspruch von E. Du Bois-Reymond, der auf die wiss. Unbeantwortbarkeit letzter Grundfragen zielt.

Ignoranz [lat.] *die,* Unwissenheit, Beschränktheit.

Igor, Großfürst von Kiew (seit 912), †945, Sohn Ruriks, unternahm 941 und 944 erfolglose Kriegszüge gegen Byzanz, mit dem er 944 einen Handelsvertrag schloss; wegen übermäßiger Steuerforderungen wurde er von den Drewljanen getötet.

Igorlied, eigtl. Lied von der Heerfahrt Igors, zw. 1185 und 1196 in Südrussland von einem unbekannten Dichter verfasstes Heldenepos über den Feldzug des Fürsten Igor Swjatoslawitsch von Nowgorod-Sewersk (*1150, †1202) gegen die Polowzer (1185). Bedeutendstes Denkmal altruss. Literatur, 1795 als Kopie aus dem 15./16. Jh. in Jaroslawl entdeckt und 1800 ediert.

Iguaçu, Rio ['rriu iɣua'su, portugies.] (span. Río Iguazú), linker Nebenfluss des Paraná in S-Brasilien, 1 320 km lang, bildet in seinem Unterlauf die brasilianisch-argentin. Grenze; kurz vor der Mündung im I.-Nationalpark die **I.-Fälle** (60–80 m hoch, rd. 4 km breit).

Iguvinische Tafel in umbrischer linksläufiger Schrift

Iguvinische Tafeln, neun Bronzetafeln (zwei seit dem 17. Jh. verschollen), 1444 in der umbr. Stadt Gubbio (dem antiken Iguvium) gefunden, die Tafeln sind teilweise in umbrischer Schrift, der Rest in lat. Schrift beschrieben; wichtigstes Zeugnis für Religion und Sprache der Umbrer.

Ihering ['je:rɪŋ], **1)** (Jhering), Herbert, Publizist, *Springe 29. 2. 1888, †Berlin 15. 1. 1977; wirkte als

Iguaçu: Die Iguaçufälle von der brasilianischen Seite aus gesehen

Theaterkritiker und Dramaturg (Dt. Theater Berlin); förderte u. a. B. Brecht und C. Zuckmayer.

2) Rudolf von, → Jhering.

IHK, Abk. für **I**ndustrie- und **H**andels**k**ammer.

Ihlenfeld, Kurt, Schriftsteller, *Colmar 26. 5. 1901, †Berlin (West) 25. 8. 1972; Hg. der Literaturztschr. »Eckart«; begründete den Eckart-Kreis als Widerstandszentrum junger christl. Autoren.

Ihne, Ernst von (seit 1906), Architekt, *Elberfeld (heute zu Wuppertal) 23. 5. 1848, †Berlin 21. 4. 1917; wurde 1888 Hofarchitekt in Berlin; erbaute dort unter Verwendung von Stilelementen der italien. Spätrenaissance und des Barock das Kaiser-Friedrich-Museum (1897–1900, heute Bode-Museum), den Neuen Marstall (1899–1900) und die Staatsbibliothek (1908–14), ferner im Tudorstil Schloss Friedrichshof bei Kronberg im Taunus (1889–93; Witwensitz der Kaiserin Viktoria).

IHS, ein →Christusmonogramm.

IJ *das* ['ɛj] (niederländ. Het IJ), die durch Damm abgetrennte SW-Bucht des IJsselmeers, bildet den (Binnen-)Hafen von Amsterdam.

IJmuiden [ɛj'mœjdə], größter Fischereihafen der Niederlande, Vorhafen von Amsterdam an der Nordsee; Teil der Gemeinde Velsen.

IJssel ['ɛjsəl], Name von Flussläufen in den Niederlanden. **1) Geldersche IJ.** (auch IJssel), schiffbarer Mündungsarm des Rheins (125 km), zweigt bei Arnheim ab, mündet ins IJsselmeer.

2) Holländ. IJ. (niederländ. Hollandse IJ.), ein Arm des Lek, mündet bei Krimpen.

3) Oude IJ. (dt. Issel), Nebenfluss von 1), entspringt südlich von Borken in NRW.

IJsselmeer [ɛjsəl'me:r], Süßwassersee in den Niederlanden, der vom Meer abgedämmte Teil der früheren **Zuidersee,** einer ehem. Nordseebucht (rd. 3 700 km^2). 1927–32 wurde der 30 km lange Abschlussdamm gebaut, 1926/27 die Einpolderung eingeleitet mit der Anlage eines Versuchs-

Herbert Ihering

polders (40 ha). 1927–30 wurde der Wieringermeer-Polder (200 km²) eingedeicht und trockengelegt, 1937–42 der Nordostpolder (480 km²), 1950–57 der Polder Ostflevoland (540 km²), 1959–68 der Polder Südflevoland (430 km²). Die IJ.-Polder Ost- und Südflevoland sind Bestandteil der 1986 gebildeten Provinz Flevoland.

Ikakopflaume, eine →Goldpflaume.

Ikaros [grch.] (Ikarus), *grch. Mythos:* der Sohn des →Daidalos. Als er mit seinem Vater aus dem Labyrinth des kret. Königs Minos zu fliehen versuchte, kam er mit seinen durch Wachs zusammengehaltenen Flügeln der Sonne zu nah und stürzte unweit Samos ins Meer.

Ikat [malaiisch »binden«] *das,* v.a. in Indonesien, Indien, Mittel- und Südamerika geübte Technik der Stoffmusterung durch sukzessives Färben des Garns. Vor dem Färben werden die Garnteile, die von Farbe frei bleiben sollen, mit Bast, Blattstreifen oder Wachsfäden umwickelt.

Ikat: seidenes Ikat aus Palembang auf Sumatra (um 1900; Köln, Rautenstrauch-Joest-Museum)

Ikebana [japan. »lebendige Blumen«] *das,* Kunst des Blumensteckens nach bestimmten ästhet. und philosoph. Regeln, die in den einzelnen japan. Schulen unterschiedlich sind. Die Tradition des I. geht bis ins 8. Jh. zurück.

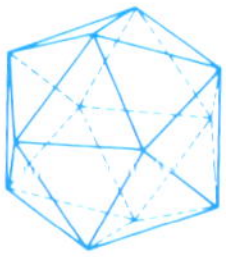

Ikosaeder: Regelmäßiges Ikosaeder

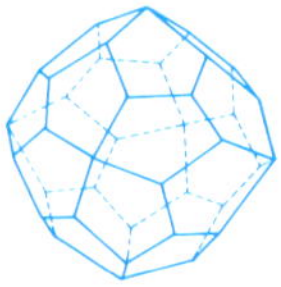

Ikositetraeder: Pentagonikositetraeder

Ikone [grch.] *die,* transportables, meist auf Holz gemaltes Kultbild der Ostkirche, auf dem Christus, Maria, andere Heilige oder bibl. Szenen dargestellt sind. Nach theolog. Definition steht der I. Verehrung, nicht Anbetung zu, die sich auf die dargestellten Urbilder bezieht, als deren authent. und gnadenhaftes Abbild die I. verstanden wird. Die I.-Malerei gilt als liturg. Handlung und ist deshalb einer streng vorgeschriebenen, durch Malerbücher weitergegebenen Typisierung unterworfen, die nur eine beschränkte stilist. Entwicklung zulässt. Charakteristisch ist die Malerei in Eitemperafarben, die von einer dunklen Grundschicht zu hellen und linearen Höhungen fortschreitet. Hintergründe sind meist mit Gold ausgelegt, das ganze Bild wird mit einem Leinölfirnis überzogen, andere Techniken sind Enkaustik, Email, Mosaik, Stickerei. Seit dem 13. Jh. sind Metallbeschläge üblich, die manchmal nur Gesicht und Hände frei lassen. – Die Anfänge der I.-Malerei liegen im kopt. Totenporträt, sie ist seit dem 4. Jh. bezeugt, seit dem 6. Jh. (Katharinenkloster am Sinai) belegt und verbreitete sich über Byzanz nach S-Italien, Armenien, in die slaw. Balkanländer und nach Russland (Schulen von Nowgorod, Susdal, Moskau). Zu den bedeutendsten Malern gehören →Theophanes der Grieche und Andrei →Rubljow.

📖 BRENSKE, H.: *I.n. Neuausg. Zürich 1988.* – HEUSER, A.: *Ikonenmalerei heute. Recklinghausen 1988.*

Ikonodulie [grch.] *die,* Bilderverehrung.

Ikonographie [grch. »Bildbeschreibung«] *die,* urspr. die Wiss. der Bestimmung antiker Porträts. In der 2. Hälfte des 19. Jh. wurde die I. ein Zweig der Kunstgesch.; befasst sich mit der Erforschung und Deutung der Bildgegenstände der alten und mittelalterl. christl., auch der profanen Kunst.

Ikonoklasmus [grch.] *der,* die Abschaffung und Zerstörung von Bildern im Bilderstreit (→Bilderverehrung).

Ikonolatrie [grch.] *die,* →Bilderverehrung.

Ikonostase [grch. »Bilderwand«] *die* (Ikonostas), in der Ostkirche die mit Ikonen bedeckte, von drei Türen durchbrochene Wand, die Altar- und Gemeinderaum voneinander trennt. Im grch. Raum heißt die I. **Templon.** – Ausgangsform sind die Chorschranken der frühchristl. und frühbyzantin. Kirchen, woraus im Abendland der →Lettner entstand.

Ikosaeder [grch. »Zwanzigflächner«] *das,* von 20 deckungsgleichen, gleichseitigen Dreiecken begrenzter regelmäßiger Körper; keine natürl. Kristallform, einer der platon. Körper.

Ikositetraeder [grch. »Vierundzwanzigflächner«], von 24 Vierecken mit zwei Paaren gleich langer Nachbarseiten begrenzter Körper; eine Kristallform. Beim **Pentagon-I.** sind die Begrenzungsflächen Fünfecke.

IKRK, Abk. für **I**nternationales **K**omitee vom **R**oten **K**reuz (→Rotes Kreuz).

Ikterus [grch.-lat.] *der,* die →Gelbsucht.

Iktinos, literarisch bezeugter Baumeister der grch. Klassik (2. Hälfte des 5. Jh. v. Chr.), der den Parthenon erbaute und in Eleusis das Telesterion, die Halle zur Feier der Mysterienspiele, entwarf; der Apollontempel in Bassai wird ihm zugeschrieben.

Iktus [lat. ictus »Hieb«, »Stoß«] *der, Metrik:* stark betonte Hebung im akzentuierenden Vers.

il..., Nebenform von lat.: in... vor Wörtern, die mit l beginnen: *illegal.*

Ilang-Ilang, →Ylang-Ylang-Öl.

Ilanz (rätoroman. Glion), Gemeinde in Graubünden, Schweiz, 2200 Ew.; Marktzentrum, Holzind., Fremdenverkehr. – Ummauerung des 13. Jh.

Ikone (von links): Thronende Muttergottes mit Engeln, umrahmt von Heiligen und Szenen aus den Evangelien (Ende 16. Jh.; Athen, Benaki Museum); Andrei Rubljow, »Die Dreifaltigkeit« (1411; Moskau, Tretjakow-Galerie); Der ungläubige Thomas (14./15. Jh.; Zagreb, Kunstmuseum)

z. T. erhalten; Pfarrkirche St. Margarethen (um 1518), Casa Gronda u. a. Häuser des 17. und 18. Jh.

Iława [iˈu̯ava] (dt. Deutsch Eylau), Stadt in der Wwschaft Olsztyn (Allenstein), Polen, am Südende des Geserichsees, 30 000 Ew.; Holzverarbeitung, Herstellung von Autoteilen, Nahrungsmittelind.; Fremdenverkehr (Schifffahrt auf den Masur. Seen). – Deutsch Eylau wurde 1305 vom Dt. Orden gegründet; fiel 1618/60 an Brandenburg.

Île [il], frz. für Insel. – Mit Île zusammengesetzte Begriffe suche man auch unter den Eigennamen, z. B. Île de Ré, →Ré.

Ilebo (früher Port-Francqui), Stadt in der Demokrat. Rep. Kongo, am Zusammenfluss von Sankuru und Kasai, 142 000 Ew.; Ind.standort und Umschlagplatz, Hafen (Beginn der Schifffahrt auf dem Kasai), Eisenbahnendpunkt.

Île-de-France [ildəˈfrɑ̃s], histor. Landschaft und Region Frankreichs, 12 012 km², (1990) 10,66 Mio. Ew.; im geograph. Sinn die Kernlandschaft des Pariser Beckens, die Tertiärplateaus um Paris, zw. Seine (im S), Oise (im W) und Aisne (im N); im O mit einer Schichtstufe (Côte de l'Île de France) von der Champagne abgegrenzt. – Seit dem 10./11. Jh. konzentrierte sich hier die Krondomäne; Ausgangspunkt der Herrschaft der Kapetinger und Schwerpunkt für Wirtschaft und Kultur (Entstehung der Gotik, 12. Jh.).

Îles des Saintes [ildeˈsɛ̃t], →Allerheiligeninseln.

Ilesha [-ʃ-], Stadt in SW-Nigeria, 351 000 Ew.; Handelszentrum eines Kakaoanbaugebiets.

Ileus [grch.-lat.] *der,* →Darmverschluss.

Ilex [lat. »Steineiche«] *die, Botanik:* die Gattung →Stechpalme.

Ilf, Ilja Arnoldowitsch, eigtl. Fainsilberg, russ. Schriftsteller, * Odessa 15. 10. 1897, † Moskau 13. 4. 1937; verfasste mit Jewgenij Petrow (* 1903, ⚔ bei Sewastopol 1942) satir. Werke, darunter »Zwölf Stühle« (1928), »Das goldene Kalb« (1931).

Ili *der,* Hauptfluss des Siebenstromlandes in Mittelasien, aus dem Tienschan (China) zum Balchaschsee (Kasachstan), 1 001 km lang, mit dem Quellfluss Tekes 1 700 km; genutzt zur Elektrizitätsgewinnung und Bewässerung.

Ilias *die,* grch. Epos, →Homer.

Iliescu, Ion, rumän. Politiker, * Oltenița 3. 3. 1930; 1953–89 Mitgl. der KP, 1968–84 ihres ZK, war während des Volksaufstands im Dez. 1989 Sprecher der »Front der nat. Rettung«. Am 26. 12. 1989 wurde er deren Vors. und provisor. Staatsoberhaupt. Im Mai 1990 zum Staatspräs. gewählt, unterlag er jedoch im Dez. 1996 E. Constantinescu. In seiner Amtszeit als Staatspräs. sah er sich heftigen Angriffen der Opposition ausgesetzt.

Ion Iliescu

Iljuschin, Sergei Wladimirowitsch, sowjet. Flugzeugkonstrukteur, * Diljalewo (Gouv. Wologda) 30. 3. 1894, † Moskau 10. 2. 1977; war ab 1948 Professor an der sowjet. Luftfahrt-Militärakademie. Er entwickelte und konstruierte zahlreiche Kampf- und Verkehrsflugzeuge.

Ilkhane (Ilchane), seit 1256 in Persien herrschende Dynastie, deren Mitgl. urspr. Buddhisten, später sunnit. Muslime waren. Die I. brachten ihr Herrschaftsgebiet zu wirtsch. Wohlstand. Seit 1335 rieben sie sich in Bürgerkriegen auf.

Ill *die,* **1)** rechter Nebenfluss des Rheins, Hauptfluss Vorarlbergs, Österreich, 75 km, entspringt in der Silvretta, mündet bei Meiningen; Speicherseen und Kraftwerke.

2) linker Nebenfluss des Rheins, im Elsass, 208 km, entspringt im Sundgau, mündet unterhalb von Straßburg.

Ill., Abk. für den Bundesstaat **Ill**inois, USA.

Iłakowiczówna [iu̯u̯akɔviˈtʃuvna], Kazimiera, poln. Schriftstellerin, *Wilna 6. 8. 1892, †Posen 16. 2. 1983; verband in ihrer Lyrik traditionelle, auch religiöse Motive mit modernen Verstechniken; übersetzte u. a. Goethe, Schiller, G. Büchner, H. Böll.

Illampu [iˈjampu] (Sorata), Berg im N der Cordillera Real, Bolivien, mit zwei Gipfeln, Ancohuma (Jankhouma, 6427 m) und I. (6368 m).

Ille-et-Vilaine [ileviˈlɛn], Dép. in W-Frankreich, 6775 km², (1990) 798200 Ew.; Hptst.: Rennes.

ịllegale Beschäftigung [lat. »gesetzwidrig«], i. w. S. die Beschäftigung eines Arbeitnehmers, die gegen Arbeitsschutzbestimmungen (z. B. Mutterschutz) verstößt; i. e. S. die →Schwarzarbeit oder die illegale Ausländerbeschäftigung.

ịllegitim [lat.], unrechtmäßig, nicht im Rahmen bestimmter Vorschriften erfolgend; Ggs.: legitim.

Ịller *die,* rechter Nebenfluss der Donau in Oberschwaben, entsteht in den Allgäuer Alpen aus mehreren Quellbächen, fließt entlang der **I.-Lech-Platte,** mündet oberhalb von Ulm; 165 km; zahlr. Kraftwerke.

Illertịssen, Stadt im Landkr. Neu-Ulm, Bayern, im Illertal, 14800 Ew.; Bienen-, Heimatmuseum; Holzverarbeitung, chem., pharmazeut. u. a. Industrie. – Pfarrkirche Sankt Martin (1590), Renaissanceschloss (um 1550). – Stadt seit 1954.

Ivan Illich

Illich [ˈɪlɪtʃ], Ivan, amerikan. kath. Theologe österr. Herkunft, Gesellschafts- und Kulturkritiker, *Wien 4. 9. 1926; seit 1951 Priester in einem Elendsviertel Manhattans, New York; geriet in scharfen Ggs. zu Papst Paul VI.; 1969 Verzicht auf sein Priesteramt; kritisiert das traditionelle Schulsystem und die traditionelle Medizin, die »kulturzerstörer.« Entwicklungsprogramme, die ökonomisch-polit. Ausbeutung Lateinamerikas und das Konzept des unbegrenzten Wachstums sozialer Institutionen; schrieb »Entschulung der Gesellschaft« (1971); »Die Nemesis der Medizin« (1974); »H-zwei-O und die Wasser des Vergessens« (1985).

Illiez, Val d'I. [valdilˈje], 12 km langes linkes Seitental der Rhone im Kt. Wallis, Schweiz, zw. Chablais und Dents du Midi, durchflossen von der Vièze, die bei Monthey (428 m ü. M.) mündet. Wintersportzentrum Champéry (1064 m ü. M.).

Illimạni [iji-], höchster Berg Boliviens und der Cordillera Real, 6438 m ü. M. (Pico Sur), stark vergletschert.

Illinois [ɪlɪˈnɔɪ(z)], Abk. **Ill., IL,** Staat im Mittleren Westen der USA, zw. Mississippi und Michigansee, 145934 km², (1995) 11,83 Mio. Ew., Hptst. Springfield. I. liegt größtenteils im zentralen Tiefland der USA; kontinentales Klima mit extremen Temperaturen im Sommer und Winter. Etwa 78 % der Bev. sind Weiße, 15 % Schwarze. Fruchtbare Böden, über 80 % landwirtschaftlich genutzt: Sojabohnen-, Maisanbau; Rinder-, Schweinezucht; Kohlenbergbau, Erdölgewinnung; bed. Ind. (I. liegt im Manufacturing Belt): Eisen- und Stahlerzeugung, elektrotechn., chem. und Nahrungsmittelind., Maschinen- und Fahrzeugbau; größte Stadt: Chicago. – I. wurde 1673 von den Franzosen erkundet, fiel 1763 an Großbritannien und kam 1783 in den Besitz der USA, wurde 1818 als 21. Staat in die Union aufgenommen.

Illinois River [ɪlɪˈnɔɪ(z)ˈrɪvə] *der,* linker Nebenfluss des Mississippi, USA, 439 km lang (mit dem Quellfluss Kankakee River 676 km), bildet den größten Teil des **Illinois Waterway** (523 km), der den Mississippi mit den Großen Seen verbindet.

Illịt [nach Illinois] *der,* urspr. Bez. für eine Hauptkomponente der Böden von Illinois, heute für **Hydromuskovite** (Verwitterungsprodukte von Glimmern) in Tonteilchengröße, die bei der Diagenese von Tonen entstehen.

illoyal [ˈɪlwajal, frz.], den Staat, eine Instanz nicht respektierend; vertragsbrüchig, gegen Treu und Glauben; Ggs.: loyal.

Illuminạten [lat. »Erleuchtete«], Anhänger esoter. Vereinigungen, die nach eigener Aussage über eine höhere Erkenntnis Gottes und besondere Verbindungen zur Geisterwelt verfügen.

Illuminạtenorden, 1776 von Adam Weishaupt (*1748, †1830) in Ingolstadt gegr., über die Freimaurerei hinausgehender Geheimbund mit dem Ziel, die Prinzipien der Aufklärung zu fördern; Mitgl. waren Herder und Goethe; seit 1785 verfolgt und aufgelöst, 1896 neu gegründet. Sitz des 1925 gegr. »Weltbunds der Illuminaten« ist Berlin.

illuminieren [lat.-frz.], **1)** *allg.:* festlich erleuchten.

2) *Kunst:* mittelalterl. Handschriften ausmalen, mit Buchmalerei versehen; bis ins 19. Jh. gebräuchlich für das Kolorien (von Druckgrafik).

Illusiọn [lat.-frz.] *die,* **1)** *allg.:* nicht erfüllbare Wunschvorstellung, Selbsttäuschung.

2) *Psychologie:* Fehldeutung objektiv gegebener Sinneseindrücke, die subjektiv umgestaltet und in der Fantasie erweitert werden, im Unterschied zur →Halluzination.

Illusionịsmus [lat.-frz.] *der,* in der bildenden Kunst (v. a. Malerei) Darstellungsweise, die mittels Perspektive, Farbgebung, Licht- und Schattenverteilung opt. Wirkungen wie Raumtiefe und Plastizität erzeugt. Seit der Antike, v. a. in Renaissance, Barock, Rokoko von Bedeutung. (→Trompe-l'œil)

Illustratiọn [lat.] *die,* **1)** *allg.:* Erläuterung, Veranschaulichung; Bebilderung.

2) *Buchkunst:* Abbildung, die einen Text veranschaulicht, erläutert oder schmückt; über I. mittelalterl. Handschriften →Buchmalerei. Die Herstellung der I. im gedruckten Buch beruhte vom 15. bis ins 19. Jh. auf den graf. Verfahren →Holzschnitt, →Kupferstich, →Stahlstich. Eine bed. Neuerung brachte die →Lithographie. Moderne photomechan. Reproduktionsverfahren (→Reproduktionstechnik) führten zu einer Vielfalt der Illustration.

Illustrierte *die,* bebilderte Zeitschrift. Das Entstehen von I. wurde durch die Entwicklung von Rasterätzung und Fotografie begünstigt. Erste bekannte I. sind »The Illustrated London News« (erstmals 1842 erschienen), »L'Illustration« (Paris 1843–1944) und die »Illustrirte Zeitung« (Leipzig 1843–1944).

illuvial [lat.], Bez. für die natürl. Anreicherung von Stoffen durch chem. Ausfällen oder mechan. Festhalten in Böden (**Illuvial-** oder **B-Horizont;** →Boden).

Illyés ['ijje:ʃ], Gyula, ungar. Schriftsteller, *Rácegrespuszta (heute zu Magyaratád, Bez. Somogy) 2. 11. 1902, †Budapest 15. 4. 1983; lebte 1922–26 in Frankreich; engagierter Anwalt der recht- und mittellosen Landbevölkerung; bed. Lyriker. Nach 1945 war I. auch zeitweise politisch aktiv.

Illyrer (Illyrier), indoeurop. Völkergruppe des Altertums, die spätestens seit dem 8./7. Jh. →Illyrien besiedelte. Als erste größere illyr. Staatsbildung entstand von etwa 400 bis etwa 260 das Taulantierreich mit dem Kerngebiet im heutigen Albanien. 260/250 bildete sich das südillyr. Reich der Ardiaier mit dem Hauptort Skodra (heute Shkodër, Albanien) heraus, das 168 v. Chr. von den Römern wegen seiner makedonienfreundl. Haltung im 3. Makedon. Krieg zerschlagen wurde. An seine Stelle trat von 158 v. Chr. bis 9 n. Chr. die Eidgenossenschaft der Dalmater. Nach den illyr. Kriegen Oktavians (35–33) und der Niederwerfung des Illyr. Aufstandes (6–9) kamen die I. unter röm. Herrschaft. Die I. genossen den Ruf, gute Krieger zu sein; seit Hadrian stellten sie v. a. die Legionen des Donauraums.

📖 Frommer, H.: *Die I. Karlsruhe 1988.*

Illyri|en (lat. Illyricum), im Altertum der nordwestl. Teil der Balkanhalbinsel und der Adriaküste, benannt nach den Illyrern. Der südl. Teil I.s (Süddalmatien) kam im 1. Illyr. Krieg (229/228 v. Chr.) in röm. Abhängigkeit. Seit 168 v. Chr. bestand die röm. Provinz I., jedoch erst unter Augustus endgültig unterworfen. Nach Niederschlagung des Illyr. Aufstandes (9 n. Chr.) erfolgte die Teilung in die Provinzen »Illyricum inferius« (Pannonien) und »Illyricum superius« (Dalmatien). In der Zollverwaltung schloss die Bez. I. auch Rätien, Noricum, Mösien und Dakien mit ein. Nach der Reichsteilung 395 kam I. zum Weström. Reich, 476 unter ostgot. Herrschaft und 537 an Byzanz.

Illyrismus *der,* die nat. und kulturelle Wiedergeburtsbewegung der Kroaten (1830–50), die den südslaw. (»illyr.«) Einheitsgedanken verfocht. Wortführer war L. Gaj. Der I. begünstigte die Herausbildung der später als serbokroatisch bezeichneten Literatursprache.

Ilm *die,* linker Nebenfluss der Saale, 120 km, entspringt im Thüringer Wald, mündet bei Großheringen.

Ilmenau, 1) *die,* linker Nebenfluss der Elbe in der östl. Lüneburger Heide, Ndsachs., 107 km lang, mündet oberhalb von Hamburg.

2) Stadt im Ilm-Kreis, Thür., am NO-Hang des Thüringer Waldes, 28 300 Ew.; TU, Fachschule für Technik; Glas-, Porzellan-, elektrotechn. Ind., Messgerätebau. – Amtshaus (1616, 1756; Goethegedenkstätte), Renaissancerathaus (1625, nach Brand 1752 wieder hergestellt), Renaissancestadtkirche (17./18. Jh.). Oberhalb I. liegt der Berg **Kickelhahn** (861 m ü. M.) mit Goethe-Häuschen. – I., 1341 als Stadt bezeugt, kam 1661 an Sachsen-Weimar; war bis 1994 Kreisstadt.

Ilmenit *der* (Titaneisen), schwarzes trigonales Mineral, $FeTiO_3$, wirtschaftlich wichtigstes Titanerz, dem Eisenglanz ähnlich, kommt mit geringen Beimischungen von $MgTiO_3$, $MnTiO_3$, Fe_2O_3 in bas. Magmatiten (v. a. in Pegmatiten) und Seifen vor.

Ilmensee, See südlich von Nowgorod, Russland, zw. 700 und 2 100 km² (je nach Wasserstand), bis 10 m tief; in ihn münden etwa 50 Flüsse; Abfluss ist der Wolchow.

Ilm-Kreis, Landkreis in Thüringen, 843 km², (1996) 122 900 Ew.; Krst. ist Arnstadt.

ILO [engl.], →Internationale Arbeitsorganisation.

Iloilo, Provinz-Hptst. der Philippinen, auf der Insel Panay an der Iloilo-Straße, 310 000 Ew.; vier Univ.; Reis-, Tabakanbau, Rohseidenind.; Handels- und Kulturzentrum; Hafen.

Ilorin [engl. i:lə'ri:n], Hptst. des nigerianischen Bundesstaates Kwara, 441 500 Ew.; Sitz eines muslim. Emirs und eines kath. Bischofs; Univ., TH; Baumwollweberei, Töpferei, Zigaretten- u. a. Industrie.

Ilse *die,* rechter Nebenfluss der Oker, 40 km, entspringt am Brocken.

Ilsenburg (Harz), Stadt im Landkr. Wernigerode, Sa.-Anh., am N-Rand des Harzes, an der Ilse, 6 800 Ew.; Hüttenmuseum; Gießerei, Walzwerk, Radsatzfabrik; Erholungsort. – Benediktinerkloster, 1009 gegr., 1862 als Schloss umgebaut, jetzt Erholungsheim; ehem. Klosterkirche (im 16. Jh. stark verändert).

Iltis *der,* ein Raubtier, →Marder.

Gyula Illyés

Ilmenau 2)
Stadtwappen

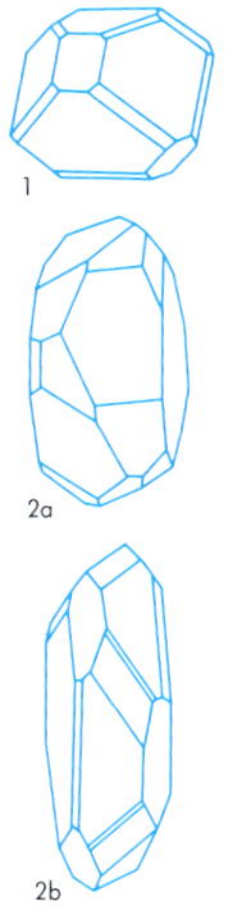

Ilmenit:
Kristallstrukturen;
1 rhomboedrisch,
2a und 2b tafelig

Ilulissat (bis 1979 Jakobshavn), Stadt in W-Grönland, an der Diskobucht, 4500 Ew.; Radio- und meteorolog. Station; Robbenfang, Fischerei; Garnelenkonservenfabrik, Tieffrostanlage für Fischfilets; Hafen, Flugplatz.

Ilz *die,* linker Nebenfluss der Donau, entspringt im Bayer. Wald, mündet bei Passau, 54 km lang.

im..., Nebenform von lat. in... vor Wörtern, die mit b, m oder p beginnen: *immateriell, Impuls.*

Image ['ɪmɪdʒ; engl. »Bild«] *das,* gefühlsbetontes Vorstellungsbild, z.B. über Menschen, Unternehmen oder Markenartikel; I.-Bildung erleichtert die soziale Orientierung, erschwert andererseits die krit. Wahrnehmung und Bewertung.

imaginär [frz.], nur in der Vorstellung existierend, nicht wirklich, nur eingebildet.

imaginäre Zahlen, komplexe Zahlen, deren Realteil null ist, und die daher in der gaußschen Zahlenebene auf der imaginären Achse liegen. Die i. Z. sind Vielfache der **imaginären Einheit**

$$i = \sqrt{-1},$$

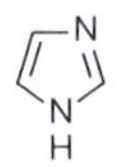

Imidazol

es gilt $i^2 = -1$.

Imaginärteil, Zeichen Im, Bestandteil einer →komplexen Zahl.

Imagination [lat.] *die,* Einbildungskraft, Fantasie, im Ggs. zum abstrakten Denken das Vermögen bildhaft anschaul. Vorstellens und Ersinnens von Situationen, Personen und Dingen.

Imaginisten [zu lat. imago, »Bild(nis)«], russ. avantgardist. Dichtergruppe etwa 1919–24 in Moskau; trat für die Konzentration der poet. Aussage auf das Bild als wesentlichstes Element der Dichtung ein; bedeutendster Vertreter S. A. Jessenin.

Imagismus [zu lat. imago »Bild(nis)«] *der,* poet. Erneuerungsbewegung einer Gruppe amerikan. und engl. Dichter, die, auf der antiromant. Ästhetik von T. E. Hulme fußend, präzise Bildhaftigkeit und schmucklosen, disziplinierten Sprachausdruck erstrebte. Sie trat 1914 in der von E. Pound herausgegebenen Anthologie »Des imagistes« an die Öffentlichkeit. Hauptvertreter neben Pound: A. Lowell, H. Doolittle, R. Aldington u.a.

Imago [lat. »Bild(nis)«] *die,* **1)** *Biologie:* das geschlechtsreife Vollinsekt (→Insekten).

2) *Psychologie:* unbewusstes, durch Identifizierung meist in der Jugend angeeignetes Leitbild.

Imago Dei, →Gottebenbildlichkeit.

Imam [arab. »Vorsteher«, »Führer«, »Vorbild«] *der,* **1)** Vorbeter beim islam. Gemeinschaftsgebet.

2) geistl. und weltl. Leiter der islam. Weltgemeinde (Umma), gilt als Nachfolger des Propheten; bis 1924 gleichbedeutend mit dem →Kalifen.

3) bei den Schiiten der aus der Nachkommenschaft →Alis stammende unfehlbare Lehrer und Führer aller Muslime.

Imatra, Stadt am Vuoksi, unweit seines Ausflusses aus dem Saimaa, SO-Finnland, 32600 Ew.; Kunstmuseum; Zellstoff-, Papier- und Kartonfabrik, chem. Ind.; Wasserkraftwerk am **I.-Fall,** urspr. eine 1,3 km lange Stromschnelle des Vuoksi. – Dreikreuzkirche (A. Aalto).

Imbezillität [lat.] *die,* angeborener oder durch eine frühkindliche Gehirnschädigung erworbener Schwachsinn mittleren Grades.

Imbroglio [im'brɔʎo; italien. »Verwirrung«] *das, Musik:* gleichzeitige Verwendung verschiedener Taktarten.

IMF [engl.], →Internationaler Währungsfonds.

Imhotep [ägypt.] (grch. Imuthes), altägypt. Baumeister, Arzt und Schriftsteller, Ratgeber des Pharaos Djoser, um 2600 v. Chr.; Erbauer der Stufenpyramide von Sakkara; wurde in grch. Zeit in Memphis und Theben als Gott der Heilkunst verehrt und mit Äskulap gleichgesetzt; er galt als Sohn des Ptah.

Imidazol *das,* (1,3-Diazol), kristalline fünfgliedrige, heterozykl. Verbindung, als Baustein in einigen Naturstoffen (z.B. Histidin, Histamin). I. und seine Derivate sind Zwischenprodukte für Pflanzenschutzmittel, Pharmaka und Farbstoffe.

Imide, Derivate von Dicarbonsäuren, bei denen die OH-Gruppen beider Carboxylgruppen durch eine NH-Gruppe (Imidogruppe) ersetzt ist **(Säure-I.)**; auch Verbindungen, in denen NH-Gruppen anionisch an Metallatome gebunden sind **(Metall-I.)**.

Immergrün: Das Kleine Immergrün bedeckt mit seinen bis zu 2 m kriechenden Trieben meist größere Flächen

Imine, organ. Verbindungen, die die Iminogruppe $R^2C{=}NH$ (R = organ. Rest, Wasserstoff) enthalten. Mit Wasser reagieren sie zu Keton und Ammoniak.

Iminoharnstoff, das →Guanidin.

Imitatio Christi [lat.], die →Nachfolge Christi.

Imitation [lat.] *die,* **1)** *allg.:* das Nachahmen (z.B. von Vogelstimmen), Nachbildung (eines Gegenstands).

2) *Musik:* →Nachahmung.

Imkerei *die* (Bienenhaltung, Bienenzucht), Haltung und Zucht von Honigbienen zur Gewinnung von Honig und Wachs.

immanent [lat.], in etwas enthalten, innewohnend; innerhalb der Grenzen der Erfahrung verbleibend; Ggs.: transzendent.

Immanenz *die,* im Pantheismus die Auffassung, Gott wirke in der Welt (Natur) bzw. sei mit ihr identisch.

Immanenzphilosophie, i.w.S. jede Philosophie, die nur den Inhalt des Bewusstseins als wirklich gelten lässt.

Immaterialgüterrechte, Rechte an unkörperl. Gütern mit selbstständigem Vermögenswert, z.B. Urheberrecht, Patentrecht, Markenrecht; deckt sich auch mit dem Begriff »geistiges Eigentum«.

Immaterialismus [lat.] *der, Philosophie:* die Lehre, dass die Materie keine selbstständige Wirklichkeit besitze; bes. von G. Berkeley vertreten.

Immatrikulation [lat.] *die,* Einschreibung in das Verzeichnis der Studierenden einer Hochschule **(Matrikel).**

immediat [lat.], unmittelbar (dem Staatsoberhaupt unterstehend). **Immediateingaben, -gesuche** und **-vorstellungen** werden gleich bei der obersten Instanz vorgebracht oder an das Staatsoberhaupt gerichtet.

Immendorff, Jörg, Maler und Bildhauer, *Bleckede (Kr. Lüneburg) 14. 6. 1945; trat zunächst mit Aktionen (auch mit seinem Lehrer J. Beuys) hervor; seine Arbeiten befassen sich kritisch mit Gesellschaft, Politik und Kunstbetrieb, u.a. »Café de Flore« (1990/91).

immens [lat.], unermesslich (groß).

Immenstadt i. Allgäu, Stadt im Landkr. Oberallgäu, Bayern, am N-Rand der Allgäuer Alpen, 731 m ü.M., 14200 Ew.; Land- und Alpwirtschaftsmuseum; Metallverarbeitung, Textilind., Fremdenverkehr. In der Nähe liegt der **Alpsee** (2,5 km^2). – Spätgot. ehem. Schloss (16./17. Jh.). – Seit 1497 als Stadt bezeichnet.

Immergrün *das* (Vinca), Gattung der Hundsgiftgewächse; in Süd- und Mitteleuropa heimisch ist das **Kleine I.** (Vinca minor), halb liegend, mit dunkelgrünen, ledrigen Blättern und meist blauen, lang gestielten Blüten, in Wäldern und an Felsen; häufig als Zierpflanze kultiviert. Aufgrund ihres Gehaltes an Alkaloiden (u.a. Vincamin) sind alle Pflanzenteile schwach giftig.

immergrüne Pflanzen, Pflanzen, deren Blätter über mehrere Vegetationsperioden hinweg voll funktionsfähig bleiben; z.B. Rottanne, Immergrün.

Jörg Immendorff: »Café de Flore«, Ausschnitt (1990/91; Privatbesitz)

Immermann, Karl, Schriftsteller, *Magdeburg 24. 4. 1796, †Düsseldorf 25. 8. 1840; leitete 1832–37 das Düsseldorfer Theater. Sein zw. Romantik und Realismus stehender Roman »Die Epigonen« (3 Bde., 1836) zeigt die Auflösung der alten Gesellschaftsformen. Der humorist. Roman »Münchhausen« (4 Bde., 1838/39) und das kom. Heldenepos »Tulifäntchen« (1830) wurden zu Zeitsatiren.

Karl Immermann (Zeichnung von Karl Lessing, 1831)

Immersion [lat.] *die,* **1)** *Astronomie:* Eintritt eines Himmelskörpers in den Schatten eines anderen oder der Beginn seiner →Bedeckung.

2) *Geologie:* Überflutung eines Festlandes bei der Transgression; Ggs.: Emersion.

3) *Optik:* die Verwendung einer Flüssigkeit mit möglichst hoher Brechzahl im Raum zw. der Frontlinse eines Mikroskop-Objektivs oder -Kondensors sowie dem Deckglas des mikroskop. Präparates zur Erhöhung der numer. Apertur und damit des Auflösungsvermögens.

Immigration [lat.] *die,* Einwanderung.

Immission [lat.] *die,* **1)** *Umwelt:* die Einwirkung von Luftverunreinigungen, Geräuschen, Erschütterungen, Licht, Wärme, Strahlen und vergleichbaren Faktoren auf Menschen, Tiere, Pflanzen und Gegenstände.

2) *Zivilrecht:* die Zuführung von körperl. oder unwägbaren Stoffen wie Geröll, Dämpfen, Gerüchen, Geräuschen und Erschütterungen sowie ähnl. Einwirkungen auf ein Nachbargrundstück (§ 906 BGB). I., die die Nutzung des Nachbargrundstücks nicht oder nur unwesentlich beeinträchtigen, sind hinzunehmen; bei wesentl. Beein-

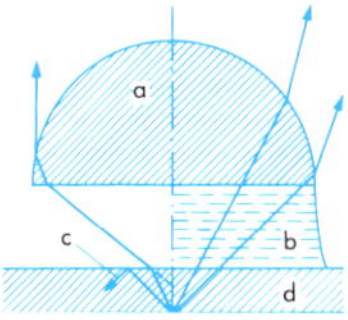

Immersion 3): schematische Darstellung des Strahlengangs beim Mikroskop ohne (linke Hälfte) und mit objektseitiger Immersion; a Frontlinse des Objektivs, b Immersionsmittel, c total reflektierter Strahl, d Deckglas

trächtigungen, die bei Grundstücken in konkreter Lage nicht ortsüblich sind, kann der Eigentümer des betroffenen Grundstücks Beseitigung (Unterlassung) verlangen (§ 1004 BGB). Muss er die I. dulden, so bei genehmigten gewerbl. Anlagen, besteht Anspruch auf Herstellung von zumutbaren Schutzeinrichtungen oder ein Ausgleich in Geld. Den öffentlich-rechtl. Schutz vor I. regeln das →Bundesimmissionsschutzgesetz und ergänzende Techn. Anleitungen (z. B. TA Luft, TA Lärm). – Ähnlich ist die Rechtslage in *Österreich* (§§ 354 ff., 523 ABGB und in der *Schweiz* (Art. 679, 684 ZGB).

Immissionsgrenzwerte (Immissionswerte), in der →TA Luft gesetzlich festgelegte Höchstmengenrichtwerte für Kurzzeit- und Langzeitwirkungen von Luftverunreinigungen. I., z. B. für Staubniederschlag, Schwebstaub, Chlor, Chlorwasserstoff, Fluorwasserstoff, Kohlenmonoxid, Schwefeldioxid, Schwefelwasserstoff, Stickstoffdioxid und Stickstoffmonoxid, beziehen sich auf die Einzelwirkung der jeweiligen Stoffe. (→MIK-Wert)

Immissionskataster, auf Karten dargestellte räuml. Verteilung der Luftverunreinigungen für ein bestimmtes Gebiet. Das I. dokumentiert die Schadstoffbelastung der Luft und ermöglicht eine umfassende Bewertung dieser Belastung nach verschiedenen Kriterien. Es ist zus. mit dem →Emissionskataster Grundlage für eine Ursachenanalyse.

Immissionsschutz, Maßnahmen und gesetzl. Regelungen zum Schutz vor rechtswidrigen Einwirkungen auf Personen und Grundstücke in Form von Luftverunreinigungen, Geräuschen und Erschütterungen, →Bundesimmissionsschutzgesetz, →Immission.

Immobililen [lat.], unbewegl. Sachen, d. h. Grundstücke und grundstücksgleiche Rechte, z. B. das Erbbaurecht. Den I. rechtlich weitgehend gleichgestellt sind im Schiffsregister eingetragene Schiffe, in die Luftfahrzeugrolle eingetragene Luftfahrzeuge sowie das landesrechtl. Bergwerkseigentum.

Immobililenfonds [-fɔ̃], eine Form des →Investmentfonds.

Immoralismus [lat.] *der,* negative Abgrenzung (relativ oder absolut) von einer moral. Orientierung.

Immortellen [frz. »Unsterbliche«], Blumen, die sich wegen strohiger Beschaffenheit der Hüllblätter **(Strohblumen)** für Dauersträuße und -kränze eignen.

immun [lat.], *Medizin:* unempfänglich gegenüber Krankheitserregern und Giften.

Immunlabwehr, die Fähigkeit des Organismus, mithilfe des Immunsystems Antigene abzuwehren.

Immunlantwort (Immunreaktion), Reaktion des Organismus auf ein Antigen, die entweder zur Antikörperbildung (Antigen-Antikörper-Reaktion; humorale Immunität) oder zur Bildung von Lymphozyten führt, die mit dem Antigen spezifisch reagieren können (zelluläre Immunität).

Immunbiologie, →Immunologie.

Immunglobuline, Abk. **Ig,** von Plasmazellen synthetisierte Proteine, die meist Antikörperaktivität haben und deren Bildung durch Antigene ausgelöst wird; sie werden auch als **Gammaglobuline** i. w. S. bezeichnet. I. werden von B-Lymphozyten gebildet; sie sind für die humorale Abwehr verantwortlich und somit für die Infektabwehr von großer Bedeutung.

Immunglobulinprophylaxe, die Anwendung von Immunglobulinfraktionen zur Verhütung oder Abschwächung bakterieller oder viraler Infektionskrankheiten bei gefährdeten Personen. Die Immunglobuline werden aus dem Serum gesunder Blutspender oder aus Immunseren (gereinigte und konzentrierte Antiseren) gewonnen, die spezif. Antikörper enthalten.

Immunisierung *die,* Erzeugung einer Immunität zum Zwecke der Vorbeugung oder der Behandlung von Krankheiten (oder Vergiftungen). **Aktive I.** nennt man die Erzeugung einer lang dauernden Immunität durch die Anregung der hoch spezif. Antikörperbildung im Wirtsorganismus. Dies geschieht durch die Zufuhr der betreffenden Antigene in Form lebender (abgeschwächter) oder abgetöteter Mikroorganismen bzw. abgewandelter Toxine. Als **passive I.** wird dagegen die Übertragung der fertigen Antikörper aus dem Blutserum von Menschen und Tieren bezeichnet (durch aktive und passive Schutzimpfung).

Immunität [lat.] *die,* **1)** *Immunologie:* die Fähigkeit eines Organismus, sich gegen von außen eindringende schädigende Stoffe (**Noxen;** bes. Krankheitserreger und deren Gifte) zur Wehr setzen zu können. **Angeborene I. (natürl. I.)** nennt

Immissionsgrenzwerte (nach TA Luft 1986)

Schadstoff	Langzeiteinwirkung IW 1	Kurzzeiteinwirkung IW 2	Einheit
Schwebstaub	0,15	0,30	mg/m^3
Staubniederschlag	0,35	0,65	$g/(m^2 \cdot d)$
Blei im Schwebstaub	2,0	–	$\mu g/m^3$
Blei im Niederschlag	0,25	–	$mg/(m^2 \cdot d)$
Cadmium im Schwebstaub	0,04	–	$\mu g/m^3$
Cadmium im Staubniederschlag	5	–	$\mu g/(m^2 \cdot d)$
Thallium im Staubniederschlag	10	–	$\mu g/(m^2 \cdot d)$
Chlor	0,10	0,30	mg/m^3
Chlorwasserstoff	0,10	0,20	mg/m^3
Fluorwasserstoff	1,0	3,0	$\mu g/m^3$
Kohlenmonoxid	10	30,0	mg/m^3
Schwefeldioxid	0,14	0,40	mg/m^3
Stickstoffdioxid	0,08	0,20	mg/m^3

man die unspezif. Abwehr von Noxen ohne vorausgegangenen Kontakt mit ihnen. Die **erworbene I. (spezif. I.)** beruht darauf, dass gegen die Noxen hoch spezif. Abwehrstoffe gebildet werden (Antigen-Antikörper-Reaktion; →Antikörper).

2) *Recht:* im *Kirchenrecht* seit dem 4. Jh. die Befreiung kirchl. Institutionen und Personen von einer öffentl. Last (munus) und die Respektierung des Asylrechts geweihter Stätten (Kirchen) durch die öffentl. Gewalt (→Asylrecht); im MA. die Steuerfreiheit des Kirchenguts und des Klerus; heute in Dtl. (und anderen Staaten) die vertraglich geregelte oder gewohnheitsmäßige Freistellung der Kleriker vom Militärdienst und von »standesfremden« zivilen öffentl. Ämtern und Aufgaben. – Im *Staatsrecht* der Schutz der Mitgl. von Volksvertretungen vor Strafverfolgung (nicht bei Ordnungswidrigkeiten) u. a. Beeinträchtigung der persönl. Freiheit (parlamentar. I.; Art. 46 GG und Landes-Verf.). Die I. beginnt mit Annahme der Wahl, schützt den Abg. aber nicht, wenn er auf frischer Tat ertappt oder am folgenden Tag festgenommen wird. Da die I. in erster Linie ein Recht des Parlaments ist, kann sie nur durch dieses aufgehoben werden. Auch der Bundespräs. genießt I. (→Indemnität). – In *Österreich* genießen der Bundespräs., die Mitgl. von National- und Bundesrat und der Landtage, in der *Schweiz* die Mitgl. des Bundesrates sowie die Abg. in National- und Ständerat I.; Ähnliches gilt in den Kantonen. Das *Völkerrecht* unterscheidet die I. (Unantastbarkeit) von Staaten und die I. von Personen, bes. von →Diplomaten. I. der Staaten bedeutet, dass die Staaten und ihre Hoheitsträger nicht der Rechtsprechungsgewalt anderer Staaten unterliegen.

Immunologie [lat.-grch.] *die,* Wiss., die sich mit den biolog. und chem. Grundlagen der Immunantwort, d. h. der Reaktion des Organismus auf das Eindringen körperfremder Substanz, befasst. Die **Immunbiologie** untersucht biochem. und physiolog. Grundlagen der humoralen und zellulären Immunität im Gesamtorganismus.

Immunreaktion, i. w. S. die →Immunantwort, i. e. S. die Antigen-Antikörper-Reaktion und die Reaktion zw. Antigen und Immunzellen. Sie bildet die Grundlage immunolog. Testverfahren.

Immunsuppression [lat.], künstl. Unterdrückung oder Abschwächung der Immunreaktion des Organismus zur Behandlung von Autoimmunkrankheiten oder Verhinderung von Transplantatabstoßungen. Zu den Hauptverfahren gehört die Chemotherapie mit Immunsuppressiva, ferner auch z. B. die Strahlentherapie.

Immunsuppressiva [lat.], Wirkstoffe oder Arzneimittel zur Immunsuppression; z. B. zytostat. Mittel, manche Antimetaboliten, einzelne Antibiotika und Glucocorticoide. Der Wirkungsmechanismus der I. beruht z. T. (über RNS- oder DNS-Hemmung) auf einer Blockierung der Antikörpersynthese, z. T. auf einer Hemmung der Phagozytose oder Zerstörung immunkompetenter Lymphozyten.

Immunsystem, das für die Immunität des Wirbeltierorganismus verantwortliche Abwehrsystem, das die für die Immunreaktionen notwendigen Antikörper (humorale und zelluläre Antikörper) sowie T- (thymusabhängige) und (nichtthymusabhängige) B-Lymphozyten umfasst sowie alle immunbiologisch kompetenten Organe. Beim Menschen gehören dazu v. a. Thymus, Milz, Lymphknoten, Mandeln sowie das →Monozyten-Makrophagen-System.

Immuntoleranz, streng spezif. Duldung bestimmter körperfremder Strukturen (Antigene) durch das Immunsystem mit Ausbleiben der →Immunantwort; auslösbar durch Zufuhr sehr großer oder sehr geringer Antigenmengen, begünstigt z. B. durch →Immunsuppression.

Imola, Stadt in der Emilia-Romagna, Prov. Bologna, Italien, 63 600 Ew.; Bischofssitz; Museen; Textil- u. a. Ind.; nahebei Erdgasförderung. Motorsportrennstrecke. – Festung (13./14. Jh.), Dom San Cassiano (urspr. 12./13. Jh.; 1781 neu gestaltet) u. a. Kirchen; mehrere Paläste des MA. und der Renaissance. – I., das röm. Forum Cornelii, kam 756 an den Papst, seit 1084 freie Kommune, 1504 an den Kirchenstaat.

imp., Abk. für →**Imp**rimatur.

Imp., Abk. für lat. **Imp**erium, **Imp**erator.

Impaktite, Gesteinsgläser, die beim Einschlag **(Impakt)** von Riesenmeteoriten aus ird. Material durch →Stoßwellenmetamorphose erschmolzen wurden; es bilden sich meist kraterförmige, geomorpholog. Formen (Impaktstrukturen). Wenn durch den Impakt die anstehenden Gesteine nur mechanisch beansprucht wurden, spricht man von Trümmergesteinen oder **Impaktbreccien.**

Impakttheorie, Theorie, nach der Krater, Wallebenen und Maria (Meere) auf dem Mond durch Meteoriten entstanden sind.

Impala *die,* eine Antilopenart, →Pala.

IMPATT-Diode [Abk. für engl. **imp**act ionisation by **a**valanche and **t**ransit-**t**ime] (Lawinenlaufzeitdiode), *Mikroelektronik:* eine Laufzeitdiode, die zur Verstärkung und Schwingungserzeugung in Verbindung mit Hohlraumresonatoren eingesetzt wird. Es sind sehr hohe Frequenzen von einigen Gigahertz erreichbar.

Impeachment [ɪmˈpiːtʃmənt, engl.] *das,* Antrag einer parlamentar. Körperschaft (brit. Unterhaus, Repräsentantenhaus der USA) auf Amtsenthebung oder Bestrafung einer Person, über den eine andere parlamentar. Körperschaft (brit. Oberhaus, Senat der USA) entscheidet.

Imperia 2): Blick auf den Stadtteil Porto Maurizio

Impedanz [lat.] *die* (komplexer Widerstand), der Quotient aus der (komplexen) Wechselspannung *U* und der komplexen Wechselstromstärke *I*. (→Wechselstromwiderstand)

Impedanzwandler, *Elektrotechnik:* elektron. →Verstärker mit einem Verstärkungsfaktor von etwa eins, aber stark unterschiedlichem Eingangs- und Ausgangswiderstand.

Imperativ [lat.] *der,* **1)** *Sprache:* Befehlsform (ÜBERSICHT Verb).

2) →kategorischer Imperativ.

imperatives Mandat, die Bindung des (abrufbaren)Abg. an Aufträge der Wähler oder seiner Partei; eine Forderung des →Rätesystems. Die dt. Rechtsordnung (Art. 38 Abs. 1 GG) kennt das freie →Mandat.

Imperator [lat.] *der,* im alten Rom urspr. oberster Befehlshaber des militär. Aufgebots im Krieg, dann Ehrentitel des vom Heer begrüßten siegreichen Feldherrn; seit Augustus Namensbestandteil der röm. Kaiser sowie (in ihrer Nachfolge) seit Karl d. Gr. der Kaiser des Mittelalters.

Imperfekt [lat.] *das,* Zeitform, die eine nicht abgeschlossene Handlung in der Vergangenheit ausdrückt; im Deutschen einfache Vergangenheit, Präteritum (ÜBERSICHT Verb).

Imperia, 1) Provinz in Ligurien, Italien, 1155 km², (1995) 217400 Einwohner.

2) Hptst. von 1), Hafen an der Riviera di Ponente, 41100 Ew.; Ölmühlen, Nahrungsmittelind.; der Stadtteil Porto Maurizio, auf einer Höhe gelegen, entstand im Hochmittelalter.

Imperialismus *der,* Bez. für das Herrschaftsstreben mit dem Ziel, die Bev. eines fremden Landes mit polit., ökonom., kulturellen und ideolog. Mitteln zu beeinflussen, auszubeuten, abhängig zu machen und direkt oder indirekt zu beherrschen. Historisch wurde die Bez. zuerst auf die Beherrschung von Absatz- und Kapitalmärkten angewandt, nach 1870 stand der Begriff I. in enger Verbindung mit dem Nationalismus für eine Politik der territorialen Expansion eines Staates.

Geschichte: Schon in der Antike und im MA. zeigten Reichsgründungen imperiale Züge, die sich mit dem Entstehen der großen Kolonialreiche

Imperialismus - Aufteilung der Welt um 1900

europ. Staaten (z.B. Portugal, Spanien, England) vom 15. bis 19. Jh. verstärkten. Während der Zeit des klass. I. (1880–1918) entfaltete sich in Europa eine Politik des expansiven Nationalismus, die auf pseudowiss. Thesen (z.B. Sozialdarwinismus) und einem »zivilisator. Sendungsbewusstsein« gründete. Innenpolit. Schwierigkeiten und außenwirtsch. Konkurrenzdruck lösten einen Wettlauf der europ. Mächte um die Aufteilung der Welt aus, der mit dem brit. Protektorat über Ägypten 1882 begann. Hauptrivale bei der Aufteilung Afrikas war Frankreich, das sich in W- und NW-Afrika ein Kolonialreich aufgebaut hatte. Dtl., Italien und Belgien folgten wenig später. Mit dem Vorstoß Großbritanniens, Frankreichs und Dtl.s in den asiat. und pazif. Raum, der expansiven Asienpolitik Russlands und Japans sowie den Aktivitäten der USA v.a. in Lateinamerika erreichte die Politik des I. Ende des 19. Jh. einen vorläufigen Höhepunkt. Die Konflikte zw. den imperialist. Mächten beim Streben nach Rohstoffquellen, Absatzmärkten und Einflusssphären führten zunächst zu regional begrenzten Kriegen und schließlich zum 1. Weltkrieg. Der italien. Faschismus und der japan. Militarismus (»großasiat. Wohlstandssphäre«) verfolgten eine Politik des I. auf nationalist. und militarist. Grundlage. Beim dt. Nationalsozialismus trat neben den genannten Aspekten die rassist. Ideologie (v.a. der →Antisemitismus) absolut in den Vordergrund. Im Verlauf der nach dem 2. Weltkrieg beginnenden →Entkolonialisierung sank zwar der direkte Einfluss der alten Kolonialmächte, jedoch verblieben die neuen Staaten Afrikas und Asiens gegenüber diesen Ländern in indirekter Abhängigkeit (→Neokolonialismus, →Nord-Süd-Konflikt).

Imperialismustheorien: Eine umfassende I.-Theorie formulierte erstmals I. A. Hobson 1902, wonach die Suche nach neuen Kapitalanlagemöglichkeiten wesentl. Grundlage einer imperialist. Politik sei. Auf Hobson fußten R. Hilferding (»Das Finanzkapital«, 1910) und v.a. W. I. Lenin (»Der I. als höchstes Stadium des Kapitalismus«, 1916/17).

📖 SCHMIDT, GUSTAV: *Der europ. I. München 1985.* – MOMMSEN, W. J.: *Imperialismustheorien. Göttingen ³1987.* – SCHÖLLGEN, G.: *Das Zeitalter des I. München ³1994.*

Imperial Valley [ɪmˈpɪərɪəl ˈvælɪ], 200 000 ha großes Bewässerungsgebiet im S der Coloradowüste, Kalifornien, USA, an der mexikan. Grenze, seit 1902 angelegt; u.a. Anbau von Obst und Baumwolle.

Imperium [lat. »Befehlsgewalt«] *das,* **1)** Weltreich; Herrschaftsbereich.

2) im altröm. Staat die vom Volk übertragene ungeteilte militär., zivile und richterl. Befehlsgewalt der höchsten Beamten, bes. Prätoren und Konsuln; seit Cicero auch das unter röm. Herrschaft stehende Gebiet **(I. Romanum).**

3) Romanum I., (seit 1034) amtl. Bez. für das →Heilige Römische Reich.

Impetigo [lat.] *die* (Eitergrind, Eiterflechte), ansteckende Hauterkrankung mit eiterhaltigen Blasen, Pusteln oder Krusten; verursacht durch Strepto- oder Staphylokokken; tritt bes. bei Kindern auf.

impetuoso [italien.], musikal. Vortragsbezeichnung: stürmisch, heftig, ungestüm.

Impfkalender (Impfplan), Zeitplan für die Schutzimpfung von Kindern mit dem Ziel einer optimalen Immunisierung gegen die wichtigsten Infektionskrankheiten nach Empfehlungen des Robert-Koch-Instituts. ÜBERSICHT S. 376

Impfpass, Ausweis mit ärztl. Eintragungen über durchgeführte Impfungen.

Impfpistole, medizin. Gerät, das die Impfstoffe mit hohem Druck in oder unter die Haut »schießt«.

Impfplan, der →Impfkalender.

Impfschäden, →Impfung.

Impfung, 1) *Chemie* und *Physik:* Einbringen eines Kristallkeims eines gleichen oder chemisch nahe verwandten Stoffs in eine unterkühlte Schmelze oder übersättigte Lösung, um deren Auskristallisieren zu beschleunigen.

2) *Landwirtschaft:* das Versetzen bakterienarmer Böden mit Präparaten, die meist Stickstoff bindende Bakterien enthalten, z.B. Azotobacter.

3) *Medizin:* die Vornahme einer Schutz-I. mit sog. **Impfstoffen** (Vakzinen), d.h. antigenhaltigen Lösungen zur aktiven Immunisierung bei Infektionskrankheiten. Man unterscheidet **Lebendimpfstoff,** hergestellt aus lebenden Organismen, deren krank machende Fähigkeiten und Angriffslust abgeschwächt sind, und **Totimpfstoff** aus abgeschwächten (inaktivierten) Erregern. Die Haftung für durch I. verursachte Gesundheitsschäden **(Impfschäden)** wird durch das Bundesseuchen-Ges. geregelt. TABELLE Impfkalender S. 376

4) *Mikrobiologie:* Übertragung von Mikroorganismen in oder auf Nährböden mit Impfnadel oder Impföse.

Imphal [ˈɪmpəl], Hptst. von Manipur, NO-Indien, am Manipur, 198 500 Ew.; Univ.; Marktort, Herstellung von Messing- und Bronzewaren; Flugplatz.

Implantation [zu lat. in... »hinein« und plantare »pflanzen«] *die,* **1)** *Biologie:* die Einnistung der befruchteten Eizelle in die Gebärmutterschleimhaut.

2) *Medizin:* das Einbringen von biolog. Material oder chem. Substanzen in den Organismus, und zwar: I. von Geweben oder Organen (Transplantation), I. von Medikamenten (Depotpräparate).

Impfkalender

Lebensalter	*Impfung*	*Personenkreis*
ab Beginn 3. Monat	1. Diphtherie-Pertussis-Tetanus-Haemophilus-influenzae-Typ-b-Impfung **und** 1. Hepatitis-B-Impfung **und** 1. trivalente Poliomyelitis-Schluckimpfung **oder** 1. Diphtherie-Pertussis-Tetanus-Impfung **und** 1. Haemophilus-influenzae-Typ-b-Impfung **und** 1. Hepatitis-B-Impfung **und** 1. trivalente Poliomyelitis-Schluckimpfung	alle Säuglinge und Kleinkinder
ab Beginn 4. Monat	2. Diphtherie-Pertussis-Tetanus-Haemophilus-influenzae-Typ-b-Impfung **oder** 2. Diphtherie-Pertussis-Tetanus-Impfung	alle Säuglinge und Kleinkinder
ab Beginn 5. Monat	3. Diphtherie-Pertussis-Tetanus-Haemophilus-influenzae-Typ-b-Impfung **und** 2. Hepatitis-B-Impfung **und** 2. trivalente Poliomyelitis-Schluckimpfung **oder** 3. Diphtherie-Pertussis-Tetanus-Impfung **und** 2. Haemophilus-influenzae-Typ-b-Impfung **und** 2. Hepatitis-B-Impfung **und** 2. trivalente Poliomyelitis-Schluckimpfung	alle Säuglinge und Kleinkinder
ab Beginn 13. Monat	4. Diphtherie-Pertussis-Tetanus-Haemophilus-influenzae-Typ-b-Impfung **und** 3. Hepatitis-B-Impfung **und** 3. trivalente Poliomyelitis-Schluckimpfung **oder** 4. Diphtherie-Pertussis-Tetanus-Impfung **und** 3. Haemophilus-influenzae-Typ-b-Impfung **und** 3. Hepatitis-B-Impfung **und** 3. trivalente Poliomyelitis-Schluckimpfung	alle Kleinkinder
ab Beginn 15. Monat	1. Masern-Mumps-Röteln-Impfung (Kombinationsimpfstoff)	alle Kleinkinder
ab Beginn 6. Lebensjahr	Tetanus-Diphtherie-Impfung (1. Auffrischimpfung) 2. Masern-Mumps-Röteln-Impfung (Wiederimpfung)	alle Kinder
ab Beginn 10. Lebensjahr	trivalente Poliomyelitis-Schluckimpfung (Wiederimpfung)	alle Kinder
11. bis 15. Lebensjahr	Tetanus-Diphtherie-Impfung (Auffrischimpfung) Hepatitis-B-Impfung (Auffrischimpfung) Röteln-Impfung	alle Kinder und Jugendlichen alle Mädchen, auch wenn bereits gegen Röteln geimpft
ab Beginn 13. Lebensjahr	Hepatitis-B-Impfung (Grundimmunisierung)	ungeimpfte Jugendliche

Nach den Empfehlungen der Ständigen Impfkommission des Robert-Koch-Institutes.

Implikation [lat. »Verflechtung«] *die,* die Einbeziehung einer Sache in eine andere.

implizit [lat.], mit enthalten (ohne ausdrücklich gesagt zu sein), logisch zu erschließen; Ggs. explizit.

Implosion [lat.] *die,* das schlagartige Zusammenfallen eines evakuierten Behälters aufgrund des äußeren Luftdrucks. Bei der mit lautem Knall stattfindenden I. fliegen alle Splitter zunächst in den Innenraum, danach explosionsartig nach außen; Ggs.: Explosion.

Impluvium [lat.] *das,* im Boden des altröm. Atriums das Becken zur Aufnahme des Regenwassers.

Imponderabilien [lat. imponderabilis »unwägbar«], Unwägbarkeiten, nicht vorhersehbare Risiken.

imponieren [lat.], Achtung einflößen, Eindruck machen.

Imponiergehabe, *Verhaltensforschung:* Bez. für im Tierreich v.a. bei Männchen weit verbreitete Verhaltensweisen, die Drohwirkung (auf einen Rivalen gerichtet) und Werbewirkung (an ein Weibchen gerichtet) in sich vereinigen (z.B. das Radschlagen bei Pfauen).

Import [lat.] *der* (Einfuhr), das Verbringen von Gütern und Dienstleistungen ins Inland. Zollrechtlich bedeutet I. das Verbringen von Waren in das Zollgebiet.

Importbeschränkungen, Handelshemmnisse, die als staatl. Eingriffe in den internat. Güter- und Leistungsverkehr den Zugang ausländ. Anbieter zum inländ. Absatzmarkt erschweren und dazu führen sollen, ein Handelsbilanzdefizit abzubauen, oder aus polit. Gründen erfolgen. Zu den **preisbezogenen I.** gehören u.a. Abschöpfungen, Zuschläge, Zölle, Mindestpreise sowie Abgaben. Von größerer Bedeutung sind **mengenbezogene I.** (→Kontingent). Importverbote werden heute nur in Ausnahmefällen (z.B. zur Verhinderung von Seucheneinschleppung) erlassen.

Impotenz [lat. »Unvermögen«] *die,* **1)** *allg.:* Unvermögen, Unfähigkeit.

2) *Medizin:* im sexuellen Bereich die Zeugungsunfähigkeit infolge Sterilität oder das Unvermögen des Mannes, den Geschlechtsverkehr auszuüben (v.a. die Unfähigkeit zur Peniserektion). Darüber hinaus gilt als I. auch die Unfähigkeit, zum Orgasmus zu gelangen. – Die I. kann zugleich physisch und psychisch bedingt sein sowie vorübergehend oder auf Dauer bestehen. Phys. Ursachen sind u.a. Penis- oder Hodenmissbildungen, allg. körperl. Schwäche, Rückenmark- und Stoffwechselerkrankungen, Drogenmissbrauch oder starker Alkoholgenuss; psych. Ursachen sind v.a. in mangelndem Selbstvertrauen, Nervosität, Schüchternheit, Hass, Ekel, Angst oder Depressionen zu suchen.

impr., *Verlagsrecht:* Abk. für →**Impr**imatur.

Imprägnation [lat.] *die,* Füllung von Gefügehohlräumen in Gesteinen durch infiltrierende Substanzen (z.B. Erdöl, Erzlösungen), bes. die diffuse Verteilung von Erzmineralen durch Einwirkung von pneumatolyt. Dämpfen oder hydrothermalen Lösungen, wobei oft Bestandteile des Gesteins zersetzt oder verdrängt werden.

Imprägnieren [lat. impraegnare »einprägen«] *das,* **1)** *Lebensmitteltechnik:* Einpressen von Kohlendioxid in Wein; erlaubtes Verfahren zur Herstellung von Schaumwein, Perlwein.

2) *Werkstoffbehandlung:* Tränken fester Stoffe (Holz, Textilien, Papier) mit gelösten, dispergierten oder emulgierten Substanzen, um sie gegen Fäulnis zu schützen, schwer entflammbar oder mottensicher, wasserdicht oder Wasser abweisend zu machen, vor tier. (Insekten), pflanzl. (Pilze) Schädlingen oder Bakterien zu schützen.

Impresario [italien.] *der,* Unternehmer und Vermittler von Theater- und Konzertveranstaltungen.

Impressionismus [frz. impression »Eindruck«] *der,* eine in der frz. *Malerei* zw. 1860 und 1870 entstandene Kunstrichtung, die in fast allen europ. Ländern und auch in Nordamerika auf die Entwicklung der Malerei Einfluss nahm. Der Name ist von C. Monets Landschaftsbild »Impression, soleil levant« (1872) abgeleitet, das 1874 in der ersten gemeinsamen Ausstellung der frz. Impressionisten gezeigt wurde. Die Maler des I. überwanden die akadem. Ateliermalerei des 19. Jh. durch eine neue Art der Wirklichkeitswiedergabe, die einen Gegenstand in seiner augenblickl. Erscheinungsform und in einem zufälligen Ausschnitt zu erfassen suchte und die farbl. Reize der im Licht wechselnden Erscheinung oft in mehr andeutender als ausführender Art festhielt. Entwicklungsgeschichtlich ging der I. aus der Freilichtmalerei der Schule von →Barbizon hervor. Impressionist. Tendenzen waren bereits vorher z.B. in Werken von D. Velázquez, F. Hals, F. de Goya, W. Turner und J. Constable zu beobachten. Jedoch erst mit den Leistungen É. Manets und C. Monets und der sich ihnen anschließenden Maler wie C. Pissarro, A. Sisley, Berthe Morisot, E. Degas und A. Renoir entstand ein eigener Stil. Dieser wurde von G. Seurat (seit etwa 1885) und P. Signac im **Neo-I. (Pointillismus)** weiterentwickelt, der ungemischte Grundfarben mosaikartig nebeneinander setzte. A. Rodin und E. Degas (in seinen späten Tänzerinnen-Statuetten) übertrugen die Prinzipien des I. auf die Plastik.

In Dtl. wurden die Ideen des I. von K. Blechen, J. C. Dahl und A. Menzel vorbereitet, jedoch kam es nie zu einer vollständigen Lösung vom Realismus (W. Leibl, C. Schuch, M. Liebermann, F. von Uhde, W. Trübner, L. von Kalckreuth, L. Corinth, M. Slevogt). Zu den führenden Impressionisten gehören in England W. Sickert und der meist in London lebende Amerikaner J. Whistler, in Dänemark P. S. Krøyer und V. Hammershøi, in Italien G. De Nittis und der Bildhauer M. Rosso. Bedeutende amerikan. Vertreter des I. sind C. Hassam, J. S. Sargent, J. F. Sloan und v.a. Mary Cassatt. BILDTAFEL S. 378

Imponiergehabe eines Pfaus durch Radschlagen

Impressionismus

1

2

3

4

| 1 Claude Monet, »Impression, soleil levant« (1872; Paris, Musée Marmottan) | 2 Edgar Degas, »Absinth« (1876; Paris, Louvre) | 3 John S. Sargent, »Dennis Miller Bunker beim Malen in Calcot« (um 1888; Chicago, Terra Museum of American Art) | 4 Auguste Renoir, »Der Ball im Moulin de la Gallette« (1876; Paris, Musée d' Orsay)

Literatur: Als I. wird die literar. Strömung zw. 1890 und 1910 bezeichnet, die bes. in Lyrik, Prosaskizzen und Einaktern auf eine betont subjektive, differenzierte Wiedergabe persönl. Wirklichkeitserfahrung abhob und v.a. das Augenblickhafte zu erfassen suchte. (→Symbolismus)

Musik: Hier bezeichnet I. eine Stilrichtung des ausgehenden 19. und beginnenden 20. Jh., die die strengen Formen der Tonalität auflöste und geschlossene Melodien wie themat. Entwicklung vermied zugunsten von zerfließenden Klangfarben. Durch die Aufnahme außereurop. Elemente (Ganztonleiter, Pentatonik) erzielte der I. Klangwirkungen von exot. Reiz, die sich dem Hörer in stimmungshafte Bildvisionen umsetzen sollen. Vorläufer waren M. P. Mussorgski und F. Liszt. Unabhängig entstand der frz. I., v.a. vertreten durch C. Debussy, ferner durch P. Dukas, M. Ravel, A. Roussel, J. Ibert; außerhalb Frankreichs durch F. Delius, C. Scott, M. de Falla.

📖 Rewald, J.: *Die Geschichte des I. Schicksal u. Werk der Maler einer großen Epoche der Kunst.* Köln [6]1995. – Smith, Paul: *I. A. d. Engl.* Köln 1995.

Impressum [lat.] *das,* die landespresserechtlich vorgeschriebene Herkunftsangabe von Druckwerken; vermerkt Verleger und Drucker, bei Selbstverlag auch Autor oder Herausgeber, bei period. Werken zusätzlich den verantwortl. Redakteur.

Imprimatur [lat. »es werde gedruckt«] *das,* Abk. **imp., impr., 1)** *Druckwesen:* Druckerlaubnis, u.a. vom Autor oder Verlag erteilt.

2) *Kirche:* in der kath. Kirche die bischöfl. Druckerlaubnis, →Zensur.

Impromptu [ɛ̃prɔ̃'ty; frz., von lat. in promptu »in Bereitschaft«, »zur Hand«] *das,* der Improvisation nahe stehendes, kürzeres Musikstück, beliebt v.a. in der Klaviermusik der 1. Hälfte des 19. Jh. (F. Schubert, F. Chopin).

Improvisation [italien., zu lat. improvisus »unvorhergesehen«] *die,* in einer bestimmten Situation geborener Einfall, der in Handlung umgesetzt wird, bes. in den Bereichen Theater, Tanz und Musik. Letztere kennt die I. als Gegenbegriff zur Komposition. Im Jazz, Rock, z.T. in der Neuen Musik und in den meisten außereurop. Musikkulturen spielt die I. eine wichtige Rolle.

Impuls [lat.] *der,* **1)** *allg.:* Anstoß; Anregung.

2) *Elektrotechnik:* kurzzeitiger Spannungs- oder Stromstoß.

3) *Physik:* allg. die kurzzeitige Wirkung einer physikal. Größe bzw. ihre kurzzeitige Abweichung von einem Normal- oder Grundwert. I.e.S. ist der I., Formelzeichen $\boldsymbol{p}$, das Produkt aus Masse m und (vektorieller) Geschwindigkeit $\mathfrak{v}$ eines Körpers oder Massenpunktes. Die Richtung des I.-Vektors fällt mit der der Geschwindigkeit zusammen. Bei Systemen von Massenpunkten ist der Gesamt-I. gleich der Summe der einzelnen I.-Vektoren. In der Nähe der Lichtgeschwindigkeit ist die relativist. Massenänderung zu berücksichtigen (→Relativitätstheorie).

Impulserhaltungssatz, der →Impulssatz.

Impulsgenerator (Impulsgeber), elektron. Gerät zur Erzeugung impulsförmiger Wechselspannung. I. werden u.a. als Taktgenerator für elektron. Steuerungen oder in digitalen Datenverarbeitungsanlagen verwendet.

Impulshöhenanalyse, Messung von Teilchen- oder Strahlungsenergie. Die einfallenden Teilchen erzeugen in einem Zählrohr **(Impulshöhenanalysator)** Impulse, deren Höhe (Amplitude) ein Maß für die Energie ist. Durch geeignete Filter lässt sich die registrierbare Impulshöhe einstellen **(Einkanalanalysator).** Werden versch. Impulshöhen über einen Analog-digital-Wandler besonderen Messkanälen zugeordnet, entsteht ein **Vielkanalanalysator.**

Impulsivität *die, Psychologie:* Neigung zu unkontrollierter und unmittelbarer Affektentladung bzw. Handlung.

Impulssatz (Impulserhaltungssatz), eines der Grundgesetze der Physik; ihm zufolge ist in abgeschlossenen Systemen, auf die von außen keine Kräfte wirken, der Gesamtimpuls nach Betrag und Richtung zeitlich konstant.

Impulstechnik, Teilgebiet der Elektrotechnik, das sich mit Verfahren der Erzeugung, Formung, Übertragung und Verarbeitung elektr. Impulse bzw. Impulsfolgen (Pulse) befasst. Kenngrößen eines Pulses sind Amplitude, Nullphase, Pulsfrequenz, Tastverhältnis und Impulsform. Wichtige Anwendungsgebiete der I. sind die Fernseh-, Radar-, Mess- und Digitaltechnik.

Imroz [-z] (Gökçe Adası), türk. Insel im Ägäischen Meer, bei der Einfahrt zu den Dardanellen, bis 697 m ü.M., 279 km², 5000 Einwohner.

Imst, Bezirks-Hptst. in Tirol, Österreich, am Ausgang des Gurgltals in das Inntal, 828 m ü.M., 7500 Ew.; Fachschulen, Heimatmuseum; SOS-Kinderdorf (gegr. 1949); Textil-, Metallwaren- u.a. Ind.; Fremdenverkehr. Lebendiges Brauchtum (»Schemenlaufen« zur Fastnachtzeit). – Spätgot. Pfarrkirche, roman. Laurentiuskirche. – Das 763 erstmals erwähnte I. wurde 1898 Stadt.

Imuthes [grch.], ägypt. Baumeister →Imhotep.

in, Einheitenzeichen für →Inch.

In, chem. Symbol für →Indium.

in... [lat.], Präfix, 1) ein..., hinein..., in...; 2) un...

in absentia [lat.], in Abwesenheit (des Angeklagten).

Inarisee

Inarisee (schwed. Enaresee), Binnensee im finn. Lappland, rd. 1000 km² groß, insel- und buchtenreich, 119 m ü.M., bis 60 m tief. Am SW-Ufer liegt der Ort Inari, 7200 Ew. (Lappen); Freilichtmuseum.

Inauguraldissertation [lat. »Einführungsschrift«], Doktorarbeit (→Dissertation).

Inauguration [lat.] *die,* feierl. Amtseinsetzung; im alten Rom die feierl. Weihe bestimmter Priester (Auguren, Flamen, Rex sacrorum) durch den Pontifex maximus, wobei ein billigendes göttliches Zeichen eingeholt wurde (augurium).

Eliahu Inbal

Inbal, Eliahu, israel. Dirigent, *Jerusalem 16. 2. 1936; 1974–90 Chefdirigent des Sinfonieorchesters des Hess. Rundfunks in Frankfurt am Main, 1983–86 Musikdirektor des Teatro La Fenice in Venedig; Gastdirigent u.a. bei den Festspielen in Salzburg und Luzern.

Inber, Wera Michailowna, russ. Schriftstellerin, *Odessa 10. 7. 1890, †Moskau 11. 11. 1972; stand in ihrer frühen Lyrik dem frz. und russ. →Symbolismus nahe; seit 1922 gehörte sie dem Kreis der Konstruktivisten an; schrieb heroisch-patriot. Dichtungen sowie ein Tagebuch über die Blockade Leningrads »Fast drei Jahre« (1946, dt.).

inc., Abk. für →incidit.

Inc., Abk. für →**Inc**orporated.

Incentives [ɪnˈsentɪvz; engl. »Anreize«], wirtschafts- oder finanzpolit. Maßnahmen zur Steigerung des privaten ökonom. Leistungswillens, z.B. steuerl. Vergünstigungen. Ggs.: →Disincentives.

Inch [ɪntʃ, engl.] *der,* Einheitenzeichen **in** oder ″, angloamerikan. Längeneinheit, entspricht dem dt. Zoll; 1 in = $^1/_{36}$ yard = 25,4 mm.

Inchoativum [-ko-, lat.] *das,* Verb zur Bez. des Eintretens eines Zustandes oder einer Handlung, z.B. erblühen.

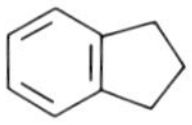

Indan
C_9H_{10}

Inch'ŏn [ɪntʃhʌn] (früher Chemulp'o), südkorean. Hafenstadt im Rang einer Provinz (208 km²), am Gelben Meer, 1,82 Mio. Ew.; kath. Bischofssitz; TH; zweitgrößter Hafen Süd-Koreas. Eisen- und Stahlwerk, Erdölraffinerie, Maschinen- und Fahrzeugbau. u.a. Ind.; Fischerei. – Hafen 1883 für den Außenhandel geöffnet.

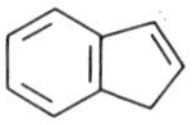

Inden
C_9H_8

Inchromieren (Chromieren), das Anreichern der Oberfläche eines Werkstücks (Stahl) mit Chrom durch thermochem. Behandlung (Glühen) in gasförmigen, flüssigen oder festen, Chrom abgebenden Stoffen. Bei Stählen mit niedrigem Kohlenstoffgehalt bildet sich eine intermetall. Eisen-Chrom-Verbindung, die einen erhöhten Oxidationsschutz bei hohen Temperaturen bietet. Bei Stählen mit einem großen Kohlenstoffgehalt (über 0,45 %) bildet sich Chromcarbid, dessen hohe Härte vor abrasivem Verschleiß schützt.

incidit [lat. »(dies) hat geschnitten«], Abk. **inc.,** Vermerk auf Kupferstichen vor dem Namen des Stechers.

incipit [lat. »es beginnt«], Vermerk am Anfang vieler lat. Handschriften und Frühdrucke.

In coena Domini [-ˈtsø:na-; lat. »beim Mahle des Herrn«] (Bulla i.c. D., Abendmahlsbulle), bis ins 13. Jh. zurückreichende Samml. päpstl. Exkommunikationssentenzen und -androhungen; bis 1770 jährlich am Gründonnerstag verkündet; heute außer Kraft gesetzt.

Incorporated [ɪnˈkɔ:pəreɪtɪd; engl. »eingetragen«], Abk. **Inc.,** auf die Haftungsbeschränkung hinweisender Zusatz amerikan. Kapital-, bes. Aktiengesellschaften, entspricht dem engl. Limited.

Incoterms [ˈɪŋkəʊtə:mz; engl.], →Handelsklauseln.

Incroyable [ɛ̃krwaˈja:bl, frz. »unglaublich«] *der,* Pariser Stutzer um 1800; weibl. Gegenstück: →Merveilleuse.

I. N. D., Abk. für lat. **i**n **n**omine **D**ei (oder **D**omini), im Namen Gottes (oder des Herrn).

Indalsälv *der,* einer der wasserreichsten Flüsse Schwedens, 430 km, entspringt nahe der Grenze zu Norwegen, bildet zahlr. Fälle (z.T. in Großkraftwerken genutzt), mündet in den Bottn. Meerbusen; bed. Holzflößerei.

Indan *das,* bizykl. Kohlenwasserstoff, der im Steinkohlenteer und Indenharz vorkommt, lässt sich zu Inden dehydrieren; Grundkörper vieler pharmakologisch wichtiger Verbindungen.

Indanthrenfarbstoffe [Kw. aus **Ind**igo und **Anthr**ac**en**] sehr beständige Küpenfarbstoffe der Anthrachinonreihe, die vielfach zum Färben von Stoffen jeder Art verwendet werden.

indefinit [lat.], unbestimmt.

Indefinitum *das* (Indefinitpronomen), unbestimmtes →Pronomen, z.B. *alle, einige.*

indeklinabel [lat. »unbeugbar«], *Sprache:* nicht beugungsfähig (z.B. Partikel und Adverbien).

Indemnität [lat.] *die,* Straflosigkeit eines Abg. für Abstimmungen oder Äußerungen im Parlament mit Ausnahme verleumder. Beleidigungen (Art. 46 Abs. 1 GG, parallele Bestimmungen in Länderverf., auch in Österreich und der Schweiz). Sie ist ein persönl. Strafausschließungsgrund, der im Ggs. zur Immunität nicht aufgehoben werden kann.

Inden *das,* bizykl. Kohlenwasserstoff, der im Steinkohlenteer vorkommt und zur Herstellung von I.-Cumaron-Harzen dient.

Independence [ɪndɪˈpendəns], Stadt im W von Missouri, USA, 112 300 Ew.; Harry-S.-Truman-Bibliothek. – I. wurde 1827 gegründet.

Independenten [lat. »Unabhängige«], aus den Religionskämpfen des 16. Jh. in England hervorgegangene Bez. der radikalen Puritaner, die gegenüber der anglikan. Kirche völlige Unabhängigkeit und Autonomie der einzelnen Gemeinden forderten (daher auch **Kongregationalisten**). Nach Verfolgung seit 1593 im niederländ. Exil, ließen sich die I. später in Neuengland nieder (1620 Überfahrt auf der »Mayflower«). Sie erlangten hier bed. religiösen und polit. Einfluss; waren frühe Verfechter des amerikan. Demokratieverständnisses.

indeterminabel [lat.], unbestimmbar.

indeterminiert [lat.], unbestimmt.

Indeterminismus [lat.] *der, Philosophie:* im Ggs. zum Determinismus die Lehre, wonach ein (bzw. alles) Geschehen (grundsätzlich) nicht durch eine Ursache (Kausalprinzip) bestimmt sei und nicht nach dem Kausalprinzip erkannt bzw. vorausgesagt werden könne. Argumente für den I. lieferte im 20. Jh. v. a. die Quantentheorie. – In der Ethik die Lehre von der → Willensfreiheit.

Index [lat.] *der,* **1)** *allg.:* alphabet. Verzeichnis (z. B. Namen- oder Titelregister), v. a. bei Büchern.

2) *Biologie:* Verhältnis zweier Maße (Längen, Umfänge, Gewichte), von denen meist das eine in Prozenten des anderen ausgedrückt wird; z. B. in der Anthropologie der Längen-Breiten-I. des Kopfes.

3) *Datenverarbeitung:* Register, die nur Anfangsinformationen enthalten. I. dienen als Zuordungshilfen und vereinfachen das Auffinden bestimmter Daten innerhalb einer Datei.

4) *kath. Kirche:* Kurzbez. für **I. librorum prohibitorum,** 1559–1966 das amtl. Verzeichnis der vom Apostol. Stuhl verbotenen Bücher.

5) *Naturwissenschaft, Technik:* Zahlen oder Buchstaben, die (tief- oder hochgesetzt) an Zeichen oder Symbole für gleichartige Größen zur Unterscheidung oder Kennzeichnung angehängt werden, z. B. bei den Isotopen eines Elements wie ^{238}U, ^{235}U.

Indexlohn (gleitender Lohn), Lohn, der im Allg. an den Preisindex der Lebenshaltungskosten gekoppelt ist, um die Höhe des Reallohns stabil zu halten.

Indexminerale (typomorphe Minerale), Minerale, deren Auftreten für spezifische Bildungstemperaturen und -drucke, d. h. für bestimmte Bildungsbereiche der Gesteinsmetamorphose und ihre → Mineralfazies, typisch ist.

Indexregister, Speicher in elektron. Datenverarbeitungsanlagen, der zur Bildung und Änderung von Adressen verwendet wird.

Indexröhre, eine Kathodenstrahlröhre zur Wiedergabe farbiger Fernsehbilder mit einem Elektronenstrahlsystem und senkrechter Streifenstruktur der Leuchtstoffe.

Indexwährung, eine Währung, deren Geldmenge ohne Gold- oder Devisenbindung nur von bestimmten Preisindizes abhängig ist, um so die Kaufkraft des Geldes zu stabilisieren.

Indexzahlen (Indexziffern), statistische Zahlen, die relative Veränderungen bzw. relative Unterschiede zusammengesetzter Größen angeben. I. sind Verhältnisse gewogener Mittelwerte von mehreren Messziffern. Sie werden am häufigsten als Preis-, Mengen- und Umsatzindizes errechnet. Meist werden mehrere gleichartige Zeitreihen zu einer **Indexreihe** zusammengefasst, wobei das Jahr, das den Ausgangswert (= 100) einer solchen Reihe liefert, als **Basisjahr** bezeichnet wird.

Indiaca *das,* Rückschlagspiel mit der »I.«, einem mit Federn versehenen Lederball, die mit der flachen Hand über ein 1,85 m hohes Netz geschlagen wird; Spielregeln ähnlich Volleyball.

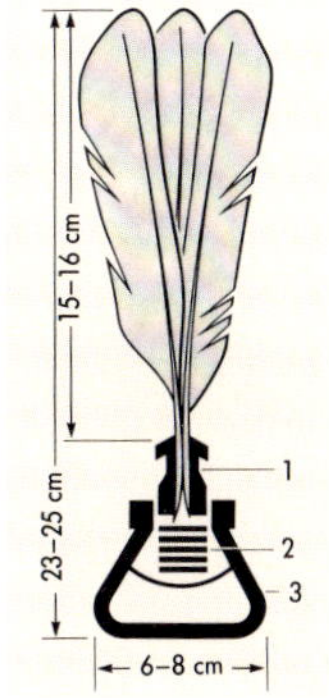

Indiaca:
1 eingesteckter Federträger mit auswechselbaren Federn,
2 Stabilisierungsgewichte,
3 Ballkörper

Indiana [ɪndɪˈænə], Abk. **Ind.,** Bundesstaat im Mittleren Westen der USA, 94 328 km², (1995) 5,80 Mio. Ew., Hptst.: Indianapolis. I. liegt im O des Zentralen Tieflands der USA; das Klima ist gemäßigt kontinental. Rd. 80 % der Bev. sind Weiße, 8 % Schwarze. Größtenteils gehört I. zum Corn Belt; Anbau von Mais, Sojabohnen, Weizen; Viehzucht. Reiche Bodenschätze an Kohle (Abbau v. a. im Tagebau), Erdöl, Kalkstein; Stahl-, Maschinen-, Kraftwagen-, Elektro-, chem., Nahrungsmittelind., Musikinstrumentenbau. – Das 1679 von dem Franzosen R. de La Salle erkundete I. gelangte 1763 in brit. Besitz und kam 1783 an die USA; ab 1800 eigenes Territorium. Nach militär. Sicherung (1811 Sieg über die Indianer bei Tippecanoe) wurde I. 1816 als 19. Staat in die Union aufgenommen.

Indiana [ɪndɪˈænə], Robert, eigtl. R. Clark, amerikan. Maler und Grafiker, * New Castle (Ind.) 13. 9. 1928; wichtiger Vertreter der amerikan. Pop-Art, wurde bekannt mit meist großformatigen lettrist. Bildern, z. B. »Love« (1968). BILD S. 382

Indian Airlines [ˈɪndɪən ˈeəlaɪnz], staatl. indische Luftverkehrsgesellschaft; gegr. 1953, Sitz: Neu-Delhi.

Indian Airlines

Indianapolis [ɪndɪəˈnæpəlɪs], Hptst. von Indiana, USA, 742 000 Ew.; kath. Erzbischofssitz, mehrere Univ.; pharmazeut., elektron. Ind., Auto-, Flugzeugmotoren-, Maschinenbau; Autorennstrecke (eröffnet 1911). – Gegr. 1821, Hauptstadt seit 1825.

Indianer, 1) *Astronomie:* (lat. Indus) Sternbild am Südhimmel.

Index

Der erste „Index librorum prohibitorum« wurde 1559 – 100 Jahre nach Gutenberg – veröffentlicht. Darin wurden 5000 verbotene Bücher aufgelistet. Im Laufe der Zeit wurden u. a. verboten: sämtliche Werke Descartes' (1663), Kants »Kritik der reinen Vernunft« (1827), Hugos »Der Glöckner von Notre Dame« (1834), Flauberts »Madame Bovary« (1864) sowie Werke Zolas (1894) und Sartres (1948). Die Werke von Autoren wie de Sade, Henry Miller und D. H. Lawrence sucht man dagegen vergebens. Zwar gelten sie wohl als unmoralisch, wurden aber nicht als ketzerisch eingestuft. 1966 stellte die Heilige Glaubenskongregation die Veröffentlichung ein. Seither wird nur ab und an ein »Admonitum« herausgegeben, das die Gläubigen vor dem einen oder anderen Buch warnt.

Robert Indiana: »Love« (1968; Privatbesitz)

2) *Völkerkunde:* die Ureinwohner (neben den Eskimo) des amerikan. Doppelkontinents; der Name geht auf den Irrtum Kolumbus' zurück, der bei seiner Landung in Amerika glaubte, Indien auf dem westl. Seeweg erreicht zu haben. Die I. sind wahrscheinlich in mehreren Wellen über eine damals im Bereich der Beringstraße bestehende Landbrücke und entlang dem nordwestamerikan. Kontinentalschelf aus Asien eingewandert (zw. 25 000 und 8 000 v. Chr., möglicherweise schon seit etwa 40 000 v. Chr.). In der Anthropologie werden sie als Indianide zusammengefasst. Die Schätzungen über die Zahl der I. vor der europ. Kolonisation schwanken erheblich (zw. etwa 15 und mehr als 100 Mio.).

Indianer

Der Franziskaner Bernardino de Sahagún berichtet über das Fortleben heidnischer Bräuche trotz vordergründig erfolgter Christianisierung der Indios (Codex Florentino): »Und dieser Brauch (der Götzendienst) hat nicht aufgehört, denn im vergangenen Jahr 1569 gingen einige (katholische) Geistliche zufällig in das Gebirge von Toluca, um die Quellen zu besichtigen, und dort fanden sie ein frisch dargebrachtes Opfer, das man dort vier oder fünf Tage vorher hinterlassen hatte, und das, soviel man sehen konnte, von mehr als 15 Dörfern stammte. Und in all den genannten Bergen würde man jedes Jahr neue Gaben finden, wenn man sie im Mai (das heißt zu Beginn der Regenzeit) besteigt.«

Nordamerika: Die Stämme der Subarktis (Algonkin, Athapasken, Cree) und der NW-Küste (Tlingit, Haida, Chinook) waren einfache Jäger und Binnen- bzw. Küstenfischer, die I. Kaliforniens (Pomo, Yokuts) und des Great Basin (Shoshone, Paiute, Ute) mit den anschließenden Plateaus (Nez Percé, Flathead) waren Fischer (Lachs), Wildbeuter und Sammler (Eicheln) mit hoch entwickelter Korbflechtkunst. Die I. des nordöstl. (Algonkin, Irokesen) und südöstl. Waldlandes (Cherokee, Creek, Natchez) sowie des SW (Apache, Navajo, Hopi) waren weitgehend sesshafte und intensive Feldbauern (Mais, Bohne, Kürbis), die künstl. Bewässerungssysteme und Tongefäße kannten. In den stammesübergreifenden Zusammenschlüssen, z. B. der Irokesenföderation, die aus den sechs Nationen der Onondaga, Mohawk, Seneca, Cayuga, Oneida und Tuscarora bestand, und der sog. Fünf Zivilisierten Nationen (Creek, Choctaw, Chickasaw, Seminolen, Cherokee), zeigten sich Ansätze einer Staatenbildung, die diese I. kulturell in die Nähe der Hochkulturen Mittelamerikas und des westl. Südamerikas rückt. Eine Sonderstellung nahmen die I. der Prärien des Mittleren Westens (Sioux, Arapaho, Cheyenne, Comanchen) ein. Urspr. Gartenbauern (Mais) und saisonale Jäger, entwickelten sie sich seit der Übernahme des Pferdes von den Spaniern (um 1630) schnell zu (auch krieger.) Reiterjägern, die nahezu ihren gesamten Lebensbedarf aus der Bisonjagd deckten. Typ. Waffen der I. waren vor der Verbreitung der Feuerwaffen Wurfbeil (Tomahawk), Keule sowie Pfeil und Bogen.

Der Widerstand der I. begleitete die Landnahme der Europäer: 1680 verbündeten sich die Pueblo-I. im SW gegen die Spanier. 1754 vereinigte Häuptling Pontiac von den Ottawa mehrere Stämme im Gebiet der Großen Seen gegen die Engländer, musste aber 1765 Frieden schließen. Shawnee-Häuptling Tecumseh (Tecumtha) bemühte sich seit 1805 um ein Bündnis aller Stämme im Mittelwesten und S gegen die nach W vordringenden weißen Siedler. Im 19. Jh. wurde das Schicksal der indian. Völker besiegelt. Viele Stämme wurden ab 1830 (Indian Removal Act) nach Oklahoma umgesiedelt; durch das Abschlachten von über 70 Mio. Bisons zw. 1830 und 1883 war ihnen die Existenzgrundlage entzogen. Letzter Sieg der I. gegen die Armee der USA war die Schlacht der Sioux unter Führung von Crazy Horse und Sitting Bull am Little Big Horn 1876. Mit dem Massaker am Wounded Knee 1890 war der indian. Widerstand gebrochen. Die einzelnen Stämme lebten von nun an in Reservaten. – In den 1960er-Jahren formierte sich ein neuer Widerstand (»Red Power«). Die »Neuen I.« forderten die Erneuerung der gebrochenen Verträge bzw. Wiedergutmachung und konnten seit 1972 z. T. Schadensersatzansprüche gerichtlich durchsetzen. In den USA besitzen die I. seit 1924 allg. Staatsbürgerrecht, in Kanada seit 1960 Wahlrecht. – Heute leben in den USA etwa 2 Mio. I. (einschließl. Eskimo; um 1890 etwa 500 000), davon mehr als die Hälfte außerhalb des Stammeslands; in Kanada (1991) 784 000, von denen nur die Hälfte staatlich anerkannt sind, dazu 213 000 als Autochthone anerkannte Mischlinge (Métis) und 49 000 Eskimo (Inuit).

Indianer 2): Totempfahl der Tlingit aus Alaska (1850–85; Philadelphia, University Museum)

Lateinamerika: Zu unterscheiden sind die hoch entwickelten Staaten in Mittelamerika und im westl. Südamerika und die indian. Stammesvölker v. a. des trop. Tieflands im O und SO Südamerikas. Von den archäologisch bekannten Völkern Mittelamerikas (Olmeken, Azteken, Zapoteken, Mixteken, Tarasken, Totonaken, Maya) sowie von den Inka im westl. Südamerika leben nur noch die Nachfahren der bäuerl. Grundbevölkerung. Während die hoch entwickelten I.-Staaten schon bald nach der Ankunft der Spanier mit der Gefangennahme des Herrschers unterworfen wurden, kamen die I. der trop. Regenwälder nur zögernd, z. T. erst im 20. Jh., in Kontakt mit den Weißen. Heute sind bis auf einige Stämme im Amazonasgebiet sämtl. I. Lateinamerikas unterdrückt, z. T. auch ganze Stämme ausgerottet (z. B. Patagonier, Feuerland-I.). Die weitere Existenz der Tieflandstämme ist durch die großflächige Gewinnung von Bodenschätzen und Entwaldung sowie durch die zunehmende Verbreitung von Krankheiten gefährdet. Außerhalb der Zentralanden rechnet man noch mit 1,5–2 Mio. I.; vor allem in den Anden kam es zu einer intensiven, auch kulturellen Vermischung mit den Weißen, bes. mit den Spaniern.

Religion: Vielgestaltig sind die Religionen und mytholog. Vorstellungen der Indianer. – Bei den I. *Nordamerikas* war der Glaube an einen Hochgott (Großer Geist) weit verbreitet; in vielen Stämmen ist daneben die Gestalt eines Heilbringers nachweisbar, auf den auch der Besitz der Kulturgüter zurückgeführt wird. Typ. Erscheinungen sind Totemismus und Initiationsriten. Der Kult der I. hatte oft ekstat. Charakter. Der Seelen- und Unsterblichkeitsglaube verband sich mit der Vorstellung von einem Jenseitsreich, das an unterschiedl. Orten gedacht und von den Jägerstämmen als »ewige Jagdgründe« angesehen wurde. Die Verbindung zur Geister- und Dämonenwelt wurde vielfach von einem →Medizinmann aufrechterhalten, der auch Funktionen eines Priesters hatte. – Ähnl. Vorstellungen finden sich auch bei den indian. Naturvölkern *Lateinamerikas.*

📖 HELFRITZ, H.: *Amerika. Inka, Maya u. Azteken. Neuausg. Augsburg 1986.* – ROCKSTROH, W.: *USA, der Südwesten. Indianerkulturen u. Naturwunder zw. Colorado u. Rio Grande. Köln [8]1988. – Die I. Kulturen u. Geschichte, Beiträge v.* W. LINDIG *u.* M. MÜNZEL, *2 Bde. München [5–6]1992–94.* – LÄNG, H.: *Kulturgeschichte der I. Nordamerikas. Bindlach [8]1994.* – MÜLLER, WOLFGANG: *Die I. Amazoniens. München 1995.*

Indianerliteratur, Bez. sowohl für die über die Indianer als auch für die von Indianern verfasste Literatur. – Die das Leben und die Gebräuche der Indianer darstellende *I. von Nichtindianern* hat bis heute die Vorstellungen der Weißen von India-

Indianer - Nordamerika in frühhistorischer Zeit

nern maßgeblich geprägt. Die darin vermittelten Klischees vom »edlen« bzw. »barbar. Wilden« fanden zunächst in Reise- und Missionarsberichten, histor. und philosoph. Schriften ihre Verbreitung. Die Vorstellung vom heidn., aber »unschuldigen«, edlen Naturmenschen war seit dem 16. Jh. in Europa populär und diente v. a. im Frankreich des 18. Jh. den Philosophen der Aufklärung als Argument ihrer Zivilisationskritik. In Nordamerika dominierte dagegen lange das Bild des blutrünstigen, gottlosen Roten, das im 19. Jh. von der Verherrlichung der Indianer abgelöst wurde (J. F. Cooper). Seit der 2. Hälfte des 19. Jh. entwickelte sich eine realistischere I. In den 1960er-Jahren schließlich wurde »der Indianer« zur Identifikationsfigur der nach neuen Lebensformen und Einklang mit der Natur strebenden Gegenkultur und diente als Mittel ihrer Kritik an der Industriegesellschaft z. B. in den Romanen »Einer flog über das Kuckucksnest« (1962) von K. Kesey und »Der letzte Held« (1964) von T. Berger. – In Dtl. erschienen im 19. Jh. populäre, humanitär für die Indianer eintretende Romane (C. Sealsfield, F. Gerstäcker, B. Möllhausen, F. A. Strubberg, F. Pajeken und K. May).

Die *Literatur der indian. Bevölkerung* Nordamerikas umfasst die jahrtausendealten mündl. Überlieferungen der versch. indian. Kulturen. Im Wortsinn des schriftlich Niedergelegten bezeichnet I. v. a. die von Indianern in engl. Sprache verfasste Literatur, die sich erst nach dem Kulturkontakt mit den Weißen entwickelte (zur I. in indian. Sprache →Indianersprachen). Die ersten bed. Werke dieser I. entstanden in der 1. Hälfte des 19. Jh. und vermehrt nach Einweisung der Urbevölkerung in Reservationen im späten 19. und frühen 20. Jh. Es waren dies v. a. Autobiographien, die persönl. Erinnerung und Stammeskultur verbinden und z. T. mithilfe weißer Koautoren aufgezeichnet wurden. Daneben erschien erstmals Lyrik und erzählende Prosa. Erst in den 1960er-Jahren aber, parallel zu den Forderungen der Indianer nach Gleichberechtigung und Selbstbestimmung, gelang der I. der Durchbruch mit dem Roman »Haus aus Dämmerung« (1968) des Kiowa N. S. Momaday, während das neu erwachte indian. Selbstbewusstsein seinen Ausdruck in dem »indian. Manifest« »Custer died for your sins« (1969) des Sioux Vine Deloria jr. (*1933) fand. Zu den bekanntesten Vertretern der modernen I. gehören die Tiwa Leslie Marmon Silko, der Blackfoot J. Welch, der Keres S. Ortiz, die sich zu den Chippewas bekennende Louise Erdrich und der Ojibwa G. R. Vizenor. (→Vereinigte Staaten von Amerika, Literatur)

📖 *American Indian authors, bearb. v.* N. S. MOMADAY. *Neuausg. Boston, Mass., u. a. 1976.* – WIGET, A.: *Native American literature. Boston, Mass., 1985.* – *Dictionary of native American literature, hg. v.* A. WIGET. *New York u. a. 1994.*

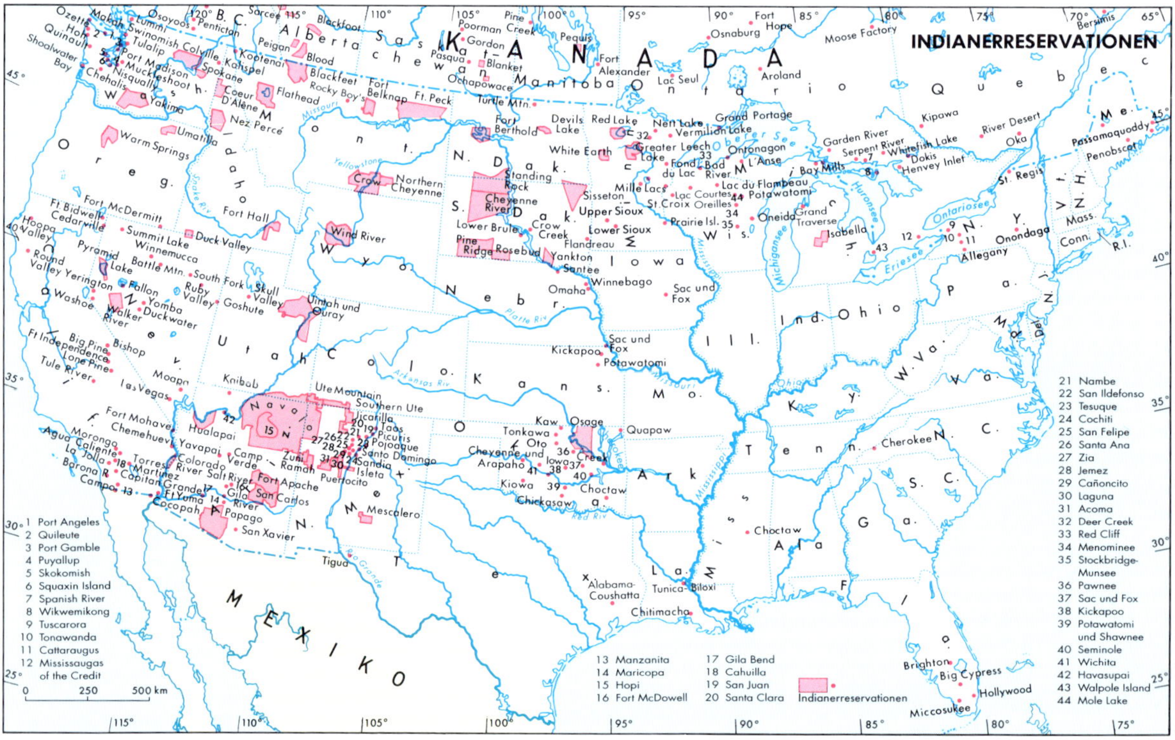

Indien

Fläche: 3 287 590
Einwohner: (1995) 935,7 Mio.
Hauptstadt: Delhi
Verwaltungsgliederung: 25 Gliedstaaten und 7 Unionsterritorien
Amtssprache: Hindi
Nationalfeiertage: 26. 1. und 15. 8.
Währung: 1 Indische Rupie (iR) = 100 Paise (P.)
Zeitzone: MEZ +4,5 Std.

सत्यमेव जयते
Staatswappen

IND
Internationales Kfz-Kennzeichen

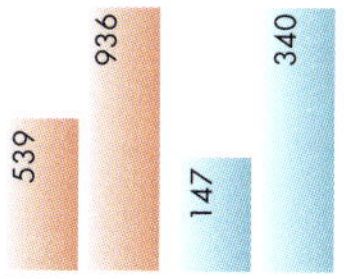

Bevölkerung (in Mio.)
Bruttosozialprodukt je Ew. (in US-$)

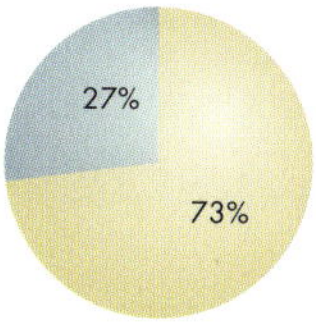

Stadt
Land
Bevölkerungsverteilung 1994

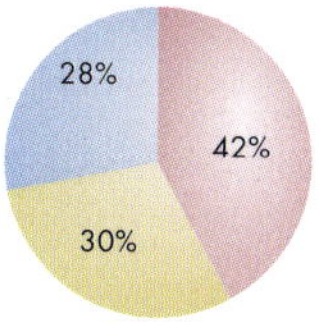

Industrie
Landwirtschaft
Dienstleistung
Bruttoinlandsprodukt 1994

Indianerreservationen, in den USA und Kanada die den Indianern vorbehaltenen, zunächst zwangsweise zugewiesenen Siedlungsgebiete, in denen sie sich selbst verwalten. In den USA (seit dem 17. Jh.) gibt es 278 I., in Kanada (seit 1871) rd. 2250 I., die z. T. nur aus Einzeldörfern bestehen. Zuständige staatl. Behörde ist in den USA das 1924 gegr. Bureau of Indian Affairs. Indianerschutzgebiete gibt es auch in Südamerika, so in Brasilien (seit 1962) die Xingu-Reservation.

Indianersprachen, Sprachen der indian. Bev. Amerikas, deren Verbreitung seit der europ. Entdeckung und Besiedlung auch unter den Indianern bes. in Nordamerika stark zurückgegangen ist. In Mittel- und Südamerika dagegen wurden v. a. Aztekisch und Ketschua von den span. Eroberern als Missionssprachen verwendet und so noch über ihren ursprüngl. Bereich hinaus verbreitet. – Während nordamerikan. Sprachen und die Sprachen der entwickelten präkolumb. Kulturen wie Aztekisch (Nahuatl), Maya und Ketschua relativ gut erforscht sind, ist die Erfassung der südamerikan. I. noch lückenhaft. Die Schätzungen der Anzahl der I. sind sehr unterschiedlich; man rechnet heute mit etwa 2000 Sprachen in über 100 Sprachfamilien, deren Zuordnung stark umstritten ist.

Zu den wichtigsten Sprachgruppen Altamerikas gehören Na-Dené (Athapaskisch u. a.) im Norden, Algonkin in Kanada, dem oberen Mississippital und an der atlant. Küste der USA, Irokesisch im Gebiet des Ontariosees, Sioux westlich der Großen Seen und nacheuropäisch in den nördl. Prärien, Muskogee im SO der USA, Uto-Aztekisch im Großen Becken, in NW- und Zentral-Mexiko sowie Guatemala bis Nicaragua, Maya in NO- und S-Mexiko und Guatemala, Chibcha in Zentralamerika, Kolumbien, Ecuador, Aruakisch auf den Großen Antillen, an der Guayanaküste und im Amazonasbecken, Karibisch auf den Kleinen Antillen, im Tal des Río Magdalena in Kolumbien sowie in Venezuela und Guayana, Gé in Zentralbrasilien, Tupí-Guaraní in Südbrasilien, als Verkehrssprache auch weiter verbreitet.

Die I. sind meist inkorporierende Sprachen. Nominalsätze sowie ganze Satzkomposita treten häufig auf. In verschiedenen sozialen Klassen, ebenso innerhalb verwandtschaftl. Beziehungen sind in vielen indian. Sprachen unterschiedl. Gruß- und Redeformen üblich. Bes. die Sprachen der alten Hochkulturen verfügen über einen sehr reichen Wortschatz. – Einige europ. Missionare sorgten für die Aufzeichnung indian. Literatur in lat. Schrift. Bed. Werke in aztek. Sprache sind die »Historia general de las cosas de Nueva España« (1560) des Franziskaners Bernardino de Sahagún sowie das Geschichtswerk des Azteken D. Chimalpahin. Aus dem Bereich der Maya ist das »Popol Vuh« als heiliges Buch überliefert sowie mehrere unter dem Titel »Chilam Balam« veröffentlichte prophet. Bücher. In Quechua ist das Drama »Apu Ollántay« verfasst.

indianische Hochkulturen, die →andinen Hochkulturen und die →mesoamerikanischen Hochkulturen.

Indian National Congress [ˈɪndɪən ˈnæʃənel ˈkɔŋgrɛs], Abk. **INC** (Kongresspartei), größte ind. Partei; 1885 zur Vertretung eigenständiger ind. Interessen gegr.; wurde unter Führung M. K. Gandhis zu einer Massenbewegung, die seit 1920 zunehmend Einfluss auf die polit. Entwicklung Indiens zur Unabhängigkeit nahm. Nach 1947 gestaltete sie J. Nehru zu einer modernen Massenpartei; der nach zahlr. Spaltungen 1978 gegr. INC(I) Indira Gandhis wurde 1980 die stärkste polit. Partei; musste 1989 unter Führung R. Gandhis die Regierungsgewalt abgeben.

Indide, *Anthropologie:* Europide mit zahlr. Untertypen, v. a. in Vorderindien verbreitet; mittelgroßer, schlanker Körperbau, langer Kopf, länglich ovales Gesicht mit steiler Stirn und großer Lidspalte, schwarzbraunes Haar, dunkelbraune Augen und hellbraune Haut.

Indi|en (amtl. Hindi Bharat, engl. Republic of India; dt. Rep. I.), Staat in S-Asien, reicht vom Himalaja bis zur S-Spitze der Halbinsel Vorderindien im Ind. Ozean; grenzt im NW an Pakistan, im N an China, Nepal und Bhutan, im O an Birma und Bangladesh. Zu I. gehören die Andamanen und Nikobaren im Golf von Bengalen und die Lakkadiven im Arab. Meer.

Staat und Recht: Nach der am 26. 1. 1950 in Kraft getretenen Verf. ist I. eine parlamentarisch-demokrat. Rep. mit bundesstaatl. Ordnung (25 Gliedstaaten, sieben Unionsterritorien). Staatsoberhaupt ist der Präs., der von einem Gremium aus Mitgl. des Zentralparlaments und der Landesparlamente für fünf Jahre gewählt wird. Er ernennt als formell oberster Repräsentant der Exekutive den MinPräs. und auf dessen Vorschlag die Mitgl. des Kabinetts, das dem Parlament verantwortlich ist. Die Legislative liegt beim Präs. und beim Zweikammerparlament (Kongress), bestehend aus Oberhaus (auch: Rat der Staaten, 233 von den Landesparlamenten für sechs Jahre gewählte und 12 vom Präs. ernannte Mitgl.) und Unterhaus (auch: Haus des Volkes, 542 direkt auf fünf Jahre gewählte und drei ernannte Abg.). Die Bundesstaaten verfügen über eigene Verf., Parlamente und Reg.; an der Spitze der Verw. der Bundesstaaten steht jeweils ein vom ind. Präs. für fünf Jahre ernannter Gouv., während die Unionsgebiete dem Präs. unterstehen, welcher die Verw. durch einen Bevollmächtigten (Gouverneursleutnant) ausüben lässt. – Das Parteienspektrum ist vielgestaltig; einflussreichste Parteien: Indian National Congress (INC; auch Kongresspartei gen.), Bharatiya Janata Party (BJP, dt. Ind. Volkspartei), Janata Dal (JD, dt. Volkspartei) und Communist Party of India (Marxist) (CPI[M]).

Indien, Verwaltungsgliederung (1994)

Verwaltungseinheit	Fläche in km²	Ew. in Mio.	Ew. je km²	Hauptstadt/ Verwaltungssitz
Gliedstaaten				
Andhra Pradesh	275045	71,80	261	Hyderabad
Arunachal Pradesh	83743	0,97	12	Itanagar
Assam	78438	24,20	309	Dispur
Bihar	173877	93.08	535	Patna
Goa	3702	1,24	335	Panaji
Gujarat	196024	44,24	226	Gandhinagar
Haryana	44212	17,93	406	Chandigarh[1)]
Himachal Pradesh	55673	5,53	99	Shimla
Jammu and Kashmir	222236[3)]	8,44[4)]	38	Srinagar[2)]
Karnataka	191791	48,15	251	Bangalore
Kerala	38863	30,56	786	Thiruvananthapuram
Madhya Pradesh	443446	71,95	162	Bhopal
Maharashtra	307713	85,57	278	Bombay
Manipur	22327	2,01	90	Imphal
Meghalaya	22429	1,96	87	Shillong
Mizoram	21081	0,78	37	Aizawl
Nagaland	16579	1,41	85	Kohima
Orissa	155707	33,80	217	Bhubaneswar
Punjab	50362	21,70	431	Chandigarh[1)]
Rajasthan	342239	48,04	140	Jaipur
Sikkim	7096	0,44	62	Gangtok
Tamil Nadu	130058	58,84	452	Madras
Tripura	10486	3,06	292	Agartala
Uttar Pradesh	294411	150,70	512	Lucknow
West Bengal	88752	73,60	829	Kalkutta
Unionsterritorien				
Andamanen und Nikobaren	8249	0,32	39	Port Blair
Chandigarh[1)]	114	0,73	6404	Chandigarh
Dadra and Nagar Haveli	491	0,15	305	Silvassa
Daman und Diu	112	0,11	982	Daman
Delhi	1483	10,87	7330	Delhi
Lakshadweep	32	0,06	1875	Kavaratti
Pondicherry	492	0,89	1809	Pondicherry
Indien	3287286[3)]	913,13	278	Delhi (Neu-Delhi)

[1)] Chandigarh bildet ein Unionsterritorium, es gehört weder zu Haryana noch zu Punjab. – [2)] Winterhauptstadt ist Jammu. – [3)] Fläche einschließlich der von Pakistan und China kontrollierten Teile von Kaschmir. – [4)] Bevölkerung des von Indien verwalteten Gebietes.

Landesnatur: I. nimmt den größten Teil →Vorderindiens ein und umfasst einen Teil des Karakorum (im Saser Kangri 7672 m ü. M.) und des Himalaja (Nanda Devi, im W, 7817 m, Kangchendzönga, im O, 8586 m) mit seinen Vorbergen, die Ganges-Brahmaputra-Ebene sowie die Halbinsel I. mit dem Hochland von Dekhan, das von den West- und Ostghats eingefasst ist. Im NW hat I. Anteil am Pandschab, der nach S in die Wüstensteppen der Thar übergeht. Das subtrop. bis trop. Klima wird bestimmt durch den jahreszeitl. Wechsel der Monsune. Die damit verbundenen Niederschläge (80–90% durch den SW-Monsun; am höchsten in Cherrapunji) sind für die Landwirtschaft wesentlich. Abhängig von Klima und Höhenlage reicht die Vegetation vom immergrünen trop. Regenwald über regengrüne Wälder und Trockenwälder bis zu Trocken- und Dornsavannen und der Hochgebirgsvegetation.

Bevölkerung: I. ist nach China das volkreichste Land der Erde. Das Bev.wachstum, das wirtsch. und polit. Hauptproblem des Landes, beträgt jährl. 2,13% (1981–91). Die Reg. versucht zwar, den hohen Zuwachs durch Geburtenkontrolle einzudämmen, jedoch wird diese nur von etwa einem Fünftel der Paare praktiziert. Ethnisch werden der N und Mittel-I. von den hellhäutigen →Indiden geprägt. Im NO und SO (Tamil Nadu) bilden die Melaniden (Schwarzinder) die zweite ethn. Hauptgruppe. Viele Bergvölker des Himalaja und Nordost-I. gehören zu den Mongoliden; Weddide leben in den Wäldern des Dekhan. I. gehört zu den dicht besiedelten Staaten der Erde; die Bev.verteilung ist sehr unterschiedlich. Rd. $^1/_4$ der Bev. lebt in Städten. Millionenstädte sind: Bombay, Delhi, Kalkutta, Madras, Hyderabad, Ahmadabad, Bangalore, Kanpur, Nagpur, Bhopal, Pune, Lucknow, Jaipur, Indore, Surat, Vadodara, Ludhiana. – Das Schulwesen untersteht den Einzelstaaten und zeigt erhebl. regionale Unterschiede. Die allg. Schulpflicht (7.–15. Lebensjahr) stößt bei ihrer Verwirklichung auf sprachl., religiöse, soziale und wirtsch. Probleme. Die untere Primarstufe (5 Jahre) wird von fast allen Kindern besucht, aber nur von 65% der Jungen und 60% der Mädchen beendet. 87%

der Schulpflichtigen besuchen bis zum 12., 40% bis zum 15. Lebensjahr eine Schule. Rd. 48% der Bev. sind Analphabeten. Unterrichtssprache ist in der Grundschule die Muttersprache, in höheren und Hochschulen daneben Hindi und Englisch. I. verfügt über 176 Univ. und Inst. mit Univ.rang. – Über 80% der Bev. sind Hindus, 12% Muslime, 1,9% Sikhs, 2,6% Christen und 0,7% Buddhisten. Das im Hinduismus begründete Kastenwesen ist noch immer ein Hindernis für die gesellschaftl. Entwicklung, obwohl Modernisierung und Verstädterung Möglichkeiten zur Überwindung überkommener Kastenschranken bieten. Den Kastenlosen (Unberührbare, Harijans; heute 135 Mio.) und den Angehörigen der Bergstämme räumt die Verf. eine Vorzugsbehandlung im Ausbildungssystem und bei der Anstellung im öffentl. Dienst ein; sie sind aber v.a. im ländl. Raum immer noch Opfer starker sozialer und wirtsch. Diskriminierung. – Den Streit um die Amtssprache Hindi, der sich v.a. Tamilen und Bengalen widersetzen, hat die Zentral-Reg. durch das Zugeständnis beigelegt, Englisch im Verkehr mit den Nicht-Hindi-Staaten unbefristet beizubehalten. An den Schulen sollen Regionalsprache, Hindi und Englisch unterrichtet werden. 14 Regionalsprachen werden von der Verf. anerkannt: Assami, Bengali, Gujarati, Kannada, Kaschmiri, Malayalam, Marathi, Oriya, Panjabi, Sanskrit, Sindhi, Tamil, Telugu, Urdu.

Wirtschaft, Verkehr: Trotz der stark agrarisch geprägten Erwerbsstruktur kann I. zu den zehn höchstindustrialisierten Ländern der Welt gezählt werden. Doch obwohl I. heute zu den Schwellenländern zählt, leben noch etwa 25% aller Einwohner unterhalb der offiziell festgelegten »Armutsgrenze«, zählt I., gemessen am Bruttosozialprodukt, zu den ärmsten Staaten der Erde. Seit 1951 werden zur Steuerung der Volkswirtschaft Fünfjahrespläne aufgestellt. Die Schlüsselindustrien wie Eisen- und Stahlerzeugung, Erdölind., der Bergbau und die Banken (seit 1969), Versicherungen (seit 1971) sind ganz, die übrigen Ind.zweige z.T. staatlich; seit 1991 werden aber Liberalisierung und Privatisierung gefördert. Handel, Handwerk und Landwirtschaft können frei wirtschaften, es müssen jedoch bestimmte landwirtsch. Erzeugnisse (z.B. Reis, Weizen) zu Festpreisen angeboten werden. Die Landwirtschaft mit etwa zwei Drittel der Erwerbstätigen trägt nur zu 30% zum Bruttoinlandprodukt und 20% zum Ausfuhrwert bei. Sie deckt, wenn der Monsunregen nicht ausfällt, den Hauptteil des Bedarfs an Nahrungsmitteln und Textilfasern. Über 50% der Landesfläche werden landwirtsch. genutzt, davon sind über 90% Ackerland, fast 7% Wiesen und Weiden und 2% Dauerkulturen; etwa ein Drittel der Ackerfläche wird bewässert. Hauptanbaupflanzen sind Reis (Gangesebene), Hirse (NW- und Zentral-I.), deren Anbau jedoch zurückgeht, Weizen (bes. im N), Zuckerrohr (Gangesebene; I. ist größter Produzent der Erde), ferner Mais, Hülsenfrüchte, Erdnüsse. Wichtigste Ind.pflanze ist Baumwolle (Hochland Zentral- und Süd-I., Verarbeitungszentren Bombay, Ahmadabad), daneben Jute (Bengalen, Süd- und Ost-I., Verarbeitung bes. um Kalkutta). I. ist einer der wichtigsten Teeproduzenten der Welt (Anbau in Assam, Bengalen), weitere exportierte Plantagenprodukte sind Kaffee, Gewürze, Tabak und Kakao. Die Viehwirtschaft hat trotz des hohen Rinderbestands (rd. 200 Mio., 12% des Weltbestands) aus religiösen Gründen (»heilige Kühe« der Hindus) geringe Bedeutung. Wenig entwickelt ist die Fischwirtschaft. Die ehem. reichen Waldbestände sind durch Raubbau (v.a. im Himalajavorland) stark zurückgegangen, wodurch Dürre- und Flutkatastrophen begünstigt werden. Heute sind noch etwa 19% der Landesfläche mit Wald bedeckt. – I. ist reich an Bodenschätzen. Gefördert werden v.a. Steinkohle (Chota-

Indien (von oben): Teeplantage im Himalajagebiet; Reisernte im südindischen Bundesstaat Tamil Nadu

Nagpur-Plateau, südlich der Gangesebene), Eisenerz (Goa, Chota-Nagpur-Plateau), Bauxit, Glimmer (rd. 60% der Weltproduktion), Mangan-, Kupfer-, Chromerz. Rd. 70% des eigenen Erdölbedarfs kann durch Eigenförderung in Assam, Gujarat und im Offshorebereich vor Bombay gedeckt werden. Zw. Krishna und Cauvery sowie nördlich des Narmada wird etwas Gold gefördert; außerdem Vorkommen von Smaragden, Saphiren, Diamanten. – Verursacht durch die stark schwankenden Wasserstände der Flüsse, haben Wasserkraftwerke eine geringe Kapazitätsausnutzung. I. verfügt über mehrere Kernkraftwerke. – Der Akzent des 2. und 3. Fünfjahresplans lag auf dem Ausbau der Grundstoff- und Schwerind. Seitdem entwickelten sich Maschinenbau, chem., bes. petrochem. und weiterverarbeitende Ind., sodass I. heute auf vielen Gebieten nicht mehr auf ausländ. Ind.produkte angewiesen ist. I. hat große Eisen- und Stahlwerke in Rourkela, Durgapur, Bhilai Nagar und Bokaro. Die Papierind. verarbeitet Bambus, Hartgras und Altpapier. Ausgebaut wurden die Kfz-, Elektro- und Elektronikind. Traditionell bedeutsam sind die Nahrungs- und Genussmittelind. sowie das Kunsthandwerk. Dem Tourismus bieten sich viele kulturelle, aber auch landschaftlich reizvolle Ziele. – Die Handelsbilanz ist in den letzten Jahren stark defizitär. Exportiert werden v.a. Schmuck, Edelsteine, Textilien, Bekleidung, Maschinen, chem. Produkte, Lederwaren und Gewürze. Wichtige Handelspartner sind die USA, Japan, Dtl. und Großbritannien. – Wichtigster Verkehrsträger ist die bis auf einige Schmalspurstrecken verstaatlichte Eisenbahn (vier Spurweiten). Das gut ausgebaute Streckennetz (62486 km) ist das längste in Asien und das viertlängste der Welt. Eine Rolle im Massengutverkehr spielen zudem die rd. 2000 km Binnenwasserstraßen. Die wichtigsten Häfen für die See- und Küstenschifffahrt sind Bombay, Kalkutta, Madras, Cochin, Vishakhapatnam, Margao und Kandla. Das Straßennetz ist über 2 Mio. km lang. Davon sind nur rd. 800000 km mit fester Decke versehen, sodass der Straßenzustand v.a. in der Regenzeit unzureichend ist. Indian Airlines betreiben den Inlands- und Air India den Auslandsflugverkehr. Internat. Flughäfen be-

Indien - Wirtschaft

sitzen Delhi, Bombay, Kalkutta, Madras und Thiruvananthapuram.

Geschichte

Die vedische Periode: Bereits in der →Harappakultur gab es große Städte auf hohem Zivilisationsniveau (Mohenjo Daro, Harappa). Wohl Mitte des 2. Jt. v. Chr. wanderten die Arier (Selbstbez. Arya, »Edle«) ein. Sie drangen mit Pferden und Streitwagen durch das Pandschab nach O vor und eroberten weite Teile Nord-I.s; sie gelangten zw. 900 und 600 v. Chr. in die Gangesebene. Ihre religiösen Vorstellungen sind in den Veden (→Veda), einer Hauptquelle der frühen ind. Geschichte, enthalten. Nur langsam begannen die Arier sesshaft zu werden. Etwa um 1000 v. Chr. wird das Kastensystem erwähnt. Die ved. Periode endete mit dem Auftreten des Buddha (* um 560, † um 480), der ersten belegten bed. Persönlichkeit aus I.; Buddhismus, Dschainismus und zahlr. weitere religiöse Systeme entstanden um die Mitte des 1. Jh. v. Chr. Bimbisara (* um 540, † um 490) begründete das Reich von Magadha im heutigen Bihar. Von Pataliputra (heute Patna) aus übte die Nanda-Dynastie (360–322 v. Chr.) ihre Macht weit über Magadha hinaus aus.

Das Reich der Maurya und die Fremdherrschaft: Von Magadha aus nahm auch das erste fast ganz I. umfassende Reich der Maurya-Dynastie seinen Ausgang, das →Tschandragupta zw. 322 und 300 v. Chr. begründete und das seine höchste Machtentfaltung unter →Aschoka erreichte, als es im NW über I. hinausgriff. Von NW her begannen seit etwa 100 v. Chr. die Skythen, I. zu erobern. Ihnen folgten die Kushana. Sie setzten den indogrch. Königreichen, die sich als Folge der Invasion Alexanders d. Gr. in Nordwest-I. gebildet hatten, ein Ende. Um 50 n. Chr. entstand das Großreich der Kushana, das sich unter König Kanishka von Zentralasien bis Benares erstreckte und entweder durch die Sassaniden im 3. oder die Guptas im 4. Jahrhundert zerstört wurde.

Vom Guptareich bis zum Einbruch des Islams: Das Guptareich, das unter Samudragupta (etwa 335 bis 375) ganz Nord-I. umfasste, erlag um 500 dem Hunnensturm. Während der Guptaherrschaft kam es zu einer Hochblüte der Sanskritliteratur. Mit ihrem Ende zerfiel Nord-I. in eine Fülle kleiner, einander bekämpfender Königreiche; nur Harshavardhana, dem letzten großen Schirmherrn des Buddhismus (606–647), gelang es noch einmal, den größten Teil von Nord-I. zu vereinen. Ende des 8. Jh. wurden die Rajputen Träger der polit. Macht. Dem Klan der Gurjara-Pratihara gelang es, von Kanauj aus ein Großreich zu errichten, das lange das Vordringen des Islams nach I. wirksam verhinderte. Nur die Provinz Sind wurde 712 islamisch. In ständige Kriege verwickelt, zerfiel das Gurjara-Pratihara-Reich und ging um 1000 endgültig unter.

Der Islam in Nordindien: Nach wiederholten Vorstößen (1001–27) des Mahmud von Ghazni kam es zu einer dauerhaften islam. Besetzung des

Landes erst 1192 unter Mohammed von Ghor (1173–1206). Er setzte in Delhi General Qutb-ud-din Aibak als Statthalter ein, der 1206 das Sultanat von Delhi gründete. Nach dem Ende der Khilji-Dynastie (1290–1320) begann der Zerfall des Sultanats, das nach dem Einfall Timurs (1398 Plünderung Delhis) endgültig zusammenbrach. Erst unter der Dynastie der Lodi (1451–1526) begann eine erneute Festigung der Herrschaft von Delhi aus über Nord-I. Der Timuride Babur (* 1483, † 1530) wurde 1526 durch seinen Sieg über das Heer des Sultans (Schlacht bei Panipat) zum Begründer des Mogulreiches. Das nur lose zusammengefasste Reich Baburs musste von seinem Sohn Humajun (* 1508, † 1556) erneut erobert werden. Unter Akbar (1556 bis 1605) dehnte es sich über ganz Nord-I. aus. Durch Akbars tolerante Politik gegenüber den Hindus entstand eine hinduistisch-muslimische Mischkultur. Unter seinen Nachfolgern Jahangir (1605–27), Shah Jahan (1628–58) und Aurangseb (1658–1707) erweiterte sich das Reich im S um die Sultanate im Dekhan, verlor aber an innerer Stabilität und konnte nicht wirksam gegen die seit Mitte des 17. Jh. unabhängigen Marathen verteidigt werden. Das Mogulreich löste sich nach der Eroberung Delhis durch den Perser Nadir Schah 1739 in einen lockeren Staatenbund auf; 1858 setzten die Briten den letzten Mogul ab.

Südindien bis zur Kolonialzeit: Bis zum 6. Jh. n. Chr. ist die Geschichte des S nur in Umrissen bekannt. Die Tamilen beherrschten zeitweise Ceylon. Seit etwa 570 regierte von Badami aus die Calukya-Dynastie, die um 750 von Dantidurga Rashtrakuta (um 735–757) gestürzt wurde. Die nächsten 200 Jahre lang beherrschten die Rashtrakutas, deren bedeutendster König Krishna I. (um 756–773) war, den Dekhan von Malkhed aus, bis noch einmal die Calukya-Dynastie von Kaljani aus vom 10. bis 12. Jh. die Oberhand gewann. Bereits die erste Calukya-Dynastie sah sich häufig in Kriege mit den Pallavas verwickelt. Nach einem Verfall ihrer Macht um 500 gewannen die Pallavas von Kanchi aus ihren alten Einfluss zurück und eroberten 642 Badami. Während der Pallavazeit griff die ind. Kultur nach SO-Asien über und drang tief in den Malaiischen Archipel ein. Im 11. Jh. dehnte das Colareich seine Macht bis nach Bengalen und Indonesien aus. Sein Erbe übernahm die Pandya-Dynastie von Madurai, die im 13. Jh. zur führenden Macht des S wurde. Die Invasion Malik Kafurs (1311) erschütterte alle Reiche des Südens. Im 14. Jh. wurde das hinduist. Großreich von Vijayanagar im südl. Dekhan gegr., das bis 1565 bestand.

Kolonialzeit: Mit der Entdeckung des Seeweges nach I. durch Vasco da Gama (1498) entstanden dort die portugies. Stützpunkte Daman, Diu und Goa. Die seit 1600 bestehende engl. Ostind. Kompanie gründete in Surat (1612), Madras (1639), Bombay (1661) und Kalkutta (1690) Niederlassungen; die 1664 entstandene frz. Ostind. Kompanie ließ sich 1674 in Pondicherry und 1688 in Chandernagore nieder. Seit etwa 1740 begannen zw. Franzosen und Briten in Süd-I. bewaffnete Auseinandersetzungen, als sich die Kompanien in Thronfolgestreitigkeiten lokaler Dynastien einmischten. Nach den Niederlagen im Siebenjährigen Krieg verlor Frankreich durch den Frieden von Paris 1763 seinen polit. Einfluss in I. Spannungen zw. den Briten und dem Nabob von Bengalen, Siraschud-Daula, mündeten in einen Krieg, der die brit. Ostind. Kompanie zum Herrn Bengalens machte; 1765 übertrug ihr der Großmogul die Verwaltungshoheit über dieses Gebiet. Schwere Missstände innerhalb der Kompanie führten zu mehrfachem Eingreifen des brit. Parlaments und zu Reformen unter dem ersten Generalgouv. von Ost-I., W. Hastings (1774–85), der die brit. Machtstellung in I. ausbaute. Im Verlauf des 18. und 19. Jh. kamen etwa drei Fünftel des Gebietes von I. unter die Herrschaft der brit. Ostind. Kompanie, während das restl. Territorium weiterhin von ind. Fürsten regiert wurde, die jedoch in Verträgen ihre Hoheitsrechte in der Außen- und Verteidigungspolitik an die Briten abgetreten hatten. Nach der Zerschlagung des Reichs des Tipu Sahib in Mysore (1799) und der endgültigen Unterwerfung der Marathenfürsten (1818) wurde 1843 Sind annektiert, 1849 das Reich der Sikh im Pandschab erobert, 1886 nach drei Kriegen Birma endgültig (bis 1935) Britisch-I. angegliedert. Generalgouv. W. H. Cavendish-Bentinck (1833–35) führte Englisch als Verwaltungssprache ein. Die Furcht vor einer westl. Überfremdung des Landes war letztlich die Ursache des großen Aufstandes von 1857/58, in dessen Verlauf sich nach der Annexion des Fürstentums von Oudh 1856 verschiedene ind. Regimenter (Sepoys) in Nord-I. gegen die Briten erhoben. Mit der Niederwerfung des Aufstandes wurde zugleich das Mogulreich auch formal aufgehoben. Die brit. Ostind. Kompanie wurde 1858 aufgelöst und I. direkt der brit. Krone unterstellt, die durch den »Governor-General in Council« (meist Vizekönig gen.) vertreten war. In London wurde ein I.-Ministerium geschaffen.

Die ind. Unabhängigkeitsbewegung nahm ihren Anfang mit der Konstituierung des Indian National Congress (Kongresspartei, Abk. INC) 1885. Die unter G. N. Curzon (1898–1905) erfolgte Teilung Bengalens (1905) führte zu großen Unruhen. Daraufhin räumten die Morley-Minto-Reformen (1909) den Indern eine bescheidene Mitwirkung an der Reg. des Landes ein, betrachteten dabei aber unter dem Druck der 1906 gegr. Muslimliga die muslim. Bev. als eigenständige Wählerschaft, was neue Konflikte verursachte. Die Verf.reformen wurden in Anerkennung der von I. während des 1. Weltkriegs getragenen Lasten durch die Montagu-Chelmsford-Reformen (Montford-Reformen) weitergeführt, die den Indern in den Provinzen teilweise Reg.verantwortung gewährten (Dyarchie). Nachdem in Amritsar eine Protestversammlung gegen die britisch-ind. Reg. blutig aufgelöst worden war, kam es 1920–22 zu einer vom Kongress und der Muslimliga gemeinsam getragenen Satyagraha-Kampagne des »zivilen Ungehorsams« gegen die brit. Behörden (nach gewaltsamen Ausschreitungen von Gandhi abgebrochen). Als die brit. Reg. die Forderung des Kongresses ablehnte, I. den Dominionstatus zuzuerkennen, löste Gandhi 1930 erneut eine Massenkampagne (»Salzmarsch«) aus, die zu den ergebnislosen Roundtablekonferenzen von 1930–32 führte. Die Verf.reform von 1935 kam ohne eigentl. ind. Beteiligung zustande. – Die Muslimliga forderte unter M. A. Jinnah einen eigenen muslim. Staat. Nach dem 2. Weltkrieg sah sich daher der letzte Vizekönig, Mountbatten (1947), gezwungen, durch eine rasche Teilung des Landes in I. und Pakistan den seit

Aug. 1946 andauernden bürgerkriegsähnl. Unruhen ein Ende zu setzen.

Die Indische Union: Nachdem beide Staaten am 15. 8. 1947 unabhängig geworden waren (I. bis 1950 und Pakistan bis 1956 als Dominion), übernahm J. Nehru, der bereits 1946 vom Vizekönig zum MinPräs. ernannt worden war, die Führung Indiens. Infolge von Grenzstreitigkeiten mit Pakistan und der Umsiedlung von etwa 8,4 Mio. Menschen zw. beiden Staaten kam über 1 Mio. Menschen ums Leben. Der Anspruch sowohl I. als auch Pakistans auf Kaschmir begründete einen polit. Dauerkonflikt zw. beiden Staaten. Während die meisten der mehr als 550 Fürstenstaaten dem neuen ind. Staat relativ freiwillig beigetreten waren, wurde der Nisam von Hyderabad 1948 von ind. Truppen mit Waffengewalt zum Verzicht auf seine Herrschaft gezwungen. Eine Verf. trat am 26. 1. 1950 in Kraft. Seit den ersten Wahlen 1951/52 regierte die Kongresspartei, 1952–64 unter J. Nehru, 1964–66 unter L. B. Shastri, 1966–77 unter I. Gandhi. Die ind. Innenpolitik war unter Nehru und in verstärktem Maße unter seiner Tochter I. Gandhi durch eine Hinwendung zum Sozialismus und zu einer säkularen Politik gekennzeichnet. Bed. Anstrengungen galten der Industrialisierung des Landes und der Verbesserung der Ernährungsgrundlage (»grüne Revolution«). Die Außenpolitik Nehrus machte I. zu einem führenden Mitgl. der blockfreien Staaten. Die Tibetfrage führte 1962 zus. mit Streitigkeiten über den Grenzverlauf zum indisch-chines. Krieg. Ein 1965 ausgebrochener Krieg mit Pakistan um Kaschmir wurde im Jan. 1966 unter sowjet. Vermittlung eingestellt. Am 9. 8. 1971 schloss I. mit der UdSSR einen Freundschaftsvertrag. Im Dez. 1971 kam es zu einem weiteren indisch-pakistan. Krieg, der mit der Gründung von →Bangladesh endete. Im Juni 1975 wurde über das ganze Land der Ausnahmezustand verhängt, was von Premiermin. I. Gandhi mit einer Verschwörung gegen ihre Politik begründet wurde (Verhaftung zahlr. Oppositionspolitiker). Als I. Gandhi 1977 den Ausnahmezustand lockerte und Parlamentswahlen anberaumte, siegte die neu gegr. Janata Party. Ihr Führer, M. Desai, wurde Premiermin. Er ließ den Ausnahmezustand vollends aufheben. Anhaltende wirtsch. und soziale Probleme brachten jedoch der Kongresspartei bei vorgezogenen Wahlen im Jan. 1980 wieder eine Zweidrittelmehrheit, I. Gandhi wurde erneut Premiermin. Durch Auflösung und Neuwahlen der Parlamente in neun Bundesstaaten gelang es ihr bis Juni 1980, sich auch im Oberhaus eine Mehrheit zu verschaffen. Nach Rücktritt von Staatspräs. N. S. Reddy (1977–82) trat Zail Singh seine Nachfolge an (bis 1987). Militanter Separatismus und religiösethn. Spannungen führten auch in den 80er- und beginnenden 90er-Jahren zu einer instabilen innenpolit. Situation. V.a. in Punjab kam es wiederholt zu gewalttätigen Auseinandersetzungen mit den nach staatl. Autonomie strebenden Sikhs. Seinen Höhepunkt erreichte dieser Konflikt mit der Besetzung des Goldenen Tempels von Amritsar (Nationalheiligtum der Sikhs) im Juni 1984; kurz darauf wurde MinPräs. I. Gandhi von zwei ihrer Sikh-Leibwächter ermordet. Ihre Amtsnachfolge trat ihr Sohn R. Gandhi an, dessen Kongresspartei bei den Wahlen im Dez. 1984 eine Zweidrittelmehrheit im Unionsparlament erreichen konnte. Außenpolit. Versuche, das Verhältnis zu Pakistan zu verbessern, wurden v.a. durch das ungelöste Kaschmirproblem erschwert; 1987–90 unterhielt I. in Sri Lanka ein Truppenkontingent, um dort die blutigen Unruhen zw. Tamilen und Singhalesen einzudämmen. 1987 übernahm R. Venkataraman das Amt des Staatspräsidenten. Bei den Wahlen im Nov. 1989 verlor die Kongresspartei ihre absolute Mehrheit; nach dem Rücktritt R. Gandhis als Min.-Präs. bildete V. P. Singh (Vors. der Janata Dal Party, JD) eine Minderheitsregierung. Sein Versuch, den niedrigen Kasten größere soziale Rechte einzuräumen, sowie gewaltsame Ausschreitungen im religiösen Streit zw. Muslimen und Hindus um die Babri-Moschee in Ayodhya (angeblich über einen Hindu-Tempel erbaut) lösten 1990 eine Reg.krise aus (Rücktritt V. P. Singhs). Im Mai 1991 wurde R. Gandhi durch ein Bombenattentat getötet; sein Nachfolger als Vors. des INC(I), P. V. Narasimha Rao, trat nach dem Sieg seiner Partei bei den Parlamentswahlen im Juni 1991 auch das Amt des Reg.chefs an. Angesichts der schweren Wirtschaftskrise des Landes leitete er ein marktwirtsch. Reformprogramm ein (Privatisierung von Staatsbetrieben, Zulassung von Mehrheitsbeteiligungen ausländ. Investoren u.a.).

Mit der Zerstörung der Babri-Moschee (Dez. 1992) und den Unruhen v.a. in Bombay (Frühjahr 1993) erreichten die blutigen Ausschreitungen fanat. Hindu-Fundamentalisten gegen Muslime einen Höhepunkt (mehrere Hundert Tote). Vor dem Hintergrund von Korruptionsvorwürfen bes. gegenüber Ministern und Abg. der Kongresspartei (Anfang 1996) verlor diese bei den allgemeinen Wahlen (April bis Juni 1996) ihre parlamentar. Mehrheit an die Bharatiya Janata Party (BJP). Nach dem Rücktritt von MinPräs. Rao (Mai 1996) übernahm im Juni 1996 H. D. D. Gowda (JD), im April 1997 I. K. Gujral (JD) die Führung einer von der Kongresspartei parlamentarisch gestützten Minderheitsreg. der United Front (UF). Nachfolger des Staatspräs. S. D. Sharma (seit 1992) wurde im Juli 1997 K. R. Narayanan. Mit ihm wurde zum ersten Mal in der Geschichte der Ind. Union ein Kastenloser in das höchste Staatsamt gewählt.

Bei den Parlamentswahlen 1998 wurde die nationalist. BJP stärkste Partei, danach A. B. Vajpayee MinPräs. 1998 durchgeführte, international heftig kritisierte ind. Atomwaffentests und der 1999 wieder aufgebrochene Konflikt um Kaschmir verstärkten erneut die Spannungen zu Pakistan.

📖 SCHWERIN, K. GRÄFIN VON: *I. München 1988.* – *I. in den 90er Jahren, hg. v.* W. DRAGUHN. *Hamburg 1989.* – ROTHERMUND, D.: *Ind. Geschichte in Grundzügen. Darmstadt* [3]*1989.* – *I. Geschichte des Subkontinents von der Induskultur bis zum Beginn der engl. Herrschaft, hg. v.* A. T. EMBREE *u.* F. WILHELM. *Frankfurt am Main 66.–67. Tsd. 1993.* – PULSFORT, E.: *Was ist los in der ind. Welt? Freiburg im Breisgau u. a. 1993.* – ROTHERMUND, D.: *Staat u. Gesellschaft in I. Mannheim u. a. 1993.* – *I. Kultur, Geschichte, Politik, Wirtschaft, Umwelt. Ein Handbuch, hg. v.* D. ROTHERMUND. *München 1995.*

indifferent [lat.], **1)** *allg.:* gleichgültig, teilnahmslos, unentschieden, unbestimmt.

2) *Chemie:* keine Verbindungen mit anderen Stoffen eingehend.

Indigenat [lat. indigenus »eingeboren«] *das,* früher Untertanschaft, Staats-, auch Ortsangehörigkeit, Heimatrecht, Gemeinderecht. Die Verf. des Norddt. Bundes (1867) und die Reichsverf. von 1871 führten das **gemeinsame I.** ein, d. h. das Recht jedes Staatsangehörigen eines dt. Einzelstaats, in allen anderen dt. Einzelstaaten wie Inländer behandelt zu werden.

indigene Völker, von den UN gebrauchte Bez. für Völker, die in ihrem angestammten Lebensraum heute eine (oft diskriminierte) Minderheit bilden.

Indigirka *die,* Fluss in NO-Sibirien, Russland, 1726 km, mündet in die Ostsibir. See; auf 1154 km schiffbar.

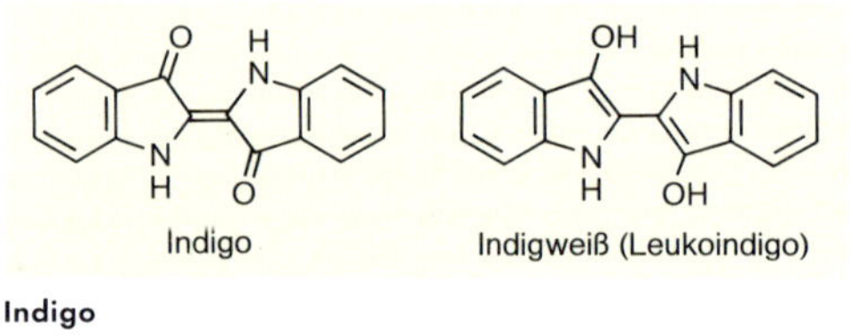

Indigo

Indigo [span., aus grch.-lat. »indisch«] *der* oder *das,* der älteste bekannte pflanzl. Farbstoff **(I.-Blau),** $C_{16}H_{10}N_2O_2$, ein Küpenfarbstoff. I. kommt v. a. in Arten des I.-Strauches und im Färberwaid vor. Der farbbildende Stoff ist das wasserlösl. **Indican.** Die 1880 von A. von Baeyer gefundene Synthese des I., seit 1897 im Handel, verdrängte rasch den Naturfarbstoff, wurde aber nach dem 1. Weltkrieg zunehmend von farbechteren Farbstoffen abgelöst. Der Modetrend zu weniger reibechten blauen Farbstoffen hat zu einem erneuten Aufschwung der I.-Produktion geführt.

indigoide Farbstoffe, →Küpenfarbstoffe mit Indigo- oder indigoähnl. Struktur, z. B. Thioindigo. Zu den i. F. gehört auch der antike Purpur.

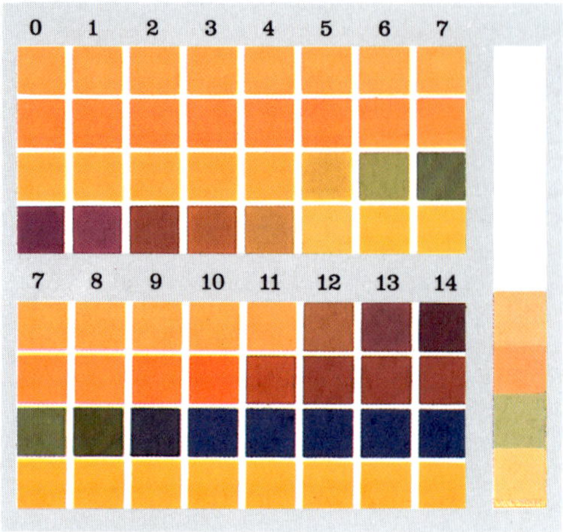

Indikatorpapier: Farbtabelle für Universalindikatorteststäbchen von pH 0 bis pH 14; rechts unverwendetes Stäbchen

Indikation [lat.] *die* (Heilanzeige), zwingender Grund zur Anwendung einer bestimmten ärztl. Behandlung in einem Krankheitsfall; Ggs.: Gegenanzeige (Kontraindikation).

Indikativ [lat.] *der, Grammatik:* Wirklichkeitsform. (Verb ÜBERSICHT)

Indikator *der,* **1)** *Biologie:* (I.-Art, Bioindikator, Zeigerart) Bez. für Arten, deren Vorkommen oder Fehlen in einem Biotop auf physikal. und chem. Merkmale des Standorts schließen lässt (z. B. Feuchtigkeit, Stickstoffgehalt des Bodens); bes. wichtig für die Beurteilung der Umweltbelastungen.

2) *Chemie:* →Indikatorfarbstoffe.

3) *Technik:* Anordung zur Messung schnell wechselnder Drücke, insbes. des Druckverlaufs in Zylindern von Kolbenmaschinen in Abhängigkeit vom Kolbenweg. Das I.-Diagramm ist ein Druck-Volumen-Diagramm. – Langsam laufende Maschinen mit Maschinendrehzahlen bis etwa 1000 min^{-1} (z. B. Dampfmaschinen) können mit mechan. Geräten gemessen werden. Bei schnell laufenden Maschinen wird der Druck meist mittels piezoelektr. Geber, die eine dem Druck proportionale Spannung abgeben, registriert. Auf einem Oszillographen kann der Druckverlauf als Funktion des Drehwinkels der Kurbelwelle aufgezeichnet werden.

Indikatorfarbstoffe, Stoffe, die Zustandsänderungen in chem. Systemen durch Farbwechsel anzeigen. Sie dienen v. a. zur Anzeige des Äquivalenzpunkts in der Maßanalyse. **Säure-Base-Indi-**

katoren (pH-Indikatoren) sind schwache organ. Säuren oder Basen, die bei Abgabe oder Aufnahme eines Protons die Farbe ändern, z. B. Lackmus. Zur besseren Erkennung des Farbumschlags durch Eingrenzung des Umschlagintervalls werden auch sog. **Mischindikatoren** verwendet. **Metallindikatoren** bilden mit Metallionen gefärbte Komplexverbindungen. **Redoxindikatoren** zeigen beim Erreichen eines bestimmten Redoxpotentials einen Farbumschlag. **Adsorptionsindikatoren** markieren bei Fällungstitrationen den Endpunkt durch charakterist. Färbung des Niederschlags.

Indikatorpapier, mit Indikatorlösung getränktes Filterpapier, meist zur pH-Messung einer Reaktionslösung. Eine Weiterentwicklung des I. sind die **Indikatorstäbchen**, bei denen die Indikatoren auf Kunststofffolien gebunden sind. Mitgelieferte Farbenvergleichsfelder dienen zur halbquantitativen Bestimmung z. B. des ph-Wertes.

Indikatrix [lat.] *die,* **1)** *Kartographie:* (Verzerrungsellipse) Darstellung von Linien gleicher Verzerrungswerte bei Winkeln, Längen und Flächen der einzelnen Kartennetzentwürfe.

2) *Kristalloptik:* (Indexellipsoid) Darstellung der Doppelbrechung in Abhängigkeit von der Polarisationsrichtung und Wellennormalen-Ausbreitungsrichtung des Lichts in anisotropen Kristallen.

3) *Mathematik:* die Kurve, die die Art der Krümmung einer Fläche anzeigt.

Indio *der,* span. und portugies. Bez. für den Indianer Lateinamerikas. Anders als im europ. Sprachgebrauch ist I. in Lateinamerika kein rassisch, sondern eine kulturell und sozial bestimmte Bez. für Abkömmlinge der Ureinwohner, die ausschl. eine Indianersprache sprechen und die traditionelle Lebensweise beibehalten haben.

indirekte Investition, → Portfolioinvestition.

indirekte Rede, → Rede.

indirekte Steuern, Steuern, die den Steuerträger mittelbar, d. h. im Wege der Überwälzung, treffen. (→ Verbrauchsteuer)

indische Kunst, die auf dem ind. Subkontinent mit den heutigen Staaten Indien, Pakistan, Bangladesh und Sri Lanka sowie z. T. in den Randregionen Afghanistans und Nepals in mehr als 4 Jt. entstandene Kunst. Der überwiegende Teil der i. K. ist religiös bestimmt. Als ihre herausragenden Leistungen gelten die Verbildlichung innigster Kontemplation sowie Bilder von Praktiken sinnl. Entrückung, die jeweils die versch. Stufen geistiger Versenkung auf dem Weg zur Erlösung vom Kreislauf des Entstehens und Vergehens darstellen.

Baukunst: Aus der Harappakultur sind Ziegel-, jedoch keine Monumentalbauten bekannt. Die ältesten in Stein errichteten Werke sind, abgesehen von vorgeschichtl. Dolmen, die Gesetzessäulen der Aschokazeit mit Glockenkapitellen und Tierdarstellungen. Die ersten Bauwerke des Buddhismus sind Stupas, große Kultmale, die sich meist halbkugelförmig über einem Sockel erheben. Aus dem 3. Jh. v. Chr. sind die Stupaanlagen in Sanchi und Sarnath erhalten. Buddhist. Tempel (Caitya) und Klöster (Vihara) wurden als Höhlenbauten in Fels gehauen wie die Caityahalle zu Karla (bei Bombay), ein dreischiffiger, basilikaähnlicher, tonnengewölbter Raum mit Apsis (1. Jh. v. Chr.). In der Folgezeit entstanden die großen Höhlentempel in → Ajanta, → Ellora und → Elephanta. Frei aus dem Fels gemeißelt ist der Kailasanatha-Tempel in Ellora (8. Jh.). Die ältesten aufgemauerten Tempel, die aus der frühen Guptazeit stammen (4. bis Ende 5. Jh.), sind rechteckige, flach gedeckte Zellen mit offener Säulenvorhalle (so in Sanchi). Durch die Vervielfältigung der horizontalen, zu immer größeren Höhen übereinander geschichteten Bauteile entstanden mächtige Tempeltürme, meist von Bildwerken überzogen (Brahmanentempel in Bhubaneswar im Staat Orissa, 8.–13. Jh., in Khajuraho in Bundelkhand, 11. Jh.; Dschainatempel zu Palitana u. a. im westl. Indien). Einen Höhepunkt der Gupta-Architektur und -Plastik bildet der Tempel von Deogarh (6. Jh.). In S-Indien entwickelte sich ab dem 7. Jh. der Dravidatempelstil (dravida = südl. Stil); der Tempel dehnt sich innerhalb mehrerer rechteckiger Einschließungen aus, deren Tore von gewaltigen pyramidal gestuften Tortürmen (Gopurams) überragt werden (Küstentempel in Mahabalipuram, Tempel in Kanchipuram, 7./8. Jh., Thanjarur, um 1000, Madurai, 17. Jh.). Unter der islam. Herrschaft diente das Bauernhaus Bengalens mit seinem gewölbten Dach als Vorbild für Paläste, Moscheen u. Ä. In Rajasthan, Zentralindien, dem Pandschab und im Himalaja, wo der islam. Bogen-, Gewölbe- und Kuppelbau übernommen wurde, entstand ein aus dem Palastbau entwickelter Tempeltyp (Amritsar, Lahore, Mandi, Kangra, Jaipur, Jodhpur, Bikaner) und ein

indische Kunst

Kunsthandwerk und Architektur

Licht- und Luftdurchlässigkeit von Maueröffnungen erklären sich durch die klimatischen Erfordernisse; ihre durchbrochenen Muster sind in der indoislamischen Architektur höchst kunstvoll eingesetzt. Die Gitterfenster der Häuser und Paläste bestehen oft aus Fayence mit türkisblauen oder -grünen Glasuren, die im Iran und Mittelasien auch schon früher für Gefäß- und Reliefkeramik verbreitet waren.

Bei dem vorliegenden Beispiel aus Multan (Pakistan) bilden weiße Sternblüten die Mittelpunkte von Sechseckformen in versetzter Reihung. Das Gitter, auch als Holzschnitzerei oder aus kostbarem Marmor, gehört zum unverzichtbaren Bestandteil orientalischer Wohnkultur.

indische Kunst

1

2

3

4

5

| **1** »Wolkenmädchen«, Felsmalerei (5. Jh.; Sigiriya, Sri Lanka) | **2** Kalilasanatha-Tempel in Kanchipuram, einer der frühesten shivaitischen Steinbautempel im Dravidastil (7./8. Jh.) | **3** Dashavatara-Tempel in Deogarh, Zentralindien (6. Jh.) | **4** Radha und Krishna im Brinda-Hain, Miniatur im Stil der späteren Rajputmalerei (etwa 1785; London, Victoria und Albert Museum) | **5** Shiva mit seiner Gattin Durga, Bronze (11./12. Jh.; Thanjavur)

kuppelgekrönter, auf vier oder mehr Säulen ruhender Totenschrein (Chattri).

Von der *Plastik* der Induskultur wurden außer Tonsiegeln, deren Menschen- und Tierdarstellungen vorderasiat. Beispielen ähneln, Terrakotta- und Bronzefiguren gefunden, die bereits stilist. Charakteristika i. K. zeigen. In der Aschoka-Zeit entstanden unter pers. Einfluss Steinskulpturen von Tieren, so bes. das Löwenkapitell von Sarnath (heute das Staatswappen Indiens). Der Frühzeit der rein ind. Bildhauerkunst gehören die Reliefs an den Toren und Zäunen der Stupas an (bes. in Sanchi und Bharhut), die Szenen der Buddhalegende mit Motiven des ind. Lebens verbinden. Buddha selbst, anfänglich durch Symbole versinnbildlicht, wurde seit dem 1. Jh. n. Chr. von der hellenistisch-ind. Gandhara-Kunst und in Mathura anthropomorph dargestellt, wo jahrhundertelang die größte Bildhauerwerkstatt Indiens bestand. Typisch für die Zeit der religionsgebundenen Bildhauerei (200 v. Chr. bis 300 n. Chr.) sind die Gedrungenheit der Figuren und das Fehlen von Perspektive. Am reichsten entfaltete sich die Plastik in den Höhlenskulpturen von Ellora, Badami, Mahabalipuram, Elephanta (dreigesichtiger Kopf des Shiva, um 700). In der Fülle der die äußeren und inneren Tempelwände bedeckenden Skulpturen, die in der Spätzeit immer formelhafter wurden, verlor sich schließlich das einzelne Kunstwerk. Die Bronzeplastik entwickelte sich zu hoher Blüte im südl. Indien (10.–13. Jh.), wo bes. Darstellungen des tanzenden Shiva entstanden.

Malerei: Die Hauptwerke der Frühzeit sind die seit dem 1. Jh. n. Chr. entstandenen Fresken der Felsentempel in Ajanta (Darstellungen aus der Buddhalegende). Ajanta war bis ins 7. Jh. der Mittelpunkt der klass. Malerei. Vergleichbare Wandmalereien sind in hinduist. und dschainist. Höhlenanlagen und Freibautempeln auf dem gesamten ind. Subkontinent und in Sri Lanka nachgewiesen. Die mittelalterl. Malerei ist kaum erhalten; bedeutend sind die bengal. Miniaturmalerei auf Palmblättern (11. Jh.) und die Illustrationen dschainist. Papierhandschriften (15. Jh.). Unter den Mogulkaisern blühte seit dem 16. Jh. die auf pers. Quellen zurückgehende Miniaturmalerei, in der sich bald heim. Züge durchsetzten und die im Laufe der Zeit in Wechselwirkung mit der →Rajputmalerei trat. Seit dem 17. Jh. entstanden an den Höfen kleinerer hinduist. Herrscher zahlr. Provinzwerkstätten versch. Malschulen der Rajputmalerei. Nachdem die ind. Malerei unter europ. Einfluss an Bedeutung verloren hatte, leitete der Maler Abanindranath Tagore (*1871, †1951) als Haupt der neuen bengal. Kunstschule eine an die ind. Überlieferung anknüpfende Erneuerungsbewegung ein; in gleichem Sinne wirkte Nandalal Bose (*1883, †1966). Die heutige ind. Malerei nimmt vielfach internat. Strömungen auf.

📖 FRANZ, H. G.: *Von Gandhara bis Pagan. Kultbauten des Buddhismus u. Hinduismus in Süd- u. Zentralasien. Graz 1979.* – GÖRGENS, M.: *Kleine Geschichte der i. K. Köln 1986.* – RAU, H.: *Indien. Kunst- u. Reiseführer mit Landeskunde. Stuttgart u. a. ²1990. – Das alte Indien. Geschichte u. Kultur des ind. Subkontinents, hg. v.* H. G. FRANZ, *Beiträge v.* P. GAEFFKE *u. a. Gütersloh u. a. 1991.*

indische Literaturen. Sie umfassen das literar. Schrifttum auf dem ind. Subkontinent von den Anfängen einer noch immer unentzifferten Schrift der Harappakultur (etwa 2000 v. Chr.) bis zu den gegenwärtigen Literaturen von Bangladesh, Indien, Nepal, Pakistan und Sri Lanka. Seit etwa 1500 v. Chr. entwickelten sich die Hauptströmungen des Schrifttums organisch aus den Veden (→Veda). An die ved. Brahmanas schlossen sich die Upanishaden an. Während Buddhisten und Dschainas (Jainas) zweckgebunden zunächst Volkssprachen bevorzugten (Pali, Prakrit), pflegte die Hindukaste der Brahmanen das Sanskrit (seit dem 5. Jh. v. Chr., Kunstsprache), schuf die bis heute verbindl. Grammatik (Panini, 5./4. Jh. v. Chr.) und schuf zus. mit dem Kriegeradel die Nationalepen »Ramayana« und »Mahabharata«. Das Drama erreichte seinen Höhepunkt in Kalidasas »Shakuntala« (um 400). Als zweite große klass. Literaturgattung gilt das Kunstepos, das Episoden aus den ind. Götterlegenden behandelt (Epen von Kalidasa; Jayadeva: »Gitagovinda«). Die volkstüml. Erzähllit. ist in großen Sammelwerken überliefert, die z. T. auch didakt. Zwecke verfolgen (»Pancatantra«). Ein Teil der Veden ist in Hymnenform gefasst; das kurze lyr. Gedicht in Sanskrit und Prakrit scheint auf eine südindisch-dravid. Tradition zurückzugehen. Der dravid. Süden ist auch reich an Spruchdichtung; die Anfänge der gefühlsträchtigen religiösen Lyrik der Hingabe (Bhakti) sind im Tamil (seit dem 6. Jh.) zu suchen. – Die enzyklopäd. Sammelwerke der Hindureligion (Puranas und Agamas) liefern ein reiches Legendenmaterial. – Die Übersetzung der großen Epen in die neuind. Sprachen begann mit der Mahabharata-Übersetzung ins Tamil (8. Jh.). Ein Meisterwerk schuf Tulsidas (*um 1532, †1623) mit seiner Neuschöpfung der Ramalegende im Geiste der Bhakti-Frömmigkeit (»Ramcaritmanas«). Die Dschainas, die Kunstpoesie hauptsächlich in Prakrit verfassten, führten die gelehrte Dichtung auch in die neuind. Literaturen ein.

Die Muslime Indiens besitzen eine eigene Literatur, die sich nur langsam von den auch in Indien lebendigen arab. und pers. Traditionen befreien konnte. Wali, Rafi Sauda, Mir Dard, Mir Taqi Mir und bes. Ghalib schufen im 18. und 19. Jh. bed. Dichtungen in klass. pers. Formen (Ghasel, Kasside und Mesnewi waren die beliebtesten Strophenformen).

Während die Entwicklung der islam. Literatur kaum Einfluss auf die Hindus nahm, brachte die brit. Herrschaft über Indien tief greifende Veränderungen mit sich. So entstand in Bengalen eine neue Epik, die europ. und ind. Vorbilder vereinigte. Angeregt von W. Scott schrieb Bankimchandra Chatterjee (*1838, †1894) die ersten beispielhaften ind. Romane. 1913 erhielt R. Tagore den Nobelpreis für seine myst. Dichtung »Gitanjali« (1910); seine symbol. Lyrik wurde zum Vorbild für Dichter in fast allen ind. Sprachen. – Im 20. Jh. meldeten sich auch realist. Erzähler zu Wort: Saratchandra Chatterjee (*1876, †1938) und Tarashankar Bannerjee (*1894, †1950) (in Bengali), ferner Premcand (*1880, †1936; in Hindi), M. R. Anand, S. Rushdie in Englisch u. a. Der Bengale Vibhutibhushan Bannerjee (*1894, †1950) und Upendranath Ashk (*1910) gestalteten individuelle Schicksale; die moderne Lyrik in Bengalen vertritt u. a. Bishnu De (*1909, †1982).

Die Literatur von Sri Lanka steht von den Anfängen im 3. Jh. v. Chr. bis heute im Zeichen des Buddhismus. Seit dem 11. Jh. ist Singhalesisch Literatursprache.

📖 WINTERNITZ, M.: *Geschichte der i. L., 3 Bde. Leipzig 1908–20, Nachdr. Stuttgart 1968.* – GLASENAPP, H. VON: *Die Literaturen Indiens. Stuttgart 1961. – A history of Indian literature, hg. v.* J. GONDA, *10 Bde. in 30 Tlen. Wiesbaden 1973–87.* – GARG, G. R.: *International encyclopaedia of Indian literature, 9 Bde. Delhi 1987–95.* – MYLIUS, K.: *Geschichte der altind. Literatur. Neuausg. Bern u. a. 1988.*

indische Musik, die auf dem ind. Subkontinent verbreitete musikal. Hochkunst, Volks- und Stammesmusik, wobei Ähnlichkeiten von Hochkunst und Volksmusik auf die Benutzung gleicher Vor-

indische Musik: Der international bekannte indische Musiker Ravi Shankar spielt den Sitar

bilder oder Übernahmen zurückzuführen sind. Dagegen hat jeder Stamm sein eigenes Musikrepertoire. – Die Hochkunst – meist als i. M. i.e.S. aufgefasst – unterscheidet man nach Stilkriterien in die die Hindustanimusik N-Indiens und Pakistans sowie die altind. Musik im S des Subkontinents. Sie geht zurück v.a. auf den »Rigveda« und den »Samaveda«, d.h. auf Samml. religiös-kult. Dichtungen. Die Musiklehre im »Natyashastra« von Bharata aus den letzten vorchristl. Jahrhunderten kennt zwei siebenstufige Tonskalen im Oktavumfang. Jede dieser Skalen besteht aus Halbtönen und großen und kleinen Ganztönen, die sich wiederum aus 22 »Shruti« pro Skala zusammensetzen. Indem man auf jedem Ton der Skala eine siebenstufige Modalleiter errichtete, erhielt man sieben »Murcana«, aus denen schließlich 18 (sieben reine, elf gemischte) als »Jati« bezeichnete Melodietypen resultieren. Die Haupttöne verleihen der Melodie ihre besondere »Stimmung« oder »Farbe« (Raga). Später entstandene Melodien mit neuen Tonkombinationen wurden als eigenständige Raga erfasst. Die rhythm. Gestaltung der meist gesungenen Melodie, die häufig improvisiert wird, wird meist von der Bordunlaute Tambura gestützt, von einem Streichinstrument (Sarangi in N-, Violine in S-Indien) umspielt und von der Trommel (Tabla in N-, Mridanga in S-Indien) begleitet. Ferner sind gezupfte Lauteninstrumente wie Sitar und Sarod in N- und die Vina in S-Indien, die Oboen Shahnai in N- und Nagasvara in S-Indien sowie Flöten beliebt.

indische Philosophie und Religion. Das philosoph. Denken Indiens entwickelte sich und steht bis in die Gegenwart in engem Zusammenhang mit religiösen Vorstellungen (→Hinduismus, →Buddhismus); es hat seine Grundlagen in den Veden (→Veda), auf denen seit ca. 800 v.Chr. Lit. und Philosophie der →Brahmanas und der →Upanishaden aufbauen. Zentrales Thema ist das Problem der Erlösung aus dem auf Seelenwanderung und Reinkarnation beruhenden Kreislauf der Wiedergeburten (Samsara), d.h. das endgültige Aufgehen des Einzelnen in dem einen Ganzen; Ethik, Kosmologie, Metaphysik und rituelle (Opfer-)Vorschriften werden dieser Frage zugeordnet. Ist die →vedische Religion klass. Volksreligion mit einer Vielzahl von Göttern, geprägt durch zahlr. Opfer und Opfervorschriften, interpretiert der ihr folgende →Brahmanismus die Veden im Sinne eines philosoph. Monismus. Der dualist. Konzeption der ved. Kosmologie von dem am Anfang stehenden Einen (Weltei), das sich in ein männl. und ein weibl. Prinzip spalte, aus dem die Welt in ihrer Vielheit hervorgehe, stellt das brahman. Denken das Modell des grundsätzl., durch nichts bedingten Einen (Brahman) als des Seins schlechthin entgegen. Dieses stehe jenseits der durch Vielfalt, Veränderlichkeit und Vergänglichkeit charakterisierten Welt der Erscheinungen (Maya). Das individuelle Selbst des Menschen wird als →Atman bezeichnet. In den auf der Grundlage der Upanishaden seit dem 1. Jh. n.Chr. entstandenen Schulen des Vedanta, deren Hauptvertreter Shankara (8. Jh. n.Chr.) ist, erreichte das brahman. Denken seinen Höhepunkt: Brahman und Atman werden als völlig wesensgleich gedacht, und in dem Wissen um diese Identität liegt die Erlösung. – Neben dem Vedanta bildeten sich zw. 500 v.Chr. und 1000 n.Chr. noch fünf weitere religionsphilosoph. Systeme he-

indische Philosophie

Einer der ältesten Versuche altindischer naturphilosophischer Weltentstehungsspekulation; aus dem Rigveda:

Nicht existierte Nichtseiendes, noch auch existierte Seiendes damals – nicht existierte der Raum, noch auch der Himmel jenseits davon. Was umschloss? Wo? Im Schutz wovor? Existierte das (Süß-)Wasser? – (Nein, nur) ein tiefer Abgrund!
Nicht existierte der Tod, also auch nicht das Leben. Nicht existierte das Kennzeichen der Nacht (Mond und Sterne), des Tages (die Sonne). – Es atmete (begann zu atmen) windlos, durch eigene Kraft, da ein Einziges. Nicht irgend etwas anderes hat jenseits von diesem (das heißt früher als dieses) existiert. Finsternis war verborgen durch Finsternis im Anfang. Kennzeichenlose Salzflut war dieses All. Der Keim, der von Leere bedeckt war, wurde geboren (kam zum Leben) als Einziges durch die Macht einer (Brut-)Hitze. Ein Begehren (nach Entstehung) bildete sich da im Anfang, das als Same des Denkens als Erstes existierte. Die Nabelschnur (den Ursprung) des Seienden im Nichtseienden fanden die Dichter heraus, in ihrem Herzen forschend, durch Nachdenken.

raus, unterschieden nach den Methoden der Erkenntnis der Wirklichkeit: die vornehmlich praxisorientierten Systeme der Mimamsa, des Samkhya und Nyaya und die metaphys. Systeme des Yoga und Vaisheshika; in der neueren ind. Philosophie als orthodox (die Autorität der Veden anerkennend) vom Buddhismus, Dschainismus und Materialismus unterschieden. Etwa ab 1000 n. Chr. beherrschte der Brahmanismus in seiner Spätform als Hinduismus das ind. Denken. Erlösung wird auf den Wegen des Yoga (Askese), des Karma (den Kastenpflichten, d.h. Dharma, gemäßes Handeln) oder der Bhakti (Gottesliebe) erlangt. Das moderne ind. philosophisch-religiöse Denken setzte im 19. Jh. mit der von Rammohan Roy (*1772, †1833) 1828 in Kalkutta gegr. Gottesges. (Brahma-Samay) ein und ist mit Philosophen wie Vivekananda (*1863, †1902), R. Tagore, S. Radhakrishnan, M. K. Gandhi und Sri Aurobindo verbunden. Neben Versuchen des Vergleichs und der Synthese mit Elementen westlich-christl. Denkens versteht sich der Neohinduismus – als in der Tradition des universalen »Geistes Asiens« stehend – als dem westl. Denken überlegen.

📖 FRAUWALLNER, E.: *Geschichte der ind. Philosophie, 2 Bde. Salzburg 1953–56.* – GLASENAPP, H. VON: *Die Philosophie der Inder. Stuttgart [4]1985.* – KLAUS, K.: *Die altind. Kosmologie nach den Brahmanas dargestellt. Bonn 1986.* – ZIMMER, H.: *Philosophie u. Religion Indiens. A. d. Engl. Frankfurt am Main [7]1992.*

Indischer Ozean, der kleinste, geologisch jüngste der drei Ozeane der Erde, gelegen zw. Asien, Afrika, Australien und der Antarktis, mit Pers. Golf und Rotem Meer 74,12 Mio. km^2; Wasservolumen 284,61 km^3. Ein im Wesentlichen meridional verlaufendes System von Rücken (Zentralind. Rücken u.a.) teilt den I. O. in 11 Tiefseebecken. Die mittlere Tiefe beträgt 3840 m (mit Nebenmeeren), die größte (Planettiefe) 7455 m im Sundagraben südlich von Java. Wichtigste Inseln und Inselgruppen sind: Madagaskar, Komoren, Seychellen, Ceylon, Sokotra, Andamanen, Malediven, Maskarenen, Kerguelen. Der I. O. liegt innerhalb der Tropen und Subtropen, nur im S gehört er der gemäßigten und subpolaren Zone an. Im nördl. Teil beherrscht der Wechsel von NO-Monsun zu SW-Monsun sowohl Klima wie Meeresströmungen. Während des passatartigen Wintermonsuns gleicht das äquatoriale Stromsystem dem des Atlant. und Pazif. Ozeans: Nord-, Südäquatorialstrom, Äquatorialer Gegenstrom. Bei Monsunwechsel bildet sich der starke Somalistrom im nördl. I. O. aus, im südl. I. O. besteht der westwärts setzende Südäquatorialstrom, der in den Agulhasstrom mündet, und die ostwärts setzende Westwinddrift. Aufgrund des unterschiedl. Klimas sind Salzgehalt und Temperatur des Wassers sehr verschieden. Der Bereich des Pers. Golfs ist durch seine Erdöllagerstätten von großer wirtsch. Bedeutung. Die Fischerei spielt im I. O. eine geringe Rolle (nur rd. 5 % der im Weltmeer gefangenen Fische). – Die erste wiss. Erforschung begann 1874 durch das brit. Forschungsschiff »Challenger«. 1959–65 fand die Internat. I.-O.-Expedition statt, an der sich 40 Forschungsschiffe aus 20 Ländern beteiligten. 1979 wurde das internat. Großprojekt INDEX (engl. **Ind**ian Ocean **Ex**periment) zur Untersuchung der Wirkung des einsetzenden SW-Monsuns durchgeführt. Seit 1982 wird im Rahmen der Intergovernmental Oceanographic Commission (IOC) eine intensive Erforschung des westl. I. O. betrieben. In diesem Rahmen fand 1987 die Expedition des dt. Forschungsschiffs »Meteor«, MINDIK, statt. Seit 1988 besteht ein Komitee der zentralen und östl. Anrainerstaaten zur Erforschung der Ressourcen.

indischer Tanz, stark religiös geprägte Kunstform, deren Inhalte den Sanskritepen und zahlr. Legenden entstammen. Zu den bedeutendsten, heute in Akademien gelehrten Tanzstilen gehören: das klass. **Bharata Natya,** früher der Tanz der Tempeltänzerinnen, mit typischer symbol. Gestensprache der Hände; das **Kathakali,** ein pantomim. Tanzdrama, in dem Stoffe der Sanskritepen tänzerisch dargestellt werden; der **Kathak-Tanz,** ein dreiteiliger nordind. Unterhaltungstanz; der ostind. **Manipuri-Tanz,** der Legenden um Krishna und Radha zum Inhalt hat. BILD S. 398

indischer Tanz

Bharata Natya ist unter den klassischen Tänzen die heute noch verbreitetste Form. Sie umfasst Tanz, einschließlich Mimik und Gestik, Schauspiel, Poesie, Musik und prunkvolle Kleidung und gliedert sich in Solotanz, Gruppentanz und Tanztheater. Seine Blütezeit erlebte der klassische indische Tanz vom 6. Jahrhundert an, als in Südindien unter den Pallava- und Cola-Königen riesige Tempelanlagen entstanden, für deren Feierlichkeiten und Riten eine ständig steigende Zahl von Tempeltänzerinnen benötigt wurde. So gehörten zu dem berühmten Rajarajesvara-Tempel in Thanjavur 400 Tänzerinnen.

Das bis heute übliche Repertoire des Solotanzes setzt sich aus einer sechsteiligen, dramaturgisch sehr wirkungsvoll aufgebauten Grundform zusammen. Sie zeigt ein ausgewogenes Verhältnis zwischen Nritta (rein technischer, abstrakter Tanz mit komplizierter Fußarbeit und grazilen Bewegungen aller Glieder), Nritya (eine konkrete Handlung darstellender Ausdruckstanz) und Freiraum für Improvisationen.

📖 BALDISSERA, F. u. MICHAELS, A.: *Der i. T. Köln 1988.*

indische Schriften, mit Ausnahme der ältesten i. S., der noch nicht entzifferten Indusschrift, und

indischer Tanz: geschmückte Tänzerin, Sandsteinrelief in einem Höhlentempel in Karla (1. Jh. n. Chr.)

der linksläufigen Kharoshthischrift (250 v. Chr. bis etwa 400 n. Chr.) gehen alle i. S. auf die in der ersten Hälfte des 1. Jt. v. Chr. entstandene rechtsläufige **Brahmischrift** zurück, die bei den Inschriften Aschokas Verwendung fand. Die aus der vielleicht unter phönik. Einfluss entstandenen Brahmischrift entwickelten Alphabete sind rechtsläufige Silbenschriften; jede Schrift kennt Zeichen für Vokale und Konsonanten sowie Zusatzzeichen, z. B. für Vokallosigkeit oder Nasalierung. Sie werden in eine nördl. und eine südl. Gruppe aufgeteilt: Erstere basiert auf dem Guptaalphabet; die wichtigste Schrift ist die **Devanagari** (entstanden seit etwa 700 n. Chr., bis ins 17. Jh. n. Chr. als Nagari bezeichnet), in der klass. Sanskrittexte sowie u. a.

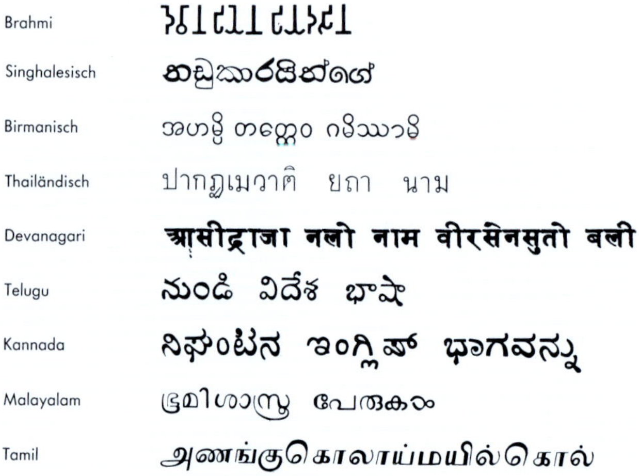

indische Schriften

Hindi und Marathi geschrieben werden. Zu nennen sind ferner das Bengali- und Oriyaalphabet, die für das Panjabi verwendete Gurmukhischrift und die Schrift des Gujarati. Zur südl. Gruppe, die von der Granthaschrift für das hl. Buch der Sikhs ausgeht, gehören Kannada- und die sehr ähnl. Teluguschrift, Malayalam-, Tamil- sowie die Palischrift, die die Schriftsysteme in Sri Lanka (singhales. Schrift), Birma und Thailand ebenso wie die altjavan. Kawischrift u. a. histor. indones. Schriften geprägt hat.

🕮 HINÜBER, O. VON: *Der Beginn der Schrift u. frühe Schriftlichkeit in Indien. Stuttgart 1990.*

indische Sprachen, die Sprachen des ind. Subkontinents, die auf mehr als 1500 Einzelsprachen geschätzt werden. Diese Vielzahl gliedert sich in 15 regional gebundene Hauptsprachen. Am weitesten verbreitet ist die Familie der **indoarischen Sprachen.** Nach dem Schrifttum der um die Mitte des 2. Jt. v. Chr. nach Indien eingewanderten Arier wird ihre Sprache Vedisch oder vedisches Sanskrit genannt. Daraus entwickelte sich das klass. Sanskrit und als Umgangssprache das in viele Dialekte gegliederte Mittelindisch, das Prakrit. Als Literatursprache der Buddhisten entstand das Pali. Spätmittelindisch ist das Apabhransha. Seine zahlreichen Dialekte stellen den Übergang zu den neuind. Sprachen dar. Dazu zählen die Amtssprache Hindi sowie die Regionalsprachen Assami, Bengali, Gujarati, Marathi, Oriya, Panjabi, Sindhi, Urdu, das Amtsprache in Pakistan ist, und Singhalesisch. Die zweitgrößte Sprachgruppe bilden die **dravidischen Sprachen.** Die Völker mit dravid. Sprachen müssen schon vor den Indogermanen (etwa 3000 v. Chr.) in Indien eingewandert sein. Die bekannteste Sprache ist das Tamil, zu den süddravid. Sprachen gehören ferner Malayalam und Kannada sowie die Kleinsprachen Tulu, Kodagu, Kota und Toda. Als norddravid. Restsprachen sind Brahui, Oraon und Malto zu nennen, das Zentraldravidische umfasst die Regionalsprache Telugu sowie die Kleinsprachen Condi, Kui, Kuwi, Kolami, Naiki, Ollari, Gadba und Parji. Außerdem gibt es in Indien weit über 100 Idiome, die anderen Sprachgruppen zuzuordnen sind, so den →Mundasprachen (in Bihar, Orissa, Madhya Pradesh), den indoar. dardischen Sprachen (neben der Regionalsprache Kaschmiri die Kafirsprachen, von den Nuristani gesprochen), den iran. Sprachen (mit Paschtu) und den tibetobirman. Sprachen (das Tibetische mit Lhoke und Kagate; die Himalajasprachen wie Nevari, Gurung, Sunwar, Lepcha, Limbu, die Assamsprachen mit den Bodo-, den Naga- und den Kuki-Chin-Sprachen), die zu den →sinotibet. Sprachen zählen.

🕮 ZOGRAPH, G. A.: *Die Sprachen Südasiens. A. d. Russ. Leipzig 1982.*

indisches Theater. Schon in seiner frühesten Form haben sich Dichtung, Musik, Gesang und Tanz sowie Elemente aus Schattenspiel und Pantomime verbunden. Lehrbuch des klass. i. T. ist das in den ältesten Teilen wohl aus dem 1. Jh. n. Chr. stammende »Natyashastra« des Bharata; danach sind die Haupttypen des i. T., das keine Tragödien kennt, das Nataka (»Tanzspiel«) mit Stoffen aus den Epen »Mahabharata« und »Ramayana« bzw. das Prakarana mit nichttraditionellen Stoffen, das Prahasana (»Komödie«) und das monolog. Bhana. Die ältesten erhaltenen Dramen sind die Fragmente des Buddhisten Ashvaghosha (1. Jh. n. Chr.). Einer der bed. Dramatiker in der Folgezeit war Kalidasa. Die klass. Periode endet mit den Dramen des Bhavabhuti im 7./8. Jh. Das traditionelle i. T., dessen Sprache Sanskrit und in einigen Fällen auch Prakrit ist, ist bis heute lebendig.

Indium *das,* Symbol **In,** seltenes metall. Element aus der 3. Hauptgruppe des Periodensystems; Ordnungszahl 49, relative Atommasse 114,82, Dichte 7,30 g/cm^3, Schmelzpunkt 156,61 °C, Siedepunkt 2080 °C. – Das silberweiße I. kommt spurenweise in allen Zinkblenden und in anderen oxid. und sulfid. Schwermetallmineralen vor. Es ist wachsweich, sehr dehnbar und wird für niedrig schmelzende Legierungen, metall. Kitt- und Klebmassen, Glasfarben, elektr. Kontakte u. a. verwendet. Verbindungen wie I.-Antimonid, I.-Arsenid, I.-Phosphid werden in der Halbleitertechnik eingesetzt, auch als Korrosionsschutz und Legierungszusatz.

Individualismus [lat.] *der,* Auffassung, die die Interessen, Bedürfnisse und Rechte des einzelnen Menschen gegenüber seiner Gleichstellung mit anderen hervorhebt (Ggs.: Kollektivismus und →Universalismus). Der I. als sozialphilosoph. Lehre erklärt die Gesellschaft als bloße Summe der Beziehungen zw. Einzelnen. Die Geschichte werde im Wesentlichen von Einzelpersonen getragen und vorangetrieben. In der Ethik **(Individualethik)** meint I., dass die freie Entfaltung der Einzelpersönlichkeit den Sinn des Gemeinschaftslebens ausmache und daher die Norm für dessen Gestaltung zu bilden habe.

Individualpsychologie, i. w. S. die sich mit dem Menschen als Einzelwesen befassende Psychologie, im Ggs. zur Sozialpsychologie. I. e. S. die von A. Adler begr. Richtung der Tiefenpsychologie, nach der die menschl. Grundantriebe das Streben nach Überlegenheit, Macht und Geltung sowie nach Entfaltung des Gemeinschaftsgefühls sind. Beeinträchtigungen (z. B. soziale Benachteiligung) können zu »Minderwertigkeitskomplexen« und zu Versuchen ihrer →Kompensation oder →Überkompensation führen.

Individuation [lat.] *die,* **1)** *Philosophie:* die Sonderung des Allgemeinen (Idee, Begriff) in Einzelnes, z. B. der Weltsubstanz in Einzeldinge. Als ihre Prinzipien, die ein Individuum konstituieren und von anderen unterscheiden (principium individuationis), kennt die Philosophie u. a. Raum, Zeit und Materie.

2) *Psychologie:* bei C. G. Jung die Entwicklung von der bewusstseinszentrierten Ich-Einstellung zum reiferen »Selbst«.

individuell, für den Einzelnen bestimmt, ihn betreffend, ihm eigentümlich.

individuelle Mythologie, auf der documenta 5 (1972) erstmals präsentierte Richtung der zeitgenöss. Kunst, in der Künstler ihre myth. Vorstellungen (aus Traum, Erinnerung, myth. Überlieferung usw.) in eine symbolisierende Zeichensprache umsetzen. Vertreter sind u. a. Anne und Patrick Poirier und Jochen Gerz.

Individuum [lat. »Unteilbares«, Lehnübersetzung von grch. átomon »Unteilbares«, »Atom«] *das,* **1)** *allg.:* das Einzelexemplar; das Einzelwesen, bes. der einzelne Mensch im Ggs. zur Gesellschaft, der einzelne Mensch in seiner Besonderheit.

2) *Logik:* dasjenige, worauf sich ein Prädikat bezieht oder ein Attribut zutrifft, das aber selbst kein Prädikat (Attribut) ist.

Indiz [lat. indicium »Anzeichen«] *das, Recht:* im Prozess eine erwiesene Tatsache, aus der in Schlussfolgerung der Beweis für eine andere, nicht unmittelbar beweisbare Tatsache abgeleitet wird (Indizienbeweis).

Indizes [Pl. von Index], *Kristallographie:* →millersche Indizes.

indoarische Sprachen, →indische Sprachen, →indogermanische Sprachen.

Indochina (Französisch-Indochina), die 1887 von Frankreich errichtete Union zw. Annam, Kambodscha, Cochinchina und Tongking (seit 1893 auch Laos). Nach der Unterdrückung bürgerlich-nationalist. Kräfte (Aufstand in Tongking 1930) gewann die von →Ho Chi Minh 1930 gegr. KP I., bes. nach der Niederlage Frankreichs im 2. Weltkrieg, an Boden. Seit 1940 in Tongking, besetzten die Japaner Anfang 1945 ganz I. Nach dem militär. Zusammenbruch Japans (Aug. 1945) rief Ho Chi Minh an der Spitze der →Vietminh die Rep. →Vietnam aus, geriet jedoch in Konflikt mit den nach I. zurückgekehrten Franzosen. Seit Ende 1946 führten die Vietminh einen Guerillakrieg gegen die frz. Kolonialtruppen **(I.-Krieg).** 1949 löste die frz. Regierung die Union von I. auf und gewährte Kambodscha, Laos und Vietnam (Annam, Cochinchina, Tongking) im Rahmen der Frz. Union die Unabhängigkeit. Nach der Niederlage von →Dien Bien Phu zog sich Frankreich 1954 (→Genfer Konferenzen) aus I. zurück.

indo|europäische Sprachen, →indogermanische Sprachen.

Indogermanen (Indoeuropäer), 1823 geprägte Gesamtbez. für die Völker mit indogerman. Sprachen; i.e.S. die Bevölkerungsgruppe, die als Träger der sprachwiss. erschlossenen indogerman. Grund- oder Ursprache angesetzt wird. Aus dem gemeinsamen Wortschatz der Einzelvölker hat die indogerman. Altertumskunde eine Grundkultur erschlossen, deren Wirtschaftsbasis neben dem Ackerbau v.a. die Viehzucht bildete. Die Gesellschaftsordnung beruhte auf der vaterrechtlich organisierten Großfamilie, die in der Siedlungsgemeinschaft (»teuta«) ihre polit. Einheit fand. Indogermanistik, Vorgeschichte und Anthropologie haben sich mit der Frage nach »Urheimat« und »Rasse« der I. beschäftigt. Lange Zeit betrachtete man Zentralasien als Herkunftsgebiet; später wurden O-Europa sowie Mittel- und N-Europa als Kernbereiche angesehen. Die an bestimmte jungsteinzeitl. Kulturgruppen (Bandkeramik, Megalithkultur, Schnurkeramik) anknüpfenden Hypothesen, die I. seien Träger der Grundkultur gewesen, sind inzwischen überholt, weil die ihnen zugrunde liegende Volks- und Stammesauffassung eine untrennbare Einheit von Sprache, Rasse und Kultur zur Voraussetzung hatte. Neuere Theorien sehen Ost- und Mitteleuropa als Entstehungsgebiet an; daneben besteht die Ansicht einer »doppelten Urheimat«: Von einem östlich gelegenen Zentrum aus hätten sich die noch ungeteilten I. nach Westen vorgeschoben und von hier aus verteilt. Archäologisch betrachtet, konzentriert sich die Expansionsphase auf die Streitaxtkulturen, deren Träger überwiegend zum europiden Rassenkreis gehören.

📖 KILIAN, L.: *Zum Ursprung der I. Bonn* ^{2}*1988.* – MEID, W.: *Archäologie u. Sprachwissenschaft. Innsbruck 1989.*

indogermanische Sprachen (indoeuropäische Sprachen), Sprachfamilie, die schon zu Beginn der geschichtl. Überlieferung über ganz Europa und große Teile Vorderasiens und Vorderindiens verbreitet war. In der Neuzeit dehnte sie ihr Gebiet über die anderen Erdteile aus. Die i. S. zeigen in Laut- und Formenstruktur, in Syntax und Wortschatz so viele Übereinstimmungen, dass sie sich alle als genetisch verwandt und als Fortsetzer einer gemeinsamen, rekonstruierten Grundsprache (»Indogermanisch«) erweisen. Allerdings steht der Ansicht von einer einheitlichen Grundsprache heute die Auffassung des Indogermanischen als einer Verschmelzung zweier Komponenten gegenüber (Mischsprachentheorie). Im Einzelnen umfasst die Familie folgende Sprachgruppen: 1. die indoar. Sprachen; 2. die iran. Sprachen; 3. die Kafirsprachen; diese drei Gruppen werden zusammen häufig als indoiran. oder arische Sprachen bezeichnet; 4. die armen. Sprache; 5. das sog. Tocharische; 6. die hethitisch-luw. Sprachen; 7. das Phrygische; 8. das Thrakische und das Dakische; 9. die grch. Sprache; 10. die alban. Sprache; 11. das Illyrische; 12. die italischen Sprachen; 13. die kelt. Sprachen; 14. die german. Sprachen; 15. die slaw. Sprachen; 16. die balt. Sprachen.

Die Gemeinsamkeiten von möglichst vielen historisch bezeugten Einzelsprachen und die Erkenntnis von regelmäßigen Lautentsprechungen (Lautgesetzen) ermöglichen zugleich die teilweise Rekonstruktion von Wörtern einer zugrunde liegenden gemeinsamen indogerman. Grundsprache (Stammbaumtheorie). Diese ältere Ansicht wird ergänzt durch die Erkenntnis eines ständigen wechselseitigen Austauschs mit wellenförmiger Ausbreitung der sprachl. Neuerungen (Wellentheorie) und bei wachsender Entfernung zunehmenden Dialektunterschieden (Theorie der schiefen Ebene). Diese Grundsprache ist flektierend (und demzufolge sind alle i. S. primär flektierend) und zeigt als auffälliges Charakteristikum das System des Ablauts. Viele Einzelsprachen sind nur aus schriftl. Aufzeichnungen bzw. durch indirekten Nachweis aus Lehnwörtern rekonstruiert worden. Für die Gliederung des gesamten indogerman. Sprachgebiets spielte in der Forschung die Trennung der i. S. in Kentumsprachen und Satemsprachen eine Rolle (entsprechend der jeweiligen Wiedergabe des palatalen k der erschlossenen indogerman. Grundsprache als Verschlusslaut – in den Kentumsprachen – oder als Zischlaut – in den Satemsprachen); sie verliert jedoch immer mehr an Bedeutung gegenüber der Gliederung in westindogerman. (Keltisch, Italisch, Germanisch) und ostindogerman. Sprachen (Indoiranisch, Baltisch, Slawisch, Griechisch, Armenisch).

📖 LOCKWOOD, W. B.: *Überblick über die i. S. A.d. Engl. Tübingen 1979.*

Indogermanistik, Zweig der histor. Sprachwiss., der sich mit der vergleichenden Erforschung der →indogermanischen Sprachen befasst.

Indoktrination [lat.] *die,* Beeinflussung im Sinne einer bestimmten polit. oder weltanschaul. Doktrin.

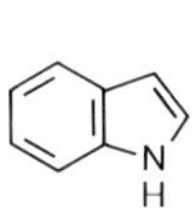

Indol

Indol *das* (Benzopyrrol), bizykl. heterozykl. Verbindung, die in Steinkohlenteer, Jasmin- und Orangenblütenöl sowie in Fäkalien vorkommt.

Indologie *die,* Wiss. von Sprachen, Literaturen, Religionen, Philosophie, Archäologie, Kunst, Kultur und Geschichte Indiens. Die wiss. I. begann mit der Gründung der Asiatic Society (1784) durch W. Jones in Kalkutta.

Indonesien (amtlich Bahasa Indonesia Rep. Indonesia; dt. Rep. I.), Inselstaat in SO-Asien, beiderseits des Äquators, umfasst den Hauptteil des Malaiischen Archipels (Borneo nur zum Teil) mit

Indonesien

Fläche: 1 919 588 km²
Einwohner: (1995) 197,59 Mio.
Hauptstadt: Jakarta
Verwaltungsgliederung: 24 Prov. und 3 Sonderbezirke
Amtssprache: Bahasa Indonesia
Nationalfeiertag: 17. 8.
Währung: 1 Rupiah (Rp.) = 100 Sen (s)
Zeitzone: (von W nach O) MEZ +6 (Jakarta), +7 bzw. +8 Std.

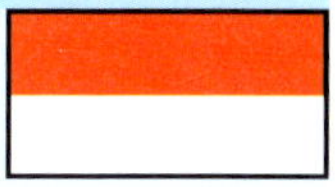

insgesamt 13 677 Inseln, davon 6 044 bewohnt; Territorialgewässer: 3 272 160 km². Landgrenzen bestehen auf Borneo gegen Malaysia und auf Neuguinea gegen Papua-Neuguinea.

Staat und Recht: Nach der Verf. von 1945 (1969 ergänzt) ist I. eine Rep. mit Präsidialregime. Staatsoberhaupt, Reg.chef und Oberbefehlshaber der Streitkräfte ist der mit weitgehenden Befugnissen ausgestattete Präs. (auf fünf Jahre indirekt gewählt). Formell höchstes Verf.organ ist der Beratende Volkskongress mit 1 000 Mitgl., der sich je zur Hälfte aus Abg. des Parlaments und aus gewählten bzw. vom Präs. ernannten Vertretern der Parteien, der Berufsstände (funktionelle Gruppen), der Streitkräfte und der Provinzen zusammensetzt. In seine Kompetenz fallen: Präs.wahl, Richtlinien der Politik, Verf.änderungen. Die Legislative liegt beim Präs. und beim Repräsentantenhaus (400 auf fünf Jahre gewählte und 100 vom Präs. ernannte Abg.). Einflussreichste Parteien: Golkar-Partei, islam. Vereinigte Entwicklungspartei (PPP) und Demokrat. Partei I. (PDI). – I. ist verwaltungsmäßig in 24 Prov. und drei Sondergebiete gegliedert. Gegen den Willen der internat. Staatengemeinschaft hält I. Ost-Timor (indones. Timor Timur) besetzt und beansprucht es als 24. Provinz.

Landesnatur: I. umfasst den größten Teil des →Malaiischen Archipels mit den Großen Sundainseln Java, Sumatra, Borneo (Kalimantan; außer dem NW), Celebes (Sulawesi), den Kleinen Sundainseln (Bali, Lombok, Sumbawa, Flores, Sumba, Alorinseln, Roti, Timor), den Molukken (Morotai, Halmahera, Ternate, Tidore, Bacaninseln, Buru, Ambon, Ceram, Kai-, Tanimbar-, Aruinseln) sowie Irian Jaya, den W-Teil Neuguineas. Die Inseln sind aus steil aufragenden Faltengebirgen aufgebaut; über 200 Vulkane, rd. 70 tätig (u. a. Krakatau). Die höchste Erhebung wird im vergletscherten Zentralgebirge Neuguineas (in Irian Jaya), im Gunung Jaya mit 5 033 m ü. M. erreicht. Weite Schwemmlandebenen finden sich in O-Sumatra, S-Borneo und N-Java. Auf Sumatra, W-Java, Borneo, Celebes, den Molukken und in Irian Jaya herrscht trop.-immerfeuchtes Klima (Jahresniederschläge 3 000–4 000 mm, in den Gebirgen z. T. über 6 000 mm), auf dem übrigen Java, den Kleinen Sundainseln und bis zu den Aruinseln trop.-monsunales Klima (2 000–3 000 mm). Trop. Regenwald bedeckte urspr. über 60 % der Landesfläche. Infolge ungehemmten Holzeinschlages in den letzten zwei Jahrzehnten sowie z. T. durch verheerende Waldbrände sind diese regional schon ganz verdrängt (auf Java) und kaum zu nutzenden Alang-Alang-Grasfluren gewichen. In höheren Lagen gehen die Regenwälder in Nebelwälder über. In den Tiefebenen O-Sumatras, Borneos und Irian Jayas sind ausgedehnte Moor- und Sumpfwälder (mit Sagopalmen) verbreitet, an den Küsten oft Mangrove. Die Flüsse werden z. T. zur Stromerzeugung und Bewässerung genutzt. Größter Binnensee: Tobasee auf N-Sumatra.

Bevölkerung: Die Bev. besteht überwiegend aus Indonesiern, ferner Papua (in Irian Jaya), Chinesen; insgesamt rd. 360 Ethnien; mehr als 250 Regionalsprachen. Etwa 60 % der Bev. leben auf Java und Madura auf nur 7 % der Staatsfläche. Die Überbev. (jährl. Bev.-Wachstum 1,6 %) v. a. auf Java hat bereits seit 1905 zu staatlich gelenkter Umsiedlung (Transmigrasi) auf benachbarte Inseln geführt (1979–86 etwa 4,5 Mio. Personen). Die städt. Bev. hat durch Landflucht stark zugenommen (1991: 31,4 % in Städten). I. hat sechs Millionenstädte: Jakarta, Surabaya, Bandung, Medan, Palembang, Semarang. – Es besteht eine sechsjährige allg. Schulpflicht; Analphabetenquote knapp 25 %. Neben rd. 50 staatl. Univ. bestehen mehrere private Universitäten. – Der mehrheitlich sunnit. Islam ist die vorherrschende Religion (87 %), 9,6 % sind Christen (meist evang.; in Ost-Timor überwiegend kath.), rd. 1,8 % Hindus (in Bali 90 %), 0,4 % sind Buddhisten und Konfuzianer (Chinesen). Einheim. Stammesreligionen haben sich bis heute behauptet, u. a. bei den Batak.

Wirtschaft, Verkehr: Obwohl I. zu den an Bodenschätzen reichsten Ländern der Erde gehört, ist

Staatswappen

RI

Internationales Kfz-Kennzeichen

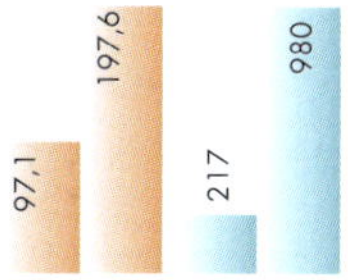

Bevölkerung (in Mio.)
Bruttosozialprodukt je Ew. (in US-$)

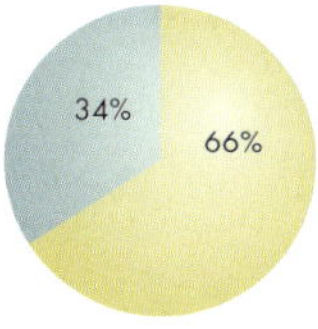

Bevölkerungsverteilung 1994

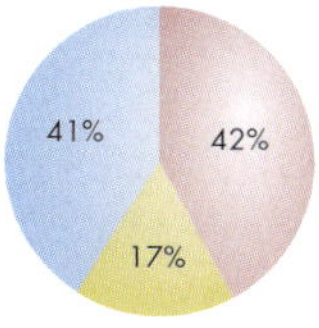

Bruttoinlandsprodukt 1994

Indonesien: Häuser der Toraja im zentralen Gebirgsland von Celebes

der Agrarsektor strukturbestimmend; in ihm arbeiten 50% der Erwerbstätigen. Hauptanbauprodukt ist Reis. Von den Bergvölkern wird Brandrodungswanderfeldbau betrieben. In den Plantagen werden v.a. Kautschuk, Tee, Kaffee, Ölpalmprodukte, Kopra, Zuckerrohr und Chinarinde erzeugt. Für die einheim. Versorgung sind neben Reis auch Maniok, Mais und Gemüse bes. wichtig. Die Viehzucht ist im Ggs. zur Fischerei unbedeutend. Seit 1985 besteht ein Exportverbot für unbearbeitetes Holz, um den extensiven Kahlschlag von Edelhölzern einzudämmen. – Hauptfördergebiete von Erdöl und Erdgas sind Sumatra, Borneo und Irian Jaya. Das geförderte Erdgas wird größtenteils in Flüssiggas (weltweit größter Exporteur) umgewandelt. Steinkohlenbergbau auf Sumatra, in Irian Jaya und auf Timor Abbau von Kupfererzen, auf Bangka und Belitung von Zinnerzen (weltweit 2. Platz), auf Bintan und Borneo von Bauxit sowie auf Celebes von Nickel (4. Platz). Die Ind. (15% der Erwerbstätigen) umfasst Tabakverarbeitung, Kautschukaufbereitung, Zuckerfabriken u.a. landwirtsch. Produkte verarbeitende Betriebe, ferner Erdölraffinerien, Papierfabriken, Textil-, Gummi- und chem. Werke. Daneben besteht ein umfangreiches tradtionelles Kleingewerbe (Weberei, Färberei, Flechterei, Gold- und Silberschmiedearbeiten u.a. Kunsthandwerk). Hauptziele des Tourismus sind Java und Bali. Hauptausfuhrgüter: Erdöl und Erdgas (40%), Zinn, Kautschuk, Palmöl, Kaffee, Tee, Holzprodukte, Zinn, Textilien. Haupthandelspartner: Japan, die USA, die EG-Länder, Singapur, Australien. – Das Eisenbahnnetz umfasst 4967 km (Java, Madura, Sumatra), das Straßennetz 219000 km, davon sind 61% asphaltiert. Für die Verbindung der weit verstreuten Inseln sind Küstenschifffahrt und Luftverkehr von großer Bedeutung. Hauptseehäfen: Tanjung Priok (Sumatra), Surabaya, Semarang, Belawan Panjang, Palembang und Ujung Pandang. 10 internat. Flughäfen, v.a. Jakarta, Medan (Sumatra), Denpasar (Bali); Fluggesellschaft: Garuda Indonesian Airways (GIA).

Geschichte: Älteste Zeugnisse menschl. Lebens in I. sind die Skelettfunde von Trinil, Sangiran und Mjokerto auf O-Java, die der Art Homo erectus zugeordnet werden, die der Entdecker E. Dubois 1890/91 als »Pithecanthropus« bezeichnete. Altsteinzeitl. Funde auf Sumatra, Borneo und Celebes lassen Zusammenhänge mit Hinterindien vermuten. Im 3./2. Jt. v. Chr. wanderten wohl aus Hinterindien palämongolide Völker auf den Archipel ein. Nachweisbar ist die hoch stehende Dongsonkultur, mit der im 1. Jt. v. Chr. die Technik der Bronze- und Eisenbearbeitung nach I. kam.

In den ersten Jahrhunderten n. Chr. entstanden auf Sumatra, Java und Borneo kleine Königreiche unter dem Einfluss der ind. Kultur. Das im 7. Jh. in O-Sumatra gegründete Großreich Srividjaja mit dem Zentrum Palembang dehnte seine Macht über

Indonesien - Wirtschaft

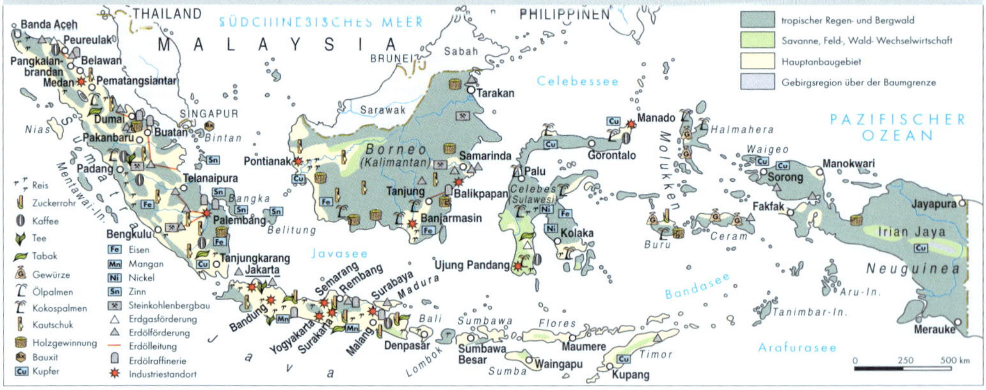

den gesamten Archipel und einen Teil der Malaiischen Halbinsel aus und kontrollierte die Handelswege zw. Indien und China (bes. die Straße von Malakka). Unter der seit dem 8. Jh. auf Zentraljava herrschenden Dynastie der Shailendra, die Anhänger des Mahajana-Buddhismus war, entstanden zahlr. Kultbauten (u. a. Tempel von Borobudur). 1377 wurde Srividjaja von dem auf Java gebildeten mächtigen Reich Majapahit (1293 bis um 1520) erobert, dessen Einfluss sich schließlich über den größten Teil des heutigen I.s erstreckte. Seinen Untergang verursachten v. a. der rasche Aufstieg Malakkas zum führenden Handelszentrum SO-Asiens (seit etwa 1400) und die Gründung islam. Sultanate: Demak (1518), Bantam (1552) und Mataram (1586). Die Portugiesen eroberten 1511 Malakka und errichteten Handelsniederlassungen auf N-Sumatra, Timor und den Molukken, wurden jedoch im 17. Jh. weitgehend von den Niederländern verdrängt (mit Ausnahme von Ost-Timor). Die 1602 gegründete niederländ. Vereinigte Ostind. Kompanie schuf die Grundlage für das niederländ. Kolonialreich in Indonesien. Nach Auflösung der Kompanie (1799) übernahm die niederländ. Reg. ihre Besitzungen. Im 19. Jh. festigte sich die niederländ. Herrschaft (Niederländisch-Indien), doch kam es immer wieder zu Aufständen einheim. Fürsten und langen Kriegen.

Seit Beginn des 20. Jh. entwickelte sich eine indones. Nationalbewegung; die ersten polit. Parteien entstanden (1911: Sarekat Islam Indonesia, 1920 die Kommunist. Partei I., Abk. PKI). 1927 gründete A. Sukarno die Nationalpartei I.s, die 1931 in der Indones. Partei aufging. 1942–45 war Niederländisch-Indien von japan. Truppen besetzt. Während sich die nationalist. Kräfte um A. Sukarno und M. Hatta für eine Zusammenarbeit mit den Japanern entschieden, gingen die Kommunisten in den Untergrund. Am 17. 8. 1945 riefen Sukarno und Hatta die unabhängige Rep. I. aus. Die nach dem Krieg 1945 zurückgekehrten Niederländer versuchten, ihre Herrschaft wieder aufzurichten (zwei militär. Aktionen im Juli 1947 und Dez. 1948); auf der Konferenz von Den Haag (Aug.–Nov. 1949) traten sie jedoch mit Wirkung vom 27. 12. 1949 ihre Souveränität über alle Inseln Niederländisch-Indiens (mit Ausnahme West-Neuguineas) an die zu den »Vereinigten Staaten von I.« umgebildete Rep. ab. Sukarno, bereits seit 1945 provisor. Staatsoberhaupt, übernahm 1949 offiziell als Staatspräs. die Führung I.s, das noch bis 1954 in Personalunion mit der niederländ. Krone verbunden blieb. Ein stark ausgeprägter Regionalismus und wirtsch. Aufbauprobleme, die sich nach der Enteignung niederländ. Unternehmen (1958) noch verstärkten, stellten die Einheit des Landes infrage und führten 1957/58 zu mehreren Aufständen (u. a. auf Celebes, Sumatra). 1959 setzte Sukarno die Verf. von 1945 wieder in Kraft und ging zu der von ihm bereits 1957 verkündeten Politik der »gelenkten Demokratie« über. 1960 löste er das Parlament auf, bildete eine neue, seinen antiwestl. Kurs unterstützende Versammlung (unter Einschluss der Kommunisten) und verbot die Oppositionsparteien.

Indonesien: Reisterrassen auf Java

Außenpolitisch entwickelte sich I. (seit 1950 Mitgl. der UN, 1965/66 zeitweiliger Austritt) auf der Grundlage der Blockfreiheit zu einem führenden Staat der Dritten Welt (→ Bandungkonferenz). Seit Ende der 50er-Jahre lehnte es sich stärker an China an. 1963 übertrugen die Niederlande ihre Hoheit über West-Neuguinea (heute Irian Jaya) auf Indonesien. Der 1963 gegründeten Föderation Malaysia begegnete I. bis 1966 mit einer Politik der »Konfrontation« (einschl. militär. Aktionen). 1965 wurde ein kommunist. Putschversuch in I. von der Armee unter General Suharto niedergeschlagen; eine blutige Verfolgung der Kommunisten (1966 Verbot der PKI) und der chines. Minderheit schloss sich an. Sukarno musste allmählich seine Machtbefugnisse an Suharto abtreten, den der Volkskongress 1968 zum Präs. der Rep. wählte. 1967 gehörte I. zu den Gründungsmitgl. der ASEAN. 1975 besetzten indones. Truppen den ehem. portugies. Teil von → Timor, der unter starkem Widerstand der einheim. Bev. 1976 I. angegliedert wurde. Ein durch indones. Militär im Nov. 1991 dort verübtes Massaker löste harte internat. Kritik aus (u. a. 1992 Einstellung der Entwicklungshilfe durch die ehem. Kolonialmacht Niederlande). Innenpolit. Konfliktstoff entstand seit den 80er-Jahren durch das Wirken islamisch-fundamentalist. Gruppen. Präs. Suharto schränkte daraufhin die Tätigkeit der polit. Opposition ein; zugleich betrieb er eine erfolgreiche Wirtschaftspolitik. Seit den Parlamentswahlen von 1971 erlangte die Regierungspartei Golkar (zuletzt 1997) die deutl. Mehrheit der Mandate. Massenproteste und blutige Unruhen im Gefolge einer schweren Wirtschaftskrise zwangen Suharto nach mehr als 30 Jahren diktator. Herrschaft im Mai 1998 zum Rücktritt; sein Amtsnachfolger wurde Vizepräs. B. J. Habibie, der vorsichtige Reformen einleitete (im Juni 1999 erste freie Parlamentswahlen seit 1955). Im Mai 1999 stimmte I. einem Referendum auf Ost-Timor über dessen künftigen Status zu.

🕮 HELFRITZ, H.: *I. Ein Reisebegleiter nach Java, Sumatra, Bali u. Sulawesi (Celebes). Köln [6]1988.* – RAMAGE, D. E.: *Politics in Indonesia. London 1995, Nachdr. ebd. 1996.*

Indonesiler, 1) die Bev. der Rep. Indonesien.

2) (früher Malaien), die autochthone Bev. der Inselwelt SO-Asiens, deren Kulturen eine deutl. Prägung durch die indones. Grundkultur aufweisen. Diese entstand im 2. Jt. v. Chr. und dominierte schließlich die der Batak, Dayak, Toraja, Nias und Filipinos. Wesentl. Züge der lokal versch. indones. Grundkultur sind: Feldbau (mit Pflanzstock), Schweinehaltung, Jagd, Fischfang; Pfahlbauten in dichten Siedlungen; Bearbeitung von Holz, bes. Bambus, Fasern, Garnen, Ton, Stein und Metallen. Typisch sind: Ahnen- und Totenkult. Seit der Zeitenwende traten ind., chines. und persisch-arab. Einflüsse hinzu, und es bildete sich die durch Handel und höfischem Leben geprägte Küstenkultur aus (Java, Bali, Malakka), die seit Ende des 13. Jh. starkem islam. Einfluss unterlag. Diese Kultur wurde auf Java bes. seit 1800 von den Europäern zerstört, lebt aber z. T. auf Bali fort.

indonesische Kunst: Geflügelter Löwe aus Südbali, bemaltes Schnitzwerk mit Schmucksteinen, Höhe 55 cm (um 1850; München, Staatliches Museum für Völkerkunde)

indonesische Kunst. Die Kunst der →Indonesier 2) bezeugt im Wesentlichen den Seelen-, Ahnen- und Totenkult (Holz-, Textil- und Metallarbeiten mit entsprechenden Motiven und Symbolen). Teile Indonesiens, bes. Java und Bali, Sumatra und Celebes, kamen bereits in den ersten Jahrhunderten n. Chr. mit Strömungen der ind. Kultur in Berührung. Früheste erhaltene künstler. Zeugnisse sind Bronzefiguren des Buddha aus dem 5./6. Jh. im Stil der Guptakunst.

Indojavanische Kunst: Die Kunst Javas etwa zw. dem 7. und 15. Jh. wird als indojavanisch oder hindubuddhistisch bezeichnet, weil sie inhaltlich von den ind. Religionen geprägt ist. Stilistisch zunächst von den ind. Kunstschulen der Gupta-, Pallava- und Palazeit beeinflusst, entwickelte sie seit dem 9. Jh. starke eigenständige Züge. Hauptwerke der zentral- oder mitteljavan. Periode (750 bis 900; ben. nach der Residenz der Herrscher im Zentrum der Insel) sind v. a. die shivaist. Tempel auf dem Diengplateau, die hinduist. Tempelanlage Prambanan (9./10. Jh.) und die buddhist. Tempel →Borobudur (um 800). Es sind v. a. Bauten mit mehrfach terrassiertem Sockel, Cella und pyramidenförmigem Dach. Im 10. Jh. wurde der Osten Javas zum polit. und kulturellen Zentrum. Im 13. Jh. entstanden hier die Reiche Singhasari und Madjapahit. Als bedeutendste Tempel der Singhasarizeit (1222 bis 1293) sind die von Kidal, Jago und Singhasari hervorzuheben. Der reiche Reliefschmuck lässt stilist. Nähe zu den Schattenspielfiguren des Wayang erkennen. Aus der Madjapahitzeit (1293 bis etwa 1520) sind wenige Tempel erhalten geblieben, da nun Ziegel und Holz die vorherrschenden Baumaterialien waren (in Panataran noch Reste steinerner Tempel; vollständig restauriert wurde der »Jahreszahlentempel« [1369]). Charakteristisch für die ostjavan. Periode ist die extrem enge Verbindung von Shivaismus und Buddhismus. Der Ahnenkult gewann nun größere Bedeutung, die königl. Vorfahren wurden in den Bildern der Götter verehrt. Eine eigene Ausdrucksform javan. Kunstschaffens sind die Schattenspielfiguren, Stabpuppen, Masken und Rollbilder des Wayang, in dem sich autochthon-altjavan. und hindubuddhist. Elemente verbinden. Die Kunst des Islams auf Java (ab 16. Jh.) beschränkt sich, dem Bilderverbot gemäß, auf die Architektur, v. a. Moscheen, die in der Anfangszeit noch von javan. Formen geprägt sind.

Balinesische Kunst: Bali wurde im Ggs. zu Java nicht islamisiert, daher bewahrte die balines. Kunst sowohl präindojavan. als auch balinesisch-hinduist. Traditionen und Formen bis heute. Die größten Heiligtümer sind Pura Besakih am Südhang des Gunung Agung, die in den Felsen gehauenen »Königl. Gräber« bei Tampaksiring und die Elefantenhöhle (Goa Gajah) bei Bedulu. – Die Malerei und das Kunsthandwerk stehen ausnahmslos im Dienste der balines. Ausprägung des Hinduismus, vermischt mit alten Toten-, Ahnen- und Fruchtbarkeitskulten.

🕮 COOMARASWAMY, A. K.: *Geschichte der ind. u. indones. Kunst. Leipzig 1927, Nachdr. Stuttgart*

indonesische Kunst

1

2

3

1 Der Shiva-Tempel Jonggrang ist der Haupttempel der im 9./10. Jh. der Götterdreiheit Shiva, Brahma und Vishnu geweihten hinduistischen Tempelanlage Prambanan auf Zentraljava | 2 Rollbild eines Schattenspiels (Wayang), Malerei auf javanischem Papier (Leiden, Rijksmuseum voor Volkenkunde) | 3 Die weitläufige hinduistische Tempelstadt Pura Besakih, im 14. Jh. den Göttern Shiva, Brahma und Vishnu geweiht, ist heute das wichtigste Heiligtum auf Bali

1965. – Versunkene Königreiche Indonesiens, hg. v. A. *u.* E. EGGEBRECHT, *Ausst.-Kat. Roemer- u. Pelizaeus-Museum, Hildesheim. Mainz 1995.*

indonesische Literatur, sie umfasst i.e.S. die schriftlich fixierten Literaturen der indones. Hochkulturen, i.w.S. die fast ausschließlich mündlich überlieferte Volksliteratur. Den nach Indonesien (und der Halbinsel Malakka) einströmenden kulturschöpfer. Impulsen des Hinduismus und Buddhismus Indiens, des Islams und des Abendlandes entsprechen drei literar. Epochen:

Hinduistisch-javan. Literatur (8.–16. Jh.): Die eigentl. altjavan. Literatur erreichte ihre höchste Blüte zur Zeit der Königreiche von Kediri und Madjapahit mit ihren Nachschöpfungen der großen ind. Epen »Mahabharata« und »Ramayana«. In der Übergangsphase zur neujavan. Literatur entstand 1365 das »Nagara-Kertagama«, ein Lobgedicht auf König Hayam Wuruk.

Islamisch-malaiische Literatur (16.–19. Jh.): Durch den Islam fand die Märchen-, Sagen- und Fabelliteratur des arabisch-pers. Kulturkreises Eingang; zahlr. waren religiöse Schriften. Ihren Höhepunkt erreichte die malaiische Prosa mit der Historiographie und dem histor. Roman. Die Dichtung kannte die Versformen des Pantun und des Syair.

Moderne indones. Literatur: Sie begann mit der Proklamation des Malaiischen zur →Bahasa Indonesia (1928). Im sozialen Bereich fordern die Schriftsteller die Befreiung des Individuums aus den Bindungen überalterten Brauchtums. Einen ungebundenen revolutionären Stil vertrat die Literaturgruppe »Angkatan 45« (»Die Generation von 45«; Chairil Anwar), die von der »Angkatan 66« (»Die Generation von 66«; Taufig Ismail) mit ihrem Kampf für die von A. Sukarno unterdrückten Menschenrechte abgelöst wurde. Wichtige Schriftsteller der Moderne sind Rendra, Supardi Goko Damono, Putu Wijaya, Tuti Heraty, Pramoedya Ananta Toer.

📖 WINSTEDT, R. O.: *A history of classical Malay literature. Kuala Lumpur u. a. ²1969.* – TEEUW, A.: *Modern Indonesian literature, 2 Bde. Den Haag ²1979.*

indonesische Musik. Die i. M., verwandt mit der Musik Südostasiens und Indiens, ist hauptsächlich durch den Stil der Gamelanorchester geprägt

(→Gamelan), der auf Bali und Java eine besondere Ausbildung erfuhr. Verwendet werden zwei Tonskalen (Pelog, eine siebenstufige, und Slendro, eine fünfstufige Skala). Instrumente sind bes. Schlagspiele (Gongspiele, Metallophone, Xylophone), Einzelgongs, Flöten, Trommeln u.a. Sumatra und die umliegenden Inseln sind vom Islam und von der persisch-arab. Musik beeinflusst; die hier gebräuchl. Instrumente sind Zupflaute (Gambus), Rahmentrommel (Rebana), Holzschalmei (Serunai) und Spießlaute (Lagiya).

Indra

Indra, der Starke, ist der hervorragendste Gott der vedischen Zeit und wird in über 250 Hymnen des Rigveda gepriesen. Er war sehr volkstümlich, was die vielen Mythen bezeugen, die von ihm überliefert sind. Sein starker Arm hat den Menschen die höchsten Güter gebracht: Er besiegt die Dämonen der Dürre und Finsternis sowie die Dämonen, die den Menschen das befruchtende Wasser vorenthalten. Man ruft ihn um Macht und Sieg an. Er steht im Mittelpunkt des Kultes um das heilige Feuer, der von den Fürsten als Opferherren ausgeführt wird. Der berauschende Somatrank begeistert Indra zu seinen großen Taten. Er wird als Wagenkämpfer verehrt. Seine Waffen sind Wurfkeule, Bogen und goldene Pfeile sowie ein Haken.

indonesischer Tanz, aus mag. und kult. Ursprüngen der Frühzeit indones. Völker hat sich unter der Einwirkung fremder Kulturen (Hinduismus und Islam) v.a. auf Java und Bali eine hohe Tanzkunst entwickelt, die in Verbindung mit dem Gamelanorchester (→Gamelan) ihre Ausprägung als klass. instrumentales Theater erfahren hat. Die in Tanzschulen (bereits Kindern) gelehrten vielgestaltigen Tanzformen zeichnen sich durch stilisierte Gestik von großer Eleganz und Ausdruckskraft aus, wobei z.B. jede Fingerhaltung und Beinstellung ihren festgelegten Sinngehalt hat.

indonesische Sprachen, nach früherer Klassifikation der westl. Zweig der austrones. Sprachen. Heute werden die in W-Indonesien, Malaysia, Kambodscha, Vietnam (Cham), auf den Philippinen und Madagaskar sowie mit Chamorro (Tjamorro) und Palau in W-Mikronesien gesprochenen Sprachen zu den westmalaiopolynes. Sprachen gezählt (→malaiopolynesische Sprachen); die austrones. Sprache Taiwans wird den Formosasprachen zugeordnet.

Induktion

Das Beweisverfahren der vollständigen Induktion ist nur dann »unsauber«, wenn man es nicht streng anwendet. Der Mathematiker Ernst-Eduard Kummer pointierte die unsaubere Schließweise in einer Vorlesung: »Meine Herren, 120 ist teilbar durch 1, 2, 3, 4, auch 5; jetzt werde ich aufmerksam, ob 120 nicht vielleicht durch alle Zahlen teilbar ist. Ich probiere weiter und finde, sie ist auch durch 6 teilbar; um nun ganz sicher zu gehen, versuch ich's noch mit der 8, dann mit der 10, mit 12, mit der 15, schließlich auch mit 20 und 24; … wenn ich jetzt Physiker bin, sage ich: Es ist sicher, dass 120 durch alle Zahlen teilbar ist.«

Indore, Stadt in Madhya Pradesh, Indien, 1,09 Mio. Ew.; Univ.; Zement-, chem., Textilindustrie. – Hindutempel und Paläste. – Gegr. 1715, wurde I. Hauptstadt des gleichnamigen Marathenstaates, der 1818 unter brit. Oberherrschaft kam.

indoskythische Reiche, die auf ind. Boden seit dem Ende des 1. Jh. v. Chr. gegr. Staaten der fälschlich als »Skythen« bezeichneten zentralasiat. Nomadenvölker der →Saken (ind. Shaka); von den Kushana verdrängt.

Indossament [italien.] *das* (Giro), die Anweisung auf einem Orderpapier (z.B. Wechsel, Scheck), dass der Schuldner der verbrieften Forderung nicht an den bisherigen Gläubiger **(Indossant, Girant),** sondern an einen Dritten **(Indossatar, Giratar)** leisten soll.

Indra, Kriegsgott und Hauptgottheit der →vedischen Religion; im Hinduismus Herrscher des Himmels (Luftraums); den hinduist. Hauptgöttern Brahma, Shiva und Vishnu untergeordnet.

Indre [ɛ̃dr], **1)** *die,* linker Nebenfluss der Loire, W-Frankreich, 265 km, nicht schiffbar, entspringt am N-Rand des Zentralmassivs, mündet 30 km unterhalb von Tours.

2) Dép. in Mittelfrankreich, 6791 km^2, (1990) 237500 Ew. Hptst.: Châteauroux.

Indre-et-Loire [ɛ̃dreˈlwaːr], Dép. in Mittelfrankreich, 6127 km^2, (1990) 529300 Ew.; Hptst.: Tours.

Indris (Indriidae), Familie schlanker Halbaffen, v.a. in den Wäldern Madagaskars; u.a. der braune **Wollmaki (Avahi,** Avahi laniger), rundl. Kopf mit großen Augen und kleinen Ohren.

in dubio pro reo [lat.], im Zweifelsfall für den Angeklagten; Grundsatz des Strafprozessrechts, dem zufolge von der Unschuld des Angeklagten auszugehen ist, solange seine Schuld nicht zur Überzeugung des Gerichts feststeht.

Induktanz [lat.] *die* (induktiver Blindwiderstand), Produkt aus Induktivität L und Kreisfrequenz $\omega = 2\pi f$ im elektr. Wechselstromkreis bei der Frequenz f; Zeichen X_L, SI-Einheit Ω. Die I. erzeugt keine joulesche Wärme, bewirkt aber eine Vorauseilung der Spannung gegenüber dem Strom um 90°.

Induktion [lat. »Hinführung«] *die,* **1)** *Logik:* der (nichtlogische) Schluss vom Besonderen auf das Allgemeine. Im Unterschied zur vollständigen I. in der Mathematik spricht man auch von **unvollständiger Induktion.** Vom kritisch-rationalist. Standpunkt aus kommt den mit I. als Verfahrensweise aller Erfahrungswiss. begründeten Aussagen (auch

Wahrscheinlichkeitsaussagen) ein bestimmter Grad an Bewährung, aber nie Gewissheit zu. Der **Induktivismus** versucht dagegen, das I.-Verfahren zu präzisieren und zu begründen sowie eine induktive Logik zu entwickeln. Ggs.: Deduktion.

2) *Mathematik:* (vollständige I.), zweistufiges math. Beweisverfahren: Wenn (1.) eine Aussage $A(n)$ für $n = 1$ richtig ist und (2.) aus der Richtigkeit der Aussage für ein beliebiges $n = k$ stets folgt, dass sie auch für $n = k + 1$ richtig ist, dann ist die Aussage für alle n richtig.

3) *Physik:* a) **elektromagnet. I.,** Erzeugung elektr. Felder durch zeitlich veränderl. Magnetfelder. Nach dem **(faradayschen) I.-Gesetz** wird eine elektr. Spannung U gemäß $U = -\mathrm{d}\Phi/dt$ induziert, wenn sich der magnet. Fluss Φ, der einen elektr. Leiter oder eine Spule durchsetzt, ändert; bei geschlossenem Stromkreis fließt ein **I.-Strom.** Der magnet. Fluss ändert sich bei Änderung der magnet. Flussdichte $\boldsymbol{B}$, z.B. durch Einbringen eines Materials mit anderer relativer Permeabilität in das Magnetfeld, bei Bewegung des Leiters im Magnetfeld oder eines Magneten relativ zum Leiter und durch Formänderung des Leiters oder des Magnetfeldes selbst. Ändert sich der in einer Spule fließende Strom, z.B. periodisch als Wechselstrom, so induziert das sich dadurch ändernde Magnetfeld eine Spannung in der Spule selbst **(Selbst-I.).** Der I.-Strom ist so gerichtet, dass sein Magnetfeld der I.-Ursache entgegenwirkt **(lenzsche Regel).** I.-Erscheinungen beherrschen die gesamte Elektrotechnik; Hauptanwendungen sind Generator, Transformator und Elektromotor. b) **magnet. I.,** die →magnetische Flussdichte.

Induktionshärtung, Oberflächenhärtung (Randschichthärtung, →Härten) von Stählen durch Erwärmung des Metalls im elektromagnet. Wechselfeld einer Spule.

Induktionskonstante, ältere Bez. für die magnet. Feldkonstante (→Permeabilität).

Induktionsmotor, ein Drehstrommotor (→Elektromotor).

induktiver Blindwiderstand, →Induktanz.

Induktivität [lat.] *die* (Selbstinduktionskoeffizient), die Selbstinduktion einer Spule (→Induktion) charakterisierende Größe. Die Einheit der I. ist das →Henry.

Indus (Indianer), Sternbild am Südhimmel.

Indus *der,* längster Strom Vorderindiens, Hauptstrom Pakistans, 3200 km, Einzugsgebiet rd. 1,16 Mio. km²; entspringt im Transhimalaja (Tibet; China) 5182 m ü.M., durchbricht den Himalaja, tritt in das nördl. I.-Tiefland, den Pandschab (Fünfstromland), ein und bildet das Mündungsgebiet (Delta, 7800 km²) unterhalb von Hyderabad. Die Wasserführung schwankt wegen des Monsunregens. Durch Stauwerke (→Tarbeladamm) und Kanäle von insgesamt 60000 km Länge versorgt er das größte landwirtsch. Bewässerungsgebiet der Erde. Im Indus Water Treatment Act von 1960 wurde die Wasserversorgung zw. den Anliegerstaaten geregelt.

Indusi *die,* Abk. für **indu**ktive Zug**si**cherung, eine →Zugbeeinflussung. Ein am Schienenfahrzeug seitlich über der Schiene hängender Fahrzeugmagnet strahlt ständig drei magnet. Kraftfelder von 500, 1000 und 2000 Hz aus, die auf einen Gleismagneten gleicher Frequenz am Standort eines Signals oder vor einer Gefahrenstelle einwirken. Bei Halt- oder Warnstellung des Signals oder vor der Gefahrenstelle wird beim Vorbeifahren das Magnetfeld des Fahrzeugmagneten entsprechend beeinflusst.

Induskultur, →Harappakultur.

Industrial Engineering [ɪnˈdʌstrɪəl endʒɪˈnɪərɪŋ, engl.] *das,* auf ingenieurtechn. und arbeitswiss. Kriterien basierende Methode der Rationalisierung von Arbeitsprozessen in Ind.betrieben; befasst sich u.a. mit Arbeitsanalyse, Fertigungsplanung und -steuerung.

Industrialisierung *die,* i.e.S. die Ausbreitung der Ind. in einer Volkswirtschaft im Verhältnis zu Handwerk, Dienstleistung und Landwirtschaft. Wirtschaftspolitisch bedeutet I. die Förderung des industriellen Wachstums mit dem Ziel der Steigerung des Realeinkommens. Industrialisierung i.w.S. ist die Expansion aller Bereiche durch moderne techn. Verfahren. Abhängig ist die I. von geeigneten Arbeitskräften, von Rohstoffen, Kapital und Infrastruktur sowie von aufnahmebereiten Absatzmärkten. Der I.-Prozess setzte gegen Ende des 18. Jh. in Großbritannien ein und griff Anfang des 19. Jh. auf Dtl. über. Er war u.a. gekennzeichnet durch zunehmende Arbeitsteilung und Spezialisierung, neue kapitalintensive Techniken, Massenproduktion, Rationalisierung (zunächst Mechanisierung, heute Automatisierung) und Anwendung neuer Energieträger (Kohle, Erdöl, Elektrizität) sowie durch neue Unternehmensformen (Kapitalgesellschaften) und -zusammenschlüsse (Kartelle, Konzentration). Dieser Prozess verlief unter sozialen Krisen und Umwälzungen (→industrielle Revolution, →soziale Frage)

📖 KIESEWETTER, H.: *Das einzigartige Europa. Zufällige u. notwendige Faktoren der I. Göttingen 1996.*

Industrie [von lat. industria »Fleiß«] *die,* die gewerbl. Gewinnung von Rohstoffen, die Be- und Verarbeitung von Rohstoffen und Halbfabrikaten, die Veredelung von Sachgütern sowie Montage- und Reparaturarbeiten. Merkmale der I. sind Arbeitsteilung und Spezialisierung, Mechanisierung und Rationalisierung der Produktion. Die amtl. Statistik in Dtl. benutzt statt I. die Bez. **produzie-**

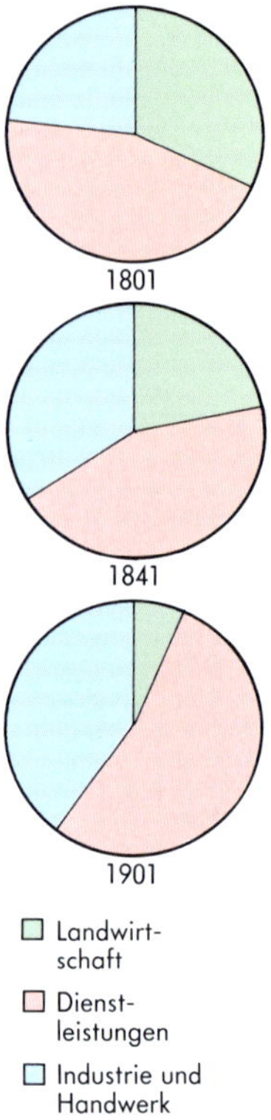

industrielle Revolution: Veränderung der Verteilung des Sozialprodukts in Großbritannien

rendes Gewerbe, das drei Bereiche umfasst: a) Energie- und Wasserversorgung sowie Bergbau, b) Baugewerbe und c) verarbeitendes Gewerbe. Letzteres wird unterteilt in: Grundstoff- und Produktionsgütergewerbe, Investitionsgüter und Verbrauchsgüter produzierendes Gewerbe, Nahrungs- und Genussmittelgewerbe. In Dtl. waren (1995) im verarbeitenden Gewerbe in 46 400 Betrieben (mit mehr als 20 Beschäftigten) rd. 6,6 Mio. Personen tätig.

Industriearchäologie, interdisziplinärer Forschungsbereich, der sich mit der Erforschung und Dokumentation von u.a. Ind.bauten, -anlagen, Maschinen und Produkten der industriellen Vergangenheit befasst. Aufgabe der I. ist ferner die Erhaltung und Bewertung techn. Denkmäler.

Industriedesign [-dɪzaɪn] (Industrial Design), zunächst in Großbritannien verwendete Bez. (»British Council of Industrial Design«, gegr. 1944) für eine speziell den Erfordernissen der Massenproduktion angepasste Gestaltung von Gegenständen und Geräten aller Art. Am Beginn der modernen Formgebung standen in Großbritannien das →Arts and Crafts Movement, in Dtl. die Künstler des Jugendstils, der Deutsche →Werkbund und das →Bauhaus. – Bezeichnend für das zeitgenöss. I. sind schnell wechselnde Trends, die Neigung zur Miniaturisierung (v.a. auf dem Gebiet der Technik) und die Verwischung der Grenze zw. Kunst und Design. Neue Perspektiven eröffnete das →CAD, das die Umsetzung von Großserien in Kleinserien von individuellerem Charakter ermöglichte.

Industriegeographie, ein Zweig der Wirtschaftsgeographie zur Erforschung der Ind.standorte, -gebiete und -landschaften, der funktionalen

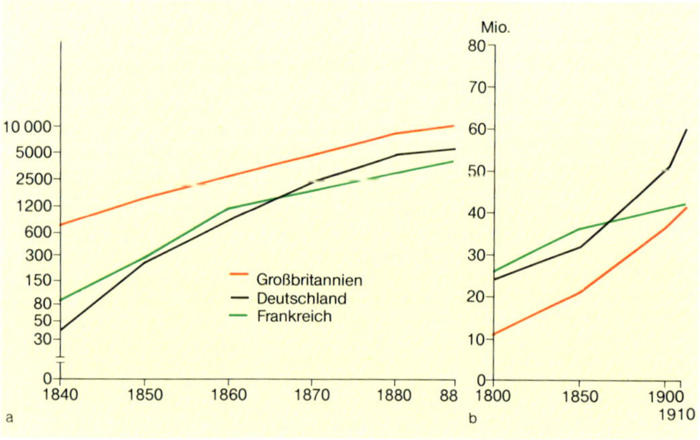

industrielle Revolution: a Steigerung der Anzahl von Dampfmaschinen in Großbritannien, Deutschland und Frankreich (der gewählte Maßstab zeigt gleich hohe relative Veränderungen gleich groß an); b Bevölkerungswachstum im 19. Jahrhundert

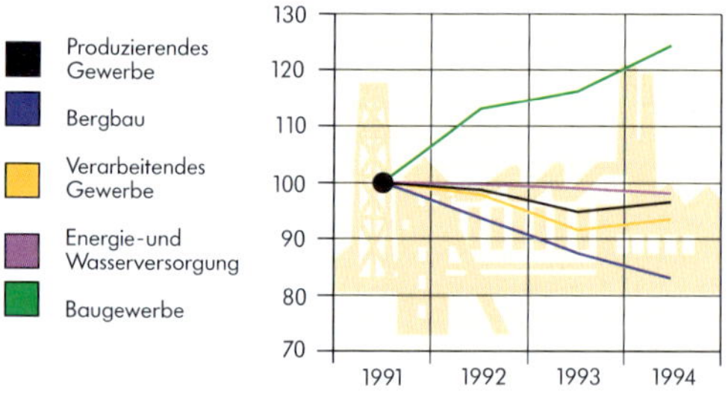

Industrie: Produktionsindex für das produzierende Gewerbe (1991 = 100) in Deutschland

Verflechtung im Wirtschaftsraum und der Bedeutung für die Länder der Erde.

Industriegesellschaft, eine technisch-wirtsch. hoch entwickelte Gesellschaft, die in ihrer Struktur und Dynamik weitgehend durch die →Industrialisierung geprägt ist. Im Mittelpunkt der I. steht die mit dem Fabriksystem verbundene betrieblich-industrielle Produktionsweise und damit die dominierende Bedeutung des sekundären Sektors gegenüber dem primären (Landwirtschaft) und dem tertiären (Handel, Transport, Dienstleistungen). Die dadurch mögl. Massenproduktion prägt das gesellschaftl. Zusammenleben. Folgeerscheinungen sind die Verstädterung durch die Konzentration der Arbeitskräfte an großen Produktionszentren, eine stark differenzierte Berufsstruktur, ein an Leistungsvorstellungen orientiertes säkularisiertes Wertsystem, Funktionsverluste der Familie und Verwandtschaft, eine Steigerung des Lebensstandards, zugleich aber auch wirtschaftlich bedingte Umweltbelastungen, beschleunigter sozialer Wandel und Ausdifferenzierung funktionsspezifischer gesellschaftl. Subsysteme oder Teilbereiche (Wirtschaft, Politik, Bildung u.a.). Das starke Wachstum von tertiärem Sektor im Allgemeinen und von Informations- und Kommunikationssystemen im Besonderen haben den Wandel zu einer Dienstleistungs- und einer Informationsgesellschaft eingeleitet. Daneben verstärken die zunehmende Freizeitorientierung und die Pluralisierung der Lebensstile die Tendenzen zu einer →postindustriellen Gesellschaft.

industrielle Metallberufe, →Mechaniker.

industrielle Revolution, von F. Engels und L. A. Blanqui geprägter, von A. Toynbee übernommener Begriff für die Phase beschleunigter technolog., ökonom. und sozialer Veränderungen, die seit etwa 1785 in Großbritannien, später in anderen westeurop. Ländern, Nordamerika und Japan einsetzte und den Übergang von der Agrar- zur Ind.gesellschaft markiert; Beginn des →industriellen Zeitalters.

Die i. R. begann in der Textilind., dehnte sich auf die Eisenbearbeitung und den Bergbau aus und verband sich seit der Mitte des 19. Jh. mit der Revolutionierung des Verkehrswesens (Eisenbahn, Dampfschiff). Die Siedlungsordnung (Großstädte) und die soziale Struktur der europ. Staaten (in denen u. a. die Bauern nicht mehr die Bev.mehrheit stellten) wurde grundlegend verändert. Während letztlich durch die i. R. der Anstoß zur Beseitigung der Massenarmut gegeben wurde und das reale Pro-Kopf-Einkommen stieg, entstanden andererseits neue soziale Gegensätze (→Arbeiterbewegung). – Seit Mitte des 20. Jh. spricht man im Zusammenhang mit der →Automatisierung von einer zweiten industriellen Revolution. Der industrielle Einsatz von Mikroprozessoren wird oft als dritte i. R. bezeichnet.

📖 LANDES, D. S.: *Der entfesselte Prometheus. Technolog. Wandel u. industrielle Entwicklung in Westeuropa von 1750 bis zur Gegenwart. A. d. Engl. Neuausg. München 1983.* – *Die Fabrik. Geschichte von Arbeit u. Industrialisierung in Deutschland, hg. v.* W. RUPPERT. *München* [2]*1993.* – KIESEWETTER, H.: *I. R. in Dtl. 1815–1914. Frankfurt am Main* [3]*1996.*

industrielles Zeitalter, Epoche der Weltgesch., die mit der →industriellen Revolution begann und durch die →Industriegesellschaft und ihre prägenden Einwirkungen gekennzeichnet ist. Beispielhaft seit Mitte des 20. Jh. ist die wachsende Bedeutung von Kernenergie (Atomzeitalter), Mikroelektronik und modernen Informations- und Kommunikationstechnologien (Informationszeitalter).

Industriemuseum, nach Methoden und Erkenntnissen der Industriearchäologie errichtete oder restaurierte ganzheitl. Anlage (häufig stillgelegte Industriebauten), die der Dokumentation der Geschichte der Industrie sowie der Erhaltung der Denkmäler der techn. Architektur dient (z. B. Eisenhammer bei Essen; Papiermühle »Alte Dombach« bei Bergisch Gladbach, Schiffshebewerk Henrichenburg u. a.).

Industrieobligation, als Schuldverschreibung (→Anleihe) von emissionsfähigen Ind.-, Handels- und Verkehrsunternehmen Instrument zur langfristigen Kreditfinanzierung; Sonderformen der I. sind **Gewinnobligationen,** die neben der Verzinsung eine Gewinnbeteiligung gewähren, **Wandelobligationen** mit dem Recht auf Umtausch in Aktien sowie **Optionsanleihen,** die mit einem Bezugsrecht auf neue Aktien ausgestattet sind.

Industrieöfen, in der Ind. verwendete Öfen, in denen Roh- und Werkstoffe (Erze, Metalle, Glas, Keramik, Gummi, Kunststoffe u. a.) irgendeine Form der Wärmebehandlung durchlaufen. I. werden eingeteilt nach Industriezweigen (z. B. metallurg. Öfen, keram. Öfen), nach der Art der durchzuführenden Behandlung (z. B. Schmelz-, Glüh-, Härte-, Trockenöfen), nach der Art der Beheizung (feste, flüssige, gasförmige Brennstoffe, →Elektroöfen) und nach der Bauform, u. a. **Schachtöfen,** schachtförmige metallurg. I., bei denen sich Beschickung und Feuerung in einem Raum befinden, z. B. Hochöfen; **Herdöfen,** ausgebildet als flache Mulde, z. B. zum Schmelzen, oder als Flachherd zum Erwärmen oder Glühen von Metallen; **Muffelöfen,** indirekt beheizte, allseitig geschlossene Keramik- oder Stahlbehälter, wo das Gut (z. B. keram. Erzeugnisse) von Verbrennungsgasen und -staub nicht berührt wird; **Tunnelöfen,** bis 100 m lange, an den Seiten und oben beheizte I. zum Trocknen, Glühen, Brennen v. a. in der keram. Ind.; **Drehrohröfen** (→Drehofen).

Industrieroboter: Einsatz in der Produktionshalle Rohbau bei der Mercedes Benz AG

Industrieroboter, in mindestens drei Freiheitsgraden frei programmierbare, mit Greifern und Werkzeugen ausgerüstete automat. Handhabungseinrichtungen, die für den industriellen Einsatz konzipiert sind. Die wichtigsten Teilsysteme eines I. sind die Kinematik, das Steuerungssystem, das Antriebssystem, das Wegmesssystem und das Sensorsystem. Bei der Kinematik unterscheidet man rotator. und translator. Elemente. Die Steuerung des I. kann als Punktsteuerung (es sind nur einzelne Punkte im Raum anfahrbar) oder als Bahnsteuerung ausgeführt sein. Die Antriebssysteme sind Elektromotoren, Hydraulikmotoren oder -zylinder sowie vereinzelt auch positionierbare pneumat. Antriebssysteme. Als Wegmesssysteme werden lineare oder rotator., digitale oder analoge Weg- und Winkelmesssysteme eingesetzt. Die Sensoren können berührend (taktil) oder berührungslos (meist optisch) arbeiten und sind zur Erfassung des Umfeldes im Arbeitsraum eines I. eingesetzt. I. finden v. a. im Fahrzeugbau Verwendung. Die wichtigsten Anwendungsgebiete sind

Beschichten, Lackieren, Schweißen, Schleifen, Polieren, Entgraten, Be- und Entladen.

📖 DICKE, W. *u.* KUHN, K.: *Alles über sichere I. Gestaltung, Einsatz, Produktionsübersicht, Rechtsgrundlagen. Bremerhaven 1993.*

Industriespionage [-ʒə], →Wirtschaftsspionage.

Inertialsystem

Innerhalb eines Inertialsystems kann man seine eigene Bewegung nicht feststellen. Ein solches System lässt sich z. B. durch einen auf gerader Strecke fahrenden Zug nachahmen: Im Abteil fühlt man sich still stehend, es sieht aus, als würde die Welt draußen vorbeiziehen. Erst wenn der Zug bremst oder beschleunigt, eine Kurve fährt oder an die Gleise schlägt, spürt man bestimmte Kräfte und schließt daraus, dass man selbst in Bewegung ist.

Industrie- und Handelskammer, Abk. **IHK,** Vertretungskörperschaft der gewerbl. Wirtschaft ohne das Handwerk (→Handwerkskammer) zur Wahrnehmung wirtsch. u. a. Interessen der Gewerbetreibenden, zur Förderung der gewerbl. Wirtschaft, zur Unterstützung und Beratung der Behörden, zur Mitwirkung an der Berufsausbildung. In Dtl. sind die IHK durch Ges. vom 18. 12. 1956 i. d. F. v. 14. 8. 1969 Körperschaften des öffentl. Rechts mit Pflichtmitgliedschaft aller im Kammerbezirk tätigen Gewerbetreibenden. 1997 bestanden in Dtl. 83 IHK (in Bremen und Hamburg nur Handelskammern), die auf Landesebene zusammengeschlossen sind. Der Zusammenschluss für das Bundesgebiet ist (seit 1949) der **Dt. Industrie- und Handelstag (DIHT),** Bonn. Gemäß Einigungsvertrag gelten die Rechtsvorschriften auch für die neuen Bundesländer. – In *Österreich* besteht seit 1947 die Bundeskammer der gewerbl. Wirtschaft als öffentlich-rechtl. Körperschaft, in der *Schweiz* der 1870 gegr. Schweizer. Handels- und Ind.verein. – Für die überstaatl. Zusammenarbeit ist die Internationale Handelskammer (IHK, International Chamber of Commerce, ICC, gegr. 1919), Paris, zuständig.

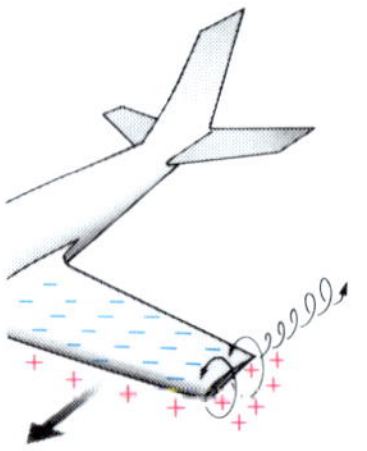

induzierter Widerstand: Von den Flügelspitzen abgehender und mit der Entstehung des induzierten Widerstands verbundener Randwirbel

induzieren [lat.], **1)** *Elektrotechnik:* in elektr. Leitern durch bewegte Magnetfelder elektr. Spannung und Strom erzeugen.

2) *Fachsprache:* bewirken.

3) *Philosophie:* vom besonderen Einzelfall auf das Allgemeine, Gesetzmäßige schließen.

induzierte Emission, →Emission, →Laser.

induzierter Widerstand, *Flugzeugbau:* derjenige Widerstandsanteil eines Tragflügels, der durch die aerodynam. Auftriebserzeugung verursacht wird. Am Flügel entsteht Auftrieb, wenn der Druck auf der Oberseite geringer ist als auf der Unterseite. An den Flügelenden stellt sich dann eine diesem Druckgefälle folgende Ausgleichsströmung ein, die sich mit der Parallelströmung in Flugrichtung überlagert und die von den Flügelspitzen abgehenden Randwirbel bildet. Die zur Überwindung des i. W. geleistete Arbeit stellt die zur laufenden Erzeugung dieser Randwirbel benötigte Energie dar.

Indy [ɛ̃'di], Vincent d', frz. Komponist, *Paris 27. 3. 1851, †ebd. 2. 12. 1931; Organist und Chordirektor, 1896 Mitbegründer der Schola Cantorum, die die alte frz. Musik wieder belebte. Schüler von C. Franck; u. a. Bühnenwerke, Sinfonien, Kammermusik, Vokalwerke.

Inergen, umweltschonender Ersatzstoff für Halon-Feuerlöschmittel; ein Gemisch aus 50–52 % Stickstoff, 8–10 % Kohlendioxid und 40 % Argon, d. h. natürl. Bestandteilen der Atmosphäre.

Inertgas (Schutzgas), reaktionsträges Gas, das sich an chem. Reaktionen nur unter extremen Bedingungen beteiligt. Es wird u. a. in der Sicherheits- und Lebensmitteltechnik sowie in der Metallgewinnung und -verarbeitung dazu benutzt, den Luftsauerstoff fernzuhalten. Verwendet werden v. a. Argon, Stickstoff und Kohlendioxid.

Inertialnavigation, die →Trägheitsnavigation.

Inertialsystem, *Relativitätstheorie:* ein räumlich-zeitl. Bezugssystem, in dem die newtonschen Axiome gelten, d. h., in dem insbesondere ein kräftefreier Massenpunkt in Ruhe bleibt oder sich geradlinig mit konstanter Geschwindigkeit bewegt.

Inês de Castro [i'neʃ də 'kaʃtru], *um 1320, †(ermordet) Coimbra 1355; Geliebte und heiml. Gemahlin (seit 1354) des Infanten Dom Pedro von Portugal. Sein Vater, Alfons IV., ließ ihre Ermordung zu. Nach dessen Tod rächte Pedro sich an den Mitschuldigen und ließ I. de C. als seine rechtmäßige Gemahlin in der königl. Gruft beisetzen. Literar. Behandlung im 3. Gesang von Camões' »Lusiaden« und in H. de Montherlants Drama »Die tote Königin« (1942).

INF [engl. aɪen'ef; Abk. für **I**ntermediate-range **N**uclear **F**orces], Bez. für mit nuklearen Sprengköpfen versehene Mittelstreckenraketen. 1987 wurde zw. den USA und der UdSSR ein Vertrag über den vollständigen Abbau von INF mit Reichweiten von 500–5500 km bis 1991 geschlossen.

Infallibilität [lat.] *die,* →Unfehlbarkeit.

Infant [von lat. infans »kleines Kind«] *der* (span. und portugies. Infante), weibl. **Infantin** *die* (span. und portugies. Infanta), Titel der königlichen span. und portugies. Prinzen und Prinzessinnen.

Infanterie [von italien. infante in seiner älteren Bedeutung »Fußsoldat«, »(Edel)knabe«, eigtl. »kleines Kind«] *die,* die Gesamtheit der Fußtruppen der Streitkräfte eines Landes, meist deren

Hauptbestandteil. Die I. der Bundeswehr umfasst 1) die mit Schützenpanzern ausgerüsteten Panzergrenadiere; 2) die mit leicht gepanzerten Mannschaftstransportwagen und/oder Rad-Kfz beweglich gemachten Jäger; 3) die Gebirgsjäger sowie 4) die Fallschirmjäger.

Infantilismus [lat.] *der,* Fortbestehen kindl. Merkmale beim Erwachsenen infolge einer körperl. und/oder geistigen Entwicklungshemmung.

Infarkt [von lat. infarcire »hineinstopfen«] *der,* abgestorbener Gewebebezirk infolge plötzl. Unterbrechung der Blutzufuhr bei Verschluss des versorgenden Blutgefäßes durch Embolie, Thrombose u.a.; z.B. Herz-, Lungen-, Hirn- und Milzinfarkt.

Infektion [lat.] *die* (Ansteckung), *Biologie* und *Medizin:* das Eindringen von Krankheitserregern (Bakterien, Viren, Pilze, Parasiten) in einen Organismus mit der mögl. Folge einer →Infektionskrankheit.

Infektionskrankheiten (ansteckende Krankheiten), durch →Infektion hervorgerufene, akut oder chronisch verlaufende Krankheiten; treten sporadisch oder seuchenhaft auf, verlaufen als Allgemeinerkrankung in zwei typ. Stadien: Inkubation und Generalisation mit Ausbreitung über Blut- und/oder Lymphbahnen sowie Organmanifestation durch Festsetzung der Erreger in bestimmten Organen oder Geweben. Typ. Allgemeinerscheinungen sind Fieber, Abgeschlagenheit, Übelkeit, Kreislaufschwäche, Veränderungen der weißen Blutkörperchen und Blutproteine. I. hinterlassen meist Immunität. – In den letzten Jahren sind mehr als 30 neue I. erkannt worden. Auch die Wiederausbreitung bereits besiegt geglaubter I. nehmen zu.

📖 *Ansteckend. Berichte u. Informationen zum Thema I., hg. v. der Behörde für Arbeit, Gesundheit u. Soziales der Freien u. Hansestadt Hamburg. Bremen 1996. – Tropen- u. Reisemedizin, hg. v.* J. KNOBLOCH. *Jena u.a. 1996.*

Infeld, Leopold, poln. Physiker, *Krakau 20. 8. 1898, †Warschau 15. 1. 1968; emigrierte 1933, wurde Prof. in Princeton und Toronto, ab 1950 in Warschau; Mitarbeiter von A. Einstein; arbeitete über allg. Relativitätstheorie, Spinortheorie und zur nichtlinearen Elektrodynamik.

Inferno [italien.] *das,* Hölle, Unterwelt; Titel des 1. Teils der »Göttlichen Komödie« von Dante Alighieri.

Infertilität [lat.] *die,* bei der Frau die Unfähigkeit, ein Kind bis zu seiner Lebensfähigkeit auszutragen; beim Mann gleichbedeutend mit Unfruchtbarkeit (Sterilität); Ggs.: Fertilität.

Infestation [lat. »Anfeindung«, »Beunruhigung«] *die,* Invasion im Sinne von →Infektion mit höher organisierten Krankheitserregern.

Infibulation [zu lat. fibula »Klammer«] *die,* in der Antike und bei Naturvölkern die operative Verschließung von Vorhaut oder Schamlippen zur Verhinderung des Geschlechtsverkehrs.

Infight ['ɪnfaɪt, engl.] *der, Boxen:* der Nahkampf.

Infiltration [frz.] *die,* **1)** *allg.:* ideolog. Unterwanderung.

2) *Medizin:* Durchtränkung eines Gewebebezirks z.B. mit Blut, Entzündungs- oder Geschwulstzellen.

3) *Petrologie:* Eindringen von Lösungen oder Gasen in Spalten, Klüfte oder Poren von Gesteinen.

Infinitesimalrechnung [lat.], zusammenfassende Bez. für Differenzial- und Integralrechnung; i.w.S. für Teilgebiete der Mathematik, die auf dem Grenzwertbegriff aufbauen.

Infinitiv [lat.] *der* (Nennform), eine Form des Verbs (ÜBERSICHT Verb).

Infix *das, Sprachwiss.:* Wortbildungselement, das in den Stamm eingefügt wird, z.B. »n« in lat. »vinco« (ich siege), im Unterschied zu lat. »vici« (ich habe gesiegt).

Inflation [lat. »Aufblähung«] *die,* anhaltender Prozess der Geldentwertung, der seinen Ausdruck in einem Anstieg des allgemeinen Preisniveaus findet (Ggs. Deflation). Die I. wird gemessen am Anstieg eines das allgemeine Preisniveau am besten widerspiegelnden Preisindex (z.B. Preisindex für die Lebenshaltung). Der prozentuale Anstieg des

Infektionskrankheiten (Auswahl)

Krankheit	Inkubationszeit
Aids	0,5–8 (10) Jahre
Botulismus	12–36 Stunden (bis 14 Tage)
Cholera	1–5 Tage
Diphtherie	2–7 Tage
Fleckfieber	10–14 Tage
Gasbrand	2–5 Tage
Gelbfieber	3–6 Tage
Grippe (Influenza)	einige Stunden bis 4 Tage
Virus-A-Hepatitis	10–40 Tage
Virus-B-Hepatitis	40–160 Tage
Keuchhusten	7–14 Tage
Kinderlähmung (Poliomyelitis)	3–14 Tage
Lepra	2–5 Jahre (9 Monate bis 40 Jahre)
Malaria	1–6 Wochen
Masern	10–14 Tage
Milzbrand	einige Stunden bis 3 Tage
Mumps	18 Tage (auch 12–35 Tage)
Pocken	7–11 Tage
Röteln	12–21 Tage
Rückfallfieber	5–7 Tage (bis 2 Wochen)
Scharlach	3–4 Tage (bis 8 Tage)
Schlafkrankheit	10–20 Tage
Syphilis	21 Tage (bis 28 Tage)
Tetanus	4–14 Tage (bis 28 Tage)
Tollwut	3 Wochen bis 3 Monate (bis 1 Jahr)
Toxoplasmose	etwa 3 Tage
Tripper	3 Tage (2–7 Tage)
Tuberkulose	mehrere Wochen
Typhus	10 Tage (3–60 Tage)
Windpocken	12–21 Tage

Inflation: 1000-Mark-Schein aus dem Jahr 1922 mit nachträglichem Aufdruck »Eine Milliarde Mark«

Preisindex in einem bestimmten Zeitraum wird als **I.-Rate** bezeichnet. Die I.-Rate als Prozentzahl ist zu unterscheiden von der absoluten Veränderung des Preisindex: Steigt der Preisindex um zehn Indexpunkte von 200 auf 210, so errechnet sich eine I.-Rate von 5%. Nach dem Ausmaß des Anstiegs wird unterschieden zw. **schleichender I.** (etwa 5–10%), **trabender I.** (bis 20%), **galoppierender I.** und **Hyper-I.** (über 50%); die **zurückgestaute I.** entsteht i.d.R. durch staatl. Zwangsmaßnahmen (Lohn- und Preisstopp, Kapitalmarkt- und Devisenkontrolle), wobei Preissteigerungen zwar verhindert, die inflationären Ursachen jedoch nicht beseitigt werden. Nach den Ursachen werden u.a. unterschieden: **Nachfrage-I.** (Nachfrageüberhang gegenüber dem Angebot an Waren und Dienstleistungen), **Angebots-I.** (durch Verknappung des Angebots) und **Kosten-I.** (steigende Lohnkosten, die nicht durch Produktivitätssteigerung gedeckt sind). Von großer Bedeutung ist auch die **importierte I.,** die aufgrund der internat. wirtschaftlichen Verflechtung (durch den direkten internat. Preiszusammenhang und die internat. Kapitalbewegungen) zustande kommt. Bei flexiblen Wechselkursen kann die I.-Übertragung bis zu einem gewissen Grad ausgeglichen werden. I. ist häufig mit schweren wirtschafts- und gesellschaftspolit. Störungen verbunden, da das Geld aufgrund des schwindenden Vertrauens seine Wertaufbewahrungsfunktion verlieren kann. Daneben ist die Einkommens- und Vermögensverteilung betroffen, da der Realwert des Geldvermögens sinkt, während der Wert des Sachvermögens erhalten bleibt.

Inflationsrate ausgewählter Länder[1)] (in %)

Land	1960–70	1970–80	1980–90	1995	1996[2)]
Deutschland[3)]	2,7	5,1	2,6	1,8	1,5
Frankreich	4,0	9,6	6,3	1,7	1,8
Großbritannien	4,0	13,7	6,6	3,5	2,7
Italien	3,9	13,8	9,6	5,2	3,0
Japan	5,8	9,0	2,0	–0,1	0,5
Österreich	3,6	6,3	3,5	2,2	2,1
Schweiz	3,3	5,0	3,4	1,8	0,8
USA	2,8	7,8	4,7	2,8	3,0
Europäische Union	3,9	10,9	6,7	3,2	2,4

[1)] Veränderung der Verbraucherpreise gegenüber entsprechendem Vorjahreszeitraum. – [2)] Stand Okt. – [3)] ab 1995 Gesamtdeutschland.

Geschichte: Eine Silber-I. erlebte Spanien im 16. Jh. Die erste Papiergeld-I. entstand in Frankreich 1719/20 durch die von J. Law verursachte Notenausgabe und während der Frz. Revolution (→Assignaten). In den USA gab es I. im Unabhängigkeitskrieg und im Sezessionskrieg. Zu gewaltigen I. kam es in fast allen Krieg führenden Staaten in und nach beiden Weltkriegen. In Dtl. war bei der Stabilisierung der Währung (Nov. 1923) eine Billion Papiermark nur noch eine Goldmark wert. Im 2. Weltkrieg kam es zu einer zurückgestauten I., die dazu führte, dass das Geld nach dem Krieg seine Tauschmittelfunktion fast vollständig verlor. Nach der →Währungsreform erlebte die Bundesrep. Dtl. eine schleichende I., doch lagen die I.-Raten meist unter denen der anderen westl. Staaten (z.B. Großbritannien, Frankreich, Italien). Die durch die Erhöhung der Erdölpreise in den 1970er-Jahren ausgelöste I. konnte von den meisten westl. Ind.ländern durch eine restriktive Geldpolitik überwunden werden. Entsprechende Maßnahmen (z.B. Erhöhung der Leitzinsen) ergriff auch die Dt. Bundesbank 1991 sowie danach, um der I.-Gefahr aufgrund der dt. Vereinigung zu begegnen. Eine steigende I.-Rate ist gegenwärtig v.a. in zahlr. Entwicklungsländern und in einigen ehem. kommunist. Staaten O-Europas als Ausdruck ungelöster wirtsch. und polit. Probleme zu verzeichnen.

📖 GAETTENS, R.: *Geschichte der Inflationen. Vom Altertum bis zur Gegenwart. München 1982.* – SCHWIMMER, W. *u.a.: Soziale Folgen der I. Wien 1987.* – STRÖBELE, W.: *I. München u.a. ⁴1995.* – BEISSINGER, T.: *I. u. Arbeitslosigkeit in der Bundesrep. Dtl. Eine Analyse anhand von Modellen mit unvollkommenem Wettbewerb. Marburg 1996.*

inflationäres Weltall, ein evolutionäres Weltmodell, bei dem das Weltall in seiner Frühphase eine Zeit lang exponentiell (inflationär) expandierte. (→Kosmologie, →Urknall)

Infloreszenz [lat.] *die,* der →Blütenstand.

Influenz [lat. »Einfluss«] *die, Elektrostatik:* die Ladungstrennung auf der Oberfläche eines urspr. neutralen elektr. Leiters unter dem Einfluss eines elektr. Feldes. Geht das Feld von einem geladenen Körper aus, so wird die dem Körper zugewandte Seite des Leiters (z.B. beim Elektroskop) ungleichnamig, die abgewandte Seite gleichnamig aufgeladen. Die I. beruht auf der freien Beweglichkeit der Elektronen im Leiter.

Influenza [italien.] *die,* die →Grippe.

Influenzaviren, RNS-Viren aus der Gruppe der Myxoviren, Erreger der Grippe. Nach den Antigeneigenschaften unterscheidet man drei Typen (A, B, C) mit zahlr. Untergruppen.

Influenzkonstante, die elektr. Feldkonstante (→Dielektrizitätskonstante).

Infobahn, svw. Datenautobahn.

Infopost, eine Sendungsart im Briefdienst, die an die Stelle der früheren Drucksache getreten ist. Als I. können schriftl. Mitteilungen oder Unterlagen und Datenträger (z.B. CDs, Disketten) versandt werden, wenn die festgelegten Mindestmengen eingeliefert werden und die Sendungen inhaltsgleich sind. Das Verschicken von I.-Sendungen desselben Absenders, deren Inhalt aus unterschiedl. Schriftstücken, Proben, Mustern oder Werbeartikeln besteht, heißt Variomailing.

Informatik *die* (engl. Computerscience), die Wissenschaft, Technik und Anwendung von der systemat., zumeist computerunterstützten Verarbeitung und Übermittlung von Informationen. Die I. hat sich mit der Entwicklung der Informationsverarbeitungssysteme aus anderen Wiss. (Logik, Mathematik, Elektrotechnik) Mitte der 1960er-Jahre als eigenständige Grundlagendisziplin entwickelt. Sie umfasst sowohl mathemat., method. und technisch-theoret. Grundlagen von Datenverarbeitungssystemen und -prozessen, wie die Entwicklung von Algorithmen, Software, Programmiersprachen, Datenstrukturen und Hardware, als auch die Grundlagen ihrer Anwendung.

📖 *Duden »I.«. Ein Sachlexikon für Studium u. Praxis, hg. v.* H. ENGESSER. *Mannheim u. a. ²1993.* – LUFT, A. L. *u.* KÖTTER, R.: *I. – eine moderne Wissenstechnik. Mannheim u. a. 1994.* – GUMM, H.-P. *u.* SOMMER, M.: *Einführung in die I. Bonn u. a. ²1995.* – *Kleines Lexikon der I. u. Wirtschaftsinformatik, hg. v.* M. G. ZILAHI-SZABÓ. *München 1995.* – *Lexikon I. u. Datenverarbeitung, hg. v.* H.-J. SCHNEIDER. *München ⁴1997.*

Information [lat.] *die,* **1)** *allg.:* Auskunft, Nachricht, Unterrichtung, Belehrung, Mitteilung.

2) *Bibliothekswesen:* →Fachinformation.

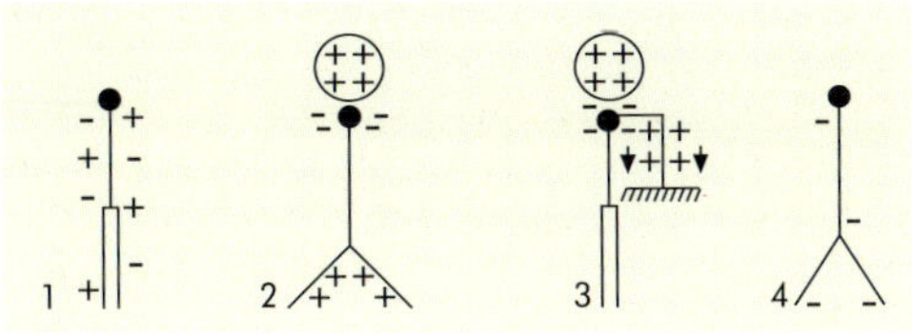

Influenz: 1 ungeladenes Elektroskop (die Ladungen sind gleichmäßig verteilt); 2 bei Annäherung einer positiv geladenen Kugel trennen sich die Ladungen durch Influenz; die der Kugel zugewandte Seite wird ungleichnamig (negativ), die abgewandte Seite gleichnamig (positiv) aufgeladen; 3 während die Kugel in der Nähe bleibt, wird das Elektroskop geerdet, die positiven Ladungen können abfließen, die negativen werden festgehalten; 4 bei Entfernung der Kugel behalten die negativen Ladungen das Übergewicht, das Elektroskop bleibt negativ geladen

3) *Informatik:* die →Informationstheorie versteht unter I. ein techn. Maß, das den Zeichen einer Nachricht zugeordnet wird. Der I.-Gehalt I_i eines Ereignisses hängt von der Wahrscheinlichkeit p_i ab, mit der das Ereignis eintritt. Der I.-Gehalt ist umgekehrt proportional zum Logarithmus der Wahrscheinlichkeit. Es gilt: $I_i = \log 1/p_i$, mit $(0 \leq p \leq 1)$. Verwendet wird meist der Logarithmus zu Basis 2, woraus sich als I.-Einheit das →bit ergibt. Seltene Ereignisse haben demnach einen hohen, häufige einen geringen I.-Gehalt.

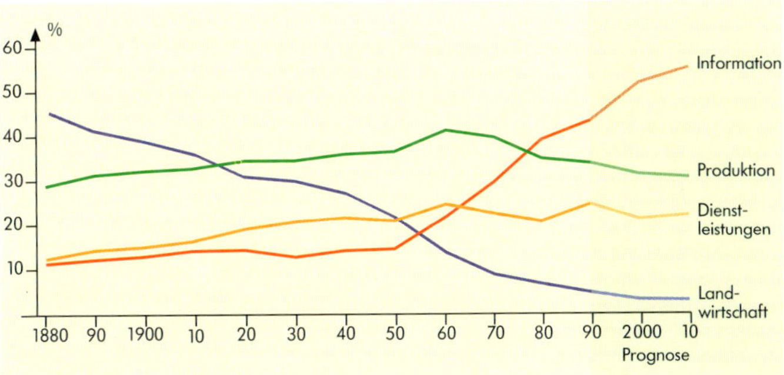

Informationsgesellschaft: Anteil der einzelnen Wirtschaftssektoren (Informationswirtschaft als »vierter Sektor«) an der Gesamtzahl der Erwerbstätigen von 1880–2010 (in %)

informationelle Selbstbestimmung, das vom Bundesverfassungsgericht angesichts der Entwicklung der elektron. Datenverarbeitung als Ausfluss des allg. Persönlichkeitsrechts und der Menschenwürde anerkannte Recht des Einzelnen, grundsätzlich selbst über Preisgabe und Verwendung seiner persönl. Daten zu bestimmen. Eingriffe in dieses Recht durch staatl. Informationserhebung und -verwertung sind nur im überwiegenden Allgemeininteresse zulässig und bedürfen einer gesetzl. Grundlage. (→Datenschutz)

Information-Highway [ɪnfəˈmeɪʃn ˈhaɪweɪ, engl.], →Datenautobahn.

Informationsfreiheit, das Grundrecht, sich aus allg. zugänglichen Quellen ungehindert zu unterrichten. Die I. ist Voraussetzung der →Meinungsfreiheit und es demokrat. Willensbildungsprozesses. Sie wurde in das GG (Art. 5 Abs. 1) und einige Länderverf. aufgenommen und findet ihre Schranken in den allg. Gesetzen. – Ähnl. Rechte sind in Art. 13 *österr.* Staatsgrundgesetz und in Art. 55 ff. *schweizer.* Bundesverf. verankert.

Informationsgesellschaft, eine Wirtschafts- und Gesellschaftsform, in der die Gewinnung, Speicherung, Verarbeitung, Vermittlung, Verbreitung und Nutzung von Information und Wissen zentrale Bedeutung erlangt haben, wirtschaftlich einen wesentlichen und stetig wachsenden Anteil des Sozialprodukts bilden und in ihren soziokulturellen Auswirkungen die Arbeits- und

Lebensbedingungen der Menschen nachhaltig verändern.

Zur Verbreitung des Begriffes haben folgende Entwicklungen beigetragen: Vor dem Hintergrund der zunehmenden Verbreitung von (Personal-)Computern und Computernetzen (z.B. Intranet und Internet) spielen Informationsgewinnung und -verarbeitung in der Wirtschaft eine immer größere Rolle. In den Wirtschaftswiss. wird »Information« als ein weiterer Produktionsfaktor neben Kapital, Arbeit und Boden angesehen und »Information« als Rohstoff verstanden. Die Informationswirtschaft wird mitunter als neuer »vierter Sektor« neben den drei klass. Wirtschaftssektoren (Landwirtschaft, Produktion, Dienstleistung) angesehen. Bislang getrennte Medienformen erhalten durch die Digitalisierung dieselbe techn. Grundlage, sodass Text-, Ton- und Bildinformationen einheitlich be- und weiterverarbeitet werden können (Multimedia). Datenübertragungstechniken und -netze im Bereich Telekommunikation wie ISDN, Mobilfunk, Satellitenübertragung, Breitbandkommunikation werden gezielt ausgebaut und schaffen die Basis für das Zusammenwachsen bisher eigenständiger Wirtschaftszweige (Medien- und Unterhaltungsindustrie, elektronische und Computerindustrie) und Geräte (z.B. Fernseher und PC) und ermöglichen auch Interaktivität. Der Begriff I. wurde 1971 in Japan geprägt und v.a. durch den amerikan. Soziologen D. Bell bekannt.

🕮 *Die I. Fakten, Analysen, Trends, Redaktion:* S. Gössl. *Bonn 1995.* – Bell, D.: *Die nachindustrielle Gesellschaft. A.d. Amerikan. Neuausg. Frankfurt am Main u.a. 1996.* – *Info 2000: Deutschlands Weg in die I., hg. vom Bundesministerium für Wirtschaft. Bonn 1996.* – Gates, B.: *Der Weg nach vorn. Die Zukunft der I. A.d. Amerikan. Tb.-Ausg. München 1997.* – Negroponte, N.: *Total digital. Die Welt zwischen 0 u. 1 oder die Zukunft der Kommunikation. A. d. Amerikan. Tb.-Ausg. München 1997.*

Informationsrecht, allg. das Recht auf Unterrichtung und Vermittlung bestimmter Kenntnisse. In gesetzl. Regelungen sind zahlr. besondere I. formuliert, z.B. im Arbeitsrecht der Anspruch des Betriebsrates auf Unterrichtung durch den Arbeitgeber, im Prozessrecht das Recht der Parteien oder des Verteidigers auf Akteneinsicht. Im Staatsrecht die →Informationsfreiheit.

Informationssysteme, *Informationstechnik:* computergestützte Systeme zur Speicherung, Weitergabe, Wiedergewinnung, Verarbeitung, Verknüpfung und Auswertung von Informationen. I. können u.a. Anwendungen der Datenverarbeitung, der Büroautomatisierung und Expertensysteme umfassen.

Informationstheorie, *Mathematik:* von C. Shannon 1949 begründete Theorie, die sich mit der strukturellen und quantitativen Erfassung und mit den (statist.) Gesetzmäßigkeiten bei der Übermittlung, Verarbeitung und Speicherung von Informationen (Nachrichten) befasst.

Informations- und Kommunikationstechnik, Sammel-Bez. für die verschieden Techniken und Verfahren in der →Datenverarbeitung und →Telekommunikation sowie ihre Kombination.

Informationsverarbeitung, Auswertung von Informationen, die durch Rezeptoren (Sensoren, Sinnesorgane) aufgenommen und an eine zentrale Verarbeitungseinrichtung (bei Lebewesen Gehirn) weitergeleitet werden. Wichtigste Form der I. mit techn. Hilfsmitteln ist die →Datenverarbeitung. Auf den Menschen bezogen spricht man von →Denken.

informell [frz.], ohne (formalen) Auftrag, ohne Formalitäten, inoffiziell, zwanglos.

informelle Gruppen, spontan entstandene Gruppen in größeren Sozialsystemen, z.B. in Ind.betrieben, wenn mehrere Personen durch ihre Tätigkeit in näheren Kontakt kommen.

informelle Kunst: Wols, »Der Flügel des Schmetterlings« (1947; Paris, Musée National d'Art Moderne)

informelle Kunst [von der auf M. Tapié zurückgehenden frz. Wortprägung signifiance de l'informel »Bedeutsamkeit des Formenlosen«] (frz. Informel, Art informel), Benennung einer Richtung der gegenstandsfreien Malerei und Grafik, die seit etwa 1945 im Ggs. zur geometr. Abstraktion abgegrenzte Formen und feste Kompositionsregeln ablehnte, um durch frei erfundene Zeichen oder durch Rhythmus und Struktur ineinander greifender Flecken und Linien Geistiges unmittelbar auszudrücken. Die i. K. fußt auf dem →Automatismus. Die →École de Paris war als Entstehungszentrum für die i. K. von größter Bedeutung. Ihre Hauptvertreter sind J. Fautrier, K. F. Dahmen, H. Hartung, Wols, P. Soulages und G. Mathieu. Die Bezeichnung i. K. wird sowohl in

Abgrenzung zu als auch in gleicher Bedeutung wie →Tachismus und →abstrakter Expressionismus verwendet.

📖 *Kunst des Informel. Malerei u. Skulptur nach 1952, hg. v.* T. BELGIN. *Köln 1997.*

informẹller Sẹktor, traditionelle und ungeschützte Wirtschaftsbereiche in Entwicklungsländern, gekennzeichnet durch arbeitsintensive Produktion, einfache Techniken, geringe berufl. Qualifikation, kleine Betriebsgrößen, Verarbeitung einheim. Rohstoffe, Fehlen von arbeits- und sozialrechtl. Schutz, schlechte Bezahlung und Arbeitsbedingungen. Der i. S. ist i. w. S. Teil der Schattenwirtschaft.

Infotainment [-ˈteɪnmənt; Kw. aus engl. **Infor**mation und Enter**tainment**] *das,* Informationssendungen im Fernsehen, bei der Moderatoren **(Infotainer)** aktuelle sachl. Meldungen in locker-unterhaltender Form präsentieren.

infra... [lat.], unten, unterhalb.

Ịnfrarot, Abk. **IR** (früher auch Ultrarot), unsichtbarer Teil des elektromagnet. Spektrums, der sich an den langwelligen Anteil (rot) des sichtbaren Lichtes anschließt und Wellenlängen λ zw. 0,78 µm und 1 mm umfasst; man unterteilt nach DIN in **nahes I.** ($\lambda \leqq 3$ µm), **mittleres I.** (3–50 µm) und **fernes I.** (50 µm–1 mm). Das I. äußert sich hauptsächlich als Wärmestrahlung und wird v. a. durch Thermoelemente, Bolometer sowie besondere Fotozellen gemessen.

Ịnfrarot|astronomie, Untersuchung der aus dem Weltraum kommenden Infrarotstrahlung (Wellenlänge 1–3 µm und um 11 µm), die am Erdboden aufgrund der atmosphär. Absorption nur sehr begrenzt empfangen werden kann. Infrarotteleskope stehen daher bevorzugt auf hohen Bergen mit trockenem Klima, wo die Wasserdampfabsorption gering ist, oder werden in Flugzeugen oder Satelliten installiert. Die I. liefert Informationen über kosm. Objekte, die im infraroten Spektralbereich stark strahlen, deren sichtbares Licht aber durch interstellare Dunkelwolken absorbiert wird, z. B. Gas- und Staubnebel, neu entstehende Sterne sowie der Zentralbereich des Milchstraßensystems. Von wesentl. Bedeutung für die I. war der Start des Infrarotsatelliten →IRAS 1983; Nachfolgeprojekt ist das europ. Infrarot-Weltraumobservatorium →ISO.

Ịnfrarotfotografie, fotograf. Aufnahmetechnik, die sich der besonderen physikal. Eigenschaften infraroter Strahlung bedient (z. B. die Fähigkeit, Dunst und atmosphär. Trübungen zu durchdringen; die Möglichkeit, erwärmte Körper mittels der Wärmestrahlung optisch abzubilden; das unterschiedl. Remissionsverhalten vieler Körper bei Infrarot und sichtbarem Licht), um Abbildungen von spezif. Informationsgehalt zu gewinnen.

Infrarotfotografie: Luftbildaufnahmen auf normalem (oben) und Infrarotfarbfilm; Pflanzengrün, das ein hohes Reflexionsvermögen für Infrarot besitzt, wird rotviolett wiedergegeben

Die Aufnahmen werden auf zusätzlich für den Infrarotbereich sensibilisiertem Fotomaterial gemacht, wobei die Wirkung des sichtbaren Lichts durch Filter ausgeschaltet werden muss. Als Infrarotlichtquelle dient die Sonnenstrahlung, die Wärmestrahlung der Objekte oder künstl. Beleuchtung (Infrarotstrahler). Die I. wird u. a. in der Medizin, der Kriminalistik, der Fernerkundung der Erde (auch zur militär. Aufklärung), im Umweltschutz und in der Meteorologie eingesetzt.

Ịnfrarotheizung, die Infrarotstrahlung glühender Körper (Draht, Quarzrohr u. a.) ausnutzende Strahlungsheizung; angewandt u. a. zur Punktheizung in der Medizin und bei der Kleintieraufzucht.

Ịnfrarotlenkung, Zielsteuerungsverfahren bei militär. Flugkörpern, deren Infrarotsensoren die Richtung maximaler Einfallsstärke von Infrarot- bzw. Wärmestrahlung (die z. B. vom Triebwerk von den zu treffenden Raketen oder Flugzeugen ausgehen) bestimmen und sich dadurch automatisch ins Ziel steuern.

Ịnfrarotspektroskopie (IR-Spektroskopie), Spektroskopie im infraroten Spektralbereich (→Infrarot) zur qualitativen und quantitativen chem. Analyse sowie zur Strukturaufklärung, bes. in der organ. Chemie und Festkörperphysik. Die IR-Spektren werden (meist in Absorption) mit **Infrarotspektrometern** (hauptsächlich Gitter- oder Fourier-Spektrometer) aufgenommen. Die Spektren sind auf die Schwingungen (Linien im nahen

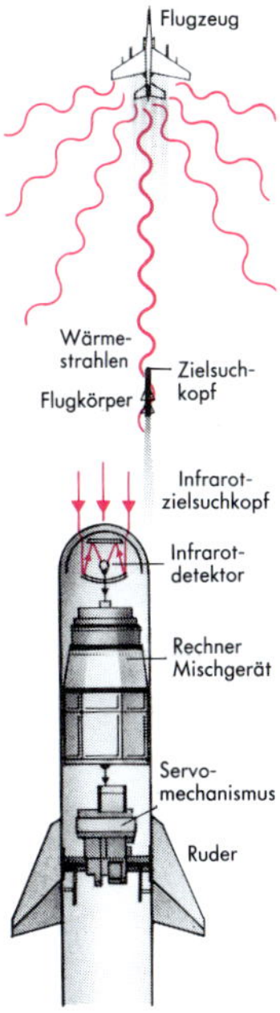

Infrarotlenkung: Prinzip der Zielansteuerung durch Infrarotlenkung bei militärischen Flugkörpern

und mittleren Infrarot) und Rotationen (Linien im fernen Infrarot) der Moleküle zurückzuführen.

Infraschall, die unterhalb der Hörgrenze des Menschen (16 Hz) liegenden elast. Schwingungen in Erde, Wasser, Luft u. a. (→Schall).

Infrastruktur, urspr. von der NATO verwendeter Begriff für ortsfeste Anlagen und Einrichtungen, die den Streitkräften dienen (z. B. Kasernen, Flugplätze, Brücken), seit den 1960er-Jahren in den Wirtschafts- und Sozialwiss. Bez. für die Gesamtheit der Anlagen, Einrichtungen und Gegebenheiten, die den Wirtschaftseinheiten als Grundlage ihrer Aktivitäten vorgegeben sind. Hierzu zählen z. B. Einrichtungen des Verkehrswesens, der Energieversorgung **(techn. I.)**; Kindergärten, Schulen, Sportanlagen, Krankenhäuser, Altenheime **(soziale I.)** als **materielle I.**; daneben unterscheidet man **institutionelle I.** (Normen, Verfahrensweisen einer Volkswirtschaft) und **personelle I.** (geistige, unternehmer., handwerkl. Fähigkeiten der am Wirtschaftsprozess Beteiligten).

Meinrad Inglin

Infratest Burke AG, Unternehmensgruppe für sozialwiss. Auftragsforschung, Sitz: München; gegr. 1958, seit 1975 Infratest Forschung KG, seit 1989 AG.

Inful [lat.] *die,* **1)** weiße Stirnbinde mit rotem Streifen, wurde urspr. von altröm. Priestern und Vestalinnen und auch von Opfertieren getragen.

2) *kath. Liturgie:* →Mitra.

Infusion [lat. »Eingießung«] *die, Medizin:* das tropfenweise Einfließen **(Dauertropf-I., Dauer-I.)** größerer Flüssigkeitsmengen meist in das venöse Gefäßsystem, seltener unter die Haut oder in den Magen, Dünn- oder Mastdarm; dient der Besserung des Wasser-, Eiweiß- und Elektrolythaushalts, ggf. mit Zufuhr von Arzneimitteln.

Infusorien [lat.] (Aufgusstierchen), Sammelbez. für kleine, meist einzellige, im Aufguss von pflanzl. Material sich entwickelnde Organismen (bes. Flagellaten, Wimpertierchen).

Infusum [lat.] *das,* der →Aufguss.

Ing., Abk. für →**Ing**enieur.

Roman Ingarden

Inga, Ort in der Demokrat. Rep. Kongo, an den I.-Fällen (früher Livingstone-Fälle) des unteren Kongo, wo im Verlauf einer 25 km langen Strecke das Gefälle über 100 m beträgt; zwei Großkraftwerke (insgesamt 1800 MW).

Ingarden, Roman, poln. Philosoph, *Krakau 5. 2. 1893, †ebd. 14. 6. 1970; Prof. in Krakau; verwarf in seiner Phänomenologie den transzendentalen Idealismus seines Lehrers E. Husserl zugunsten einer realist. Ontologie; entwickelte eine Ontologie der Kunst, bes. der Literatur.

Werke: Das literar. Kunstwerk (1931); Der Streit um die Existenz der Welt, 2 Bde. (1947–48).

Ingävonen, die →Ingwäonen.

Inge [ɪndʒ], William Motter, amerikan. Schriftsteller, *Independence (Kans.) 3. 5. 1913, †Los Angeles (Calif.) 10. 6. 1973; schrieb Dramen über die amerikan. Mittelklasse (»Komm wieder, kleine Sheba«, 1950; »Picnic«, 1953; »Das Dunkel am Ende der Treppe«, 1957) sowie Romane.

Ingeborg-Bachmann-Preis, von der Stadt Klagenfurt (Geburtsstadt I. Bachmanns) und dem Österr. Rundfunk gestifteter Literaturpreis, der seit 1977 jährlich verliehen wird. Preisträger waren u. a.: H. Burger (1985); W. Hilbig (1989); Birgit Vanderbeke (1990); Emine Sevgi Özdamar (1991); Alissa Walser (1992); K. Drawert (1993); R. Hänny (1994); Franzobel (1995); Jan Peter Bremer (1996); Norbert Niemann (1997).

Ingelheim am Rhein, Kreisstadt des Landkr. Mainz-Bingen, Rheinl.-Pf., 24 000 Ew.; Fridtjof-Nansen-Akademie für polit. Bildung; chemisch-pharmazeut., elektrotechn. Ind.; Wein-, Obst- und Spargelanbau. – Ev. »Saalkirche« (im Kern romanisch, um 1100), spätgot. Burgkirche (15. Jh.). – Der ehem. fränk. Königshof Ingelheim wurde von Karl d. Gr. zur Kaiserpfalz (1689 zerstört; nur Reste erhalten) ausgebaut. Die heutige Stadt entstand 1939 durch Zusammenschluss von Ober- und Nieder-I. sowie Frei-Weinheim.

Ingenhousz [ˈɪŋənhɔʊs] (Ingen-Housz), Jan, niederländ. Arzt und Naturforscher, *Breda 8. 12. 1730, †Bowood (Cty. Wiltshire) 7. 9. 1799; entdeckte die →Photosynthese und die Atmung bei Pflanzen.

Ingenieur [ɪnʒenˈjøːr, frz.], Abk. **Ing.,** geschützte Berufsbez. für Fachleute, die das Studium einer techn. oder naturwiss. Fachrichtung an einer inländischen wiss. Hochschule oder Fachhochschule oder einer Berufsakademie abgeschlossen haben oder kraft I.-Gesetzes zur Führung der Bez. berechtigt sind. **Diplom-I.** (Abk. Dipl.-Ing.) werden an techn. Univ. und Hochschulen ausgebildet; das stärker anwendungsorientierte Studium an einer Fachhochschule führt zu dem Titel Dipl.-Ing. (FH), die primär praxisorientierte Ausbildung an einer Berufsakademie zum Dipl.-Ing. (BA). Studienvoraussetzung ist i. d. R. die allg. Hochschulreife oder die Fachhochschulreife und ein abgeschlossenes Praktikum. Tätigkeitsschwerpunkte sind Forschung, Entwicklung, Planung, Berechnung, Konstruktion, Versuchs- und Prüfwesen, Montage, Sicherheit, Patent- und Normenwesen.

Ingenieurbauten [ɪnʒenˈjøːr-], Bauwerke hauptsächlich technisch-konstruktiver Art (Brücken, Stauwerke, Tunnel u. a.).

Ingenieurgeologie [ɪnʒenˈjøːr-], Teilgebiet der angewandten Geologie in Bauwesen und Technik; befasst sich mit Boden- und Felsmechanik, Hydrologie, Umweltschutz.

Ingenieurschulen [ɪnʒenˈjør-], frühere techn. Lehranstalten, heute aufgegangen in den →Fachhochschulen.

Ingenieurwissenschaften [ɪnʒen'jøːr-] (Technikwissenschaften), die aus der systemat. Bearbeitung techn. Probleme entstandenen wiss. Disziplinen, gelehrt an techn. Univ., Hochschulen und Fachhochschulen (als Hauptrichtungen: Bauingenieurwesen, Maschinenbau, Elektrotechnik, Bergbau- und Hüttenwesen sowie Verfahrenstechnik).

Inger (Schleimaale, Myxinidae), zu den Rundmäulern zählende Familie kieferloser Wirbeltiere mit aalförmigem, bis 75 cm langem Körper, rückgebildeten Augen und 4–6 Barteln am Kopf; meeresbewohnende Aas- und Kleintierfresser, die in weichem Bodengrund Gänge graben und mit Schleim auskleiden.

Ingermanland [schwed.], histor. Landschaft im NW Russlands, zw. Finn. Meerbusen, Narwa, Ladogasee und Newa; nach dem westfinn. Stamm der **Ingern** benannt; gehörte im MA. zu Nowgorod, kam 1478 zum Großfürstentum Moskau, 1617 an Schweden und 1721 an Russland.

Ingestion [lat.] *die,* die Nahrungsaufnahme.

Inglin, Meinrad, schweizer. Schriftsteller, *Schwyz 28. 7. 1893, †ebd. 4. 12. 1971; schilderte Landschaft und Lebensformen der Schweiz in den Romanen »Grand Hotel Excelsior« (1928), »Die graue March« (1935), »Schweizerspiegel« (1938, Neufassung 1955), »Werner Amberg« (1949), »Urwang« (1954), »Der schwarze Tanner« (hg. 1985).

Ingolstadt: Blick auf die Altstadt, rechts im Vordergrund die Donau

Ingold, Sir (seit 1958) Christopher Kelk, brit. Chemiker, *Ilford (heute zu London) 28. 10. 1893, †London 8. 12. 1970; Mitbegründer der modernen physikalischen organ. Chemie durch zahlreiche Arbeiten über Struktur, Bindung und Reaktionsmechanismen organ. Verbindungen.

Ingolstadt Stadtwappen

Ingolstadt, kreisfreie Stadt im RegBez. Oberbayern, beiderseits der Donau, 112 900 Ew.; FH, wirtschaftswiss. Fakultät der Univ. Eichstätt; Theater; Maschinen- und Fahrzeugbau, elektrotechn. und Textilind.; Erdölverarbeitungszentrum (eine Erdölraffinerie in I., zwei nahebei, Rohölpipeline vom Mittelmeer), Großkraftwerke. – Die Altstadt hat z. T. noch mittelalterl. Gepräge: Herzogskasten (13. Jh., ehem. Palas, heute Bibliothek), Stadtumwallung (14. Jh.), Stadttore, Moritz- (13. und 14. Jh.), Liebfrauen-Kirche (15. Jh.), Minoritenkirche (1275 begonnen; mit »Anna Selbdritt« von H. Leinberger); ferner Asam-Kirche St. Maria Victoria (1732–36) und Barockhäuser, u. a. Alte Anatomie (Dt. Medizinhistor. Museum). Im Neuen Schloss (15. Jh.) befindet sich das Bayer. Armeemuseum, in der ehem. Donaukaserne das Museum für konkrete Kunst (seit 1992). – Seit etwa 1250 Stadt, 1392–1445 Residenz des Teilherzogtums Bayern-I. Die 1472 gegr. Univ. (zunächst Zentrum des Humanismus, dann der Gegenreformation) wurde 1802 nach Landshut, 1826 nach München verlegt.

Ingredi|ens (Ingredienz) *das,* Zutat, Bestandteil.

Ingres [ɛ̃ːgr], Jean Auguste Dominique, frz. Maler, *Montauban 29. 8. 1780, †Paris 14. 1. 1867; trat

Jean Auguste Dominique Ingres: »Die Badende von Valpençon« (1808; Paris, Louvre)

Jean Auguste Dominique Ingres (Selbstbildnis, 1858; Florenz, Uffizien)

1797 in das Atelier von J.-L. David ein; lebte bis 1841 meist in Rom; seit 1834 dort Direktor der frz. Akademie. I. gelangte unter italien. Einfluss zu einem persönlichen Stil, in dem er genaue Naturbeobachtung mit einer durch die Linie bestimmten Form verband. In der zeichnerisch klaren und reinen Form seiner weibl. Akte, mytholog. Bilder und Bildnisse vollendete sich die Überlieferung der frz. Klassik, die er im schärfsten Ggs. zu der maler. Romantik von E. Delacroix vertrat (»Die Badende von Valpençon«, 1808; »Die große Odaliske«, 1814; »Die Apotheose Homers«, 1827; »Die Quelle«, 1856; »Das türk. Bad«, 1859; alle Paris, Louvre).

📖 Vigne, G.: *J.-A.-D. I. A. d. Frz. München 1995.*

Ingwer
(Höhe bis etwa 1,2 m)

Ingression [lat.] *die,* langsames Eindringen des Meeres in Becken, Täler oder Senkungsräume des Festlands.

Inguri *der* (Ingur), Fluss in Georgien, 213 km lang, entspringt im Großen Kaukasus, durchfließt die Kolchis, mündet ins Schwarze Meer; Wasserkraftwerke.

Inguschen (Eigenbez. Galgai), muslim. Volk mit kaukas. Sprache im zentralen Hochgebirgskaukasus; etwa 260 000 Menschen, v.a. in →Inguschien, z.T. in Tschetschenien und Nordossetien (nach Auseinandersetzungen mit den Osseten 1992–93 größtenteils von hier geflohen), etwa 20 000 in Kasachstan.

Inguschi|en (Inguschetien, amtl. Rep. der Inguschen), 1992 aus der Rep. der Tschetschenen und Inguschen hervorgegangene Teil-Rep. der Russ. Föderation im zentralen Nordkaukasus, 3 200 km², (1995) etwa 300 000 Ew. (überwiegend Inguschen, daneben Russen und Tschetschenen [etwa 80 000 Flüchtlinge aus Nordossetien und Tschetschenien]); Hptst.: Naasran; außer Landwirtschaft bestehen nur zwei Ind.-Betriebe.

Ingwer

Der Wurzelstock einiger Arten, besonders des Echten Ingwer, wird v. a. als Gewürz verwendet, z. B. für Lebkuchen; er ist oft Hauptbestandteil von Curry. Außerdem lassen sich mit Ingwer Getränke aromatisieren (z. B. Ginger ale); auch kandiert wird Ingwer gegessen. In der Heilkunde dient Ingwer u. a. als appetitanregendes, magenwirksames und entzündungshemmendes Mittel. Seit ältesten Zeiten wird in China und Indien die Ingwerwurzel als Medizin und Gewürz verwendet. Römer und Griechen erhielten das Gewürz im 1. Jahrhundert auf dem Handelsweg durch das Rote Meer. In Deutschland und Frankreich ist Ingwer seit dem 8./9. Jahrhundert bekannt, im 10. Jahrhundert gelangte er nach England.

Ingwäonen (Ingävonen), nach Plinius d. Ä. und Tacitus eine der drei großen Stammesgruppen der →Germanen, die an der Nordseeküste siedelten; wahrscheinlich ein aus zahlr. Stämmen (u.a. Chauken) gebildeter religiös-polit. Kultverband, der den german. Gott Ing verehrte.

Ingwer [Sanskrit-grch.-lat., eigtl. »der Hornförmige« (nach der Form der Wurzel)] (Ginger, Zingiber officinale), Art der Ingwergewächse, urspr. verbreitet in O-Asien, heute überall in den Tropen und Subtropen kultiviert; schilfartige Staude mit knolligem, kriechendem Wurzelstock; Blüten grünlich gelb in bis 5 cm langen, eiförmigen Blütenähren. Der Wurzelstock wird als Gewürz verwendet.

Inhaberpapier, Wertpapier, bei dem die im Papier verbrieften Rechte von jedem Inhaber ohne Nachweis der Verfügungsberechtigung geltend gemacht werden können, im Ggs. zu Order- und Rektapapieren, in denen der Berechtigte namentlich angeführt wird. Das I. wird formlos übertragen. I. sind z.B. Inhaberschuldverschreibung, Inhaberscheck oder Inhaberaktie.

Inhaberschuldverschreibung, ein Wertpapier, in dem der Aussteller dem jeweiligen Inhaber eine Leistung verspricht (§ 793 BGB), z.B. Schuldverschreibungen des Bundes oder der Länder, Hypothekenpfandbriefe, Gewinnanteilscheine der AG, Investmentzertifikate. Der frühere staatl. Genehmigungsvorbehalt zur Ausstellung von I., in denen die Zahlung einer bestimmten Geldsumme versprochen wird, wurde 1990 aufgehoben.

Inhalation [lat.] *die,* das Einatmen **(Inhalieren)** von Heilmitteln in Form von Gasen, Dämpfen oder feinst zerstäubten flüssigen und festen Substanzen (Aerosole) bei Atemwegerkrankungen.

Inhalt, 1) *allg.:* das von einer Form Umschlossene, in etwas Enthaltene.

2) *Ästhetik:* im Kunstwerk (Bild, Gedicht, Roman) das Gegenständliche oder Handlungsmäßige im Unterschied zu Form, Stil und Sinngehalt. Letztlich ist I. im Kunstwerk nicht von der Einbindung in die Gestalt abtrennbar.

3) *Mathematik:* →Flächeninhalt bzw. Rauminhalt oder →Volumen.

4) *Sprachwissenschaft:* die Bedeutung oder begriffl. Seite sprachl. Zeichen im Unterschied zur Lautgestalt.

Inhambane [iɲamˈbanə], Hafenstadt in S-Moçambique, am Ind. Ozean, 85 000 Ew.; kath. Bischofssitz; Zuckerfabrik, Fischerei. – 1534 als portug. Niederlassung gegründet.

Inhibitoren [lat.], alle Substanzen, die im Ggs. zu den Katalysatoren chem. oder elektrochem. Vorgänge einschränken oder verhindern (z.B. Antienzyme und Antivitamine, Antioxidantien, Korrosions-I. und Alterungsschutzmittel).

in hoc signo vinces [lat. »in diesem Zeichen wirst du siegen«], unkorrekte lat. Übersetzung der Inschrift eines Kreuzes, das nach der Legende Konstantin d. Gr. vor der Schlacht gegen Maxentius (312) erschien. Korrekt heißt es: »in hoc vince«, dt. »in diesem [Zeichen] siege«.

Initiale [lat.] *die* (Initial), Anfangsbuchstabe, der durch Größe, Farbe und Schmuck hervorgehobene Buchstabe am Anfang der Kapitel oder Abschnitte in Hand- und Druckschriften. Im MA. hatten die Bücher reich verzierte und kolorierte I.: in den merowing. Handschriften mit Fisch- und Vogelmotiven, in der otton. und roman. Zeit mit Rankenornamentik, in der got. v.a. mit bildl., in die Buchstabengestalt eingefügten Darstellungen.

Initialsprengstoffe (Zündsprengstoffe), Sprengstoffe, die sich durch relativ schwachen Stoß oder durch Funken zur Explosion bringen lassen und die in Sprengkapseln zur Detonation von Sekundärsprengstoffen verwendet werden.

Initiation [lat. »Einweihung«] *die*, **1)** im Altertum die Zulassung zu den Mysterien (z.B. beim Mithraskult); auch die Aufnahme in einen Geheimbund.

2) (Reifefeier, Reifeweihe), bei Naturvölkern die meist mit der →Beschneidung verbundenen Feierlichkeiten, die die Jugendlichen in den Kreis der vollwertigen Stammesmitglieder einführt.

Initiativrecht, →Gesetzgebungsverfahren.

Initiator [lat.] *der, Chemie:* Stoff, der bereits in geringer Konzentration eine chem. Reaktion einleitet. Im Ggs. zu Katalysatoren werden I. dabei nicht regeneriert.

Injektion [lat.] *die*, **1)** *Bautechnik:* das Einpressen von Bindemitteln in den Baugrund zur Abdichtung, Verfestigung und Verbesserung der Tragfähigkeit des Untergrundes.

2) *Halbleitertechnik:* das Einbringen von Ladungsträgern in ein Halbleitergebiet durch Diffusion oder Drift.

3) *Medizin:* die Einspritzung gelöster Arzneimittel mit einer I.-Spritze oder über eine I.-Nadel (Kanüle) in den Körper. I. werden v.a. unter die Haut **(subkutane I.)**, in einen Muskel **(intramuskuläre I.)** oder in eine meist in der Ellenbogenbeuge gelegene Vene **(intravenöse I.)** gegeben. Bei einer I. gelangen Arzneimittel unter Umgehung des Magen-Darm-Kanals schneller und sicherer in den Blutkreislauf.

4) *Petrologie:* das Eindringen von magmat. Schmelzen oder Lösungen in Gesteinsfugen; dies kann zu Gesteinsumwandlung führen (I.-Metamorphose).

Injektor [lat.] *der* (Dampfstrahlpumpe), eine Strahlpumpe, in der ein Treibmitteldampfstrahl (Wasser-, Öl-, Quecksilberdampf) mit hoher Geschwindigkeit eine Mischdüse durchströmt. Durch den in der Verengung enstehenden stat. Unterdruck werden seitlich über ein oder mehrere Zuführungsleitungen andere Gase oder Flüssigkeiten angesaugt und forttransportiert.

Initiale: Handschrift der Reichenauer Malerschule, Beginn des Hohen Liedes »Osculetur me osculo oris sui…« = »Mit Küssen seines Mundes bedecke er mich…« (um 1000; Bamberg, Staatsbibliothek)

Initiale

Die Hervorhebung des Textbeginns und der Kapitelanfänge durch Initialen, die mehrere Schriftzeilen, oft auch eine ganze Seite in Anspruch nehmen, folgt einem geplanten Schema der Abstufung. Seit dem 8. Jahrhundert sind – neben Fisch- und Vogelmotiven, Flechtwerk und Rankenornamentik – manche Initialen mit bildlichen Darstellungen verbunden, wobei diese den Buchstabenkörper ersetzen können, in ihn integriert sind oder den Binnengrund der Initiale einnehmen. Der Beginn des Hohen Liedes »Osculetur me osculo oris sui« ist in dieser Reichenauer Handschrift mit einer geistvollen Bildinitiale, einem thronenden Christus, umgeben von den neun Chören der Engel, ausgestattet: Da das Brautpaar des Hohen Liedes mit Christus und der »Kirche« identifiziert wurde, führt die Personifikation der Kirche den Zug ihrer verschiedenen Gruppen an, der sich Christus von unten her nähert.

Injurie [lat.] *die*, Beleidigung durch Worte (Verbal-I.) oder Tätlichkeiten (Realinjurie).

Inka, südamerikan. Indianer der Ketschua-Sprachgruppe, die in vorkolumb. Zeit ein großes Reich geschaffen hatten; urspr. Titel des Herrschers oder seiner Sippe, später auch Bez. für alle Angehörigen des I.-Reichs im Hochland von Peru, die Ketschua sprachen. Das Reich erreichte im 16. Jh. seine größte Ausdehnung (zw. N-Ecuador und Mittelchile). Kerngebiet war die Umgebung der vermutlich um 1200 gegr. Hauptstadt Cuzco. Der Herrscher Pachacutec Yupanqui (1438–71) be-

Inka: Der Herrscher Huayna Capac, Illustration einer Bilderchronik (1580–1615) des indianischen Chronisten Felipe Guamán Poma de Ayala

gann mit Eroberungen, die von seinen Nachfolgern fortgesetzt wurden. Huayna Capac (1493 bis 1525) teilte das Reich unter seine Söhne Huascar und Atahualpa auf, wodurch 1532 die span. Eroberung unter Pizarro erleichtert wurde. Der letzte Herrscher, Tupac Amaru I., wurde 1572 gefangen genommen und hingerichtet. – Der zentralistisch regierte Staat der I. (Tahuantinsuyu) war streng hierarchisch gegliedert und straff organisiert. Der Sonnenkult war Staatsreligion (der Sonnengott Inti verdrängte den ursprüngl. Schöpfergott Viracocha); Fruchtbarkeitsgöttin Pachamama. Hoch entwickelt waren Ackerbau (bewässerte Terrassen; Mais, Kartoffeln, Gemüse), der Straßen- und Festungsbau sowie das Nachrichtenwesen (durch Läufer), daneben Viehhaltung (Lamas, Alpakas) und Fischerei. Ein Teil der Erträge musste an die Verw. abgeliefert werden. Die öffentl. Bauten wurden aus gut behauenen Steinblöcken ohne Mörtel errichtet (Reste v.a. in Cuzco, Sacsayhuamán, Pisac, Machu Picchu). In der Keramik herrschten kleinformatige, geometr. Muster vor (»Reichsstil«); typ. Form ist eine spitzbodige, bauchige Amphore mit langem Hals und zwei Henkeln. Gerätschaften bestanden z.T. aus Bronze, die Textiltechnik war hoch entwickelt. Die I. kannten keine Schrift; zur Erfassung aller Abgaben und statist. Angaben dienten Knotenschnüre (→Quipu). →andine Hochkulturen

📖 WESTPHAL, W.: *Unter den Schwingen des Kondor. Das Reich der I. gestern u. heute. Neuausg. Frankfurt am Main u. a. 1989.* – STINGL, M.: *Die I.s. Ahnen der »Sonnensöhne«. A. d. Tschech. Neuausg. Eltville am Rhein 1990.* – *I., Peru. 3000 Jahre indian. Hochkulturen, hg. v.* E. BUJOK, *Ausst.-Kat. Haus der Kulturen der Welt, Berlin. Tübingen 1992.* – BAUDIN, L.: *Das Leben der I. Die Andenregion am Vorabend der span. Eroberung. A. d. Frz. Zürich* ^{2}*1993.*

Inkarnat [italien.] *das, Malerei:* der Farbton der Haut.

Inkarnation [lat. »Fleischwerdung«] *die,* **1)** *allg.:* Verkörperung.

2) *christl. Theologie:* das zentrale Dogma der Menschwerdung des →Logos in Jesus Christus (Joh. 1,14).

3) *Religionswiss.:* in verschiedenen Religionen die ird. Gestaltwerdung (als Mensch oder Tier) göttl. Wesen.

Inkarzeration [lat.] *die,* Einklemmung von Eingeweideteilen in einem Bruchsack.

Inkasso [italien.] *das,* Einziehung von Außenständen (Rechnungen, Wechsel, Schecks). Das **I.-Geschäft** wird von selbstständigen Unternehmen **(I.-Büros)** und von den Banken betrieben.

Inkatha *die,* polit. Organisation der Schwarzen (vorwiegend der Zulu) in Südafrika, die in gemäßigter Opposition zur weißen Reg. stand; geführt von G. Buthelezi; war häufig in blutige Auseinandersetzungen mit dem African National Congress (ANC) verwickelt.

Inkerman [tatar. »Höhlenfestung«], Ort auf der Krim, 10 km südöstlich von Sewastopol, mit etwa 300 in Stockwerken angeordneten Höhlenwohnungen, ferner Reste einer genues. Befestigung.

Inklination [lat.] *die,* **1)** *Astronomie:* (Neigung) Winkel zw. der Ebene einer Planetenbahn und der Ebene der Erdbahn.

2) *Geophysik:* der Winkel zw. dem erdmagnet. Feld und der Erdoberfläche (→Erdmagnetismus).

Inklusion [lat.] *die, Mengenlehre:* Bez. für die Teilmengenrelation »⊂« (→mathematische Zeichen).

Inka

Ein Begleiter des Francisco Pizarro, der Augustinermönch Celso Garcia, beschrieb in seinem Tagebuch auch die innere Situation des Inkareiches beim Eintreffen der Spanier: »Wenige Tage nach seinem Einzug in Cuzco lud Atahualpa den ganzen Inka-Adel ein, ihm zu huldigen. Kaum hatten die Eingeladenen die Hauptstadt betreten, wurden sie festgenommen. Und dann ließ Atahualpa die ganze königliche Familie töten, alle ohne Ausnahme, selbst die Frauen, in deren Adern Inkablut floss ... Das Blut floss in Strömen, über 700 Menschen wurden bestialisch hingemordet. Damit hatte Atahualpa erreicht, dass nun niemand mehr Anspruch auf den Thron erheben konnte. Nun herrschte wieder Ruhe im Reich. Atahualpa nahm die scharlachrote Borla, die Krone der Inka, in Empfang und sonnte sich im Glanz seiner Macht. Er konnte nicht ahnen, dass am Himmel Perus Gewitterwolken aufstiegen, die sich bald entladen sollten.«

Inka (von links): landwirtschaftliche Anbauterrassen aus der Inkazeit bei Moray im Departement Cuzco, Peru; mörtelloses Quadermauerwerk und trapezförmige Tür- und Fensteröffnungen (hier Hauseingang in Machu Picchu) sind typisch für die Inkaarchitektur

inkohärent [lat.], **1)** *allg.:* unzusammenhängend; Ggs.: kohärent.

2) *Physik:* i. sind Schwingungen und Wellen ohne feste Phasenbeziehungen; nicht interferenzfähig. Ggs.: kohärent (→Kohärenz).

Inkohlung, Umbildung pflanzl. Substanz (bes. Cellulose, Lignin) über die Stadien Torf, Braunkohle, Steinkohle zu Anthrazit im Verlauf langdauernder geolog. Prozesse.

inkommensurabel [lat.], **1)** *allg.:* nicht vergleichbar, nicht mit gleichen Maßen messbar.

2) *Mathematik:* i. heißen Größen, die zueinander in einem irrationalen Verhältnis stehen, z.B. die Seite und die Diagonale eines Quadrats; Ggs.: kommensurabel.

3) *Quantentheorie:* i. sind Größen (Observable), die nicht gleichzeitig gemessen werden können, z.B. Ort und Impuls eines Teilchens. (→Unschärferelation)

inkompatibel [lat.], unvereinbar, unverträglich. Bei medizin. Transfusionen oder Transplantationen erweisen sich bestimmte Blutgruppen oder Gewebe als i. mit dem Blut oder Gewebe des Empfängers. Techn. Geräte, Programme, Daten sind i., wenn sie nicht untereinander austauschbar oder verknüpfbar sind (→Kompatibilität).

Inkompatibilität [lat.] *die, Staatsrecht:* die Unzulässigkeit der gleichzeitigen Bekleidung mehrerer Ämter durch eine Person, bes. solcher Ämter, die versch. Staatsgewalten zugehören. Die I. sichert in erster Linie die →Gewaltenteilung gegen eine personelle Gewalten- und Funktionenhäufung (z.B. Art. 55, 94 Abs. 1 GG). Kraft Gesetz ruhen die Rechte und Pflichten aus einem öffentl. Dienstverhältnis für die Dauer der Parlamentsmitgliedschaft. **Wirtsch. I.** ist die Unvereinbarkeit bestimmter staatl. Ämter und wirtsch. Stellungen (z.B. durch Art. 66 GG für die Mitgl. der Bundesregierung).

In *Österreich* und in der *Schweiz* gilt Ähnliches, wobei in der Schweiz die I. auf Bundesebene stärker ausgeprägt ist als in den Kantonen.

inkompressibel [lat.], *Physik:* nicht zusammendrückbar, von nahezu konstanter Dichte. In guter Näherung kann man feste und flüssige Körper als i. ansehen.

inkongruent [lat.], nicht übereinstimmend, sich nicht deckend; Ggs.: kongruent.

Inkontinenz [lat.] *die, Medizin:* Unvermögen, Stuhl oder Harn willkürlich zurückzuhalten; Ursache ist eine Funktionsstörung der Schließmuskeln von Harnblase und Mastdarm.

Inkorporation [lat.], **1)** *allg.:* die Einverleibung, z.B. eines polit. Gemeinwesens in ein anderes (z.B. Eingemeindung), die Angliederung eines Staates oder Staatsteils an einen anderen Staat.

2) *kath. Kirchenrecht:* die Eingliederung eines Benefiziums (→Pfründe) in eine kirchl. jurist. Person.

Inkohlungsreihe

Anteil von	Kohlenstoff	Wasserstoff	Sauerstoff	Stickstoff	Wasser
Zellulose	50%	6%	43%	1%	35-70%
Torf	55-64%	7-5%	37-33%	2%	75-95%
Braunkohle	65-75%	9-5%	30-12%	1%	15-65%
Steinkohle	75-92%	6-4%	16- 3%	1%	3-15%
Anthrazit	92-98%	4-1%	3- 1%	-	1- 2%
Graphit	98-99%	0,5-0%	0,5- 0%	-	0,5- 2%

inkorporierende Sprachen, →Sprache.

In-Kraft-Setzen *das* (In-Kraft-Treten), der zeitl. Beginn der normativen Verbindlichkeit eines Rechtssatzes, bes. eines Gesetzes.

Inkreis, Kreis, der alle Seiten eines konvexen Vielecks von innen berührt.

Inkrement [lat.] *das,* **1)** *Datenverarbeitung:* (Inkrementieren) Erhöhung des Inhalts eines Registers oder Speicherplatzes um den Wert 1.

2) *Physik:* kleiner Zuwachs einer Größe; Ggs.: Dekrement.

Inkrustation 1): Die inkrustierte Marmorfassade der Kirche Santa Maria Novella in Florenz wurde 1470 vollendet

Inkrementalcompiler [-kɔmpaɪlər] (inkrementeller Compiler), *Informatik:* ein →Compiler, der einzelne Befehle oder kleine Änderungen eines Quellprogramms separat übersetzen und in das Zielprogramm einfügen kann.

Inkretion *die,* die →innere Sekretion.

Inkrustation [lat.] *die,* **1)** *Baukunst:* die Verkleidung von Mauern und Fußböden mit verschiedenfarbigen Steinplatten meist aus Marmor und Porphyr, die, zu Mustern zusammengefügt, die Fläche dekorativ beleben. Die schon in der antiken (Pantheon in Rom) und byzantin. Kunst (Hagia Sophia in Istanbul) geübte Technik war vom frühen MA. bis zum Barock bes. in Italien verbreitet.

2) *Kunsthandwerk:* in die Oberfläche eines Gegenstandes eingelegte Verzierung, bei der härtere Materialien (Stein, Glas, Metall u. a.) in eine weichere, aushärtende Masse eingebettet werden; bereits im 16. Jh. in Italien bei der Herstellung von Möbeln beliebte Technik.

3) *Petrologie:* mineral. Überzug um Gesteine, Fossilien u. a.; entstanden durch chem. Ausscheidungen.

Inkubation [lat.] *die,* **1)** *Biologie:* Bebrütung, entwicklungsfördernde Erwärmung, z. B. von Bakterienkulturen oder Vogeleiern.

2) *Medizin:* die →Inkubationszeit.

3) *Religionsgeschichte:* in der Antike der Tempelschlaf, der im Traum göttl. Offenbarungen und bes. Heilung von Krankheiten bringen sollte.

Inkubationszeit (Inkubation), bei Infektionskrankheiten die Zeit zw. Ansteckung und ersten Krankheitserscheinungen.

Inkubator *der* (Brutkasten), Einrichtung zur medizin. Versorgung und Betreuung Frühgeborener oder entsprechend pflegebedürftiger Neugeborener. Der I. besteht aus einer geschlossenen, durchsichtigen Kammer mit regulierbarer und automatisch konstant gehaltener Wärme, Luftfeuchtigkeit, Luft- und Sauerstoffzufuhr (einschließlich Kontroll- und Warneinrichtungen). Die Versorgung und Behandlung des Kindes ist ohne Öffnung des I. über selbsttätig dichtende Durchgriffsöffnungen möglich.

Inkubus [lat. »der Aufliegende«] *der,* in röm. Zeit Name des den Albdruck verursachenden Dämons; im Dämonenglauben des MA. der Buhlteufel einer Hexe; Schlüsselbegriff vieler Hexenprozesse, auch Beschwörungsformelwort. (→Sukkubus)

Inkunabeln [lat.], →Wiegendrucke.

Inland, *Staatsrecht:* das Staatsgebiet innerhalb der Staatsgrenzen. Im *Steuerrecht* gelten besondere Festlegungen zum Begriff des Inlands.

Inlandeis (Binneneis), große geschlossene Eisdecken in den Polarländern, bes. in Grönland und der Antarktis, bis über 4 000 m dick; an den Rändern oft in Gletscherzungen aufgelöst, von denen durch Abbrechen (Kalben) die Eisberge entstehen; hier oft von Einzelbergen (Nunatak) durchragt. (→Gletscher)

Inlaut, *Sprachwiss.:* Laut im Wortinnern, im Unterschied zu An- und Auslaut.

Inlay [ˈɪnleɪ, engl.] *das,* →Gussfüllung.

Inlett *das,* daunen- oder federdichtes, echtfarbiges Baumwollgewebe, meist in Köperbindung.

Inline-Bildröhre [ˈɪnlaɪn-, engl.], Fernsehfarbbildröhre, bei der die den drei Grundfarben Rot, Grün und Blau zugeordneten Bildpunkte in nebeneinander liegenden, senkrechten Streifen angebracht sind.

in medias res [lat., »mitten in die Dinge hinein«], unmittelbar zur Sache (kommen, gehen).

Inn *der* (bündnerroman. En), bedeutender rechter Nebenfluss der oberen Donau, 510 km lang, entspringt in Graubünden im Bergsee Lago dal Lunghin, 2 480 m ü. M., durchströmt das Engadin, Nordtirol und das Alpenvorland, mündet bei Passau in die Donau. Von der Mündung der Salzach an bildet er die Grenze zw. Bayern und Oberösterreich. Das Engadin ist v. a. Fremdenverkehrsgebiet, das österr. Inntal, ein alter Kultur- und Verkehrsraum, bildet mit Landeck, Innsbruck, Hall, Schwaz

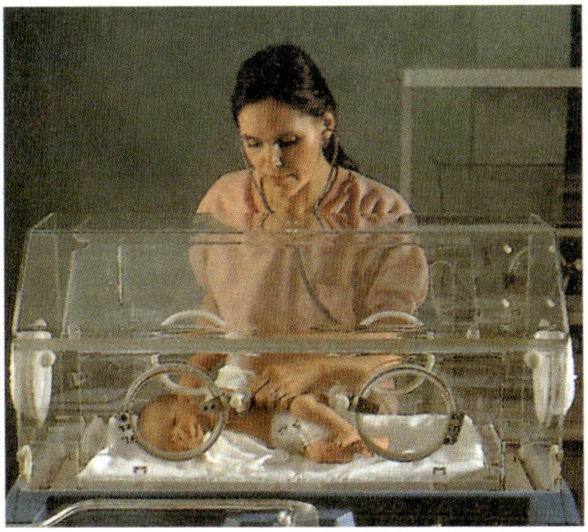

Inkubator: Versorgung eines Frühgeborenen in einem Inkubator

und Kufstein die Kernlandschaft Nordtirols, das sich zu einem bed. Ind.gebiet entwickelt hat.

Innenarchitektur, die Gestaltung von Innenräumen; umfasst die Materialwahl, die Gliederung von Wand-, Decken- und Fußbodenflächen, die Farbgebung, die natürl. und künstl. Beleuchtung, die Möblierung und den Einbau besonderer Einrichtungen; häufig ausgeführt durch **Innenarchitekten.**

Innenboden, →Doppelboden.

Innenpolitik, das polit. Handeln innerhalb eines Staats, insoweit im Wesentlichen nur dessen Angehörige daran beteiligt oder davon betroffen sind. Die Aufgaben der I. sind auf die klass. Ministerien (Inneres, Justiz, Finanzen) und auf verschiedene neue Ressorts, die typisch für den modernen Ind.staat sind (Agrar- und Verkehrspolitik, Soziales, Arbeit, Umweltschutz usw.), aufgeteilt.

Innenreim, der Binnenreim, →Reim.

Innenwiderstand, elektr. Widerstand einer Spannungsquelle (z. B. Batterie), an dem bei Belastung durch einen Verbraucher ein Teil der Klemmenspannung abfällt.

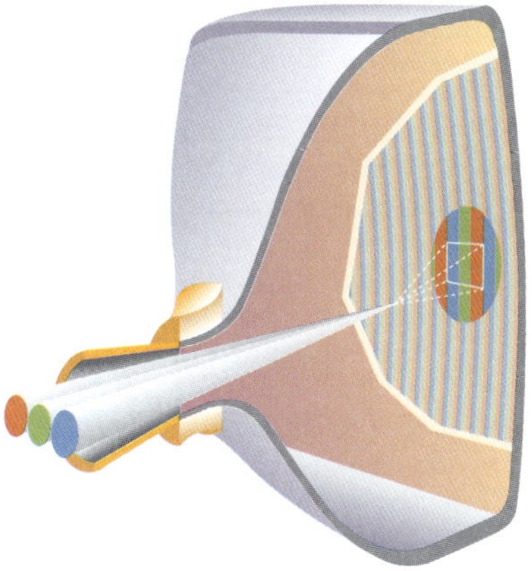

Inline-Bildröhre: Schema der Anordnung der drei Grundfarben-Bildpunkte in senkrechten Streifen

Innenwinkel, der von zwei benachbarten Seiten im Innern eines konvexen Vielecks gebildete Winkel; der I. ist der Nebenwinkel des zugehörigen Außenwinkels.

Innerasien, →Zentralasien.

innerdeutsche Grenze, von 1949/52 bis 1989/90 bestehende befestigte Grenzlinie zw. der DDR und der Bundesrep. Dtl., DDR-offiziell »Staatsgrenze West«, umgangssprachlich **Mauer** gen., hervorgegangen aus der 1945 festgelegten (noch unbefestigten) Grenze zw. der SBZ und den westl. Besatzungszonen Dtl.s (→Zonengrenzen); Symbol der Spaltung Dtl.s. – Im Sommer 1952 wurde in der DDR mit der Errichtung einer 5-km-Sperrzone (später erweitert) begonnen; die dortige Bev. wurde zwangsausgesiedelt und die Bewachung der Grenze (erster Schießbefehl) verstärkt. Am 13. 8. 1961 begann der Bau der →Berliner Mauer; danach wurde ein verschärftes Grenzregime entlang der ehem. Demarkationslinie eingerichtet mit erneutem Schießbefehl (bis Okt./Nov. 1989), Minenfeldern und Selbstschussanlagen (Sept. 1983 bis Nov. 1984 z. T. abgebaut). Mit der Öffnung der i. G. am 9. 11. 1989 durch die DDR-Reg. begann die schnelle Entwicklung zur Wiedererlangung der staatl. Einheit Dtl.s, die auch zum systemat. Abbau der Grenzsicherungsanlagen führte. Nach neueren Angaben wurden an der i. G. 1088 Flüchtlinge getötet (davon 189 in der Ostsee).

📖 *Opfer der Mauer. Die geheimen Protokolle des Todes, Beiträge v.* W. FILMER *u.* H. SCHWAN. *München 1991.* – KOOP, V.: *»Den Gegner vernichten«. Die Grenzsicherung der DDR. Bonn 1996.*

innere Emigration, von F. Thieß 1933 geprägter Begriff für die politisch-geistige Haltung derjenigen Schriftsteller, die während des Dritten Reiches in Deutschland blieben und mit den ihnen verbliebenen literar. Möglichkeiten gegen den Nationalsozialismus Widerstand leisteten. (→Exilliteratur)

innere Energie, Formelzeichen U, die gesamte in einem thermodynam. System enthaltene Energie, die nur vom inneren Zustand des Systems abhängt. Messbar ist nur die Änderung der i. E. ΔU, die sich additiv aus der zu- oder abgeführten Wärme ΔQ und der zu- oder abgeführten Arbeit ΔW zusammensetzt: $\Delta U = \Delta Q + \Delta W$ (1. Hauptsatz der Thermodynamik).

innere Führung, Prinzip der Menschen- und Truppenführung in der Bundeswehr mit Normen und Verhaltensregeln für Vorgesetzte und Untergebene. Diese sollen einerseits die Einsatzbereitschaft der Streitkräfte, andererseits die Rechte der Soldaten sichern. Der einzelne Soldat und die

Streitkräfte als Ganzes bleiben in die demokratisch-parlamentar. Staatsordnung eingegliedert (»Staatsbürger in Uniform«).

innere Kolonisation, 1) Gewinnung von bisher ungenutztem Land in bereits besiedeltem Gebiet durch Rodung und Urbarmachung.

2) die bäuerl. Siedlung in →Posen und Westpreußen, durch das preuß. Ansiedlungs-Ges. vom 26. 4. 1886 eingeleitet.

innere Medizin, Fachgebiet der Medizin, das sich mit der Erkennung, Behandlung und Verhütung der Krankheiten innerer Organe und Organsysteme befasst. Teilgebiete sind z.B. Kardiologie, Hämatologie und Gastroenterologie.

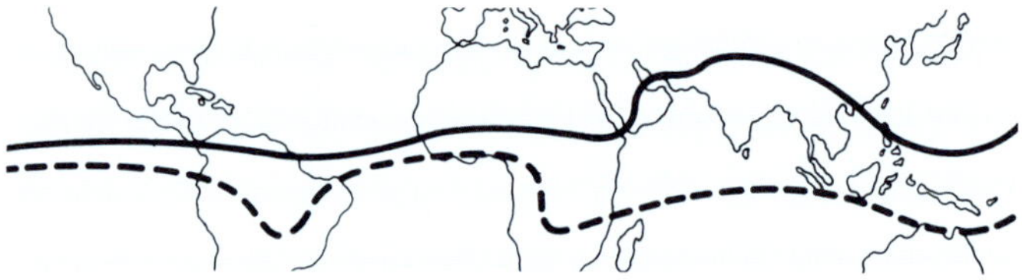

innertropische Konvergenzzone: mittlere Lage im Juli (durchgezogene Linie) und im Januar (unterbrochene Linie)

Innere Mission, seit dem 19. Jh. Bez. der in freien Vereinen und Anstalten organisierten evang. Sozialarbeit (»christl. Liebesdienst«); 1849 durch J. H. Wichern im »Centralausschuß für I. M. der dt. evang. Kirche« organisatorisch geeinigt und koordiniert; 1957 im →Diakonischen Werk der Evangelischen Kirche in Deutschland e.V. aufgegangen.

Innere Mongolei (Nei-meng-ku, chines. Nei Monggol Zizhiqu), autonome Region (seit 1947) in NO-China, an der Grenze gegen die Mongolei, 1,183 Mio. km², (1994) 22,6 Mio. Ew. (davon etwa 10% Mongolen), Hptst.: Hohhot. Die I. M. umfasst einen Teil des mongol. Plateaus (durchschnittlich 800–1000 m ü.M.), das vom Hwangho umflossene Wüstengebiet des Ordosplateaus und im NO den Großen Chingan. Neben Viehzucht (Schafe, Ziegen) von chines. Zuwanderern betriebener Ackerbau (mit Bewässerung v.a. Weizen, Hafer, Zuckerrüben, Ölsaaten, sonst Hirse) und moderne Ind. (Stahlwerk bei Baotou, Maschinenbau, Leder- und Wollindustrie); Abbau von Steinkohle und Eisenerzen, Salzgewinnung. Ein Großteil der mongol. Nomaden ist heute sesshaft, noch etwa 200000 leben als wandernde Viehzüchter in den nördl. Grenzgebieten.

Hammond Innes

innerer Monolog, Erzähltechnik bes. des modernen Romans, durch die eine Romanfigur im stummen, rein gedankl. Gespräch mit sich selbst vorgeführt wird. Der i. M. verwendet Ichform und Präsens. Er gibt die spontanen, sprunghaft-assoziativen Gedanken und Gefühle der Romanfigur in ihrer ganzen Unmittelbarkeit wieder und versucht so, Dimensionen, Schichten und Bewegungen menschl. Bewusstseins (Unbewusstes, Tabuisiertes) darzustellen. Der i. M. ist wesentl. Bestandteil der Technik des Bewusstseinsstroms (→Stream of Consciousness). Er findet sich u.a. schon bei A. S. Puschkin, dann bei W. M. Garschin, H. James, H. Conradi, A. Schnitzler, v.a. als Bestandteil oder Gesamtstruktur der großen Romane u.a. bei J. Joyce, W. Faulkner, Virginia Woolf, M. Proust, T. Mann, H. Broch, A. Döblin.

innere Sekretion (Inkretion), die Abscheidung von Drüsensekreten direkt in die Körperflüssigkeiten (Blut, Hämolymphe) oder in Gewebslücken. (→Drüsen, →Hormone)

innere Spannungen, →Spannung.

inneres Produkt, das →Skalarprodukt.

innere Uhr, →Zeitsinn.

Innerösterreich, Bez. für die ehem. österr. Herzogtümer Steiermark, Kärnten, Krain und die Grafschaft Görz; heute in Tirol und Vorarlberg Bez. für das übrige Österreich.

Innerrhoden, schweizer. Kanton, →Appenzell 2).

Innerste *die,* rechter Nebenfluss der Leine, Ndsachs., entspringt bei Clausthal-Zellerfeld (**I.-Talsperre** mit 20 Mio. m³ Wasser), mündet bei Sarstedt, 99 km lang.

innertropische Konvergenzzone (innertrop. Konvergenz, engl. Intertropical Convergence [Zone], Abk. ITC oder ITCZ), Zone der äquatorialen Tiefdruckrinne zw. den Passatgürteln der Nord- und Südhalbkugel der Erde; hier steigt die konvergierende Luft der Passate auf, Folge sind Wolkenbildung, Regen, z.T. auch Wirbelstürme. Sie fällt nicht mit dem geograph. Äquator zusammen, sondern wandert, dem Sonnenhöchststand folgend, auf den Festländern weit nach Norden und Süden.

Innes [ˈɪnɪs], Ralph Hammond, engl. Schriftsteller, *Horstham (Cty. West Sussex) 15. 7. 1913, †Kersey 10. 6. 1998; schrieb Abenteuerromane (»Es begann in Tanger«, 1954; »Tod auf Leukas«, 1971; »Die Fährte der Elefanten«, 1977; »Die Yukon-Affäre«, 1987; »Isvik«, 1991).

Innitzer, Theodor, österr. katholischer Theologe, *Weipert (heute Vejprty, bei Komotau) 25. 12. 1875, †Wien 9. 10. 1955; 1929/30 Bundesmin. für soziale Verwaltung; seit 1932 Erzbischof von Wien; seit 1933 Kardinal; befürwortete zunächst den Anschluss Österreichs an Dtl., wandte sich später gegen den Nationalsozialismus.

Innovation [lat.-engl. »Erneuerung«] *die,* allg. die planvolle, zielgerichtete Erneuerung und auch Neugestaltung von Teilbereichen, Funktionselementen oder Verhaltensweisen im Rahmen eines bereits bestehenden Funktionszusammenhangs (soziale oder wirtsch. Organisation) mit dem Ziel, bereits bestehende Verfahrensweisen zu optimieren oder neu auftretenden oder veränderten Funktionsanforderungen besser zu entsprechen. Speziell in der *Wirtschaft* sind zu nennen: Entwicklung, Erzeugung und Durchsetzung neuer Produkte und Produktqualitäten **(Produkt-I.),** neuer Technologien im Produktions- und Vertriebsbereich **(Prozess-I., Verfahrens-I.),** neuer Methoden im Bereich der Organisation und des Managements **(organisator. I.** und **personale I.),** die Erschließung neuer Beschaffungs- und Absatzmärkte **(marktmäßige I.)** sowie die Einführung von Planungs-, Informations- und Kontrollsystemen in den Bereichen Finanzierung und Rechnungswesen **(finanzwirtschaftliche I.).** Nach dem Grad der Neuerung lassen sich **Basis-I.** oder **Schlüssel-I.** und **Verbesserungs-I.** unterscheiden. I. im güterwirtsch. Bereich werden als **Real-I.**, I. im monetären Bereich als **Finanz-I.** bezeichnet. – Für ein Unternehmen bestehen trotz Kosten- und Absatzrisiko Anreiz für I., weil die vorübergehende Monopolstellung Extragewinne verspricht. Gesamtwirtsch. führen I. zu einer Steigerung der Effizienz und Produktivität der Volkswirtschaft.

📖 *Innovationsökonomie u. Technologiepolitik. Forschungsansätze u. polit. Konsequenzen, hg. v.* F. MEYER-KRAHMER. *Heidelberg 1993.* – KLODT, H.: *Grundlagen der Forschungs- u. Technologiepolitik. Neuausg. München 1995.* – MÜNT, G.: *Dynamik von I. u. Außenhandel. Heidelberg 1996.*

Innozenz, Päpste: **1) I. I.** (402–417), †Rom 12. 3. 417; baute den kirchl. Primat Roms aus; beanspruchte die oberste Lehrentscheidung in der Gesamtkirche; Heiliger, Tag: 28. 7.

2) I. III. (1198–1216), eigtl. Lothar Graf von Segni, *Anagni (Prov. Frosinone) 1160 oder 1161, †Perugia 16. 7. 1216; führte das mittelalterl. Papsttum auf den Gipfel seiner Macht; erstrebte die Unabhängigkeit der päpstl. Hauptstadt Rom und des unter ihm erweiterten Kirchenstaates sowie die Oberhoheit über Sizilien; führte 1202–04 den 4. Kreuzzug; krönte 1209 Otto IV. zum Kaiser; förderte und bestätigte neue Orden (Franziskaner u. a.); reformierte die Kurie und den Klerus; erließ Bestimmungen gegen Häretiker und legte die Grundlagen des kanon. Inquisitionsprozesses.

📖 LAUFS, M.: *Politik u. Recht bei I. III. Köln u. a. 1980.*

3) I. IV. (1243–54), eigtl. Sinibald Fieschi, *Genua um 1195, †Neapel 7. 12. 1254; berief das Konzil von Lyon (1245) ein, das Kaiser Friedrich II. absetzte.

4) I. X. (1644–55), eigtl. Giambattista Pamfili, *Rom 6. 5. 1574, †ebd. 7. 1. 1655; protestierte 1648 gegen die die kirchl. Rechte verletzenden Bestimmungen des Westfäl. Friedens.

Innsbruck: Maria-Theresien-Straße mit der Annasäule (1706), rechts daneben der Neuhof mit dem »Goldenen Dachl«, einem mit feuervergoldeten Kupferschindeln gedeckten Erker (1494-96)

5) I. XI. (1676–89), eigtl. Benedetto Odescalchi *Como 19. 5. 1611, †Rom 12. 8. 1689; missbilligte die Hugenottenverfolgung durch Ludwig XIV.; vermittelte das Bündnis zw. Polen und Österreich zur Abwehr der Türkengefahr (→Türkenkriege).

Innsbruck
Stadtwappen

Innsbruck, Hauptstadt von Tirol, Österreich, 118 100 Ew., im Tal des Inn, der hier die Sill aufnimmt; im N von den Kalkwänden des Karwendelgebirges (Nordkette mit Brandjoch, 2597 m ü. M., und Hafelekar, 2334 m ü. M., Seilbahn) überragt; im S erheben sich Patscherkofel (2277 m ü. M.) und Saile (2406 m ü. M.); Sitz der Landesreg. und eines kath. Bischofs, Univ. (seit 1669), Landesmuseum Ferdinandeum, Alpenvereinsmuseum, Tiroler Volkskundemuseum, Landesarchiv, -theater, Kongresshaus, botan. Garten, Alpenzoo. Als Handels- und Verkehrszentrum von Tirol ist I. zugleich Messestadt sowie einer der wichtigsten Fremdenverkehrs- und Kongressorte Österreichs; Wintersportzentrum (1964 und 1976 Olymp. Winterspiele); Textil- und Bekleidungsind., Metall- und Holzverarbeitung, Nahrungs- und Genussmittelerzeugung. I. liegt an der West- und der Brennerbahn, ist Ausgangspunkt der Karwendel-, der Stubaital- und der Mittelgebirgsbahn und wird von der Inntal- und der Brennerautobahn berührt.

Papst Innozenz XI.
(Kupferstich, um 1680)

Stadtbild: In der Altstadt (mit Lauben und hohen Erkerhäusern) liegen u. a. die »Ottoburg«, ein Wohnturm von 1494/95, das »Goldene Dachl«, ein spätgot. Prunkerker von 1494–96, das Alte Rathaus (1358) mit Stadtturm (14. Jh.), der Dom zu St. Jakob (gotisch, 1717–22 erneuert, mit Ausstattung von E. Q. und C. D. Asam), die 1754–70 erneuerte Hofburg mit der Hofkirche (1553–63; Renaissancegrabmal Maximilians I.), das alte Universitätsgebäude mit der Jesuitenkirche (1627–40), südlich davon die barocke Spitalkirche (1701–05) und das Landhaus (1725–28), in der Maria-Theresien-Straße die Annasäule (1706), die Triumph-pforte (1765), in Wilten am Fuß des Bergisel die Prämonstratenserstiftskirche (1651–65) und die Pfarrkirche (1751–55); im Vorort Amras Schloss →Ambras.

Geschichte: I. wird um 1180 erstmals erwähnt und erhielt um 1200 Stadtrecht; es kam 1363 mit Tirol an Habsburg und war 1420–90 und 1564–1665 Residenz der Tiroler Linie der Habsburger. 1806–14 gehörte I. zu Bayern (1809 Hauptquartier A. Hofers); seit 1815 wieder Landeshauptstadt.

İsmet İnönü

Innungen, nach der Handwerksordnung vom 28. 12. 1965 als öffentlich-rechtl. Körperschaften bestehende freiwillige Vereinigungen selbstständiger Handwerker gleichen oder ähnl. Handwerks. Sie fördern die gemeinsamen Interessen ihrer Mitgl., die Berufsausbildung und nehmen die Gesellenprüfungen ab. I. können Gutachten erstellen, Tarifverträge abschließen und I.-Krankenkassen bilden. Innerhalb eines Bezirks kann für jedes Handwerk nur eine I. gebildet werden. Diese untersteht der Rechtsaufsicht der Handwerkskammer des gleichen Bezirks. Organe sind: I.-Versammlung, Vorstand (an der Spitze der Obermeister), versch. Ausschüsse. Fachlich sind die I. zu I.-Verbänden (Landes-, Bundes-I.-Verbände) zusammengeschlossen. – In *Österreich* sind die I. als Fachgruppen (Landes-I.) bzw. Fachverbände (Bundes-I.) der Wirtschaftskammer zugeordnet. In der *Schweiz* bestehen I. und Zünfte als Vereinigungen mit Vorrechten oder Monopolen seit 1798 nicht mehr. Ihre Aufgaben wurden z. T. vom Staat übernommen.

Geschichte: Die I. sind die Nachfolger der Zünfte, deren Vorrechte mit dem Übergang zur Gewerbefreiheit im 19. Jh. aufgehoben worden waren; vorher hießen Vereinigungen der Handwerker je nach Entstehung und Überlieferung Schwurverband, Eidgenossenschaft, Rotte, Gilde, Einung, Bruderschaft, Gaffel u. a. Die Gewerbeordnung (GewO) von 1869 ließ die I. zwar zu, raumte ihnen jedoch keinerlei Privilegien ein. Allmählich gewannen die I. eine Reihe öffentl. Funktionen zurück. Die Novelle zur GewO vom 26. 7. 1897 sah neben den freien I. mit freiwilliger Mitgliedschaft auch fakultative Zwangs-I. vor, die nach Abstimmung der Handwerker durch Anordnung der höheren Verwaltungsbehörde errichtet wurden; ihnen gehörten dann kraft Gesetzes sämtliche selbstständigen Handwerker des betreffenden Handwerkszweigs an. 1933 wurden anstelle der freien I. und der fakultativen Zwangs-I. Pflicht-I. eingeführt, der alle in die Handwerksrolle eingetragenen Handwerker angehören mussten.

Innungskrankenkasse, Krankenkasse für die einer oder mehreren Innungen angehörenden Betriebe zur Durchführung der gesetzl. Krankenversicherung. In Dtl. gab es (1995) 117 I. mit 2,9 Mio. Mitgliedern.

Innviertel, oberösterr. Landschaft zw. Inn und Salzach im W und dem Hausruck im SO; gehörte seit dem frühen MA. zu Bayern und kam 1779 durch den Frieden von Teschen an Österreich; 1809–15 war es nochmals bayerisch.

İnönü, İsmet (bis 1934 Mustafa İsmet Pascha), türk. Politiker, *Smyrna (heute İzmir) 24. 9. 1884, †Ankara 25. 12. 1973; ab 1920 enger Mitkämpfer Kemal Atatürks, siegte als Generalstabschef im grch.-türk. Krieg (1920–22) bei İnönü (1921); war MinPräs. (1923/24, 1925–37, 1961–65), Staatspräs. (1938–50) und Vors. der Republikan. Volkspartei (1946–72).

Inoue, Yasushi, japan. Schriftsteller, *Asahikawa (auf Hokkaidō) 6. 5. 1907, †Tokio 30. 1. 1991; Hauptthema seiner Werke ist die Einsamkeit und die Problematik zwischenmenschl. Beziehungen (»Der Stierkampf«, R. 1949; »Die Eiswand«, R. 1959; »Das Jagdgewehr«, Erz. 1949). I. gilt als einer der bedeutendsten Autoren der japan. Gegenwartsliteratur.

Inowrocław [inɔ'vrɔtsu̯af] (dt. Hohensalza), Stadt in der Wwschaft Bydgoszcz (Bromberg), Polen, 75 100 Ew.; jod- und bromhaltiges Solbad; Sodawerke, Glashütte, Landmaschinenbau. – Hohensalza erhielt 1250 dt. Stadtrecht.

Input [engl.] *der,* auch *das, Datenverarbeitung:* die Eingabe von Daten in einen Computer (→Datenerfassung); Ggs.: Output.

Input-Output-Analyse [- 'autput -, engl.], auf W. Leontief zurückgehende Methode zur Untersuchung der interindustriellen Verflechtung in einer Volkswirtschaft. Sie versucht über die Beziehungen zw. dem Einsatz von Leistungen (Input) und dem Produktionsergebnis (Output) Aussagen darüber zu machen, wie sich die Änderungen der Endnachfrage auf die Produktion der einzelnen Wirtschaftszweige und andere volkswirtsch. Größen auswirken. Ausgangspunkt ist die **Input-Output-Tabelle,** in der die Verflechtung aller Sektoren einer Volkswirtschaft dargestellt ist. Sie ist so aufgebaut, dass die Zeilen- (Lieferungen) und Spaltensummen (Empfänger) übereinstimmen. Der Teilbereich der Liefer-/Empfangsbeziehungen zw. den produzierenden Sektoren beschreibt die industrielle Marktverflechtung, die für die I.-O.-A. besondere Bed. besitzt. Spezielle produktionstheoret. Annahmen über die Beziehungen in diesem Teilbereich liefert die Matrix der Input-Output-Koeffizienten.

Inquisition [lat. »(gerichtl.) Untersuchung«] *die,* kirchl. Untersuchung der →Häresie und Aufspü-

Inquisition: Pedro Berruguete, »Inquisitionsgericht unter Vorsitz des heiligen Dominikus« (um 1500; Madrid, Prado)

rung und Verfolgung der Häretiker, seit Theodosius I. (Edikt von 380/81) mit staatl. Unterstützung. Glaubensgerichte wurden 1232 durch Papst Gregor IX. eingerichtet und dem Dominikanerorden zur Leitung übertragen (zunächst den Bischöfen zugeordnet); seit 1542 im Zuge der Gegenreformation zentral der »Congregatio Romanae et universalis inquisitionis« (= Kongregation für röm. und weltweite I.; kurz »Heiliges Officium«; 1965 in die Glaubenskongregation umgewandelt) unterstellt. Ihren Höhepunkt erreichte die I. in Spanien, wo zw. 1481 und 1808 rd. 31 000 Menschen verbrannt (Audodafé) und 270 000 zu Kerkerhaft und Vermögensentzug verurteilt wurden. 1478 wurde hier die (staatl.) Einrichtung des **Großinquisitors** geschaffen; unter T. de Torquemada erfolgte die Ausrottung und Vertreibung der Juden aus Spanien. Das I.-Verfahren gestattete die Anwendung des Gottesurteils und (seit 1252) der Folter. Die Strafen reichten von Kirchenstrafen bis zum Tod durch Verbrennen; der Feuertod war im theolog. Verständnis der I. (im Anschluss an Thomas von Aquin) Akt der Rettung der sonst zur ewigen Verdammnis verurteilten Seele des Ketzers.

📖 HROCH, M. *u.* SKÝBOVÁ, A.: *Die I. im Zeitalter der Gegenreformation. A.d. Tschech. Stuttgart 1985. – Teufelsglaube u. Hexenprozesse, hg. v.* G. SCHWAIGER. *München ²1988.* – OTTO, W.: *Conquista, Kultur u. Ketzerwahn. Göttingen 1992.* – LEMM, R.: *Die span. I. Geschichte u. Legende. A.d. Niederländ. München 1996.*

Inquisitionsprozess, seit dem MA. Form des Strafverfahrens, bei der der Richter ohne öffentl. oder private Klage von Amts wegen die Spuren und Beweise eines Verbrechens ermittelt. In Dtl. im 19. Jh. durch den modernen →Anklageprozess ersetzt. Allerdings gilt im dt. Strafprozessrecht für die Hauptverhandlung das Inquisitionsprinzip (Untersuchungsgrundsatz, Ermittlungsgrundsatz), d.h., die Ermittlung des Sachverhalts und die Erforschung der Wahrheit ist unabhängig von den Anträgen Beteiligter Aufgabe des Gerichts.

I. N. R. I., Abk. für **I**esus **N**azarenus **R**ex **I**udaeorum [lat. »Jesus von Nazareth, König der Juden«], nach Joh. 19, 19 von Pilatus verfasste und am Kreuz Jesu angebrachte Inschrift.

Inrō *das,* in Japan mehrteiliger Behälter für Stempel und Medizin aus einem Miniatursatz ovaler Dosen, die genau aufeinander passen und von einer Seidenschnur, die durch die Enden der Ovale läuft, zusammengehalten werden. Das von Männern getragene I. wird mit einem →Netsuke am Gürtel befestigt. I. fanden ihre kunstvollste Bearbeitung im 18. Jh.; sie bestehen meist aus lackiertem Holz oder Elfenbein mit Einlegearbeiten.

Inschallah [arab. »wenn Allah will!«], auf Zukünftiges bezogene muslim. Redensart, die Ergebung in den Willen Gottes ausdrückend.

Inschrift, 1) *Münzkunde:* die auf einer Münze stehende Schrift (Legende).

2) *Paläographie:* schriftl. Aufzeichnung auf Stein, Metall oder Holz u.a., z.B. an Gebäuden, Denkmälern, Grab- und Wegsteinen, auf Waffen und Geräten. Häufig sind I. ergiebige und vielfach einzige Quellen für die Kenntnis des Lebens der alten Völker; wichtig auch für die Sprachforschung.

Inschriftenkunde (Epigraphik), Wissenschaftszweig, der sich der Sammlung, Erforschung

Inrō mit der Darstellung eines Reisewagens in Perlmutteinlage (um 1500; Privatbesitz)

und Edition von Inschriften widmet; zählt mit der Paläographie zu den histor. Hilfswissenschaften.

INSEAD, Abk. für frz. **Ins**titut **E**uropéen d'**Ad**ministration des Affaires (Europäisches Institut für Unternehmensführung), 1959 gegr. Institut zur Fortbildung des Managementnachwuchses; Sitz: Fontainebleau.

Insekten

Tiere verständigen sich mit Gesängen, besonders häufig beim Paarungsritual.

Meist sind es die Männchen, die bei den Insekten singen, und ihr Gesang dient der Verständigung zwischen den Geschlechtern. Beispielsweise hat eine Zikadenart am Hinterleib eine Doppeltrommel mit einer elastischen Membran, auf der sie lockenden Gesang erzeugt. Eine andere Art hingegen hat für solche Zwecke einen großen Hohlraum im Körperinnern. Die Grillen wiederum reiben ihre beiden Deckflügel gegeneinander, der eine dient als Bogen, der andere als Saite. Die Wanderheuschrecke reibt ihre Schenkel – sie sind mit kleinen Zähnen besetzt – gegen die Deckflügel.
Die Bedeutung des Insektengesangs ist allerdings weit weniger klar als die des Vogelgesangs. Jedenfalls können wir bei diesen sicherer die unterschiedlichen Rufe männlicher und weiblicher Vögel oder von Jungtieren unterscheiden: Warnrufe und Drohrufe, Sammel- und Brutrufe, und auch den Schrei der Jungvögel um Futter. Das eigentliche Singen aber ist meist den Männchen vorbehalten, besonders ausgiebig zur Brutzeit.

Insekten [lat.] (Kerbtiere, Kerfe, Insecta, Hexapoda), seit dem Devon bekannte, heute mit rd. 850000 beschriebenen Arten in allen Biotopen verbreitete Klasse 0,02–33 cm langer Gliederfüßer; Körper mit starrem, aus Chitin bestehendem, segmentiertem Außenskelett (muss bei wachsenden Tieren öfter durch Häutung gewechselt werden). Der Körper gliedert sich in drei Abschnitte: Kopf, Brust (Thorax; mit den Segmenten Pro-, Meso- und Metathorax) und Hinterleib (Abdomen; aus bis zu elf Segmenten). Meist sind zwei Flügelpaare, je eines am Meso- und Metathorax ausgebildet. Jedes der drei Brustsegmente trägt ein Beinpaar, die Beine sind gegliedert in Hüfte (Coxa), Schenkelring (Trochanter), Schenkel (Femur), Schiene (Tibia) und Fuß (Tarus). – Am Kopf liegen die oft sehr großen Facettenaugen. Daneben können noch auf der Stirn bzw. auf dem Scheitel Nebenaugen (Punktaugen, Ozellen) vorkommen. Außerdem trägt der Kopf als umgebildete Gliedmaßen ein Paar Fühler (Antennen) und drei Paar Mundgliedmaßen: ein Paar Oberkiefer (Mandibeln), ein Paar Unterkiefer (1. Maxillen) und die durch Verwachsung der 2. Maxillen unpaare Unterlippe (Labium). Nach dorsal wird die Mundöffnung von der ebenfalls unpaaren Oberlippe (Labrum) begrenzt. Die Atmung erfolgt über Tracheen. Der Darm gliedert sich in Vorder-, Mittel- und Enddarm. Als Exkretionsorgane fungieren die Malpighi-Gefäße. Unter dem Darm liegt als Bauchmark ein Strickleiternervensystem, das Zentralnervensystem liegt im Kopf als Oberschlundganglion (Gehirn) und Unterschlundganglion. Die Entwicklung verläuft über eine Metamorphose. Sie beginnt mit dem abgelegten Ei und vollzieht sich über mehrere Häutungen (Abstreifen der Chitinhülle) als **unvollkommene Verwandlung** (dem Vollkerf ähnl. Larvenstadien wachsen zur Imago heran) oder als **vollkommene Verwandlung** (dem Vollkerf unähnl. Larvenstadien werden in der Puppe zur Imago). Die Sinnesleistungen der I. sind hoch entwickelt; Farbensehen ist u.a. für Libellen, Fliegen, Schmetterlinge und die Honigbiene nachgewiesen. Auch der Geruchsinn ist gut entwickelt (so vermögen die Männchen mancher Schmetterlinge mithilfe der Antennen ihre Weibchen aus kilometerweiter Entfernung geruchlich aufzuspüren). – Sehr mannigfaltig ist das Anpassungsvermögen vieler I. an die Umwelt (→Mimikry, →Mimese). – Man unterteilt die I. in 35 Ordnungen, u.a. Urinsekten, Libellen, Schaben, Termiten, Heuschrecken, Wanzen, Gleichflügler, Käfer, Hautflügler, Schmetterlinge und Zweiflügler.

📖 *Biologie u. Ökologie der I. Ein Taschenlexikon, begr. v.* W. Jacobs, *fortgef. v.* M. Renner. *Stuttgart u.a.* ^{2}*1988.* – Chinery, M.: *Pareys Buch der I. Ein Feldführer der europ. I. A.d. Engl. Hamburg u.a.* ^{2}*1993. – Alien empire. Das Reich der I., bearb. v.* C. O'Toole. *A.d. Engl. München 1996.*

Insektenbekämpfungsmittel, →Insektizide.

Insektenfresser (Insektivoren, Insectivora), weltweit verbreitete Ordnung etwa 3,5–45 cm langer Säugetiere, die sich v.a. von Insekten u.a. Wirbellosen ernähren (u.a. Igel, Spitzmäuse, Maulwürfe).

Insektenkunde (Entomologie), die Wiss. von den Insekten.

Insektenstiche, Stiche, bes. von weibl. Insekten (v.a. Bienen, Wespen, Hornissen, Stechmücken), die örtl. (z.B. Rötung) oder allg. krankhafte

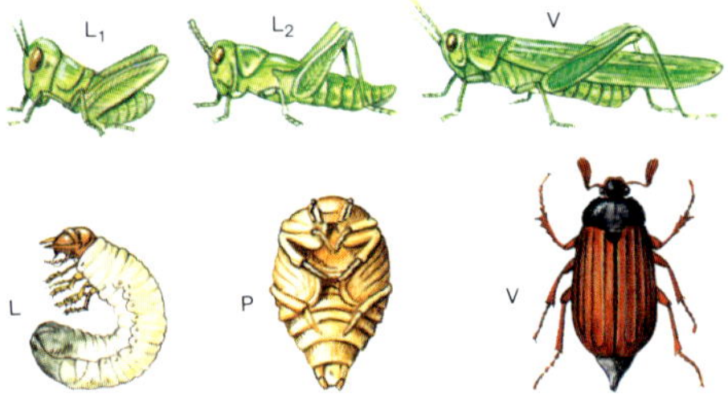

Insekten: Haupttypen der Metamorphose; unvollkommene Verwandlung (oben) bei der Heuschrecke, L_1 etwa 3 mm langes Larvenstadium, L_2 etwa 1 cm langes Larvenstadium, V etwa 3 cm langes Vollinsekt; darunter vollkommene Verwandlung beim Maikäfer, L Larve, P Puppe, V Vollinsekt

Veränderungen (z. B. Schocksymptome, Kollaps) infolge Einwirkung von Giftstoffen in den Organismus verursachen. Zu bedrohl. Komplikationen kann es durch Stiche in die Mundhöhle infolge eines hierdurch ausgelösten Kehlkopfödems mit Erstickungsgefahr kommen und bei Personen mit einer **Insektengiftallergie,** bei denen ausgedehnte Schwellungen, Nesselsucht, Kehlkopfödeme oder ein anaphylakt. Schock auftreten.

Insektizide [lat.] (Insektenbekämpfungsmittel), meist synthetisch hergestellte Stoffe, die im Pflanzen-, Vorrats-, Materialschutz und in der Hygiene zur Vernichtung von Schadinsekten eingesetzt werden. I. können Atem-, Kontakt- oder Fraßgifte sein. Wenn sie durch die Pflanzenwurzel aufgenommen und mit dem Saftstrom verteilt werden, nennt man sie **systemische I.** Chemisch lassen sich I. einteilen in **anorgan. I.,** Arsenate, Fluorverbindungen, Kupfersalze, Blausäure, und **organ. I.,** Mineral- und Teeröle, Chlorkohlenstoffe (z. B. DDT, HCH), Thiophosphorsäureester (z. B. Parathion, Malathion) und Carbamate. Als **natürl. I.** sind u. a. bekannt: Derris, Pyrethrum, Quassia, Nikotin, Sabadilla, Ryanodin. – Wegen ihrer schlechten biolog. Abbaubarkeit und Anreicherung im tier. Fettgewebe sind Chlorkohlenwasserstoff-I. in Dtl. weitgehend verboten. Neue Entwicklungen streben größere Selektivität und Umweltfreundlichkeit an. Dazu gehören insektenpathogene Mikroorganismen sowie chem. Substanzen mit Hormonwirkung, die die Entwicklung von Insekten hemmen, oder auch artspezif. Duftstoffe (Pheromone), die das Anlocken von Insekten zum Zwecke der Vernichtung ermöglichen.

Insel [aus lat. insula, eigtl. »die im (Salz-)Meer Gelegene«], rings von Wasser umgebenes Land, nicht jedoch die Erdteile. In Flüssen oder Seen liegende I. heißen oft **Wört** (Wörth, Werth) oder **Werder,** die aus Marschland aufgebauten I. der dt. Nordseeküste werden **Halligen,** die Felsbuckel-I. der skandinav. Küsten **Schären** genannt. I. treten oft in Gruppen **(Archipel)** oder in Reihen **(I.-Kette)** auf. Nach ihrer Lage unterscheidet man **kontinentale I. (Schelf-I.),** die meist durch tekton. Bewegung abgetrennte Festlandsteile oder durch Anschwemmung gebildete Aufschüttungen sind, und **ozean. I. (Tiefsee-I.),** die Korallenbauten (→Atoll) oder vulkan. Ursprungs sind.

Inselberg, i. w. S. jeder inselartig über kaum gegliederte Flächen aufragende Einzelberg (auch Berggruppe); i. e. S. durch Verwitterung entstandene Bergform in den wechselfeuchten Tropen mit steilen (bis fast senkrechten) Flanken. BILD S. 430

Inseln über dem Winde und **Inseln unter dem Winde, 1)** zwei Inselgruppen der Kleinen →Antillen.

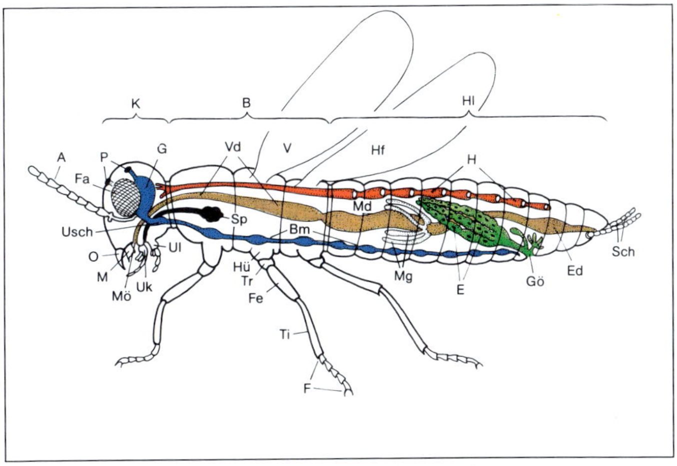

Insekten: Körperbauschema eines Insekts; A Fühler (Antennen), B Brust, Bm Bauchmark, E Eierschläuche, Ed Enddarm, F Fuß, Fa Facettenauge, Fe Schenkel (Femur), G Gehirn, Gö Geschlechtsöffnung, H Herz, Hf Hinterflügel, Hl Hinterleib, Hü Hüfte, K Kopf, M Oberkiefer (Mandibeln), Md Mitteldarm, Mg Malpighi-Gefäße, Mö Mundöffnung, O Oberlippe, P Punktaugen, Sch Schwanzborsten, Sp Speicheldrüse, Ti Schiene (Tibia), Tr Schenkelring (Trochanter), UK Unterkiefer, Ul Unterlippe, Usch Unterschlundganglion, V Vorderflügel, Vd Vorderdarm

2) zwei Inselgruppen der →Gesellschaftsinseln im Pazif. Ozean.

Inselsberg (Großer I.), Gipfel im Thüringer Wald, 916 m ü. M.

Insel Verlag, 1991 aus der Zusammenführung des Insel Verlags Frankfurt am Main und des Insel Verlags Anton Kippenberg Leipzig gebildeter Verlag, Sitze: Frankfurt am Main und Leipzig; gegr.

Die größten Inseln der Erde (in km²)

Grönland	2175600*)	Ceylon	65610*)
Neuguinea	771900	Tasmanien	64880
Borneo	754770*)	Devon Island	55247
Madagaskar	587041*)	Nowaja Semlja, Nordinsel	48904
Baffin Island	507451	Marajó, Ilha de	48000
Sumatra	425000	Feuerland, Hauptinsel	47000
Honshū	231090*)	Alexander-I.-Insel	43200
Victoria Island	217290	Axel Heiberg Island	43178
Großbritannien	229957	Kyūshū	42163
Ellesmere Island	196236	Melville Island (Kanadisch-Arkt. Archipel)	42149
Celebes (Sulawesi)	189216*)	Southampton Island	41214
Neuseeland, Südinsel	151757	Spitzbergen, Hauptinsel	39368*)
Java	118000	New Britain (Neubritannien)	36500*)
Neuseeland, Nordinsel	114597	Taiwan	35873
Neufundland	108860	Hainan	34380
Kuba	105007	Prince of Wales Island	33338
Luzon	104688	Nowaja Semlja, Südinsel	33275
Island	103000*)	Timor	33600
Mindanao	94630	Vancouver Island	31284
Irland	84403*)	Sizilien	25426
Hokkaidō	78523*)	Somerset Island	24786
Sachalin	76400	Sardinien	23813
Hispaniola	76192	Bananal (Brasilien)	20000
Banks Island	70028		

*) mit Nebeninseln

1902 in Leipzig als Insel-Verlag für die Zeitschrift »Die Insel« (hg. seit 1899), 1905–1950 von A. Kippenberg geleitet. 1945 siedelte ein Teil des Verlages nach Wiesbaden, 1963 nach Frankfurt am Main über, 1963 wurde der I. V. vom Suhrkamp Verlag übernommen. Der Leipziger Verlag wurde rückübertragen. Zum Verlagsprofil des I. V. gehören klass. und zeitgenöss. Literatur; wichtige Buchreihen sind die »Insel-Bücherei« (seit 1912) und die »insel taschenbücher« (seit 1972).

Inselberg in Sri Lanka

Insemination [lat.] *die, Medizin:* das künstl. Einbringen von Sperma in die Gebärmutter (Samenübertragung); unterschieden wird zw. **homologer I.** mit Verwendung des Samens des Ehemannes und **heterologer I.,** bei der der Samen eines bekannten oder anonymen Spenders verwendet wird. Häufigste Indikation für die homologe I. ist die eingeschränkte Zeugungsfähigkeit des Mannes. Im Unterschied zur homologen I. gilt die heterologe I. als ethisch problematisch und rechtlich regelungsbedürftig (Persönlichkeitsrechte des Kindes). Über extrakorporale I. →In-vitro-Fertilisation. – In der Tierzucht →künstliche Besamung.

Inserat [lat.] *das,* →Anzeige.

Insertion [lat.] *die,* **1)** *Anatomie:* 1) Ansatz eines Muskels am Knochen durch Bindegewebe. 2) Nabelschnuransatz an der Plazenta.

2) *Genetik:* Form der Genmutation, bei der ein oder wenige zusätzl. Nucleotide in die genspezif. Basensequenz eingefügt sind; führt zur Verschiebung des Leserasters bei der →Translation.

3) *Publizistik:* die Schaltung von Anzeigen oder Werbespots; die Aufgabe eines Inserats.

Insertionssequenzen, *Molekulargenetik:* die →IS-Elemente.

Insichgeschäft, Rechtsgeschäft, das ein Stellvertreter im Namen des Vertretenen mit sich selbst im eigenen Namen oder mit sich als Vertreter eines Dritten vornimmt. Beispiel: Der Vormund vermietet eine dem Mündel gehörende Wohnung an sich selbst. Wegen der Gefahr der Interessenkollision sind I. nur sehr eingeschränkt zulässig (§ 181 BGB).

Insider ['ɪnsaɪdə; engl., zu inside »innen«] *der,* Person, die aufgrund ihrer Position (als Dazugehörige z. B. einer Gruppe) über bestimmte, maßgebl., jedoch allg. nicht bekannte Informationen verfügt.

Insidergeschäfte ['ɪnsaɪdə-], Wertpapiergeschäfte, bei denen Organmitglieder eines Unternehmens (z. B. Vorstand, Aufsichtsrat), Personen, die am Kapital des Unternehmens beteiligt sind, oder Personen, die wegen ihres Berufs oder ihrer Tätigkeit (Primärinsider) Kenntnis von nicht öffentlich bekannten, aber erheblich kursrelevanten Tatsachen über das Unternehmen erlangen, aufgrund dieses Wissensvorsprungs an der Börse gehandelte Wertpapiere kaufen oder verkaufen oder einem anderen dies empfehlen oder diese Tatsachen unbefugt weitergeben. I. sind in Dtl. seit 1994 strafbare Wertpapiergeschäfte (§§ 12–20 Wertpapierhandelsgesetz).

Insignien [lat.], die Kennzeichen staatl. oder ständischer Macht und Würde, z. B. im Hl. Röm. Reich die →Reichskleinodien. Die I. geistlicher Würdenträger nennt man →Pontifikalien.

in situ [lat.], in natürl. Lage, an ursprüngl. Stelle, an Ort und Stelle.

Insolation [lat.] *die,* die direkte Einstrahlung der Sonne, z. B. auf Gesteine; bewirkt bes. in ariden Gebieten im Wechsel mit der nächtl. Abkühlung (großer Temperaturunterschied) die **I.-Verwitterung.**

Insolvenz [zu lat. solvere »abtragen«] *die,* Zahlungsunfähigkeit (→Konkurs).

Inspekteur [-'tøːr, frz.] *der,* in der Bundeswehr die Dienststellung der Leiter der Führungsstäbe des Heeres, der Luftwaffe, der Marine sowie des Leiters des Sanitäts- und Gesundheitswesens. →Generalinspekteur der Bundeswehr.

Inspektor [lat.], **1)** Amtsbez. für einen Beamten im gehobenen Dienst.

2) mit Prüfungs- oder Kontrollaufgaben betraute Person (z. B. in Großbetrieben, im Versicherungswesen).

Inspiration [lat. inspirare »einhauchen«] *die,* **1)** *allg.:* Einfall, Idee, Eingebung.

2) *Religionen:* Bez. der Inbesitznahme des Menschen durch den göttl., in der christl. Theologie durch den →Heiligen Geist. Für die Mehrheit der christl. Theologen gilt die Bibel als inhaltlich von Gott inspiriert.

Inspizient [zu inspizieren] *der,* Aufsicht Führender; bei Bühne, Film, Funk und Fernsehen für den reibungslosen Ablauf der Aufführung verantwortlicher Mitarbeiter.

Installation [lat.] *die,* **1)** *Haustechnik:* Verlegung, Instandhaltung und Instandsetzung aller Leitungen (Rohre, Kabel) sowie der Verbrauchseinrichtungen und Armaturen für Gas, Wasser, Abwasser (Sanitär-I.), für Heizung, Lüftung und Kühlung (Heizungs-I.) sowie die Stromversorgung (elektr. I.) in einem Haus.

2) *kath. Kirchenrecht:* die feierl. Amtseinführung eines →Kanonikers (Chorherr) oder Abtes.

3) *Kunst:* die Anordnung von Objekten oder Materialien oder die Ausgestaltung eines ganzen Raumes nach dem Konzept eines Künstlers. Die Begriffe I., Raum-I. oder Video-I. haben heute den Begriff Environment weitgehend abgelöst.

Instandsetzungstruppe, im Heer der Bundeswehr Teil der Logistik mit den Aufgaben der Instandsetzung und Wartung des von der Truppe benötigten und benutzten Geräts, der Bergung von Schadmaterial sowie der Vernichtung nicht mehr verwendbarer Munition.

Instantisieren [zu engl. instant »sofortig«], *Lebensmitteltechnik:* Herstellung (v.a. durch Gefriertrocknung) eines pulverförmigen Lebensmittelprodukts, das durch Hinzufügen von Wasser rasch seine alte Konsistenz wieder annimmt; z.B. Instantgetränke.

Instanz [lat.] *die,* **1)** *allg.:* für eine Entscheidung zuständige Stelle in einer Behörde u.a.

2) *Gerichtswesen:* der Verfahrensabschnitt vor einem Gericht. Ist gegen eine gerichtl. Entscheidung ein Rechtsmittel zulässig, entscheidet darüber eine höhere I. Dieser **Instanzenzug** ist in den Verfahrensgesetzen festgelegt.

Inster *die* (russ. Instrutsch), Fluss im Gebiet Kaliningrad (Königsberg), Russland, 75 km lang, entspringt bei Dobrowolsk, vereinigt sich mit der Angerapp zum Pregel.

Insterburg, Stadt im russ. Gebiet Kaliningrad (Königsberg), →Tschernjachowsk.

Instillation [lat.] *die,* Einträufeln, Einbringen von Arzneimittellösungen, -emulsionen oder -suspensionen in Hohlorgane, Körperhöhlen, Augen, Ohren oder Nase.

Instinkt [lat. »Anreizung«] *der,* Fähigkeit von Tieren und Menschen, bestimmte vorwarnende, auslösende und richtende Impulse mit wohlkoordiniertem lebens- und arterhaltendem Verhalten zu beantworten. I.-Verhalten ist angeboren. Es kann jedoch, bes. bei höheren Tieren, durch Erfahrung modifiziert werden. – Vielfach ist eine gewisse Stimmung (Bereitschaft, Trieb) Voraussetzung für den Ablauf des I.-Verhaltens (z.B. Hunger, Brunst). Die I.-Handlungen werden durch spezif. Schlüsselreize über einen →angeborenen Auslösemechanismus bewirkt.

Institut [lat.] *das,* **1)** Forschungsstätte an einer Hochschule (zugleich Lehrstätte) oder als selbstständiges I. des Bundes oder der Länder, von wiss. Gesellschaften und Vereinen, wirtsch. Verbänden oder anderen Trägern.

2) *Recht:* **Rechts-I.,** ein Gegenstand des materiellen oder formellen Rechts, z.B. das I. des Eigentums.

Institut de France [ɛ̃sti'ty də 'frɑ̃s], seit 1795 die höchste Körperschaft für Wiss. und Kunst in Frankreich, Sitz: Paris, umfasst fünf Akademien: 1) **Académie française,** gegr. 1635, hat die Aufgabe, das Schrifttum zu beobachten, die Sprachnorm festzulegen und zu erläutern. Sie gibt ein maßgebl. Wörterbuch der frz. Sprache (»Dictionnaire de l'Académie française«) heraus. Ihre 40 Mitgl. heißen »Die Unsterblichen«. 2) **Académie des inscriptions et belles-lettres,** 1663 gegr., editiert Quellen und Inschriften und inventarisiert Kunstdenkmäler. 3) **Académie des sciences,** gegr. 1666, fördert die Naturwiss. 4) **Académie des beaux-arts,** gegr. 1816, fördert die schönen Künste; umfasst die Sektionen Malerei, Grafik, Plastik, Architektur, Musik und die »freie Sektion« für Kunstschriftsteller und -kritiker u.a. 5) **Académie des sciences morales et politiques,** 1795 als Klasse des I.d.F. entstanden, pflegt Philosophie, polit. Wis-

Installation 3) aus fünf Lavasteinen und Pflanzen, Werk des deutschen Künstlers Olaf Nicolai mit dem Titel »Interieur/Landschaft. Ein Kabinett« (1996–97; Kassel, documenta X); rechts daneben Ausschnitt der Installation aus 32 silbrig glänzenden Autos aus vier Jahrzehnten, die der koreanische Multimediakünstler Nam June Paik 1997 im Rahmen der Veranstaltung »Skulptur · Projekte« in Münster mit der Botschaft »Das Jahrhundert des Automobils geht zu Ende« vor das Münsteraner Barockschloss stellte

senschaften, Rechts- und Wirtschaftswissenschaften, Geschichte, Geographie.

Institut für Radioastronomie im Millimeterbereich: 30-m-Radioteleskop auf dem Pico de Veleta bei Granada in Spanien

Institut der deutschen Wirtschaft e. V., Abk. **IW,** von Wirtschaftsverbänden und Unternehmen getragenes Inst. mit der Aufgabe breit gefächerter volkswirtsch. Aufklärung über Leistungen, Grundsätze und Probleme der freien Unternehmerwirtschaft; Sitz: Köln; gegr. 1951 als **Dt. Industrieinstitut,** jetziger Name seit 1973.

Institut für angewandte Ökologie e. V., → Öko-Institut e. V.

Institut für Auslandsbeziehungen, Abk. **IfA,** 1950 gegr., Anstalt des öffentl. Rechts zur Förderung des internat. Kulturaustausches auf allen Gebieten; Sitz: Stuttgart; hervorgegangen aus dem 1917 gegr. **Dt. Auslands-Institut.**

Institut für Demoskopie Allensbach, Abk. **IfD,** von E. Noelle-Neumann und Erich Peter Neumann (*1912, †1973) 1947 gegr. »Gesellschaft zum Studium der öffentl. Meinung mbH«, führt polit., wirtsch. und publizist. Umfragen durch. Das IfD (Sitz: Allensbach) gehört zu 99 % der von E. Noelle-Neumann 1996 gegr. Stiftung Demoskopie Allensbach.

Institut für deutsche Sprache

Institut für deutsche Sprache, Abk. **IDS,** 1964 gegr. zentrale sprachwiss. Forschungsstelle für die Untersuchung der dt. Sprache, v. a. in ihrem gegenwärtigen Gebrauch; Sitz: Mannheim; Träger sind der Bund und das Land Baden-Württemberg.

Institut für Weltwirtschaft

Institut für Film und Bild in Wissenschaft und Unterricht, Abk. **FWU,** zentrale Einrichtung der Länder der Bundesrep. Dtl., die pädagog.-wiss. Aufgaben dient; Sitz: Grünwald (bei München); als »Reichsanstalt für Film und Bild in Wiss. und Unterricht« in Berlin 1935 gegr.; 1950 als gemeinnützige GmbH wieder errichtet.

Institut für Österreichische Geschichtsforschung, österr. Zentralinst. für Geschichtswiss., gegr. 1854; Sitz: Wien; Forschungs- und Ausbildungsstätte. Wiss. Organ seit 1948 »Mitteilungen des I. f. Ö. G.«, Abk. MIÖG, erschien 1880–1941/42 als »Mitteilungen des Österreichischen Instituts für Geschichtsforschung«, Abk. MÖIG.

Institut für Radioastronomie im Millimeterbereich, Abk. **IRAM,** 1979 von der Max-Planck-Ges. und dem frz. Centre National de la Recherche Scientifique gegr. Institut der Radioastronomie. Wichtigste Einrichtungen des IRAM sind das 30-m-Radioteleskop auf dem Pico de Veleta bei Granada (Spanien) und das auf dem Plateau de Bure südlich von Grenoble (Frankreich) befindliche Radiointerferometer mit drei auf Schienen bewegl. 15-m-Radiospiegeln.

Institut für Weltwirtschaft, Abk. **IfW,** wirtschaftswiss. Forschungsinstitut, gegr. 1914 von Bernhard Harms (*1876, †1939) an der Univ. Kiel. Forschungsschwerpunkte sind: Analyse und Prognose von Konjunktur und Strukturwandel in Ind.- und Entwicklungsländern, Rohstoff- und Energiepolitik, Regional- und Verkehrspolitik. Das IfW besitzt eine der weltgrößten wirtschaftswiss. Spezialbibliotheken; es gibt seit 1913 die Zeitschrift »Weltwirtsch. Archiv« heraus.

Institut für Wirtschaftsforschung Halle, Abk. **IWH,** wirtschaftswissenschaftl. Forschungsinstitut, 1992 hervorgegangen aus dem Institut für angewandte Wirtschaftsforschung in Berlin (Ost); Sitz: Halle (Saale).

Institut für Zeitgeschichte (gegr. 1950 als Deutsches Institut für Geschichte der nationalsozialistischen Zeit, 1952 in I. f. Z. umbenannt), Forschungseinrichtung zur Ermittlung und Sammlung von Quellen zur Zeitgeschichte; Sitz: München. Es gibt u. a. die »Vierteljahrshefte für Zeitgesch.« heraus (1953 ff.) und ediert »Quellen und Darstellungen zur Zeitgeschichte« (1957 ff.), »Texte und Materialien« (1977 ff.) sowie »Biograph. Quellen zur Zeitgesch.« (1996 ff.; 1984–94 u. d. T. »Biograph. Quellen zur dt. Geschichte nach 1945«).

Institution [lat.] *die,* **1)** *allg.:* einem bestimmten Aufgabenfeld zugeordnete öffentl. (staatl. oder kirchl.) Einrichtung.

2) *Recht:* eine rechtlich geformte Einrichtung. Im Sprachgebrauch unterscheidet man die durch überwiegend privatrechtl. Rechtsnormen gestalteten Einrichtungen, z. B. die Ehe, das Eigentum, als **Institut** und die öffentlich-rechtlich geordnete gemeindl. Selbstverwaltung oder das Berufsbeamtentum als Institution. Mit dem Begriff der I. verbunden ist die **institutionelle Garantie,** d. h. die verfassungsrechtl. Gewährleistung der vorbezeichneten I. und Institute (man spricht mit Blick auf Letztere auch von **Institutsgarantie**) als solchen, ohne dass dabei die Ausformung oder Gestaltung im Einzelnen vorgezeichnet wird.

3) *Soziologie:* Soziale Gebilde, Organisationen und Prinzipien, die als Träger gesellschaftl. Ordnung öffentl. anerkannt und garantiert sind;

Hauptmerkmale sind relative zeitl. Konstanz, das einem kulturellen Muster folgende Zusammenwirken ihrer Glieder sowie normative Richtlinien, die mit Sanktionen und sozialer Kontrolle durchgesetzt werden.

Institutionalismus [lat.] *der,* um 1900 von amerikan. Nationalökonomen (Wesley Clair Mitchell, *1874, †1948; T. Veblen) begründete Richtung der Volkswirtschaftslehre. Anknüpfend an die histor. Schule betont der I. den Einfluss histor., rechtl., soziolog. und psycholog. Phänomene auf Wirtschaftsordnung und wirtsch. Verhalten und versucht, Wirtschaftstheorien mit anderen Sozialwiss. zu verbinden. Dominierende Bedeutung für den Wirtschaftsablauf wird nicht dem Markt, sondern den das Marktgeschehen bestimmenden Institutionen zugeschrieben.

Institut Laue-Langevin [ɛ̃sti'ty -lɑ̃ʒ'vɛ̃], Abk. **ILL,** europ. Kernforschungsinstitut, Sitz: Grenoble; betreibt den weltweit stärksten Neutronen-Hochflussreaktor für Grundlagenforschung.

Institut Pasteur [ɛ̃sti'ty pas'tœ:r], von L. Pasteur in Paris gegr. Bakteriologie- und Hygieneinstitut; widmete sich zunächst der Tollwuterforschung und -bekämpfung; betreibt heute Grundlagenforschung in den Bereichen Mikrobiologie, Genetik, Immunologie u. a.

Instruktion [lat.] *die,* Anleitung, Vorschrift, (Dienst-)Anweisung.

Instrument [lat.] *das,* **1)** *Musik:* das →Musikinstrument.

2) *Technik:* Gerät, Werkzeug, welches für Messungen oder Beobachtungen gebraucht wird.

instrumentales Theater, Darbietung von Instrumentalisten oder elektron. Musik in Verbindung mit schauspieler. Aktionen auf Bühne oder Podium. Vertreter des i. T. sind u. a. M. Kagel, D. Schnebel, S. Bussotti, F. Donatoni, F. Evangelisti, L. Berio, K. Stockhausen.

Instrumentalis [lat.] *der, Grammatik:* Kasus, der das Werkzeug oder Mittel angibt, mit dem eine Tätigkeit verrichtet wird; in den slaw. Sprachen (außer Bulgarisch) noch erhalten; im Deutschen meist durch die Präposition *mit* ausgedrückt.

Instrumentalismus [lat.] *der,* →Pragmatismus.

Instrumentalmusik, die nur mit Instrumenten ausgeführte Musik im Unterschied zur →Vokalmusik.

Instrumentation [lat.] *die* (Instrumentierung), die Kunst, in Werken der Instrumentalmusik, bes. der Orchestermusik (Orchestration, Orchestrierung), die versch. Instrumente sinnvoll einzusetzen, um dadurch bestimmte innere Klangvorstellungen zu verwirklichen. Die **I.-Lehre** vermittelt die Kenntnisse von Tonumfang, Spielart, Klangfarbe, Ausdrucksmöglichkeiten, Notierungsweise der einzelnen Instrumente und lehrt deren wirkungsvolles Zusammenwirken. Die I. war bis ins 17. Jh. Aufgabe des Interpreten; Anfänge der modernen I. gehen in die 2. Hälfte des 18. Jh., bes. auf das Opernorchester C. W. Glucks, zurück.

Instrumentenflug, die Führung eines Luftfahrzeugs nach den I.-Regeln (engl. **i**nstrument **f**light **r**ules, Abk. IFR). Das Luftfahrzeug wird vollständig oder teilweise nach Instrumenten gesteuert, d. h. unter Überwachung durch eine Flugsicherungsstelle und nach Auswertung der Messdaten bestimmter, von Bodensicht unabhängiger Flugüberwachungs- und Navigationsinstrumente. Der Flugzeugführer muss eine IFR-Lizenz besitzen. Der I. ist aus Sicherheitsgründen bei nahezu allen Flügen der kommerziellen Luftfahrt üblich.

Instrumentenlandesystem, Abk. **ILS,** →Landeführungssysteme.

Insuffizienz [lat.] *die,* Unzulänglichkeit, Unvermögen, Schwäche, z. B. eines Organs.

Insulin [lat.] *das,* in den β-Zellen der Langerhans-Inseln der Bauchspeicheldrüse gebildetes Peptidhormon. Die wichtigste physiolog. Wirkung ist die Senkung des Blutzuckergehalts, sobald der Normalwert überschritten wird. I. ist ein »Speicherhormon«, das die Bildung von Glykogen-, Fett- und Proteindepots in Leber, Fettgewebe und Muskeln fördert. I.-Mangel durch gestörte Synthese oder verstärkten Abbau bzw. Inaktivierung führt zu der Stoffwechselerkrankung →Diabetes mellitus. I. ist Gegenspieler des →Glucagons. – Früher wurde I. aus den Bauchspeicheldrüsen von Schlachttieren gewonnen. Heute verwendet man Human-I., das entweder gentechnologisch aus Kolibakterien oder durch Austausch einer Aminosäure (Alanin gegen Threonin) aus hoch gereinigtem Schweine-I. gewonnen wird.

Insulinde *die,* der →Malaiische Archipel.

Insult [lat.] *der, Medizin:* Anfall; Schädigung, z. B. **apoplektischer I.,** der →Schlaganfall.

Inszenierung [frz.] *die, darstellende Kunst:* 1) die der Aufführung eines Bühnenstücks oder der Umsetzung eines Drehbuchs dienende Vorbereitung, Bearbeitung und künstler. Gestaltung (→Regie); 2) die Aufführung als Ergebnis dieser Vorgänge.

Intaglio [in'taʎo, italien.] *das,* die →Gemme.

Intarsien [italien.], in Holz eingelegte Verzierungen aus andersfarbigem Holz oder aus Bein, Schildpatt, Perlmutter, Metall oder Stein. Die figürl. oder ornamentalen Einlagen wurden entweder in eine aus dem Grundholz mit dem Schnitzmesser ausgehobene Vertiefung eingelassen oder die farbigen Hölzer wurden auf die Grundfläche aufgeleimt **(Parqueterie).** Seit der Erfindung der Laubsäge (2. Hälfte des 16. Jh. in Augsburg) setzte man Furniere zu einem Muster gefügt zusammen und leimte sie auf das Kernholz **(Marketerie).**

Intarsien (von oben): Holztruhe aus dem Grab des ägyptischen Königs Tut-ench-Amun in Theben im Tal der Könige (1347–37 v. Chr.; Kairo, Ägyptisches Museum); Detail einer Einlegearbeit mit Schmucksteinen in weißem Marmor (17. Jh.; Taj Mahal in Agra, Indien); Ausschnitt aus dem um 1495 geschaffenen Holzmosaik am Chorgestühl in der Kirche Santa Maria in Organo (Verona)

I. kannte man bereits im Altertum (Ägypten, 1600 v. Chr.); beliebt waren sie auch in Ostasien und der islam. Kunst. Im MA. wurden u. a. in Italien I. bei Kirchenmöbeln verwendet. Vollendung erlangten sie in der italien. Frührenaissance, vielfach mit perspektiv. Darstellungen. In den mittel- und nordeurop. Ländern schmückte man Möbel im 16. und 17. Jh. mit I. in Elfenbein und Ebenholz, bes. in den Niederlanden. In Frankreich kamen Schildpatt, Messing, Zinn und Perlmutter hinzu. A. C. →Boulles Bandornamentik wurde in der Möbelkunst des 18. Jh. durch die I. mit maler. Wirkung, v. a. Blumen-I., abgelöst (F. Oeben, J. H. Riesener, D. Roentgen).

Integral [mlat., zu lat. integrare »wiederherstellen«, »ergänzen«] *das, Analysis:* 1) Grundbegriff der →Integralrechnung. 2) Bez. für die Lösung einer →Differenzialgleichung.

Integralgleichung, Gleichung, in der die gesuchte Funktion im Integranden eines Integrals auftritt. Eine **lineare I.** hat die Form

$$p(x) \cdot y(x) + \lambda \int_a^b K(x,t)\, y(t)\, \mathrm{d}t = f(x),$$

wobei $p(x)$, $f(x)$ und der Kern $K(x, t)$ gegebene Funktionen, λ ein Parameter und $y(x)$ die gesuchte Funktion ist. Im Allg. ist die Gleichung nicht für alle Werte des Parameters λ lösbar. Diejenigen, für die die I. sich lösen lässt, werden **Eigenwerte** der I. und ihre zugehörigen Lösungen **Eigenfunktionen** genannt. I. spielen in der mathemat. Physik und bei techn. Problemen eine große Rolle.

Integralismus *der,* seit dem 19. Jh. Bez. für eine antimodernist. Richtung im Katholizismus, die das gesamte (auch öffentl.) Handeln der Katholiken von kirchl. Grundsätzen bestimmt sehen will.

Integralprinzipien, *Physik:* spezielle →Extremalprinzipien.

Integralrechnung, Teilgebiet der *höheren Mathematik,* das sich mit einer als **Integration** bezeichneten Rechenoperation befasst, die einer vorgegebenen Funktion $f(x)$ entweder einen festen Zahlenwert (ihr sog. bestimmtes Integral) oder eine andere Funktion (ihr unbestimmtes Integral) zuordnet. In der I. einer Veränderlichen wird das bestimmte Integral von der Flächenberechnung her eingeführt. Man versteht unter dem **bestimmten Integral**

$$I = \int_a^b f(x)\, \mathrm{d}x,$$

den Inhalt der Fläche, die von der x-Achse, den beiden Ordinaten $x = a$ und $x = b$ und der Kurve $y = f(x)$ eingeschlossen wird. $f(x)$ bezeichnet man als den **Integranden** des Integrals I, das Intervall $[a, b]$ als **Integrationsbereich** und die Variable x als **Integrationsvariable.**

Wählt man bei festem a eine variable obere Grenze (unbestimmte Integration), dann ist das **unbestimmte Integral**

$$\int_a^x f(t)\, \mathrm{d}t \quad \text{oder einfach} \quad \int f(x)\, \mathrm{d}x$$

eine Funktion von x, die sog. **Stammfunktion** $F(x)$. Ist f stetig, gilt der **Hauptsatz der Differenzial- und Integralrechnung:** $F'(x) = f(x)$.

Alle Stammfunktionen $F(x)$ einer Funktion $f(x)$ unterscheiden sich nur durch eine Konstante C. Der Hauptsatz macht deutlich, dass die Integration als Umkehroperation der Differenziation aufgefasst werden kann. Mit ihm findet man leicht einige **Integrationsregeln:**

$$\int x^n \mathrm{d}x = \frac{x^{n+1}}{n+1} + C, \; n \neq -1;$$

$$\int x^{-1} \mathrm{d}x = \ln|x| + C;$$

$$\int \sin x \,\mathrm{d}x = -\cos x + C;$$

$$\int \cos x \,\mathrm{d}x = \sin x + C.$$

Die Berechnung von Integralen ist nicht immer durch direkte Integration möglich.

Für Funktionen zweier und mehrerer Variablen definiert man die Integrale analog, indem man statt von der Kurve $y = f(x)$ in der Ebene z. B. bei zwei Variablen von einer die Funktion $f(x, y)$ veranschaulichenden Fläche im Raum ausgeht **(Gebietsintegrale).** Näherungswerte gewinnt man mithilfe numer. oder graf. Verfahren oder unter Verwendung von →Integriergeräten.

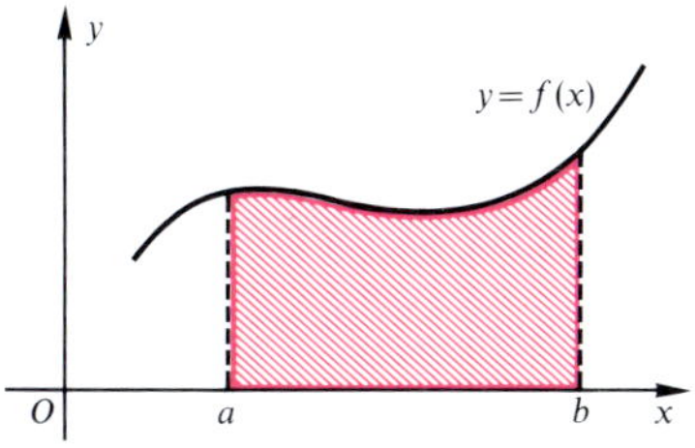

Integralrechnung: Das Integral gibt den Flächeninhalt an, den der Graph einer Funktion $y = f(x)$ mit der x-Achse zwischen den zwei Stellen a und b einschließt

Geschichte: Der systemat. Ausbau der I. begann im 17. Jh., bes. durch G. W. Leibniz und I. Newton. Die weiteren Fortschritte fasste L. Euler in den »Institutiones calculi integralis« (1768–70) zusammen. Die strengere Grundlegung der Mathematik im 19. Jh. führte zu einer Verallgemeinerung des klass. Integralbegriffs.

Integration [lat. »Wiederherstellung eines Ganzen«] *die,* **1)** *allg.:* Herstellung einer Einheit, Eingliederung in ein größeres Ganzes.

2) *Biologie:* die Herstellung einer im Ganzen wirksamen Organisation (in der Molekularbiologie z. B. Einfügung eines Bakteriophagengenoms oder eines Plasmids in ein Bakterienchromosom).

3) *Mathematik:* die Berechnung eines Integrals (→Integralrechnung).

4) *Psychologie:* nach P. Janet, E. R. Jaensch u. a. der die normale Persönlichkeit kennzeichnende Zusammenhang von seel. und phys. Einzelfunktionen, der sich bei seel. Erkrankungen bis zur Desintegration auflösen kann.

5) *Soziologie:* die Verbindung einer Vielheit von Einzelnen oder von Gruppen zu einer gesellschaftl. Einheit, die sich in der Annahme der in der übergeordneten Einheit geltenden kulturspezif. Wertvorstellungen und sozialen Normen durch die Einzelnen oder die Gruppen äußert.

6) *Wirtschaft:* die Verschmelzung wirtsch. Einheiten. In den internat. Wirtschaftsbeziehungen bedeutet I. den wirtsch. Zusammenschluss mehrerer Länder mit dem Ziel, durch Abbau von Handelshemmnissen (Zölle, Kontingente u. a.) einen einheitl. größeren Markt zu schaffen.

Integrationsgrad, *Elektronik:* ein Maß für die Anzahl elektron. Bauelemente auf einem Chip. Nach der Zahl der Transistorfunktionen (Grundfunktionen) bzw. Bauelemente pro Chip unterteilt man integrierte Schaltungen in versch. Gruppen, die zugleich Entwicklungsstadien entsprechen: **SSI** (engl. **s**mall **s**cale **i**ntegration) bis in die Größenordnung von 10 Grundfunktionen bzw. 100 Bauelementen pro Chip, **MSI** (engl. **m**edium **s**cale **i**ntegration) bis etwa 100 Grundfunktionen bzw. 500 Bauelemente pro Chip, **LSI** (engl. **l**arge **s**cale **i**ntegration) bis etwa 10 000 Grundfunktionen bzw. 100 000 Bauelemente pro Chip, **VLSI** (engl. **v**ery **l**arge **s**cale **i**ntegration) über 10 000 Grundfunktionen bzw. 100 000 Bauelemente pro Chip. **ULSI** (engl. **u**ltra **l**arge **s**cale **i**ntegration) und **SLSI** (engl. **s**uper **l**arge **s**cale **i**ntegration) kennzeichnen höchste Integrationsdichten. Für die Abgrenzung der I. gibt es keine verbindl. Regelungen.

Integriergerät (Integrator), mathemat. Gerät zur Bestimmung von Stammkurven, Flächeninhalten und Lösungen von Differenzialgleichungen. Der **Integraph** zeichnet die Integralkurve, wenn man mit seinem Fahrstift einer zu integrierenden Kurve nachfährt. Eine Sonderform des →Planimeters, das **Integrimeter,** liefert das unbestimmte Integral der nachgefahrenen Kurve numerisch. **Elektron. I.** sind Schaltungsanordnungen in Analog- oder Digitalrechnern.

integrierte Gesamthochschule, →Gesamthochschule.

integrierte Gesamtschule, →Gesamtschule.

integrierte Injektionslogik, Abk. **IIL** oder **I²L,** eine Familie von auf der →Bipolartechnik beruhenden Schaltungen, die ohne ohmsche Widerstände auskommt und daher durch hohe Packungsdichten, kleine Schaltzeiten und kleine Verlustleistungen charakterisiert ist, aber auch durch geringe Störsicherheit.

integrierte Klassen für Haupt- und Realschüler, Schulart, die anstelle von Haupt- und Realschule (Sachsen, Sa.-Anh.) oder neben diesen beiden Schularten eingerichtet ist und differenzierte Unterrichtsangebote bereitstellt. Die neue Schulart trägt die Bez. Mittelschule (Sachsen), integrierte Regelschule (Thüringen), Sekundarschule (Saarland, Sa.-Anh. und – als Schulversuch – Ndsachs.), regionale Schule (Rheinl.-Pf.), verbundene Haupt- und Realschule (Meckl.-Vorp.).

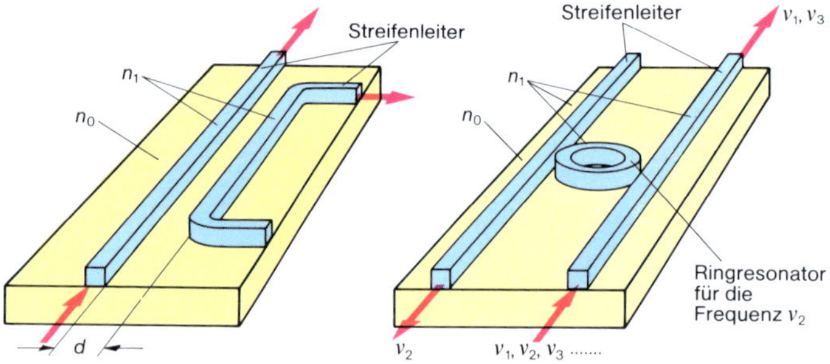

integrierte Optik (von links): Schema eines Richtkopplers (n_0, n_1 Brechzahlen mit $n_1 > n_0$, *d* optischer Abstand) sowie Schema eines Filters, das Licht einer bestimmten Frequenz (hier zum Beispiel ν_2) mithilfe eines Ringresonators aus dem Licht anderer Frequenzen (ν_1, ν_3, ...) aussondert und auf einen anderen Leiter auskoppelt; die Querschnitte der Streifenleiter betragen nur wenige Mikrometer

integrierte Optik, Gebiet der Optik, das sich mit der Realisierung integrierter opt. Festkörperschaltkreise beschäftigt, die entsprechend den integrierten Schaltkreisen der Elektronik durch Miniaturisierung opt. Bauelemente wie Linsen, Prismen, Filter, Spiegel hergestellt werden. Die integrierten opt. Bausteine (z.B. Halbleiterlaser, Modulatoren, opt. Wellenleiter, Ablenkelemente) ermöglichen auf der Basis der Lichtleitung in dünnen, Wellen leitenden Streifen oder Bändern (Streifenleiter) eine direkte Übertragung der Lichtimpulse, die v.a. in der Nachrichtenübertragung und opt. Informationsverarbeitung Anwendung findet.

integrierter Pflanzenschutz, in der Land- und Forstwirtschaft betriebene Schädlingsbekämpfung durch kombinierten Einsatz biolog. Bekämpfungsmethoden und möglichst sparsame Anwendung von Pestiziden unter Berücksichtigung des Nutzen-Schaden-Verhältnisses.

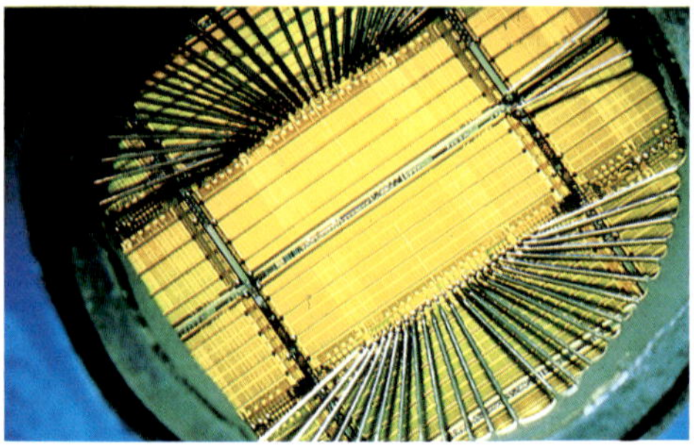

integrierte Schaltung: Ein Speicherchip von sehr hohem Integrationsgrad beim Funktionstest, wobei feinste Nadeln die Signalpunkte von etwa 0,1 mm kontaktieren; der Chip ist ungefähr 8 × 10 mm groß und hat eine Speicherkapazität von 1 048 576 bit (»Megabitchip«)

integrierte Schaltung (integrierter Schaltkreis, engl. Integrated Circuit, Abk. IC), mikroelektron. Schaltkreis, bei dem die einzelnen Bauelemente (z.B. Dioden, Transistoren, Widerstände) einschl. der notwendigen Verbindungsleitungen zu einem untrennbar verbundenen Baustein verschmolzen sind. Die Herstellung findet meist nach einheitl. Verfahren statt und untergliedert sich in: Herstellen des Grundmaterials (Substrat oder Halbleiterscheibe), Herstellen der integrierten Bauelemente nach Verfahren der Schicht- oder Halbleiterblocktechnik, Aufbringen der Leitungspfade, Chiptests, Zerteilen der Scheiben in einzelne Chips, Kontaktieren und Verkappen. Bei der Schichttechnik dient das Substrat als Träger leitender, dielektr. oder halbleitender Schichten, bei der Halbleiterblocktechnik hingegen hat es auch elektr. Funktion. Komponenten beider Techniken ergeben die Kombinationstechnik und die Hybridtechnik, die die Vorteile beider Techniken zur Herstellung komplexer IC vereinen. Wichtige Voraussetzungen für die Ausführung von IC in Schicht- oder Blocktechnik sind die Maskentechnik und Lithographie.

IC, bei denen aktive und passive Bauelemente nach einheitl. Herstellungsprozess aus einem Halbleitermaterial gefertigt werden, bezeichnet man als monolithisch. Sie werden in der Halbleiterblocktechnik hergestellt. Nach der Struktur im Halbleitermaterial und dem verwendeten Herstellungsverfahren unterscheidet man integrierte Bipolarschaltkreise (→Bipolartechnik) und integrierte MIS-Schaltkreise (→MOS-Technik). IC werden u.a. in Operationsverstärkern, Halbleiterspeichern und Mikroprozessoren eingesetzt.

📖 ORLOWSKI, P. F.: *Angewandte Digitaltechnik. Marburg* [4]*1996.*

Integrität [lat.] *die,* **1)** *allg.:* Makellosigkeit, Unbescholtenheit, Unbestechlichkeit.

2) *Recht:* (territoriale I.) die auf Territorialhoheit beruhende Unverletzlichkeit der Grenzen eines →Staatsgebiets.

Integument [lat.] *das,* **1)** *Anatomie:* die →Haut.

2) *Botanik:* die Hülle der pflanzl. Samenanlage, die zur Samenschale wird.

Intellekt [lat.] *der,* Verstand, Fähigkeit zum Denken.

Intellektualismus *der,* **1)** *allg.:* einseitige Betonung des Verstandesmäßigen gegenüber dem Willen, dem Handeln und allen Gemüts- und Charakterwerten.

2) *Philosophie:* die Theorie, wonach die Vernunft das Gute bestimmt (eth. I.), als Weltgrund gedacht wird (metaphys. I.), alles Seiende erkennen und begreifen kann (erkenntnistheoret. I.).

Intellektuelle [lat.], Bez. für eine Gruppe von Menschen, die – bei unterschiedlich akzentuierter Definition im Einzelnen – wegen ihrer Ausbildung und ihrer geistigen Tätigkeit eine herausgehobene Stellung in der Gesellschaft innehat; soweit v.a. auf die Ausbildung bezogen, synonym mit Akademiker gebraucht; als polit. Schlagwort während der Dreyfusaffäre entstanden.

Intelligenz [lat.] *die,* im allg. Verständnis die übergeordnete Fähigkeit (bzw. eine Gruppe von Fähigkeiten), die sich in der Erfassung und Herstellung anschaul. und abstrakter Beziehungen äußert, dadurch die Bewältigung neuartiger Situationen durch problemlösendes Verhalten ermöglicht und somit Versuch-und-Irrtum-Verhalten und Lernen an Erfolgen, die sich zufällig einstellen, entbehrlich macht. Ein in der Psychologie häufig verwendetes I.-Modell umfasst folgende (als Primärfähigkeiten bezeichnete) **I.-Faktoren:** sprachl. Verständnis, Assoziationsflüssigkeit, Rechengewandtheit, räuml. Denken, Gedächtnis, Auffassungsgeschwindigkeit und schlussfolgerndes Denken. – Die I.-Entwicklung wird durch eine Wechselwirkung von Erbanlagen und Umweltbedingungen bestimmt; beim Menschen handelt es sich dabei um soziale und kulturelle Einflüsse, die durch erzieher. Anregungen, systemat. Schulung und Bildung u.a. vermittelt werden. Solche sind nach Befunden neuerer Untersuchungen v.a. in der frühesten Kindheit von Bedeutung. Die zw. verschiedenen Individuen feststellbaren I.-Unterschiede sind dementsprechend bis zu einem gewissen Grade auf sozioökonomisch bedingte Chancenungleichheiten zurückzuführen. – Fasst man die I. als Funktion des Lebensalters auf, lässt sich über die Bestimmung des **Intelligenzquotienten** folgender Verlauf der I.-Entwicklung feststellen:

Intelligenzquotient

IQ	Intelligenzgrad	Anteil der Bevölkerung
über 140	hervorragend (›genial‹)	1,5 %
120–139	sehr gut (›talentiert‹)	11,0 %
110–119	gut (›intelligent‹)	18,0 %
90–109	mittelmäßig (›normal begabt‹)	48,0 %
80–89	gering (›lernbehindert‹)	14,0 %
70–79	sehr gering (›geistig behindert‹)	5,0 %
unter 69	äußerst gering (›schwachsinnig‹)	2,5 %

Nach einer Periode starker positiver Beschleunigung in der frühen und mittleren Kindheit verlangsamt sich die I.-Entwicklung ab dem 10. Lebensjahr bis zum Erreichen des Erwachsenenalters. Als unhaltbar hat sich die Behauptung erwiesen, dass die I. ihren Höhepunkt im frühen Erwachsenenalter habe und dann absinke.

Bei Tieren ist I. im Sinne von einsichtigem Verhalten zu verstehen, z.B. verhalten sich Schimpansen intelligent, wenn sie Gegenstände (Kisten, Stöcke) einsetzen, um außerhalb ihrer Reichweite liegendes Futter zu erlangen.

📖 GOULD, S. J.: *Der falsch vermessene Mensch. A. d. Engl. Tb.-Ausg. Frankfurt am Main* ²*1994.* – WILSON, R. A.: *Der neue Prometheus. Die Evolution unserer I. A. d. Engl. Reinbek 23–25. Tsd. 1995.*

INTELSAT: Modellzeichnung des Satelliten INTELSAT V, am Satellitenkörper sind die beiden länglichen Sonnensegel zur Energieversorgung sowie die Antennen zur Übertragung der verschiedenen Frequenzbereiche angebracht

Intelligenzblätter, ursprünglich wöchentl. Zusammenstellungen von Anzeigen, seit etwa 1720 von Obrigkeit und Verwaltung als amtl. Organe für Bekanntmachungen benutzt, enthielten auch unterhaltende und belehrende Beiträge; später (nach 1848) durch Amtsblätter ersetzt.

Intelligenzquotilent, Abk. **IQ,** Maß für die allg. intellektuelle Leistungsfähigkeit, das sich aus dem Verhältnis von Intelligenzalter (IA; ermittelt anhand der durchschnittl. Intelligenz der versch. Altersstufen) zum Lebensalter (LA) nach der Formel IQ = (IA/LA) · 100 ergibt. Hierbei bedeutet ein Ergebnis von rund 100 durchschnittl. Intelligenz (I.-Norm).

Intelligenztests, →psychologische Tests.

INTELSAT [ɪntl'sæt, engl.; Abk. für **In**ternational **Tel**ecommunications **Sat**ellite Consortium], 1964 gegr. internat. Organisation zur Schaffung eines globalen Kommunikationssatellitennetzes; Sitz: Washington (D. C.), (1995) 136 Mitgl.staaten. Seit 1965 wurden die Satelliten INTELSAT I bis VIII sowie der spezielle INTELSAT K (Übertragung von 32 Fernsehprogrammen für Europa, Nord- und Südamerika) vollständig oder z.T. in Betrieb genommen. Die Kapazität der einzelnen Satelliten stieg dabei von 240 auf 24000 Sprechfunk- und drei Fernsehkanäle (INTELSAT VI).

Intendant [lat.-frz.] *der,* **1)** oberster Leiter eines Theaters, eines Rundfunk- oder Fernsehsenders.

2) in Frankreich seit dem 16. Jh. bis 1789 der oberste Verwaltungsbeamte einer Provinz.

Intensität [von lat. intendere »anstrengen«] *die,* **1)** *allg.:* Stärke, Wirksamkeit, Eindringlichkeit.

2) *Physik:* (Energieflussdichte) die je Zeiteinheit durch eine Einheitsfläche hindurchtretende Energie einer Strahlung (z.B. Licht, Schall, Teilchenstrahlung).

3) *Wirtschaft:* durchschnittl. Verhältnis der Einsatzmengen zweier Produktionsfaktoren bei gegebener Produktionsmenge (z.B. Arbeits-, Kapitalintensität).

intensiv [lat.], 1) *allg.:* gründlich und auf die betreffende Sache konzentriert.

2) *Landwirtschaft:* auf kleinen Flächen, aber mit relativ großem Aufwand betrieben; Ggs.: extensiv.

intensive Größen, Zustandsgrößen eines physikal. Systems, die sich bei Zerlegung des Systems nicht ändern (z.B. Temperatur, Druck), im Ggs. zu stoffmengenbezogenen **extensiven Größen,** die sich aus den Beiträgen einzelner Teilsysteme zusammensetzen (Energie, Masse u.a.).

Intensivhaltung, Formen der Nutztierhaltung, bei denen die Tiere ohne Auslauf in einem Stall oder in Käfigen gehalten werden; z.B. die → Batteriehaltung von Hühnern; ist tierschutzrechtlich problematisch.

Intensivmedizin, bestmögl. diagnost., therapeut. und pfleger. Maßnahmen in hoch spezialisierten Stationen **(Intensivstationen)** zur Behandlung von Menschen mit lebensbedrohl. Erkrankungen oder Verletzungen (Herzinfarkt, Schock u.a.). Die I. konzentriert sich auf das Aufrechterhalten der lebenswichtigen Funktionen (Atmung, Kreislauf, Temperaturregulation, Stoffwechsel).

Intensivum [lat.] *das, Sprachwiss.:* Verb, das eine in ihrer Stärke oder Dauer gesteigerte Handlung ausdrückt, z.B. von biegen: *bücken.*

Intentionalität [lat.] *die,* in der Phänomenologie E. Husserls entscheidendes Merkmal des Bewusstseins: Bewusstseinsakte sind immer auf Sachverhalte gerichtet, stellen also nicht nur Innerpsychisches dar, sondern die realen Gegenstände.

inter... [lat.], zwischen...

Interaktion [lat.], 1) *allg.:* Kommunizieren, aufeinander bezogenes Handeln zw. zwei oder mehreren Personen.

2) *Medizin:* gegenseitige Beeinflussung versch. Arzneimittel oder von Arznei-, Lebens- oder Genussmitteln.

3) *Soziologie:* die Wechselbeziehung zw. den Individuen und einer gesellschaftl. Gruppe oder der Gesellschaft insgesamt, bes. die wechselseitige Orientierung des Handelns an den Erwartungen der anderen in Gruppen und größeren sozialen Systemen.

Interamerikanische Entwicklungsbank (engl. Inter-American Development Bank, Abk. IDB), 1959 gegr. Entwicklungsbank für Lateinamerika, Sitz: Washington (D.C.). Sie gewährt Kredite zu Marktbedingungen und leistet techn. Hilfe.

Intercityzüge [-'sɪtɪ-], InterCity (→ IC), InterCity-Express (→ ICE).

Intercontinental Ballistic Missile [ɪntəkɔntɪ'nɔntl bə'lɪstɪk 'mɪsaɪl, engl.], Abk. **ICBM,** zu den strategischen Nuklearwaffen gehörende landgestützte Trägerrakete mit einer Reichweite bis zu 20000 km.

Interdependenz [lat.] *die,* auf Wechselwirkung beruhende gegenseitige Abhängigkeit.

Interdikt [lat.] *das,* 1) *kath. Kirchenrecht:* über Personen (Personal-I.) oder Gebiete und Orte (Lokal-I.) verhängte Kirchenstrafe (v.a. im MA.), die den mit I. Belegten die Teilnahme an oder die Durchführung von Gottesdiensten untersagt.

2) *röm. Recht:* eine der heutigen einstweiligen Verfügung ähnl. Anordnung des Prätors zur Aufrechterhaltung des Rechtsfriedens.

Interesse [lat.] *das,* 1) *allg.:* geistige Anteilnahme, Neigung; erhöhte Aufmerksamkeit; Nutzen.

2) *Recht:* im Privatrecht der in Geld schätzbare Wert eines Rechtsguts für den Berechtigten (der subjektive Wert). Im Vertragsrecht unterscheidet man im Schadensfall das zu ersetzende **positive I.,** bei dem der Geschädigte so gestellt werden muss, als ob der Vertrag erfüllt wäre, und das **negative I.,** bei dem der Geschädigte so zu stellen ist, als ob das den Schaden auslösende Geschäft nie getätigt worden wäre. – Im öffentl. Recht meint das **öffentl. I.** das allgemeine Wohl (im Einzelfall anpassungsbedürftig); im Verfahrensrecht beschreibt das **rechtl. I.** das schützenswerte Bedürfnis des Einzelnen nach Rechtsschutz.

Interessenausgleich, schriftl. Vertrag zw. Arbeitgeber und Betriebsrat über eine künftige Betriebsänderung (§§ 112, 113 Betriebsverfassungs-Ges., z.B. eine Betriebsstilllegung). Im I. wird geregelt, ob und ggf. wann und in welchem Umfang die Betriebsänderung durchgeführt wird. Der Ausgleich der Nachteile, die den Arbeitnehmern entstehen, ist Gegenstand des Sozialplans.

Interessengemeinschaft, Abk. **I. G.,** i.w.S. vertragl. Zusammenschluss mehrerer Personen oder Unternehmen zur Wahrung gleichartiger, meist wirtsch. Interessen; i.e.S. Gewinngemeinschaft: Verbindung von Unternehmen, die rechtlich selbstständig bleiben, deren wirtsch. Selbstständigkeit aber vertraglich gemindert ist; häufig Vorstufe der Verschmelzung (Fusion). Die I. G. ist regelmäßig eine Gesellschaft bürgerl. Rechts (ohne Rechtspersönlichkeit).

Interessenjurisprudenz, um 1900 aufgekommene jurist. Methodenlehre, nach der bei der Entscheidung des Einzelfalles sowohl den Absichten des Gesetzgebers und seinen in den Rechtssätzen niedergelegten Wertungen als auch der besonderen Interessenlage der Beteiligten Rechnung zu tragen ist (bed. Vertreter: R. von Jhering, P. Heck). Stand im Ggs. zur → Begriffsjurisprudenz.

Interẹssensphäre, → Einflussgebiet.

Interẹssenverbände, freiwillige Zusammenschlüsse von Personen, Körperschaften, jurist. Personen, um die (gleich gerichteten oder ähnl.) Belange ihrer Mitgl. zu regeln und zu vertreten. Zu den I. gehören bes. die Gewerkschaften und Arbeitgeberverbände, ferner in Dtl. z. B. Vertriebenen- und Kriegsopferverbände. Sofern die I. auf die Gesetzgebung u. a. polit. Akte Einfluss zu nehmen suchen, nennt man sie auch → Pressuregroups.

Interface ['ɪntəfeɪs, engl.] *das, Informatik:* → Schnittstelle.

Ịnterfax, russ. Nachrichtenagentur, gegr. 1989, Sitz: Moskau.

Interfẹrenz [lat.] *die, Physik:* die Überlagerung von zwei oder mehr Wellenzügen ausreichender → Kohärenz am gleichen Raumpunkt, die zu einer von den Amplituden und Phasendifferenzen abhängigen Intensitätsverteilung führt. Diese kann als Verstärkung **(I.-Maximum),** Schwächung oder Auslöschung **(I.-Minimum)** der Wellen beobachtet werden. Die I. beruht auf dem **Superpositionsprinzip,** d. h. die resultierende Amplitude ist jeweils gleich der Summe der Amplituden der ursprüngl. Wellen; es findet keine Wechselwirkung der Einzelwellen statt. I.-Erscheinungen ermöglichen, die Wellennatur einer Strahlung nachzuweisen. Sie treten prinzipiell bei allen Wellen auf, bei Oberflächenwellen (Wasser), elast. und elektromagnet. Wellen (Schall, Licht), Materiewellen (z. B. bei der Elektronen- oder Neutronenbeugung).

Interferenz: Modelldarstellung der Interferenz zweier punktförmiger Quellen durch zwei Glasplatten mit je einer konzentrischen Kreisschar

I. des Lichts: Natürl. Licht therm. Strahler entsteht durch spontane Emission untereinander unabhängiger, angeregter Atome, die nicht zusammenhängende Wellenzüge von etwa 10^{-8} s Dauer mit statistisch wechselnden Phasenbeziehungen aussenden. Die I.-Erscheinung ist deshalb nicht stationär, sondern ändert in Intervallen von etwa 10^{-8} s ihr Aussehen. Zur Erzeugung interferenzfähiger (kohärenter) Wellen muss deren opt. Wegdifferenz kleiner als die Kohärenzlänge sein. Das ist beim → Laser der Fall, dessen stimulierte Emission räumlich und zeitlich kohärent ist. Verwendet man andere Lichtquellen, muss man das Licht in Teilbündel aufspalten und sie zur I. bringen (→ fresnelscher Spiegelversuch). Die I.-Bilder sind meist in Form von regelmäßig angeordneten Figuren **(I.-Streifen, I.-Ringe)** zu beobachten, die bei Verwendung von weißem Licht oft ausgeprägte **I.-Farben** (newtonsche Ringe) aufweisen. Solche Farben treten auch an dünnen Luft- und Flüssigkeitsschichten (z. B. Seifenblasen, Ölschicht) auf, bei denen das auffallende Licht durch Reflexion an der Vorder- und Hinterseite der Schicht interferiert. I.-Erscheinungen werden z. B. in → Interferometern ausgenutzt.

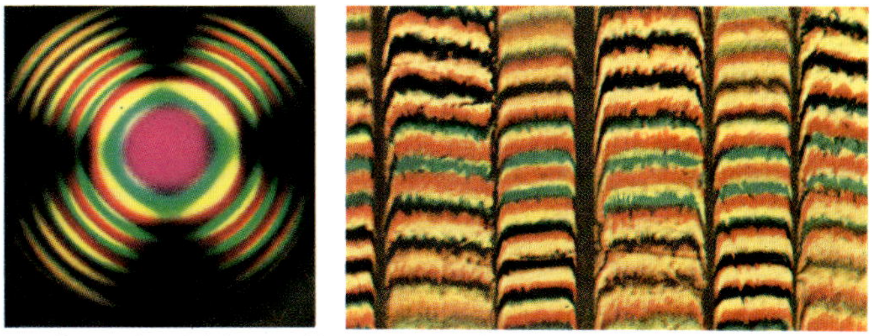

Interferenz (von links): Das Bild zeigt eine Interferenz von polarisiertem Licht bei Doppelbrechung; diese entsteht, wenn eine senkrecht zur optischen Achse geschnittene Quarzplatte, die sich zwischen zwei gekreuzten Polarisationsfiltern befindet, mit divergentem Licht durchstrahlt wird; das zweite Bild stellt die Prüfung der Oberflächenmikrostruktur eines Werkstücks mithilfe eines Interferenzmikroskops bei weißem Licht dar; das horizontal verlaufende Muster zeigt Interferenzkurven gleicher Dicke, die vertikalen Linien werden durch Rillen im Werkstück verursacht

Interfẹrenzfilter, → Lichtfilter.

Interferomẹter [lat.-grch.] *das,* opt. Gerät für Präzisionsmessungen versch. Art unter Ausnutzung von Interferenzerscheinungen des Lichts. In **Zweistrahl-I.** werden zwei Lichtbündel u. a. über halb durchlässige Platten oder Spiegel zur Interferenz gebracht (z. B. **Michelson-I., Mach-Zehnder-I.**). In **Vielstrahl-I.** wie dem **Fabry-Perot-I.** nutzt man die Mehrfachreflexion an planparallelen Platten; sie werden zur hoch auflösenden Spektroskopie **(Interferenzspektroskopie)** verwendet, da die Schärfe der Interferenzstreifen mit der Zahl der interferierenden Teilbündel wächst. I. werden eingesetzt für Brechzahl- und Längenmessungen (→ Komparator), zur Prüfung der Ebenheit

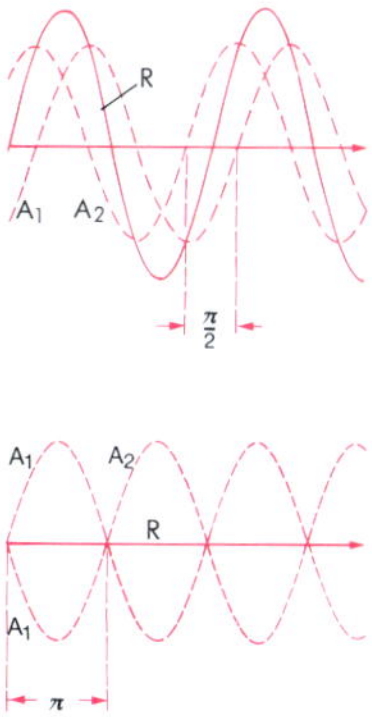

Interferenz: Durch Überlagerung zweier Wellenzüge A_1 und A_2 mit unterschiedlichen Phasendifferenzen addieren sich die Momentanwerte der Amplituden zur Resultierenden R; dies führt je nach Phasenlage zu einer Verstärkung der Intensität (oben, Phasendifferenz $\pi/2$) oder zu einer Auslöschung (Phasendifferenz π)

Interieur 2): Pieter de Hooch, »Interieur mit Frauen bei einem Wäscheschrank« (1663; Amsterdam, Rijksmuseum); darunter Jan Vermeer, »Die Malkunst« (zwischen 1660 und 1670; Wien, Kunsthistorisches Museum)

von Flächen u.a., für Untersuchungen der Hyperfeinstruktur von Spektrallinien, als Infrarotspektrometer und schmalbandige Lichtfilter. **Stern-I.** werden als Zusatzgeräte zum Fernrohr verwendet, um die Durchmesser von Fixsternen zu messen.

Interferone [lat.], säure- und hitzeresistente artspezif. Glykoproteine, die von Zellen vieler Wirbeltiere und des Menschen bei Virusinfektionen gebildet werden und nicht infizierte Zellen vor demselben Virus (wie auch vor anderen Viren) schützen. Weiterhin zeigen I. einen wachstumshemmenden Effekt auf Tumorzellen. – Die therapeut. Verwendung wird durch schwere Nebenwirkungen selbst der Reinstpräparate eingeschränkt.

Interflug, staatl. Flugges. der DDR, bestand 1958–91; Sitz: Berlin-Schönefeld.

intergalaktische Materie, im Raum zw. den →Sternsystemen (Galaxien) diffus verteilte Materie äußerst geringer Dichte (→interstellare Materie). Röntgenbeobachtungen an Galaxienhaufen deuten auf die Existenz intergalakt. Gases.

Interglazial [lat. glacialis »eisig«] *das* (Interglazialzeit, Warmzeit, Zwischeneiszeit), wärmere Klimaperiode zw. zwei Glazialen (Kaltzeiten), mit einem Rückgang der Vergletscherung verbunden.

Interhalogenverbindungen, sehr reaktionsfähige chem. Verbindungen aus zwei versch. Halogenen; bei ihnen ist jeweils das schwerere Halogen der elektropositive, das leichtere der elektronegative Partner. I. werden z.B. von Fluor mit Chlor, Brom und Jod gebildet.

Interieur [ɛ̃teri'øːr, frz.] *das,* **1)** *allg.:* das Innere, die Innenausstattung eines Hauses.

2) *Kunst:* in der Malerei die Darstellung eines Innenraumes. Die Kunst des MA. löste sich spät vom Goldgrund, in Italien tritt der Kastenraum auf (Giotto), von den Niederlanden ausgehend füllt sich das I. seit dem 14. Jh. mit Details der Wohnkultur und seit dem 15. Jh. verliert sich die abgrenzende Rahmung völlig. Das Innenbild erfasst das ganze Bild, die Räumlichkeit wird mit den Mitteln der Zentralperspektive dargestellt. Zu einer besonderen Gattung wurde das I. durch die Niederländer des 17. Jh. (v.a. P. de Hooch, J. van Eyck und J. Vermeer).

Interim [lat.] *das,* **1)** *allg.:* einstweilige Regelung für eine Übergangszeit.

2) *Kirchengeschichte:* in der Reformation die vorläufige Regelung einer strittigen Religionsangelegenheit bis zur Entscheidung durch ein allg. Konzil; z.B. gewährte das Augsburger I. (1548) der prot. Seite die Priesterehe und den Laienkelch, das Leipziger I. (1548) der kath. Seite die Beibehaltung von Fronleichnam.

Interjektion [lat.] *die* (Ausrufe-, Empfindungswort), nicht flektierbar, z.B. *oh, au.*

Interkommunion, zw. konfessionsversch. Kirchen vereinbarte gegenseitige Zulassung ihrer Mitgl. zum Abendmahl.

Interkonfessionalismus [lat.], das Streben nach Zusammenarbeit der christl. Konfessionen über bestehende dogmat. Gegensätze hinweg.

interkostal [lat.], *Anatomie:* zw. den Rippen liegend.

Interlaken, Bezirkshauptort im Kt. Bern, Schweiz, 5500 Ew., Kurort auf dem Bödeli zw. Thuner und Brienzer See, an der Aare, 563 m ü.M.; Fremdenverkehrszentrum. I. bildet mit den Nachbarorten Unterseen und Matten eine Siedlungseinheit mit 13 000 Einwohner.

Interlinearversion, zw. die Zeilen eines fremdsprachigen Textes geschriebene Wort-für-Wort-Übersetzung ohne Berücksichtigung grammat. oder idiomat. Unterschiede zw. dem Grundtext und der Übersetzung. In althochdt. Zeit (8.–10. Jh.) ist die I. die erste und älteste Stufe der Übersetzung und Aneignung lat. Texte in der Volkssprache.

Interlingua, eine → Welthilfssprache.

Interlockgestrick, laufmaschenfreies, feines weiches Gestrick; Bindung: rechts/rechts/gekreuzt; für Unterwäsche und Oberbekleidung.

interlokales Recht, die Rechtsnormen, die für den Fall zur Anwendung gelangen, dass Teilgebiete des Rechts, z. B. in den Gliedstaaten eines Bundesstaates, unterschiedlich geregelt sind. Es steht insoweit im Ggs. zum → internationalen Privatrecht, nach dessen Grundsätzen jedoch die jeweils anwendbare Rechtsnorm bei Kollisionsfällen im privatrechtl. Bereich zu ermitteln und anzuwenden ist. Wenn das am Tatort geltende Strafrecht und das für das urteilende Gericht geltende Recht nicht übereinstimmen, ist grundsätzlich das Recht des Tatortes maßgebend. Dies gilt nach dem Beitritt der DDR zur Bundesrep. Dtl. auch zw. den alten und den neuen Bundesländern. Der Einigungsvertrag brachte jedoch keine umfassende Regelung der strafrechtl. Problematik.

Interlaken: Blick über den beliebten Fremdenverkehrsort im Tal auf drei Berge der Berner Alpen: Eiger (3 970 m), Mönch (4 099 m) und Jungfrau (4 158 m)

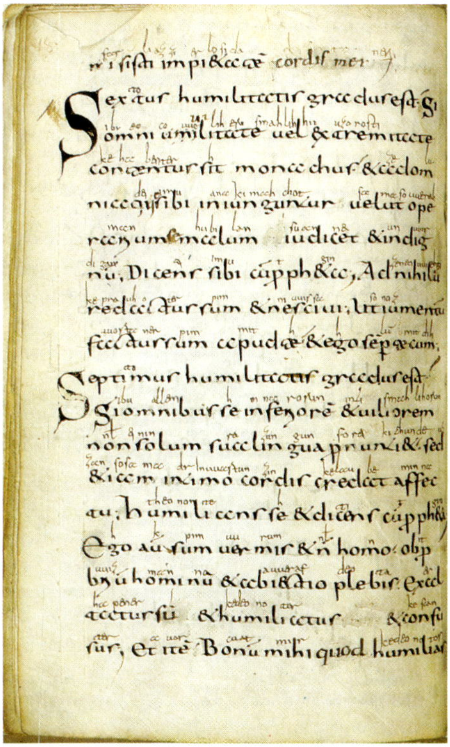

Interlinearversion: Ausschnitt aus der Interlinearversion der Benediktinerregel (Anfang 9. Jh.; Sankt Gallen, Stiftsbibliothek)

Interludium [lat.] *das, Musik:* Zwischenspiel.

intermediär [lat.], **1)** *allg.:* in der Mitte liegend, dazwischen befindlich, ein Zwischenglied bildend.

2) *Genetik:* Merkmalsausbildung, die mit den Elternformen nicht übereinstimmt, z. B. rote und weiße Blütenfarbe ergibt bei bestimmten Pflanzen eine rosa blühende Filial-(Tochter-)Generation.

intermediäre Bosonen, massebehaftete Elementarteilchen mit Spin 1, die als Quanten von Vektorfeldern **(Vektorbosonen)** und → Eichfeldern **(Eichbosonen)** die schwache Wechselwirkung vermitteln, d. h. W^+-, W^-- und Z^0-Bosonen. I. w. S. gehören zu den i. B. auch das Photon und das hypothet. Gluon (elektromagnet. und starke Wechselwirkung).

intermetallische Verbindungen (intermediäre Phasen), chem. Verbindungen zweier oder mehrerer Metalle, die in einem von den Kristallgittern der sie bildenden Elemente wesentlich versch. Gitter kristallisieren (im Ggs. zu den → Mischkristallen). Die chem. Bindungen ihrer Atome enthalten neben metall. Bindungsanteilen (verbunden mit metall. Eigenschaften) auch starke Atombindungs- bzw. Ionenbindungsanteile (verbunden mit Halbleitereigenschaften).

Intermezzo [lat.] *das,* **1)** *allg.:* kleine Begebenheit, Zwischenfall.

2) *Musik:* musikal. Einlage, Zwischenaktmusik; auch Charakterstück für Klavier.

3) *Theater:* Zwischenspiel im → Drama.

intermittierendes Hinken, bei arterieller Durchblutungsstörung der Beine nach kurzer

Wegstrecke auftretende Wadenschmerzen, die zu vorübergehendem Hinken zwingen.

Internat [lat.] *das,* einer meist höheren Schule angegliedertes Wohnheim für Schüler.

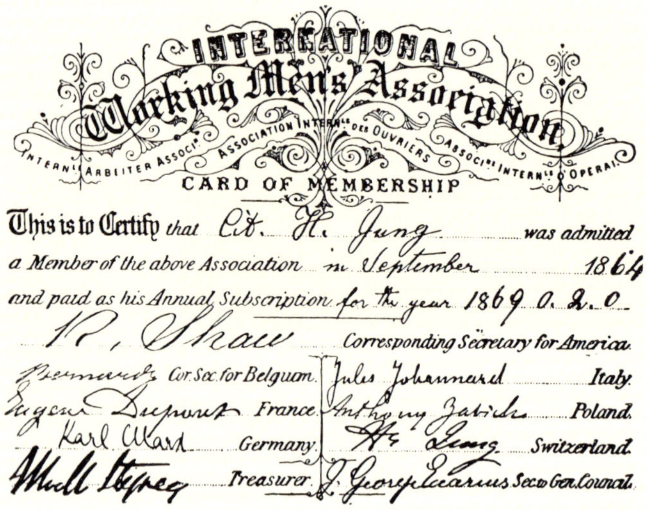

Internationale: Die Mitgliedskarte der Ersten Internationale für das Jahr 1869 ist u. a. von Karl Marx als korrespondierendem Sekretär für Deutschland unterschrieben

International Council of Scientific Unions [ɪntəˈnæʃnl ˈkaʊnsl əv saɪənˈtɪfɪk ˈjuːnjəns, engl.], Abk. **ICSU,** internat. Rat wiss. Vereinigungen, fördert die Forschung im Bereich der exakten Wiss.; gegr. 1931; Sitz: Paris. Dtl. ist seit 1952 durch die Dt. Forschungsgemeinschaft vertreten.

Internationale [lat.] *die,* internat. Vereinigung, bes. die der sozialist. Parteien. 1864 wurde in London die **Internat. Arbeiterassoziation** gegründet (**Erste I.,** unter dem Einfluss von K. Marx), die 1872 durch den Gegensatz zw. Marx und Bakunin scheiterte. 1889 entstand auf Anregung der dt. Sozialdemokraten in Paris die **Zweite I.,** die im 1. Weltkrieg auseinander brach und 1923 wieder hergestellt wurde; sie bestand bis 1940. Die **Wiener I.** bestand von 1921 bis 1923 und vereinigte sozialist. Parteien Europas und der USA. 1946 entstand in London ein **Internat. Sozialist. Büro** als Vorläufer einer neuen sozialist. Internationale. Auf dem 8. Internat. Sozialist. Kongress in Frankfurt am Main (1951) wurde sie von 34 Parteien als **Sozialistische I.** (SI) wieder gegr.; sie umfasst heute über 90 Vollmitgl.; seit 1989/90 werden die Parteien der wieder erstandenen sozialdemokrat. Bewegung in Mittel- und Osteuropa integriert; Präs. der SI: 1976–92 W. Brandt, seit 1992 P. Mauroy. – Nach dem Sieg der Bolschewiki in Russland kam es 1919 in Moskau zur Gründung der **Dritten I.** (**Kommunistische I.,** →Komintern); sie wurde 1943 aufgelöst, 1947 als →Kominform neu gegründet, 1956 aufgelöst. Danach waren die kommunist. Parteien unter straffer Führung der KPdSU bestrebt, auf internat. kommunist. Konferenzen eine gemeinsame polit. Linie zu finden. – Trotzki gründete in Paris 1938 die **Vierte I.,** die ohne Bedeutung blieb. – Auch andere Parteien und Gewerkschaften haben internat. Zusammenschlüsse.

Internationale Arbeitsorganisation

Internationale Atomenergie-Behörde

Internationale, Die, Kampflied der internationalen sozialist. Arbeiterbewegung (»Wacht auf, Verdammte dieser Erde ...«), frz. Text von E. Pottier (1871), Melodie von P. C. Degeyter (1888); bis 1943 Hymne der Sowjetunion.

Internationale Arbeitsorganisation, Abk. **IAO** (engl. International Labour Organization, Abk. ILO), gegr. am 11. 4. 1919 auf gewerkschaftl. Initiative durch den Versailler Friedensvertrag mit engem Bezug zum Völkerbund, seit 1946 Sonderorganisation der UN; Sitz: Genf. Tätigkeitsfelder der IAO sind Arbeitsschutz und -bedingungen, Arbeitsrecht, soziale und Beschäftigungssicherheit, Bekämpfung von berufl. (Frauen-)Diskriminierung und Kinderarbeit. Organe: Internat. Arbeitskonferenz, Verwaltungsrat und das **Internat. Arbeitsamt (IAA).** In allen IAO-Gremien sind neben Regierungsvertretern Arbeitgeber- und Arbeitnehmervertreter gleichberechtigt vertreten (Tripartismus). Die IAO hat (1997) 174 Mitgl.; 1969 erhielt die IAO für ihre Bemühungen um die Verbesserung der wirtsch. und sozialen Verhältnisse den Friedensnobelpreis.

Internationale Ärzte zur Verhinderung des Atomkriegs (engl. International Physicians for the Prevention of Nuclear War, Abk. IPPNW), 1980 gegr., Zusammenschluss von etwa 145 000 Ärzten aus 51 Ländern, die jede Form der medizin. Vorbereitung auf die Folgen eines Atomkriegs mit ihrer Standesethik für unvereinbar halten. Die IPPNW, die sich für (atomare) Abrüstung und das Verbot von Kernwaffen einsetzen, wurden 1985 mit dem Friedensnobelpreis ausgezeichnet.

Internationale Atomenergie-Behörde (Internationale Atomenergie-Organisation, Abk. IAEO, engl. International Atomic Energy Agency, Abk. IAEA), 1956 gegr. selbstständige Organisation innerhalb der UN zur Förderung der friedl. Nutzung der Atomenergie mit über 100 Mitgliedsstaaten (Bundesrep. Dtl. seit 1957); Sitz: Wien. Zu den Aufgaben gehören der internat. Informationsaustausch auf dem Gebiet der Kernenergie sowie Sicherheitskontrollen (Überwachung internat. Verträge, z. B. des Kernwaffensperrvertrages).

Internationale Atomzeit (engl. International Atomic Time, Abk. IAT), →Zeit.

Internationale Bank für Wiederaufbau und Entwicklung (engl. International Bank for

Reconstruction and Development, Abk. IBRD), der offizielle Name der →Weltbank.

internationale Brigaden, militär. Freiwilligenverbände im Span. Bürgerkrieg (1936–39), die sich aus Ausländern rekrutierten und 1936–38 auf republikan. Seite gegen die Aufständischen unter General F. Franco kämpften (insgesamt rd. 35 000 Mann aus 54 Nationen, darunter 5 000 Deutsche).

Internationale Einheiten, 1) Abk. **I. E.** (engl. International Units, Abk. I. U.), internat., von der WHO u. a. Organisationen festgelegte Maßeinheiten für biochemisch wirksame Substanzen: 1) bei Hormonen, Vitaminen, Antibiotika u. a. eine Wirkstoffmenge, die auf Referenzpräparate bezogen ist (deren biolog. Wirkung ist z. B. in Tierversuchen standardisiert); 2) bei Enzymen diejenige Substanzmenge, die unter genau definierten Bedingungen (Zeit, Temperatur u. a.) eine bestimmte Stoffmenge umsetzt (katalysiert).

2) Einheiten des Internat. Einheitensystems, die →SI-Einheiten.

Internationale Energieagentur (engl. International Energy Agency), Abk. **IEA,** Sitz: Paris, 1974 im Rahmen der OECD gegr. Organisation zur Realisierung des internat. Energieprogramms, mit dem mögl. Problemen in der Ölversorgung begegnet werden soll. Energiepolit. Ziele der IEA sind u. a.: Energiesparen, Substitution v. a. von Erdöl und angemessene Energiepreisgestaltung; ferner Nutzung der Kernenergie und Ausbau der Alternativenergie sowie stärkere Berücksichtigung von Umweltschutz (u. a. Treibhauseffekt); Förderung entsprechender Forschung und Entwicklung.

Internationale Entwicklungsorganisation (engl. International Development Association, Abk. IDA), Sonderorganisation der UN; selbstständige Schwesterorganisation der Weltbank; gegr. 1960, Sitz: Washington (D. C.); 158 Mitgl.länder (1997). Die IDA finanziert Entwicklungsprojekte, v. a. Infrastrukturprojekte in den ärmsten Entwicklungsländern, zu günstigeren Konditionen als die Weltbank (Laufzeit der zinslosen Kredite i. d. R. 50 Jahre, Rückzahlung in eigener Währung möglich).

Internationale Finanz-Corporation (engl. International Finance Corporation), Abk. **IFC,** Sonderorganisation der UNO; rechtlich und finanziell selbstständige Schwesterorganisation der Weltbank; gegr. 1956, Sitz: Washington (D. C.); 172 Mitgl.länder (1997). Voraussetzung für die Aufnahme ist die Mitgliedschaft in der Weltbank. Die IFC dient v. a. der Förderung des wirtsch. Aufbaus in Entwicklungsländern durch Investitionen (langfristige Kredite), Beteiligung am Kapital privater Unternehmen und techn. Hilfe.

Internationale Frauenliga für Frieden und Freiheit, Abk. **IFFF** (engl. Women's International League for Peace and Freedom, Abk. WILPF), polit. Frauenorganisation, gegr. 1915 in Den Haag; Sitz: Genf; Mitarbeit bei UNO und UNESCO.

internationale Gerichte, die durch zwischenstaatl. Verträge für ständig oder für eine bestimmte Zeit oder Aufgabe errichteten Gerichtshöfe, so der →Internationale Gerichtshof, der →Europäische Gerichtshof, der →Europäische Gerichtshof für Menschenrechte. Die Kriegsverbrechertribunale in Den Haag (für das ehem. Jugoslawien) und in Arusha, Tansania (für Kriegsverbrechen in Ruanda) beruhen auf Entscheidungen der UNO; i. w. S. sind i. G. auch zwischenstaatl. Schiedsgerichte und der →Ständige Schiedshof.

Internationale Handelskammer, Abk. **IHK** (engl. International Chamber of Commerce, Abk. ICC), →Industrie- und Handelskammer.

Internationale Kampagne zur Ächtung von Landminen [kam'panjə-], 1992 gegr. Dachverband aller Organisationen, die sich für die Ächtung von Antipersonenminen und die Betreuung der Opfer dieser Waffen einsetzen; zus. mit seiner Sprecherin Jody Williams (*1950) erhielt er den Friedensnobelpreis 1997.

Internationale Priesterbruderschaft des Hl. Pius X., von M. →Lefebvre gegr. Bruderschaft mit dem Ziel, die bis zum 2. Vatikan. Konzil gültige Liturgie und Theologie zu bewahren. Die seit 1975 bestehenden Konflikte mit dem Papst führten 1988 zum Schisma.

Internationaler Bund Freier Gewerkschaften, Abk. **IBFG** (engl. International Confederation of Free Trade Unions, Abk. ICTU), internat. Zusammenschluss von nat. Gewerkschaftsdachverbänden; gegr. 1949 in London von sozialistisch und sozialdemokratisch orientierten Gewerkschaftsbünden, die sich aus dem kommunistisch gesteuerten Weltgewerkschaftsbund zurückgezogen hatten; Sitz: Brüssel.

Internationaler Fernmeldeverein (frz. Union Internationale des Télécommunications, Abk. UIT, engl. International Telecommunication Union, Abk. ITU), Sonderorganisation der UN zur Regelung des internat. Fernmelde- und Nachrichtenverkehrs und zur Festlegung internat. Standards für Systeme und Einrichtungen der Telekommunikation einschließlich des weltweiten Funkverkehrs sowie zur Förderung der Infrastruktur (Entwicklungszusammenarbeit) und der Zusammenarbeit im Bereich Telekommunikation. Gegr. 1865 als **Internationale Telegraphenunion;** 1932 nach Zusammenschluss mit der Internat. Funkkonferenz (gegr. 1906) umbenannt in IFU; Sitz: Genf (bis 1948: Bern). Verfassung ist der regelmäßig erneuerte Internat. Fernmeldevertrag.

Internationaler Frauenbund (engl. International Alliance of Women, Abk. IAW), 1902 in

Washington (D.C.) gegr. Frauenorganisation; Sitz: Athen; Mitarbeit u.a. bei den UN und der UNESCO.

Internationaler Frauenrat, Abk. **IFR** (engl. International Council of Women, Abk. ICW), internat. Dachorganisation von Frauenverbänden, Sitz: Paris.

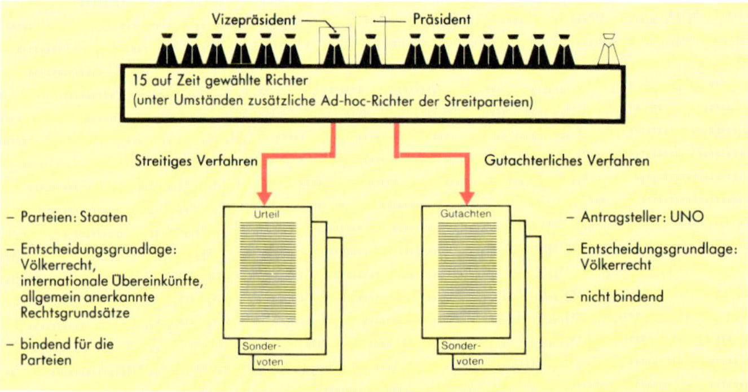

Internationaler Gerichtshof: Zusammensetzung des Gerichts und zusammenfassende Darstellung der Verfahrensvarianten

Internationaler Gerichtshof, Abk. **IGH** (frz. Cour Internationale de Justice, Abk. C. I. J., engl. International Court of Justice, Abk. I. C. J.), das durch die Satzung der UNO als Nachfolger des →Ständigen Internationalen Gerichtshofs 1946 errichtete Gericht in Den Haag (Statut vom 26. 6. 1945) mit 15 von der UN-Generalversammlung und dem Sicherheitsrat auf neun Jahre gewählten Richtern. Alle Mitgl.staaten der UNO nehmen mit der Mitgliedschaft das Statut des IGH an. Das Gericht entscheidet in Streitverfahren zw. souveränen Staaten und in Gutachterverfahren auf Antrag der UNO oder ihrer Sonderorganisationen.

Internationaler Schiedsgerichtshof, →Ständiger Schiedsgerichtshof.

Internationaler Seegerichtshof, internat. Gericht, das auf der Grundlage der Seerechtskonvention von 1982 mit Sitz in Hamburg errichtet wurde. Seine 21 Richter werden von den Vertragsstaaten gewählt (erstmals 1995). Der I.S. steht den Vertragsstaaten der Seerechtskonvention offen.

internationaler Stil 1): Doppelhaus der von Walter Gropius 1926 erbauten Meistersiedlung in Dessau

internationaler Stil, 1) *Architektur:* Richtung der modernen Architektur bes. des 2. Viertels des 20. Jh. Den Begriff prägten H. R. Hitchcock und P. C. Johnson in ihrem Ausstellungskatalog »The international style, architecture since 1922« (1932, 1966). Zu den wesentl. Faktoren des i. S. gehören: stereometr. Grundformen in asymmetr. Anordnung, typenmäßige Grundriss- und Raumgestaltung, rationale Funktionsfähigkeit, Ornamentlosigkeit, Anordnung der Fenster in horizontalen Streifenzonen, weißer Oberflächenputz, serienmäßig hergestellte Bauelemente. Er wurde vorbereitet durch Bauten von F. L. Wright, T. Garnier und A. Loos. In den 30er- und 40er-Jahren verbreitete sich der i. S. in den USA, Südamerika, Skandinavien, Großbritannien und Japan. Zu seinen wichtigsten Vertretern gehören W. Gropius, L. Mies van der Rohe, J. J. P. Oud, Le Corbusier, R. Neutra und Johnson.

2) *bildende Kunst:* der →schöne Stil.

Internationaler Währungsfonds [-fɔ̃], Abk. **IWF** (engl. International Monetary Fund, Abk. IMF, Weltwährungsfonds), 1945 aufgrund des Abkommens von Bretton Woods errichtete Sonderorganisation der UN zur Überwachung des internat. Währungssystems (1997: 181 Mitgl.). Ziele: Förderung der internat. Zusammenarbeit in der Währungspolitik, Förderung eines ausgewogenen Wirtschaftswachstums sowie eines hohen Beschäftigungsgrades, Sicherung geordneter Währungsbeziehungen, Schaffung eines multilateralen Zahlungssystems und Beseitigung von Beschränkungen im Devisenverkehr, Kreditgewährung zum Zahlungsbilanzausgleich. – Organe: Oberstes Gremium ist der Gouverneursrat (Board of Governors; je Mitgl.land ein Vertreter), aus dem der Interimsausschuss gebildet wird. Die laufenden Geschäfte führt das Exekutivdirektorium (Board of Executive Directors; 24 Mitgl.). Jedem IWF-Mitgl. ist eine Quote zugewiesen, nach der sich sein Anteil am Fonds (Subskription), sein Stimmrecht, die Höhe seiner ständigen Bareinlagen, seine Verpflichtung zur Kreditgewährung an andere Mitgl. und die Grenze seiner Inanspruchnahme des Fonds (Ziehungsrechte) bemessen. Den höchsten Stimmenanteil hat die USA und damit eine Sperrminorität. Um die internat. Währungsordnung flexibler zu gestalten, die Mittel des IWF zu vergrößern und nach und nach eine stärkere Unabhängigkeit des Währungssystems vom Gold und vom Dollar zu erreichen, wurde 1969 mit den →Sonderziehungsrechten (SZR) ein neues Reservemedium geschaffen, das als Zahlungsmittel zw.

den Währungsbehörden dient. Die SZR können dazu benutzt werden, über die normalen Ziehungsrechte hinaus fremde Währungen zu erwerben oder Verbindlichkeiten bei anderen Zentralbanken zu begleichen. Seit 1978 ist den Mitgl. des IWF die Wahl ihres Wechselkurssystems freigestellt. Die IWF-Finanzmittel erbringen die Mitgl. über Beiträge.

Internationales Afrika-Institut, gegr. 1926, Informationszentrum mit dem Ziel, die Forschung über die afrikan. Völker, ihre Sprachen und Kulturen zu fördern. Sitz: London.

Internationales Einheitensystem (frz. Système International d'Unités, Abk. SI), weltweit angewandtes, vielfach gesetzlich vorgeschriebenes Einheitensystem (in Dtl. durch das Gesetz über Einheiten im Messwesen vom 22. 2. 1985). Es wurde 1948 auf der 9. Generalkonferenz für Maß und Gewicht vorgeschlagen und 1960 auf der 11. Generalkonferenz angenommen. Das I. E. wird durch sieben Basiseinheiten (→SI-Einheiten) gebildet.

Internationales Geophysikalisches Jahr, Abk. **I. G. J.,** gemeinsames Forschungsunternehmen von 67 Ländern auf dem Gebiet der Geophysik, 1. 7. 1957 bis 31. 12. 1958; verlängert bis 31. 12. 1959. Die Forschungsaufgaben umfassten Meteorologie, kosmische Strahlung, Polarlicht und Luftleuchten, Ionosphärenforschung, Erdmagnetismus, Ozeanographie, Glaziologie bes. der Polargebiete. Das I. G. J. fand in einer Periode bes. hoher Sonnenaktivität statt. Um den Einfluss der Sonnenaktivität zu studieren, richtete man in der folgenden Periode eines Sonnenfleckenminimums (1964/65) die **Internat. Jahre der ruhigen Sonne** ein.

Internationales Olympisches Komitee, Abk. **IOK** (engl. International Olympic Committee, Abk. IOC, frz. Comité International Olympique, Abk. CIO), die höchste Instanz für alle olymp. Fragen, gegr. 1894. Sitz: Lausanne; Präsident (seit 1980): J. A. Samaranch.

internationales Privatrecht, Abk. **IPR,** Rechtsnormen, die bei privatrechtl. Tatbeständen mit Auslandsberührung (z.B. Vertragsschließung eines Deutschen mit einem Inder in London) darüber bestimmen, ob inländ. oder ausländ. Privatrecht anzuwenden ist (Kollisionsnormen). Hauptquellen des dt. IPR: Art. 3–38 und (für die Länder der ehem. DDR) Art. 236 Einführungs-Ges. zum BGB (EGBGB), Staatsverträge (→Haager Konventionen) und Gewohnheitsrecht. Das IPR versucht, diejenige Rechtsnorm anzuwenden, die mit dem Sachverhalt die engste Beziehung aufweist und deren Anwendung am gerechtesten erscheint. Die für solche Beziehungen maßgebenden Gesichtspunkte nennt man »Anknüpfungspunkte« einer Kollisionsnorm (z.B. Staatsangehörigkeit, Wohnsitz, gewöhnl. Aufenthalt, Firmensitz, Handlungsort, Parteiwille). Ungeachtet seiner Bez. ist IPR nat. Recht; nicht angewendet werden dürfen ausländ. Rechtsregeln, wenn ihre Anwendung mit wesentl. Grundsätzen dt. Rechts (bes. den Grundrechten) offensichtlich unvereinbar ist (»ordre public«, Art. 6 EGBGB).

In *Österreich* regelt das Bundesges. vom 15. 6. 1978 das IPR, welches den Grundsatz der »stärksten Beziehung« normiert. In der *Schweiz* gilt seit 1. 1. 1989 das neu gefasste Bundesges. vom 18. 12. 1987.

internationales Recht, die Gesamtheit der Rechtsregeln, die grenzüberschreitende Sachverhalte betreffen, d.h. Sachverhalte, deren einzelne Elemente in mehr als einem Staat oder in einem internat. Gemeinschaftsraum (hohe See, Weltraum) liegen. Der allg. Unterscheidung zw. Privatrecht und öffentl. Recht folgend, wird auch im i. R. zw. internat. öffentl. Recht und →internationalem Privatrecht unterschieden. Internat. öffentl. Recht ist das Völkerrecht. Als i. R. wird auch das supranat. Recht verstanden.

Internationales Übereinkommen über den Eisenbahnfrachtverkehr, in Bern geschlossenes Abkommen zur Regelung der grenzüberschreitenden Beförderung von Gütern mit der Eisenbahn, 1985 durch das neue (am 9. 5. 1980 geschlossene) Übereinkommen über den internat. Eisenbahnverkehr ersetzt.

Internationales Olympisches Komitee: Die Mitglieder des ersten Internationalen Olympischen Komitees (von links): W. K. A. Gebhardt (Deutschland), P. de Coubertin (Frankreich), J. Guth-Jarkowsky (Böhmen), D. Bikelas (Griechenland), F. Kemény (Ungarn), A. D. Butowskij (Russland) und V. von Balck (Schweden)

Internationale Union für Naturschutz (engl. International Union for Conservation of Nature and Natural Resources, Abk. I. U. C. N.), gegr. 1948, Sitz: Gland, Schweiz; Hauptziel: Schutz der Natur und der natürl. Rohstoffe, Erhaltung der Natur und Naturgüter auf internat. Basis.

Internationalisierung *die,* die durch völkerrechtl. Vertrag bewirkte Beschränkung der Ge-

Internet: Einstiegsseiten (Homepages) der Verlage F. A. Brockhaus (http://www.brockhaus.bifab.de) und Duden (http://www.duden.de) im World Wide Web

bietshoheit eines Staats über Teile seines Staatsgebietes, bes. von Flüssen, Kanälen und Meerengen.

International Organization for Standardization [ɪntəˈnæʃnl ɔːgənaɪˈzeɪʃn fɔː stændədaɪˈzeɪʃn, engl.], Abk. **ISO,** 1946 beschlossene, am 23. 2. 1947 in Kraft getretene internat. Vereinigung von nat. Normenausschüssen (z. B. DIN Deutsches Institut für Normung e. V.) und Standardisierungsorganen zur Ausarbeitung internat. Normen; Sitz: Genf.

International Union of Pure and Applied Chemistry [ɪntəˈnæʃnl ˈjuːnjən əv ˈpjʊə ənd əˈplaɪd ˈkemɪstrɪ, engl.], Abk. **IUPAC,** 1919 gegr. internat. Verband chem. Gesellschaften aus 44 Ländern, Sitz: Oxford; er befasst sich mit chem. Nomenklatur und Terminologie, der Festlegung von Atommassen, chem. Symbolen und Konstanten, Vereinheitlichung von Analysenmethoden u. a.

International Union of Pure and Applied Physics [ɪntəˈnæʃnl ˈjuːnjən əv ˈpjʊə ənd əˈplaɪd ˈfɪzɪks, engl.], Abk. **IUPAP,** die internat. Dachgesellschaft nat. Physikergesellschaften, gegr. 1922.

Inter Nationes e. V. [lat. »zwischen den Völkern«], gemeinnütziger Verein zur Förderung zwischenstaatl. Beziehungen, Betreuung ausländ. Besucher und Information im Ausland über die polit., wirtsch. und kulturellen Verhältnisse in Dtl.; gegr. 1952; Sitz: Bonn-Bad Godesberg.

Internet [engl. net »Netz«] *das,* weltweites dezentrales Netz von miteinander verbundenen Computernetzen. Die Basis der Datenübertragung im I. bildet das Transmission Control Protocol/Internet Protocol (Abk. TCP/IP), ein Kommunikationsprotokoll, das aus einer Vielzahl von Prozeduren besteht, die die Kommunikationsabläufe zw. zwei Computern vorschreiben. Die Datenübermittlung erfolgt paketweise, d. h., Dokumente werden in Pakete zerteilt, die mit einer Ausgangs- und einer Eingangsadresse sowie einer Sequenznummer versehen werden. Die einzelnen Pakete können somit unterschiedl. Wege nehmen und am Bestimmungsort wieder zusammengesetzt werden. TCP/IP kann von unterschiedl. Hardware genutzt werden, ohne dass Applikationen umgestellt werden müssen. Der Zugang einzelner Teilnehmer (User) zum I. erfolgt entweder über einen Computer, der bereits an ein verbundenes Netz angeschlossen ist, oder durch Vermittler (Internet Service Provider, → Onlinedienste), die speziell für diesen Zweck eigene Netze betreiben.

Das I. hat seinen Ursprung in dem 1969 vom amerikan. Verteidigungsministerium eingerichteten **ARPAnet** (ARPA Abk. für Advanced Research Projects Agency), das Computer in den Bereichen von Wiss. und Militärtechnik vernetzte. In den 80er-Jahren erfolgte eine zunehmende Verbindung mit anderen Netzwerken von wiss. Instituten und Universitäten und daraus folgend eine Gemeinschaftsstruktur. 1985 wurde das ARPAnet in seiner Trägerfunktion durch das von der amerikan. National Science Foundation finanzierte leistungsfähigere Netz NSFnet abgelöst und 1990 abgeschaltet. Das Militär zog sich in sein eigenes Netz zurück. Das I. weitete sich seit Ende der 1980er-Jahre weltweit aus. Seit Beginn der 1990er-Jahre haben zunehmend unternehmensinterne Netze sowie Computernetze, die sich aus der Verbindung privater PCs per Modem und Telefonanschluss entwickelt hatten, Anschluß an das I. gefunden. 1992 wurde die Web-Technik und somit das **World Wide Web** am CERN in Genf entwickelt. Seither ist die Anzahl der I.-Nutzer stark gestiegen (heute über 30 Mio.).

Das I. bietet eine Vielzahl von Diensten und Informationen. Zu den wichtigsten Diensten gehören: a) telnet, es erlaubt den interaktiven Zugriff auf einen entfernten Rechner, wozu üblicherweise eine Authentifizierung mit User-Identifikation und Passwort erforderlich ist; b) ftp (Abk. für engl. file transfer protocol), es erlaubt den Abruf und die Übertragung von Dateien; auch hier ist üblicherweise eine Authentifizierung mit Benutzer-Identifikation und Passwort erforderlich, es gibt jedoch auch Rechner, die den anonymen Zugriff zum Abholen von kostenloser Software u. a. erlauben; c) E-Mail (→ elektronische Post); d) Newsgroups, ein automat. Verteilwesen von Diskussionsbeiträgen, Meldungen u. a. an alle, die diese lesen wollen und im Verteiler stehen, wobei sich der Nutzer an den Diskussionen beteiligen kann; e) World Wide Web (→ WWW).

Mit der steigenden Zahl der I.-Nutzer werden zunehmend auch Fragen der Datensicherheit und der staatl. Regulierung diskutiert. Einerseits wird jeder staatl. Eingriff in das auf unbeschränkte Meinungsfreiheit ausgelegte I. als Versuch der Zensur angesehen; andererseits werden mit Blick auf die Verbreitung von Pornographie und nat.-soz. Propaganda im I. freiwillige oder staatl. Beschränkungen gefordert.

🕮 BANDZAUNER, G.: *I. Grundlagen u. Anwendungen. Wien 1996.* – HAJER, H. *u.* KOLBECK, R.: *INTERNET. Der schnelle Start ins weltgrößte Rechnernetz. Neudr. Haar 1996; mit CD-ROM.* – KLAU, P.: *Das I. Der größte Information-Highway der Welt. Bonn u. a. ²1997; mit CD-ROM.* – STOLL, C.: *Die Wüste I. Geisterfahrten auf der Datenautobahn. A. d. Amerikan. Frankfurt am Main ⁵1997.*

Internierung *die, Völkerrecht:* 1) im Rahmen des Neutralitätsrechts das Festhalten von Angehörigen der bewaffneten Macht einer Krieg führenden Partei auf dem Gebiet eines neutralen Staates bis zum Ende des Konflikts oder bis zum Abschluss einer Vereinbarung mit den Parteien; 2) im Rahmen des Kriegsrechts die Inhaftierung und Lagerunterbringung von Zivilpersonen durch eine Besatzungsmacht, rechtlich zulässig nur für Einzelpersonen aus für notwendig erachteten zwingenden Sicherheitsgründen (Art. 74 der 4. Genfer Rotkreuzkonvention von 1949).

Internierungslager, vorübergehender militärisch bewachter Unterbringungsort für feindl. (während des Krieges) oder missliebige Zivilpersonen (→ Internierung), z. B. in Frankreich ab 1939 (Le Vernet u. a.), in Chile 1973, in Algerien Anfang 1992, in Bosnien und Herzegowina ab 1992. Als I. werden auch die in der SBZ 1945–50 vom NKWD eingerichteten sog. **Sonder-** oder **Speziallager** bezeichnet, in denen ohne Ermittlungsverfahren ehem. Angehörige der NSDAP, der HJ, aber auch bürgerl. Oppositionelle und Gegner der kommunist. Herrschaft sowie denunzierte missliebige Personen und Werwolf-Aktivitäten Verdächtigte festgehalten wurden. Von den insgesamt elf I. bestanden diejenigen in den ehem. nat.-soz. KZs Buchenwald und Sachsenhausen (1945–50), in den ehem. Kriegsgefangenenlagern Mühlberg/Elbe (1945–48) und Fünfeichen (1945–48) sowie im ehem. SS-Straflager Jamlitz bei Lieberose (1945–47) am längsten; bis 1950 waren (nach sowjet. Angaben von 1990) 122 671 Personen inhaftiert, 42 889 starben an Krankheiten, 756 wurden von sowjet. Militärgerichten zum Tode verurteilt. Nach anderen Angaben, unterlegt durch Grabungsfunde 1992, war die Anzahl der Inhaftierten und Toten weit höher.

🕮 *Stalins Lager in Dtl. 1945–1959. Dokumentation, Zeugenberichte, hg. v.* M. KLONOVSKY *u.* J. VON FLOCKEN. *Berlin u. a. ⁴1994.*

Internist [lat.] *der,* Arzt für innere Krankheiten.

Internodium [lat.] *das, Botanik:* durch Knoten (Nodien) voneinander gesonderte Sprossabschnitte (z. B. bei Gräsern).

Interpellation [lat. »Unterbrechung«, »Einrede«] *die, Staatsrecht:* die → Anfrage im Parlament.

interplanetare Materie, die im Sonnensystem zw. den Planeten befindl. Materie aus Gas, Plasma und Staub. Das **interplanetare Gas** besteht hauptsächlich aus Protonen (Wasserstoffkerne), Elektronen und Heliumkernen. Es ist im Wesentlichen identisch mit dem Plasma des Sonnenwindes. Der **interplanetare Staub,** auch Mikrometeorite gen., stammt v. a. von Kometen, die ihn in Sonnennähe emittieren. Die i. M. bildet eine das Planetensystem einhüllende ellipsoid. Wolke, die das Zodiakallicht hervorruft.

Interpol *die,* Kw. für die 1923 in Wien gegr., 1946 neu gegr. **Inter**nationale kriminal**pol**izeiliche Organisation, Abk. IKPO, zur Verfolgung aller Verbrechen, die den nat. Rahmen übersteigen, Sitz: Lyon (seit 1989). Es gelten die Statuten von 1956; Amtssprachen sind Englisch, Französisch, Spanisch, Arabisch; polit. und militär. Straftaten sind von der Verfolgung ausgeschlossen. I. hat keine Hoheitsbefugnisse, die Tätigkeit der Polizeibehörden richtet sich nach innerstaatl. Recht. Büro der I. in Dtl.: Bundeskriminalamt (BKA) in Wiesbaden, in Österreich die Generaldirektion für öffentl. Sicherheit beim Innenmin., in der Schweiz das Schweizer. Zentrale Polizeibüro bei der Bundesanwaltschaft.

Interpolation [lat. »Einschaltung«] *die,* **1)** *Literaturwissenschaft:* spätere, unberechtigte Einschaltung von Wörtern oder Sätzen in den ursprüngl. Wortlaut einer Schrift.

2) *Mathematik:* die näherungsweise Bestimmung eines Funktionswertes $f(x)$ an der Stelle x, wenn die Funktionswerte $f(x_1), f(x_2), ..., f(x_n)$ für $x_1, x_2, ..., x_n$ bekannt sind. Kennt man z. B. von der Funktion $f(x)$ die Werte an den Stellen x_1 und x_2

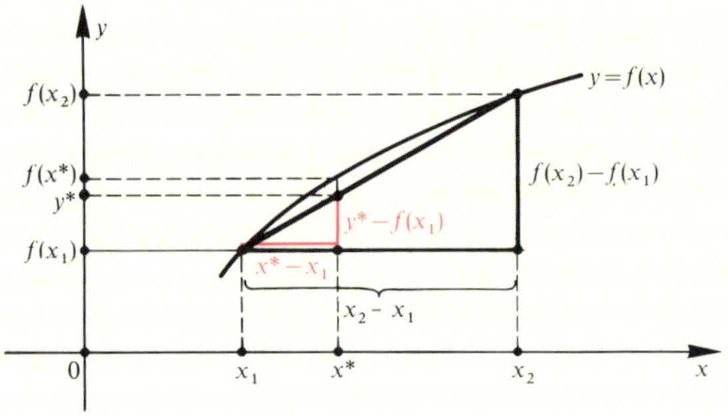

Interpolation 2): lineare Interpolation

(Stützstellen) und möchte man $f(x^*)$ für eine Zwischenstelle $x_1 < x^* < x_2$ näherungsweise bestimmen, so denkt man sich die Punkte $[x_1, f(x_1)]$ und $[x_2, f(x_2)]$ durch eine Strecke verbunden und die Kurve zwischen x_1 und x_2 durch diese Strecke ersetzt **(lineare I.).** Die **allgemeine I.** wird mithilfe von Polynomen durchgeführt, die für $x_1, x_2, ..., x_n$ die Funktionswerte $f(x_1), f(x_2), ..., f(x_n)$ annehmen müssen und daher eine Näherung der Funktion darstellen. Liegt die I.-Stelle x zw. x_1 und x_n, so spricht man von I., liegt sie außerhalb, von Extrapolation.

Interpretation [lat.] *die,* Auslegung, Erklärung (von literar. und Werken der bildenden Kunst); Auffassung und Deutung von Äußerungen, Verhalten, Situationen, Sachlagen; künstler. Wiedergabe von Musik, klangl. Realisierung.

Interpreter [ɪnˈtəːprɪtə; engl. »Übersetzer«] *der, Datenverarbeitung:* Programm, das eingegebene Befehle einer höheren Programmiersprache in die Maschinensprache übersetzt. Im Ggs. zu einem →Compiler analysiert der I. nacheinander jede Anweisung des »Quellprogramms« und führt diese unmittelbar aus. Somit ist eine leichtere und bequemere Programmentwicklung möglich. Nachteilig sind die langen Programmlaufzeiten.

Interpunktion [lat.] *die,* Zeichensetzung (ÜBERSICHT Satzzeichen).

Interregnum [lat. »Zwischenherrschaft«] *das,* in Wahlmonarchien die Zeit von dem Tod, der Absetzung oder Abdankung eines Herrschers bis zur Wahl eines neuen; in der dt. Geschichte die Zeit vom Tod Konrads IV. bis zur Wahl Rudolfs I. (1273).

Interrogativadverb [lat.], Adverb, das einen Frage- oder Relativsatz einleitet, z. B. *wo, wie, warum.*

Interrogativpronomen [lat.], →Pronomen.

Interrupt [ɪntəˈrʌpt, engl.] *das, Datenverarbeitung:* Befehl zur Unterbrechung des Programmablaufs durch eine Anweisung (Software-I.) oder durch ein Systemteil (Hardware-Interrupt).

Intersexualität, das Vorhandensein von Merkmalen beider Geschlechter. Vom echten Zwittertum unterscheidet sich I. durch die meist funktionsunfähigen Geschlechtsorgane oder die Bildung von Gameten nur eines Geschlechts.

Intershops [-ʃɔps, engl.], Verkaufsstellen in der DDR, in denen gegen frei konvertierbare Währung Waren aus dem Westen verkauft wurden.

interstellare Materie, staub- und gasförmige kosm. Materie, die diffus verteilt in der Milchstraße u. a. Sternsystemen vorkommt. Der staubförmige Anteil **(interstellarer Staub)** besteht vermutlich vorwiegend aus Silikaten und Graphit mit

interstellare Materie: Der Adlernebel im Sternbild Serpens ist ein Emissionsnebel (links); Pferdekopfnebel im Sternbild Orion; der »Pferdekopf« ist die Ausbuchtung einer Dunkelwolke, der rosafarbene Schimmer stammt von ionisiertem Wasserstoff (Emissionsnebel), die helle Wolke links unten ist ein Reflexionsnebel (rechts)

musikalische Bezeichnung:	Prime	Sekunde kleine	Sekunde große	Terz kleine	Terz große	Quarte	Quinte	Sexte kleine	Sexte große	Septime große	Oktave
Notenbild (im Beispiel vom Ton c¹ ausgehend):											
›Abstand‹ in Halbtonschritten gemessen:	0	1	2	3	4	5	7	8	9	11	12
entsprechende Frequenzverhältnisse etwa:	1:1	16:15	9:8	6:5	5:4	4:3	3:2	8:5	5:3	15:8	2:1

Intervall 3)

Teilchengrößen von etwa 0,1 µm Durchmesser. Wenn die staubförmige i. M. von hellen Sternen beleuchtet wird, kann eine Dunkelwolke im reflektierten Sternlicht als heller, diffuser Nebel sichtbar werden **(Reflexionsnebel).** Man bezeichnet die Wirkung der Dunkelwolken als **interstellare Absorption.** Häufiger ist die vorwiegend aus Wasserstoff (über 98%) und Helium (etwa 1–2%) bestehende gasförmige i. M. **(interstellares Gas).** Am deutlichsten tritt sie in hellen Nebeln in der Nähe von heißen Sternen hervor, in denen u.a. der Wasserstoff ionisiert wird (HII-Gebiet) und dann opt. Strahlung aussendet **(Emissionsnebel).** Außerhalb der Emissionsnebel gibt es ausgedehnte Bereiche mit neutralem Wasserstoffgas (HI-Gebiet). Das neutrale Wasserstoffatom sendet eine Radiostrahlung mit der Wellenlänge 21,1 cm aus, angeregt durch die therm. Bewegung der Atome. Darüber hinaus liegen große Mengen i. M. in Form von Molekülen (v.a. Wasserstoff) vor **(interstellare Moleküle),** die bes. dichte und kalte Materieansammlungen **(Molekülwolken)** bilden. Die i. M. bildet eine stark zur Milchstraße konzentrierte ungleichmäßige Schicht mit einer Dichte von wenigen Atomen je cm³.

Intertrigo [lat.] *die,* das →Wundsein der Haut.

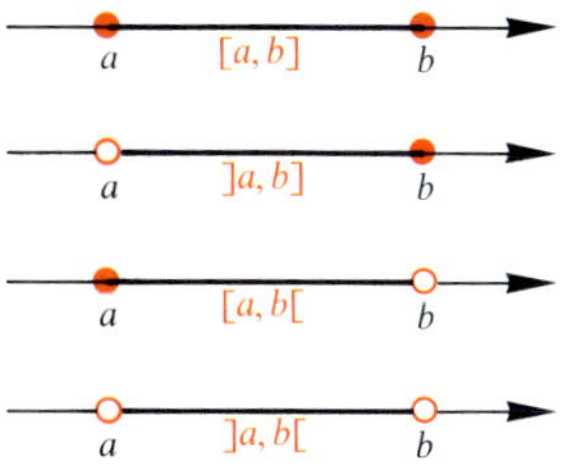

Intervall 2): grafische Darstellung von abgeschlossenen ([a, b]), halboffenen (]a, b], [a, b[) und offenen Intervallen (]a, b[)

Intervall [lat.] *das,* **1)** *allg.:* zeitl. Zwischenraum, Zeitspanne, Frist, Pause.

2) *Mathematik:* alle reellen Zahlen zw. zwei Zahlen a und b. Je nachdem, ob die Randpunkte a und b zum I. gehören, heißt das I. für alle $x \in \mathbb{R}$ **abgeschlossen** (symbolisch $[a, b]$ oder $\langle a, b \rangle$), wenn $a \leqq x \leqq b$ gilt, **offen** (symbolisch $]a, b[$ oder (a, b)) für $a<x<b$ und **halboffen** $]a, b]$ oder $(a, b]$ bei $a<x \leqq b$ sowie $[a, b[$ oder $[a, b)$ bei $a \leqq x<b$.

3) *Musik:* der Abstand zweier Töne, wird nach den auf den Grundton bezogenen Stufen der diaton. Tonleiter durch lat. Ordnungszahlen bezeichnet. Die Prime ist der Einklang, der nächstfolgende Ton die Sekunde, der 3. die Terz, der 4. die Quarte, der 5. die Quinte, der 6. die Sexte, der 7. die Septime, der 8. die Oktave, der 9. die None, der 10. die Dezime usw. Bei der Sekunde, Terz, Sexte und Septime werden je zwei um einen Halbton versch. Formen unterschieden: kleine und große Sekunde usw. Oktave (Prime), Quinte und Quarte haben nur eine Grundform, die »rein« genannt wird. Alle I. können chromatisch zu übermäßigen erhöht und zu verminderten erniedrigt werden. – In der Akustik werden die musikal. I. mathematisch durch das Verhältnis der Schwingungszahlen der einzelnen Töne bestimmt.

Intervention [lat.] *die,* **1)** *allg.:* Vermittlung, Einmischung, (steuernder) Eingriff.

2) *Recht:* 1) im Staatsrecht die →Bundesintervention. In der Schweiz Maßnahme des Bundes zur Wiederherstellung von gestörter Ordnung im Inneren oder bei Gefährdung eines Kantons durch einen anderen (Art. 16 Bundes-Verf.). 2) im Völkerrecht die Einmischung eines souveränen Staates oder einer internat. Organisation in die inneren Angelegenheiten eines anderen souveränen Staates ohne Rechtfertigungsgrund (letzterer kann bes. auf Vertrag oder Hilfeersuchen der legalen Reg. beruhen). Das Völkerrecht bekennt sich zum I.-Verbot (→Gewaltverzicht). Nicht gegen das I.-Verbot verstößt die Wahrnehmung von Menschenrechten zugunsten eigener oder, bes. als Schutzmacht, fremder Staatsangehöriger. Unter dem Gesichtspunkt der **humanitären I.** wird in der Völkerrechtslehre zunehmend diskutiert, die Beachtung der Menschenrechte auch gegenüber eigenen Staatsbürgern eines Staates nicht mehr als seine innere Angelegenheit zu betrachten, sondern bei ihrer Verletzung ein I.recht der Staatengemeinschaft anzunehmen. 3) im Zivilprozessrecht die Beteiligung Dritter, die nicht Partei sind, am Rechtsstreit. **Haupt-I.:** eine Klage, mit der jemand einen Gegenstand für sich in Anspruch nimmt, über den zwei Parteien bereits prozessieren. **Neben-I.:** Streithilfe für eine Partei, wenn jemand an ihrem Obsiegen ein rechtl. Interesse hat.

3) *Wirtschaft:* staatl. Eingriff in das Wirtschaftsgeschehen (→Interventionismus); i.e.S. das Eingreifen der Zentralbanken zur Regulierung von Wechselkursen.

Interventionismus *der,* System wirtschaftspolit. Maßnahmen zur Beeinflussung volkswirtsch. Globalgrößen. Anders als im →Dirigismus greift der Staat punktuell in den Wirtschaftsablauf ein, um unerwünschte Folgen einer freien Marktwirtschaft auszugleichen. Instrumente des I. sind v.a. Maßnahmen der Ordnungs-, Wettbewerbs-, Finanz-, Währungs-, Konjunktur- und Strukturpolitik. Außenwirtsch. Interventionen erfolgen z.B. durch Zölle u.a. Handelshemmnisse.

Interventionsklage, *Recht:* die →Drittwiderspruchsklage.

Interventionspreis, →Agrarmarktordnungen der EG.

Interventionspunkte, in einem System fester Wechselkurse von den Währungsbehörden festgesetzte Höchst- und Tiefstkurse einer Währung gegenüber anderen Währungen, bei deren Erreichen durch Devisenkäufe oder -verkäufe kursregulierend eingegriffen werden muss.

Interview [-vjuː; engl., von frz. entrevue »verabredete Zusammenkunft«] *das,* Befragung von Personen durch einen **Interviewer** zu bestimmten Themen oder Angelegenheiten und/oder zur eigenen Person.

Im Rahmen medienpublizist. Zwecke ist das I. bes. auf bekannte Persönlichkeiten des öffentl. Lebens gerichtet, bei statist. und wiss. Zielsetzungen werden beliebige oder ausgewählte Personengruppen gezielt und methodisch (Versuchspersonen, Patienten) befragt. Als Forschungsmethode stellt das I. eine entscheidende Technik der empir. Sozialwissenschaft, der Meinungs- und Marktforschung sowie der psycholog., psychiatr. und medizin. Diagnostik und der Psychotherapie dar.

Intervision, 1960–91 Zusammenschluss der Fernsehgesellschaften v.a. des Ostblocks zum Austausch von Fernsehprogrammen; Sitz: Prag.

Interzellularräume (lat. Interzellularen, Zwischenzellräume), Lücken zw. den Zellen der pflanzl. Dauergewebe (Durchlüftungsgewebe), die ein reich verästeltes Interzellularsystem bilden, das mit den Schließzellen des Oberhautgewebes in Verbindung steht und Gasaustausch ermöglicht. In tier. Geweben sind I. von Flüssigkeiten oder von festigenden Stoffen für das Stützgewebe erfüllt.

Interzellularsubstanz [lat.], →Bindegewebe.

Interzession [lat.] *die,* das Eintreten für eine fremde Schuld durch Eingehen einer Verbindlichkeit, z.B. Übernahme einer Bürgschaft.

Intestinum [lat. »innen liegend«] *das,* der →Darm.

Inthronisation [lat.] *die,* Thronerhebung eines Herrschers; im kath. Kirchenrecht die feierl. Besteigung des bischöfl. oder päpstl. Stuhles nach der Bischofsweihe bzw. Papstkrönung als Symbol der Besitzergreifung der bischöfl. bzw. päpstl. Gewalt.

Intifada [arab. »sich erheben«] *die,* Aufstand der palästinens. Araber im Gazastreifen und im Westjordanland gegen die israel. Besatzungsmacht, begann im Dez. 1987; von der PLO unterstützt und v.a. von jugendl. Palästinensern getragen.

Intimsphäre [lat.-grch.], privater Bereich des Menschen, der für die Umwelt tabuisiert ist. Die I. ist gegen Eingriffe des Staates und von Privatpersonen rechtlich geschützt.

Intonation [lat.] *die,* **1)** *Musik:* das richtige Treffen eines bestimmten Tones und Halten einer bestimmten Tonhöhe; im Instrumentenbau der Ausgleich der Töne und ihrer Klangfarben.

2) *Sprachwissenschaft:* Bez. für die Veränderung der Tonhöhe beim Sprechen, u.a. zur Unterscheidung versch. Satztypen (z.B. Frage- und Aussagesatz). In Tonsprachen dient die I. der Unterscheidung von lexikal. und grammatikal. Bedeutungen.

Intoxikation [grch.-lat.] *die,* die →Vergiftung.

intra... [lat.], binnen..., innerhalb.

Intracoastal Waterway [ɪntrəˈkəʊstl ˈwɔːtəweɪ], Schifffahrtsweg im O und S der USA, zieht sich (4800 km) an der Küste des Atlantiks und des Golfs von Mexiko entlang; benutzt Buchten, Lagunen, Flüsse und Kanäle und ist vielfach mit anderen Binnenwasserstraßen verbunden. Der **Atlantic I. W.** führt von Boston bis Key West (Florida), der **Golf I. W. (Golfküstenkanal)** von Brownsville (Texas) bis zur Apalachee Bay (N-Florida).

Intrade [lat.] *die* (italien. Entrata), *Musik:* Einleitung, Vorspiel, im 16./17. Jh. Musikstück zur Eröffnung einer Festlichkeit.

intrakutan [lat.], in der Haut gelegen oder in die Haut gegeben (z.B. Injektion).

intramuskulär [lat.], Abk. **i.m.,** innerhalb eines Muskels gelegen oder in einen Muskel hinein erfolgend (z.B. Injektion).

Intranet [engl. net »Netz«] *das,* Bez. für unternehmensinterne Informations- und Kommunikationsnetze, die auf der Basis des Internet-Protokolls TCP/IP arbeiten. I. können mit dem globalen →Internet verknüpft werden und somit externe Dienste nutzen. I. werden durch Sicherungssysteme (»firewalls«) vor dem Zugriff nicht befugter Nutzer abgeschirmt.

intransitiv [lat.], nicht zielend; Bez. für Verben, die kein Akkusativobjekt nach sich ziehen und kein persönl. Passiv bilden.

intraokularer Druck, der →Augendruck.

intra|uterin [lat.], innerhalb der Gebärmutter gelegen.

Intra|uterinpessar, →Empfängnisverhütung.

intravenös [lat.], Abk. **i.v.,** innerhalb einer Vene gelegen, in sie hinein erfolgend (z.B. Injektion).

intrazellulär [lat.], im Zellinnern gelegen.

Intrige [frz., zu lat. intricare »in Verlegenheit bringen«] *die,* **1)** *allg.:* hinterlistiger Plan, Ränkespiel.

2) *Literatur:* bes. im Drama das eine Handlung begründende Komplott.

Intrinsic Factor [-ˈfæktə, engl.] *der* (Castle-Ferment), von den Fundusdrüsen des Magens und im oberen Abschnitt des Zwölffingerdarms produziertes Glykoprotein, das mit dem Vitamin B_{12} (Cobalamin, »Extrinsic Factor«) aus der Nahrung eine Komplexbindung eingeht, wodurch die Resorption des Vitamins erst ermöglicht wird. Fehlen des I. F. führt zur →perniziösen Anämie.

intro... [lat.], ein..., hinein...

Introduktion [lat. »Einführung«] *die,* in der Instrumentalmusik eine dem Hauptsatz einer Sonate, Sinfonie, eines Konzerts u.a. vorangehende Einleitung in langsamem Zeitmaß; in der Oper das der Ouvertüre folgende, die Handlung eröffnende Gesangsstück.

Introitus [lat. »Eingang«] *der,* **1)** *Anatomie:* Eingang, z.B. I. vaginae (Scheideneingang).

2) *Liturgie:* der Eröffnungsgesang der kath. Messe; liturg. Eingangsstück des evang. Gottesdienstes.

Introjektion [lat.] *die, Psychologie:* Übernahme fremder Anschauungen und Verhaltensweisen in die eigene Person.

Intron [Kw.] *das,* →Mosaikgene.

Introspektion [lat.] *die* (Selbstbeobachtung), die nach innen, d.h. auf das eigene Bewusstseinsgeschehen, gerichtete Beobachtung.

Introversion [lat. »Innenwendung«] *die,* in C.G. Jungs →Charakterologie eine Einstellung des Bewusstseins, bei der die psych. Energie auf die eigene Innenwelt gerichtet ist; Ggs.: Extraversion.

Intrusion [lat.] *die,* das Eindringen von Magma in einen Gesteinsverband. Es entstehen Plutone (Batholithe, Lakkolithe). **Intrusivgesteine** sind Tiefen- oder subvulkan. Gesteine.

Intubation [lat.] *die,* das Einführen eines Spezialrohres (Tubus) durch Mund oder Nase in die Luftröhre zu deren Freihaltung und Beatmung; Anwendung bei Erstickungsgefahr und zur I.-Narkose.

Intuition [lat. »Schau«] *die,* plötzl. Eingebung, vollständiges und umgreifendes Erfassen eines Gegenstandes ohne Reflexion, bes. auf wiss. und künstler. Gebiet.

Intuitionismus [lat.] *der,* als mathemat. Grundlagenforschung die von L. Kronecker, H. Poincaré, H. L. Lebesgue u.a. vertretene Lehre, dass die Gesamtheit der natürl. Zahlen intuitiv und unableitbar gegeben sei und dass sich die Gesamtheit der reellen Zahlen (→Kontinuum) arithmetisch nicht bilden lasse. Einen intuitionist. Neuaufbau der Mathematik versuchten seit 1907 L. E. J. Brouwer, H. Weyl, A. Heyting u.a. mit der Forderung der effektiven Konstruktion zur Definition mathemat. Objekte und unter Einschränkung des →Tertium non datur auf endl. Mengen.

Inuit, →Eskimo.

Inulin [lat.] *das,* ein bes. in Dahlienknollen und Artischockenwurzeln vorkommendes stärkeähnl. Polysaccharid; dient zur Gewinnung von Fructose.

in usum Delphini, →ad usum.

inv., Abk. für →**inv**enit.

Invagination [lat.] *die,* Einstülpung eines Darmabschnitts in einen anderen oder des Keimblattes bei der Gastrulation.

invalid [lat.], auf Dauer arbeits-, dienst- oder erwerbsunfähig oder in dieser Hinsicht erheblich beeinträchtigt (infolge Unfalls, Kriegsverwundung, Krankheit).

Invariante [lat. »Unveränderliche«], eine für eine gegebene Klasse mathemat. (Zahl, Funktion, Vektor, Gruppe) oder physikal. Objekte definierte Größe oder Eigenschaft (z.B. Doppelverhältnis, Länge, Winkel, Energie, Drehimpuls), die sich bei Abbildungen, Symmetrieoperationen oder Transformationen nicht ändert. Die Eigenschaft der Unveränderlichkeit von Größen **(Invarianz)** ist v.a. in der Physik von Bedeutung, da aus bestimmten Symmetrien auf →Erhaltungssätze geschlossen werden kann.

Invasion [lat.] *die,* **1)** *Medizin:* das Eindringen von Krankheitserregern in den Körper oder die Blutbahn.

2) *Militärwesen:* das feindl. Einrücken von Truppen eines Staates oder Militärbündnisses in fremdes oder vom Gegner besetztes Gebiet.

Invasionskrankheiten (Infestationskrankheiten), durch das Eindringen von Parasiten (Würmer, Protozoen) hervorgerufene Krankheiten, bei denen sich im Unterschied zu den Infektionskrankheiten der Erreger im Organismus nicht vermehrt.

Intuitionismus

Leopold Kronecker als einer der profiliertesten Vertreter des Intuitionismus wollte nichts von der Existenz der irrationalen Zahlen wissen; die Kardinal- und Ordinalzahlen der Mengenlehre waren ihm ein Gräuel, und Georg Cantor, der Begründer der Mengenlehre, galt ihm als ein »Verderber der Jugend«. Berühmt ist Kroneckers Ausspruch vor der Berliner Naturforscher-Versammlung 1886: »Die ganzen Zahlen hat der liebe Gott gemacht, der Rest ist Menschenwerk.«

Invektive [lat.] *die,* Schmährede oder -schrift; beleidigende Äußerung, Schmähung.

invenit [lat. »hat erfunden«], Abk. **inv.,** bezeichnet auf graf. Blättern den Künstler der Vorlage; hat dieser auch die Wiedergabe geschaffen, ist die Bez. **invenit et fecit** (»hat erfunden und gemacht«), Abk. **inv. et fec.,** üblich.

Inverness: Das Inverness Castle wurde im 19. Jh. erbaut

Inventar [lat.] *das,* **1)** *bürgerl. Recht:* a) Sachen, die zum Wirtschaftsbetrieb eines gewerbl. Unternehmens oder eines Landgutes bestimmt sind. Tiere und Geräte (**lebendes** und **totes I.**) gelten als Zubehör des Grundstücks (§ 98 BGB). b) Verzeichnis von Gegenständen eines Sondervermögens, z. B. des Nachlasses.

2) *Handelsrecht:* vom Kaufmann zu Beginn seines Handelsgewerbes und am Schluss eines Geschäftsjahres aufzustellendes wertmäßiges Verzeichnis der Vermögensgegenstände und Schulden.

Inventarisation [lat.] *die,* **1)** *allg.:* Bestandsaufnahme.

2) *Kunstwissenschaft:* topograph., wiss. Erfassung von Bau- und Kunstdenkmälern als Grundlage für Denkmalschutz und Denkmalpflege.

Invention [lat.] *die,* Einfall, Erfindung. – I. nannte J. S. Bach die kleinen zwei- und dreistimmigen Klavierstücke in kontrapunktisch-imitierender Satzweise; seither musikal. Gattungsbegriff.

Inventur [lat.] *die,* Bestandsaufnahme aller Vermögensgegenstände und Schulden eines Unternehmens zu einem gegebenen Zeitpunkt. Die **laufende** oder **permanente I.** ist die Ermittlung der Bestände durch laufende Fortschreibung der Zu- und Abgänge. **Stichtags-I.** wird einmal im Jahr am Bilanzstichtag vorgenommen. Das Ergebnis der I., das wertmäßige Verzeichnis der Vermögensgegenstände und Schulden, heißt **Inventar.** Die I. muss den Grundsätzen ordnungsmäßiger Buchführung entsprechen und ist Grundlage für den Jahresabschluss.

Inverclyde [ɪnvəˈklaɪd], Local Authority in W-Schottland, südl. des inneren Firth of Clyde, 162 km², 89 900 Ew., Zentrum Greenock an der Küste.

Inverness [ɪnvəˈnes], Hptst. der Local Authority Highland, Schottland, an der Mündung des Ness in den Moray Firth, 39 700 Ew.; Werft, Maschinenbau, Wollind., Whiskybrennereien; Hafen, Handelszentrum; Fremdenverkehr. – **I. Castle,** ein Bau des 19. Jh. – I. war eine der Hauptfestungen der Pikten.

inverse Funktion, die →Umkehrfunktion.

inverses Element. Ist a ein Element einer algebraischen Struktur A (z. B. einer →Gruppe) mit der Verknüpfung $\circ$ und dem Einselement e, dann heißt ein Element $a_r^{-1} \in A$ das **rechtsinverse Element** von a, wenn gilt $a \circ a_r^{-1} = e$, ein Element $a_l^{-1} \in A$ heißt **linksinverses Element** von a, wenn gilt $a_l^{-1} \circ a = e$. Wenn es zu a die Elemente a_r^{-1} und a_l^{-1} gibt und $a_r^{-1} = a_l^{-1}$, so nennt man $a^{-1} = a_r^{-1} = a_l^{-1}$ das inverse Element zu a. Speziell für die Menge der rationalen Zahlen ist $-a$ das i. E. von a bezüglich der Addition und $1/a$ das i. E. von $a \neq 0$ bezüglich der Multiplikation.

Inversion [lat.] *die,* **1)** *allg.:* Umkehrung, Umstellung.

2) *Chemie:* die Umwandlung des Drehsinns einer optisch aktiven Verbindung; z. B. wird durch I. aus rechtsdrehendem Rohrzucker linksdrehender →Invertzucker.

3) *Kristallographie:* Raumspiegelung an einem Punkt, dem Symmetrie- oder I.-Zentrum.

4) *Mathematik:* →Spiegelung.

5) *Meteorologie:* die Zunahme der Lufttemperatur mit der Höhe über dem Boden (normalerweise nimmt sie ab), bes. im Winter in Gebirgstälern; sie verhindert den vertikalen Luftaustausch, sodass bei I.-Wetterlage die Luftverschmutzung stark ansteigen kann.

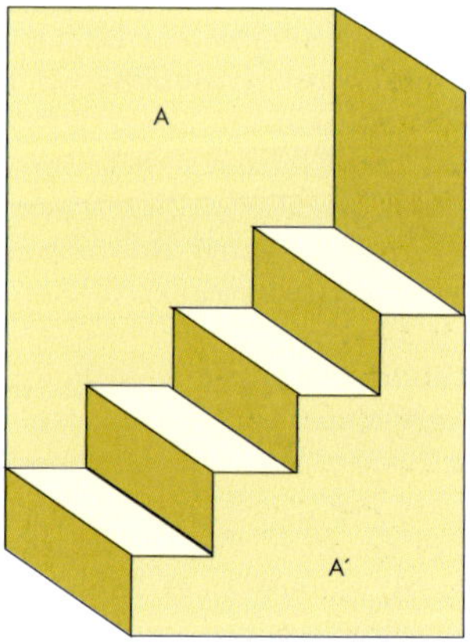

Inversion 6): A erscheint wahlweise vor bzw. hinter A′ liegend

6) *Psychologie:* das Umspringen bestimmter Bilder; bei versch. Betrachtung werden abwechselnd zwei unterschiedl. Bilder gesehen.

7) *Syntax:* Umstellung der gewöhnl. Wortfolge.

Invertase [lat.] *die,* Rohrzucker spaltendes Enzym.

Invertebraten [lat.], die →Wirbellosen.

Inverter [engl.] *der,* elektron. Schaltung oder Bauelement zur Vorzeichenumkehr oder definierten Versetzung von Signalen; in der Digitaltechnik eine log. Schaltung zur Ausführung der NICHT-Funktion (Negation). In der einfachen Ausführung besteht der I. aus einem →Transistor in Emitterschaltung.

Invertzucker, Gemisch von gleichen Anteilen Glucose und Fructose, das aus Rohrzucker durch Inversion mit verdünnten Säuren entsteht; Verwendung v.a. in der Süßwarenindustrie.

Investition *die,* zielgerichtete, langfristige Anlage von Kapital in Sachgütern; in der Volkswirtschaftslehre der Einsatz von Produktionsfaktoren zur Erhaltung, Erweiterung oder Verbesserung eines Produktionsmittelbestands. Im Ggs. zum Konsum (Verwendung von Produktionsfaktoren im privaten Haushalt) wird die I. als Veränderung des Kapitalstocks bzw. des volkswirtschaftl. Produktionspotenzials aufgefasst. In der *Betriebswirtschaftslehre* bezeichnet I. eine Handlung, die die Liquidität verändert, indem die Verwirklichung eines I.-Projekts zunächst zu Auszahlungen führt, der in den folgenden Perioden Einzahlungen (z.B. bis zum Ende der wirtsch. Nutzungsdauer des I.-Objekts), eventuell auch noch weitere Auszahlungen (z.B. Reparaturkosten) folgen (zahlungsorientierter I.-Begriff). I. meint aber auch die langfristige Festlegung vorhandener oder zu beschaffender Finanzmittel in betriebl. Vermögenswerte (v.a. Anlagevermögen).

Die Gesamtheit der I. in einer Periode wird **Brutto-I.** genannt. Der Teil der Brutto-I., der zur Erhaltung oder zum Ersatz der verbrauchten Teile des Produktionsapparates dient, wird als **Erhaltungs-, Ersatz-** oder **Re-I.** bezeichnet. Wenn sie den Wert der Abschreibungen erreicht, bleibt der Wert des Produktionsmittelbestandes volkswirtschaftlich konstant. **Erweiterungs-** oder **Netto-I.** bewirken einen Zuwachs der Produktionskapazitäten. I. in Anlagen (Maschinen, Fahrzeuge, Bauten) heißen **Anlage-I.,** I. in Bestände **Lager-** oder **Vorrats-I.** Neben diesen **Real-** oder **Sach-I.** gibt es die **Finanz-I.** (in Wertpapiere). Grenzüberschreitende I. werden als →Direktinvestitionen bezeichnet.

Wenn Ersatz- oder Netto-I. **Rationalisierungs-I.** sind, kann mit gleichem Aufwand mehr erzeugt oder mit weniger Aufwand ein gleiches Ergebnis erzielt werden. Dadurch können Arbeitsplätze vernichtet werden. Arbeitslosigkeit braucht nicht aufzutreten, wenn durch Erweiterungs-I. genügend neue Arbeitsplätze geschaffen werden. Der Anteil der Brutto-I. am Bruttosozialprodukt wird als **I.-Quote** bezeichnet; sie zeigt, welcher Teil der in einer Periode produzierten Güter einer Volkswirtschaft investiert, also nicht dem Konsum und nicht dem Export zugeführt wurde. Die **I.-Rate** ist das Verhältnis der I. einer Periode zum bestehenden Kapitalstock. Je nachdem, ob Unternehmen oder staatl. Stellen investieren, spricht man von privaten oder öffentl. Investitionen. Grenzüberschreitende I. werden als Auslands-I. oder →Direktinvestitionen bezeichnet.

Investitionen in Deutschland*) (in Mrd. DM)

	1970	1980	1990	1995
Bruttoanlageinvestitionen	172,05	332,08	507,78	750,66
Ausrüstungsinvestitionen der Unternehmen	63,69	121,38	225,80	251,75
Bauinvestitionen der Unternehmen	77,27	157,96	226,45	412,18
Ausrüstungsinvestitionen des Staates	2,19	5,46	8,77	10,96
Bauinvestitionen des Staates	28,90	47,28	46,76	75,77
Vorratsveränderung	+14,20	+11,77	+11,49	+27,71
Bruttoinvestitionen	186,25	343,85	519,27	778,37
·/. Abschreibungen	68,03	175,00	303,01	452,97
Nettoinvestitionen	118,22	168,85	216,26	325,40

*) 1995 Ost- und West-Dtl., davor nur West-Dtl.

Die I. sind von grundlegender Bedeutung für die Konjunkturschwankungen und für das wirtsch. Wachstum. Die Nachfrage nach I.-Gütern schwankt stärker als die nach Konsumgütern und überträgt ihre Schwankungen auf das Sozialprodukt. Konjunkturpolitisch ist der Einkommens- oder Multiplikatoreffekt der I. wichtig: Durch zusätzl. I. entsteht ein zusätzl. Einkommen, das zusätzl. Konsumnachfrage hervorruft, die wiederum zu zusätzl. Einkommen führt, sofern die notwendigen Produktionskapazitäten vorhanden sind. Für das Wachstum ist der Kapazitätseffekt der I. maßgebend: Die I. erhöhen i.d.R. die volkswirtsch. Produktionskapazität und damit das potenzielle Güterangebot.

In der Wirtschaftspolitik wird zw. I.-Lenkung und I.-Förderung unterschieden. Bei der **I.-Lenkung** wird die I.-Entscheidung je nach Art der I.-Lenkung (indirekte oder direkte oder imperative I.-Lenkung) mehr oder weniger vom Staat bestimmt und in die unternehmer. Entscheidungsfreiheit eingegriffen. Sie wird begründet mit der Vermeidung von Fehl-I. sowie von Über-I. Demgegenüber wird bei **I.-Förderung** deren höhere Flexibilität und Effektivität betont und deren Übereinstimmung mit der marktwirtsch. Selbststeuerung unterstrichen, weil sie die privatwirtsch. I.-Entscheidungen der Unternehmer auf marktexterne Weise zu beeinflussen sucht. Wichtig für die Bereitschaft der Unternehmer zu I. ist v.a. die

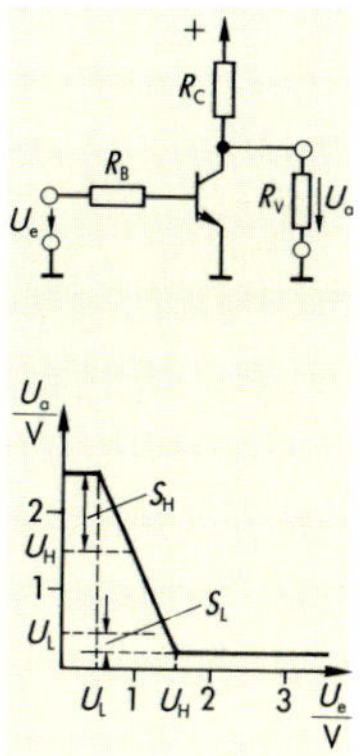

Inverter (von oben): einfache Ausführung mit einem Transistor in Emitterschaltung und die dazugehörige Übertragungskennlinie für $R_V = R_C$ bei einer Betriebsspannung $V = 1{,}5$ V; U_e, U_a Eingangs- und Ausgangsspannung, R_B, R_C, R_V Basis-, Kollektor- und Lastwiderstand, U_L, U_H Low- und High-Pegel, S_L, S_H L- und H-Störabstände

Schaffung eines günstigen **I.-Klimas** (z.B. Konstanz der Wirtschaftspolitik, Überprüfung sozial-, umwelt-, arbeitsmarktpolit. sowie baurechtl. Vorschriften im Sinne eines Abbaus »bürokrat. Hemmnisse«, Stabilisierung von Preisniveau und Wechselkurs). Instrumente staatl. I.-Förderung sind I.-Auflagen und I.-Gebote (z.B. Umwelt- und Sicherheitsvorschriften) sowie finanzpolit. Maßnahmen (Darlehen, nicht rückzahlbare Finanzhilfen und steuerl. I.-Hilfen). Die steuerfreien I.-Zulagen und die steuerpflichtigen I.-Zuschüsse sind echte I.-Prämien. Die I.-Förderung kann primär konjunktur- und wachstumspolit. Ziele oder strukturpolit. Absichten (regionale und/oder sektorale Wirkungen) verfolgen.

📖 Meckl, J.: *Investitionsdynamik u. strukturelle Anpassung in offenen Volkswirtschaften.* Tübingen 1994. – Altrogge, G.: *I. München u.a.* [4]1996.

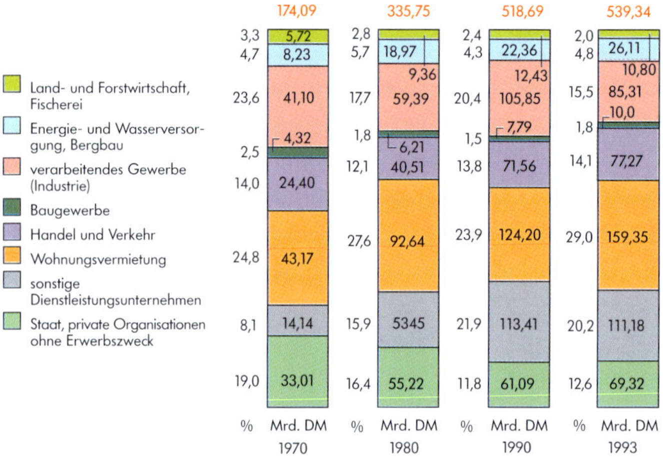

Investition: Bruttoinvestitionen in neue Anlagen nach Wirtschaftsbereichen in Milliarden DM für das frühere Gebiet der Bundesrepublik

Investitionshilfeabgabe (Zwangsanleihe), durch Ges. vom 20. 12. 1982 in der Bundesrep. Dtl. eingeführte Zwangsabgabe für »besser Verdienende« (Ledige mit einem zu versteuernden Jahreseinkommen von über 50000 DM, Verheiratete über 100000 DM) in Höhe von bis zu 5% der Einkommensteuerschuld; wurde 1984 vom Bundesverfassungsgericht für verfassungswidrig erklärt.

Investitionsrechnung, Methode zur Prüfung der Vorteilhaftigkeit investitionspolit. Maßnahmen und zur rechner. Bestimmung des für die Zielsetzung des Unternehmens optimalen Investitionsprogramms. Das Ergebnis der I. ist Grundlage für die Investitionsentscheidung. Herkömml. Methoden der I. basieren auf der Beurteilung des Gewinnbeitrags eines Investitionsprojekts; zunehmend spielen bei privaten und öffentl. Investitionen auch nichtmonetäre Aspekte (z.B. in der Kosten-Nutzen-Analyse oder Nutzwertanalyse) eine Rolle. In der betriebswirtschaftl. I. sind die (einfacher zu handhabenden) stat. Verfahren (Gewinnvergleichsrechnung, Kostenvergleichsrechnung, Rentabilitätsvergleichsrechnung) von den die Zeit berücksichtigenden dynam. Verfahren zu unterscheiden (Kapitalwertmethode, Annuitätenmethode, interne Zinsfußmethode).

Investitur [mlat. »Einsetzung in ein Amt«, eigtl. »Einkleidung« zu lat. investire »bekleiden«] *die,* in karoling. und otton. Zeit die Übertragung eines Kirchenamtes, seit dem 13. Jh. im kath. Kirchenrecht Bez. für die ihr folgende (feierl.) Amtseinweisung; heute die Amtseinführung eines Pfarrers (bei Bischöfen **Inthronisation;** bei Kanonikern **Installation**).

Investiturstreit, Konflikt zw. Reformpapsttum und engl., frz. und dt. Königtum in der 2. Hälfte des 11. Jh. um die Einsetzung der Bischöfe und Äbte in ihre Ämter; er wurde zur grundsätzl. Auseinandersetzung um das Verhältnis von weltl. und geistl. Gewalt. Bes. im Hl. Röm. Reich hatten sich die Könige mit dem →Reichskirchensystem ein Herrschafts- und Verw.instrument als Gegengewicht zu den Stammesgewalten geschaffen. In der kirchl. Reformbewegung gewann eine Richtung die Führung, die jede Investitur durch Laien als →Simonie ablehnte. Gregor VII. verbot die Laieninvestitur 1075 wohl nur dem dt. König. Der nun ausbrechende offene Machtkampf zw. Papsttum und dt. Königtum (Canossa 1077; →deutsche Geschichte, →Heinrich IV.) konnte durch einen Kompromiss beigelegt werden. Der König verzichtete auf die Investitur mit Ring und Stab, belehnte den Gewählten aber mit dem Kirchenbesitz. Diese Übereinkunft wurde 1104 vom frz., 1107 vom engl. König akzeptiert und bildete auch die Grundlage des Wormser Konkordats (1122).

📖 Laudage, J.: *Gregorian. Reform u. I.* Darmstadt 1993. – Hartmann, W.: *Der I.* München [2]1996.

Investivlohn, Teil des Gehalts, der nicht ausgezahlt, sondern für eine bestimmte Zeit im Unternehmen investiert oder in einem Fonds festgelegt wird. Über die festgelegten Einkommensteile werden Zertifikate ausgestellt, die einen Anteil am Unternehmen oder am Fonds repräsentieren.

Investmentfonds [-fɔ̃:] (in der Schweiz: Anlagefonds), von einer Kapitalanlagegesellschaft (Abk. KAG, auch **Investmentgesellschaft,** Investmenttrust) verwaltetes Sondervermögen, das aus dem gegen Ausgabe von Anteilscheinen (Investmentzertifikate) eingelegten Geld der Anleger gebildet wird und für gemeinschaftl. Rechnung der Einleger von der Investmentgesellschaft im eigenen Namen nach dem Grundsatz der Risikomischung in handelbaren und vertretbaren Werten

(Wertpapiere, Immobilien u.a. Vermögensgegenstände) angelegt wird.

I. werden unterteilt in **Publikumsfonds,** deren Anteile von jedermann erworben werden können, und **Spezialfonds,** die für institutionelle Anleger (z.B. Versicherungsgesellschaften, Pensionskassen) aufgelegt werden und deren Anteile nicht öffentlich angeboten werden. Nach ihrem Anlagespektrum werden unterschieden: 1) **Wertpapierfonds,** die nur in Wertpapieren anlegen. Hierzu gehören: **Aktienfonds,** die ihr Vermögen je nach Anlageschwerpunkt in nat. oder internat. Aktien investieren; **Rentenfonds,** die v.a. festverzinsl. Wertpapiere in- und/oder ausländ. Aussteller enthalten; **gemischte Fonds** (Aktien und festverzinsl. Wertpapiere); **Geldmarktfonds,** die in kurzfristigen Geldmarktpapieren anlegen; 2) **Beteiligungs-Sondervermögen,** die Wertpapiere (Aktien und Schuldverschreibungen) und stille Beteiligungen an Unternehmen erwerben; 3) **offene Immobilienfonds (Grundstücksfonds)** investieren v.a. in gewerblich genutzte Liegenschaften, z.T. in Mietwohngrundstücke und eigene Bauvorhaben. **Geschlossene Immobilienfonds** werden dagegen zur Finanzierung bestimmter Bauvorhaben errichtet; ihr Kapital ist auf die hierfür erforderl. Mittel begrenzt. Auch Wertpapierfonds können als **geschlossene Fonds** (Closed-End-Fund) konstruiert sein, sind aber i.d.R. **offene Fonds** (Open-End-Fund) mit laufender Ausgabe und Rücknahme von Anteilen und variablem Fondsvermögen.

Wird das gesamte Fondsvermögen durch die Anzahl der ausgegebenen und im Umlauf befindl. Anteile geteilt, erhält man den Preis eines Anteils (Anteilwert). Er ist Grundlage für die Berechnung des Ausgabe- und Rücknahmepreises. Der Ausgabepreis ist der um den Ausgabeaufschlag (zur Deckung der Ausgabekosten) erhöhte Anteilwert. Die Investmentgesellschaften nehmen jederzeit Anteile zum Rücknahmepreis, der i.d.R. mit dem Anteilwert identisch ist, zurück. Veränderungen der Anteilpreise ergeben sich aus den Wertveränderungen der Vermögensgegenstände des Fonds sowie den zufließenden Erträgen. Ausgeschüttet werden die im Geschäftsjahr dem Fonds zugeflossenen (außer)ordentl. Erträge i.d.R. einmal jährlich gegen Vorlage des jeweiligen Ertragscheins. Bei den thesaurierenden Fonds werden die erwirtschafteten Beträge einbehalten und wieder angelegt. Wesentl. Bestimmungen für I. enthält das Ges. über Kapitalanlagegesellschaften (KAGG). – Erste I. entstanden um 1860 in England und verbreiteten sich v.a. in den USA. Nach gescheiterten Versuchen in den 20er-Jahren wurden I. erst 1950 in der Bundesrep. Dtl. wieder aufgelegt.

Investor-Relations [ɪnˈvestə rɪˈleɪʃnz; engl. investor »Kapitalanleger« und relations »Beziehungen«], die Pflege der Beziehungen einer AG zu ihren Kapitalgebern (Aktionären), um deren Vertrauen und Loyalität zum Unternehmen zu sichern; umfasst neben einer aktionärsfreundl. Dividenden- und Emissionspolitik (Shareholder-Value) u.a. eine informative Berichterstattung (z.B. durch Geschäfts- und Zwischenberichte).

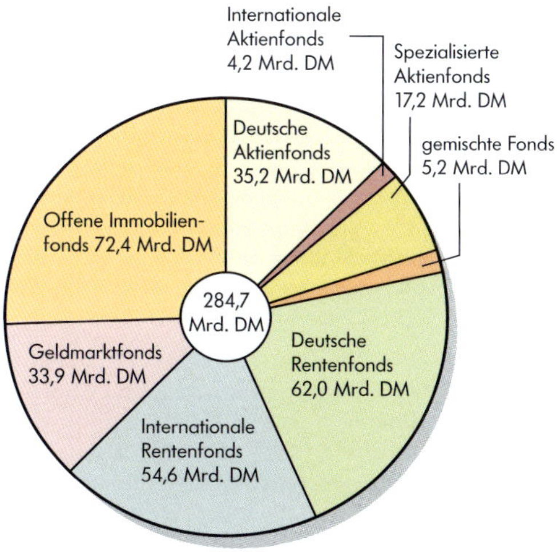

Investmentfonds: Vermögen der Publikumsfonds in Deutschland nach Arten in 1996

in vitro [lat. vitrum »Glas«], im Reagenzglas ablaufend (z.B. biolog. Vorgänge); Ggs.: in vivo.

In-vitro-Fertilisation, Abk. **IVF** (extrakorporale Befruchtung), *Humanmedizin:* die außerhalb des Körpers in einer Nährlösung (in vitro) stattfindende Befruchtung der menschl. Eizelle. Zur IVF werden reife Eizellen aus einem der (hormonell stimulierten) Eierstöcke durch Punktion oder einen laparoskop. Eingriff gewonnen, das Sperma durch Punktion oder Masturbation. Etwa 48–72 Stunden nach der Befruchtung werden 3–4 Embryonen (4- bis 8-Zellen-Stadium) in die Gebärmutterhöhle gebracht und die Einnistung durch Hormongaben unterstützt. Die IVF wird bei Frauen angewendet, bei denen z.B. der natürl. Weg zw. Gebärmutter und Eierstock gestört oder nicht mehr vorhanden ist. – In der Tierzucht →künstliche Besamung.

in vivo [lat. vivus »lebendig«], am lebenden Objekt ablaufend oder durchgeführt (biolog. Vorgänge, wiss. Experimente); Ggs.: in vitro.

Invocavit [lat. »er hat (mich) angerufen«], in der kath. Kirche der nach Ps. 91, 15 ben. 1. Sonntag der Fastenzeit; in der evang. Kirche der 6. Sonntag vor Ostern.

Involution [lat.] *die,* **1)** *Medizin:* funktions- oder altersbedingte Zurückbildung eines Organs (z.B. der Gebärmutter nach der Entbindung, der Thymusdrüse nach der Pubertät), auch des Organismus im Rahmen des Alterns.

Iona: Die nach Verfall um die Jahrhundertwende wieder aufgebaute Benediktinerabtei wurde im frühen 13. Jh. gegründet

2) *Psychologie:* die Veränderung der psych. Funktionen und der Gesamtpersönlichkeit im Alter.

Inyangaberge, höchster Teil der Randstufenregion in Simbabwe (2596 m ü. M.); **Rhodes-Inyanga-Nationalpark** (314 km²); Fremdenverkehr.

Inzell, Gemeinde im Landkr. Traunstein, Oberbayern, 3800 Ew.; Wintersportzentrum, Kunsteisstadion (Bundesleistungszentrum); Gletschergarten.

Inzest [lat.] *der* (Blutschande), sexuelle Beziehungen zw. engen Verwandten (z. B. Eltern–Kinder, Geschwister untereinander). Das strenge Verbot des I. **(Inzesttabu)** ist weltweit und bei fast allen Kulturen verbreitet, oft ausgedehnt auf größere Verwandtschaftsgruppen. – Zur Psychoanalyse →Ödipuskomplex.

Inzision [lat.] *die,* chirurg. operativer Einschnitt in das Gewebe; rituelle Beschneidung.

Inzucht, Paarung von Individuen, die näher verwandt sind, als dies im Durchschnitt bei einem zufallsmäßig aus einer Population entnommenen Individuenpaar der Fall wäre. I. beschleunigt aufgrund der Zunahme der Reinerbigkeit die Bildung erbreiner Stämme und spielt daher bei der Zucht von Nutztieren und Kulturpflanzen eine Rolle. Sie birgt jedoch die Gefahr von I.-Schäden in sich, d. h., dass unerwünschte, erblich rezessive Anlagen erbrein werden und in Erscheinung treten.

Io, 1) *Astronomie:* ein Mond des Planeten Jupiter.

2) *grch. Mythos:* die Tochter des Flussgottes Inachos, Geliebte des Zeus. Um sie vor dem Misstrauen Heras zu schützen, verwandelte er sie in eine Kuh, die Hera jedoch von →Argus bewachen ließ. Nach dessen Tod schickte Hera eine Bremse, die I. jagte, bis sie schließlich am Nil erlöst wurde. Einer ihrer Nachkommen war Herakles.

Ioannina (Jan(n)ina), Hauptstadt des grch. Bezirks I., in Epirus, 44800 Ew.; Univ. – Als mittelalterl. Festung entstanden, seit 1740 Sitz des Paschas von Epirus; 1913 an Griechenland.

IOC [engl.], →Internationales Olympisches Komitee.

Iod *das,* fachsprachlich für →Jod.

IOK, Abk. für →**I**nternationales **O**lympisches **K**omitee.

Iokaste, *grch. Mythos:* Gemahlin des Königs Laios von Theben, Mutter und später Gattin des →Ödipus.

Ion, myth. Stammvater der Ionier, Sohn des Apoll und der Kreusa, der Tochter des athen. Königs Erechtheus.

Iona [aɪˈəʊnə], Insel der Inneren Hebriden, Schottland, vor der SW-Küste der Insel Mull, 5 km lang, bis 2 km breit, 300 Ew. – Auf I., früher auch gäl. **Hy,** Kloster des hl. Columban d. Ä. (gegr. 563 als Missionszentrum für Schottland und N-England, bis Ende des 7. Jh. Mittelpunkt der kelt. Kirche; 8./9. Jh. zerstört; 1958/59 ausgegraben). 1203 Gründung einer Benediktinerabtei, 1507 vorübergehend zum Bischofssitz erhoben; zerfiel nach der Säkularisation. 1899 wurden die Ruinen der Kirchenverwaltung von Schottland übergeben und bis 1912 in der heutigen Form als Geviert mit südl. Kirche (Saint Mary), einem kreuzförmigen Saalbau in frühgot. Formen mit Vierungsturm, wieder aufgebaut.

Ionen [engl., von grch. ión »Gehendes«], elektrisch positiv oder negativ geladene Atome oder Moleküle mit weniger oder mehr Elektronen, als zur Neutralisierung der Kernladung notwendig wären. Je nach der Zahl der überschüssigen oder fehlenden Elektronen spricht man von einfach, zweifach usw. geladenen I. und kennzeichnet den Ladungszustand der I. durch Anfügen von +, 2+ bzw. –, 2– usw. als rechten oberen Index an die chem. Symbole. In der Chemie spricht man von einwertigen (z. B. H^+, OH^-), zweiwertigen (z. B. Mg^{2+}, SO_4^{2-}), dreiwertigen (z. B. Al^{3+}) Ionen. Positive I. bewegen sich im elektr. Feld zur Kathode **(Kationen),** negative I. zur Anode **(Anionen).** – In Gasen entstehen I., wenn Atome oder Moleküle ein oder mehrere negativ geladene Elektronen aufnehmen **(negative I.)** oder aus ihrem Elektronenbestand abgeben **(positive I.).** Die Abspaltung von Elektronen **(Ionisation, Ionisierung)** erfordert die Zuführung von Energie **(Ionisationsenergie)** zur Überwindung der Bindungskräfte, z. B. durch Einstrahlung von Licht oder Röntgenstrahlen (Photoeffekt, **Photoionisation**), durch Beschuss mit energiereichen geladenen Teilchen wie Elektronen, Mesonen und I. **(Stoßionisation)** oder durch hohe Temperaturen **(therm. Ionisation).** – In Elektrolyten entstehen I. durch →Dissoziation von Molekülen in zwei entgegengesetzt geladene Bestandteile, indem sich Lösungsmittelmoleküle an die I. anlagern, oder durch Schmelzen von I.-Kristallen. – I. tragen zur elektr. Leitfähigkeit z.B. von Gasen, Elektrolyten oder Halbleitern durch Ionenleitung bei.

Ionenantrieb (elektrostatischer Antrieb), elektr. Raketenantrieb (→Raketentriebwerk) für die Raumfahrt, bei dem der Treibstoff ionisiert und die Ionen, durch elektrostat. Felder beschleunigt, aus dem Triebwerk als gerichteter Strahl austreten. Nach dem Austritt muss der Treibstoffionenstrahl durch Ladungsträger entgegengesetzten Vorzeichens neutralisiert werden, damit sich Triebwerk und Raumfahrzeug nicht elektrisch aufladen und der Schub versiegt.

Ionenaustauscher, anorgan. oder organ. Feststoffe, die bewegl. Ionen enthalten und die Fähigkeit haben, diese gegen andere Ionen mit gleichem Ladungsvorzeichen auszutauschen. Es wird zw. **Kationen-** und **Anionenaustauschern** unterschieden. Als anorgan. Kationenaustauscher wirken u.a. Alumosilikate (z.B. Zeolithe in Waschmitteln zur Verhinderung von Kalkabscheidungen oder Tonminerale zur Aufnahme von Pflanzennährstoffen aus dem Boden); v.a. für die Wasseraufbereitung sind organ. Polymere wichtig. – Da der Ionenaustausch eine Gleichgewichtsreaktion ist, kann der mit Ca- und Mg-Ionen beladene I. mit konzentrierter Natriumchloridlösung regeneriert werden. Für die Vollentsalzung von Wasser werden ein Kationenaustauscher in der H^+-Form (sauer) und ein Anionenaustauscher in der OH^--Form (basisch) hintereinander geschaltet, für die Wasserenthärtung werden stark saure Kationenaustauscher und für die Entcarbonisierung schwach saure Kationenaustauscher verwendet.

Ionenimplantation, Einbau von Fremdatomen in Halbleiterkristalle mit dem Strahl eines Ionenbeschleunigers. (→Dotierung)

Ionenkristall, aus positiven und negativen Ionen aufgebauter Kristall. Die Ionen werden durch überwiegend heteropolare chem. Bindung (Ionenbindung) zusammengehalten und bilden ein Ionengitter. Ein Beispiel ist Kochsalz (NaCl), dessen Ionengitterstruktur, das Natriumchloridgitter, ein sehr häufig auftretender Gittertyp ist.

Ionenleiter, Stoffe, deren elektr. Leitfähigkeit nicht wie in Metallen oder Halbleitern auf der Bewegung von Elektronen, sondern im Wesentlichen auf der Wanderung von Ionen **(Ionenleitung)** basiert. I., die fest, flüssig oder gasförmig sein können, sind z.B. Elektrolyte, Salzschmelzen, Ionenkristalle und Gläser. (→Superionenleiter)

Ionenoptik, ein der →Elektronenoptik entsprechendes Teilgebiet der Physik, das die Führung von Ionenstrahlen nach den Prinzipien der geometr. Optik behandelt; wird z.B. bei der Massenspektroskopie angewandt.

Ionenprodukt, das Produkt aller Konzentrationen der bei der Dissoziation von Molekülen entstehenden Ionen; stark temperaturabhängig.

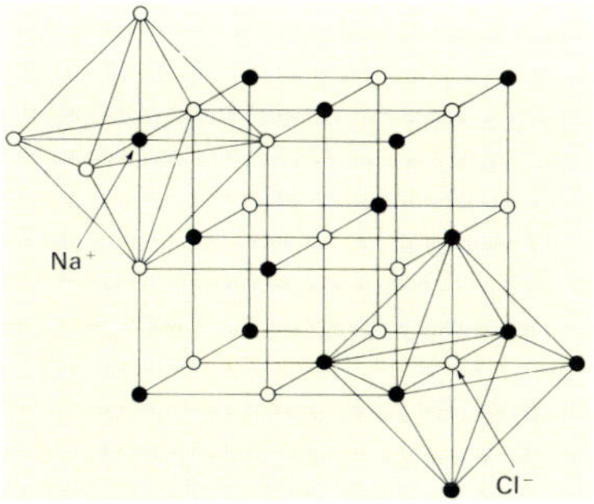

Ionenkristall von Kochsalz (Natriumchloridgitter); jedes Natriumion (Na^+) ist von sechs Chloridionen (Cl^-) so umgeben, dass diese in den sechs Eckpunkten eines Oktaeders sitzen (und umgekehrt), hier dargestellt durch die Koordinationsoktaeder links oben und rechts unten

Ionenpumpe, 1) *Biologie:* Enzymkomplex, der unter Energieverbrauch Ionen gegen einen Konzentrationsgradienten durch eine plasmat. Membran transportiert. Für die Aufrechterhaltung der Ionenverteilung ist bes. die Natrium-Kalium-Pumpe verantwortlich.

2) *Vakuumtechnik:* Vakuumpumpe zur Erzeugung eines Hochvakuums mit Drücken bis unter 10^{-8} Pa. Die in einem evakuierten Gefäß befindl. Restgase werden ionisiert und die Ionen durch elektr. oder magnet. Felder zur Gefäßwand hin beschleunigt, wo sie durch Vorvakuumpumpen »abgesaugt« oder in sog. **Getterionenpumpen** mithilfe von →Gettern gebunden werden.

	Reaktionsort
Enthärtung	
$[M]-SO_3^- Na^+ + 1/2\, Ca^{2+} \rightleftharpoons [M]-SO_3^-\, 1/2\, Ca^{2+} + Na^+$	Kationenaustauscher stark sauer
Vollentsalzung	
$[M]-SO_3^- H^+ + Na^+ \rightleftharpoons [M]-SO_3^- Na^+ + H^+$	Kationenaustauscher stark sauer
$H^+ + HCO_3^- \longrightarrow H_2CO_3 \longrightarrow H_2O + CO_2$	Wasser
$[M]-N(CH_3)_3^+ OH^- + Cl^- \rightleftharpoons [M]-N(CH_3)_3^+ Cl^- + OH^-$	Anionenaustauscher stark basisch
$H^+ + OH^- \longrightarrow H_2O$	Wasser
Entcarbonisierung	
$[M]-COOH + 1/2\, Ca^{2+} \rightleftharpoons [M]-COO^-\, 1/2\, Ca^{2+} + H^+$	Kationenaustauscher schwach sauer
$H^+ + HCO_3^- \longrightarrow H_2CO_3 \longrightarrow H_2O + CO_2$	Wasser

$[M]-$: Harzgerüst des Ionenaustauschers

Ionenaustauscher: Ionenaustauschverfahren der Wasseraufbereitung

Ionenquelle, Vorrichtung zur Erzeugung von Ionenstrahlen. Aus Festkörpern oder Gasen gewonnene Ionen werden im Vakuum in elektromagnet. Feldern zu einem Ionenstrahl gebündelt und beschleunigt; Verwendung z.B. in Beschleunigern und Massenspektrometern.

Eugène Ionesco: Zeichnung zu dem Drama »Hunger und Durst« aus einem Programmheft

Ionenröhren, Sammelbez. für gasgefüllte Elektronenröhren, bei denen die aus der Kathode austretenden Elektronen die in der Röhre befindl. Gasmoleküle ionisieren können, z.B. Ignitron, Glimmröhre und Blitzröhre.

Ionenstrahlen, aus sehr schnell in einer Richtung bewegten Ionen bestehende Teilchenstrahlen. I. sind z.B. die aus Atomkernen gebildeten Protonen-, Deuteronen- und Alphastrahlen oder die in →Ionenquellen erzeugten Strahlen.

Eugène Ionesco

Ionesco [jɔnɛs'ko], Eugène, frz. Dramatiker rumän. Herkunft, *Slatina (Kr. Olt) 26. 11. 1909 †Paris 28. 3. 1994; lebte 1914–25 und wieder seit 1938 in Frankreich; schrieb in frz. Sprache. I. ist einer der Hauptvertreter des →absurden Theaters. In seinen frühen Stücken stellte er mittels sprachl. Stereotype die Banalität des Alltäglichen bloß. Sinnleere der menschl. Existenz verdeutlicht er durch Infragestellung der Realität (»Die kahle Sängerin«, Uraufführung 1950; »Die Unterrichtsstunde«, 1953; »Die Stühle«, 1954). Die späteren Dramen thematisieren existenzielle menschl. Probleme, u.a. »Die Nashörner« (1959), »Der König stirbt« (1963), »Hunger und Durst« (1964), »Das große Massakerspiel« (1970). I. schrieb außerdem den Roman »Der Einzelgänger« (1973), Erzählungen, Essays und autobiograph. Werke (»La quête intermittente«, 1988).

📖 *Modernes frz. Theater. Adamov – Beckett – I., hg. v.* K. A. Blüher. *Darmstadt 1982.* – Hubert, M.-C.: *E. I. Paris 1990.* – Bondy, F.: *E. I. Reinbek 19.–21. Tsd. 1991.*

Ionier (grch. Iones), einer der altgrch. Hauptstämme, der im 2. Jt. v. Chr. Attika, Euböa, Achaia, das Grenzgebiet zw. Lakonien und der Argolis und vielleicht die W-Küste Messeniens bewohnte. Nach der dor. Wanderung (→Dorer), die ihnen nur Attika und Euböa ließ, besiedelten die I. die Kykladen und die mittlere W-Küste Kleinasiens. Als I. im engsten Sinn betrachteten sich urspr. wohl die Bewohner der kleinasiat. Städte Erythrai, Klazomenai, Kolophon, Teos, Lebedos, Ephesos, Milet, Myos, Priene und Phokaia sowie der Inseln Chios und Samos; Smyrna wurde erst später aufgenommen (Ionischer Bund). Der kulturellen Blüte machte erst der →Ionische Aufstand gegen die pers. Herrschaft ein Ende. 477 wurden die I. Bundesgenossen der Athener, nach dem Peloponnes. Krieg zeitweilig von den Spartanern, 386 v. Chr. wieder von den Persern abhängig. Später gehörten die I. zum Reich Alexanders d. Gr. und behielten auch unter den Römern eine gewisse Autonomie.

Ionisation [grch.] *die,* Erzeugung von →Ionen.

Ionisationskammer, Gerät zum Messen der Intensität ionisierender Strahlung (v.a. Alpha-, Beta-, Gamma- und Röntgenstrahlung), bestehend aus einem gasgefüllten Gefäß mit zwei Elektroden. Zw. beiden liegt eine Gleichspannung von einigen 100 bis einigen 1000 Volt. Die durch die Strahlung erzeugten Ionen rufen in **Gleichstromkammern** einen Strom-, in **Impulskammern** (→Zählrohr) einen Spannungsstoß hervor, der registriert wird.

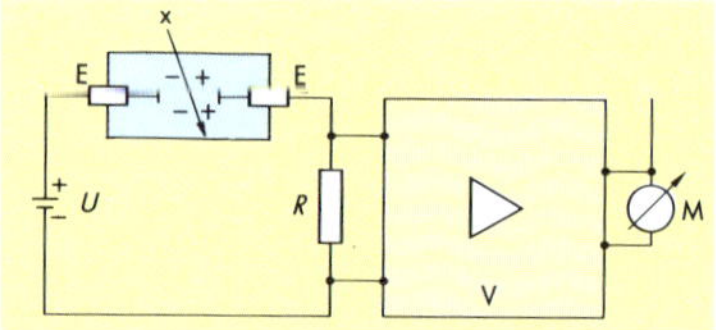

Ionisationskammer: Darstellung des Funktionsprinzips; E Elektroden, M Spannungsmessgerät, *R* Widerstand, *U* Spannung, V Verstärker, x Teilchen der ionisierenden Strahlung (z.B. Alpha- oder Betateilchen, Gamma- oder Röntgenquant)

Ionische Inseln, die Inseln vor der W-Küste Griechenlands im Ion. Meer; sie bilden eine Region Griechenlands (2307 km², 1990: 191000 Ew.). Hauptinseln sind Korfu, Paxos, Leukas, Ithaka,

Kephallenia, Zakynthos. – Im 8. Jh. v. Chr. von dor. Kolonisten aus Korinth besiedelt; ab 9. Jh. n. Chr. ein VerwBez. des Byzantin. Reiches; 1204 fiel Korfu, 1483 auch die südl. Inseln an Venedig; 1797 von Franzosen, 1799 von Russen besetzt; 1815 als **Vereinigter Staat der Sieben I. I.** Selbstständigkeit unter brit. Protektorat; 1864 an Griechenland.

ionische Naturphilosophie, die v.a. Thales, Anaximander, Anaximenes und die älteren Atomisten umfassende Tradition der →griechischen Philosophie.

Ionischer Aufstand, Erhebung der Ionier Kleinasiens 500–494 v. Chr., die gegen die pers. Herrschaft, v.a. aber gegen die Behinderung des grch. Handels seitens der Perser im Ägäisraum gerichtet war; endete erfolglos. Die Unterstützung durch Athen und Eretria diente Persien als Vorwand für den Beginn der Perserkriege.

ionischer Baustil, →griechische Kunst, →Säulenordnung.

ionischer Kirchenton, auf dem Grundton c stehende →Kirchentonart (ÜBERSICHT).

ionischer Vers (Ionicus), *grch. Metrik:* ein viersilbiger Versfuß von der Form ∪∪– – (Ionicus a minore) oder – –∪∪ (Ionicus a maiore).

Ionisches Meer, Teil des Mittelmeeres zw. der W-Küste Griechenlands und der O-Küste Siziliens und Kalabriens.

ionisierende Strahlung, energiereiche Quanten- oder Korpuskularstrahlung, deren Energie ausreicht, um beim Durchgang durch Materie Atome oder Moleküle zu ionisieren. **Direkt i. S.** besteht aus elektrisch geladenen Teilchen, wie Elektronen, Protonen und Alphateilchen; **indirekt i. S.** (Neutronen, Röntgen- und Gammastrahlen) überträgt Energie auf elektrisch geladene Teilchen, die ihrerseits die Ionisation auslösen. – Die durch die Ionisation gebildeten chemisch wirksamen Radikale stören bei lebendem Gewebe den Funktions- oder Zellteilungsstoffwechsel. Die Ionisation (→Ionen) leitet eine Zellschädigung oder Zellvernichtung ein, die in exakt dosierter Form bei der Strahlenbehandlung bösartiger Geschwülste ausgenutzt wird.

Ionisierungsenergie (Ionisationsenergie), die zur Ionisierung (Ionisation) eines Atoms oder Moleküls notwendige Energie (→Ionen).

Ionomere, Polymere mit ion. Gruppen, die einen besseren Zusammenhalt der Molekülketten bewirken. I. haben hohe Transparenz, gute mechan. Eigenschaften; geeignet für Verpackungsfolien.

Ionophore, Bez. für meist makrozykl. Verbindungen, die Chelate oder Komplexe mit Ionen bilden und diese durch biolog. Membranen transportieren können.

Ionosonde, Gerät für die Ionosphärenbeobachtung mithilfe von Rundfunkwellen, das die Impulslaufzeit von der Erde zur Reflexionsschicht in der →Ionosphäre und zurück in Abhängigkeit von der Frequenz misst.

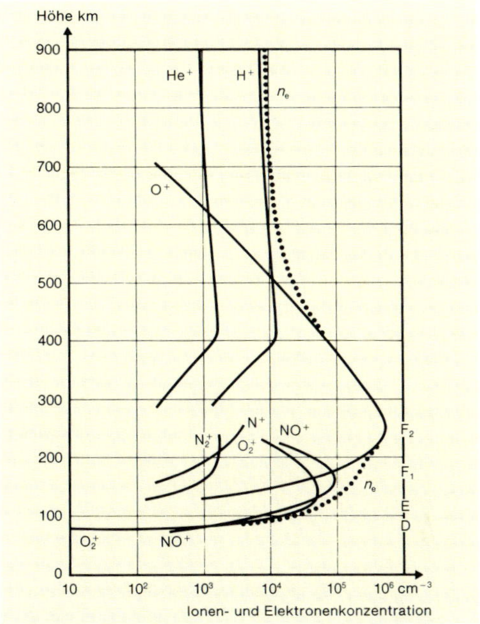

Ionosphäre: mittlere Tageswerte der Ionen- und Elektronendichte n_e (gepunktete Linie)

Ionosphäre [grch.], der Teil der hohen Atmosphäre, in dem Moleküle und Atome teilweise durch extraterrestr. Strahlung, bes. die Ultraviolett- und Röntgenstrahlung der Sonne, ionisiert sind. In ihm wird durch die Existenz freier Elektronen und Ionen die Ausbreitung von Radiowellen merklich beeinflusst. Die I. der Erde reicht von etwa 60 km Höhe bis in etwa 1000 km Höhe. Von 90 km Höhe aufwärts wird der molekulare Sauerstoff (O_2) und in geringerem Maße auch der molekulare Stickstoff (N_2) zunehmend ionisiert (Bildung von O_2^+, N_2^+) und gespalten (Bildung von O^+, N^+). Von dieser Höhe ab beginnen die einzelnen Gase auch, sich zu entmischen, sodass der relative Anteil an leichteren Gasen (Helium-Ionen, He^+ und Wasserstoff-Ionen, H^+) immer größer wird. Für jede Gaskomponente ergibt sich eine Schicht maximaler Ionisation, da die Strahlungsintensität infolge zunehmender Absorption von oben nach unten abfällt, die Zahl der ionisierbaren Atome und Moleküle aber zunimmt. Die Ionendichte ergibt sich als Gleichgewichtswert zwischen Erzeugung und Rekombination. In jeder Höhe gibt es eine der Ionendichte gleiche Elektronendichte n_e. – Es ist üblich, die Gesamtheit der ionisierten Schichten ihrem unterschiedlichen räumlich-zeitl. Verhalten entsprechend in die Schichten D, E, F_1 und F_2 zu unterteilen.

Schichten der Ionosphäre

Schicht	Höhenbereich (in km)	maximale Elektronendichte	Bemerkungen
D	60–85	$< 10^4/cm^3$	verschwindet nachts
E	100–140	$10^5/cm^3$	Elektronendichte folgt Sonnenstand
E_S	100	bis $3 \cdot 10^6/cm^3$	unregelmäßig (›sporadisch‹)
F_1	180–200	$3 \cdot 10^5/cm^3$	nur tagsüber, Elektronendichte folgt Sonnenstand
F_2	250–400	$5 \cdot 10^6/cm^3$	zeitliche und örtliche Anomalien

Die **D-Schicht** reflektiert bei Tag und Nacht Lang- und Längstwellen und dämpft tagsüber Mittelwellen und Kurzwellen. Die **E-Schicht** reflektiert nachts die Mittelwellen und tags die längeren Kurzwellen. Zeitweise tritt die **E_s-Schicht** auf, die gelegentlich Kurzwellen bis zu 10 m Wellenlänge reflektiert. Die **F-Schicht** ist für die Kurzwellenausbreitung am wichtigsten. Alle Schichten zeigen als Folge der kurzwelligen Sonnenstrahlung regelmäßige Veränderungen mit der Tages- und Jahreszeit, der geograph. Position und dem elfjährigen Zyklus der Sonnenaktivität. – Die I. hat große Bedeutung für den Funkverkehr, da durch Reflexion der sich geradlinig ausbreitenden Radiowellen an der I. auf der annähernd kugelförmigen Erde Verbindungen über große Entfernungen möglich sind.

Iowa
Flagge

Störungen der I. entstehen z.T. durch Zunahme der kurzwelligen solaren Strahlung bei Sonneneruptionen, wie der **Mögel-Dellinger-Effekt,** der wenige Minuten bis eine Stunde dauert. Die Elektronendichte nimmt dabei in der D- und E-Schicht durch verstärkte UV- und Röntgenstrahlung und damit die Absorption der Kurzwellen erheblich zu. Bei den **Protonenstürmen** dringen schnelle solare Protonen in die Polarkappen, in seltenen Fällen auch in mittleren Breiten bis zu Höhen von 30 km ein und erhöhen die Elektronendichte und Absorption der Kurzwellen. Bei **I.-Stürmen** dringen langsame solare Partikel in die Polarlichtzonen ein und bewirken bei Nacht sichtbares Polarlicht, starke fluktuierende elektr. Ströme, die erdmagnet. Störungen zur Folge haben. Ferner erhöhen sie lokal die Elektronendichte der E-Schicht (»Nordlicht-E«) und treiben die Elektronen der F-Schicht in die Höhe, verbunden mit Störungen des Funkverkehrs. – Die I. der Erde wurde 1924 von E. V. Appleton entdeckt. Er bestimmte die Höhe der reflektierenden Schicht auf 100 km und fand später eine weitere Schicht in 200–300 km.

Iontophorese [grch.] *die,* das Einbringen von Arzneimitteln oder Wirkstoffen durch die Haut mithilfe des galvan. Stromes.

Nicolae Iorga

Iorga, Nicolae, rumän. Historiker, Schriftsteller und Politiker, *Botoşani 17. 6. 1871, †(ermordet) bei Ploieşti 27./28. 11. 1940; 1910 Mitgründer der Nationaldemokratischen Partei (seitdem auch ihr Vors.); 1931/32 MinPräs.; einer der bedeutendsten europ. Historiker; schrieb u.a. »Gesch. des Osman. Reiches« (5 Bde., 1908–13).

Iota *das* (Jota), Ι, ι, der 9. Buchstabe des grch. Alphabets, der den Vokal i bezeichnet (→i, I).

Iowa ['aɪɔwɔ], Abk. **Ia., IA,** Bundesstaat im Mittleren Westen der USA, im oberen Mississippibecken; 145 755 km², (1995) 2,84 Mio. Ew.; Hptst. Des Moines. I. liegt im Zentralen Tiefland der USA; das Klima ist kontinental, mit extremen Sommer- und Wintertemperaturen. Rd. 97 % der Bev. sind Weiße. Größte Städte sind Des Moines, Cedar Rapids und Davenport. I. ist einer der landwirtschaftlich ertragreichsten Staaten der USA: Anbau von Mais, Sojabohnen und Hafer; Viehzucht (v.a. Schweine); Fleisch- und Getreideverarbeitung; außerdem Gipsvorkommen. – Das Gebiet kam 1763 an Spanien, 1803 an die USA; 1832 wurde ein Krieg (Black Hawk War) gegen die Indianer geführt; seit 1846 29. Staat der Union.

Iphigenie, urspr. kleinasiat., der Artemis verwandte Göttin, im grch. Mythos Tochter des Agamemnon und der Klytämnestra. Sie sollte zur Ermöglichung der Abfahrt der grch. Flotte nach Troja der Artemis geopfert werden, wurde aber von dieser nach Tauris entrückt und zur Priesterin gemacht. Dort rettete I. später ihren Bruder Orest, der als Landesfremder geopfert werden sollte, und floh mit ihm nach Attika. – Dichtungen von Euripides, Racine, Goethe und G. Hauptmann, zwei Opern von C. W. Gluck. BILD Euripides

Ipin, Stadt in China, →Yibin

Ipiutakkultur: Maske aus Walrosselfenbein aus einem Gräberfeld in Alaska; Höhe 16,8 cm (Kopenhagen, Nationalmuseet)

Ipiutakkultur, nach dem Fundplatz bei Point Hope (NW-Alaska, USA) ben. prähistor. Eskimokultur (100 v. Chr. bis 500 n. Chr.) in Ausläufern bis ins 12. Jh. Der namengebende Fundort Ipiutak besteht aus einer großen Siedlung mit über 600 Hausgrundrissen und großem Gräberfeld, in dem (als Grabbeilagen) die meisten Artefakte gefunden wurden, herausragende Funde sind die zahlr. Elfenbeinschnitzereien.

Ịpoh, Hptst. des Gliedstaates Perak, Malaysia, im W der Malaiischen Halbinsel, 382 600 Ew. (überwiegend Chinesen); Polytechnikum, geolog. Landesamt Malaysias; Zentrum des Zinnerzbergbaus; Ind.park; Flugplatz.

Ipomoea [-'møa], Pflanzengattung der Windengewächse, windende, meist trop. Kräuter und Sträucher; Gartenzierpflanze ist z. B. die einjährige **Prunk-** oder **Trichterwinde** (Ipomoea purpurea) in zahlr. Formen.

Jean Ipoustéguy: »Ein Mann durchstößt die Pforte«, Bronze (1966)

Ipoustéguy [ipuste'gi], Jean Robert, frz. Bildhauer und Maler, *Dun-sur-Meuse (Dép. Meuse) 6. 1. 1920; deutet in seinem Werk auf expressive Weise das Erleben des Menschen von Zerstörung, Krieg und Tod, zu dem der Mensch als Sieger, Betroffener oder schöpferisch Gestaltender in spannungsvoller Beziehung steht.

Ippolịtow-Iwạnow, Michail Michailowitsch, eigtl. M. M. Iwanow, russ. Komponist, *Gattschina 19. 11. 1859, †Moskau 28. 1. 1935; schrieb, von P. J. Tschaikowsky und N. A. Rimski-Korsakow beeinflusst, Opern, Orchester- und Vokalmusik.

Ipswich ['ɪpswɪtʃ], Stadt in der engl. Cty. Suffolk, am Mündungstrichter des Orwell; 120 400 Ew.; anglikan. Bischofssitz; Maschinenbau, chem., elektrotechn. u. a. Ind.; Hafen.

IQ, Abk. für → **I**ntelligenz**q**uotient.

Iqbal [ik'ba:l], Sir (seit 1922) Muhammad, muslimisch-ind. Dichter und Philosoph, *Sialkot zw. 1873 und 1877, †Lahore 21. 4. 1938; studierte Jura und Philosophie in Großbritannien und Dtl. (1905–08); strebte nach Verbindung der koran. Offenbarung mit westl. Wiss.; äußerte 1930 erstmals den Gedanken eines von Indien getrennten muslim. Staats, was die spätere Entstehung von Pakistan (1947) beeinflusst hat, wird deshalb als »geistiger Vater« Pakistans verehrt. I. schrieb Gedichte in Urdu und Persisch.

Iquique [i'kike], Hptst. der chilen. Region Tarapacá, im Großen Norden, 152 500 Ew.; Bischofssitz; Fischfang und -verarbeitung, Werft; ehem. wichtigster Ausfuhrhafen für Salpeter; seit 1976 Freihandelszentrum.

Iquitos [i'kitɔs], Hptst. des Dep. Loreto, Peru, 274 800 Ew.; Kautschukhandel, Erdölraffinerie; Hafen, Endpunkt der Überseeschifffahrt auf dem Amazonas.

Ir, chem. Symbol für → Iridium.

IR, Abk. für → **I**nfra**r**ot.

IRA, Abk. für **I**rish **R**epublican **A**rmy (dt. Irisch-Republikanische Armee), radikalnationalist. illegale Organisation in Irland und Nordirland, gegr. 1919, kämpfte 1919–21 für die Unabhängigkeit Irlands von Großbritannien, ging 1921 z. T. in der Armee des ir. Freistaates auf, z. T. ging sie in den Untergrund. Ihr militanter Flügel tritt seit 1969 als Terrororganisation der radikalen Katholiken in Nordirland hervor und verübte auch Anschläge in Großbritannien. Nachdem die brit. und die irische Reg. im Dezember 1993 die Aufnahme von Gesprächen mit allen nordirischen Parteien zur friedl. Lösung des Nordirlandkonflikts von einem Gewaltverzicht der republikan. und der unionist. Terrororganisationen abhängig gemacht hatten, verkündete die IRA Ende August 1994 einen unbefristeten Waffenstillstand ab 1. 9. 1994. Die (v. a. von der brit. Reg. immer wieder als Vorbedingung für die Teilnahme von Sinn Féin an Allparteiengesprächen geforderte) Auslieferung ihrer Waffen lehnte die IRA jedoch ab und kündigte – auch angesichts der nur zögerlich in Gang gekommenen Verständigung – am 9. 2. 1996 ihren Waffenstillstand wieder auf (Rückkehr zum Terror, u. a. schwere Bombenanschläge im Februar 1996 in London und im Juni 1996 in Manchester); daraufhin wurde Sinn Féin die Teilnahme an den im Juni 1996 begonnenen Verhandlungen verwehrt. Von Sinn Féin im Juli 1997 zum Gewaltverzicht aufgefordert, rief die IRA einen neuen Waffenstillstand aus (seit 20. 7. 1997 in Kraft).

Ipomoea: Trichterwinde (Höhe 3–4 m)

Irạk (amtlich arab. Al-Djumhurijja al-Irakijja; dt. Rep. I.), Staat in Vorderasien, grenzt im N an die Türkei, im O an Iran, im SO an Kuwait, im S an Saudi-Arabien, im W an Jordanien und im NW an Syrien.

Staat und Recht: Nach der Provisor. Verf. von 1968 (seit 1970 in Kraft) ist I. eine volksdemokrat. Rep. mit Präsidialregime. Staatsoberhaupt, Vors. des Revolutionären Kommandorates (RCC) und Oberbefehlshaber der Streitkräfte ist der Präs. Er wird vom RCC (neun Mitgl.), dem formal höchsten Staatsorgan, gewählt und verfügt über weit reichende Vollmachten. Die Legislative liegt beim RCC und beim Nat.rat (250 Abg., für vier Jahre ge-

Muhammad Iqbal

Irak

Fläche: 438 317 km²
Einwohner: (1995) 20,449 Mio.
Hauptstadt: Bagdad
Verwaltungsgliederung: 15 Prov., 1 autonome Region der Kurden mit 3 Prov.
Amtssprache: Arabisch (in der kurd. Region auch Kurdisch)
Nationalfeiertag: 14. 7.
Währung: 1 I.-Dinar (ID) = 1 000 Fils
Zeitzone: MEZ +2 Std.

Staatswappen

IRQ

Internationales Kfz-Kennzeichen

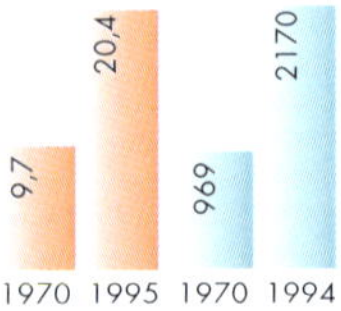

Bevölkerung (in Mio.)

Bruttosozialprodukt je Ew. (in US-$)

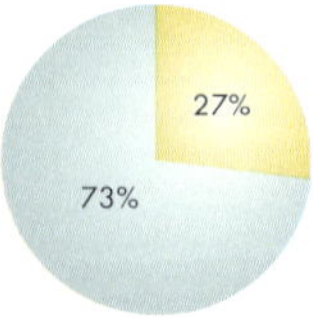

Bevölkerungsverteilung 1993

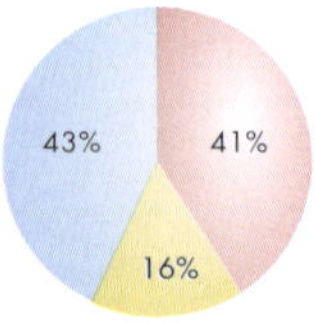

Bruttoinlandsprodukt 1989

wählt). Exekutivorgan ist die Reg. unter Vorsitz des MinPräs., die dem Präs. verantwortlich ist und von ihm ernannt wird. Das 1991 formell eingeführte Mehrparteiensystem wird von der Baath-Partei dominiert; Parteien auf religiöser oder ethn. Grundlage bleiben verboten. I. gliedert sich in 18 Prov., geleitet von einem ernannten Gouverneur. Drei Prov. bilden die autonome Region der Kurden, in der ein gewählter 57-köpfiger Kurd. Legislativrat amtiert. Vertreter der Kurden sind die Demokrat. Partei Kurdistans (KDP) und die Patriot. Union Kurdistans (PUK).

Landesnatur: I. erstreckt sich vom Taurus und Zagrosgebirge bis zum Pers. Golf. Drei Landschaftsräume prägen das Land: das im NO gelegene Gebirgsland mit landwirtschaftlich genutzten Tälern, das von Euphrat und Tigris durchflossene »Zweistromland« (Mesopotamien), das Hauptanbaugebiet des Landes, und die westlich der Flussniederung des Euphrat gelegene Syrische Wüste. In der Schwemmlandebene Unter-I.s finden sich ausgedehnte Schilf- und Seengebiete sowie vegetationslose Salztonebenen. Zw. mittlerem Euphrat und Tigris (Djesire) herrschen eintönige Kieswüsten und Wüstensteppen vor. Das Klima ist kontinental mit heißen trockenen Sommern (bis 52 °C) und milden bis kalten Wintern. Die winterl. Niederschläge nehmen von NO (bis 1200 mm) nach SW (unter 100 mm) stark ab. Euphrat und Tigris haben durch Winterregen und Schneeschmelze Hochwasser im Frühjahr. Der niedrigste Wasserstand ist im Frühjahr, zur Zeit des größten Wasserbedarfs.

Bevölkerung: Sie besteht zu etwa 75 % aus Arabern; in den nordöstl. Grenzgebieten leben Kurden (19 %), ferner Türken, Iraner u. a.; den Kurden wurden nach dem Aufstand von 1961–70 kulturelle Autonomie und Anerkennung ihrer Sprache als gleichberechtigte Schul-, Verw.- und Gerichtssprache in den von ihnen besiedelten Gebieten zugestanden. 70 % der Bev. leben in Städten. Größte Städte sind Bagdad (mit den nördl. Nachbarstädten Kadhimain und Adhamiya), Basra, Mosul, Kirkuk, Erbil, Sulaimaniya und Nedjef. – Allg. Schulpflicht besteht vom 6. bis 11. Lebensjahr; der Unterricht ist unentgeltlich; es bestehen acht Univ., eine TU, 19 techn. Inst. – Über 96 % der Bev. bekennen sich zum Islam; rd. 62 % von ihnen sind die v. a. in Süd-I. lebenden Schiiten (bed. Wallfahrtsorte: Kerbela, Nedjef). Die sunnit. Muslime (etwa je zur Hälfte Araber und Kurden) in Nord-I. gehören der hanefit. und schafiit. Rechtsschule an. 3,8 % sind Christen (v. a. Chaldäer); ferner Jesiden, Mandäer, Bahai, Juden.

Wirtschaft, Verkehr: Wirtsch. Grundlagen I.s sind die reichen Erdöllagerstätten (nach Saudi-Arabien die zweitgrößten Erdölreserven der Welt) und das Bewässerungspotenzial von Euphrat und Tigris. Zur Steuerung der Wirtschaft werden Fünfjahrespläne aufgestellt. Banken, Versicherungen, Erdölwirtschaft, Ind., Groß- und Außenhandel sind weitgehend verstaatlicht; die Preise für Produktions- sowie Konsumgüter werden amtlich festgesetzt. Der Krieg gegen Iran (1980–88), der Überfall auf Kuwait (1990), der dadurch ausgelöste 2. Golfkrieg (1991) und das international verhängte Wirtschaftsembargo haben die Wirtschaft in katastrophalem Ausmaß geschädigt. – Die Landwirtschaft, in der 18 % der Erwerbstätigen arbeiten, nutzt 15 % der Gesamtfläche (davon die Hälfte mit Bewässerung). Die seit 1958 durchgeführte Bodenreform mit Enteignung des Großgrundbesitzes hat trotz starker Mechanisierung nicht zur Produktionssteigerung geführt; bes. die zunehmende Bodenversalzung des Bewässerungslandes und fehlende Produktionsmittel (Düngemittel, Maschinen, Saatgut) machen sich bemerkbar. I. ist deshalb in hohem Maße auf Nahrungsmittelimporte angewiesen. Weizen und Gerste sind die wichtigsten Anbaupflanzen; daneben Reis, Mais, Baumwolle, Tabak, Hirse, Sesam, Mungobohnen. Intensive Bewässerungskulturen mit Baumhainen (Dattelpalmen) finden sich in schmalen Streifen entlang der Flüsse und Hauptkanäle. Da sowohl in der Türkei als auch in Syrien Staudämme im Euphrat angelegt wurden, sanken die Wasserreserven in I., was zu

Irak: Blick über einen kurdischen Friedhof auf den Pira Margun im Bergland von Kurdistan in Nordirak

polit. Spannungen führte. Infolge unzureichender Futterversorgung ist der Milch- und Fleischertrag der Viehbestände nicht hoch. – Durch das intern. Exportembargo fiel I. in der Welterdölförderung vom 8. (1986) auf den 26. Platz (1996) zurück. Der Binnenbedarf liegt bei 20 Mio. t. Die Ölfelder befinden sich im N am Gebirgsrand und im S westlich von Basra. I. hat auch reiche Erdgas-, Schwefel- und Phosphatvorkommen. Die wichtigsten Ind.zweige sind neben der Ende der 70er-Jahre stark ausgebauten Petrochemie die Verarbeitung landwirtsch. Erzeugnisse, die Baustoff-, Textil- und Konsumgüterind.; daneben überwiegen Handwerks- und Kleinbetriebe. Ind.gebiete sind die Großräume Bagdad und Basra. Derzeit beschränkt sich der Außenhandel auf illegale Erdölexporte, v. a. über Jordanien. – Mittelpunkt des Verkehrsnetzes ist Bagdad. Von hier führen Eisenbahnlinien (2030 km) nach Umm Kasr über Basra, nach Mosul und weiter nach Aleppo (Endabschnitt der Bagdadbahn) sowie in die Türkei, nach Erbil über Kirkuk. Das Straßennetz umfasst 29000 km (davon 70 % befestigt). Die Flussschifffahrt verliert zunehmend an Bedeutung, die Seeschifffahrt im Golf (Häfen Basra und Umm Kasr) ist fast vollständig zum Erliegen gekommen. Internat. Flughäfen liegen bei Bagdad und Basra. Staatl. Flugges. ist »Iraqi Airways«.

Geschichte: Zur Vorgeschichte →Vorderasien. Im Altertum gab es in Mesopotamien, dessen Hauptteil das Gebiet des heutigen I. bildet, versch. altoriental. Hochkulturen und Reiche (→Akkad, →Assyrien, →Babylonien, →Sumerer). 539 v. Chr. eroberte der Perserkönig Kyros II. das Land, das ab 331 v. Chr. zum Reich Alexanders d. Gr. gehörte. Nach der Herrschaft der Seleukiden und Parther wurde es unter den Sassaniden im 3. Jh. n. Chr. Kernland des Perserreiches (Hptst. Ktesiphon). Nach der Eroberung durch die muslim. Araber (seit 635) war das Gebiet unter den Omaijaden (661–749/750) neben Ägypten wichtigste Provinz des Kalifats und unter den Abbasiden (749/750–1258) Kernraum des islam. Weltreichs (762 Gründung der Kalifenresidenz Bagdad); 838–883 herrschten die Kalifen in Samarra. 1258 wurde I. von den Mongolen erobert und war Teil des Reichs der Ilkhane; im 16. Jh. war es Streitobjekt zw. den pers. Safawiden und dem Osman.

Irak - Wirtschaft

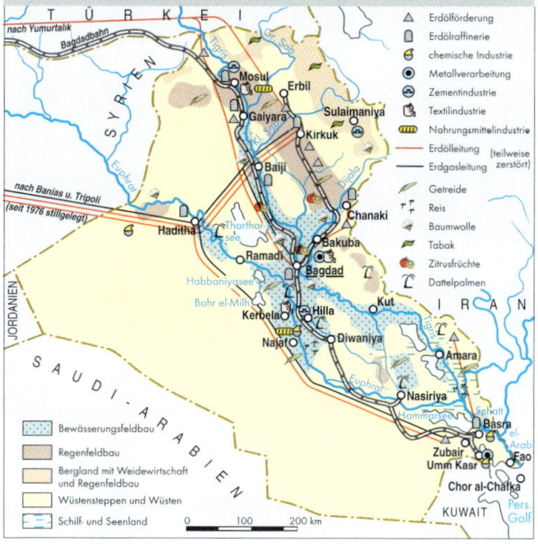

Irak: Kanal zur Bewässerung von Dattelpalmenhainen bei Bakuba nordöstlich von Bagdad

Reich, zu dem es 1638–1918 gehörte. Nach dem Zusammenbruch des Osman. Reiches erhielt Großbritannien im Vertrag von Sèvres 1920 I. (Mesopotamien) als Völkerbundsmandat und setzte 1921 Feisal I. aus der Dynastie der Haschimiten als König ein. 1925 nahm das Mandatsgebiet eine Verf. an; im selben Jahr sprach der Völkerbund I. das Gebiet von Mosul zu (1926 Mosulvertrag mit der Türkei). Mit dem Vertrag von Bagdad (1930; wirksam mit dem Erlöschen des brit. Mandats 1932) erhielt I. seine Unabhängigkeit; die brit. Militärpräsenz blieb jedoch bestehen. Nuri as-Said (seit 1930 mehrmals MinPräs.) betrieb eine gemäßigt nationalist., probrit. Politik. Während des 2. Weltkrieges versuchten nationalist. Offiziere mit MinPräs. Raschid al-Gailani im April 1941, die Bindungen an Großbritannien durch einen Staatsstreich abzuschütteln, den brit. Truppen jedoch vereitelten. 1945 wurde I. Gründungs-Mitgl. der Arab. Liga. Die im Febr. 1958 mit Jordanien gegr. Arab. Föderation wurde nach dem blutigen Staatsstreich vom 14. 7. 1958 aufgelöst, bei dem auch die Monarchie gestürzt (Ermordung König Feisals II.) und die Rep. ausgerufen wurde. 1959 verließ I. den 1955 geschlossenen Bagdadpakt; die brit. Truppen räumten ihre letzten Basen. Um von innenpolit. und wirtsch. Problemen abzulenken, provozierte der Vors. des Revolutionsrates, General A. K. Kassem, Spannungen am Pers. Golf, indem er 1961 Ansprüche auf Kuwait erhob. 1961 brach ein Aufstand der Kurden aus, der (mit Unterbrechungen) bis 1970 andauerte und auch danach wiederholt aufflammte. 1963 wurde Kassem durch panarabisch-nationalist. Kräfte um General A. S. M. Aref gestürzt. Als Folge des verlorenen Sechstagekrieges (1967) übernahm die nationalist. Baath-Partei im Zuge eines Militärputsches im Juli 1968 die Macht. Präs. A. H. al-Bakr brach die Kooperation mit Syrien und Ägypten ab und betrieb eine Politik enger Anlehnung an die UdSSR. Mit Massenverhaftungen und öffentl. Exekutionen setzte sich das Regime 1969 nach innen durch. 1972 wurde ein irakisch-sowjet. Freundschaftsvertrag unterzeichnet. Mit der Nationalisierung (1972) der Iraq Petroleum Company (IPC) expandierte die Wirtschaft. 1977 wurden Baath-Partei und Reg. durch die Ernennung der Mitgl. der obersten Parteiführung zu Min. und zu Mitgl. des Revolutionären Kommandorates verzahnt. Im Nahostkonflikt blieb I. bei seiner betont antiisrael. Haltung, bes. seit Abschluss des ägyptisch-israel. Rahmenabkommens von Camp David (1978). Im Juli 1979 trat A. H. al-Bakr zurück. Nachfolger wurde Saddam Husain.

Ab 1979 nahmen die Spannungen zu Iran zu, nachdem dort eine Islam. Rep. ausgerufen worden war. Im Sept. 1980 kündigte I. den 1975 mit Iran geschlossenen Grenzvertrag bezüglich des Schatt el-Arab und löste mit dem Einmarsch seiner Truppen in die iran. Prov. Khusistan den 1. Golfkrieg aus, der hohe Verluste unter der Zivilbev. forderte (rd. 250 000 Tote auf irak. Seite) und zur Zerstörung der Erdölanlagen beider Staaten im Schatt el-Arab führte. Erst 1988 kam es durch Vermittlung von UN-Generalsekretär Pérez de Cuéllar zu einer Waffenruhe. Seit Ausbruch des irakisch-iran. Krieges modernisierte und verstärkte Saddam Husain seine Armee (mit rd. 1 Mio. Mann eine der größten im arab. Raum) sowohl mit westl. als auch mit östl. Hilfe. Nach Beendigung des 1. Golfkrieges setzten irak. Truppen 1988 bei einer Großoffensive gegen die Kurden im N des Landes auch chem. Waffen (Giftgas) ein. Im Anschluss an irakisch-kuwait. Auseinandersetzungen um die Erdölförderung im gemeinsamen Grenzgebiet besetzte I. am 2. 8. 1990 Kuwait und erklärte das Emirat zur 19. irak. Provinz. Weder internat. Sanktionen (Wirtschaftsembargo, Seeblockade) noch die ultimative Resolution des UN-Sicherheitsrates vom Nov. 1990 erreichten den irak. Rückzug. Präs. Saddam

Irak: Häuser aus luftgetrocknetem Lehm in einem irakischen Dorf

Husains strikte Weigerung, sich der Forderung des UN-Sicherheitsrates nach Abzug seiner Truppen zu beugen, löste am 17. 1. den 2. Golfkrieg aus, in

Irak: Kriegsfreiwillige demonstrieren im Oktober 1994 in Bagdad mit Fotos des Präsidenten Saddam Husain

dem alliierte Streitkräfte unter Führung der USA I. eine schwere Niederlage beibrachten (Einstellung der Kampfhandlungen am 28. 2. 1991). I., das beträchtl. Kriegsschäden erlitt (insbesondere Zerstörungen durch die alliierte Luftoffensive), musste sich verpflichten, alle UN-Resolutionen zu erfüllen (u.a. Räumung Kuwaits und Anerkennung seiner Unabhängigkeit, Schadensersatzpflicht gegenüber den durch den Golfkrieg geschädigten Staaten, Einrichtung einer entmilitarisierten Zone zw. I. und Kuwait unter UN-Aufsicht). Im März 1991 ausgebrochene Aufstände der Schiiten im S und der Kurden im N des Landes ließ Präs. Saddam Husain durch Reg.truppen (»Republikan. Garde«) blutig niederschlagen. Vor den danach einsetzenden Repressalien flüchteten viele Kurden ins türk. Grenzgebiet und nach Iran (daraufhin Errichtung von Schutzlagern in Nord-I. unter Aufsicht der Alliierten und der UN); die verfolgten Schiiten zogen sich ins südirak. Sumpfgebiet am Schatt el-Arab zurück. Präs. Saddam Husain, dessen Machtposition nach dem Golfkrieg zunächst geschwächt war, konnte nach der Unterdrückung der kurd. und schiit. Aufstände und der Niederschlagung eines Offiziersputsches (Dez. 1991) sein diktator. Herrschaftssystem wieder festigen. Angesichts ständiger irak. Behinderungen der in der Waffenstillstandsresolution des UN-Sicherheitsrates festgelegten Zerstörung aller irak. Massenvernichtungswaffen beschloss der UN-Sicherheitsrat, die irak. Rüstungsindustrie einer ständigen Kontrolle zu unterziehen. Zum Schutz der von irak. Regierungstruppen bekämpften Schiiten im Süden verhängten die Kriegsgegner I.s im Aug. 1992 ein Flugverbot für die irak. Luftwaffe südlich des 32. Breitengrades (ab 1996 bis zum 33. Breitengrad). Vor dem Hintergrund der dem I. auferlegten Reparationszahlungen, der steigenden Zahl von Menschenrechtsverletzungen, der konventionellen Aufrüstung und der von UN-Rüstungsfachleuten auf (1991) über 200 geschätzten einsatzfähigen biolog. Sprengköpfe wurde – bes. auf Initiative der USA – das UN-Embargo mehrfach verlängert. Die damit verbundene wirtsch. Isolierung rief eine schwere Versorgungskrise im Land hervor. Irak. Boykottmaßnahmen gegen Inspektionen, aber auch Zwischenfälle in den Flugverbots- bzw. Schutzzonen veranlassten die USA (z. T. mit brit. Unterstützung) zu Luftschlägen gegen I. (1996 und erneut 1998/99).

📖 Sluglett, P. *u.* Farouk-Sluglett, M.: *Der I. seit 1958. Von der Revolution zur Diktatur. A. d. Engl. Frankfurt am Main 1991.* – Trautner, B. J.: *Der erste u. der zweite Golfkrieg. Münster u. a. 1994.*

Iran (amtlich pers. Jomhori-e Islami-e I.; dt. Islamische Republik I.), Staat in Vorderasien, grenzt im N an Armenien, Aserbaidschan, das Kasp. Meer und Turkmenistan, im O an Afghanistan und Pakistan, im S an den Golf von Oman und an den Pers. Golf, im W an Irak, im NW an die Türkei.

Staat und Recht: Nach der Verf. von 1979 (1989 wesentlich geändert) ist I. eine islam. Republik, basierend auf der Ethik des Islam schiit. Richtung. Nominell höchste Instanz ist der von einem religiösen Sachverständigenrat gewählte »Geistige Führer« der islam. Revolution und Stellvertreter des Iman. Staatsoberhaupt und Chef der Exekutive ist der Präs. (direkt auf vier Jahre gewählt). Er ernennt den Vizepräs. und schlägt die Mitgl. des Kabinetts vor, die des Vertrauens des Parlaments bedürfen. Dem Präs. untersteht auch der Nat. Sicherheitsrat mit weit reichenden Kompetenzen. Die Legislative liegt beim Einkammerparlament (Majlis; 270 Abg., für vier Jahre gewählt); Gesetze und Verordnungen bedürfen der Zustimmung des Wächterrates (sechs vom Geistigen Führer ernannte islam. Rechtsgelehrte und sechs vom Parlament gewählte Juristen), der ihre Vereinbarkeit mit den Prinzipien des Islam zu prüfen hat. Parteien spielen bei polit. Willensbildung oder Wahlen keine Rolle. Die Verw.gliederung kennt 25 Provinzen.

Iran

Fläche: 1 648 000 km²
Einwohner: (1995) 67,283 Mio.
Hauptstadt: Teheran
Verwaltungsgliederung: 25 Provinzen (ostan)
Amtssprache: Persisch
Nationalfeiertage: 11. 2. und 1. 4.
Währung: 1 Rial (Rl.) = 100 Dinars (D.)
Zeitzone: MEZ +2 Std.

Staatswappen

IR

Internationales Kfz-Kennzeichen

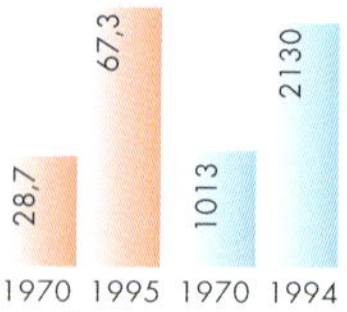

Bevölkerung (in Mio.)
Bruttosozialprodukt je Ew. (in US-$)

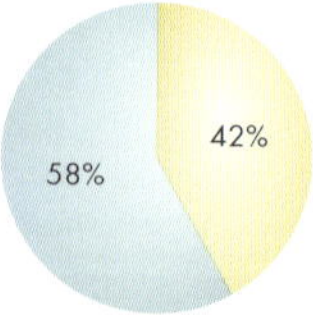

Stadt
Land

Bevölkerungsverteilung 1994

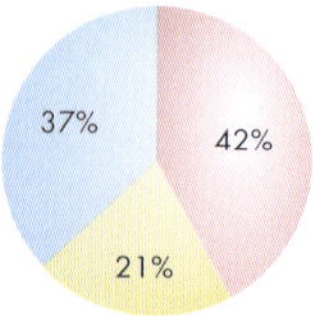

Industrie
Landwirtschaft
Dienstleistung

Bruttoinlandsprodukt 1994

Landesnatur: I. erstreckt sich vom Ararathochland und dem Ostrand Mesopotamiens zw. Kasp. Meer und Pers. Golf über den größten Teil des Iran. Hochlands, hat somit Anteil am alpid. Gebirgssystem. Im N erreicht das Elbursgebirge 5671 m ü. M., im S die vom Ararathochland nach SO zum Pers. Golf ziehenden Randgebirge im Zagrosgebirge über 4500 m ü. M. Dazwischen erstrecken sich von Gebirgszügen gekammerte, abflusslose Hochbecken, z. T. von Salzwüsten (Kawir, Lut) und Salzseen erfüllt. Die Basaltgebiete und Vulkankegel im N und W des Landes sowie immer wieder auftretende Erdbeben sind Zeichen einer noch nicht abgeschlossenen Gebirgsbildung (an der Grenze der Iran. Platte gegen die Euras. Platte im N und gegen die Arab. Platte im S). Im zentralen Hochland beschränken sich Landwirtschaft und städt. Siedlung auf wenige Oasenstandorte. Tiefland besitzt I. nur als schmalen Saum am Kasp. Meer und am N-Saum des Pers. Golfs. Das Klima ist vorherrschend trocken, im Sommer heiß, im Winter kalt mit Schnee und Regen in den nördl. Randgebirgen und den Hochländern des NW. Der SW erhält Winterregen, das iran. Kaspi-Tiefland und die N-Flanke des Elbursgebirges haben ganzjährig Niederschläge. Die Pflanzenwelt im Innern ist meist dürftig; die Gebirge sind kahl oder mit Busch bedeckt, nur am Kasp. Meer mit Laubwald bestanden.

Bevölkerung: Etwa ⅔ der Bev. sind Perser. Zu den Minderheiten zählen Kurden (9 %; im NW), Türktataren (Aserbaidschaner im N, Turkmenen im NO), Araber, Armenier u. a.; dazu kamen seit 1979 etwa 2 Mio. Flüchtlinge aus Afghanistan, deren Rückführung erst begonnen hat. Die Bev. konzentriert sich bes. im NW und in städt. Ballungsräumen (über 58 % in Städten), große Gebiete im Innern und SO sind menschenleer oder nur dünn von Nomaden (1 % der Bev.) bewohnt. Es gibt 23 Großstädte, von denen die Hptst. Teheran mit Abstand die größte ist. – Es besteht allg. Schulpflicht, die acht Jahre umfasst; meist werden aber nur vier Jahre verwirklicht (die Analphabetenquote liegt bei rd. 40 %). Der Unterricht ist unentgeltlich; es bestehen 35 Univ. u. a. Hochschulen, davon acht in Teheran. 1980 wurde die Reislamisierung des Bildungswesens eingeleitet (u. a. Aufhebung der koedukativen Erziehung). – Der größte Teil (98 %)

Iran: Die im inneriranischen Hochland bei Isfahan gelegene Oase dient der Versorgung der Stadtbevölkerung mit Landwirtschaftsprodukten; darunter Gebirgswüste mit Steilküste am persischen Golf

der Bev. gehört dem Islam an (v. a. Schiiten, 5% Sunniten), die restlichen sind Bahai, chaldäische, armen., lat. und nestorian. Christen, Juden und Parsen. Christen, Juden und Parsen sind als Minderheiten gesetzlich anerkannt, nicht aber die als »Abtrünnige« geltenden Bahai. Der zwölferschiit. Islam (Imamiten) ist Staatsreligion. Die Mehrheit der Kurden und Belutschen sind Sunniten.

Wirtschaft, Verkehr: Grundlage der iran. Wirtschaft sind Erdöl und Erdgas. Trotz der Dominanz des Erdölsektors ist I. überwiegend noch ein Agrarland (36% der Landesfläche). In der Landwirtschaft war bis etwa 1960 die agrarsoziale Situation durch das Vorherrschen von Großgrundbesitz gekennzeichnet. Nach den Agrarreformen (1962–72) wurde der Agrarfeudalismus fast völlig beseitigt; diese Reformen werden von der islam. Reg. nicht weiterverfolgt. Der Bau von Bewässerungsanlagen (40% der Ackerfläche werden bewässert), Verkehrserschließung und die Verbesserung der Infrastruktur trugen wesentlich zur Entwicklung der Landwirtschaft bei. Rd. 15% der Landesfläche sind Gehölze, Waldflächen oder Gebirgsweiden. Weizen und Gerste werden in fast allen Landesteilen als Grundnahrungsmittel angebaut, im agrarisch begünstigten südkasp. Küstentiefland v. a. Reis, Tee, Zitrusfrüchte, Tabak (Anbau ist Staatsmonopol) und Baumwolle, im Hochland Zuckerrüben, Weintrauben und mediterrane Baumkulturen (Pistazien, Mandeln u. a.), im südl. Tiefland Zuckerrohr, Zitrusfrüchte und Dattelpalmen (17% der Weltproduktion). Die Viehhaltung (bes. Schafe, Ziegen, ferner Rinder) wird noch zum großen Teil von Nomaden oder Halbnomaden betrieben. Der Fischfang liegt in der Hand staatl. Ges.; im Kasp. Meer (Kaviargewinnung) ist er durch zunehmende Wasserverschmutzung beeinträchtigt. – Die verschiedenen Erzlagerstätten sind noch wenig erschlossen. Sehr ergiebige Eisen- und Kupfererzlager werden im Umkreis von Yazd, Bafg, im Hinterland von Bender Abbas und bei Kerman abgebaut, Steinkohle bei Kerman und Semnan. Größte wirtsch. Bedeutung haben die Erdölvorkommen, die auf 9,3% der Weltreserven geschätzt werden. Nach dem Krieg mit Irak (1980–88) wurde I. wieder das viertwichtigste Förderland der Erde. Alle Erdöl- und Erdgasfelder sind heute im Besitz der Staatl. Ges. NIOC. Die meisten Erdölfelder liegen am SW-Fuß des Zagrosgebirges. Das Rohöl wird zum größten Teil mittels Rohrleitungen auf die Insel Charg im Pers. Golf bzw. auf die weiter südlich gelegenen Ladeplätze Sirri und Larate gepumpt und von dort exportiert, ein kleinerer Teil wird in den Raffinerien des Landes verarbeitet. Mit 13% der Weltvorräte verfügt I. über die zweitgrößten Erdgasvorkommen der Welt; bei der Förderung steht es an 12.

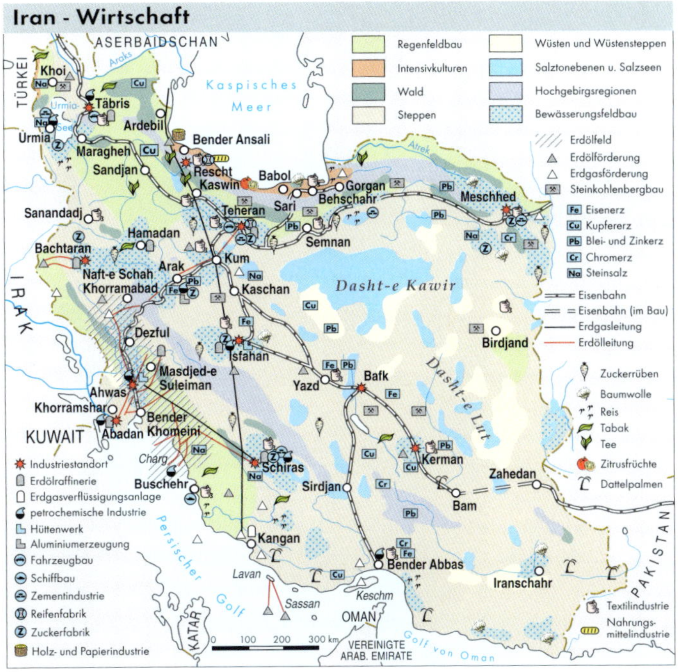

Stelle. Während des 1. Golfkrieges wurden zahlr. petrochem. Anlagen (Erdölraffinerie in Abadan, Erdölexporthafen Charg) stark zerstört. – Zentren der Eisen- und Stahlind. sind Ahwas und Isfahan. Ein wichtiger Wirtschaftsfaktor ist die Textilindustrie. Im Großraum Teheran werden 65% aller Ind.erzeugnisse produziert. Traditionelles Handwerk (Teppichknüpferei) und Kleingewerbe beschäftigen aber mehr Arbeitskräfte als die Industrie. – Neben Erdöl, Erdölprodukten (zus. 80% des Exportwertes) und Erdgas werden Teppiche, Baumwolle, Häute, Felle, Trockenfrüchte (Dat-

Iran: Teppichwäscher in Ray bei Teheran

Iran (von links): Schah Mohammed Resa Pahlewi und seine Frau Farah Diba im Januar 1979; Ayatollah R. Khomeini, Leitfigur der fundamentalistisch-islamischen Bewegung, bei der Rückkehr aus dem französischen Exil im Februar 1979

teln, Rosinen) und Erze exportiert; Haupthandelspartner sind Japan, die Niederlande, Dtl. und die Türkei. – Mittelpunkt des Verkehrsnetzes ist Teheran. Von hier führen Eisenbahnlinien zum Kasp. Meer und Pers. Golf (Transiran. Bahn), über Meschhed nach Turkmenistan, über Isfahan–Kerman nach Pakistan und über Täbris nach Aserbaidschan und in die Türkei. Das Eisenbahnnetz umfasst 6000 km, das Straßennetz über 250000 km, davon 490 km Autobahnen. Fast alle größeren Städte sind auf Allwetterstraßen erreichbar. Da die Seeschifffahrt im nördl. Golf bis 1988 erheblich eingeschränkt war, haben die ehemals wichtigsten Häfen von Khorramshar und Bender Khomeini sowie der Erdölhafen auf der Insel Charg viel von ihrer Bedeutung an die weiter südlich gelegenen von Bender Abbas, Buschehr und Lingeh abgegeben. Wichtige Häfen am Kasp. Meer sind die von Bender Ansali und Bender Nowschahr. Internat. Flughäfen bei Teheran, Bender Abbas und Abadan.

Geschichte: Über die Vorgeschichte →Vorderasien. – I., erstmals 243 v. Chr. in Königsinschriften als **Eran** bezeugt, bedeutet »Land der Arier«. Der Gegensatz zu I. war (seit dem 3. Jh.) **Aneran** (Nicht-I.), das später mit **Turan** gleichgesetzt wurde, dem von Türken besiedelten Gebiet jenseits des Oxus (Amudarja). **Persien** i. e. S. umschreibt das Siedlungsgebiet der Perser in Süd-I., im Altertum begrenzt im O von Karmanien, im N von Choresmien und Parthien, im NW von Medien, im W von Elam, im S vom Pers. Golf. Die Geschichte I.s beginnt mit →Elam und →Medien. Kyaxares II. gründete um 625 v. Chr. ein med. Großreich (Hauptstadt Ekbatana, heute Hamadan), das er durch Vernichtung des Assyrerreiches (612) erweiterte. Zu weltgeschichtl. Bedeutung stieg I. auf, als Kyros II., d. Gr. (559–530), aus dem Persergeschlecht der Achaimeniden, die Meder-

Iran: Ali Akbar Hashemi Rafsandjani, Staatspräsident von 1989 bis 1997, bei der Stimmabgabe zu den Parlamentswahlen 1996 in Teheran

Entstehung des Perserreiches

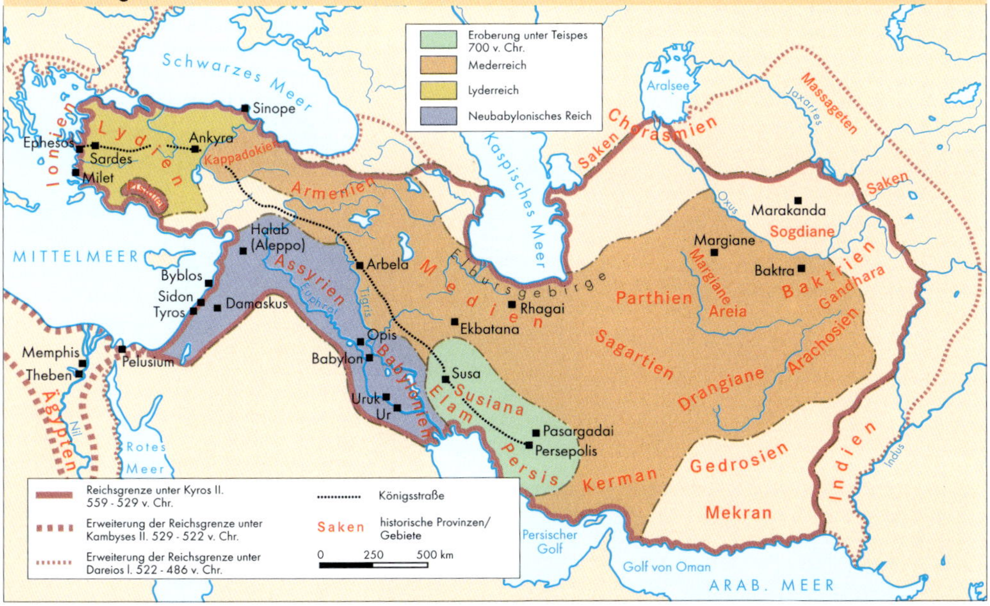

herrschaft stürzte. Sein Sohn Kambyses (530–522) unterwarf Ägypten, Dareios I., d. Gr. (522–486), Thrakien. Er und sein Sohn Xerxes I. (486–465) führten die →Perserkriege. Allmählich verfiel das Reich und erlag unter dem letzten Achaimeniden Dareios III. (336–330) dem Ansturm Alexanders des Großen von Makedonien. 323–240 v. Chr. wurde I. von den Seleukiden, dann bis 224 n. Chr. von den Parthern beherrscht. Mit dem Zerfall des Partherreiches erhob sich I. von neuem (224) unter Ardaschir I., der die Herrschaft der Sassaniden und das 2. große iran. Reich begründete, das erfolgreich im Kampf gegen Rom, später gegen die Araber, Inder, Hunnen, Türken bis 642 bestand.

Infolge der Eroberung durch die Araber im 7. Jh. wurde I. islamisiert. Die Omaijaden (661–749/750) unterstellten das Land arab. Statthaltern (harte Besteuerung aller Nichtmuslime); unter dem Abbasidenkalifat (749/50–1258) entstanden versch. einheim. Lokaldynastien, die z. T. die pers. Tradition und Kultur wieder belebten: u. a. die Saffariden (867–um 900) und die Samaniden (873–999/1005). Die von West-I. ausgehende Dynastie der Bujiden (932–1055) errang 945 sogar die Herrschaft in Bagdad; in Ost-I. und Afghanistan bestand das Reich der Ghasnawiden (seit 977). In der 2. Hälfte des 11. Jh. übernahmen die Seldschuken die Herrschaft über Persien. 1220 begann der Einfall der Mongolen unter Dschingis Khan; 1256/58 eroberte Hülägü das Land und errichtete das Ilkhanat (bis um 1335); zeitweise beherrschte Timur (†1405) I. Ismail I. (†1524) begründete die Dynastie der Safawiden (1502–1722), fasste I. zu einem einheitl. Staat zusammen (Angliederung von Aserbaidschan, Armenien) und etablierte den Glauben der Zwölferschiiten. Unter Schah Abbas I., d. Gr. (1587–1629), erlebte I. eine Blütezeit (Residenz seit 1598 Isfahan). 1722 stürzten Afghanen die Safawiden, wurden jedoch von dem Turkmenen Nadir Schah (1736–47) vertrieben. Nach dessen Ermordung schuf Ahmed Schah Durrani ein unabhängiges Afghanistan. Eine neue Einigung des ganzen Landes, mit der Hptst. Teheran, gelang 1794 den Kadjaren unter dem Turkmenen Agha Mohammed. Sein Neffe Fath Ali (1797–1834) verlor Armenien und die nördl. Hälfte Aserbaidschans an Russland, das nun mit Großbritannien um den Einfluss in I. stritt, bis ein Vertrag beider Mächte (1907) das Land in eine russ. (im NW), eine brit. (im SO) und eine neutrale Zone teilte. Im 1. Weltkrieg war I. neutral, aber von russ., brit. und türk. Truppen besetzt. Nach einem Staatsstreich (1921) übernahm der pers. Kosakenkommandeur Resa Khan in Teheran die Macht (1923–25 MinPräs.), setzte 1925 die Dynastie der Kadjaren ab und bestieg als Resa Schah den Thron (Dynastie Pahlewi). Er führte zahlr., am europ. Vorbild orientierte Reformen durch. 1934 wurde »Iran« amtl. Bezeichnung des Landes. Im 2. Weltkrieg war es von sowjet., brit. und amerikan. Truppen besetzt. 1941 musste der mit den Achsenmächten sympathisierende Resa Schah zugunsten seines Sohnes Mohammed Resa Pahlewi zurücktreten. Nach dem 2. Weltkrieg räumten die Briten und Amerikaner 1945 das Land,

iranische Kunst

1

2

3

4

| **1** Zikkurat von Tschogha Sanbil (1 250 v. Chr.) | **2** Luristanbronze (um 1 000 v. Chr.; Teheran, Archäologisches Museum) | **3** Goldschmiedearbeit aus dem Oxusschatz (6./4. Jh. v. Chr.; London, British Museum) | **4** Detail des Eingangs vom Palast des Dareios in Susa (6. Jh. v. Chr.; Paris, Louvre)

die Sowjetunion erst im Mai 1946. Die von ihr unterstützten, v.a. von der kommunist. Tudeh-Partei geführten Unabhängigkeitsbestrebungen des iran. Teils von Aserbaidschan wurden 1946 unterbunden. Unter MinPräs. M. Mossadegh (1951–53) kam es wegen der Verstaatlichung der Anglo-Iranian Oil Company zu einem Konflikt mit Großbritannien, der nach Mossadeghs Sturz (1953) beigelegt wurde. Anfang der 1960er-Jahre leitete der Schah Reformen (die »Weiße Revolution«) ein, u.a. die Bekämpfung des Analphabetentums und eine Bodenreform. Mit den Einnahmen aus dem Erdölexport suchte Mohammed Resa Wirtschaft und Armee zu modernisieren. In der Außenpolitik vertrat er eine prowestl. Linie (Mitgl. des CENTO-Pakts), bemühte sich aber auch um gute Beziehungen zur UdSSR. 1975 schloss I. mit Irak ein neues Grenzabkommen über die Grenze am Schatt el-Arab. Die in den 70er-Jahren anwachsende Opposition gegen das Schahregime wurde insbesondere von der staatl. Geheimpolizei »Savak« unterdrückt. Unter dem maßgebl. Einfluss des im frz. Exil lebenden Ayatollah Khomeini lösten fundamentalistisch-islam. und sozialrevolutionäre Gruppen Massendemonstrationen (1978/79) aus, die zum Sturz der Monarchie führten. Im Jan. 1979 ging der Schah mit seiner Familie außer Landes; der Anfang Febr. 1979 nach Teheran zurückgekehrte Khomeini proklamierte (nach einer Volksabstimmung am 30. 3.) am 1. 4. 1979 die »Islam. Rep. I.«. »Islam. Revolutionsgerichte« verurteilten viele Repräsentanten und Anhänger der Monarchie zum Tode. Im Dez.

5

6

5 bronzene Trense (1 000–750 v. Chr.; Berlin, Museum für Vor- und Frühgeschichte) | 6 Felsrelief nördlich von Bachtaran, stellt die Investitur Sapors II. dar (5. Jh.)

1979 billigte die Bev. eine Verf.; erster Staatspräs. war A. Bani Sadr (1980/81; durch Khomeini abgesetzt); seine Nachfolger waren M. A. Radjai (1981; nach kurzer Amtszeit ermordet) und A. Khamenei (1981–89). Im Rahmen der radikalen Umgestaltung der Gesellschaft im Sinne eines fundamentalist. Islam ging die polit. Führung des Landes mit Härte gegen religiöse und ethn. Minderheiten sowie oppositionelle Strömungen vor. Mit der »Geiselaffäre« (im Nov. 1979 Besetzung der amerikan. Botschaft und Geiselnahme des Personals bis Anfang 1981) erreichten die Beziehungen zu den USA ihren Tiefpunkt. Im Nahostkonflikt trat I. als einer der kompromisslosen Gegner des Staates Israel hervor. Der Einmarsch irak. Truppen in die iran. Prov. Khusistan (Sept. 1980) löste den 1. Golfkrieg aus, der nach für beide Seiten verlustreichen Kämpfen im Aug. 1988 durch einen Waffenstillstand (unter UN-Vermittlung) beendet wurde. Nach dem Tod des Ayatollah Khomeini (1989) ernannte der islam. Wächterrat den bisherigen Staatspräs. Khamenei zum »Fakih«, d. h. zum geistl. und polit. Führer Irans. Sein Nachfolger als Staatsoberhaupt (zugleich Reg.chef) wurde im Sommer 1989 A. A. H. Rafsandjani (1993 im Amt bestätigt). Dieser leitete eine vorsichtige wirtsch. Liberalisierung und Öffnung ein (Aufhebung der Begrenzung von Auslandsinvestitionen), um die Handelsbeziehungen mit den westl. Ind.staaten und den internat. Kreditinstituten zu verbessern, hielt aber an der repressiven Politik gegenüber der polit. und religiösen Opposition fest.

Nach der irak. Niederlage im 2. Golfkrieg (1991) bemühte sich I. um Neutralität und Vermittlung. Zugleich strebte es nach einer Vormachtrolle im Gebiet des Pers. Golfs, verstärkte seine Rüstung und begann in Konkurrenz mit der Türkei um Einfluss in den 1991 unabhängig gewordenen zentralasiat. Republiken der ehem. Sowjetunion zu ringen. Gegenüber dem Friedensprozess im Nahen Osten nimmt I. eine vehement ablehnende Haltung ein. Unter der Beschuldigung, I. strebe nach Atomwaffen und unterstütze den internat. Terrorismus, verhängten 1995 die USA gegen I. ein Handelsembargo. Im Zusammenhang mit den Parlamentswahlen 1996 verstärkte sich der Machtkampf zw. den Anhängern Rafsandjanis und den radikal-fundamentalist. Kräften. 1997 wählte die Bev. M. Chatami zum neuen Staatspräsidenten.

📖 KONZELMANN, G.: *Allahs Schwert. München u. a. [3]1991.* – WIESEHÖFER, J.: *Das antike Persien. Zürich u. a. 1994.* – SCHWEIZER, G.: *I., Drehscheibe zw. Ost u. West. Stuttgart [3]1996.*

Irani|er (Iraner), Sammelname für die (indogerman.) Völker und Stämme in Iran, Turkestan und Afghanistan, die eine der →iranischen Sprachen sprechen. Sprachlich begründet ist die Gliederung der I. in drei Gruppen: **Nord-I.** (Saken, Skythen, Sarmaten, Alanen, Osseten und Charismier), **Ost-I.** (Parther, Baktrer, Sogdier, Arachosier) und **West-I.** (Meder, Perser).

iranische Kunst. Das Kunstschaffen Irans, z. T. die heutigen Grenzen übergreifend, findet seine frühesten Äußerungen in bemalter Keramik, die im 6.–4. Jt. auftrat und z. T. bis über die Mitte des 2. Jt. v. Chr. hinweg hergestellt wurde. Außerdem haben sich einige frühe Wandmalereien und weibl. Tonfigürchen erhalten. Im 2./1. Jt. entstanden die kunstvollen Bronzen in Luristan (W-Iran). Eine besondere Entwicklung nahm in SW-Iran die Kunst von Elam, wo im 2. Jt. v. Chr. erste Monumentalbauten errichtet wurden (Akropolis von

Susa auf einer Zitadelle, vor 3000 v. Chr.; Zikkurat von Tschoga Zanbil, 1250 v. Chr.). In der Achaimenidenzeit (etwa 700–330) entfaltete sich eine auf den Hof ausgerichtete Kunst, in der Einflüsse versch. Kulturen zu einer neuen Einheit verschmolzen. Von großer Prachtentfaltung, bes. im Palastbau, zeugen die Säulenhallen von Pasargadai, Persepolis und Susa mit zahlr. Wandreliefs, aber auch Felsgräber und -reliefs u. a. in Behistan und Naksch-e Rostam. In skyth. Gräbern in S-Russland fanden sich achaimenid. Goldschmiedearbeiten, in Turkestan Tafelgerät aus Edelmetall (Oxusschatz), in Sibirien Teppiche (Kurgane im Pasyryk).

Nach der makedon. Eroberung und starker Hellenisierung brachte die Sassanidenzeit eine neue Blüte (224–651) bes. in Architektur und Kunsthandwerk. Es entstanden Paläste und Feuertempel mit großen Trompenkuppeln und tonnengewölbten Iwanhallen (Firusabad, Ktesiphon), seit dem 6. Jh. mit reichem Stuckdekor, des Weiteren Wandgemälde (Pendschikent), Felsreliefs, Seidenweberei und Treibarbeiten (Tafelgeschirr). Mit der Islamisierung wurde zunächst vieles von der sassanid. Kunst übernommen, wie Skulpturen und Fußbodengemälde der Omaijadenschlösser zeigen (um 700 n. Chr.). Unter den späteren Dynastien entwickelte sich eine Kunst innerhalb des islam. Bereiches, die bes. in Keramik, Textilkunst, Teppichknüpferei, Miniaturmalerei und Baukunst eigene Wege beschritt. (→islamische Kunst)

📖 LUKONIN, W.: *Kunst des alten Iran. A. d. Russ. Leipzig 1986.* – *Handwerk u. Kunst in Persien 9.–19. Jh., bearb. v.* T. DEXEL, *Ausst.-Kat. Städt. Museum Braunschweig 1991.* – FINSTER, B.: *Frühe iran. Moscheen. Berlin 1994.*

iranische Literatur, umfassende Bez. für altpers., mittelpers. und →persische Literatur.

iranische Sprachen, Gruppe indogerman. Sprachen, die in Iran und Nachbarländern gesprochen wurden, z. T. noch heute gesprochen werden. Sie bilden zusammen mit den eng verwandten indoarischen Sprachen und den Nuristansprachen den arischen (auch indoiran.) Zweig dieser Sprachfamilie. – Die **altiran. Periode** (bis ins 4./3. Jh.) ist nur in zwei mundartlich versch. Formen belegt: das südwestiran. Altpersische und das wohl ostiran. Awestische. Nur indirekt bezeugbar sind das Medische und das Skythische. Vom 4./3. Jh. v. Chr. bis ins 8./9. Jh. reicht die **mitteliran. Periode.** Das Mittelpersische (Pehlewi) war urspr. der Dialekt von Fars (Farsi wurde der Name für das Neupersische), der dann die Amtssprache der Sassaniden wurde; sie ist u. a. auf Inschriften und Papyri reich bezeugt. Daneben steht das nordwestiran. Parthische. Zur nordostiran. Gruppe gehören das Sogdische, das Chwaresmische (bis ins 14. Jh. östlich des Aralsees gesprochen) und das Sarmatische. Südostiranisch sind das Sakische (Khotanische, Khotansakische) und das Baktrische. Die **neuiran. Periode** (seit etwa 8./9. Jh.) ist äußerlich erkennbar an der Verwendung der arab. Schrift. Überliefert sind aus älterer Zeit das Neupersische (Farsi) und seit dem 17. Jh. n. Chr. das Kurdische und das ostiran. Paschto. Das Neupersische wird seit dem 9. Jh. als Lit.sprache verwendet. Es ist heute im gesamten Iran und in leicht abweichenden Formen in Teilen Afghanistans, Mittelasiens und Pakistans verbreitet, als Dari ist es eine der beiden Amtssprachen in Afghanistan, das Tadschikische zeigt starke türk. Einflüsse (bes. in der Grammatik). An Mundarten stehen Farsi am nächsten die Dialekte des südl. Fars, die der Luren (Luri, Bachtiyari) im W und das Tatische in Teilen von Aserbaidschan und in Dagestan. Daneben bestehen eine Gruppe kleinerer zentraliran. Dialekte und verschiedene nordwestl. und kaspische Mundarten. Neben dem Paschto (Paschtu), der Sprache der Paschtunen in O- und S-Afghanistan (und der Pathanen in Pakistan), sind kleinere ostiran. Sprachen erhalten. Das Jaghnobische und die übrigen Pamirdialekte haben in ihrer isolierten Lage teilweise Archaismen und sonst nicht erhaltenes Sprachgut bewahrt. Das Ossetische im Kaukasus ist die archaischste der iran. Sprachen.

Iranistik *die,* Wiss. von den Sprachen, der Gesch., Lit., Religion und Kultur Irans.

IRAS ['aɪrəs; Abk. für engl. **I**nfra**r**ed **A**stronomical **S**atellite, »Infrarotastronom. Satellit«], erster Satellit für Infrarotastronomie; er lieferte während seiner zehnmonatigen Funktionszeit 1983 erstmals umfassende Himmelsdurchmusterungen in mehreren Spektralbändern des infraroten Wellenlängenbereiches.

Irawadi *der* (Irrawaddy), größter Strom in Birma, entspringt mit zwei Quellflüssen im Assamhimalaja und mündet mit einem Delta in den Golf von Martaban; rd. 2 000 km lang; schiffbar auf 1 730 km. Das Delta (rd. 40 000 km^2) ist ein wichtiges Reisanbaugebiet; um den Mittellauf das I.-Becken, der histor. Kernraum Birmas.

Irbis [mongol.] *der,* der →Schneeleopard.

IRCAM, Abk. für **I**nstitut de **R**echerche et de **C**oordination **A**coustique-**M**usique, Zentrum für akust., speziell elektroakust. Grundlagenforschung in Verbindung mit neuer kompositor. Praxis, gehört zum Centre Georges Pompidou in Paris. Leiter des I. war von 1975–91 P. Boulez, seitdem ist es L. Bayle.

Ireland ['aɪələnd], englisch für →Irland.

Ireland ['aɪələnd], John, brit. Komponist, *Bowdon (Cty. Cheshire) 13. 8. 1879, †Washington (Cty. West Sussex) 12. 6. 1962; schrieb Orchester- und Kammermusik, Klavierwerke, Chöre, Lieder.

Iren (irisch Gaoidhil, daher Gälen), auf der Insel Irland beheimatetes kelt. Volk, rd. 5 Mio. I., davon 3,5 Mio. in der Rep. Irland, der kleinere Teil in Nordirland.

Irenäus von Lyon [-li'ɔ̃], grch. Kirchenlehrer, *Kleinasien um 140 (?), †Gallien nach 200; Schüler Polykarps von Smyrna, 177/178 Bischof von Lyon, bekämpfte die →Gnosis; Heiliger, Tag: 28. 6.

Irene, byzantin. Kaiserin (797–802), *Athen 752, †Lesbos 9. 8. 803; Gemahlin des Kaisers Leon IV. (775–780), seit 780 Regentin für ihren Sohn Konstantin VI., den sie 797 blenden ließ und stürzte; Anhängerin der →Bilderverehrung (2. Konzil von Nicäa, 787); 802 gestürzt und verbannt.

Irgun Zwai Leumi [hebr. »Militärische Nat. Organisation«], rechtsradikale zionist. Untergrundorganisation (geleitet 1931–43 von W. Jabotinsky, 1943–48 von M. Begin), führte terrorist. Aktionen bes. gegen die brit. Mandatsregierung durch; 1931 in Palästina gegr., 1948 aufgelöst; polit. Nachfolgerin wurde die Cherut.

Irian, indones. Name für →Neuguinea.

Irian Jaya [-dʒ-](Westirian, 1963–72 Irian Barat), Provinz Indonesiens, umfasst den W-Teil der Insel Neuguinea sowie vorgelagerte Inseln, 421 981 km², (1990) 1,65 Mio. Ew. (meist Papua); Hptst. Jayapura. Der zentrale Gebirgszug Neuguineas (im Gunung Jaya 5 033 m hoch) setzt sich nach NW in der Bombarai- und Vogelkophalbinsel fort; im S eine breite, versumpfte Tiefebene; trop. Klima, größtenteils Wald; Sagogewinnung, Kokospalmenkulturen, Schweine- und Geflügelhaltung, Fischerei; Erdölgewinnung, Kupfererzbergbau (Freeport-Mine in Tembagapura).

irische Kunst: Darstellung des Evangelisten Matthäus aus dem aus einem Benediktinerkloster stammenden »Book of Durrow« (um 680; Dublin, Trinity College)

irische Kunst: Kirche im ostirischen Glendalough (Mitte 9. Jh.)

Iriarte, Tomás de, span. Dichter, *La Orotava (Teneriffa) 18. 9. 1750, †Madrid 17. 9. 1791; schrieb bes. Fabeln in Versen (»Literar. Fabeln«, 1782), in denen er die ästhet. Anschauungen des Klassizismus darlegt.

Iridium [zu grch. îris »Regenbogen«, wegen der versch. Farben seiner Oxide] *das,* chem. Symbol **Ir,** metall. Element aus der 8. Gruppe des Periodensystems, Ordnungszahl 77, relative Atommasse 192,20, Dichte 22,65 g/cm³, Schmelzpunkt 2 443 °C, Siedepunkt ca. 4 500 °C. Das silberweiße Platinmetall I. ist hart, spröde, sehr korrosionsbeständig und chemisch widerstandsfähig; es findet sich in platinhaltigen Erzen und wird in korrosionsbeständigen, harten Legierungen verwendet. Platin wird durch Zusatz von I. gehärtet.

Irigaray, Luce, frz. Philosophin und Psychoanalytikerin, *Blaton (Belgien) 1939; wies nach, dass der herrschende Diskurs in Psychoanalyse und Philosophie ausschließlich männlich bestimmt ist. Sie plädiert für die Entwicklung einer weibl. Ökonomie, Religion, Sprache; verfasste auch Studien zur Ethik.

Iris [grch. »Regenbogen«] *die,* **1)** *Anatomie:* die Regenbogenhaut des Auges.

2) *Botanik:* die Pflanzengattung →Schwertlilie.

Iris, *grch. Mythos:* die Verkörperung des Regenbogens, Botin und Dienerin der Götter.

irische Kunst, die Kunst der kelt. Bevölkerung Irlands von ihrer Christianisierung im 5. Jh. bis zur anglonormann. Eroberung (1171). Anknüpfungspunkt für eine weitgehend eigenständige künstler.

Entwicklung (→keltische Kunst) war die La-Tène-Kultur. Infolge der Missionstätigkeit ir. Mönche gelangten u.a. auch armen., syr. und kopt. Anregungen nach Irland. – Bei den frühen Beispielen ir. Architektur handelt es sich zunächst um einfache, fensterlose Bauten mit hohem Steindach (Saint Kevin, Glendalough, um 850). Seit dem 9. Jh. wurden bis zu 40 m hohe Rundtürme errichtet, die als Glockentürme und Refugium dienten. Zu den wichtigsten Zeugnissen ir. Baukunst gehört die Cormac's Chapel in Cashel (1127–34). Als bedeutendste Leistung der ir. Plastik gelten die ab etwa 900 entstehenden →Steinkreuze. Die Buchmalerei, die nur Initialornamentik in kelt. Formgebung (v.a. Fischblasen- und Spiralmuster) gekannt hatte, nahm in der 2. Hälfte des 7. Jh. german. Flechtband- und Tierornamentik sowie figürl. Darstellungen auf, so im »Book of Durrow« (um 680; Dublin), entstanden in einem Benediktinerkloster, und im »Book of Kells« (Anfang des 9. Jh.; ebd.). Unter den Goldschmiedearbeiten ragen v.a. die »Fibel von Tara« (Ende des 7. Jh.; Dublin) und der silberne »Kelch von Ardagh« (Anfang des 8. Jh.; ebd.) hervor. Nach dem Einfall der Wikinger im 9. und 11. Jh. wurden neue Techniken (z.B. Niello) und skandinav. Stilarten (Ringerikestil, Urnesstil) nach Irland vermittelt. Im 11. und 12. Jh. erlebte die i. K. ihre letzte eigenständige Blüte, wobei die keltisch-german. Spiral- und Tierornamentik fortgesetzt wurde (Long Cross, 1123; Dublin). Unter der engl. Herrschaft nahm die i. K. weitgehend an der Entwicklung der engl. Kunst teil.

📖 STREIT, J.: *Sonne u. Kreuz. Irland zw. Megalithkultur u. frühem Christentum.* Stuttgart [3]*1993.*

Irkutsk: Straßenbild

irische Literatur. Aus der archaischen Epoche (400–600) gibt es nur etwa 360 Inschriften in Oghamschrift, die nur aus wenigen Wörtern, meist Namen, bestehen. – Hauptwerke der *frühen Epoche* (600–1200) sind die in Zyklen eingeteilten Heldensagen, die die Form von Prosaepen mit eingeschobenen lyr. Gedichten haben und eine vom Christentum noch gänzlich unberührte heidn. Welt spiegeln: 1. der Ulsterzyklus um den jugendl. Helden Cúchulainn und die tragisch liebende Deirdre; 2. der mytholog. Zyklus, der den Kampf eines Geschlechts übernatürl. Wesen und ihres Königs Dagdá mit einem Dämonengeschlecht, den Fomoriern, schildert; 3. der Königszyklus (auch histor. Zyklus), in dem Sagen und Erzählungen um je einen histor. oder prähistor. König gruppiert sind. Die nur in Bruchstücken erhaltene Lyrik wurde von den »filid« (professionellen Dichtern) verfasst. – Die *mittlere Epoche* (1200–1650) umfasst die

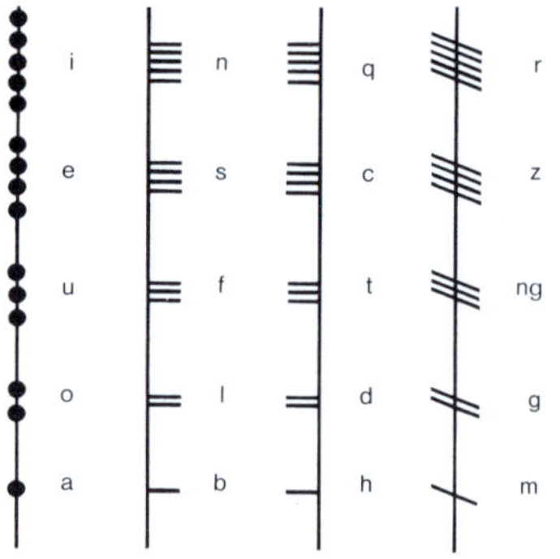

irische Literatur: Buchstabenzeichen der von oben nach unten zu lesenden Oghamschrift (400–600)

Barden- und die Prosadichtung, die größtenteils dem Finn-Zyklus, dem vierten großen ir. Sagenzyklus, angehört; er gilt in seiner Verschmelzung von Prosa und Ballade als Beginn der volkstüml. ir. Literatur. – Die *späte Epoche* (1650–1850) prägt eine v.a. von Bauern und Handwerkern getragene Volksdichtung; sie entfaltete sich bes. in der Provinz Munster (S-Irland), daher auch »Munster-Dichtung« genannt. – Die *moderne Epoche* (seit Ende des 19. Jh.) brachte mit der Gründung der Gaelic League (1893) durch D. Hyde eine Erneuerung der ir. Sprache und Literatur (kelt. Renaissance). 1904 wurde das Abbey Theatre in Dublin als ir. Nationaltheater (offiziell seit 1924) etabliert, für das u.a. W. B. Yeats und J. M. Synge schrieben. Bevorzugtes Genre wurde die Kurzgeschichte, zu deren bed. Vertretern P. O'Leary und P. H. Pearse gehören; wichtig für den Roman wurde L. O'Flaherty, für das Drama M. M. Liammóir. Bed. ist der Beitrag der ir. Schriftsteller zur →englischen Literatur.

📖 MEID, W.: *Dichter u. Dichtkunst im alten Irland. Innsbruck 1971.* – HYDE, D.: *A literary history of Ireland from earliest times to the present day. Neuausg. New York 1980.* – DILLON, M.: *Early Irish literature. Neuausg. Dublin u.a. 1994.*

Irland

Fläche: 70 284 km²
Einwohner: (1995) 3,553 Mio. Ew.
Hauptstadt: Dublin
Verwaltungsgliederung: 34 Counties und County Boroughs
Amtssprachen: Irisch, Englisch
Nationalfeiertag: 17. 3.
Währung: 1 Irisches Pfund (Ir£) = 100 New Pence (p)
Zeitzone: WEZ

irische Musik. Von der Blüte der Musik im frühen MA. ist nichts erhalten. Die altüberlieferte Volksmusik zeigt eine eigentüml., von der ir. akzentuierenden Assonanzendichtung bestimmte – Rhythmik und reich ornamentierende Vortragsweise. Die wichtigsten Instrumente waren und sind Harfe und Dudelsack, daneben Fiedel und Flöte. Das Erbe der alten Zeit wird seit dem 18. Jh. bewusst gepflegt. Zentrum einer kontinental beeinflussten Kunstmusikpflege wurde Dublin. Bedeutendster Komponist des 19. Jh. war C. V. Stanford, bed. Komponisten des 20. Jh. sind H. H. Harty, B. P. Boydell, A. G. Fleischmann, J. Wilson, A. J. Potter und G. Victory, der serielle Techniken verarbeitete.

Irische See (engl. Irish Sea), Randmeer des Atlant. Ozeans zw. Irland und Großbritannien, 103 000 km², bis 175 m tief.

Irisches Moos, → Karrageen.

irische Sprache, zu den → keltischen Sprachen gehörende Sprache, gegliedert in versch. Entwicklungsperioden: Ogham-(Ogom-)Irisch ab 400, archaisches Irisch 6. Jh., Frühaltirisch 7. Jh., klass. Altirisch 8./9. Jh., Mittelirisch 900–1200, Neuirisch ab 1200. Im Unterschied zu den britann. Sprachen hat die i. S. wie die übrigen inselkelt. Sprachen alte Züge aus indogerman. Zeit bewahrt und typolog. Merkmale entwickelt (u. a. konjugierte Präpositionen; Anordnung der Satzglieder: Verb, Subjekt, Objekt; Umschreibung von »ja« und »nein«). Von den heutigen Dialekten hat keiner weniger als 60 Phoneme; das Irische wird mit 18 Buchstaben sowie Längenzeichen für die Vokale wiedergegeben.

📖 Rockel, M.: *Grundzüge einer Geschichte der i. S. Wien 1989.*

Irisdiagnose, die → Augendiagnose.

irisieren [zu Iris], in den Regenbogenfarben schillern.

IRI S. p. A., Abk. für **I**stituto per la **R**icostruzione **I**ndustriale **S**ocietà **p**er **A**zione, 1933 gegr. Holdinggesellschaft für die vom italien. Staat kontrollierten Unternehmen Finmeccanica (Transport, Rüstung), RAI (Fernsehen), Alitalia (Luftfahrt), Ilva (Stahlindustrie), Fincantieri (Werften), Finmare (Schifffahrt) und Cofiri (Finanzdienstleistungen); Sitz: Rom.

Irkutsk, Hptst. des Gebietes I. in Ostsibirien, Russland, an der Angara, 639 000 Ew.; Zweigstelle der Russ. Akademie der Wiss., Univ., Hochschulen, Museum, Theater; Verkehrsknotenpunkt (Kreuzung der schiffbaren Angara mit der Transsibir. Eisenbahn), Flughafen; Schwermaschinen-, Flugzeugbau, Uranglimmer-, Holzverarbeitung, Nahrungsmittel-, Bekleidungsind.; im Gebiet I. Stein- und Braunkohlenbergbau (Irkutsker Kohlenbecken). – Gegr. 1652, seit 1686 Stadt, seit 1764 Gouv.-Hauptstadt; 1803–22 Sitz des General-Gouv. von Sibirien, 1822–1917 von Ostsibirien.

Irland (irisch Éire, engl. Ireland), die westl. der beiden großen Brit. Inseln, von Großbritannien durch die Ir. See, den Nord- und St.-Georgs-Kanal getrennt, sonst vom Atlant. Ozean umschlossen, umfasst 83 500 km², mit Nebeninseln 84 403 km²; über 5 Mio. Ew.; politisch gegliedert in → Nordirland und die Rep. → Irland.

Irland (irisch Éire, engl. Ireland, amtlich irisch Poblacht na h'Éireann, engl. Republic of Ireland; dt. Republik I.), Staat in NW-Europa, nimmt den größten Teil der Insel I. ein.

Staat und Recht: Nach der Verf. von 1937 ist I. eine parlamentarisch-demokrat. Republik. Staatsoberhaupt ist der für sieben Jahre direkt gewählte Präsident. Die Legislative liegt beim Zweikammerparlament, bestehend aus Abg.haus (166 Abg., für fünf Jahre gewählt) und Senat (11 vom Premiermin. ernannte und 49 von den Univ. und Standesvertretungen delegierte Mitgl.). Exekutivorgan ist das Kabinett unter Vorsitz des Premiermin., das dem Abg.haus verantwortlich ist. – Das Parteiensystem ist noch heute vom Unabhängigkeitskampf gegen Großbritannien geprägt. Einflussreichste Parteien sind Fianna Fáil (FF), Fine Gael (FG), Labour Party (LP) und Workers' Party (WP).

Landesnatur: Ein ausgedehntes, flachwelliges, von Hochmooren durchsetztes zentrales Tiefland

Staatswappen

IRL

Internationales Kfz-Kennzeichen

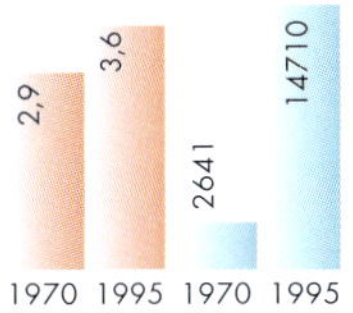

Bevölkerung (in Mio.) | Bruttosozialprodukt je Ew. (in US-$)

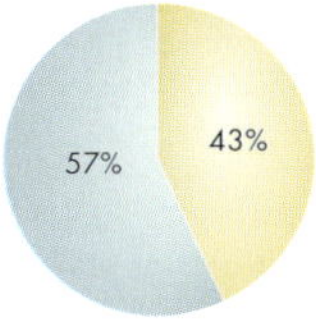

Bevölkerungsverteilung 1994

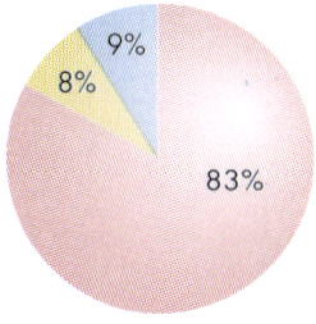

Bruttoinlandsprodukt 1992

Irland: An der 90 m hohen Kliffküste der Araninsel Inishmore liegt die prähistorische Verteidigungsanlage Dun Aengus

mit zahlr. Seen wird von einem glazial überformten Altgebirgsrahmen umgeben. Nur an der O-Küste bei Dublin reicht das zentrale Tiefland bis an die Ir. See heran. Im Innern wird es von einzelnen, isoliert aufragenden Bergzügen durchsetzt. Der Carrauntoohil im SW erreicht 1041 m ü.M. Im W treten Karbonkalke zutage und sind stark verkarstet (The Burren). Die Küste ist im SW, W und NW sehr buchtenreich. Den SW kennzeichnet eine ausgeprägte Riaküste mit tief in den Atlantik vorstoßenden Halbinseln und weit ins Landesinnere reichenden Buchten. Nur rd. 6 % der Fläche sind mit Wald bedeckt. Längster Fluss ist der Shannon, der einen großen Teil der zentralirischen Ebene entwässert. Unter den Seen ist der Lough Neagh (396 km^2) der größte der Brit. Inseln. – Das Klima ist ozeanisch (kühle Sommer, milde Winter) und bei von W nach O abnehmenden Niederschlägen sehr feucht; ihm verdankt I. seine immergrüne Vegetation (»Grüne Insel«).

Irland - Wirtschaft

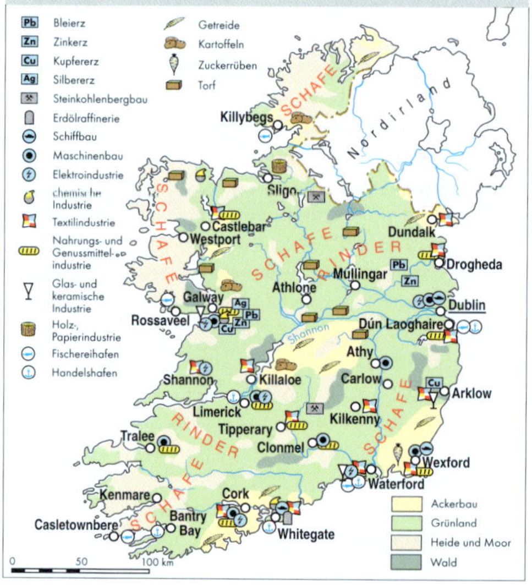

Bevölkerung: Die Iren sind überwiegend kelt. Abstammung. Obwohl Irisch erste Amtssprache ist, sprechen es nur rd. 2 % der Bev. als Muttersprache, 33 % gelten jedoch als Irisch sprechend. Seit der Mitte des 19. Jh. (1841 etwa 6,5 Mio.) ist die Ew.zahl durch anhaltende Emigration infolge schlechter Lebensbedingungen bis 1961 (2,82 Mio.) ständig zurückgegangen. Ausgelöst durch die staatlich geförderte Industrialisierung, kam es 1971–79 zu einem vorübergehenden Rückgang der Abwanderung; verbunden mit starkem natürl. Bev.wachstum erhöhte sich die Ew.zahl 1971–81 um 15,3 %. Seitdem aber führten die Verschlechterung der wirtsch. Verhältnisse und die hohe Arbeitslosenquote erneut zu starker Auswanderung bis etwa 1991. Die Bev.dichte ist im O (Leinster mit Dublin) am höchsten und fällt nach W (Connacht) deutlich ab. 29 % der Gesamtbev. leben in der städt. Agglomeration Dublin. Etwa 94 % der Iren sind Katholiken, 2,7 % Anglikaner. Obwohl die Sonderstellung der kath. Kirche in der Verf. 1972 aufgehoben wurde, bleibt sie ein wichtiger

Faktor im öffentl. Leben und beeinflusst maßgeblich die Gesetzgebung (Ehe- und Scheidungsrecht, Schwangerschaftsverhütung und -abbruch). Es besteht allg. Schulpflicht vom 7. bis 15. Lebensjahr. I. verfügt über vier Universitäten.

Wirtschaft, Verkehr: I. gehört zu den ärmeren Ländern der EU. Die Ind. hat einen Anteil von 37,4% (1995) am Bruttoinlandprodukt, die Landwirtschaft von 9%. Etwa 85% der Gesamtfläche werden landwirtsch. genutzt (zu 17% Ackerland, 83% Wiesen und Weiden). An erster Stelle steht die Rinderhaltung (Fleisch- und Milchwirtschaft), gefolgt von der Schafzucht. Daneben werden Schweine, Ziegen und Geflügel gehalten sowie Pferde (v.a. Reitpferde) gezüchtet. Angebaut werden Futter-, Brauerei- und Brotgetreide, Hackfrüchte u.a. An Bodenschätzen werden Zink-und Bleierze sowie Silber und v.a. Torf abgebaut. Weiter existieren Vorräte an Lithium, Gold, Wolfram, Schwerspat, Kohle und Uran. Seit 1978 wird Erdgas vor der S-Küste (Gasfeld Kinsale Head) gefördert. Der Energiebedarf wird durch Erdöl (51%), Erdgas (18%), Torf (11%), Wasserkraft (1,5%) und Importkohle (18%) gedeckt. Die traditionelle Ind. beruht vorwiegend auf Verarbeitung landwirtsch. Produkte (Molkereien, Mühlen, Brauereien); verarbeitende Betriebe (Fleisch, Fisch, Zucker, Whiskey, Tabakwaren), daneben Schuh- und Textilind. (Stickerei, Tweedherstellung). Die Reg. fördert seit den 60er-Jahren die Ansiedlung ausländ. Ind.betriebe. Diese (v.a. Maschinen- und Fahrzeugbau, Elektro-, Elektronik-, chem. und pharmazeut. Ind., Metallverarbeitung) sind vorwiegend exportorientiert. Bed. Fremdenverkehr (über 4 Mio. ausländ. Besucher). – Haupthandelspartner sind die EG-Länder (v.a. Großbritannien), die USA, Schweden und Kanada. I. führt v.a. Fleisch und Fleischprodukte, Molkereiprodukte, Garne, Gewebe und Textilien, nichtelektr. und elektr. Maschinen und Geräte, feinmechan. und opt. Erzeugnisse, Bleierze und -konzentrate aus. – I. verfügt über 92255 km Straßen (1994) und 2011 km Schienenwege. Schiffbare Binnenwasserstraßen sind Shannon (208 km) und Grand Canal (249 km). Der internat. Luftverkehr wird von den Flugges. »Aer Lingus« und »Ryan Air« durchgeführt. Wichtigster Flughafen ist Dublin; weitere internat. Flughäfen sind Shannon Airport und Cork. Wichtigste Handelshäfen sind Dublin, Waterford, Galway und Cork, Fährhäfen Rosslare, Dun Laoghaire und Cork.

Geschichte: Seit etwa 500 v.Chr. wanderten Kelten in das schon lange zuvor besiedelte I. ein, das weder unter röm. noch german. Einfluss geriet. Es war urspr. in fünf Stammeskönigreiche gegliedert: Ulaid (Ulster), Laigin (Leinster), Mumu (Munster), Connachta (Connacht), Mide (Meath).

Irland: Landschaft im Nordwesten Irlands

Für das 4./5. Jh. sind häufige Übergriffe der Iren auf die W-Küste Britanniens bezeugt, die in Cornwall und Wales, v.a. aber in Schottland zu dauerhaften Siedlungen führten. Im 5. Jh. begann die Christianisierung, v.a. durch den hl. Patrick seit 432. Ir. Mönche wirkten seit dem 6. Jh. in England und auf dem europ. Festland (iroschott. Mission). Noch in karoling. Zeit spielten ir. Gelehrte eine führende Rolle. Vom 9. bis 11. Jh. legten Wikinger Militär- und Handelsniederlassungen auf der Insel an (z.B. Dublin und Cork).

Die engl. Herrschaft über I. begann 1171/72 mit dem Eroberungszug Heinrichs II., war aber bis ins 16. Jh. meist auf die O-Küste beschränkt. Die eigentl. Unterwerfung begann 1534, als Heinrich VIII. den Grafen von Kildare als Stellvertreter absetzte und sich 1541 vom ir. Parlament den Titel eines Königs von I. übertragen ließ. Während in England die Reformation eingeführt wurde, blieben die Iren katholisch. Mehrere große Aufstände der Iren wurden blutig niedergeworfen, so 1595–1603 durch Elisabeth I., 1649–51 durch O. Cromwell und 1690 durch Wilhelm III. von Oranien; die Engländer eigneten sich nach und nach drei Viertel des Grundbesitzes an und legten die ir. Wirtschaft lahm. Die Ausdehnung der engl. Strafgesetze gegen die Katholiken auf die Iren bedeutete ihre polit. Entrechtung. Pitt d. J. führte 1801 die Vereinigung des ir. mit dem engl. Parlament herbei; I. ging damit verfassungsrechtlich ganz im »Vereinigten Königreich von Großbritannien und I.« auf.

Aber schon Ende des 18. Jh. war eine ir. Nationalbewegung erwacht. D. O'Connell erreichte 1829, dass die polit. Entrechtung der Katholiken aufgehoben wurde. 1845–49 kam es zur »Großen Hungersnot«, die zu einer starken Auswanderung und einem ungewöhnl. Rückgang der Bev. führte. Im Ggs. zur revolutionären Richtung der ir. Natio-

Irland: Die irische Präsidentin Mary Robinson (links) besuchte im Mai 1993 Queen Elizabeth II.; die Begegnung war das erste Treffen eines irischen und eines britischen Staatsoberhauptes seit der Unabhängigkeit des Landes im Jahre 1922

nalisten, so dem Geheimbund der Fenier (seit 1858), entstand 1877 die von C. S. Parnell geleitete Ir. Nationalpartei im brit. Unterhaus, die eine parlamentar. Selbstreg. (→Homerule) erstrebte. Diese suchte der liberale engl. Staatsmann W. Gladstone 1886 und 1893 vergeblich durchzusetzen. Erst 1912 nahm das brit. Unterhaus das Homerule-Gesetz an, das aber während des 1. Weltkriegs ausgesetzt wurde. Die Ir. Nationalpartei wurde durch die radikalere Partei →Sinn Féin unter Führung E. de Valeras verdrängt, der auf die völlige Unabhängigkeit I.s hinarbeitete. Die Niederschlagung des Osteraufstandes in Dublin 1916 (Ausrufung der Republik, R. →Casement) verstärkte die antibrit. Haltung. Im Jan. 1919 bildeten ir. Abg. der Sinn Féin ein nat. Parlament (Dáil Éireann) und eine provisor. Regierung unter de Valera, die von Großbritannien nicht anerkannt wurde. Es kam zu blutigen britisch-ir. Auseinandersetzungen, die sich zu einem Kleinkrieg in ganz I. entwickelten. Ende 1920 nahm das brit. Unterhaus jedoch ein neues Homerule-Gesetz an, trennte aber gleichzeitig die sechs nördl., vorwiegend prot. Grafschaften (Ulster) als Nordirland ab. Diese Lösung wurde vom südl. I. abgelehnt. Am 11. 7. 1921 wurde ein Waffenstillstand herbeigeführt, dem am 6. 12. ein »Anglo-irischer Vertrag« folgte. Da dem radikalen Flügel von Sinn Féin unter de Valera der I. bewilligte Stand eines Freistaates (Saorstát Éireann) als Dominium nicht genügte, sonderte er sich ab. Die Majorität des 1921 neu gewählten Dáil Éireann nahm den Vertrag jedoch am 7. 1. 1922 an. Am 6. 12. 1922 konnte daraufhin die Verf. des **Ir. Freistaates** in Kraft treten. 1922/23 flammte der Bürgerkrieg noch einmal auf. In den Auseinandersetzungen um den Angloir. Vertrag bildeten sich die führenden Parteien, die Fine Gael und die Fianna Fáil, heraus. Nach ihrem Wahlsieg 1932 stellte die Fianna Fáil mit de Valera 1932–48 den MinPräs. Seine Reg. schaffte 1933 den Treueid gegenüber der brit. Krone ab; die Verf. von 1937 schuf das Amt des Staatspräs. (1938–45 D. Hyde). Im 2. Weltkrieg blieb I. neutral.

1949 löste I. die letzten staatsrechtl. Bindungen an das Commonwealth. Mit dem »Republic of Ireland Act« trat am 18. 4. 1949 seine volle Unabhängigkeit in Kraft. Seitdem lösten sich Fianna Fáil (FF) und Fine Gael (FG) in der Regierung ab, die Labour Party (LP) gewann wachsende polit. Bedeutung als Koalitionspartner.

1973 wurde I. Mitgl. der EG. Bei einem Referendum im Juni 1992 stimmten rd. 69 % für die Annahme der Maastrichter Verträge zur Herstellung der Europ. Union.

Irland: Bürgerkrieg in Dublin in den 1920er-Jahren

In der Innenpolitik wurden immer wieder Versuche unternommen, den Einfluss der kath. Kirche auf die Gesetzgebung des Staates stärker zurückzudrängen. Während die Bev. 1986 in einem Referendum noch die Streichung des Scheidungsverbots aus der Verf. ablehnte, stimmte sie bei einem weiteren Referendum im Juli 1996 mit knapper Mehrheit (50,3%) der Einführung der zivilrechtl. Ehescheidung zu. Am 7. 11. 1990 wurde die parteilose Mary Robinson als erste Frau in das Präsidentenamt gewählt. Amtierende Staatspräsidentin seit Nov. 1997 ist M. P. McAleese.

📖 JÄGER, H.: *I. Darmstadt 1990.* – HÜTTERMANN, A.: *I. Kunst- und Reiseführer mit Landeskunde. Stuttgart 1993.* – ELVERT, J.: *Geschichte I.s. München ²1996.* – RICHTER, M.: *I. im Mittelalter. München ²1996.* – *I. – Dublin. Redaktion* W. KEIMER. *Leipzig u. a. 1997.*

Irländisches Moos, → Karrageen.

Irmin (Irmino, Ermin), sagenhafter german. Ahnherr der Herminonen. (→ Germanen)

Irminsul (Irminsäule), sächs. Heiligtum, eine Holzsäule (vermutlich als Abbild der Weltsäule, die den Himmel stützt, verstanden); von Karl d. Gr. 772 nach Einnahme der Grenzfeste Eresburg zerstört.

Irokesen (frz. und engl. Iroquois), Gruppe von sprachverwandten Indianerstämmen Nordamerikas, die urspr. östlich der Großen Seen lebten. Um 1575 schlossen sich die Mohawk, Oneida, Onondaga, Cayuga und Seneca zur **Irokes. Liga** (»Bund der fünf Nationen«) zusammen, nach Anschluss der Tuscarora 1722 auch »Bund der sechs Nationen« genannt. Gegenwärtig leben rd. 35000 I. in den USA und 30000 in Kanada, meist in Reservationen. Die I. trieben z.Z. der Ankunft der Europäer v.a. Ackerbau und wohnten in Langhäusern; wichtig wurde dann auch der Handel. 1799 begründete der Seneca-Prophet Handsome Lake eine synkretist. Religion (mit christl. Vorstellungen). Die I. wurden schon früh in engl.-frz. Streitigkeiten verwickelt (sie kämpften aufseiten der Engländer). Heute leben sie überwiegend als Kleinbauern, viele Mohawk als Facharbeiter im Hochbau.

📖 JAHN, S.: *Die I. Wyk auf Föhr ⁴1996.*

Ironie [grch.] *die,* Redeweise, bei der eine Äußerung das Gegenteil von dem meint, was sie ausspricht.

Gegen angemaßtes Wissen bildete Sokrates die I. mit großer Kunst als Mittel der dialekt. Erziehung aus **(sokratische I.).** In der **Selbst-I.** drückt sich eine krit., spielerisch-überlegene Haltung sich selbst gegenüber aus. Die **romantische I.** ist das immer wache Bewusstsein, dass zw. dem Unendlichen und dem Endlichen sowie zw. Freiheit und Form kein endgültiger, sondern nur ein spielender Ausgleich möglich ist. Die **tragische I.** ergibt sich für den Betrachter, wenn jemand, ohne zu ahnen, dass entscheidende Ereignisse seine Lage verändert haben, seiner Zuversicht Ausdruck gibt, während der Außenstehende um diese Ereignisse und ihre Folgen schon weiß. Als **I. des Schicksals** wird eine paradoxe Konstellation angesprochen, die wie ein frivoles Spiel höherer Mächte wirkt. I. als rhetor. Mittel kann sich von iron. Anspielung, spieler. Spott und Polemik bis zum Sarkasmus steigern; literarisch konstituiert sie damit die Gattungen Parodie, Satire, Travestie.

📖 *I. als literar. Phänomen, hg. v.* H.-E. HASS *u.* G.-A. MOHRLÜDER. *Köln 1973.* – BEHLER, E.: *Klass. I., romant. I., trag. I. Zum Ursprung dieser Begriffe. Darmstadt ²1981.* – JAPP, U.: *Theorie der I. Frankfurt am Main 1983.*

Jeremy Irons

Irons [ˈaɪənz], Jeremy, brit. Filmschauspieler, *Isle of Wight 19. 9. 1948; versierter Charakterdarsteller, u.a. in »Die Geliebte des frz. Leutnants« (1981), »Kafka« (1992), »Das Geisterhaus« (1993), »Stirb langsam. Jetzt erst recht« (1995).

Ironsides [ˈaɪənsaɪdz, engl.], → Eisenseiten.

iroschottische Kirche, die eigenständige, bis zum 12. Jh. von Rom unabhängige (Mönchs-)Kirche Irlands.

iroschottische Mission, die von Rom unabhängige Missionstätigkeit ir. Mönche zw. dem 6. und 8. Jh.; erstreckte sich von Island bis nach Oberitalien.

irrational [lat.], **1)** *allg.:* nicht rational; dem Verstand nicht fassbar, dem log. Denken nicht zugänglich; Ggs.: rational.

2) *Mathematik:* eine reelle Zahl, die nicht rational, d.h. nicht der Bruch zweier ganzer Zahlen ist, z. B. $\sqrt{2}$.

Irrationalismus [lat.] *der, Philosophie:* 1) in der Erkenntnistheorie die Auffassung, die sich nicht auf den Verstand als Erkenntnisquelle stützt, sondern auf emotionale und intuitive Gewissheitserlebnisse; 2) in der Metaphysik eine Grundposition, die Wesen und Ursprung des Seienden oder der Welt als nicht mit dem Verstand erfassbar behauptet, z. B. als »Wille« bei A. Schopenhauer, als »élan vital« bei H. Bergson. – In der Geistesgeschichte trat I. meist als Gegenströmung gegen den → Rationalismus auf.

Irrawaddy [-dɪ] *der,* Fluss in Birma, → Irawadi.

Irrealis [lat.] *der, Sprache:* Modus des Verbs zum Ausdruck einer nicht wirkl., sondern nur vorgestellten Handlung: Er *wäre* heute hier, wenn er Urlaub bekommen *hätte.*

Irredenta [italien. »unerlöst«] *die* (Irredentismus), 1866 nach der Einigung Italiens entstandene Bewegung in den z. T. italienischsprachigen Gebieten Österreich-Ungarns (Trentino, Triest, Istrien, Dalmatien), die den Anschluss an Italien erstrebte;

noch vor 1914 war das Ziel der I. die Brennergrenze. Die I. trübte zunehmend die Beziehungen zw. Österreich und Italien, das unter dem Druck der I. 1915 in den Krieg eintrat. Dieser brachte Italien 1919 die Brennergrenze (auch die deutschsprachigen Teile Südtirols wurden italienisch).

irreversibel [lat.], **1)** *allg.:* nicht umkehrbar, nicht rückgängig zu machen; Ggs.: reversibel.

2) *Naturwissenschaften:* Eine Zustandsänderung eines Systems ist i., wenn sie ohne zusätzl. Veränderung von dessen Umgebung nicht rückgängig gemacht werden kann; →Entropie.

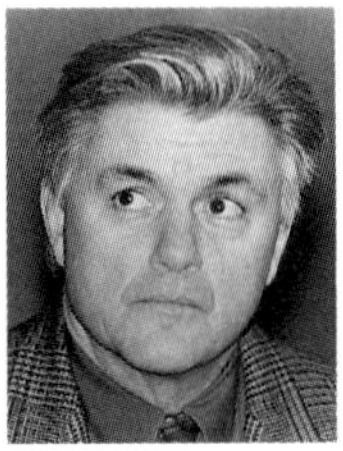

John W. Irving

Irrlehre, vom christl. Glauben abweichende Lehre (→Häresie).

Irrlicht (Irrwisch), unstete Lichterscheinung über Mooren oder Sümpfen, beruht zumeist auf Sumpfgas (Methan); im Volksglauben galten I. als Zeugen von Geistern oder unerlöste Seelen.

Irrtum. Im *Zivilrecht* (§ 119 BGB) werden unterschieden: a) der **Erklärungs-I.,** bei dem der Erklärende die Erklärung schon ihrer äußeren Gestalt nach nicht abgeben will (er verschreibt sich z. B.); b) der **Inhalts-I.** (Geschäfts-I.), d. h. der I. über die Bedeutung der abgegebenen Erklärung; c) I. über verkehrswesentl. Eigenschaften **(Eigenschafts-I.)** der Person (z. B. Alter) oder der Sache (z. B. Echtheit eines Kunstwerks). In allen Fällen kann der I. ein Anfechtungsrecht (→Anfechtung) des Erklärenden begründen. Kein rechtlich durchgreifender I. ist der Motiv-I., d. h. der I. über den inneren Beweggrund, ein Geschäft vorzunehmen. – In *Österreich* und in der *Schweiz* gilt im Wesentlichen Ähnliches, wobei das Schweizer Recht auch den (Geschäfts-)Grundlagen-I. anerkennt. – Im *Strafrecht* (§§ 16 f. StGB) unterscheidet man v. a. den I. in Bezug auf den Tatbestand **(Tatbestands-I.)** und den I. in Bezug auf die Rechtswidrigkeit eines Tuns im Sinne mangelnder Einsicht, Unrecht zu tun **(Verbots-I.).** Beim Tatbestands-I. entfällt der Vorsatz, die Strafbarkeit wegen Fahrlässigkeit bleibt aber bestehen. Ferner ist vom Tatbestands-I. der I. über das Handlungsobjekt zu trennen; dieser ist bei Gleichwertigkeit des verletzten Objekts unbeachtlich. Konnte der Täter den Verbots-I. nicht vermeiden, so entfällt die Strafe, war er vermeidbar, kann die Strafe gemildert werden. Ähnlich in *Österreich* und der *Schweiz.*

Irtysch *der* (kasach. Ertis, chines. und uigur. Ertix), linker Nebenfluss des Ob, 4248 km lang (davon 3784 km schiffbar), entspringt im Mongol. Altai (China) als Schwarzer I. (Kara-I.), erreicht nach 672 km den Saissansee (Kasachstan; heute Teil des Buchtarmastausees), südwestlich von Omsk, Russland (W-Sibirien), mündet bei Chanty-Mansisk. In seinem Lauf mehrere Stauseen mit Wasserkraftwerken. Ein Kanal verbindet den I. mit Karaganda (458 km lang).

Irún (bask. Uranzu), Industriestadt im span. Baskenland, am linken Ufer der Bidasoa, Grenzübergang nach Frankreich, 54900 Ew. – Die im Grenzfluss (frz. Bidassoa) gelegene Fasaneninsel (Isla de los Faisanes) war Stätte wichtiger Konferenzen (u. a. zum Pyrenäenfrieden).

Iruñea [-ŋ-], Stadt in Spanien, →Pamplona.

Irvine [ˈəːvɪn], Stadt an der W-Küste Schottlands, am Firth of Clyde, Verw.sitz von North Ayrshire, 55000 Ew.; Schwerpunkt der wirtschaftl. Entwicklung (Industrieparks) mit Maschinenbau, chem., elektrotechn. u. a. Industrie.

Irving [ˈəːvɪŋ], **1)** Sir (seit 1895) Henry, eigtl. John Henry Brodribb, brit. Schauspieler und Theaterleiter, *Keinton-Mandeville (Cty. Somerset) 6. 2. 1838, †Bradford 13. 10. 1905; gilt als der bedeutendste Theaterfachmann der Viktorian. Epoche, bes. wegen seiner Shakespeare-Inszenierungen; ab 1878 Leiter des Lyceum Theatre.

2) John Winslow, amerikan. Schriftsteller, *Exeter (N. H.) 2. 3. 1942; seine komisch-grotesken Romane geben ein Bild der amerikan. Gesellschaft, deren harmon. Interaktion in Familie und Beruf durch Sexualität, Gewalt und exzentr. Verhalten gefährdet ist (»Eine Mittelgewichts-Ehe«, 1974; »Garp und wie er die Welt sah«, 1978; »Owen Meany«, 1989; »Das Zirkuskind«, 1996).

Washington Irving: Kupferstich (1850)

3) Washington, Pseud. Diedrich Knickerbocker und Geoffrey Crayon, amerikan. Schriftsteller, *New York 3. 4. 1783, †Sunnyside (N. Y.) 28. 11. 1859; 1842–45 Gesandter in Spanien; wurde berühmt durch »Die Handschrift Diedrich Knickerbockers des Jüngeren« (2 Bde., 1809, 1829 u. d. T. »Humorist. Geschichte von New York«), eine parodist. Chronik der holländ. Vergangenheit New Yorks. Sein bestes Werk ist »Gottfried Crayon's Skizzenbuch« (7 Bde., 1819/20), W. Scott gewidmet, das u. a. ins amerikan. Milieu übertragene dt. Sagenstoffe enthält; von ihnen gelten »Rip van Winkle« und »Die Sage von der schläfrigen Schlucht« als frühe Muster der Kurzgeschichte. I. schrieb auch Biographien und Essays.

J. RIZZI